ALAN TURING

*Le génie qui a décrypté les codes secrets nazis
et inventé l'ordinateur*

– Le livre qui a inspiré le film The Imitation Game –

Andrew Hodges

ALAN TURING

*Le génie qui a décrypté les codes secrets nazis
et inventé l'ordinateur*

– Le livre qui a inspiré le film The Imitation Game –

Traduit de l'anglais (Grande-Bretagne)
par Nathalie Zimmermann et Sébastien Baert

Note de l'auteur :

Cette édition propose une sélection des notes et références de l'auteur (essentiellement anglo-saxonnes). La liste exhaustive se trouve dans la version originale en langue anglaise, publiée chez Vintage Books. Les notes de l'auteur, indiquées par une lettre, sont regroupées en fin d'ouvrage.

Titre original : *Alan Turing : the Enigma*
Copyright © Andrew Hodges 1983
Copyright de la préface © Andrew Hodges 2014

© 1988, Éditions Payot pour la traduction en langue française
© 2014, 2015, Éditions Michel Lafon pour la présente édition complétée
118 avenue Achille-Peretti
CS 70024 - 92521 Neuilly-sur-Seine cedex
www.michel-lafon.com

Sommaire

Préface

2012 : le centenaire de la naissance d'Alan Turing

Le 25 mai 2011, devant le Parlement du Royaume-Uni, Barack Obama, le président des États-Unis, a salué les Britanniques Newton, Darwin et Alan Turing pour leur contribution à la science. La célébrité n'est pas un gage d'importance, et les hommes politiques ne sont pas les mieux placés pour décerner un statut de scientifique, mais le choix d'Obama nous révèle qu'Alan Turing a atteint un niveau de reconnaissance bien plus élevé qu'en 1983, lors de la sortie de sa première biographie.

Né à Londres le 23 juin 1912, Alan Turing aurait pu entendre ce discours s'il ne s'était pas ôté la vie le 7 juin 1954. À cette époque très différente, jamais on n'aurait imaginé entendre son nom à la moindre tribune officielle. Pourtant, dans le monde confidentiel sur lequel régnaient encore Eisenhower et Churchill, et dont la NSA américaine (agence nationale de la sécurité) et le GCHQ britannique (agence de renseignements), nouvellement réorganisés, étaient le saint des saints, Alan Turing avait une place de choix. En 1942, quand la puissance américaine a commencé à prendre le dessus sur l'efficacité britannique, Turing était un homme de l'ombre incontournable qui joua un rôle scientifique primordial le 6 juin 1944, dix ans pile avant sa mort prématurée.

Alan Turing est un personnage clé de l'Histoire. Pourtant, il serait injuste de résumer sa vie à un jeu de pouvoir, ou de prétendre qu'il ait été une victime des traditionnels problèmes politiques du XXe siècle. Ce n'était pas un politicien au sens où l'entendaient les intellectuels de l'époque, pour qui la vie politique s'articulait autour du fait d'être aligné ou non avec le parti communiste. Certains de ses amis et de ses collègues étaient effectivement des membres du parti, mais ce n'était pas son affaire. (Accessoirement, il était tout aussi difficile de trouver chez lui un désir de « libre entreprise » motivé par l'appât du gain.) C'était plutôt sa liberté d'esprit et sa sexualité qui lui importaient, même si c'est une question qui ne sera véritablement prise au sérieux qu'après 1968, et surtout après 1989. Cependant, au-delà de cela, l'impact de la recherche fondamentale dépasse les frontières, et l'intemporalité des mathématiques pures s'affranchit des restrictions imposées au XXe siècle. Lorsque Turing retourne aux nombres premiers, en 1950, ce sont toujours ceux qu'il a connus en 1939, malgré la guerre. Comme le remarquait le mathématicien britannique G. H. Hardy, la culture mathématique a beaucoup influencé sa façon de vivre, si bien qu'elle fut parfois difficile à appréhender par des esprits littéraires, artistiques ou politiques.

Il n'est pas toujours simple de distinguer la transcendance de l'urgence, et il est frappant de constater le nombre de scientifiques qui ont été recrutés pour faire face à la plus grande menace à laquelle la Grande-Bretagne a été confrontée, en 1939. La lutte contre l'Allemagne nazie nécessitait non seulement un bagage scientifique, mais surtout une pensée abstraite d'avant-garde. Ainsi, Turing s'était tellement préparé, entre 1936 et 1938, à une guerre du code et de la cryptographie, qu'il fut amené à devenir l'élément antifasciste le plus efficace parmi ses nombreux contemporains. Le parallèle historique avec la physique est frappant, Turing étant un personnage sensiblement similaire au physicien américain Robert Oppenheimer. On ignore encore l'importance de leur contribution en 1939, le secret d'État étant encore largement observé aujourd'hui par les communautés intellectuelle et scientifique.

C'est cette même intemporalité qui est au centre de l'histoire de Turing : la machine universelle de 1936, qui deviendra un calculateur en 1945. Révolutionnaire, cette machine est l'idée centrale de l'existence de Turing, mais ce n'est pas la seule. Elle découle de sa nouvelle formulation du vieux concept d'algorithme, ou de traitement mécanique. Turing affirme avec assurance qu'il est en mesure de mettre en application tous les algorithmes et tous les traitements mécaniques possibles grâce à un seul dispositif. Son invention fait immédiatement parler d'elle sous le nom de « machine de Turing », mais il s'agit en fait de l'ancêtre des programmes informatiques ou des logiciels.

De nos jours, on prend sans doute pour acquis le fait que les ordinateurs sont en mesure de faire de l'archivage, de la photo, de la conception graphique, de la téléphonie, de la musique, imprimer des documents, envoyer du courrier, et ce grâce à la conception et à l'exécution d'un logiciel adéquat. Personne ne semble s'étonner que la Chine industrialisée puisse utiliser les mêmes ordinateurs qu'aux États-Unis. Pourtant, le principe d'une telle universalité n'est pas si évident, et il l'était encore moins dans les années 1930. Le fait que la technologie soit numérique ne suffit pas : pour être polyvalent, un ordinateur se doit de permettre la conservation et le déchiffrage de différents programmes. Cela nécessite un certain niveau de complexité logique, qui ne devient atteignable que si on le met en œuvre à l'aide d'outils électroniques fiables et rapides. Cette logique, d'abord conceptualisée par Alan Turing en 1936, puis mise en œuvre de façon concrète dans les années 1940, et aujourd'hui intégrée dans des puces, découle de l'idée mathématique de la machine universelle.

Dans les années 1930, seul un groupe restreint de logiciens et de mathématiciens est en mesure d'apprécier à leur juste valeur les idées de Turing. Mais seul ce dernier est doté d'un esprit suffisamment pratique pour être capable de tourner le dos à la pureté des raisonnements de 1936, pour envisager la conception concrète de logiciels en 1946 : « Tout traitement connu doit être traduit en une succession d'instructions mises en forme... » (p. 442). Donald Davies, l'un des collègues de Turing en 1946, mettra au point plus tard des successions d'instructions – « des programmes » comme les appelait déjà Turing – pour permettre des « commutations de paquets », qui deviendront les protocoles Internet que nous connaissons aujourd'hui. Les géants de l'industrie informatique n'ont pas vu venir Internet, mais ils ont pu rattraper leur retard grâce à l'universalité de Turing : il n'était pas nécessaire de réinventer les ordinateurs des années 1980 pour pouvoir accomplir ces nouvelles tâches. Il leur a certes fallu de nouveaux logiciels et de nouveaux périphériques, une plus grande vitesse de traitement et une plus grande capacité de stockage, toutefois le principe était le même. Il s'agit de la loi de la technologie de l'information : tous les traitements mécaniques, si ridicules, malfaisants, insignifiants, inefficaces ou inutiles soient-ils, peuvent être gérés par un ordinateur. En tant que telle, cette loi date d'Alan Turing, en 1936.

Si son nom n'a pas toujours été associé, en bien ou en mal, à cette révolution technologique, c'est en partie dû au fait qu'il n'a pas énormément publié dans les années 1940. La science assimile et dépasse les individualités, surtout en mathématiques. Baignant dans cette culture de l'anonymat, Turing n'a jamais cherché à se faire un nom, même s'il fut agacé de ne pas être pris au sérieux. En fait, son esprit compétiteur l'a même poussé à devenir un coureur de fond à haut niveau. Il a omis de rédiger cette monographie sur « la théorie et la pratique de l'informatique », qui aurait pu lui permettre d'imprimer son nom sur le petit monde de l'informatique en pleine émergence après la guerre. En 2000, le mathématicien américain Martin Davis, qui a beaucoup travaillé depuis 1949 sur la mise en œuvre de la théorie de la calculabilité de Turing, a publié un livre[1] que Turing aurait parfaitement pu écrire en 1948, expliquant l'origine de la machine universelle de 1936. Celui-ci montrait de quelle façon elle a fait place au calculateur à programme enregistré en 1945, expliquant que le mathématicien hongrois John von Neumann s'était inspiré du travail de Turing de 1936 pour élaborer sa célèbre « architecture ». Sa dernière publication, un article sur la calculabilité paru dans *Science News* en 1954, démontre à quel point Turing aurait été en mesure de prononcer une telle analyse. Pourtant, même là, alors qu'il s'agissait incontestablement de sa propre découverte, il omet de mentionner son rôle.

Les moteurs de recherche en ligne, qui fonctionnent avec une rapidité et une puissance stupéfiantes, ressemblent en de nom-

---

1. *The Universal Computer*, Norton, 2000.

breux points aux machines de Turing. Ce sont les descendants de certains algorithmes en particulier, qui font appel à une logique complexe, à des statistiques et à des traitements parallèles, et que Turing a habilement expérimentés pour déchiffrer Enigma. C'étaient des moteurs de recherche qui permettaient d'accéder au Reich. Cependant il ne demanda et n'obtint que peu de reconnaissance pour ce qui allait se révéler être une découverte de première importance : il était possible de programmer de manière systématique l'ensemble de ces algorithmes et de les mettre en œuvre grâce à une machine universelle. Il se contenta de revendiquer ce qu'il qualifiait de « machine consciente », que l'on finit par connaître sous le nom d'« intelligence artificielle » à partir de 1956. Ce programme de recherche, bien plus ambitieux et nettement plus sujet à la controverse, n'était pas aussi développé que Turing l'aurait souhaité, du moins, pas encore. Pourquoi Turing, alors qu'il a tant publié sur l'intelligence artificielle, s'est-il si peu manifesté en tant qu'inventeur de la programmation ? En partie parce qu'il considérait l'intelligence artificielle comme un sujet scientifique essentiel. C'était l'énigme de l'esprit et de la matière qui le motivait le plus. Mais, dans une certaine mesure, il a certainement été victime de son succès confidentiel. Le fait qu'il connaissait tant d'algorithmes de la guerre de l'ombre, et que c'était cette guerre qui lui avait permis d'établir le lien crucial entre la logique et l'électronique, a limité sa communication. Bien que tenu au secret d'État, il rend compte en 1946 dans une allusion prudente de l'importance des algorithmes cryptographiques (p. 450) et révèle une inhibition qui a certainement déteint sur son travail ultérieur.

Ce n'est qu'au bout de trente ans que l'on commence à comprendre l'ampleur de la cryptanalyse mise en place à Bletchley Park pendant la guerre, et à évaluer sérieusement le travail d'Alan Turing. Ce moment coïncide avec le passage d'une cryptologie de la théorie à une informatique de masse, à une nouvelle réflexion sur la Seconde Guerre mondiale de manière générale, et à l'impact de la libération sexuelle des années 1970. Il fallait que la révolution sociale de 1968, que Turing avait anticipée, se produise avant de pouvoir raconter son histoire. Et encore, le changement dans la loi et le règlement militaire britanniques ne s'est produit que dans les années 1990, et le principe d'égalité n'a été établi qu'en

2000. La règle du « Don't ask, don't tell »[1] – ne demandez pas, n'en parlez pas –, n'a pris fin qu'en 2011, alors que j'étais en train de rédiger cette préface, ce qui révèle bien à quel point le sujet de l'homosexualité était tabou dans l'armée américaine. L'histoire d'Alan Turing nous permet d'apercevoir les premiers éléments de ce processus de libération, notamment en Norvège, en 1952, car les danses « réservées aux hommes » dont il a entendu parler (p. 634) étaient probablement organisées par la jeune organisation gay scandinave. En plus des romans de littérature homosexuelle auxquels il fait référence p. 648, Norman Routledge se rappelle en 1992 que Turing s'attendait à ce qu'il lui lise du André Gide en français. L'un de ses grands regrets est que la correspondance de Turing avec Lyn Newman ait été détruite. On peut aisément deviner son contenu d'après ce qu'elle a écrit à un ami en 1957 : « Cher Alan, je me rappelle quand il me disait avec tristesse et simplicité : "J'ai du mal à croire qu'il puisse être aussi agréable de coucher avec une fille qu'avec un garçon." Je me suis vue obligée de lui répondre : "Je ne peux qu'être de ton avis… Moi aussi, je préfère les garçons." » Cet échange, alors uniquement connu d'un cercle restreint de privilégiés, pourrait aujourd'hui être une plaisanterie de *talk-show*. L'ouverture d'esprit d'Alan Turing avait plusieurs dizaines d'années d'avance.

Il est aisé d'imaginer l'hostilité et la cruauté de cette époque, car, aujourd'hui encore, dans certains pays d'Afrique, du Moyen-Orient ou même aux États-Unis, la même haine et la même crainte font toujours partie de la culture et de la politique. Il est en revanche plus difficile d'imaginer un monde où la persécution, en plus d'être en vigueur, est un principe indiscutable. Alan Turing se trouvait face à un dilemme impossible, car son désir d'honnêteté se heurtait aux deux questions les plus périlleuses des années 1950 : la sécurité de l'État et l'homosexualité. Il n'est guère surprenant qu'il n'ait pas réussi à gérer les deux. Sa mort a laissé une zone d'ombre dans l'Histoire. Personne, à l'exception étonnante de sa mère, ne souhaitait aborder le sujet. Aujourd'hui la situation a bien changé : depuis, on célèbre son existence et sa mort autant que celles de n'importe quel autre scientifique. La

---

1. Doctrine et législation discriminatoires en vigueur de 1993 à 2011 dans les forces armées des États-Unis vis-à-vis des homosexuels ou bisexuels.

pièce de Hugh Whitemore, *Breaking the Code*, inspirée de ce livre et interprétée par des acteurs de renom, repousse les limites du politiquement correct. En 1986, elle rend populaire l'existence d'Alan Turing, et fut appuyée par une version télévisée en 1997. À cette époque, Internet commence à ouvrir les esprits. D'une curieuse manière, Turing avait anticipé cette façon d'employer la technologie. Les lettres d'amour envoyées par l'ordinateur de Manchester (p. 637) et son message à propos de la jeunesse norvégienne, sous la forme d'une impression informatique (p. 641), laissent à penser que Turing aurait adoré avoir l'occasion de communiquer de manière électronique avec des personnes de même sensibilité.

En 2009, Gordon Brown, alors Premier Ministre en Grande-Bretagne, doté d'une meilleure approche sur la façon dont les valeurs de la société civile européenne d'après-guerre avaient été conquises grâce à l'aide de Turing, a présenté dans un communiqué des excuses à propos des poursuites qui avaient été intentées contre lui de 1952 à 1954. Ce communiqué a été inspiré par une pétition couronnée de succès sur Internet, ce qui aurait été impossible en 1983, même si l'on évoquait déjà les possibilités presque infinies du « tout-puissant micro-ordinateur ». Dans la dernière note de l'auteur au sujet de la future révolution du texte imprimé, mon propre commentaire reflète bien cet état d'esprit. Et, en effet, depuis 1995, j'ai effectué de nombreuses mises à jour sur mon site web. Il est d'ailleurs surprenant que l'on ait continué à éditer un aussi gros pavé depuis 1983. Mais, le livre conserve pour avantage d'immerger le lecteur dans l'histoire qu'il propose, et je reconnais avoir nourri cette expérience chronophage.

En tant que narrateur, j'ai adopté le point de vue d'un périscope braqué juste devant Alan Turing, et uniquement ponctué de quelques prédictions isolées. En écrivant ce livre, j'ai gardé à l'esprit le fait que ce qui appartient désormais au passé, les années 1940 et 1950, constituait alors un avenir totalement inconnu. Pour cela, il fallait que je fasse confiance au lecteur, car rien ne me garantissait qu'il accepte de se plonger dans les détails sur les origines de la famille Turing et dans l'enfance d'Alan, avant de lui expliquer ne serait-ce même que l'importance de son existence. Par bonheur, ce texte n'a pas pris une ride, contrairement à ceux qui reposent sur « ce que l'on sait aujourd'hui ». Ainsi, malgré le changement d'époque, on peut lire l'histoire qui suit sans être contraint de faire abstraction de commentaires ancrés en 1983. (Naturellement, ce n'est pas le cas des notes, qui font référence à des sources disponibles en 1983, sans proposer de bibliographie plus récente.)

Trente ans plus tard, que pourrais-je dire de nouveau sur le travail purement scientifique d'Alan Turing et sur son importance ? Dans mon livre, jamais je ne tente de retrouver la trace de son héritage après 1954. La tâche serait insurmontable. Mais, naturellement, l'accroissement du nombre de découvertes scientifiques nous oblige en permanence à réévaluer la portée du travail de Turing. Sa théorie de la morphogenèse, sur laquelle on travaille activement depuis les années 2000 et que l'on qualifie désormais de processus physico-chimique, aurait bien besoin de nouvelles données compte tenu des différentes approches qui sont apparues depuis. Autre exemple, en intelligence artificielle, la stratégie de Turing qui consiste à associer l'approche de décomposition (du haut vers le bas) et celle de construction progressive (du bas vers le haut) et les réseaux de neurones dont il fait l'ébauche en 1948 ont aujourd'hui acquis une importance significative. Depuis les années 1970, on connaît une explosion, tant en qualité qu'en quantité, de l'histoire de la science et de la technologie, notamment grâce à l'émergence de nombreuses études détaillées des articles de Turing. En 2012, année du centenaire de la naissance d'Alan Turing, d'éminentes personnalités scientifiques ont procédé à de nouvelles analyses. Son travail est plus que jamais accessible, et des sujets qui attiraient peu l'attention en 1983 font désormais l'objet de débats animés.

Cependant mon point de vue demeurerait sensiblement le même. La division du livre en parties « logique » et « physique » était déjà radicale et témoignait de mon rejet des descriptions conventionnelles que l'on faisait de lui en tant que pur logicien, et de la façon dont on le décrivait, toujours et de plus en plus impliqué dans la nature du monde physique. Cette perception fondamentale s'impose encore plus aujourd'hui. En 1936, grâce à sa maîtrise de la mécanique quantique, il a bouleversé la façon de penser de l'époque, et depuis le milieu des années 1980, l'informatique et la cryptographie quantiques s'inspirent fortement de ses travaux. De même, il est dorénavant possible d'associer plus direc-

14

tement le regain d'intérêt de Turing pour la mécanique quantique au cours de la dernière année de sa vie, aux raisonnements sur l'ordinateur et l'esprit qu'il faisait en 1950 et 1951. Ces problèmes ont été brusquement mis au goût du jour en 1989, quand le physicien britannique Roger Penrose (*The Emperor's New Mind*, OUP, 1989) a souligné l'importance pour l'esprit des nombres incalculables que Turing avait découverts. Penrose a lui-même suggéré une réponse qui ne manque pas d'établir un lien entre les machines de Turing et un point de vue radicalement novateur sur la mécanique quantique. Si j'avais écrit ce livre aujourd'hui, j'aurais prêté un peu plus d'attention à ce que l'on qualifie désormais de « thèse de Church-Turing ». Turing considérait-il que le champ du calculable comprenait tout ce qui pouvait être réalisé par n'importe quel objet physique ? Et quelle signification cela pourrait-il avoir pour sa philosophie de l'esprit ? À la lumière de cette réflexion, l'article de Church sur le travail de Turing, paru en 1937 (p. 185), a beaucoup plus d'importance que je l'ai signifié. Je situerais donc désormais en 1941, et non plus en 1936 (p. 297), le changement de point de vue déterminant de Turing à propos de l'étendue des capacités des algorithmes, comme décrit p. 167. Sa démonstration sur l'infaillibilité (p. 486) mériterait aussi une analyse plus poussée, comme l'utilisation qu'il fait des éléments « aléatoires ». Toutefois une sensibilité accrue à ces questions ne permettrait pas d'obtenir beaucoup plus de réponses ; cela ne ferait qu'augmenter le nombre des interrogations qui se posent au sujet de ce que Turing pensait vraiment.

On pourrait aujourd'hui donner un tour plus positif au travail qu'il a effectué dans le secret pendant la guerre. On aurait pu par exemple donner de nouvelles indications d'après les recherches sur l'histoire officielle des services du renseignement britannique de F. H. Hinsley. Mais depuis le milieu des années 1990, des documents bruts, aussi bien américains que britanniques, concernant la cryptanalyse au cours de la Seconde Guerre mondiale sont officiellement disponibles, et il est désormais possible de relater les faits qui se sont déroulés en interne de manière beaucoup plus détaillée. Ce qu'il en ressort ne fait que mettre en valeur la qualité et l'importance du travail effectué à Bletchley Park, sous la houlette de son scientifique en chef, Alan Turing.

Ces documents indiquent comment, le 1ᵉʳ novembre 1939, Turing a annoncé que « la machine désormais en fabrication ressemble énormément à la *"Bombe* polonaise", mais en nettement plus gros (une machine superbombe) ». Ce préfixe « super » traduit bien son avance technologique, contrairement à mes explications (p. 259), dues à un manque de détails. En 1940, le propre rapport de Turing sur les méthodes de forçage d'Enigma permet de jeter un regard nouveau sur la façon dont il a pu prendre cette avance, grâce à ce qu'il qualifie de « scan simultané ». Tout cela est désormais parfaitement expliqué avec la reconstitution de la *Bombe* au musée de Bletchley Park. En plus de la divulgation de ce document, des membres de l'équipe cryptanalytique de l'époque ont considérablement écrit à propos de leur travail technique, et donnent des détails, notamment sur les bigrammes qui faisaient de l'Enigma navale un tel défi, et sur la méthode statistique d'amélioration de l'efficacité des *Bombes*, le Banburismus. Il est à présent possible, grâce au travail du regretté Tony Sale, d'étudier les *Bombes* super-rapides, le déchiffrement du code Lorenz et le désormais célèbre *Colossus*. D'un autre côté, il était inutile d'ajouter davantage de détails techniques dans ce livre, et le lecteur ne sera pas vraiment induit en erreur par les raccourcis empruntés.

En particulier, ces révélations ont permis de renforcer l'importance du « pont » entre la partie logique et la partie physique, Turing se rendant en mission de liaison de premier plan aux États-Unis durant l'hiver 1942-43. Son rapport du 28 novembre 1942 depuis Washington, désormais accessible au public, permet de mieux comprendre la situation difficile et anormale dans laquelle il s'est trouvé, notamment sa détention sur Ellis Island (p. 397). L'US Navy (marine de guerre des États-Unis) ne l'intimidait pas : « En ce qui concerne la cryptographie, je crois qu'il vaut mieux éviter de se fier à l'avis de ces gens. » Un fait que je considérais encore comme une rumeur en 1983 s'est vu confirmé : le 21 décembre, Turing s'est rendu en train à Dayton, dans l'Ohio, où l'on concevait les *Bombes* américaines. On en apprend également davantage sur son initiation à la technologie américaine ultrasecrète d'encodage de la voix, et sur la création du brouilleur vocal Delilah. Précurseur du téléphone mobile, cet appareil appartient à l'avenir, tandis qu'Enigma n'est qu'une médiocre adaptation de l'ingénierie mécanique des années 1920. Ces nouvelles révélations ne font que souligner le fait que, durant la période d'après-guerre, Turing disposait de connaissances uniques sur la technologie américaine la plus avancée.

Cela nous incite d'ailleurs à nous demander ce qu'il a pu faire pour le GCHQ après 1948. Dans la préface de 1992, je suggérais qu'il ait pu être lié au désormais célèbre projet Venona, destiné à décrypter les messages des agences soviétiques. Pourtant aucun des documents publiés par le GCHQ ou le MI5 concernant la période de 1948 à 1952 ne fait mention de la nature de ses travaux. L'histoire du GCHQ publiée récemment (Richard J. Aldrich, *GCHQ: The Uncensored Story of Britain's Most Secret Intelligence Agency*, Harper, 2010) s'ouvre sur la déclaration : « Ce jour est plus important que tous les autres. Pourtant, on n'en sait presque rien. »

Aujourd'hui, on en connaît davantage, grâce à Edward Snowden, sur le travail initié par Alan Turing. Tout le monde sait à quel point il repose sur la puissance de la machine universelle. Et l'on a du mal à croire que Turing n'a joué aucun rôle, ni donné ses conseils sur le potentiel de l'informatique au début de la guerre froide. Qui d'autre aurait pu s'en charger ?

Le 24 décembre 2013, en réponse à la demande de nombreuses personnalités, on accorda à Turing une grâce royale posthume à sa condamnation pour outrage à la pudeur du 31 mars 1952. Mais le gouvernement britannique n'apporta étrangement aucune réponse à un certain nombre de questions essentielles dans son communiqué officiel. Il existait pourtant forcément des notes internes signalant qu'un de leurs meilleurs consultants scientifiques allait être traduit en justice pour un crime qui avait mis en émoi les services de sécurité de l'État. Hugh Alexander avait certainement dû rapporter ces éléments lors du procès. Comme on le constate dans la note 8.17, on est toujours en droit de se demander quel était le rôle du ministère des Affaires étrangères dans la décision de traiter Turing avec des hormones (ce que l'on considérait alors comme une solution douce), plutôt que de le condamner à la prison. Mais aucun document de ce genre n'est apparu, et personne ne semble en avoir fait la demande.

Le pardon a su éveiller l'imagination du grand public, et a été reçu avec joie, comme un joli conte de Noël. Mais ses motivations étaient moins nobles : comme la défense l'avait plaidé au procès de 1952, la monarchie reconnaissait Turing comme un héros national. C'était un coup de force auquel Hugh Alexander n'était pas parvenu, cependant, soixante ans plus tard, grâce au cérémonial royal, il fut très applaudi.

Le règne d'Elisabeth II ayant commencé sur l'arrestation de Turing, sa grâce n'en était donc que plus symbolique. Toutefois il faut connaître sur le bout des doigts la Constitution britannique pour comprendre qu'il ne s'agissait pas d'une décision gouvernementale. Dans le communiqué, il est reconnu que Turing a rendu des services exceptionnels à l'État, ce qui soulève à nouveau la question de sa relation au pouvoir. Mais déjà en 1954, l'État qui comptait vraiment se trouvait de l'autre côté de l'Atlantique. Que sait l'administration américaine des événements de 1951-1952, et comment a-t-elle réagi, alors même qu'elle avait clairement accordé à Turing un accès particulier à ses dossiers ? L'enquête de 1948 a-t-elle était commanditée par les États-Unis ? A-t-il sciemment enfreint la loi en fréquentant le *milk bar* de Manchester, en 1950 ? Les autorités britanniques ont-elles transmis des informations sur son tourisme sexuel durant les années 1952 et 1953 ? À quelles exigences, menaces et surveillances a-t-il été contraint ? Aucun de ces sujets n'est abordé.

Les pétitionnaires en faveur du pardon ont ouvertement déclaré que l'affaire Turing était *sui generis*, « de son propre genre », et qu'un pardon ne créerait aucun précédent. Il fut accordé de manière exceptionnelle. Ainsi, son amant et co-accusé Arnold Murray ne fut pas gracié. On ne prit même pas la peine de le mentionner. On ne saura jamais si Turing aurait eu le courage de protester si on avait voulu étouffer l'affaire. D'un autre côté, on a du mal à croire qu'il aurait accepté l'exception qu'on lui accordait alors que cette loi oppressait des milliers d'autres personnes.

Dans une nouvelle écrite en 1950, Turing avait fait la description de ce que l'on qualifie aujourd'hui d'« effet papillon ». Elle s'achevait par la mort d'un homme tué dans une avalanche. Dans les années 1951-1952, ce qu'il vivait devait la lui rappeler. Nous avons aujourd'hui un meilleur aperçu des événements qui ont précipité cette chute. Un jeune marin de 18 ans en permission assista à la scène d'Oxford Road décrite p. 428. Il reconnut et salua Alan Turing en entrant dans le *milk bar* – pour lui, ce

18

n'était pas un mathématicien mais un champion de course à pied amateur. Ce jeune homme, Alan Edwards, remarqua plus tard que Turing et Murray étaient en contact. Lui-même athlète, intelligent et homosexuel assumé, il aurait fait une conquête nettement plus appropriée. Mais la nature humaine est contrariante et Alan n'était pas son genre. Non pas parce qu'il était trop vieux mais justement parce qu'il lui ressemblait trop, vigoureux et en bonne condition.

Alan Garner, le célèbre auteur de *The Owl Service* (1967), vint confirmer tardivement l'importance de la course dans la vie de Turing. En 2011, il raconta une anecdote que lui seul connaissait. Il avait été son partenaire d'entraînement sur plus de mille kilomètres lorsqu'ils couraient sur les chemins du Cheshire, dans les années du procès, en 1951 et 1952. Garner avait alors 17 ans et était en terminale littéraire à Manchester. Dès le début, le jeune homme fut séduit de se sentir traité en égal. Leurs différentes spécialités, le fond pour Turing et le sprint pour Garner (qui était particulièrement prometteur), leur permettaient malgré tout de courir. Ils avaient également le même humour noir, à base de jeux de mots. Garner ne fut pas surpris quand, un beau jour, Turing lui demanda s'il croyait possible que des machines puissent devenir intelligentes. Après une dizaine de minutes de course en silence le long de Mottram Road, à Alderley Edge, il lui répondit que non. Turing ne chercha pas à argumenter. « Pourquoi apprends-tu la littérature classique ? », lui demanda-t-il alors. « Il faut apprendre à se servir de son cerveau d'une manière différente », lui répondit Garner. Une réponse qui a dû certainement plaire à Turing.

Ils évitaient les sujets trop personnels et se contentaient d'alimenter leurs kilomètres de course. Plus tard, probablement fin 1951, Turing fit allusion à l'histoire de Blanche-Neige et Garner en fut stupéfait. Car cela faisait écho à un événement de son enfance : sa première sortie au cinéma, à l'âge de 5 ans. Le film *Blanche-Neige et les Sept Nains* l'avait terrifié à cause de la pomme empoisonnée. Ils étaient sur la même longueur d'onde : « Il avait l'habitude de retourner la scène dans tous les sens, dans ses moindres détails, sans manquer de s'attarder sur l'ambiguïté de la pomme, rouge d'un côté, verte de l'autre...

et de quelle couleur était la mort ? » Ce traumatisme commun les rapprocha.

L'entraînement se poursuivit jusqu'en 1952 et coïncida avec la période du procès. Turing n'y fit jamais allusion, et, aussi curieux que cela puisse paraître, Garner n'apprit la nouvelle qu'à la fin de l'année, lorsque la police l'encouragea à cesser de le fréquenter. En colère, il n'avait jamais eu l'impression de côtoyer un prédateur. Pourtant, immanquablement, leur relation s'acheva dans la douleur. Garner se rappelle avoir croisé Turing pour la dernière fois en 1953, dans le bus qui allait de Wilmslow à Manchester. Se trouvant en compagnie de sa petite amie, Garner eut du mal à trouver ses mots et préféra donc l'ignorer. Cet incident, digne d'un film pour adolescents, fut rapidement oublié par sa mobilisation pour le service militaire, au cours duquel il apprit la mort de Turing. Garner garda tout cela pour lui pendant soixante ans.

Alan Turing avait sans doute beaucoup apprécié cette rencontre avec ce jeune homme ordinaire du Cheshire qui montrait une curiosité et une ambition intellectuelles exceptionnelles. Il avait sans doute décelé quelque chose de particulier chez Garner, pressentant un futur écrivain remarquable, qui parviendrait à mêler modernité et mythologie. L'anecdote de la pomme est un petit aperçu de l'analyse jungienne qu'il entreprit en 1953, et à propos de laquelle nous ne savons presque rien.

Il est surprenant de constater que lorsqu'à 26 ans, Turing vit *Blanche-Neige* à sa sortie en salles à Cambridge en 1938 (p. 217), il eut à peu près la même réaction qu'un garçon de 5 ans. Cette année fut d'ailleurs un moment charnière pour lui. Il avait décidé de rentrer des États-Unis et de prendre part à la guerre plutôt que de se consacrer aux mathématiques. Il vivait alors dans le secret et avait abandonné son innocence. La pomme ayant déjà servi à un précédent projet de suicide (p. 193), il avait dû trouver la scène très intense (voire même, comme le disait Garner, « traumatisante »). Son analyste, Franz Greenbaum, était sans doute le mieux placé pour l'aider, mais Alan, tenu par le secret d'État, ne pouvait exprimer toute la gravité de la situation. Son isolement total, en 1954, est pratiquement inconcevable dans le monde actuel.

Il serait surprenant que de nouveaux témoins se manifestent, pourtant d'autres documents personnels existent, et il est tout à fait possible qu'ils refassent surface un jour. En attendant, cette préface s'achève sur quelques joyaux réapparus trop tardivement pour figurer dans le livre de 1983.

Quelques courriers conservés aux archives du King's College depuis 1990 font état d'une continuité sans heurts entre le King's College, Cambridge et la cellule de décryptage d'avant-guerre. « Dilly Knox, mon supérieur, vous salue », écrit Turing le 14 septembre 1939 à John Sheppard, le recteur de son université. « Passez nous voir quand vous le souhaitez », lui répond le recteur. L'économiste J. M. Keynes, qui cherchait à devenir ami avec Turing durant la guerre, connaissait également les membres de la précédente génération de décrypteurs, et, apparemment, entretenait une relation intime avec le fameux « supérieur ». Ces liens donnent un poids supplémentaire à ma description de la manière dont, en 1938, l'intérêt de Turing pour le cryptage aurait pu venir aux oreilles du gouvernement britannique, rendant ainsi possible cette rencontre décisive.

Le récit suivant, qui n'était disponible qu'en polonais en 1983, fait allusion aux premiers mois de la guerre[1] (il répond à la question sur la possibilité que Turing ait pu être l'émissaire personnel qui apporta les nouvelles cartes perforées aux cryptanalystes polonais et français. C'était bien lui : il est impossible de se méprendre sur sa voix dans ce récit de leur dîner d'adieux).

Dans un restaurant discret de la région parisienne dont les membres du personnel sont des employés du Deuxième Bureau, les cryptologues et les responsables du centre de décryptage secret, Bertrand et Langer, souhaitaient passer la soirée dans une ambiance décontractée et oublier les soucis du quotidien. Avant que les plats commandés et le vin choisi nous soient servis, l'attention des convives fut attirée par un vase de cristal orné de fleurs, sur la nappe, au centre de la table. Il s'agissait de délicats lilas roses aux fins sépales en forme d'entonnoir. Ce fut probablement Langer qui prononça leur nom allemand, puis polonais : « Herbstzeitlose... Zimowity jesienne... »

---

1. W. Kozaczuk, traduction de C. Kasparek, *Enigma...*, Arms and Armour Press, 1984. Le texte original en polonais a été publié à Varsovie, en 1979.

Cela n'avait aucune signification pour Turing, qui garda le regard rivé sur les fleurs et leurs feuilles lancéolées. Il mit cependant un terme à sa rêverie en entendant le mathématicien-géographe Jerzy Rózycki prononcer leur nom latin : « Colchicum autumnale » (colchique d'automne ou safran bâtard).

– Oh, c'est un poison puissant ! s'exclama Turing.

Ce à quoi Rózycki ajouta lentement, comme s'il pesait chacun de ses mots :

– Il suffirait de croquer dans une ou deux tiges pour atteindre l'éternité.

Le silence régna un long moment. Bientôt, cependant, les colchiques et la beauté perfide de ces fleurs d'automne furent oubliés, et une discussion animée s'engagea autour de la table richement garnie. Toutefois, en dépit de l'intention sincère de chacun des convives d'éviter d'aborder toute question professionnelle, il s'avéra impossible d'échapper totalement à Enigma. De nouveau, ils discutèrent des erreurs commises par les opérateurs allemands et des cartes perforées désormais réalisées par des machines plutôt qu'à la main, que les Britanniques avaient envoyées en quantité depuis Bletchley aux Polonais qui travaillaient à Gretz-Armainvilliers, en région parisienne. L'inventeur des cartes, Zygalski, se demandait pourquoi leurs dimensions étaient si particulières, chacun des petits carrés faisant 8,5 mm de côté.

– C'est pourtant évident, éclata de rire Alan Turing. C'est simplement un tiers de pouce !

Cette remarque suscita à son tour une discussion animée à propos de quel système de mesure et de monnaie – le britannique ou celui utilisé en France et en Pologne – pouvait être considéré comme étant le plus logique et le plus commode. Turing défendit le premier avec entrain et éloquence. Quelle autre monnaie au monde était aussi admirablement divisée que la livre sterling, composée de 240 pence, chacun de ses vingt shillings valant douze pence ? Cela permettait au pub ou au restaurant à trois, quatre, cinq, voire six convives, de partager une addition au penny près (avec le pourboire, généralement arrondi à la livre supérieure).

Sa connaissance des plantes vénéneuses, exprimée de manière inattendue au milieu d'une discussion faisant la part belle à des secrets professionnels et à des plaisanteries mathématiques, fait écho à sa mort. Le choc provoqué par cet événement est décrit de manière saisissante dans un autre récit rédigé par sa gouvernante, Mme Clayton, la nuit du mardi 8 juin 1954.

Chère Mme Turing,

À l'heure qu'il est, vous avez dû apprendre la nouvelle de la mort de M. Alan. Ce fut un choc terrible. Je ne savais plus quoi faire. Je me suis aussitôt rendue chez Mme Gibson. Elle a appelé la police, et ils ont refusé de me laisser toucher à quoi que ce soit. J'étais incapable de me souvenir de votre adresse. Je m'étais absentée pour le week-end, et je suis rentrée ce soir, comme d'ordinaire, pour lui préparer son repas. En voyant la lumière de sa chambre allumée, les rideaux du salon non tirés, le lait sur le perron et le journal dans la boîte aux lettres, je me suis dit qu'il avait dû sortir tôt et oublier d'éteindre. Je suis donc allée frapper à la porte de sa chambre. N'obtenant aucune réponse, je suis entrée. Je l'ai vu étendu sur son lit. Il a dû mourir pendant la nuit. La police est encore venue ce soir pour que je fasse ma déposition, et j'ai cru comprendre que l'enquête se déroulera jeudi. Pensez-vous venir, ainsi que M. [John] Turing ? Je me sens vraiment impuissante et incapable de faire quoi que ce soit. Les Webb ont déménagé mercredi dernier, et je ne connais pas encore leur nouvelle adresse. M. et Mme Gibson ont vu M. Alan sortir lundi soir, et il allait parfaitement bien. La semaine dernière, il a reçu M. Gandy pour le week-end, et ils semblent avoir passé un très agréable moment. M. et Mme Webb sont venus dîner mardi, et Mme Webb a pris le thé avec lui mercredi, le jour du déménagement. Je vous présente mes plus sincères condoléances. Vous pouvez toujours compter sur moi.

Respectueusement, S. Clayton.

Cette lettre indique que la police a aussitôt bouclé la maison, laissant penser que certaines informations aient pu être immédiatement mises en lieu sûr, et donc ne pas être rendues publiques lors de l'enquête. Cette lettre est à présent conservée aux archives du King's College.

Deux autres courriers aussi précieux, rédigés de la main d'Alan Turing en personne et destinées à son ami Norman Routledge, font également allusion à la police. On peut elles aussi les trouver dans les mêmes archives. La première, non datée, a certainement été rédigée au début de l'année 1952.

Mon cher Norman,

Je n'ai postulé qu'à un seul emploi dans ma vie, celui que j'ai occupé pendant la guerre. Mais il ne m'a pas du tout permis de voyager. Il me semble bien qu'ils recrutent. Cela demande certainement d'y réfléchir, et je ne sais même pas si ça pourrait t'intéresser. Il y a eu le même raffut à propos de Philip Hall, et, dans l'ensemble, je dois reconnaître qu'il s'en moquait éperdument. Toutefois, pour le moment, pour des raisons que je vais t'expliquer dans le paragraphe suivant, j'ai beaucoup de mal à me concentrer.

Ça y est, j'ai fini par m'attirer des ennuis. Je subis actuellement le genre de désagréments auxquels je m'attendais, même si j'avais toujours estimé que le risque était faible. On m'accuse de perversion sexuelle avec un jeune homme, et je ne vais pas tarder à devoir plaider coupable. La façon dont tout cela a été découvert est une longue et passionnante histoire, et il faudra que j'en fasse une nouvelle, un de ces jours. Mais je n'ai pas le temps de te la raconter maintenant. Il ne fait aucun doute que je serai un autre homme quand je sortirai de cette épreuve.

Je suis ravi que l'émission t'ait plu. Jefferson a été quelque peu déçu. Je crains malgré tout que l'on utilise le syllogisme suivant, à l'avenir :
Turing est persuadé que les machines réfléchissent
Turing ment et couche avec des hommes
Par conséquent, les machines ne réfléchissent pas.
Ton ami en détresse, Alan.

L'allusion à Socrate, empoisonné à la ciguë, à travers ce syllogisme est une formidable preuve d'humour noir. (C'est aussi un magnifique exemple de la façon dont Turing entremêlait les différents aspects de sa vie.) Le début de la lettre est sans doute tout aussi remarquable dans son absurdité, tant la description de ses six années de travail décisif en temps de guerre paraît désinvolte, tout comme l'affirmation selon laquelle son travail ne lui aurait pas permis de voyager paraît inexplicable.

La seconde lettre est datée du 22 février, et doit être de 1953 :

Mon cher Norman,

Je te remercie pour ta lettre. J'aurais dû y répondre plus vite. Quand on se verra, j'aurai une histoire délicieuse à te raconter à propos de mon existence aventureuse. J'ai eu droit à un second tour face aux gendarmes, et je pense sincèrement l'avoir remporté. La moitié des forces de police du nord de l'Angleterre (d'après un rapport) s'est lancée à la recherche d'un de mes supposés petits amis. Une histoire à dormir debout. Notre relation a été gouvernée par la vertu et la chasteté. Or les pauvres choux en doutent. Un petit baiser de rien du tout devant un drapeau étranger sous l'influence de l'alcool, il n'y a jamais rien eu de plus. Tout est redevenu calme, sauf que le pauvre garçon a dû en voir de toutes les couleurs, j'imagine. Je te raconterai tout ça lorsqu'on se verra, en mars, à Teddington. Étant en liberté surveillée, je me suis montré d'une grande vertu, il le fallait. Si j'avais eu le malheur ne serait-ce que de garer mon vélo du mauvais côté de la route, j'aurais pu prendre douze ans derrière les barreaux. Naturellement, la police va continuer à fourrer son nez partout, il va donc falloir que je continue à faire preuve d'une grande pudeur.

Je pourrais peut-être tenter de trouver du travail en France. Mais je suis en psychanalyse depuis quelques mois, à présent, et il semblerait que ce soit efficace. C'est assez amusant, et je crois que je suis tombé sur quelqu'un de bien. Quatre-vingts pour cent du temps, nous travaillons sur la signification de mes rêves. Je n'ai plus le temps de me consacrer à la logique !

Amicalement, Alan.

Ces deux missives trahissent un profond déni de la gravité avec laquelle ces « choux » qui « fourrent leur nez partout » risquent de considérer ses aventures. La grande fascination d'Alan Turing pour les probabilités est parfaitement illustrée par cette référence à un risque d'un sur dix de se faire prendre. En 1953, on peut relier son humour pince-sans-rire à l'époque où il était encore un innocent étudiant pacifiste de premier cycle, vingt ans auparavant. Tandis que les forces tectoniques de la géopolitique étaient à l'œuvre, Alan Turing menait sa vie de son côté d'un pas alerte et insouciant en tâchant d'esquiver les problèmes. Cependant la chance finit toujours par tourner.

D'autre part, cette préface me permet également d'apporter quelques corrections. Inévitablement, quelques erreurs ont été commises lors de la réimpression du texte. En voici quelques exemples. La note 2.11 sur les nombres normaux minimise leur importance, ainsi que la contribution de son ami David Champernowne en 1933. Il semble pourtant possible que ce soit l'étude faite par Turing de ces nombres à décimales infinies qui ait suggéré son modèle de « nombres calculables ». La note 3.40 sur le travail de Turing sur le nombre de Skewes est inexacte : son manuscrit incomplet date en fait de 1950, lorsqu'il a repris son travail et s'est mis à correspondre brièvement avec Skewes. D'autre part, Audrey née Bates a accompli un travail plus intéressant et conséquent qu'il l'est suggéré. Dans son mémoire de master, elle cherche à représenter le lambda-calcul de Church sur l'ordinateur de Manchester, une brillante idée qui n'a jamais été publiée. Cela donne plus de poids à l'argument développé dans la note de bas de page à propos de l'échec de Turing, qui n'est pas parvenu à prolonger sa vision de la programmation et de la logique dans la création d'une école de recherche et d'innovation. Cela est peut-être dû au fait que « Max Newman a déclaré de façon catégorique que "les ordinateurs sont tellement inutiles qu'ils ne méritent pas qu'on leur consacre un doctorat". » De plus amples explications et d'autres corrections sont disponibles en anglais sur www.turing.org.uk.

Le curieux panel de sujets abordés dans cette préface peut également faire office d'amuse-bouche avant l'histoire elle-même, invitant le lecteur à se replonger un siècle en arrière. En effectuant ce périple en tant qu'auteur, j'ai eu l'impression de mener une vie antérieure. L'étrangeté est à présent double, car nous ne sommes pas plus à l'époque de Reagan qu'à celle d'Eisenhower. Le paysage n'est plus le même, et la théorie du « moindre gaspillage » de Turing a désormais pris tout son sens. Mes racines victoriennes, l'une anglaise, l'autre américaine, ne nécessitent aucune révision, ni aucune excuse. J'ai choisi un cadre au classicisme binaire de l'échiquier mathématique de Lewis Carroll, sur lequel Alan Turing n'est qu'un pion. Je l'ai néanmoins agrémenté du romantisme de Whitman. Ces rêves du XIXe siècle illustrent toujours aussi bien les crimes et les folies du XXIe.

Andrew Hodges

PREMIÈRE PARTIE

LA LOGIQUE

I

L'Esprit de corps[1]

« En commençant mes études le premier pas m'a
    plu si fort,
Le simple fait de la conscience, ces formes, la moti-
    lité,
Le moindre insecte ou animal, les sens, la vue,
    l'amour.
Le premier pas, dis-je, m'a frappé d'un tel respect
    et plus si fort,
Que je ne suis guère allé et n'ai guère eu envie d'al-
    ler plus loin.
Mais de m'arrêter à musarder tout le temps pour
    chanter cela en chants extasiés[2]. »

Pur fils de l'Empire britannique, Alan Turing est issu d'un
milieu social situé à la frontière de l'aristocratie terrienne et de la
bourgeoisie commerçante. Marchands, soldats, hommes d'Église,
ses ancêtres furent de vrais gentilshommes quoiqu'ils eussent
dans l'ensemble embrassé des existences nomades. Ils furent en

---

1. En français dans le texte original.
2. « En commençant mes études », *Poèmes de Walt Whitman*, éditions de l'Effort libre,
traduction de Léon Bazalgette, 1914. L'ensemble des dédicaces, des exergues et des épi-
taphes sont tirées de *Feuilles d'herbe* de Walt Whitman.

effet nombreux à participer à l'expansion de l'influence britannique dans les contrées les plus lointaines.

La trace des Turing remonte aux Turins de Foveran, comté de la région d'Aberdeenshire dans le nord de l'Écosse, au XIVe siècle. La famille possède un titre de baronnet, accordé vers 1638 à un certain John Turing, qui avait émigré vers l'Angleterre. Bien que la devise familiale ait été *Audentes Fortuna Juvat* – « la fortune sourit aux audacieux » –, et malgré tout leur courage, ils n'eurent jamais beaucoup de chance. Sir John Turing a combattu du mauvais côté pendant la guerre civile anglaise, tandis que Foveran était mis à sac par les Covenantaires. Se voyant refuser toute compensation après la Restauration, les Turing croupissent dans les ténèbres tout au long du XVIIIe siècle, comme il l'est indiqué dans *The Lay of the Turing* (« La lignée des Turing », qui retrace l'histoire de la famille :

« Walter, James et John avaient connu
Non les honneurs illusoires de la couronne,
Mais une existence calme et paisible.
Une existence illuminée par la consécration
Dérivée de la plus pure tradition de la religion !
Ainsi leur vie paisible s'écoula,
Profitant des honneurs de Foveran,
En attendant que le bon sir Robert réclame son dû
Afin de rendre à la lignée sa gloire passée :
Le carillon des tours du château de Banff résonne dans le ciel
Accordant l'hospitalité avec bienveillance
Et accueillant ses nombreux amis à sa table
Savourons la restauration de la lignée des Turing ! »

En 1792, sir Robert Turing revint d'Inde où il était allé chercher fortune, et récupéra son titre de baronnet. Mais il mourut sans avoir donné d'héritier mâle. En 1911, il n'existait plus que trois foyers de Turing dans le monde. Le titre était porté par l'homme de 84 ans, qui avait jadis été consul britannique à Rotterdam. Avec son frère et ses descendants, ils formaient la branche néerlandaise des Turing. Des descendants de leur cousin, John Robert Turing, le grand-père d'Alan, formaient une branche secondaire.

John Robert Turing fit des études de mathématiques au Trinity College de Cambridge, et fut classé onzième de la promotion de 1848 avant de renoncer aux mathématiques pour recevoir l'ordination et devenir pasteur à Cambridge. Il épousa en 1861 la jeune Fanny Boyd, alors âgée de dix-neuf ans, et partit s'installer dans le Nottinghamshire où le couple donna le jour à dix enfants. Deux d'entre eux moururent en bas âge tandis que les huit autres, quatre garçons et quatre filles, furent élevés dans la pauvreté respectable d'une modeste vie de pasteur. Peu après la naissance de son benjamin, John Robert fut victime d'une attaque et dut abandonner sa charge. Il mourut en 1883.

Sa veuve étant invalide, ce fut à Jean, la sœur aînée, que revint le soin de s'occuper de la famille. Ce qu'elle fit avec une poigne de fer. Les Turing avaient déménagé à Bedford pour pouvoir profiter de son lycée, où les deux aînés firent leur éducation. Jean fonda sa propre école, et deux de ses sœurs devinrent institutrices, se sacrifiant pour le bien des garçons. Le fils aîné, Arthur, fut un Turing malchanceux. Il fut nommé dans l'armée des Indes, et périt dans une embuscade à la frontière nord-ouest, en 1899. Le troisième fils, Harvey, émigra au Canada et se mit à la mécanique, même s'il dut revenir pour la Première Guerre mondiale, avant de devenir un journaliste distingué pour *Salmon and Trout Magazine* (« Saumon et truite Magazine »), et de finir sa carrière en tant que rédacteur en chef du magazine *The Field*. Le quatrième fils, Alick, embrassa quant à lui la profession de notaire. Parmi les filles, seule Jean se maria. Elle épousa sir Herbert Trustram Eve, un agent immobilier de Bedford qui devint l'expert le plus coté de son époque. La redoutable Lady Eve, la tante d'Alan, fut un élément moteur du London County Council Parks Committee. Des trois tantes célibataires, la gentille Sybil devint diaconesse et alla prêcher la bonne parole à ces obstinés sujets de l'Empire des Indes. Fidèle à la tradition victorienne, Fanny Turing, la grand-mère d'Alan, mourut de la tuberculose en 1902.

Julius Mathison Turing, père d'Alan et deuxième fils de la famille Turing, naquit le 9 novembre 1873. Totalement dénué des dispositions de son père pour les mathématiques, il se révéla doué pour l'histoire et la littérature et mérita ainsi une bourse au Corpus Christi College d'Oxford où il obtint une licence de lettres en 1894. Jamais il n'oublia les restrictions qu'il dut s'imposer enfant, même s'il s'agissait d'un sujet qu'il évitait volontiers. Il était bien trop fier pour se plaindre, d'autant que sa vie de jeune homme fut longtemps un modèle de réussite. Il entra en effet à l'Indian Civil Service, service d'administration des Indes britanniques, qui avait décidé de recruter ses membres sur concours lors de la grande réforme libérale de 1853, et qui jouissait d'une réputation surpassant même celle du Foreign Office (ancêtre du Bureau des Affaires étrangères et du Commonwealth). Il se classa septième sur cent cinquante-quatre lors de l'examen public d'août 1895. Ses études sur les différentes branches de droit indien, la langue tamoule et l'histoire de l'Inde britannique lui valurent une fois encore la septième place à l'examen final de 1896.

Il ne tarda pas à obtenir un poste à la direction de la Présidence de Madras, qui comprenait la majeure partie du sud de l'Inde. Les Indes britanniques avaient bien changé depuis le départ de sir Robert, en 1792. La fortune n'y souriait plus vraiment aux audacieux. Elle attendait les fonctionnaires capables d'en supporter le climat pendant quarante années. Et tandis que l'officier de province était « ravi de profiter de chacune des occasions qui lui étaient offertes pour entretenir des rapports avec les locaux » (comme le raconta un contemporain), les réformes victoriennes avaient invité à ce que « les alliances douteuses dont se servaient autrefois nos compatriotes pour apprendre les langues du pays » ne soient « plus tolérées par la morale ni par la société ». L'Empire avait acquis une respectabilité.

Un ami de la famille lui ayant prêté cent livres, Julius acheta un cheval, et fut envoyé à l'intérieur des terres. Il travailla pendant dix ans comme collecteur d'impôts adjoint et magistrat : il allait de village en village pour établir des rapports sur l'agriculture, l'hygiène, l'irrigation et la vaccination, il contrôlait les comptes et surveillait la magistrature locale. Il ajouta la langue télougou au tamoul qu'il parlait déjà, et devint premier collecteur adjoint en 1906. En avril, l'année suivante, il retourna pour la première fois en Angleterre, la tradition voulant qu'après dix ans de travail solitaire, un jeune homme en pleine ascension se cherchât une épouse. Et c'est sur le chemin de l'île natale qu'il rencontra Ethel Sara Stoney.

La mère d'Alan descendait elle aussi de plusieurs générations de bâtisseurs d'empire, et notamment de Thomas Stoney, un habitant du Yorkshire. Pendant sa jeunesse, après la révolution de 1688, ce dernier avait acquis des terres dans la plus ancienne colonie anglaise, et était devenu l'un des rares propriétaires fonciers protestants de l'Irlande catholique. Il transmit ses biens à son arrière-arrière-petit-fils, Thomas George Stoney qui avait cinq fils. Par tradition, l'aîné hérita des terres, et les autres se dispersèrent dans différentes parties de l'Empire en pleine expansion. Le quatrième, Edward Waller Stoney, grand-père maternel d'Alan, partit exercer son métier d'ingénieur en Inde. Il y fit fortune, devenant l'ingénieur en chef de la société Madras and Southern Mahratta Railway, responsable de la construction du pont de Tangabudra, et déposa le brevet d'un système d'éventail silencieux à poulies, le Stoney's Patent Silent Punkah-Wheel.

De nature obstinée et grincheuse, Edward Stoney épousa Sarah Crawford, issue d'une autre famille anglo-irlandaise. Ensemble, ils eurent deux fils et deux filles. Parmi eux, Richard suivit les traces de son père et devint ingénieur en Inde, Edward obtint le grade de commandant au sein du corps médical de l'Armée de terre britannique, et Evelyn épousa un Anglo-Irlandais, le commandant Kirwan de l'Armée indienne britannique. La mère d'Alan, Ethel Sara Stoney, vit le jour à Madras, le 18 novembre 1881.

Bien que la famille Stoney ne souffrît pas de pauvreté, l'enfance d'Ethel fut aussi sombre que celle de Julius Turing. Les quatre enfants Stoney furent, en effet, renvoyés en Irlande pour y faire leurs études, payant ainsi, comme beaucoup d'autres, le prix de l'Empire en années sans amour. Ils furent confiés à leur oncle William Crawford, directeur de banque du comté de Clare, qui avait lui-même deux enfants d'un premier mariage et quatre d'un second. L'affection et les égards ne régnaient guère chez les Crawford, qui s'installèrent à Dublin en 1891. À dix-sept ans, Ethel fut inscrite au collège de jeunes filles de Cheltenham afin qu'elle perde son accent irlandais. Elle endura là-bas la honte d'être un pur produit du chemin de fer et de la banque d'Irlande parmi cette aristocratie anglaise. Mais une soif de culture et de liberté étreignait la jeune Ethel Stoney, qui demanda à aller étudier l'art et la musique à la Sorbonne. Elle passa ainsi six mois à Paris et fut déçue de découvrir que le snobisme et la pudibonderie des Français n'avaient rien à envier à ceux des

Britanniques. Aussi, lorsqu'elle retourna en 1900 dans la grande demeure parentale de Coonoor en compagnie de sa sœur aînée, elle retrouva une Inde qui signifiait pour elle la fin des privations, mais qui l'excluait à tout jamais du monde de la culture et du savoir.

Ethel et sa sœur Evie menèrent pendant sept ans la vie rangée des demoiselles de Coonoor : sorties mondaines, aquarelle, théâtre amateur. Un jour où M. Stoney emmena toute la famille en vacances au Cachemire, Ethel tomba amoureuse d'un médecin missionnaire qui était prêt à l'épouser. Le mariage fut pourtant interdit car ce dernier n'avait aucune fortune. Le devoir triompha de l'amour et la jeune fille dut attendre le printemps de l'année 1907 pour rencontrer Julius Turing, à bord du navire qui les ramenait en Angleterre. À peine avaient-ils pris la route du Pacifique que leur histoire commençait déjà. Julius profita d'ailleurs d'une escale au Japon pour inviter la jeune fille à dîner, donnant pour instruction au serveur : « Continuez à apporter de la bière jusqu'à ce que je vous dise d'arrêter ! » Plutôt sobre par nature, il se permettait quelques écarts. Il ne tarda pas à demander à Edward Stoney la main de sa fille : impressionné par ce jeune homme fier et plein d'avenir, il la lui accorda aussitôt. Ils traversèrent ensemble le Pacifique et les États-Unis, où ils séjournèrent au parc national de Yellowstone. La noce eut lieu le 1er octobre à Dublin (de là est née entre M. Turing et le commercial M. Stoney, une querelle à propos de qui devait payer le tapis rouge du mariage…, une animosité qui perdura plusieurs années). Ils retournèrent en Inde en janvier de l'année suivante et Ethel donna naissance à son premier fils, John, au mois de septembre, dans la demeure des Stoney, à Coonoor. Les mutations de M. Turing les emmenèrent alors tout autour de Madras. Ils s'installèrent finalement à Chatrapur en mars 1911, et conçurent leur second fils, Alan Turing. C'est en effet dans ce petit port obscur de l'Empire britannique, sur la côte orientale de l'Inde, que les premières cellules se divisèrent et brisèrent leur symétrie pour qu'enfin cœur et tête se séparent. Alan ne devait cependant pas naître en Inde britannique. Son père obtint un deuxième congé en 1912 et la famille Turing reprit le chemin de l'Angleterre avant l'accouchement.

Un monde en crise les attendait. Les grèves, les suffragettes, l'imminence d'une guerre civile en Irlande affectaient considérablement le climat politique de la Grande-Bretagne d'alors. La loi sur la sécurité sociale, sur les secrets d'État et ce que Churchill appelait « les armées et flottes gigantesques qui pressent et oppriment les civilisations de notre temps », tout cela marquait la fin des certitudes victoriennes et l'extension du rôle de l'État. L'idéologie chrétienne avait perdu toute substance depuis bien longtemps, et l'autorité scientifique exerçait une influence toujours plus grande. Avec les nouvelles technologies, qui permettaient d'améliorer sans commune mesure les moyens de communication, on entrait dans ce que Whitman qualifiait d'« ère de la modernité », même si personne ne savait ce qui l'attendait, que ce soit une « guerre généralisée » ou une « formidable avancée contre l'idée de caste ».

Les Turing restèrent pourtant imperméables au monde qui les entourait et se contentaient de faire durer au maximum ce que le XIXe siècle leur avait apporté. Il allait également falloir protéger de la crise mondiale leur second fils, né à une époque où les conflits ne manqueraient pas de le poursuivre.

Alan naquit le 23 juin 1912 dans une maternité de Paddington et fut baptisé le 7 juillet sous le nom d'Alan Mathison Turing. Son père prolongea son congé jusqu'en mars 1913 et la famille passa l'hiver en Italie. Puis Julius repartit pour l'Inde tandis que Mme Turing restait en Angleterre avec les deux enfants, John, âgé de 4 ans, et Alan. C'est en septembre 1913 qu'elle partit, seule, rejoindre son mari. Julius Turing avait en effet décidé qu'il valait mieux pour la santé des enfants qu'ils ne fussent pas exposés à la chaleur de Madras. Ainsi, Alan ne connut jamais la douceur des serviteurs indiens ni les couleurs si vives de l'Orient. Enfant « exilé de l'exil », il dut se contenter des vents marins de la Manche.

M. Turing avait mis ses fils en pension chez un couple de militaires à la retraite, le colonel Ward et sa femme. Ils habitaient St Leonards-on-Sea, petite ville située près de Hastings, dans une grande maison sur le front de mer, en face de la maison de sir Rider Haggard, l'auteur des *Mines du roi Salomon*. Un jour, alors qu'Alan traînait, comme à son habitude, le long du caniveau, il découvrit une bague de diamant et de saphir appartenant à Lady Haggard, qui le récompensa de deux shillings.

Les Ward n'étaient pas du genre à perdre des bagues de valeur dans la rue. Le colonel était un homme profondément bon, mais aussi bourru et inaccessible que Dieu le Père Lui-même. Son épouse, elle, pensait que l'éducation des garçons devait en faire des hommes, des durs. Une petite étincelle allumait cependant son regard et les deux enfants ne tardèrent pas à l'aimer beaucoup. Il y avait aussi Nanny Thompson, qui régnait sur la nursery, et la gouvernante qui se chargeait de la salle d'études. John et Alan étaient loin d'être les seuls enfants de la maison car les Ward avaient eux-mêmes quatre filles et un autre petit pensionnaire. Trois cousins des Turing, soit la progéniture du major Kirwan, gonflèrent ensuite la troupe. Alan s'entendait très bien avec la deuxième fille des Ward, Hazel, mais haïssait la benjamine, Joan, qui était un peu plus âgée que lui. Les deux garçons Turing ne tardèrent pas à décevoir Mme Ward : ils n'avaient ni l'un ni l'autre de goût pour la bagarre ou les modèles réduits de cuirassés. Mme Ward finit même par écrire à Mme Turing pour se plaindre de ce que John ne levait pas le nez de ses livres, et Mme Turing envoya obligeamment à John une lettre de réprimande. Promenades sur le front de mer balayé par les vents, pique-niques sur les plages de galets, goûters d'enfants agrémentés de jeux et thé avalé devant un bon feu dans la nursery, voilà ce que les Ward avaient à offrir de plus excitant.

Ce n'était pas un vrai foyer mais cela devait en tenir lieu. Et même si Julius et Ethel Turing revenaient en Angleterre aussi souvent que possible, ils n'étaient pas en mesure d'en fournir un autre à leurs fils. Ainsi, au printemps 1915, Mme Turing dut louer, à St Leonards, appartement affreusement meublé pour séjourner auprès de ses enfants. Alan était alors en âge de parler et attirait déjà l'attention générale par ses commentaires pertinents. C'était aussi un enfant têtu et quelque peu désobéissant qui supportait mal d'être contrarié. Chez lui, l'expérience, par exemple, de planter ses jouets cassés dans le sol pour voir s'il en pousserait de neufs se muait assez vite en bêtise. Alan mit du temps à repérer la frontière qui sépare l'initiative de la désobéissance, et il se montra systématiquement réfractaire aux obligations de l'enfance.

Lent, peu soigné et effronté, il était sans cesse en conflit avec sa mère, Nanny et Mme Ward.

Mme Turing embarqua de nouveau pour l'Inde en automne 1915, disant à Alan avant de partir : « Tu seras bien sage, n'est-ce pas ? » À quoi l'enfant lui répondit : « D'accord, mais il y a des fois où j'oublierai ! » La séparation ne devait durer que six mois. Or dès le mois de mars 1916, les Britanniques d'Inde durent braver les sous-marins allemands de Suez à Southampton. M. Turing emmena alors toute la famille en vacances dans les Highlands. Ils séjournèrent dans un hôtel de Kimelfort et John fut initié à la pêche à la truite. À la fin du séjour, M. et Mme Turing jugèrent plus prudent de se séparer pour une durée de trois ans, et Julius repartit seul en Inde, laissant Ethel en exil à St Leonards.

L'année 1917 – blocus allemand, raids aériens, apparition de l'Amérique sur la scène internationale, révolution russe, etc. – ne pesa sur la famille Turing que dans la mesure où elle empêcha les parents de se retrouver. John fut envoyé à Hazelhurst, une école préparatoire du Kent, dès le mois de mai. Ethel n'avait donc plus qu'Alan à élever. L'un de ses passe-temps favoris était les offices anglicans de St Leonards, où elle traînait Alan tous les dimanches. L'odeur d'encens lui déplaisait, et il appelait l'endroit « l'église qui sent mauvais ». Elle l'emmenait aussi à ses cours d'aquarelle – pour laquelle elle avait un réel talent – Alan pouvait alors enchanter toutes ces dames éprises d'art avec ses mots d'enfant.

Alan apprit seul à lire en moins d'un mois grâce à un manuel intitulé *La Lecture sans larmes*. Les chiffres lui posèrent encore moins de problèmes et il eut très vite la manie de s'arrêter sous les lampadaires pour en déchiffrer le numéro de série. Il avait cependant beaucoup de mal à discerner sa droite de sa gauche et marquait son pouce gauche d'un petit point rouge pour se repérer.

Pour la plus grande satisfaction de ses parents, il assurait vouloir devenir médecin. Toutefois, pour répondre à une telle ambition, il lui fallait une éducation. Aussi, dès l'été 1918, Mme Turing l'envoya-t-elle apprendre le latin dans une école privée.

Né neuf ans auparavant, l'écrivain et journaliste anglais George Orwell préférait au statut de fils de fonctionnaire de l'administration des Indes qu'on le décrive comme un individu issu « de la petite bourgeoisie ». Avant la guerre, il témoignait :

« Soit vous étiez un gentleman, soit vous n'en étiez pas un. Et si c'était le cas, vous vous efforciez de vous comporter comme tel, quels que soient vos revenus. La marque distinctive de la classe moyenne supérieure était sans doute qu'elle n'avait aucune aptitude commerciale, mais plutôt une tradition militaire et administrative. Ceux qui appartenaient à cette classe sociale ne possédaient pas de terres, mais avaient l'impression d'en être les propriétaires aux yeux de Dieu. Ils se comportaient à moitié comme des aristocrates en exerçant des professions libérales ou en s'engageant dans l'armée plutôt que dans les affaires. Les garçonnets comptaient les noyaux de cerise dans leur assiette et prédisaient leur avenir en chantant les louanges de l'armée, de l'Église, de la médecine et du droit. »

C'était le cas des Turing. L'existence de leurs fils n'avait rien d'exceptionnel, sauf, peut-être, pendant les jours de congé où ils s'octroyaient le luxe d'aller au cinéma et à la patinoire. Or, chez les Ward, on prenait constamment le soin de se laver de ses péchés, de se débarrasser de ses odeurs pour se différencier des autres enfants de la ville. « Je n'avais pas plus de 6 ans quand j'ai pris conscience pour la première fois des différences de classes sociales, se rappelle Orwell. Avant, mes héros avaient souvent été des gens de la classe ouvrière, parce qu'ils semblaient faire des métiers intéressants comme ceux de pêcheur, de forgeron et de maçon. Mais on m'a rapidement interdit de jouer avec les enfants du plombier. Ils étaient "vulgaires", et on m'a défendu de les approcher. C'était snob, si vous voulez, mais c'était aussi nécessaire, car les gens de la classe moyenne ne pouvaient pas se permettre de laisser leurs enfants tomber dans la vulgarité. »

Les Turing appartenaient à cette petite bourgeoisie britannique qui cherchait à tout prix, et quels que fussent ses moyens, à se hisser au rang de l'aristocratie. La fonction publique du Raj britannique payait relativement bien, mais il fallait penser à l'avenir et les Turing ne pouvaient se permettre de folies. Il y en avait une cependant qu'ils se devaient de faire : envoyer leurs fils dans un collège privé. La guerre pouvait régner, la révolution éclater, une seule chose comptait pour laquelle aucun sacrifice ne serait épargné : John et Alan feraient leurs classes dans un collège privé, une *public school*[1]. Et leur vie durant, les deux garçons pourraient les remercier de leur avoir donné une telle éducation. En attendant, il était du devoir d'Alan de se plier sans rechigner aux exigences du système et en particulier d'apprendre le latin, indispensable pour l'examen d'entrée.

C'est donc au moment où l'Allemagne s'écroulait et où commençait un armistice amer qu'Alan dut se plonger dans ses cahiers d'écriture et ses manuels d'initiation. Cependant le latin lui déplaisait et il écrivait mal. Sa main ne semblait pas vouloir obéir à son cerveau. Ainsi débuta une période de dix années de lutte contre les plumes qui faisaient des pâtés, les stylos qui bavaient et les pages qui se couvraient de ratures.

Mais c'était encore un petit garçon intelligent et enjoué. Lors de ses visites de Noël à Earls Court, son oncle Bertie aimait lui faire des farces, car il gloussait en permanence. C'était pourtant déjà pour John l'occasion d'être jugé responsable de la tenue et de la conduite de son petit frère – une responsabilité qu'aucun être humain n'aurait endossé à la légère. Pour couronner le tout, comme le déclara John :

« Il portait des tenues de marin, d'après les usages de l'époque (ils lui allaient bien). Je ne connais aucun vêtement qui jure autant, avec son grand col, ses nœuds et son tour de cou, sa large ceinture, ses parties de flanelle oblongues et ses grands rubans. Mais il faut être un génie pour assembler toutes ces pièces dans le bon ordre. Même si mon frère s'en moquait éperdument, car il se désintéressait déjà de savoir s'il mettait la bonne chaussure au bon pied, et ne semblait jamais se soucier qu'il ne restait que trois minutes avant de passer à table. Sans m'en rendre compte, j'en suis parvenu à mégoter sur des détails aussi insignifiants que ses dents, ses oreilles, etc. Mais j'étais las de ces attentions puériles, et ce n'était que lorsqu'on nous emmenait au spectacle de Noël que je parvenais à les oublier. Même là, Alan était pénible, se plaignant bruyamment de la scène des dragons verts et des autres monstres de *Where the Rainbow Ends*... »

---

1. En Angleterre et au Pays de Galles, le terme *public school* désigne une dizaine d'écoles privées et élitistes pour des élèves âgés de 13 à 18 ans.

Les fêtes de Noël constituaient la principale attraction de l'année, même si, comme se le rappela plus tard Alan, « enfant, j'étais incapable de prévoir quand Noël tomberait, je ne me rendais même pas compte que cela revenait à intervalles réguliers ». Sa grande passion allait aux cartes géographiques. Il réclama un atlas pour un anniversaire et fut, dans l'heure qui suivit la remise du présent, entièrement absorbé par sa lecture. Il aimait aussi les recettes tout comme les formules et recopia même celle d'une préparation pour calmer les piqûres d'ortie. Ses seuls livres se résumaient à de petits manuels de sciences naturelles auxquels s'ajoutaient des lectures à voix haute que sa mère lui faisait du *Voyage du Pèlerin*[1]. Un jour qu'elle trichait en sautant une longue digression théologique, il lui cria avec colère : « Tu as tout gâché ! » et courut dans sa chambre. Pour lui, une fois que les règles étaient fixées, elles devaient être respectées à la lettre, sans détour ni tricherie. Sa nourrice était du même avis, quand elle jouait avec lui :

« Ce dont je me souviens le mieux, c'est de son intégrité et de son intelligence pour un enfant de son âge. Il était impossible de lui cacher quoi que ce soit. Je me rappelle qu'un jour, Alan et moi jouions ensemble. J'étais en train de le laisser gagner, mais il s'en est rendu compte. Il en a fait toute une histoire… »

M. Turing ne revint qu'en février 1919, après trois ans de séparation. Il ne lui fut pas très facile de rétablir son autorité sur Alan qui se montrait plutôt prompt à répondre. Expliquant par exemple à son fils que la languette de ses souliers devait toujours être bien à plat, « comme une crêpe », il s'entendit répondre par le jeune impertinent que les crêpes se mangeaient généralement roulées. Quand Alan avait un avis, il disait qu'il *savait*, ou encore qu'il *savait très bien*. Cet été-là, M. Turing emmena sa famille en vacances à Ullapool, dans le nord-ouest de l'Écosse. M. Turing pêchait la truite avec John, Mme Turing dessinait les lacs et Alan gambadait dans la bruyère. Il eut l'idée brillante d'aller ramasser du miel pour le thé du pique-nique. Il observa donc la course des abeilles sauvages et repéra le point d'intersection de leur vol pour localiser le nid, ce qui impressionna fort la famille Turing, même si le miel ne se révéla pas des plus raffinés.

---

1. Écrit par John Bunyan. Publié en 1684, c'est l'un des chefs-d'œuvre de la littérature religieuse et le livre le plus lu en Angleterre après la Bible. (NdT)

Mais le mois de décembre arriva et Julius et Ethel Turing durent reprendre le bateau, laissant de nouveau Alan aux Ward tandis que John retournait à l'école préparatoire d'Hazelhurst. Julius obtint enfin un poste à Madras, et Alan devait se contenter de concocter des recettes pour tromper l'ennui mortel de St Leonards-on-Sea. Son instruction en eut tant à souffrir que lorsque sa mère revint en 1921, il ne savait toujours pas, à neuf ans, faire de longues divisions.

Celle-ci le trouva d'ailleurs très changé. Se souvenant d'un enfant vif, presque turbulent, qui se liait avec tout le monde, elle découvrit un garçon « rêveur et peu sociable ». Les photographies le montrent à dix ans avec une expression renfermée et mélancolique. Ethel décida alors de ne pas le laisser à St Leonards. Après des vacances d'été passées en Bretagne quelque peu gâchées par les incessantes conversions en francs français, elle se chargea de l'éduquer elle-même à Londres, où il l'inquiéta en cherchant de la limaille de fer dans les caniveaux à l'aide d'un aimant. M. Turing, qui venait d'être promu secrétaire de la section de développement du Gouvernement de Madras, revint une nouvelle fois au mois de décembre, et la famille partit au complet se reposer à Saint-Moritz, où Alan apprit à skier.

Miss Taylor, directrice du cours privé qu'avait suivi Alan, avait assuré que l'enfant « avait du génie », toutefois ce diagnostic ne pouvait en rien modifier le programme. Dès le début de l'année 1922, Alan dut affronter la deuxième étape de son itinéraire obligatoire, et il fut envoyé à Hazelhurst comme son frère.

Hazelhurst était un petit établissement de trente-six élèves allant de neuf à treize ans. Le proviseur s'appelait M. Darlington ; M. Blenkins était professeur de mathématiques tandis que Miss Gillet enseignait le dessin et la musique. John s'y était beaucoup plu et venait d'être promu délégué des élèves, pour son dernier trimestre là-bas. L'arrivée de son jeune frère fut plutôt une épine à son pied car Alan ne tarda pas à considérer le programme de l'école comme une simple distraction. Sa mère dira que cela le « détournait de ses occupations habituelles ». Maintenant que ses journées étaient organisées en cours, en jeux divers et en repas, il ne trouvait plus que quelques minutes éparses pour satisfaire ses véritables intérêts. Il arriva avec une passion pour l'origami et, une fois qu'il eut montré aux autres sa technique, John dut faire face à une véritable invasion de bateaux et de cocottes. Une nouvelle contrariété s'ensuivit pour ce dernier lorsque M. Darlington découvrit le goût d'Alan pour les cartes. Cela lui inspira l'idée de faire passer un contrôle de géographie à toute l'école. Alan fut classé sixième, devant son frère qui trouvait cette matière extrêmement ennuyeuse. Une autre fois, lors d'un concert de l'école, Alan fut pris de fou rire en entendant John chanter *Land of Hope and Glory* en solo.

À Pâques, John quitta Hazelhurst pour Marlborough et sa prestigieuse *public school*. Cet été-là, M. Turing emmena de nouveau sa petite troupe en vacances en Écosse, à Lochinver, et Alan put appliquer sa connaissance des cartes aux sentiers de montagne. Il commençait aussi à concurrencer son frère en matière de pêche à la truite. Les deux enfants entretenaient alors une rivalité non violente, comme par exemple, lorsqu'ils inventèrent un jeu pour atténuer le supplice qu'étaient les visites de leur grand-père Stoney. Ils marquaient des points en parvenant à lui faire perdre le fil d'une anecdote qu'il répétait pour la énième fois.

Dans cet Empire qui venait de connaître son apogée, la vie pouvait encore se révéler très agréable. Cependant, en septembre, Julius et Ethel Turing raccompagnèrent Alan à Hazelhurst et virent leur fils courir désespérément après le taxi qui les emportait. Il leur fallut se mordre les lèvres et reprendre la route de Madras. Alan retrouva sans enthousiasme le régime de Hazelhurst auquel il se sentait si étranger. Il parvint à obtenir la moyenne en classe, toutefois il n'avait pas une très haute opinion de l'instruction qu'on lui dispensait. Parlant à John de M. Blenkins, qui enseignait les rudiments de l'algèbre, il assura : « Il a donné une leçon complètement fausse de ce qu'on entend par x. »

S'il aimait bien les jeux de société et les discussions, Alan détestait et craignait les cours de gym et le sport obligatoire de l'après-midi. L'hiver, les garçons jouaient au hockey, et Alan assura plus tard que c'était la nécessité d'éviter la balle qui lui avait appris à courir vite. Il préférait le rôle de juge qui consistait à déterminer l'endroit précis où la balle avait franchi la ligne. Dans une chanson de fin d'année, un couplet lui est consacré :
  « Turing adore le terrain de football

Car les lignes de touche lui inspirent des problèmes de géométrie. »

Plus loin, un autre couplet l'accuse de « regarder pousser les pâquerettes » pendant les matches de hockey. Même s'il s'agissait d'une plaisanterie sur son côté rêveur, il y avait sans doute un peu de vrai dans cette observation. Car un fait nouveau s'était produit.

À la fin de l'année 1922, un bienfaiteur inconnu lui offrit *Les Merveilles de la Nature que tout enfant devrait connaître*[1]. Il expliqua par la suite à sa mère que c'était ce livre qui lui avait fait découvrir la science. Plus encore, cet ouvrage lui fit découvrir la Vie.

Cet ouvrage qui venait des États-Unis fut édité pour la première fois en 1912, et son auteur, Edwin Tenney Brewster, l'a décrit comme : « ... La première tentative pour faire connaître à de jeunes lecteurs un certain nombre de sujets vaguement liés mais très modernes, que l'on regroupe généralement sous le thème de physiologie générale. Il est destiné à pousser les enfants de 8 à 10 ans à s'interroger, puis à répondre aux questions : "Qu'ai-je en commun avec les autres êtres vivants, et qu'avons-nous comme différences ?" Accessoirement, j'ai aussi tenté de fournir des bases aux parents perdus mais sérieux pour qu'ils puissent répondre aux questions déroutantes que posent la majeure partie des enfants, et surtout à la plus difficile d'entre elles : "Comment suis-je venu au monde ?" »

En d'autres termes, il était question de sexualité et de science, de « comment le poussin finit-il par se retrouver dans l'œuf ? » à « de quoi les petits garçons et les petites filles sont-ils faits ? ». Brewster cite même une vieille chanson enfantine : « Il est certain que les petits garçons et les petites filles n'ont rien à voir, et il serait vain de vouloir les interchanger. »

Il ne révélait pas la nature précise de leurs différences. Ce n'était qu'après une habile diversion au sujet d'œufs, d'étoiles de mer et d'oursins que l'auteur finissait par revenir sur le corps humain :

« Nous ne sommes donc pas bâtis comme une maison de bois ou de ciment, mais plutôt de briques. Nous sommes composés

---

1. L'édition originale était intitulée *A Child's Guide to living Things*, Doubleday, Page & Co, New York, 1912.

de petites briques vivantes. Nous grandissons grâce à elles, lorsqu'elles se divisent en deux avant de reprendre leur taille initiale. Or personne n'a encore la moindre idée de la raison pour laquelle elles savent quand grandir, vite ou lentement. »

La croissance biologique était l'un des principaux thèmes scientifiques que Brewster abordait dans son livre. Pourtant, la science n'avait aucune explication à fournir, que des descriptions. Le 1er octobre 1911, quand les « briques vivantes » d'Alan Turing commencèrent à se diviser, le professeur D'Arcy Thompson déclara à la British Association que « les problèmes suprêmes de la biologie sont aussi impénétrables qu'ils sont anciens ».

Cependant, tout aussi impénétrable, *Les Merveilles de la Nature* s'abstenait ostensiblement de décrire d'où provenait la première cellule du processus de création, se contentant de faire allusion au fait que « l'œuf est lui-même conçu à partir de la multiplication de cellules qui, naturellement, appartenaient aux parents ». Revenait sans doute au « parent perdu mais sérieux » d'expliquer ce mystérieux secret. Mme Turing avait pour habitude d'aborder ce sujet épineux de la même manière que Brewster, du moins avec John, car ce dernier reçut à Hazelhurst une lettre particulière qui débutait avec des oiseaux et des abeilles et s'achevait sur l'instruction de « ne pas sortir des rails ». Sans doute Alan fut-il informé de la même manière.

Cependant, par d'autres aspects, *Les Merveilles de la Nature* se montrait vraiment « très moderne ». Il exprimait l'idée qu'il y avait une raison à chaque chose et que cette raison ne nous venait pas de Dieu mais de la science. De longs passages expliquaient pourquoi les petits garçons se plaisaient à lancer des choses et les petites filles à s'occuper de bébés, et Brewster tirait du monde vivant le schéma du père qui va travailler au bureau et de la mère qui reste au foyer. Cette description des modes de vie respectables des Américains était relativement éloignée de la formation des fils de fonctionnaires travaillant en Inde, mais Alan s'intéressa surtout à la représentation du cerveau :

« Comprenez-vous, à présent, pourquoi il vous faut aller à l'école cinq heures par jour, et user vos pantalons sur un banc pour étudier, alors que vous préféreriez sans doute filer en douce et nager ? C'est pour que vous puissiez développer ces zones de réflexion dans votre cerveau. Il faut commencer jeune, quand le cerveau est encore en pleine croissance. C'est durant toutes ces années d'études que l'on développe lentement ces zones de réflexion, au-dessus de l'oreille gauche, et dont vous vous servirez jusqu'à la fin de vos jours. Une fois adulte, il devient impossible d'en développer de nouvelles. »

L'école elle-même se trouvait justifiée par la science. L'ancien monde de l'autorité divine était banni dans la mesure où, pour Brewster, « pourquoi tout cela se passe et dans quel but » était une énigme qui resterait à tout jamais insoluble. Selon lui, tout être vivant est indubitablement une *machine* :

« C'est que le corps est bien évidemment une machine. Une machine extraordinairement complexe, mille fois plus compliquée que n'importe quelle autre jamais construite par l'homme ; néanmoins une machine. On l'a comparé à un moteur à vapeur mais nos connaissances ont beaucoup évolué depuis. C'est en réalité au moteur à essence qu'il faut penser ; comme pour l'automobile, le bateau ou l'avion. »

Les êtres humains étaient « plus intelligents » que les autres animaux mais la notion d'âme était totalement exclue. Personne n'avait *encore* compris le processus de division cellulaire et de différenciation, et l'intervention d'anges éventuels n'était pas mentionnée.

Autant de questions qui donnaient à Alan bien des sujets de rêverie. Et quand il ne rêvassait pas, le jeune garçon inventait des choses. Le 11 février 1923, il écrivit :

« Chère maman, cher papa,
Michael Sills[1] m'a donné un appareil photo ravissant et on peut faire de nouvelles photos avec. Je vais en faire des copies que je t'offrirai comme présent pour Pacques et je vais te les envoyer séparément. Si tu veux d'autres pellicules demande-les on peut prendre 16 photos par pellicule J'ai encore été deuxième cette semaine. La maîtresse te passe le bonjour GB a dit que mon écriture était si épaisse qu'il fallait que je demande de nouvelles plumes à T. Wells. Je suis en train d'écrire avec il y a un cours

---

1. Nous avons reproduit ici et tout au long de cet ouvrage les fautes d'orthographe et de ponctuation d'Alan.

demain Wainwright était en rupture de stock cette semaine c'est une encre que j'ai faite moi-même. »

Cependant la science, les inventions et le monde moderne n'entraient pas au programme de l'examen d'admission à la *public school*.

Ses maîtres avaient beau faire de leur mieux pour décourager son intérêt mal venu pour la science, ils ne parvenaient pas à empêcher Alan d'inventer, notamment des dispositifs visant à résoudre ses problèmes d'écriture :

« Le 1er avril (le jour des farces)
Devine avec quoi j'écris. Il s'agit d'une de mes inventions c'est un stylo à plume comme ça : [schéma grossier] on le remplit en pressant ici [extrémité molle du réservoir du stylo à plume] on relâche et l'encre est aspirée et c'est plein. Je me suis débrouillé pour que lorsque j'appuie un peu d'encre descend mais ça n'arrête pas de se boucher.
Je me demande si John a déjà eu l'occasion de voir la statue de Jeanne d'Arc parce qu'elle est à Rouen. Lundi dernier c'était les scouts contre les louveteaux et c'était génial il n'y avait pas d'ordre du jour cette semaine j'espère que John aime bien Rouen je crois que je ne vais pas beaucoup écrire aujourd'hui désolé. La maîtresse dit que John a envoyé quelque chose. »

S'ensuivait un autre paragraphe, à propos d'un stylo à plume qui « fuyait comme quatre ». En juillet, dans une autre lettre rédigée en vert, ce qui était (évidemment) interdit, il décrivit un concept de machine à écrire extrêmement rudimentaire.

Nouvelle modification de la cellule familiale : John partit effectuer un séjour à Rouen. Il avait dit à son père qu'avant d'entrer à la *public school* de Marlborough, il aurait aimé quitter le foyer des Ward. L'affaire fut donc conclue et John partit s'installer chez Mme Godier, à Rouen. Alan le rejoignit pour quelques semaines durant l'été, afin de s'imprégner de la culture et de la civilisation françaises. Le garçonnet fit grande impression à Mme Godier qui le trouva charmant – une fois qu'elle l'eut persuadé de bien se laver derrière les oreilles. Alan arriva comme une délivrance pour John qui détestait la petite-bourgeoise qu'elle était. Il faisait diversion et permettait ainsi à son aîné d'aller au cinéma. C'est que les deux enfants Turing présentaient particulièrement bien, avec un charme à la fois subtil et vulnérable. John étant le plus vif et Alan le plus rêveur. Le séjour ne fut pas une grande réussite. John n'avait pas pris son vélo de crainte d'avoir à transporter un Alan vacillant dans les rues pavées de la ville, il ne leur restait plus alors qu'à errer avec ennui dans la maison Godier ou à faire de longues promenades. « Il marche comme un escargot », disait Mme Godier d'Alan. Ce qui représentait assez bien Alan, mais aussi toute la famille Turing. Ces Turing si lents, si sombres, ceux qui combattaient toujours du côté des perdants et arrivaient souvent derniers.

Ils allèrent finir l'été dans un presbytère du Hertfordshire, au nord de Londres, qui devait dorénavant leur servir de foyer. La vie qui les attendait était nettement plus joyeuse. Un vieil archidiacre, Rollo Meyer, personnage doux et charmant qui se plaisait au milieu des roses et des courts de tennis, régnait sur une grande demeure de brique rouge. La rigidité des Ward était loin. Les deux enfants s'adaptèrent aussitôt : John fréquentait assidûment les jeunes filles sur les courts de tennis (il avait maintenant quinze ans et s'intéressait à elles sans équivoque), tandis qu'Alan préférait faire de longues balades à vélo dans les bois. Personne ici ne lui reprochait son désordre tant qu'il ne gênait pas les autres. En outre, la cote d'Alan auprès de Mme Meyer monta considérablement lorsque, à la fête paroissiale, une gitane diseuse de bonne aventure annonça que l'enfant serait un génie.

Cependant la tutelle des Meyer fut de courte durée car M. Turing décida brusquement de démissionner de la fonction publique de l'Inde britannique. Il en voulait à un rival, entré en même temps que lui dans le service, mais avec une note nettement moins bonne au concours de recrutement, et qui venait d'être nommé secrétaire principal du Gouvernement de Madras. Julius renonça à ses propres chances d'avancement, et les parents d'Alan, malgré leur pension annuelle de 1 000 livres, n'y remirent plus jamais les pieds[1].

Ce ne fut cependant pas pour rentrer en Angleterre. Un régime spécial permettait en effet au père d'Alan de ne pas payer d'impôts s'il ne passait pas plus de six semaines par an dans le

---

1. Contrairement à sir Archibald Campbell.

Royaume-Uni. Afin de continuer à profiter de ce privilège, les Turing choisirent de s'installer à Dinard. Les garçons iraient passer Noël et Pâques en France tandis que les parents se rendraient en Angleterre pour l'été.

Officiellement, M. Turing ne donna sa démission que le 12 juillet 1926 et se trouvait jusque-là en congé. Néanmoins il eut tôt fait d'établir leur nouveau train de vie : il n'était plus question de vacances en Écosse ou à Saint-Moritz. Par bien des côtés, cette retraite prématurée fut un véritable désastre. Ses deux fils la considérèrent comme une erreur. Alan ne manquait pas d'imiter de façon plutôt amusante les réflexions de son père vexé au sujet de « XYZ Campbell », et son frère écrivit plus tard :

« Je doute que j'aurais trouvé que mon père faisait un supérieur ou un subordonné facile à vivre, car aux dires de tous, il se moquait éperdument de la hiérarchie et de son propre avenir au sein de la fonction publique indienne, et n'hésitait pas à dire ce qu'il pensait, quelles qu'en soient les conséquences. En voici un exemple parlant. Pendant un moment, il fut le secrétaire privé de Lord Willingdon, à la présidence de Madras, et lorsqu'ils n'étaient pas d'accord, mon père lui faisait remarquer : "Après tout, vous n'êtes pas le gouvernement d'Inde." Il s'agissait d'une grande imprudence, presque suicidaire, que l'on pouvait certes admirer, mais à distance respectable. »

La femme de M. Turing lui reprochait constamment cet incident, d'autant plus qu'elle éprouvait une admiration particulière pour Lady Willingdon. En réalité, malgré tout ce que l'on pouvait dire sur le devoir, les qualités requises chez un bon fonctionnaire étaient différentes de celles que l'on enseignait, à savoir l'obéissance aux ordres et le respect de la hiérarchie. Pour gouverner des millions de personnes réparties sur une zone grande comme le Pays de Galles, il fallait avoir une certaine liberté de jugement et une forte personnalité, ce que l'on n'appréciait guère dans les cercles policés de Madras. Il n'eut plus vraiment besoin de ces qualités une fois à la retraite, durant laquelle les nombreuses intrigues indiennes semblèrent susciter chez lui un certain charme rétroactif. Jusqu'à la fin de ses jours, Julius Turing se laissa envahir par une sensation de manque, une grande désillusion et un immense ennui que ni les parties de pêche ni le bridge ne parvenaient à atténuer. Il se sentait davantage exaspéré par le fait que sa femme, plus jeune que lui, trouvât dans ce retour en Europe l'occasion de sortir de l'atmosphère confinée de Dublin puis de Coonoor. Il méprisait plutôt les ambitions d'ordre intellectuel d'Ethel, qui lui faisait mener une vie familiale stressante et chichiteuse. Pour sa part, Ethel souffrait de l'avarice obsessionnelle de son mari et de sa paranoïa. Ils attendaient tous deux quelque chose de l'autre mais n'arrivaient pas à répondre à cette attente mutuelle, et ils en vinrent à ne plus parler de grand-chose d'autre que de l'agencement du jardin.

L'un des résultats de cette nouvelle situation fut qu'Alan vit là une raison d'apprendre le français, matière qui ne tarda pas à devenir sa préférée à l'école. Mais il considérait aussi cette langue comme une sorte de code. Il écrivit d'ailleurs à Hazelhurst une carte postale à sa mère à propos de « la révolution » que M. Darlington n'était pas censé être en mesure de lire.

Cependant c'était la science qui le passionnait véritablement, comme le découvrirent ses parents lorsque, à leur retour, ils le trouvèrent plongé dans *Les Merveilles de la Nature*. Leur réaction ne fut pas entièrement négative. Mme Turing comptait dans sa famille un célèbre scientifique irlandais, George Johnstone Stoney, qu'Ethel avait rencontré à Dublin alors qu'elle était encore jeune fille. On le connaissait surtout pour avoir inventé le mot « électron » qu'il imagina en 1894, avant que ne soit établie l'atomicité de la charge électrique. Mme Turing, que les rangs et les titres impressionnaient beaucoup, était très fière d'avoir un membre de la Société royale de Londres comme lointain cousin. M. Turing, lui, s'il considérait d'un moins bon œil une éventuelle carrière scientifique – un chercheur ne pouvait espérer gagner plus de 500 livres par an –, n'en aida pas moins Alan à sa manière. Ainsi, lorsqu'en mai 1924 Alan fut rentré à l'école, il écrivit à son père :

« Tu me parlais des relevés topographiques effectués dans les trains, eh bien, j'ai découvert, ou plus exactement j'ai lu, comment on fait pour trouver la hauteur des arbres, la largeur des rivières, des vallées, etc. Et en combinant les deux, j'ai compris comment on calcule la hauteur des montagnes sans avoir à les escalader. »

Alan s'était également documenté sur la manière de faire des coupes géographiques et en fit un nouveau passe-temps.

La famille Turing passa l'été 1924 en partie à Oxford – petite bouffée de nostalgie recherchée par Julius Turing –, et en partie dans une pension du nord du Pays de Galles. Ses parents y séjournaient encore quand Alan retourna tout seul à Hazelhurst où il s'empressa de dessiner ses propres cartes des monts Snowdon (« Prière de comparer mes cartes avec celles de l'Institut national de géographie puis de me les renvoyer »).

Cela faisait longtemps qu'il s'intéressait aux cartes. Il aimait aussi les arbres généalogiques, et en particulier celui des Turing, qu'il trouvait pour le moins complexe, avec son titre de baronnet qui sautait de branche en branche et ses grandes familles victoriennes. Cela exerçait son ingéniosité. Son activité la plus sociale consistait à jouer aux échecs :

« Il n'y aurait pas de tournoi d'échecs, car M. Darlington ne connaissait pas beaucoup de joueurs, mais il a déclaré que si je dressais une liste de tous ceux qui savaient y jouer, il y réfléchirait. Étant parvenu à rassembler suffisamment de monde, il est probable qu'un tournoi soit finalement organisé. »

Outre ces occupations, Alan commença à trouver les cours « beaucoup plus intéressants ». Mais tout cela était sans conteste éclipsé par la chimie. Alan s'était toujours intéressé aux recettes de cuisine, aux mixtures étranges et aux encres spéciales, et s'était même essayé à la cuisson de l'argile dans la forêt, quand il habitait chez les Meyer. La notion même de processus chimique ne lui était donc pas étrangère. Il lui fallut pourtant attendre cet été passé à Oxford pour que ses parents lui permettent pour la première fois de jouer avec une boîte de chimie.

Il n'y avait pas grand-chose sur le sujet dans les pages de *Merveilles de la Nature*, à l'exception des poisons. Sous sa plume de scientifique, Brewster prônait une certaine modération dans ce domaine, pour ne pas dire une interdiction formelle :

« L'existence de tout être vivant, qu'il s'agisse d'un homme, d'un animal ou d'une plante, est un long combat contre le poison. Celui-ci se présente sous de nombreuses formes, comme l'alcool, l'éther, le chloroforme, les divers alcaloïdes tels que la strychnine, l'atropine et la cocaïne, qui nous servent de médicaments, et la nicotine, qui est l'alcaloïde du tabac, les poisons de différents champignons vénéneux, la caféine, que l'on trouve dans le thé et le café... »

Un autre chapitre était consacré au « Sucre et autres poisons », expliquant les effets du dioxyde de carbone dans le sang, provoquant de la fatigue, et sur le cerveau :

« Quand le centre névralgique dans la nuque, détecte une petite dose de dioxyde de carbone, il ne dit rien. Mais, dès que la dose devient trop forte (par exemple au bout d'une quinzaine de secondes de course), il téléphone aux poumons via les nerfs :

– Eh, eh ! Qu'est-ce qui vous prend, les gars ? Remuez-vous ! Respirez plus fort. Le sang est saturé de sucre brûlé ! »

Tout cela lui donna du grain à moudre, même si à ce stade, ce qui l'intéressait le plus était la simple remarque selon laquelle :

« Dans le sang, le dioxyde de carbone se change en bicarbonate de soude ordinaire. Le sang transporte la soude jusqu'aux poumons, où elle se transforme de nouveau en dioxyde de carbone, exactement de la même manière que lorsque vous en ajoutez à la farine pour faire lever un gâteau. »

Rien dans les pages de *Merveilles de la Nature* n'expliquait les noms ou les transformations chimiques, mais Alan dut trouver ces informations ailleurs, car, en revenant à l'école le 21 septembre 1924, il rappelle à ses parents dans une lettre : « N'oubliez pas le livre de sciences censé remplacer l'*Encyclopédie des enfants*. » Et aussi :

« D'après *Les Merveilles de la Nature*, tout enfant est supposé savoir que le dioxyde de carbone se change en bicarbonate de soude dans le sang avant de redevenir du bicarbonate de carbone dans les poumons. Si vous en avez la possibilité, pourriez-vous m'envoyer le nom chimique du bicarbonate de soude, ou encore mieux la formule, pour que je puisse comprendre comment ça fonctionne ? »

Il a probablement lu l'*Encyclopédie des enfants*, ne serait-ce que pour l'abandonner après l'avoir jugée trop enfantine et vague, et a très bien pu apprendre des concepts généraux de chimie à partir de la multitude de petites « expériences » qu'elle propose de réaliser avec des produits ménagers. L'étincelle prophétique de sa question vient de sa tentative de vouloir associer le concept de formule chimique d'un côté à la description mécanique du corps de l'autre.

Puis Alan découvrit dès le mois de novembre une source d'informations plus sûre : « J'ai eu beaucoup de chance, cette fois :

il y a une encyclopédie qui appartient à une classe de termi-nale. » Il put alors recevoir, pour Noël 1924, un attirail de par-fait chimiste – substances diverses, creusets et tubes à essai – et obtint la permission de s'en servir dans la cave de *Ker Sammy*, la villa qu'ils occupaient rue du Casino à Dinard. Alan rapporta là-bas d'énormes tas d'algues de la plage afin d'en tirer une infime quantité d'iode, à la plus totale incompréhension de John, qui passait ses journées à jouer au tennis, au golf, à danser et flirter au casino.

Les parents d'Alan employèrent un instituteur anglais du quar-tier pour qu'il lui donne des cours particuliers en vue d'obtenir le Common Entrance, l'examen d'entrée dans l'enseignement privé. Le pauvre homme se retrouva vite submergé de questions sur la science. En mars 1925, de retour à l'école, Alan écrivit :

« J'ai obtenu le même classement au Common Entrance[1] ce trimestre que le précédent, avec une moyenne de 53 %. J'ai eu 69 % en français. »

Cependant, plus que jamais, seule la chimie comptait. Il écri-vit à ses parents :

« Je me demande si je pourrais trouver une cornue en terre cuite quelque part, pour faire chauffer des trucs à très haute température. J'essaye de faire un peu de chimie organique. Au début, quand je voyais quelque chose comme ça :

$$H(CH_2)_{17}CO_2H(CH_2)_2C$$

j'essayais de la résoudre comme $C_{21}H_{40}O_2$ ce qui peut être toutes sortes de choses et qui donne en fait une espèce d'huile. Je trouve que les formules graphiques peuvent aider aussi. Ainsi, la formule de l'alcool donne :

$$H(CH_2)_2OH \text{ ou } C_2H_6O \text{ est : } \begin{array}{c} H \quad H \\ | \quad | \\ H-C-C-O-H \\ | \quad | \\ H \quad H \end{array}$$

―――――――
1. Il s'agissait de travaux pratiques.

alors que l'éther méthylique donne, lui :

$$\text{HCH}_2\text{O.CH}_2\text{H ou C}_2\text{H}_6\text{O est : } \begin{array}{ccc} \text{H} & & \text{H} \\ | & & | \\ \text{H}-\text{C}-\text{O}-\text{C}-\text{H} \\ | & & | \\ \text{H} & & \text{H} \end{array}$$

Vous voyez, cela montre bien la structure moléculaire. »

Puis, une semaine plus tard, il ajoutait :
« Quand le produit essentiel est un gaz, ce qui est très fréquent à haute température, la cornue de terre cuite remplace le creuset. Je suis en train de faire une série d'expériences dans l'ordre que je me suis fixé. J'ai l'impression de toujours vouloir faire des choses à partir de ce qu'il y a de plus commun dans la nature et avec la moindre perte d'énergie possible. »

Alan avait donc déjà conscience de sa passion. Cette recherche du simple et de l'ordinaire qui apparaîtrait plus tard dans bien des domaines ne correspondait pas chez lui à un simple engouement pour le « retour à la nature », à cette sorte d'éloignement momentané des réalités de la civilisation. Il s'agissait, pour lui, de la vie elle-même, d'un univers où tout le reste se réduisait à de vulgaires distractions.

Pour ses parents, néanmoins, les priorités étaient exactement inverses. M. Turing ne s'embarrassait pas de grands airs et de politesses. Il ressemblait à un habitant d'une île déserte. Néanmoins cela ne changeait rien : la chimie ne pouvait être considérée que comme un divertissement qu'on lui autorisait pendant les vacances. Ce qui comptait vraiment, c'était son entrée dans une *public school* à treize ans. Il passa d'ailleurs l'examen d'entrée pour Marlborough à l'automne 1925 et obtint, à la surprise générale, d'assez bons résultats. (On ne l'avait pas autorisé à postuler pour une bourse.) John commença alors à jouer un rôle décisif dans la vie de cet étrange petit frère. « Mais, bon sang, ne l'envoyez pas là-bas ! insista-t-il. Il va être complètement écrasé ! »

Alan posait un sérieux problème. Sa faculté à s'adapter à la *public school* ne faisait aucun doute. Pourtant il était légitime de se demander ce que le collège privé allait bien pouvoir apporter à un garçon dont la principale préoccupation était de faire des expériences dans des bocaux à confiture. Deux choses en parfaite contradiction. Comme Mme Turing le disait :

« Même s'il était aimé et compris au sein du cercle restreint et accueillant de son école préparatoire, c'est parce que j'entrevoyais les difficultés que pourraient rencontrer l'équipe enseignante et lui-même dans une *public school,* que je me suis donné tant de mal à chercher celle qui lui conviendrait le mieux. De peur que s'il ne parvenait pas à s'adapter, il devienne un simple intellectuel excentrique. »

Sa peine ne fut pas longue. L'une de ses amies, Mme Gervis, était la femme d'un professeur de sciences à la Sherborne School, une *public school* du Dorset. Au printemps 1962, Alan repassa l'examen d'entrée et fut accepté à Sherborne.

Sherborne était l'une des *public schools* les plus anciennes d'Angleterre. Ses origines remontaient à l'abbaye, qui était elle-même l'un des tout premiers sites de la chrétienté anglaise, et qui, dans sa charte de 1550, fonda une école pour éduquer les enfants de la région. Cependant, en 1869, Sherborne s'aligna sur le modèle des pensionnats du Dr Arnold. Après une période de mauvaise réputation, elle retrouva ses lettres de noblesse en 1909, quand un certain Nowell Smith en fut nommé directeur. En 1926, Nowell Smith avait déjà doublé le nombre d'élèves, qui s'élevait désormais à quatre cents, et avait fait de Sherborne une *public school* relativement bien cotée.

Mme Turing se rendit là-bas avant l'arrivée d'Alan pour s'entretenir avec la femme du directeur. Elle lui donna une petite idée de ce à quoi il fallait s'attendre avec Alan, contrastant ainsi avec les habituels éloges des autres parents sur leur progéniture. C'est sans doute sur le conseil de Mme Nowell Smith qu'Alan fut affecté à l'internat Westcott dirigé alors par Geoffrey O'Hanlon.

Le trimestre d'été devait commencer le lundi 3 mai 1926. Ce fut aussi le premier jour d'une grève générale. Sur le ferry qu'il prit à Saint-Malo, Alan apprit que seuls les trains transporteurs de lait rouleraient encore. Toutefois il se savait capable de parcourir à bicyclette la centaine de kilomètres qui séparaient Southampton de Sherborne :

« Comme prévu, j'y suis allé à vélo j'ai laissé mes affaires au préposé et ai quitté les quais à environ 11 heures j'ai acheté une carte pour trois shillings mais elle s'arrêtait à environ 5 km de

Sherborne. J'ai repéré que Sherborne se trouvait juste en dehors de la carte. J'ai eu toutes les peines du monde à trouver la poste, et j'ai envoyé un télégramme à O'Hanlon pour un shilling. Je suis parti à midi et ai déjeuné au bout de 12 km pour trois shillings et six pence j'ai continué jusqu'à Lyndhurst, et au bout de 5 km je me suis acheté une pomme le deuxième jour j'ai continué jusqu'à Beerley à près de 13 km je n'ai pas très bien pédalé sinon ça ferait moins de six jours. J'ai continué jusqu'à Ringwood, à 6,5 km de là.

Les rues de Southampton étaient bondées de grévistes. Le trajet à travers la New Forest était charmant, puis j'ai traversé une sorte de lande jusqu'à Ringwood, et c'était de nouveau plutôt plat jusqu'à Wimborne. »

Il passa ensuite la nuit dans le meilleur hôtel de Blandford Forum, solution que son père n'aurait sûrement pas approuvée car Alan devait lui rendre compte du moindre penny dépensé. (Il ne s'agit pas d'une simple façon de parler, car sa lettre s'achève sur : « J'ai déboursé la somme d'une livre et un penny sous la forme d'un billet d'une livre et d'un timbre d'un penny. ») Heureusement, les propriétaires, charmés, ne lui firent payer qu'une somme symbolique, et il put repartir dès le matin.

« Juste après Blandford il y a eu quelques descentes appréciables et soudain ce fut une succession de montées et de descentes jusqu'au dernier kilomètre. »

Depuis West Hill, il aperçut sa destination : la petite ville géorgienne de Sherborne et le collège, à côté de l'abbaye.

Un tel sens de l'improvisation et une telle discrétion n'étaient pas choses courantes dans l'Angleterre des années 1920. Ce trajet à bicyclette en étonna plus d'un et fut même mentionné dans le journal local. En tout cas, au moment où Churchill en appelait à la « reddition inconditionnelle » des mineurs « ennemis », Alan avait tourné la grève générale à son avantage et profité de deux jours de liberté hors du système établi. Pourtant cette liberté fut de courte durée. Il existait un récit autobiographique très controversé sur la vie à Sherborne écrit par Alec Waugh et publié en 1917. Il s'intitulait *The Loom of Youth* et on y trouvait cette description :

« Pour un nouveau, la première semaine qu'il passe à la *public school* est sans doute la pire de sa vie. Non pas qu'il se fasse rudoyer...

mais il se sent terriblement seul, craint en permanence de commettre des erreurs, et se crée ainsi des problèmes imaginaires. »

Quand son fils écrivit à ses parents au bout du deuxième jour, « il ne fallait pas être un génie pour savoir lire entre les lignes », et sa mère comprit « qu'il était atrocement malheureux ». C'était pire pour Alan, car il ne pouvait même pas se fondre discrètement dans la masse, ses affaires étant restées coincées à Southampton à cause de la grève. À la fin de sa première semaine, il écrivit :

« C'est très embêtant d'être ici sans mes affaires… C'est assez difficile de s'installer. Écris-moi vite. On n'a pas travaillé mercredi à part en étude. Et puis c'est toute une histoire de trouver les salles de classe et les livres qu'il faut, mais tout ira sans doute mieux d'ici une bonne semaine… »

Une semaine plus tard, la situation ne paraissait pas plus joyeuse :

« Je m'installe petit à petit, mais ça n'ira bien que quand j'aurai récupéré mes affaires. C'est la semaine prochaine qu'on mettra les plus petits au service des plus grands. Cela fonctionne sur le même principe que les conseils gallois qui torturaient et tuaient le dernier arrivé ; ici, un grand fait signe et tous ses bizuts des petites classes envoient le nouveau faire le travail. On doit prendre des douches froides le matin comme on prenait des bains froids à Sherborne. Le lundi, le mercredi et le vendredi, le thé n'est servi qu'à 6 h 30 et j'arrive à me passer de manger jusque-là depuis le déjeuner. La grève générale a touché aussi les imprimeurs, et les libraires ne reçoivent plus aucun livre. Je dois donc me passer de beaucoup de livres au programme. Comme dans la plupart des *public schools*, les nouveaux doivent chanter une chanson. Mon tour n'est pas encore venu et je ne sais vraiment pas quoi chanter. La quantité de travail qu'on nous donne à faire en étude est ridiculement petite, par exemple : lire les paragraphes des chapitres 3 et 4 pendant trois quarts d'heure.

Ton fils qui t'aime, Alan. »

Il y eut bien une épreuve de chant et aussi une séance de bizutage où Alan fut lancé tel un ballon de football dans une corbeille à papiers. Quoi qu'il en soit, si sa mère sut lire sa détresse entre les lignes, son sens du devoir l'emporta sur sa compassion. Elle déclara simplement, en recevant la lettre, que celle-ci témoignait de l'humour si particulier d'Alan.

Du moins recevait-il enfin des cours de sciences :

« Nous faisons de la chimie deux heures par semaine. Nous n'en sommes qu'à "la propriété de la matière", aux "transformations physiques et chimiques", etc. Le professeur se fait appeler "chef". Il semblerait que je fasse du grec moderne et non ancien... »

Le professeur Andrews ne manqua pas d'être amusé et un peu épaté par les connaissances de son jeune élève. En outre, la simplicité et la candeur du petit Turing séduisaient : Arthur Harris, le chargé de discipline de l'internat Westcott, le récompensa de son expédition à bicyclette en lui demandant d'être son bizut. Néanmoins, ni le savoir scientifique ni l'esprit d'initiative n'étaient des priorités à Sherborne.

Le directeur avait coutume de définir la signification de la vie du collège dans ses sermons. Il expliquait alors que la *public school* n'était pas entièrement vouée à « ouvrir l'esprit » de ses étudiants, quoique « d'un point de vue historique... cela fût sa vocation première ». De fait, les *public schools* anglaises avaient été délibérément transformées en ce qu'il appelait « une nation en miniature ». Elles se soumettaient en apparence aux règles de la libre parole, de la justice égale pour tous et de la démocratie parlementaire, pour entériner en réalité les privilèges de la préséance et du pouvoir. Comme l'a dit le directeur :

« En classe, dans les couloirs et au dortoir, dans la cour et lors du rassemblement, dans vos relations avec le corps enseignant ainsi qu'entre vous, en fonction de votre ancienneté, vous avez commencé à vous familiariser avec les concepts d'autorité et d'obéissance, de coopération et de fidélité, ayant placé l'établissement au-dessus de vos désirs personnels... »

C'était l'ancienneté qui déterminait l'équilibre entre privilèges et devoirs, reflet de l'aspect le plus noble de l'Empire britannique. Face à ce système, l'ouverture d'esprit représentait au mieux une qualité parfaitement inutile.

Les réformes victoriennes étaient passées par là, et les concours avaient aussi un rôle à jouer dans la vie du collège. Les boursiers avaient la possibilité d'occuper la place de l'intelligentsia au sein de cette « nation en miniature » du moment qu'ils ne se mêlaient de rien d'important. Mais Alan, qui n'appartenait pas à cette petite élite, remarqua très vite le peu de travail qu'on exigeait de lui. Effectivement, c'était surtout les jeux d'équipe du type rugby ou cricket qui importaient pour la majorité des garçons. C'était à travers le sport qu'on leur donnait des leçons de vie. Ni les révolutions sociales ni la Grande Guerre n'avaient changé quoi que ce soit à l'existence confinée et repliée sur elle-même de ces internats, où chacun faisait l'objet de la surveillance et du contrôle de tous.

Il n'y avait qu'une seule concession symbolique à la réforme victorienne : un professeur de sciences — mais uniquement par égard à la profession médicale. La science n'inspirait aucun respect pour les questions qu'elle soulevait, quelle que soit leur utilité. Nowell Smith divisait le monde intellectuel entre les classiques, les modernes et les scientifiques, dans cet ordre, et soutenait que :

« Seul l'esprit le plus superficiel peut croire que toutes ces découvertes nous permettent d'approcher de façon appréciable la réponse aux énigmes de l'univers qui hantent l'homme depuis toujours... »

La *public school* évoquait une Grande-Bretagne miniature et fossilisée, où maîtres et serviteurs connaissaient encore leurs places respectives, et où les mineurs en grève étaient considérés comme des traîtres. Et Alan y avait débarqué au moment où les élèves étaient contraints de jouer aux serviteurs, chargeant les bidons de lait sur les trains jusqu'à la fin de la grève. Comme les préoccupations du petit Turing étaient loin des problèmes de ces futurs propriétaires terriens, bâtisseurs d'empire et autres administrateurs du fardeau de l'homme blanc — système dont il était exclu ! Ce terme de « système » revenait comme un refrain constant, et le mécanisme fonctionnait presque indépendamment des personnalités individuelles. L'internat Westcott où logeait Alan n'avait abrité ses premiers pensionnaires qu'en 1920, mais la tradition des préfets[1] et des corrections infligées dans la salle de bains y régnaient déjà comme si elles étaient des lois de la nature. Le responsable de l'internat Westcott, Geoffrey O'Hanlon, avait beau avoir des conceptions très personnelles, ces lois restaient

---

1. Les préfets sont des aînés chargés de la discipline dans les internats. (NdT)

immuables. Célibataire endurci d'une quarantaine d'années et sur-nommé (non sans snobisme) « Maître », il avait investi sa propre fortune dans l'agrandissement des locaux d'origine. Il ne croyait pas que l'on puisse couler tous les élèves dans un même moule et n'inculquaient pas à ses garçons le culte du ballon ovale avec le même enthousiasme que ses pairs. Son internat souffrait donc d'une réputation de laisser-aller. Il encourageait la musique et l'art, détestait la brutalité et, peu après l'arrivée d'Alan, supprima le rite de la chanson pour les nouveaux. Catholique traditionaliste, il représentait ce qu'il y avait de plus proche d'un gouvernement libéral à l'intérieur de cette « nation en miniature ». Néanmoins, les règles du système l'emportaient toujours, et l'on pouvait s'y plier, se rebeller ou bien se refermer – Alan se referma.

« Il semble réservé et a tendance à être solitaire », commenta le responsable de l'internat, O'Hanlon. « Ce n'est pas dû à une quelconque morosité, mais, je crois, à un caractère timide. » Alan n'avait pas d'amis et fut parfois l'objet de mauvais tours des autres enfants. Il essayait de poursuivre ses expériences de chimie, ce qui était mal perçu car cela dénotait un tempérament de travailleur. Les choses parurent s'améliorer un peu vers la fin de 1926 et O'Hanlon put écrire : « Il a l'air joyeux, même si je ne suis pas toujours sûr qu'il le soit vraiment. »

« Ses manières invitent parfois à la persécution. Indéniablement, il ne s'agit pas d'un garçon "normal" : ce n'est pas dramatique, mais cela doit le rendre moins heureux », écrivit-il à la fin du trimestre de printemps, en 1927. Le commentaire du directeur fut plus sec :

« Il devrait bien s'en sortir lorsqu'il aura trouvé sa voie. En attendant, il aurait de bien meilleurs résultats s'il s'efforçait de faire de son mieux en tant qu'élève de ce collège. Il faudrait qu'il fasse preuve d'un peu plus d'*esprit de corps*[1]. »

Alan, contrairement aux petits garçons « normaux », n'éprouvait aucun besoin de lancer des objets ronds ou ovales. Se reconnaissant en son fils, M. Turing, qui avait toujours réussi à être dispensé de sport à Bedford, demanda à ce qu'Alan soit exempté de cricket, et O'Hanlon autorisa son jeune élève à jouer plutôt au golf. Mais il ne tarda pas à se faire traiter d'« empoté » par

----

1. En français dans le texte.

ses camarades. On le disait sale, aussi, à cause de son teint plutôt verdâtre et des taches d'encre sur sa peau. Les stylos continuaient, en effet, à baver sur ses doigts malhabiles. Ses cheveux, qui tombaient naturellement en avant, refusaient de se coucher dans le sens requis ; ses chemises sortaient toujours de son pantalon et ses cravates de son col. Il paraissait incapable de déterminer quel bouton correspondait à quelle boutonnière. Lors de la parade du corps d'instruction des officiers le vendredi, il restait planté, la casquette de travers, les épaules voûtées, son uniforme mal ajusté avec ses bandes molletières qui lui faisaient des abat-jour autour des jambes. Il était une cible facile pour la moquerie, surtout avec sa voix timide, hésitante et haut perchée. Il ne bégayait pas vraiment, mais butait sur les mots, comme s'il fallait du temps pour que ses pensées soient mises en paroles.

La pire crainte de Mme Turing se réalisait : Alan ne s'adaptait pas à la vie des *public schools*. En outre, il n'appartenait même pas à cette catégorie d'élèves qui sont impopulaires auprès de leurs camarades mais adulés par les professeurs. Là aussi, c'était un échec. Lors du premier trimestre, il fut placé dans une classe surnommée « le coquillage », avec des garçons d'un an plus âgés qui n'avaient pas de bons résultats. Puis il fut « promu » dans une classe permettant d'accéder au niveau moyen. Alan n'y prêta guère attention. Ses professeurs défilaient. Il en avait eu dix-sept au cours de ces quatre premiers trimestres, et aucun ne comprenait ce garçon rêveur. D'après l'un de ses camarades de classe de l'époque :

« C'était le souffre-douleur de l'un des professeurs, car il parvenait toujours à se renverser de l'encre sur le col, provoquant les rires de l'enseignant : "Vous avez encore de l'encre sur votre col, Turing !" Il s'agit d'un détail insignifiant, mais ça m'a marqué. C'est le parfait exemple de la manière dont, à l'école privée, un garçon sensible et inoffensif peut voir son existence se changer en véritable enfer. »

Deux fois par trimestre, un bulletin était envoyé aux parents, et l'enveloppe cachetée attendait alors, telle une accusation, sur la table du petit déjeuner, que M. Turing se soit donné du courage avec le *Times* et une ou deux pipes. Alan avait coutume de dire, en vain, que son père espérait toujours des bulletins aussi élogieux que des discours de fin de repas, ou encore qu'il ferait bien de jeter un coup d'œil sur les bulletins des autres. Cependant le papa en question ne payait pas la pension des autres, et voyait les frais exorbitants de la scolarité de son fils engloutis pour rien.

Julius Turing ne s'offusquait pas du comportement quelque peu à part de son fils, et le considérait même avec une tolérance amusée. En fait, John et Alan avaient hérité de lui cette façon d'exprimer leurs idées avec une détermination parfois ponctuée de moments d'insouciance. Dans la famille, l'opinion publique s'exprimait par la voix d'Ethel, dont les goûts et les jugements passaient auprès des autres pour insipides et terriblement provinciaux. C'est bien elle, et non son mari ou John, qui jugeait nécessaire de transformer Alan. Quoi qu'il en soit, la tolérance de M. Turing n'allait pas jusqu'au gaspillage d'une instruction onéreuse en *public school*. Son budget était, de plus, particulièrement serré à cette époque. Lassé de l'exil, il avait fini par prendre une petite maison à l'orée de Guildford dans le Surrey, et il lui fallait penser à lancer John dans la vie active. Il l'avait dissuadé d'entrer dans l'Indian Civil Service, prévoyant que les réformes de 1919 sonneraient le glas de cette administration. John s'était alors enflammé pour une carrière dans l'édition, mais son père avait en tête de l'envoyer faire fortune en Amérique du Sud dans le traitement du guano. Finalement, ce fut l'avis plus sage de Mme Turing qui l'emporta, et John embrassa la carrière de notaire. Son père se trouva contraint de verser 450 livres pour sa formation et de le soutenir financièrement pendant cinq ans.

De son côté, Alan ne voyait pas l'intérêt de ces études si chèrement payées. Même en français, jadis sa matière préférée, son professeur écrivit : « Son manque d'intérêt est fort décourageant, sauf quand quelque chose l'amuse. » Il développa une façon particulièrement agaçante de faire comme s'il ne suivait pas les cours, avant de réussir ses examens haut la main. Il passa toutefois complètement à côté de ses cours de grec. Il fut le dernier de la classe pendant trois trimestres, avant qu'on lui permette à contrecœur d'abandonner cette matière. « Ayant obtenu le privilège d'une exemption, écrivit O'Hanlon, il se fourvoie s'il croit pouvoir se faire dispenser de cours qu'il juge inintéressants en continuant à faire preuve de paresse et d'indifférence. »

En mathématiques et en sciences, les remarques des professeurs étaient nettement plus favorables, mais toujours avec quelques réserves. Durant l'été 1927, Alan montra à son professeur de maths les travaux qu'il avait menés en solitaire. Il avait trouvé la suite infinie de la fonction tangentielle inverse en partant de la formule trigonométrique de tg ½x, ce qui est remarquable quand on sait qu'Alan ne possédait pas de manuel de calcul infinitésimal, et qu'il l'avait donc compris seul. Le professeur fut impressionné et qualifia Alan de « génie », pourtant cela ne fit aucune vague dans la mare de Sherborne et évita simplement au jeune garçon un redoublement. Même Randolph fit un rapport défavorable :

« Pas très bon. Il passe apparemment beaucoup de temps à tenter de résoudre des problèmes de mathématiques avancées et néglige ses devoirs fondamentaux. Toute matière nécessite des bases solides. Travail peu soigné. »

Le directeur finit par lancer un avertissement :

« Je souhaite qu'il ne tombe pas de haut. Mais s'il doit rester dans une *public school*, il doit faire l'effort de s'*éduquer*. En revanche, s'il ne désire que devenir un *spécialiste scientifique*, il perd son temps ici. »

Le vent de l'expulsion souffla sur la table du petit déjeuner, menaçant tout ce pourquoi M. et Mme Turing avaient travaillé et prié. Cependant Alan trouva un nouveau moyen de contourner le système en passant la deuxième moitié du trimestre à l'infirmerie avec les oreillons. Il ne se rétablit que pour réussir, aussi brillamment qu'à son habitude, ses examens et remporter un prix.

Le directeur commenta :

« Doit uniquement sa place et son prix aux mathématiques et à la science, mais a montré quelques progrès dans les matières littéraires. S'il continue comme ça, il devrait bien s'en sortir. »

Durant l'été, les Turing retournèrent dans une pension de famille au Pays de Galles, à Ffestiniog cette fois-ci. Alan et sa mère faisaient de longues balades jusqu'aux plus hauts sommets et retrouvaient à leur retour un certain M. Neild qui s'était pris d'intérêt pour Alan. Il lui fit même présent d'un livre sur l'alpinisme sur lequel il inscrit une longue dédicace où il expliquait les escalades d'Alan comme autant de symboles de sa montée vers les hautes sphères intellectuelles. Quelqu'un avait enfin, un court instant, pris le jeune garçon au sérieux.

Les Merveilles de la Nature expliquaient que le corps humain constituait une véritable « pharmacie vivante ». C'est ainsi que Brewster décrivait les effets des hormones récemment découvertes, grâce auxquelles « chaque partie du corps » pouvait communiquer avec les autres par des messages chimiques, sans avoir à passer par le système nerveux. C'est pendant l'année 1927 – il avait quinze ans –, qu'Alan atteignit sa taille adulte, pendant que d'intéressantes métamorphoses intervenaient en lui.

C'était également l'âge traditionnel de la confirmation, et Alan la reçut le 7 novembre 1927. Comme l'engagement dans les bataillons scolaires, celle-ci faisait partie de ces obligations pour lesquelles chacun devait se porter volontaire. Alan croyait néanmoins en sa signification, ou du moins en quelque chose, lorsqu'il s'agenouilla devant l'évêque de Salisbury pour renoncer au monde, à la chair et au diable. Le directeur, profita cependant de l'occasion pour remarquer :

« J'espère qu'il prend sa confirmation au sérieux. Si oui, il ne se satisfera plus de négliger les tâches évidentes pour se consacrer à ses propres passions, si bonnes soient-elles. »

Pour Alan, avoir à traduire des phrases stupides en latin, faire briller les boutons de sa tunique du bataillon et autres « tâches » semblables n'apparaissait pas si « évident ». Il avait sa propre idée de ce qui était sérieux ou non. Les paroles du directeur auraient mieux convenu à la conformité ambiante, au sujet de laquelle Alec Waugh écrivait :

« Comme c'est le cas pour la plupart des garçons, la confirmation de Gordon n'a eu que peu d'effet sur lui. Il n'était pas athée. Il a accepté la chrétienté de la même manière qu'il a accepté la doctrine du parti conservateur. Tous les gens bien y croient, c'était donc forcément une bonne chose. En même temps, cela n'a pas eu la moindre influence sur son comportement. S'il avait une religion à l'époque, c'était celle du football. »

Ces paroles étaient audacieuses pour un journal paru en 1917. Ce fut en raison de ce genre de remarques que *The Loom of Youth* fut interdit à Sherborne, et que tout garçon surpris en sa possession se faisait immédiatement corriger.

Pourtant, même si c'était dans un style différent, l'auteur renégat n'en disait pas moins que le directeur :

« Cela dit, je n'attaque pas le système scolaire privé. Je crois en sa grande valeur, et surtout dans sa faculté à inculquer le devoir, la fidélité et le respect des lois. Mais il n'échappe pas aux dangers qui menacent tout système fondé sur la discipline, le danger de succomber à la routine, à des sentiments préfabriqués, de vouloir accéder à un désir d'indépendance servile, ou devrais-je dire moutonnier. Le système est incapable d'échapper à ces dangers, poursuivit-il, mais nous sommes en mesure de les surmonter si nous nous en donnons les moyens. »

Il était toutefois très difficile d'aller à contre-courant d'une organisation entière. Comme le notait Nowell Smith : « De toutes les sociétés, rares sont celles qui sont aussi définies et faciles à comprendre qu'un collège comme celui-ci... Nous vivons tous la même existence, sous une même discipline. Notre vie est organisée avec une extrême minutie et cette organisation est orientée vers un but bien précis... » Et le directeur de poursuivre en disant que « les élèves, quelle que soit l'originalité qu'ils puissent avoir en tant qu'individus, observent une conduite conventionnelle au plus haut degré. » Nowell Smith n'avait pas l'esprit étriqué et parvenait à concilier son système éducatif avec son amour pour la poésie.

Toutefois cette volonté de favoriser une certaine indépendance de caractère à l'intérieur du système se trouvait parfois confrontée à des problèmes d'ordre sexuel

Dans ces pensions de garçons, les contacts entre élèves se chargeaient d'une sorte de tension sexuelle, due aux interdictions de se lier avec d'autres garçons hors de son groupe.

Nowell Smith déplorait qu'il existât « une forme de langage convenant à la maison ou en la présence d'un professeur et un autre dans les dortoirs ou à l'étude ». Il est expliqué dans *Les Merveilles de la Nature* que :

« Il est communément admis que l'on réfléchit avec nos méninges. C'est le cas. Mais ce n'est pas tout. Le cerveau est divisé en deux parties, exactement comme le corps. En fait, les deux hémisphères du cerveau se ressemblent encore plus que nos deux mains. Néanmoins, nous ne nous servons que d'une de ses moitiés pour réfléchir. »

C'est Alec Waugh qui a prétendu que Sherborne dispensait un enseignement faisant – métaphoriquement parlant – appel aux deux hémisphères du cerveau, et ce de manière indépendante. La « réflexion » mettait à contribution l'un d'eux, tandis que la vie ordinaire faisait appel à l'autre. Ce n'était pas de l'hypocrisie, c'était pour éviter que l'on confonde ces deux univers. Cela fonctionnait parfaitement, et ne se déréglait que lorsque se produisait un événement qui concernait les deux mondes. Ensuite, comme le disait Waugh avec une certaine délicatesse, le véritable crime était de se faire prendre.

En 1927, l'école avait quelque peu modifié sa façon de voir les choses. Quand les garçons lisaient *The Loom of Youth* (ce qui était évidemment le cas, puisque c'était interdit), ils étaient plutôt étonnés par la tolérance dont le journal faisait preuve à l'égard de la sexualité. Lorsqu'une équipe sportive rencontrait celle d'un collège concurrent, les joueurs de Sherborne pouvaient s'étonner de la liberté dont jouissaient leurs adversaires. Pourtant tous les principes de Nowell Smith étaient incapables d'empêcher les messages de circuler dans son établissement, et les bains froids eux-mêmes ne suffisaient pas à faire taire les conversations grivoises.

Alan Turing était un garçon d'un caractère indépendant, mais le sujet interdit lui posait des problèmes inverses de ceux du directeur. Pour la plupart des garçons, le « scandale » se résumait à quelques railleries vite oubliées qui brisaient un peu la monotonie du collège. Pour le jeune Turing, le centre même de l'origine de la vie était en cause. En effet, même s'il était maintenant au courant de la façon dont se reproduisaient les oiseaux et les abeilles, le mystère de la naissance des bébés restait entier. Cependant, Sherborne avait fait découvrir à Alan un secret dont le monde extérieur n'était pas censé connaître l'existence. C'était même devenu *son* secret : Alan ne se sentait attiré et séduit que par ceux de son propre sexe.

C'était un garçon très sérieux, toutefois il ne pouvait se vanter d'être quelqu'un de « conventionnel au plus haut degré », et il en souffrait. Pour lui, chaque chose devait avoir une raison ; chaque problème devait trouver une solution et une seule. Et Sherborne ne l'aidait pas à résoudre le sien. Le collège lui permettait seulement de renforcer encore ses certitudes. Pour être indépendant, il lui faudrait donc se frayer un chemin entre les règles officielles et officieuses car, à Sherborne, les merveilles de la Nature qui auraient dû illuminer sa vie devenaient « sales » et « dégoûtantes ».

Si Nowell Smith concevait parfois quelques réserves touchant au système des *public schools*, le professeur principal d'Alan, un certain A. H. Trelawny Ross, n'était, certes pas, assailli par les mêmes doutes. Il avait fait sa scolarité à Sherborne puis y était revenu sitôt ses études terminées en 1911 : il n'apprit ni n'oublia quoi que ce soit en trente années de chargé d'internat. Ennemi juré du « laisser-aller », il ne partageait en rien les scrupules de son directeur concernant la servilité des élèves.

Son style contrastait également avec celui de Nowell Smith. En 1928, sa « lettre d'établissement » débutait ainsi :

« J'ai un compte à régler avec mon capitaine de foyer (qui fait 1,50 m). Il est allé raconter à tout le monde que j'étais misogyne. Ce bobard a été lancé il y a quelques années par une dame qui ne me trouvait pas suffisamment démonstratif. En fait, je considère la misogynie comme un problème mental, de même que la misandrie, qui est monnaie courante... »

Nationaliste à l'esprit étroit, Ross n'avait pas suffisamment retenu les leçons de loyauté envers le collège, et il s'intéressait bien peu à sa classe. Il donnait cependant à ses élèves le bénéfice de son savoir et de son expérience de la vie. Il enseignait la traduction latine une semaine, la prose latine une autre, et l'anglais la suivante. Cette dernière matière lui donnait l'occasion d'apprendre à ses élèves l'orthographe, la manière « de commencer, de rédiger et d'adresser » une lettre, « comment faire un résumé », « comment est construit un sonnet et comment obtenir de bons essais écrits clairs et intelligents ».

Ross considérait qu'« à mesure que la démocratie avance, la morale et les bonnes manières reculent ». Il soutenait que la défaite de l'Allemagne était due au fait qu'elle privilégiait la science et le matérialisme à la pensée et la pratique religieuses. Il qualifiait les sujets scientifiques de « poudre aux yeux » et avait même coutume de dire avec un reniflement de mépris : « Cette pièce empeste les mathématiques ! Allez me chercher une bombe désinfectante ! »

Alan s'entêtait pourtant à utiliser son temps à ce qui l'intéressait le plus. Ross le surprit un jour à faire de l'algèbre pendant l'heure d'« instruction religieuse », et il écrivit :

« Je peux encore pardonner son écriture, bien que ce soit la pire que j'aie jamais vue, et je m'efforce de considérer avec tolérance son inexactitude *{illisible}* et son travail sale et bâclé... mais je ne peux pas pardonner la stupidité dont il fait preuve dès qu'il s'agit d'une saine discussion autour du Nouveau Testament. »

Dès décembre 1927, Ross le classa dernier en anglais et en latin, joignant à son bulletin une page couverte de taches d'encre et de ratures qui montrait combien peu de soin Alan consacrait à ces matières. Néanmoins, Ross fut contraint d'avouer qu'il aimait quand même bien le garçon, tandis qu'O'Hanlon reconnaissait au petit Turing un sens de l'humour qui le sauvait. Les expériences d'Alan fatiguaient tout le monde, néanmoins ses trouvailles scientifiques, sa façon de se moquer de sa propre maladresse, sa candeur et sa simplicité emportaient l'affection de tous. Sans doute n'était-il pas très malin en ne tentant pas de se rendre la vie plus facile ; sans doute se montrait-il paresseux et quelque peu prétentieux lorsqu'il pensait savoir ce qui lui convenait le mieux, mais il ne s'agissait pas tant chez lui de rébellion que d'incompréhension devant des exigences si éloignées de ses centres d'intérêt. Jamais non plus il ne se plaignait à ses parents de son séjour à Sherborne. Il semble qu'il considérait à juste titre cet épisode comme une étape inéluctable de la vie.

On pouvait l'apprécier personnellement, mais en tant qu'élément du groupe, c'était une autre histoire. À Noël, en 1927, le directeur écrivit :

« C'est le genre de garçon destiné à poser des problèmes dans n'importe quelle école ou communauté, car il est asocial. Cependant je reste persuadé qu'il a de bonnes chances de développer ses dons au sein de notre communauté et d'y apprendre un certain art de vivre. »

Nowell Smith prit alors brutalement sa retraite, probablement ravi de faire ses adieux. Son successeur s'appelait Charles Lovell Fletcher Boughey, et avait été professeur assistant à Marlborough. Le départ du directeur coïncida avec la mort de Carey, le responsable des sports. À eux deux, le « chef » et le « taureau » avaient divisé l'école en deux mondes distincts, celui des « hommes » et celui des « groupes », qu'ils dirigeaient respectivement depuis une vingtaine d'années. Ce fut Ross, ce personnage si rébarbatif, qui remplaça Carey.

Le début d'année 1928 vit également quelques modifications dans la vie d'Alan. Son maître d'internat demanda à Blamey, garçon sérieux et plutôt solitaire d'un an de plus qu'Alan, de partager la chambre de ce dernier. Blamey était censé aider Alan à rentrer dans la norme et lui montrer qu'il existait autre chose dans la vie que les mathématiques. Cela mit le malheureux Blamey dans des situations embarrassantes. Alan avait en effet « un merveilleux pouvoir de concentration et s'absorbait toujours dans quelque problème abstrait ». Blamey considérait alors de son devoir de l'interrompre pour lui signaler qu'il était l'heure de l'office, du sport ou de tel ou tel cours, car c'était un garçon gentil et bien intentionné. À Noël, O'Hanlon avait écrit à propos d'Alan :

« Il est exaspérant et il devrait commencer à comprendre qu'il m'est complètement égal qu'il soit en train de faire bouillir Dieu seul sait quelle potion sur le rebord de sa fenêtre à l'aide de deux bougies. Toutefois, il a encaissé ses malheurs avec bonne humeur, et s'est sans aucun doute attiré de nouveaux ennuis, notamment en éducation physique. Je garde pourtant espoir. »

Le seul regret d'Alan au sujet de ses « potions » était que O'Hanlon n'avait « pas pu voir leurs jolies couleurs, dues à l'embrasement de la vapeur produite par la cire surchauffée ». Alan était toujours aussi fasciné par la chimie, pour autant cela ne l'intéressait pas de la pratiquer comme tout le monde. En mathématiques et en sciences, ses résultats ne s'amélioraient pas. Ses devoirs souffraient constamment d'un « manque de précision, de clarté et d'un style déplorable ». « Affreusement peu soigné tant du point de vue de l'écriture que du travail expérimental », peut-on lire sur ses bulletins qui continuaient de refléter son inaptitude à communiquer, tout en admettant que l'élève était « très prometteur ». « La présentation de son travail est toujours épouvantable, écrivit O'Hanlon, et cela retire une grande partie du plaisir qu'on devrait avoir à sa lecture. » « Il ne comprend pas ce que signifie mal se tenir, mal écrire, ni même ce que sont des chiffres brouillons. » Parallèlement, Ross le fit passer dans la classe supérieure, mais il demeurait toujours parmi les derniers au printemps 1928. « Il a l'esprit plutôt chaotique en ce moment et éprouve de grandes difficultés à s'exprimer », commenta son professeur principal. « Il devrait lire davantage », ajoutait-il, peut-être plus clairvoyant que Ross.

La question était de savoir s'il pourrait passer son diplôme d'études pour continuer jusqu'en première. O'Hanlon et ses professeurs de sciences voulaient qu'il essaie, mais les autres s'y opposaient. La décision finale revenait au nouveau directeur, Boughey, qui ne connaissait rien d'Alan et qui faisait déjà l'objet de nombreuses critiques.

Le responsable de la terminale classique n'était plus automatiquement désigné directeur de l'établissement. Les élèves chargés de maintenir la discipline avaient été outrés quand il avait sermonné tout l'établissement pour sa façon grossière de s'exprimer. Le personnel fut horrifié lorsqu'il décréta devant toute l'école qu'il refusait que l'on érige un mémorial en hommage à Carey dans la chapelle. Cet incident scella son sort.

Qu'il s'agisse d'une cause ou d'une conséquence, il était aussi « empoisonné » par l'alcool. L'école se réduisit à une lutte de pouvoirs entre Ross et Boughey, et ce fut la querelle entre les anciens et les nouveaux qui décida de l'avenir d'Alan, car Boughey ignora l'avis de Ross et lui permit de passer son certificat d'études.

Pendant les vacances, le père d'Alan lui faisait travailler son anglais. Curieusement M. Turing vouait une véritable passion à la littérature, et il pouvait réciter de mémoire des pages entières de la Bible, de Kipling et de romans humoristiques du début du siècle. Mais avec Alan qui devait travailler *Hamlet*, la cause était perdue d'avance. Il faillit faire plaisir à son père en lui disant qu'il y avait au moins un vers qu'il aimait bien, mais la joie fut de courte durée lorsqu'il expliqua qu'il s'agissait du *dernier* vers.

Alan passa encore dans une autre classe durant le trimestre d'été 1928, afin de préparer ses examens de fin d'études. Mais il ne vit aucune raison de changer ses habitudes et son nouveau professeur principal, le révérend Bensly, se trouva lui aussi obligé de le classer parmi les derniers, proposant carrément de faire une donation d'un milliard de livres à n'importe quelle bonne œuvre nommée par Alan si celui-ci réussissait ses épreuves de latin. Plus perspicace, O'Hanlon avait prédit :

« Il est aussi intelligent que les autres élèves. Suffisamment, en tout cas, pour se débrouiller dans des matières aussi "inutiles" que le latin, le français et l'anglais. »

O'Hanlon eut l'occasion de lire certains devoirs d'Alan. Ses copies étaient d'un coup « étonnamment lisibles et soignées », ce qui lui valut de réussir en anglais, français, mathématiques, physique, chimie… et latin. Bensly ne tint jamais sa promesse, le pouvoir bénéficiant toujours du privilège de changer les règles.

Son diplôme d'études en poche, Alan n'eut qu'un rôle mineur à tenir au sein du système, le rôle du « matheux ». Sherborne n'avait pas de classe de première de mathématiques. Il y avait en revanche une classe de sciences naturelles où les mathématiques étaient une matière mineure. Eperson, le professeur de maths, jeune émoulu d'Oxford, doux et cultivé, était doté pour Alan d'une grande qualité : il le laissait tranquille.

« Tout ce que je peux dire, c'est que ma volonté de le laisser se débrouiller seul et de rester près de lui pour l'aider en cas de nécessité a permis à son génie mathématique naturel de progresser sans retenue. »

Eperson comprit très vite que son élève préférait ses méthodes propres à celles des livres au programme. Avant même la préparation des examens, Alan avait entrepris d'étudier la théorie de la relativité d'après les comptes rendus d'Einstein lui-même. Cela exigeait la connaissance des mathématiques élémentaires et donnait libre cours à des idées qui allaient bien au-delà du programme scolaire. Le jeune garçon en tira un petit carnet de notes qu'il confia à sa mère.

« Einstein met ici en doute les axiomes d'Euclide quand ils s'appliquent à des corps solides…, commentait Alan. Il a alors entrepris de tester les lois ou axiomes galiléo-newtoniens. » Alan avait su reconnaître le point crucial, à savoir qu'Einstein *mettait les axiomes en doute*. Pour son frère John, qui le considérait maintenant avec un amusement un peu condescendant :

« On pouvait sans trop s'engager parier que si l'on avançait une assertion évidente du style "La terre est ronde", Alan produirait alors tout un tas de preuves irréfutables démontrant qu'elle était à coup sûr plate, ovale ou pratiquement de la forme d'un chat siamois ayant bouilli pendant quinze minutes à une température de mille degrés centigrades. »

Le doute cartésien fut pris comme une intrusion totalement incompréhensible dans la famille Turing et dans l'environnement scolaire d'Alan, et fut le plus souvent accueilli par des rires. Le doute étant un état d'esprit extrêmement inconfortable et rare, le monde intellectuel avait dû attendre très longtemps avant que ne soient remis en question les « lois ou axiomes galiléo-newtoniens ». Ce n'est qu'à la fin du XIXe siècle que l'on reconnut qu'elles n'étaient pas en phase avec les lois connues de l'électricité et du magnétisme. Les implications devenaient effrayantes, et il avait fallu Einstein pour qu'on ose dire que les fondements supposés de la mécanique étaient en fait *incorrects*. Einstein créa donc sa théorie de la relativité restreinte en 1905 et, celle-ci n'étant pas en accord avec les lois de la gravitation de Newton, il poussa ses recherches plus loin pour formuler, en 1915, sa théorie de la relativité générale qui allait jusqu'à mettre en doute les axiomes d'Euclide sur l'espace. Chez Einstein, le plus remarquable ne résidait pas dans telle ou telle expérience, seulement, comme Alan sut le comprendre, dans sa capacité à douter, à prendre ses propres idées au sérieux et à les mener à leur conclusion logique, aussi troublante qu'elle puisse paraître. « Une fois qu'il a trouvé ses axiomes, il peut agir avec sa logique en laissant de côté les anciennes conceptions de temps, d'espace, etc. », notait Alan. Il se rendit également compte qu'Einstein évitait toute discussion philosophique sur ce qu'« étaient réellement » le temps et l'espace, pour se consacrer à ce qu'on pouvait expérimentalement produire. Einstein insistait toujours sur le rôle des « pendules » et des « règles » dans l'approche opérationnelle de la physique où, par exemple, la « distance » n'avait de signification qu'en tant que mesure extrêmement précise et non en tant qu'idéal absolu. Alan écrivit :

« Demander si deux points sont toujours séparés par une même distance n'a aucun sens dès que l'on stipule que cette distance est votre unité et que vos idées doivent passer par cette définition… Ces mesures ne sont en fait que des conventions et vous ajustez vos lois à vos propres méthodes de mesure. »

Le culte de la personnalité lui étant étranger, il n'hésitait pas à préférer un passage de ses travaux personnels au passage correspondant chez Einstein, trouvant que sa version ressemblait moins à un « tour de passe-passe » que celle du maître. Parvenu à la fin de l'ouvrage d'Einstein, il donna un corollaire magistral de la loi[1] qui, dans la relativité généralisée, devait supplanter

---

1. Appelée généralement « loi du mouvement géodésique ».

l'axiome de Newton selon lequel un corps qui n'est soumis à aucune force extérieure doit suivre une trajectoire rectiligne à une vitesse constante :

« Il lui reste maintenant à trouver la loi générale du mouvement des corps. Celle-ci devrait, bien entendu, satisfaire au principe de la relativité générale. Il n'avance pas véritablement cette loi, ce qui est bien malheureux, aussi le ferai-je : "L'écart entre deux événements de l'histoire d'une particule doit être soit un maximum, soit un minimum, quand elle sera mesurée le long d'une ligne d'univers.

Pour le prouver, il introduit le principe d'équivalence, principe selon lequel "tout champ naturel de gravitation est équivalent à un champ artificiel". Supposons alors que nous substituons un champ artificiel à un champ naturel. Le champ étant maintenant artificiel, on peut définir en ce point un système galiléen, et, donc la particule se déplacera relativement uniformément par rapport à lui, c'est-à-dire qu'elle aura une ligne d'univers droite. Or, dans un espace euclidien, on peut toujours trouver une longueur maximale ou minimale parmi les lignes reliant deux points. Ainsi, la ligne d'univers satisfait donc aux conditions citées ci-dessus pour un système, et par conséquent pour tous les autres ! »

Comme l'expliquait Alan, Einstein n'avait pas formulé cette loi du mouvement des corps dans son ouvrage de vulgarisation. L'adolescent l'avait donc peut-être trouvée seul, à moins qu'il ne l'ait lue dans *La Nature du monde physique*[1], de sir Arthur Eddington, paru en 1928 et lu par Alan dès l'année suivante. Professeur d'astronomie à Cambridge, Eddington avait étudié la physique des étoiles et le développement de la théorie mathématique de la relativité. Ce livre était l'un de ses plus connus, et il lui permit d'expliquer le grand changement d'orientation de la science qui s'était produit en 1900. Sa vision plutôt impressionniste de la relativité lui permit d'établir – sans la moindre preuve toutefois – la loi du mouvement, et a certainement inspiré Alan. Ce dernier ne s'est d'ailleurs sûrement pas contenté d'étudier le livre, ayant déjà noté plusieurs idées pour lui-même.

---

1. Sir Arthur Eddington, *The Nature of the Physical World*, Cambridge University Press, 1928.

Alan se plongea dans cette étude à sa propre initiative, Eperson n'était même pas tenu au courant. Il avait pris l'habitude de ne pas s'occuper de ceux qui se moquaient de lui. Il ne pouvait trouver d'encouragement qu'auprès d'une mère complètement dépassée.

Alors survint une rencontre qui allait enfin le mettre en contact avec le reste du monde. Il fit la connaissance de Christopher Morcom, un garçon de l'internat de Ross. Alan avait déjà remarqué Morcom en 1927 et avait été très frappé par l'apparence de ce garçon, ne fût-ce qu'en raison de sa très frêle constitution. Blond et mince, il avait un an de plus qu'Alan et était dans la classe supérieure. Alan voulait « regarder son visage attirant ». D'ailleurs, plus tard dans l'année, Christopher s'absenta de l'école et revint, comme le nota Alan, le visage émacié. Ce dernier partageait avec Alan une véritable passion pour la science, tout en étant profondément différent. Les institutions qui constituaient autant d'obstacles pour Alan devenaient pour Christopher Morcom les instruments d'une réussite facile et la source même d'une multitude de prix, de bourses et de louanges.

La profonde solitude d'Alan se déchirait enfin. Il ne se montrait pas très doué pour la conversation, cependant il trouva un terrain d'entente grâce aux mathématiques. « Pendant ce trimestre, Chris et moi avons commencé à échanger autour de nos problèmes favoris et à discuter de nos méthodes. » Il serait bientôt impossible de séparer les différents aspects de la pensée et du sentiment. Christopher allait être son premier amour masculin, le premier d'une longue série. C'était une relation empreinte d'abandon de soi – Alan « vénérait le sol que Christopher foulait »... « Tous paraissaient tellement ordinaires à côté de lui. » En même temps, il était extrêmement important que Christopher prenne les idées scientifiques de son ami au sérieux. « Les principaux souvenirs que j'ai gardés de Chris concernent presque exclusivement les choses gentilles qu'il me disait parfois. »

C'est donc sans doute avant et après les cours d'Eperson que Christopher et Alan commencèrent à parler de la relativité ou bien qu'Alan lui montra certains de ses travaux – il avait par exemple calculé ϖ à la trente-sixième décimale. Au bout de quelque temps, Alan découvrit une autre possibilité de rencontrer Christopher. Il apprit, par hasard, que le mercredi après-midi Chris se rendait à la bibliothèque, au lieu de rejoindre l'étude de son internat (Ross ne permettait pas aux élèves de travailler ensemble sans surveillance, craignant les amitiés particulières...) « J'appréciais tant la compagnie de Chris que je pris moi aussi l'habitude d'aller à la bibliothèque au lieu de travailler à l'étude », avoua Alan.

Puis il y eut bientôt le club de musique créé à l'initiative du progressiste Eperson. Christopher, pianiste émérite, en était un membre assidu. Alan n'était guère mélomane, mais certains dimanches après-midi, il se laissait traîner par Blamey jusqu'aux appartements d'Eperson. Il s'installait alors et, au son haché des symphonies que délivraient les 78 tours, jetait à la dérobée des regards vers Chris. Cela faisait incidemment partie des efforts louables de Blamey pour montrer à Alan qu'il existait autre chose dans la vie que les mathématiques. Ayant remarqué que son protégé ne disposait que de peu d'argent de poche, Blamey lui apprit également à fabriquer un poste à galène et Alan fut ravi de découvrir que ses mains malhabiles étaient capables de faire quelque chose qui fonctionnait, même s'il ne pourrait jamais espérer rivaliser d'adresse avec Christopher.

À Noël, Eperson rapporta :

« On a passé ce trimestre, et on passera les deux suivants à combler les nombreux trous dans ses connaissances et à les organiser. Il a l'esprit très vif et est capable de devenir "brillant", cependant son travail est encore un peu brouillon. Il se laisse rarement décourager par un problème, néanmoins ses méthodes sont souvent grossières et désordonnées. La minutie et la perfection viendront sans aucun doute avec le temps. »

Il aurait certainement trouvé le diplôme d'études secondaires très ennuyeux, par rapport à l'étude des travaux d'Einstein. Toutefois il se souciait davantage d'être à la hauteur de ce qu'on attendait de lui, maintenant que Christopher avait fait « nettement mieux » à l'examen de fin de trimestre. En janvier 1929, Alan put enfin suivre tous les cours de première et se retrouva donc constamment avec Christopher. Il s'arrangea pour être assis à côté de lui à chaque fois. Alan écrivit :

« Christopher fit quelques-unes des remarques que je redoutais à propos de la coïncidence, mais sembla m'accueillir d'une manière passive. Il ne fallut pas attendre longtemps pour que nous commencions à faire des expériences de chimie ensemble et à échanger nos idées sur toutes sortes de sujets. »

Malheureusement, Christopher prit froid et fut absent du collège durant presque deux mois et Alan ne put travailler avec lui.

« Le travail de Chris était toujours meilleur que le mien parce qu'il était très méticuleux. Il était très intelligent, et ne négligeait jamais le moindre détail, il ne commettait ainsi que très peu d'erreurs de calcul. Lors des travaux pratiques, il avait un don pour toujours découvrir la meilleure méthode possible. Par exemple, il savait estimer la durée d'une minute à une demi-seconde près. Il lui arrivait parfois d'apercevoir la planète Vénus en plein jour. Naturellement, il avait une excellente vue, mais ce genre d'anecdote est très révélatrice de sa personnalité. Il avait également beaucoup de talents pour les choses du quotidien, comme conduire, se battre et jouer au billard. Il était impossible de ne pas admirer de telles aptitudes, et je rêvais d'avoir les mêmes. Chris était toujours très fier de ses performances, et je crois que ce fut ce qui éveilla mon esprit de compétition et me donna envie de faire quelque chose susceptible de susciter son admiration. Cette fierté s'étendait à ses affaires. Il n'hésitait jamais à vanter les vertus de son stylo à plume, au point de me faire saliver avant de comprendre qu'il tentait de me rendre jaloux. »

Avec un peu d'inconséquence, Alan ajouta également :

« Chris m'a toujours semblé très modeste. Par exemple, il ne disait jamais à M. Andrews que ses idées n'étaient pas réfléchies, alors qu'il en avait régulièrement l'occasion. Plus particulièrement, il détestait vraiment froisser qui que ce soit, et présentait souvent ses excuses (par exemple à ses professeurs) dans des situations où ce ne serait pas venu à l'idée d'un garçon moyen. »

Les garçons moyens, comme le reconnaissaient toutes les histoires d'école et les magazines, avaient beaucoup de mépris pour ses enseignants. C'était la plus grande contradiction du système. Mais Christopher était au-dessus de tout cela :

« Ce que je trouvais très surprenant chez Chris, c'est qu'il avait un code de moralité très précis. Un jour, il parlait de la dissertation d'un examen, et expliquait comment cela l'avait conduit à aborder le sujet du bien et du mal. D'une certaine manière je n'ai jamais douté que tout ce qu'il faisait était bien, et je crois que ce n'était pas simplement dû à mon admiration sans bornes.

Prenons le langage grossier, par exemple. L'idée que Chris puisse se montrer grossier était simplement ridicule, et, bien sûr j'ignore comment il se comporte avec les autres, mais j'aurais tendance à croire qu'il leur couperait la parole plutôt que de se montrer choqué. Tout cela pour vous expliquer à quel point sa personnalité m'impressionnait. Je me souviens d'un jour où je lui avais fait délibérément une remarque qui n'aurait pas eu sa place dans un salon, et à laquelle personne n'aurait prêté attention à l'école, juste pour voir de quelle manière il allait le prendre. Il me le fit aussitôt regretter, sans même sembler furieux ou suffisant. »

Cependant, en dépit de tant de vertus étonnantes, Christopher Morcom demeurait humain. Il faillit bien avoir des ennuis le jour où, jetant des pierres sur les trains du haut du pont ferroviaire, il toucha par mégarde un cheminot. Il s'amusa aussi à envoyer des ballons remplis de gaz jusqu'au collège de filles de Sherborne, ce qui n'était pas un mince exploit. En outre, les heures qu'ils passaient au laboratoire étaient loin d'être austères. Un troisième larron, un véritable athlète nommé Mermagen, se joignit à eux en physique et ils se retrouvaient tous les trois à faire leurs travaux pratiques dans un réduit annexe sous la surveillance de Gervis. Les cours de ce dernier ne manquaient d'ailleurs pas d'animation en leur présence, toutefois Christopher se demandait s'il n'allait pas opter plutôt pour la musique.

Le trimestre d'été 1929 fut extrêmement studieux car il fallait préparer le baccalauréat. Là encore la présence de Chris éclaira l'univers d'Alan. « Comme toujours, ma grande ambition était de faire aussi bien que Chris. J'avais toujours autant d'idées que lui, mais je ne m'appliquais pas autant à les mener à bien. » Auparavant, Alan n'avait jamais prêté attention aux réflexions qu'on lui faisait pour les petits détails de présentation ou de style, car il n'avait jamais travaillé que pour lui-même. Il s'apercevait maintenant que si Chris trouvait le système valable, c'est qu'il ne devait pas être si mauvais, et qu'il aurait tout intérêt à apprendre à communiquer. Mais il lui restait encore beaucoup à faire. Andrews fit remarquer que son élève « faisait au moins des efforts pour améliorer son style dans les exercices écrits », même si Eperson, tout en notant un progrès prometteur, soulignait encore la nécessité de « rédiger une solution claire et nette sur le papier ». L'examinateur des épreuves de mathématiques du baccalauréat commenta :

« A. M. Turing a fait preuve d'une aptitude remarquable à relever les points les moins évidents qu'il convenait de discuter ou de laisser de côté dans certaines questions, et à découvrir des méthodes permettant d'abréger ou de mettre en lumière les solutions. Cependant il a manqué apparemment de la patience nécessaire à des calculs soignés de vérification algébrique, et son écriture est tellement épouvantable que cela lui a fait perdre beaucoup de points... Parfois parce que son travail en devenait totalement illisible, parfois parce que le fait de ne pas pouvoir se relire lui-même l'a conduit à commettre des erreurs ! Ses dons pour les mathématiques n'ont pas suffi à compenser ses lacunes. »

Alan obtint 1 033 points à ses écrits de mathématiques tandis que Christopher réussit à atteindre 1 436 points.

Les Morcom formaient une famille aisée d'artistes et de scientifiques, et avaient des parts dans une entreprise d'ingénierie dans les Midlands. Ils avaient rénové une demeure jacobine près de Bromsgrove, dans le Worcestershire, et en avaient fait un vaste manoir, le Clock House, où ils vivaient dans un certain luxe. Tout comme le grand-père, le père, Reginald Morcom, travaillait dans une entreprise qui fabriquait des turbines à vapeur et des compresseurs d'air. La mère de Christopher était la fille de sir Joseph Swan, l'inventeur de l'ampoule électrique. À Clock House, Mme Morcom élevait des chèvres. Elle achetait et rénovait des cottages dans le village voisin de Catshill. Tous les jours, elle travaillait sur l'un de ses projets ou pour le comté. Elle avait étudié à Londres, à la Slade School of Art, et y était retournée en 1928, louant un studio et un atelier pour y faire de la sculpture. Fidèle à sa fibre artistique et à son entrain, de retour à la Slade, elle prétendit encore être Miss Swan, mais lorsqu'elle invitait des étudiants à Clock House, elle se déguisait de manière absurde pour incarner Mme Morcom.

Rupert Morcom, le fils aîné, était entré à Sherborne en 1920, puis avait obtenu une bourse pour faire des études scientifiques au Trinity College de Cambridge. Il faisait alors de la recherche à la Technische Hochshule de Zurich. Il était, comme Alan, fou d'expérimentation, et ses parents avaient pu lui faire construire un laboratoire dans leur propriété. Alan ne put dissimuler son envie lorsque Chris, qui lui aussi utilisait maintenant le laboratoire, lui raconta tout cela. Christopher lui parla en particulier d'une expérience que Rupert avait entreprise avant d'aller à Cambridge, en 1925. Elle impliquait l'utilisation d'une vieille connaissance d'Alan : l'iode. Le mélange de solutions d'iodates et de sulfates donnait effectivement un précipité d'iode pur, d'une manière très spectaculaire. « C'est une très belle expérience, expliquera plus tard Alan. On mélange deux solutions dans un bécher et, après avoir attendu un laps de temps très précis, le mélange devient d'un bleu très profond. J'ai pu vérifier qu'il fallait attendre trente secondes puis que la solution devenait bleue en moins d'un dixième de seconde. » Rupert avait cherché l'explication de ce délai, ce qui impliquait une connaissance de la chimie physique et une compréhension des équations différentielles dépassant largement le programme scolaire. Alan raconta :

« Chris et moi voulions trouver la relation entre le temps nécessaire et la concentration des solutions et vérifier ainsi les théories de Rupert. Chris avait déjà commencé quelques expériences sur le sujet et nous attendions beaucoup de nos recherches. Les résultats ne corroborèrent malheureusement pas la théorie. J'ai continué à travailler seul pendant les vacances, puis j'en ai élaboré une nouvelle. Je lui ai alors envoyé les résultats et c'est ainsi que nous avons commencé à nous écrire pendant les vacances. »

Il fit plus qu'écrire à Christopher, il l'invita à Guildford. Ross, en tant que responsable d'internat, aurait été horrifié par une telle audace. Christopher répondit (au bout d'un certain temps), le 19 août :

« … Avant de me mettre à mes expérimentations, je te remercie chaleureusement pour ton invitation, mais je crains de ne pouvoir venir, car nous allons partir durant cette période, probablement à l'étranger, pendant environ trois semaines… Je suis désolé de ne pouvoir venir. C'est très aimable de ta part de me l'avoir proposé. »

Quant aux iodates, ces nouvelles aventures à Clock House les avaient rendus totalement désuets. On y faisait des expériences pour mesurer la résistance de l'air, le frottement des liquides, on tentait d'y résoudre de nouveaux problèmes avec Rupert (« Ci-joint l'intégralité, que vous voudrez peut-être tenter de résoudre. »), on y dessinait les plans d'un télescope de six mètres de long, et…

« … jusqu'à présent, je me suis contenté de fabriquer une machine à additionner les livres et les onces. Elle fonctionne étonnamment bien. Je crois bien que j'ai un peu laissé tomber les maths, pendant ces vacances. J'ai simplement lu un bon livre de physique générale, dans lequel on parlait aussi de la relativité. »

Alan recopia laborieusement l'expérience ingénieuse sur la résistance de l'air qu'avait conçue Christopher, puis il lui répondit avec d'autres idées concernant la chimie et un problème mécanique, néanmoins Christopher ne manqua pas de refroidir ses ardeurs dans une lettre datée du 3 septembre : « Je n'ai pas eu le temps d'étudier soigneusement ton pendule conique, mais je ne comprends pas vraiment ta méthode. Accessoirement, j'ai l'impression qu'il y a une erreur dans tes équations de mouvement…

Je suis actuellement en train d'aider mon frère à fabriquer de la pâte à modeler pour un artiste. Le procédé consiste à la faire bouillir à l'aide de solvants organiques… J'en ai conçu une de plutôt bonne qualité, assez proche du résultat recherché, en mélangeant du savon à de la fleur de soufre, et en y ajoutant un peu de graisse de mouton. J'espère que tu passes de bonnes vacances. On se voit le 21. Amicalement, C. C. Morcom. »

Cependant, la chimie avait surtout cédé le pas à l'astronomie à laquelle Christopher avait déjà initié Alan un peu plus tôt cette année-là. Alan avait reçu de sa mère *La Constitution interne des étoiles* d'Eddington à l'occasion de son dix-septième anniversaire, et aussi un télescope d'un pouce et demi. Christopher, qui possédait déjà un télescope de quatre pouces dont il ne se lassait jamais de parler, avait, lui, reçu un atlas du ciel pour ses dix-huit ans. Outre l'astronomie, Alan se plongeait aussi dans *La Nature du monde physique*. Cette paraphrase, tirée d'une lettre du 20 novembre 1929, en témoigne :

« La théorie quantique de Schrödinger exige trois dimensions pour tout électron considéré. Sa théorie va pouvoir expliquer le comportement d'un électron. Il envisage six dimensions, ou bien neuf, ou n'importe quel nombre possible, sans jamais former la moindre image mentale. On peut résumer en disant que pour chaque nouvel électron, on introduit ces nouvelles variables analogues aux coordonnées d'espace. »

Ce passage sortait de la description qu'avait faite Eddington de cette autre révolution des concepts de la physique fondamentale qu'était la théorie quantique, notion autrement mystérieuse que celle de la relativité. Elle avait en effet sonné le glas des corpuscules comparés à des boules de billard ou à des ondes se propageant dans l'éther, pour les remplacer par des entités ayant à la fois les caractéristiques des particules et des ondes.

Eddington avait beaucoup de choses à dire, car les années 1920 avaient été témoins d'une évolution rapide de la physique théorique, et ce grâce à une succession de découvertes à la fin du siècle précédent. En 1929, cela ne faisait que trois ans que le physicien allemand Schrödinger avait formulé sa théorie sur la physique quantique. Nos deux adolescents lurent également les ouvrages de sir James Jeans, astronome de Cambridge, où il était là encore question de toutes nouvelles découvertes. On venait juste d'établir que certaines nébuleuses étaient en réalité des nuages de gaz et d'étoiles proches de la Voie lactée, tandis que d'autres formaient des galaxies tout à fait distinctes. La représentation que l'on se faisait de l'univers avait été multipliée par un million. Alan et Christopher ne se lassaient donc pas de discuter de toutes ces idées, s'opposant bien souvent, « ce qui rendait les choses beaucoup plus intéressantes », commentait Alan. Celui-ci gardait des « bouts de papier portant au crayon les idées de Chris par-dessus lesquelles j'avais griffonné les miennes au stylo. Nous nous amusions à cela même pendant les cours de français ».

Ces idées sont datées du 28 septembre 1929, tout comme un devoir officiel.

Celui-ci était couvert de ronds et de croix, de l'illustration d'une réaction chimique impliquant de l'iode et du phosphore, et d'un diagramme mettant en doute le postulat d'Euclide selon lequel « par un point extérieur à une droite donnée, ne passe qu'une et une seule droite qui lui est parallèle ». Alan conservait ces pages en souvenir, comme substitut aux témoignages de tendresse qu'il ne pouvait espérer. « Il y a des fois où j'ai perçu sa personnalité avec une force particulière, écrivait-il. Je songe à un soir où il attendait devant le labo et où, lorsque je suis arrivé, il m'a saisi avec sa grande main pour m'emmener voir les étoiles. »

Le père d'Alan fut enchanté, sinon incrédule, lorsque les bulletins de son fils commencèrent à changer de ton. Son intérêt pour les mathématiques se limitait aux calculs de ses impôts. Mais comme John, il se sentait fier d'Alan. Il y avait donc toujours eu une méthode sous cette folie apparente ! Contrairement à sa femme, M. Turing ne prétendit jamais avoir la moindre idée de ce que faisait son fils, et ce fut le thème d'un couplet qu'Alan lut un jour dans l'une des lettres de son père :

« I don't know what the 'ell 'e meant
But that is what 'e said 'e meant![1] »
[J'ignore ce qu'il voulait dire
Mais c'était ce qu'il voulait dire.]

Alan semblait se satisfaire de cette ignorance et de la confiance qu'on lui accordait. Mme Turing, elle, ne se priva pas de répéter qu'elle l'avait « bien dit » et qu'elle avait bien fait de l'envoyer dans ce collège-là. Il convient cependant de reconnaître qu'elle s'était réellement montrée attentive à son fils ; elle n'avait pas seulement cherché à le faire progresser moralement, elle aimait croire qu'elle pouvait comprendre son amour pour la science.

Alan se retrouvait maintenant en situation d'envisager une bourse pour l'Université. Christopher, maintenant âgé de dix-huit ans, était censé obtenir une bourse pour le Trinity College, comme son frère. Il était assez ambitieux de la part d'Alan de la tenter aussi avec un an de moins. Le Trinity College était la faculté de sciences et de mathématiques qui avait la meilleure réputation dans l'université de Cambridge – elle-même classée deuxième centre scientifique du monde après Göttingen en Allemagne.

Les *public schools* constituaient une bonne préparation aux examens d'entrée des grandes universités, et Sherborne octroya également à Alan un subside de trente livres par an. Cependant le tapis rouge n'était pas déroulé pour autant. En effet, les épreuves pouvaient porter sur n'importe quel sujet, une part étant laissée à l'imagination. Un avant-goût de ce que serait la vie. L'examen en lui-même excitait déjà beaucoup Alan, mais la certitude que Christopher quitterait Sherborne au plus tard à Pâques 1930 le minait. Ne pas obtenir cette bourse signifiait perdre Christopher

---

1. Notons les jeux de mots avec « *'ell 'e meant* » (« élément ») et « *said 'e meant* » (« sédiment »)

pendant au moins un an. Peut-être cette incertitude fut-elle la cause des pressentiments qui l'assaillirent pendant tout le mois de novembre : quelque chose, il le sentait, se produirait avant Pâques et empêcherait Chris d'aller à Cambridge.

Ces examens offraient la perspective de toute une semaine à passer en compagnie de Chris sans la contrainte des internats. « J'avais autant hâte de passer une semaine avec Chris que de voir Cambridge. » Le vendredi 6 décembre, Victor Brookes, un camarade de classe de Christopher qui devait se rendre de Londres à Cambridge en voiture, proposa à Alan et Christopher de les accompagner. Le jour venu, ils se rendirent tous deux à Londres en train et s'y arrêtèrent quelques heures pour rendre visite à Mme Morcom dans le petit studio qui lui servait d'atelier de sculpture, puis ils déjeunèrent avec elle à son appartement. Christopher aimait beaucoup taquiner Alan, et avait une plaisanterie récurrente à propos de « trucs mortels », prétendant que certaines substances en apparence inoffensives étaient de véritables poisons. Il lui soutenait que les couverts de sa famille, avec leur alliage particulier contenant du vanadium, étaient « absolument mortels ».

Une fois à Cambridge, ils purent mener pendant une semaine l'existence de vrais gentlemen, avec chambres personnelles et sans extinction des feux. Le dîner se passait dans la salle du Trinity College, en tenue de soirée et sous le portrait scrutateur de Newton. C'était l'occasion de rencontrer des candidats venus d'autres collèges et de pouvoir se comparer avec eux. Alan fit une nouvelle connaissance, Maurice Pryce, avec qui il eut un contact facile grâce à des intérêts très similaires en sciences et en mathématiques. Pryce tentait l'examen pour la seconde fois. L'année précédente, il s'était assis sous le portrait de Newton et s'était dit que rien d'autre ne pourrait le satisfaire. Et même si Christopher se montrait toujours un peu blasé de tout, c'était bien ce qu'ils ressentaient tous les trois : dorénavant tout serait différent.

D'après Alan, ce fut un « excellent repas ». Ensuite, ils allèrent :

« jouer au bridge avec d'autres élèves de Sherborne dans le Trinity Hall. Nous étions censés rentrer à 22 heures, mais à 21 h 56 Chris voulut jouer une nouvelle main. J'ai refusé, et nous sommes rentrés juste à temps. Le lendemain, le samedi, nous avons de nouveau joué aux cartes – au rami cette fois. Après 22 heures, Chris et moi avons continué à jouer à d'autres jeux. Je me souviens parfaitement de son grand sourire quand nous avons décrété que nous n'irions pas nous coucher tout de suite. Nous avons joué jusqu'à minuit et quart. Quelques jours plus tard, nous avons tenté d'entrer dans l'observatoire. Un ami astronome de Chris nous avait invités à passer quand bon nous semblerait. Mais le meilleur moment pour nous n'était manifestement pas le meilleur pour lui. »

Alan et Chris passèrent leurs soirées à jouer aux cartes jusqu'à des heures tardives. Christopher adorait les jeux et en trouvait toujours de nouveaux. Il aimait aussi « essayer de faire croire aux gens des choses invraisemblables ». Ils allèrent au cinéma avec Norman Heatley, ancien ami de Chris de l'école préparatoire, alors étudiant à Cambridge. Christopher lui raconta la façon originale qu'Alan avait de faire ses calculs, et comment il les traduisait en formules classiques lors des examens. Cet aspect de l'indépendance d'Alan inquiétait aussi Eperson qui trouvait que « ses solutions sont souvent peu orthodoxes sur la copie, ce qui exige du lecteur un effort d'élucidation ». Il doutait fort que les examinateurs de Cambridge cherchassent à percer sa singularité intellectuelle.

En rentrant du cinéma, Alan resta délibérément en retrait avec Heatley afin de vérifier à quel point Chris désirait vraiment sa compagnie.

« De toute évidence, je me sentais plutôt seul quand Chris m'appela (avec ses regards insistants) pour venir marcher à ses côtés. Il savait très bien à quel point je l'appréciais, mais il détestait que j'en fasse la démonstration. »

Alan avait conscience que leur amitié pouvait prêter à commentaire : « Nous ne faisions jamais de balades à bicyclette ensemble et je crois que Chris devait se faire un peu chahuter à cause de moi à l'internat. » Mais cela lui faisait d'autant plus plaisir.

Après avoir passé, selon Alan, la semaine la plus heureuse de sa vie, les deux garçons rentrèrent au collège le 13 décembre pour y terminer le trimestre. Au dîner, ils entonnèrent un chant à propos d'Alan :

« Le cerveau du mathématicien ne trouve que rarement le sommeil dans son lit,

Calculant sans cesse des logarithmes et faisant constamment de la trigonométrie. »

Les résultats furent publiés cinq jours plus tard dans le *Times*, juste après la fin des cours. Cruelle déception : Christopher était reçu au Trinity College, mais pas Alan. Alan le félicita, et Christopher lui répondit :

« 20/12/29
Cher Turing,

Merci beaucoup pour ta lettre. J'étais aussi navré que tu n'obtiennes pas cette bourse que j'étais ravi de l'avoir décrochée.

J'ai profité de deux nuits parfaitement dégagées. C'est la première fois que je vois aussi bien Jupiter. J'ai pu distinguer cinq ou six ceintures, et même des détails sur l'une des plus grosses, au centre. La nuit dernière, j'ai vu un satellite sortir d'éclipse. Il est apparu brusquement, pendant quelques secondes, à quelque distance de Jupiter, et m'a semblé très joli. C'est la première fois que j'en vois un. J'ai également aperçu la nébuleuse d'Andromède. Très distinctement, mais pas très longtemps. J'ai aussi vu le spectre de Sirius, Pollux et Bételgeuse, ainsi que la brillante nébuleuse d'Orion. Je suis actuellement en train de concevoir un spectrographe. Je te réécrirai plus tard. Joyeux Noël, etc. Amicalement, C. C. M. »

Chez lui, à Guildford, jamais Alan n'aurait eu les moyens nécessaires à la « conception d'un spectrographe », mais il avait mis la main sur un vieil abat-jour sphérique en verre. Il l'avait rempli de plâtre, couvert de papier (ce qui le fit réfléchir à la nature des surfaces courbes), et entreprit d'y indiquer les constellations d'étoiles fixes. Pour ne pas changer, il se contenta de sa propre observation du ciel nocturne, même s'il aurait été plus aisé, et plus fiable, de se servir d'un atlas. Il s'obligea à se lever à 4 heures du matin pour pouvoir repérer certaines étoiles non visibles le soir dans le ciel de décembre. Un jour, il réveilla même sa mère, qui crut à la présence d'un cambrioleur. Lorsqu'il en eut terminé, il écrivit à Christopher pour lui faire part de son expérience, profitant de l'occasion pour lui demander s'il pensait qu'il était préférable qu'il fasse une demande pour une autre université l'année suivante. S'il s'agissait d'un test d'affection, il en fut de nouveau récompensé, car Christopher lui répondit :

« 05/01/30
Cher Turing,

… Je ne peux vraiment pas te donner ce genre de conseil, car ce type de décision t'appartient entièrement, et je crois qu'il ne serait pas juste de m'en mêler. John est une excellente université, mais naturellement, je préférerais personnellement que tu viennes à Trinity, où je pourrais te voir plus souvent.

Ça m'intéresserait beaucoup de voir ta carte du ciel quand tu l'auras terminée, mais j'imagine que tu risques d'avoir du mal à l'apporter. J'ai souvent eu l'idée d'en fabriquer une, cependant je n'en ai jamais pris la peine, surtout maintenant que je dispose d'un atlas qui va jusqu'à Mag 6.

Dernièrement, j'ai tenté de découvrir des nébuleuses. On en a aperçu de belles, l'autre nuit, notamment une nébuleuse planétaire de Mag 7 dans la constellation du dragon. Avec une lunette de dix pouces. Nous avons aussi tenté de trouver une comète de Mag 8 dans la constellation du dauphin… Ce serait bien si tu pouvais mettre la main sur un bon télescope, parce que celui d'un pouce et demi te sera complètement inutile pour un si petit objet. J'ai essayé de calculer son orbite, mais j'ai lamentablement échoué avec onze équations irrésolues et dix inconnues à éliminer.

J'ai continué à faire de la pâte à modeler. Rupert a fabriqué du savon et des acides gras qui sentent très mauvais à partir d'huile de colza et de cirage… »

Chris a rédigé cette lettre chez sa mère, à Londres, où il devait « voir le dentiste… et aussi échapper à un bal à la maison ». Le lendemain, il lui écrivit de nouveau, à Clock House, cette fois :

« J'ai trouvé la comète tout de suite, à la position prévue. C'était nettement plus évident et intéressant que je l'aurais pensé. Je dirais qu'elle est presque à Mag 7. Tu devrais pouvoir la repérer avec ton télescope. Le meilleur moyen, c'est d'apprendre par cœur les étoiles de Mag 4 et 5, et ensuite de te déplacer lentement vers le bon endroit, sans perdre de vue toutes les étoiles connues…

Dans une demi-heure, je retournerai y jeter un coup d'œil si le ciel est de nouveau dégagé (il vient de s'assombrir), pour voir si je peux estimer son déplacement au milieu des étoiles, et aussi pour voir à quoi elle ressemble avec un gros oculaire (×250). Les cinq étoiles de Mag 4 dans la constellation du Dauphin sont visibles par paires. Amicalement, C. C. Morcom. »

Or Alan avait déjà découvert la comète, même si c'était grâce à une méthode moins rigoureuse.

« 10/01/30
Cher Morcom,
Merci beaucoup pour tes indications pour trouver la comète. Dimanche, je crois bien l'avoir aperçue. J'observais la constellation du Dauphin, croyant que c'était celle du Petit Cheval, mais j'ai repéré quelque chose comme ça [un minuscule croquis], un peu flou, d'environ un mètre de long. J'ai bien peur de ne pas l'avoir étudiée très attentivement. J'ai ensuite cherché la comète ailleurs, dans la constellation du Petit Renard, en pensant qu'il s'agissait de celle du Dauphin. J'avais lu dans *The Times* qu'il y avait une comète dans la constellation du Dauphin, ce jour-là.
... Le temps n'est vraiment pas idéal pour étudier cela. Aussi bien mercredi qu'aujourd'hui, j'ai pu profiter d'un ciel dégagé jusqu'au coucher du soleil, mais il s'est rapidement couvert au-dessus de la région d'Aquila. Mercredi, le ciel s'est éclairci juste après que la comète eut disparu...
Amicalement, A. M. Turing
Je t'en prie, ne me remercie pas chaque fois si religieusement pour mes lettres. Tu auras le droit de me remercier quand je les rédigerai de manière lisible (si jamais ça arrive un jour), si ça te fait plaisir. »

Alan reporta la course de la comète filant d'Equuleus vers Delphinus dans les cieux glacés. Puis il emporta son globe céleste avec lui au collège pour le montrer à Christopher. Blamey les avait quittés à Noël et Alan devait maintenant partager une autre chambre, où le globe fut exposé. Il ne présentait encore que peu de constellations, mais celles-ci suffirent à émerveiller les plus jeunes.

Trois semaines après la reprise des cours, le 6 février, un groupe de chanteurs se produisit en concert au collège. Alan et Christopher vinrent tous les deux les écouter et Alan ne quitta pas son ami des yeux de toute la soirée en se répétant : « Ce n'est pourtant pas la dernière fois que tu vois Morcom. » Cette nuit-là, il se réveilla en sursaut. L'horloge de l'abbaye sonna trois heures moins le quart. Alan se leva et alla à la fenêtre du dortoir pour observer les étoiles. Il lui arrivait souvent de se coucher avec son télescope afin de pouvoir contempler d'autres mondes pendant la nuit. La lune se couchait derrière l'internat de Ross et Alan songea que cela pouvait signifier un « au revoir » adressé à Morcom.

Christopher tomba gravement malade à cette heure précise et fut conduit en ambulance à Londres où il subit deux opérations. Il mourut à midi, le 13 février 1930, après six jours d'agonie.

II

L'esprit de vérité

« Je chante le corps électrique,
Ceint des foules de ceux que j'aime comme je les ceins,
Qui n'ont de cesse que je les suive, que je leur réponde,
Que je les décorrompe, que je les charge à plein de
    la charge de l'âme.

Qui doutera que ceux qui corrompent leur corps se
    masquent à eux-mêmes ?
Qui doutera que ceux qui souillent le vivant ne va-
    lent pas mieux que ceux qui souillent les morts ?
Qui doutera que le corps agisse aussi pleinement
    que l'âme ?
Le corps ne serait pas l'âme ? Dans ce cas, l'âme
    quelle est-elle[1] ? »

Personne n'avait jamais dit à Alan que Christopher Morcom était atteint de tuberculose bovine depuis le jour où, enfant, il avait absorbé du lait contaminé. Son organisme s'était peu à peu détérioré et la mort le menaçait depuis longtemps. La famille Morcom

---

1. « Je chante le corps électrique » de *Feuilles d'herbe*, traduction de Jacques Darras, éditions Grasset et Fasquelle, 1989, 1994, révisée par Jacques Darras pour les éditions Gallimard, collection Poésie, 2002.

s'était rendue dans le Yorkshire en 1927 afin d'observer l'éclipse totale du soleil du 29 juin, et Christopher était tombé gravement malade dans le train du retour. Il avait dû subir une opération et n'était retourné en classe que très tard cet automne-là, tellement amaigri qu'Alan avait alors été frappé par son apparence frêle.

« Ce pauvre vieux Turing est effondré », écrivit un garçon de Sherborne à Matthew Blamey le lendemain du décès. « Ce devait être de sacrément bons amis. » C'était à la fois plus et moins que cela. De son côté, Christopher avait enfin cessé d'être seulement poli pour devenir plus amical. Mais du côté d'Alan, c'était toute une partie de lui-même qui partait avec Chris. Personne à Sherborne n'aurait pu comprendre.

Dès qu'il sut, Alan écrivit à sa mère pour lui demander d'envoyer des fleurs aux obsèques, qui devaient avoir lieu le samedi, à l'aube. Mme Turing lui suggéra d'écrire lui-même à la mère de son ami, ce qu'il fit le 15 février 1930.

« Chère Mme Morcom,

Je voudrais vous dire combien je suis affecté par ce qui est arrivé à Chris. Nous avons travaillé constamment ensemble toute l'année dernière, et je suis sûr que nulle part ailleurs je n'aurais pu trouver compagnon si brillant et à la fois si charmant et modeste. Tout l'intérêt que je portais à mon travail, et à des matières comme l'astronomie (à laquelle il m'avait initié) se devait pour moi d'être partagé avec lui, et je pense qu'il éprouvait un peu la même chose envers moi. Cet intérêt a donc considérablement diminué, mais je sais aussi que je dois mettre autant d'énergie à mon travail que s'il était en vie parce que c'est ce qu'il aurait voulu que je fasse. Je suis certain que vous n'auriez pu souffrir perte plus grande.

Votre très affectionné Alan Turing.

Je vous serais extrêmement reconnaissant si vous pouviez m'envoyer un petit cliché de Chris, pour me rappeler son exemple et les efforts qu'il faisait pour me rendre plus soigneux et moins étourdi. Son visage me manquera énormément, et aussi sa façon de me sourire, légèrement de côté. J'ai heureusement conservé toutes ses lettres. »

Puis, comme Alan s'était réveillé le matin même à l'aube, heure des funérailles :

« J'étais si heureux de voir les étoiles briller en ce samedi matin, pour rendre un dernier hommage à Chris. M. O'Hanlon m'avait indiqué l'heure de la cérémonie afin que je puisse l'accompagner par la pensée. »

Le lendemain, le dimanche, il écrivit de nouveau à sa mère, peut-être d'une manière plus posée, cette fois :

« 16/02/30
Chère maman,
Comme tu me l'as suggéré, j'ai écrit à Mme Morcom, et ça m'a apporté un peu de réconfort...
... J'ai constamment l'impression que je vais croiser Morcom quelque part, et que nous allons de nouveau travailler ensemble. Maintenant que je dois me débrouiller seul, il ne faut pas que je le laisse tomber, mais que j'y mette autant d'énergie, à défaut d'autant d'intérêt, que s'il était encore là. Si j'y parviens, je serai encore plus digne de sa compagnie qu'actuellement. Je me souviens de ce que m'a dit G. O'H., un jour : "Ne te lasse pas de bien faire, car, le moment venu, tu finiras par en récolter les fruits." Et Bennett[1], toujours très gentil dans ces situations, m'a dit : "La tristesse peut durer une nuit, mais la joie revient toujours au matin." Je suis peiné qu'il ne soit plus là. J'ai l'impression qu'il ne m'est jamais venu à l'idée de tenter de me faire des amis, à l'exception de Morcom. À côté de lui, ils me semblaient tous incroyablement fades. D'ailleurs, je crains de n'avoir pas su apprécier les efforts de Blamey à mon égard à leur juste valeur, par exemple... »

Après avoir lu la lettre de son fils, Mme Turing écrivit à Mme Morcom :

« Le 17 février 1930
Chère madame Morcom,
Nos fils étaient si bons amis que je souhaitais vous adresser toutes mes condoléances, d'une mère à une autre. Vous devez vous

---

1. John Bennett était un de ses camarades de classe. Il trouva la mort en 1930 lors d'une randonnée en solitaire dans les montagnes Rocheuses.

sentir terriblement seule, et il doit vous être difficile d'être privée de l'épanouissement d'un enfant d'une intelligence si exceptionnelle et d'un caractère si attachant. Alan m'a expliqué qu'il était impossible de ne pas l'aimer, et il lui était si dévoué que je partageais moi aussi son dévouement et son admiration : durant les examens, il me faisait toujours part des excellents résultats de Christopher. Il était très attristé quand il m'a demandé de vous envoyer des fleurs pour lui, et, au cas où il ne se sentirait pas en mesure de vous écrire, je crois qu'il souhaiterait que je vous adresse aussi ses condoléances.

Très affectueusement, Ethel S. Turing. »

Mme Morcom invita aussitôt Alan à aller passer les vacances de Pâques à Clock House. Sa sœur, Mollie Swan, lui envoya une photo de Christopher. Malheureusement, les Morcom n'en avaient pas beaucoup de lui, et celle-ci, prise par un appareil automatique à partir d'un négatif, n'était pas très ressemblante. Alan répondit :

« 20/02/30
Chère Mme Morcom,

Je vous remercie énormément pour votre lettre. Cela me plairait beaucoup d'aller à Clock House. Merci beaucoup. Mais les cours s'achèvent le 1er avril, et je me rends alors en Cornouailles avec M. O'Hanlon, mon professeur principal, jusqu'au 11. Je pourrai donc venir à la période qui vous conviendra entre mon retour et début mai. J'ai tellement entendu parler de Clock House… De Rupert, du télescope, des chèvres, du labo…

Pourriez-vous, je vous prie, remercier Miss Swan pour la photo. Je l'ai mise sur mon bureau, pour qu'il m'encourage à travailler dur. »

Néanmoins, Alan devait garder ses émotions pour lui. Il n'avait pas droit au deuil et se voyait contraint à vivre la vie de l'école, comme tout le monde. Les Morcom avaient été plutôt surpris de la dévotion qu'Alan portait à la mémoire de Christopher. Celui-ci s'était toujours montré très réticent à parler chez lui de ses amis d'école. Le nom de Turing avait donc été plusieurs fois mentionné, sans plus, et les parents de Chris n'avaient fait qu'entrevoir Alan très brièvement en décembre. Ils ne le connaissaient que par ses lettres. Début mars, ils modifièrent leurs plans et décidèrent finalement de prendre ces vacances en Espagne, prévues avant la mort de Christopher. Ce fut donc sur le seul témoignage de ses lettres qu'ils invitèrent Alan à partir à la place de leur fils plutôt que d'aller les voir chez eux. Alan écrivit dès le lendemain à sa mère :

« Je suis à moitié déçu de ne pas aller à Clock House. Je rêverais de voir la maison, ainsi que tout ce dont Morcom m'a parlé Mais ce n'est pas tous les jours qu'on est invité à Gibraltar ! »

Le 21 mars, les Morcom firent une visite d'adieux à Sherborne et Alan fut invité à venir les saluer le soir, à l'internat Ross. Le trimestre s'achevait une semaine plus tard, et Alan se rendit à Rock, sur la côte nord de la Cornouailles, en compagnie d'O'Hanlon qui favorisait certains groupes d'élèves avec ses propres finances. Alan écrivit ensuite à Blamey qu'il s'était « beaucoup amusé là-bas, surtout grâce à la pinte de bière après les heures d'exercice physique ».

En l'absence de son fils, Mme Turing alla rendre visite à Mme Morcom dans son appartement londonien. Celle-ci consigna dans son journal à la date du 6 avril :

« Mme Turing est venue me voir à l'appartement, ce soir. C'était la première fois que je la voyais. À peu de choses près, nous n'avons parlé que de Chris. Elle m'a expliqué à quel point il avait influencé Alan, et comment ce dernier avait l'impression de continuer à travailler avec lui et de profiter de son aide. Elle est restée jusqu'à 23 heures, puis a été contrainte de regagner Guildford. Elle était venue assister à un concert de Bach au Queens Hall. »

Pendant ces vacances, Mme Turing passa à nouveau voir Mme Morcom à son appartement londonien. Les deux femmes parlèrent surtout de Christopher et de la bonne influence qu'il avait eue sur Alan.

Les dix jours de Cornouailles terminés, Alan fit une brève étape à Guildford pour aider sa mère à remettre un peu d'ordre dans ses affaires. Puis le 11 avril, il se rendit à Tilbury, où il devait retrouver les Morcom sur le bateau *Kaisar-i-Hind*. Outre le colonel Morcom, sa femme et Rupert, leur petite troupe comprenait également un directeur de la banque Lloyds et un certain

M. Evan Williams, P.-D. G. de la Powell Dyffryn, la société minière galloise. Mme Morcom inscrivit dans son journal :

« ... Nous avons pris la mer aux environs de midi. Nous avons profité d'une journée magnifique sous un soleil radieux jusqu'à 15 h 30, où le brouillard a commencé à se lever, nous forçant à ralentir notre allure. Avant de prendre le thé, nous avons jeté l'ancre à l'embouchure de la Tamise et y sommes restés jusqu'à minuit. Tout autour de nous, des navires faisaient sonner leurs cornes de brume et tinter leurs cloches... Ce brouillard a fortement intéressé Rupert et Alan, ce qui est plutôt inquiétant. »

Alan partageait une cabine avec Rupert, qui fit de son mieux pour essayer de le faire parler de Jeans et d'Eddington, mais il trouva Alan très timide et hésitant. Chaque soir, avant de s'endormir, Alan contemplait durant un long moment la photographie de Chris. Lors de la première matinée sur le bateau, Alan commença à parler à Mme Morcom de son fils, exprimant pour la première fois ses sentiments à voix haute. Il lui avoua qu'il s'était senti proche de Christopher avant même de le connaître et lui raconta son pressentiment du drame ainsi que les adieux de la lune à Chris. (« Il est toujours facile de trouver de bonnes explications, mais tout de même ! ») Le lundi, alors qu'ils doublaient le cap Vincent, Alan lui montra les dernières lettres qu'il avait reçues de Christopher.

Ils ne passèrent que quatre jours sur la Péninsule, où ils franchirent une multitude de virages en épingle pour gagner Grenade. Ils y arrivèrent lors de la semaine sainte et assistèrent à une procession religieuse. De retour à Gibraltar pour le Vendredi saint, ils reprirent un bateau pour l'Angleterre dès le lendemain. Alan et Rupert communièrent à bord pour le dimanche de Pâques.

Rupert avait eu le temps de se convaincre de l'originalité de pensée d'Alan, mais il ne trouvait pas le jeune homme supérieur aux autres scientifiques qu'il avait connus à Trinity. L'avenir du jeune Turing demeurait incertain. Devait-il s'orienter vers les mathématiques ou vers les sciences, à Cambridge ? Obtiendrait-il seulement une bourse ? Songeant à une éventuelle porte de sortie, Alan parla avec Evan Williams des carrières scientifiques qu'offrait l'industrie. Celui-ci lui expliqua les problèmes posés par l'industrie charbonnière – l'analyse de la toxicité des poussières de charbon, par exemple –, cependant Alan ne fut pas entièrement convaincu et confia à Rupert qu'il pouvait s'agir d'un moyen de tromper les mineurs en leur brandissant des certificats scientifiques sous le nez.

Le voyage avait été des plus chics et ils avaient séjourné dans les meilleurs hôtels, pourtant le désir le plus cher d'Alan restait de visiter Clock House. Mme Morcom s'en aperçut et, pleine de tact, lui demanda de venir l'aider à trier les papiers de Christopher. Le mercredi suivant, Alan l'accompagna donc à son studio de Londres puis, après une visite au British Museum, ils prirent le train de Bromsgrove. Deux jours durant, Alan découvrit le laboratoire, le télescope inachevé, et tout ce dont Christopher lui avait tant parlé. Il devait rentrer chez lui le vendredi 25 avril, mais il surprit Mme Morcom en revenant à Londres le lendemain pour lui porter un paquet de lettres de Christopher. Le lundi, il écrivit :

« 28/04/30
Chère Mme Morcom,
Je vous écris simplement pour vous remercier de m'avoir invité à partager ce voyage avec vous, et vous faire savoir à quel point cela m'a plu. Je ne crois pas avoir déjà eu la chance de passer un moment si agréable, à l'exception de cette merveilleuse semaine avec Chris à Cambridge. Je me dois également de vous remercier pour toutes ces petites choses qui lui appartenaient et que vous m'avez remises… Elles comptent énormément pour moi.
Amicalement, Alan.
P.S. Je suis tellement heureux que vous m'ayez permis d'aller à Clock House. La maison et tout ce qu'elle contient m'ont beaucoup impressionné. Je suis ravi d'avoir pu vous aider à remettre de l'ordre dans les affaires de Chris. »

Mme Turing lui avait également écrit :

« 27/04/30
Chère Mme Morcom,
Alan est rentré hier soir, et il est enchanté. Il a adoré passer ce moment avec vous, tout particulièrement à Clock House : il est allé voir quelqu'un en ville aujourd'hui, mais il m'a promis de me raconter tout ça un de ces jours. Il s'est agi pour lui d'une expé-

rience très particulière. Nous n'avons pas vraiment eu l'occasion de discuter depuis, toutefois je suis certain que cela lui a permis de partager des souvenirs avec vous, et il conserve précieusement, avec une tendresse toute féminine, les stylos, la magnifique carte des étoiles et les autres souvenirs que vous lui avez offerts…

J'espère ne pas faire preuve d'une trop grande impertinence, mais, après notre discussion, en découvrant à quel point il était fidèle à son nom en aidant les plus faibles, je trouve qu'il serait merveilleux d'apposer une plaque à sa mémoire et en l'honneur de saint Christophe dans la chapelle de l'école. Une plaque que vous imagineriez. Quelle source d'inspiration ce serait pour ces garçons de savoir qu'il existe encore aujourd'hui des disciples de saint Christophe, et que le génie et l'altruisme peuvent aller de pair, comme c'était le cas avec Chris… »

Mme Morcom avait déjà mis en œuvre une idée à peu près similaire. Elle avait commandé un vitrail de saint Christophe. Cependant, elle ne le destinait pas à Sherborne, mais à sa propre paroisse, à Catshill. Il n'était pas non plus censé exprimer « l'altruisme », plutôt la vie qui continuait. De retour à l'école, Alan écrivit à Mme Morcom :

« 03/05/30
… J'espère faire aussi bien que Chris au baccalauréat, ce trimestre. Je me dis souvent que je lui ressemble, ce qui nous a permis de devenir d'excellents amis, et je me demande s'il me reste quelque chose à accomplir à sa place. »

Mme Morcom avait également fait appel à Alan pour l'aider à choisir des livres que Christopher avait reçus en guise de prix posthume :

« Je crois que Chris aurait certainement pris *The Nature of the Physical World* (La nature du monde physique) d'Eddington et *The Universe Around Us* (L'univers qui nous entoure) de Jeans pour le prix Digby, et probablement soit *The Internal Constitution of the Stars* (La constitution interne des étoiles) d'Eddington, soit *Astronomy and Cosmogony* (Astronomie et cosmogonie) de Jeans. Je suis certaine que *The Nature of the Physical World* vous plairait. »

La famille Morcom dota Sherborne d'un nouveau prix de science destiné à récompenser les travaux les plus originaux. Alan, qui avait jusqu'alors fait traîner en longueur son expérience sur les iodates, entreprit de la rédiger sérieusement en vue de l'obtenir. Même depuis sa tombe, Christopher le poussait à concourir. Il écrivit à sa mère :

« Le 18 mai 1930

… Je viens juste d'écrire à un certain Mellor, l'auteur d'un livre de chimie, pour voir s'il peut me fournir une lettre de recommandation à propos de l'expérience que j'ai faite l'été dernier. Rupert m'a dit qu'il ferait des recherches à Zurich si je parvenais à obtenir cette lettre. Il est fâcheux que je ne l'ai pas eue plus tôt. »

Alan s'intéressait aussi au dessin en perspective :

« Je n'ai pas fait d'énormes progrès en dessin, cette semaine… Je ne suis pas très emballé par les cours de Miss Gillet. Je me rappelle qu'un jour elle nous a vaguement expliqué sa théorie des parallèles qu'il faut tracer en même temps, toutefois elle ne cessait aussi de répéter que "les lignes verticales doivent rester verticales". Je me demande comment elle arrive à dessiner quoi que ce soit. Je n'ai pas beaucoup dessiné de fleurs, je me suis concentré sur la perspective. »

Mme Turing écrivit à Mme Morcom :

« Le 21 mai 1930

…Alan s'est mis au dessin, ce à quoi je tenais depuis longtemps : je crois que c'est vous qui l'avez inspiré. Il vous est dévoué, et je crois qu'il cherchait simplement un prétexte pour pouvoir vous rendre visite quand il est venu vous voir en ville ! Vous êtes trop gentille avec lui, et, d'une certaine manière, vous lui avez ouvert la porte d'un nouvel univers… chaque fois que nous nous retrouvions seuls, il ne souhaitait parler que de Chris, de vous, du colonel Morcom et de Rupert. »

Cet été-là, Alan espérait vraiment obtenir une meilleure note au baccalauréat. Il s'était inscrit au Pembroke College de Cambridge, qui offrait un certain nombre de bourses en fonction des notes obtenues. Il espérait cependant secrètement ne pas l'obtenir pour pouvoir tenter d'aller à Trinity. Il échoua, car il trouva l'épreuve de mathématiques nettement plus difficile que l'année précédente. Pourtant Eperson rapporta :

« ... J'ai l'impression que son style s'est amélioré à l'écrit. Il est désormais plus convainquant et moins superficiel que l'an dernier... »

Et Gervis :

« Il a réalisé un bien meilleur travail que l'an dernier parce qu'il a désormais un style beaucoup plus mûr. »

Alan présenta sa candidature au nouveau prix de science Morcom à Andrews, qui déclara plus tard :

« Je me suis rendu compte pour la première fois de la rare intelligence d'Alan lorsqu'il m'a soumis un exposé sur la réaction chimique provoquée par le contact d'acide iodique et le dioxyde de soufre. Je m'étais servi de cette expérience en guise de démonstration, et il l'a résolue d'une manière stupéfiante... »

Les iodates lui permirent de remporter le prix. « Mme Morcom est remarquablement gentille, et dans la famille, ils sont tous extrêmement intéressants, écrivit Alan à Blamey. Ils ont créé un prix en mémoire de Chris, et je l'ai remporté cette année. » Il écrivit également :

« J'ai commencé à apprendre l'allemand. Il est possible que je sois obligé de me rendre en Allemagne dans le courant de l'année prochaine, mais ça ne m'enchante pas. Je préférerais rester hiberner à Sherborne. L'ennui, c'est que la plupart des gens qui restent dans le groupe III m'écœurent complètement. Le seul type respectable qui y soit depuis février, c'est Mermagen, mais il ne suit pas la physique très sérieusement et délaisse totalement la chimie. »

Son professeur d'allemand se désolait de son peu d'aptitude pour les langues. Mais Alan avait d'autres centres d'intérêt. Cet été-là, les garçons de l'internat Westcott, qui considéraient maintenant Alan avec un certain respect, le trouvèrent, en rentrant de leur promenade du dimanche, plongé dans une expérience. Il avait installé un long pendule dans la cage d'escalier et vérifiait que son plan d'oscillation restait fixe au cours de la journée, alors que la terre tournait. Il ne s'agissait que de l'expérience élémentaire du pendule de Foucault telle qu'Alan avait dû la voir au musée des Sciences de Londres, pourtant l'émotion causée à Sherborne égala presque celle qu'il avait suscitée en 1926 en arrivant à bicyclette ! Alan expliqua à Peter Hogg que cette expérience avait également un rapport avec la théorie de la relativité : Einstein se demandait en effet comment le pendule pouvait conserver une position fixe par rapport aux étoiles. Pourquoi devait-il y avoir une norme absolue de rotation et comment pouvait-elle s'accorder aussi parfaitement avec la carte du ciel ?

Cependant, si les étoiles l'attiraient toujours, Alan devait aussi essayer de mettre au clair toutes les pensées qui l'assaillaient encore au sujet de Christopher. Mme Morcom lui avait demandé au mois d'avril de coucher sur le papier tous les souvenirs qu'il avait de son fils en vue d'une anthologie, cependant Alan éprouva de grandes difficultés à parler de son ami :

« Tout ce que je vous ai écrit jusque-là à propos de Chris ressemble plus à une description de notre amitié qu'à autre chose. Je me suis donc dit que j'allais continuer de cette façon, mais que j'allais aussi moins parler de moi pour que vous puissiez vous servir de ces témoignages. »

Les trois tentatives d'Alan se révélèrent d'un trop grand détachement, trop honnête pour dissimuler ses sentiments. Il lui envoya les premières pages le 18 juin, et lui expliqua :

« Mes souvenirs de Chris les plus marquants sont surtout des choses qu'il m'a dites. Bien sûr, je vénérais chacun de ses actes, ce que je n'ai jamais vraiment cherché à dissimuler, suis-je bien obligé de reconnaître. »

Mme Morcom lui demanda d'aller plus loin, et Alan lui promit de s'y remettre dès qu'il serait en vacances :

« 20/06/30

… Je crois avoir compris ce que vous vouliez dire à propos de ces détails au sujet desquels vous souhaitez en savoir davantage. J'aurai le temps d'y réfléchir tranquillement quand je serai en Irlande. Je ne pourrai pas m'en occuper plus tôt, car c'est la fin du trimestre, et, durant la formation militaire, les conditions ne seront certainement pas idéales. Un grand nombre des passages que j'ai éliminés étaient à mes yeux révélateurs de la personnalité de Chris, or, en me relisant plus tard, j'ai réalisé que ceux qui ne nous connaissaient pas très bien, Chris et moi, n'y comprendraient pas grand-chose. J'ai tenté autre chose pour mieux montrer ce qu'il représentait pour moi. Vous, vous le savez déjà, naturellement... »

Heureusement, l'apparition d'une maladie contagieuse à Sherborne obligea l'annulation de la formation militaire, changeant ainsi les plans d'Alan. Il se présenta à Clock House le lundi 4 août. Mme Morcom écrivit : « ... Je viens juste d'aller le border. Il dort dans ma chambre mais a insisté pour prendre le sac de couchage dans lequel Chris a dormi l'automne dernier... » Le lendemain, Mme Turing les rejoignit. Le colonel Morcom autorisa Alan à poursuivre dans le laboratoire une expérience que Chris et lui avaient entamée. Ils passèrent une journée dehors pour la fête du comté, et allèrent se recueillir sur la tombe de Christopher. Le dimanche soir, Mme Morcom écrivit :

« ... Je suis allée à Lanchester avec Mme Turing et Alan. Ils partaient peu après 19 heures pour l'Irlande. Je suis restée discuter avec eux jusqu'au bout. Ce matin, Alan est venu me voir pour me dire à quel point son séjour ici lui avait plu. Il dit y ressentir la présence de Chris. »

Une fois en Irlande, Alan passa ses vacances à pêcher avec son père et son frère, et à escalader les collines avec sa mère. Cependant il devait garder ses pensées pour lui.

À la fin du trimestre d'été, O'Hanlon put noter une très nette amélioration dans le travail d'Alan. Celui-ci se pliait enfin au système. Sans que l'on puisse parler de réconciliation, Alan se décidait maintenant à accepter les règles comme des conventions plutôt que comme des obligations. Dès l'automne 1930, Peter Hogg devint chef d'internat et Alan fut nommé préfet. O'Hanlon écrivit à Mme Turing : « Je suis certain qu'il tiendra parfaitement ce rôle. Il est intelligent et il a le sens de l'humour. Ces qualités vont beaucoup l'aider. » En effet, il ne manqua pas à sa charge et s'occupa consciencieusement de la discipline des nouveaux. L'un d'entre eux, David, était le frère d'Arthur Harris, qui avait été chef d'internat quatre ans auparavant. Alan le surprit en train de laisser ses affaires de foot en vrac pour la seconde fois. Il lui annonça : « Je crains de devoir te fouetter ! » Et il ne se déroba pas.

Harris tint bon, et Alan lâcha ses coups. Au même moment, il glissa sur le sol des douches, et ses coups se mirent à pleuvoir au petit bonheur la chance dans le dos de Harris. C'était raté pour se faire respecter ! Il ne tarda pas à avoir la réputation d'un préfet « faible », que les plus jeunes ne se privèrent pas de faire enrager : soit en soufflant sur sa chandelle dans le dortoir, soit en versant du bicarbonate de soude dans son pot de chambre. (Il n'y avait pas de toilettes dans les dortoirs.) « Le vieux Turog », le surnommait-on, d'après le fameux pain Turog, et on ne manquait jamais une occasion de se payer sa tête. Knoop, l'un des garçons les plus âgés, qui considérait qu'Alan avait « un cerveau là où j'ai du fromage de tête », fut témoin d'un incident similaire à l'internat :

« Durant une période d'une heure et demie par jour, les sanctions étaient dispensées par des élèves. Nos bureaux se trouvaient de chaque côté d'un long couloir, et étaient occupés par deux à quatre garçons. Ce soir-là, on entendit quelqu'un marcher, puis frapper à une porte. On perçut ensuite des voix étouffées, puis deux séries de bruits de pas en direction des vestiaires des douches. On entendit alors le sifflement d'une canne, de la vaisselle brisée, puis un bruit sourd. C'était le premier coup. Pour le second, il se produisit exactement la même chose. Mes camarades et moi étions alors déjà pliés en deux de rire. Ce qui s'était passé, c'était que Turing, en armant son coup, avait brisé le service à thé destiné aux préfets. À deux reprises. rien qu'au son, on avait parfaitement compris ce qui se passait dans le vestiaire. Lorsqu'il porta son troisième coup, il ne cassa plus rien, car il avait déjà tout fait voler en éclats. »

Anecdote nettement plus contrariante, un garçon s'empara de son journal qu'il gardait pourtant sous clé et l'endommagea. Toutefois il y avait des limites à ce qu'Alan pouvait supporter :

« Turing… était un garçon plutôt attachant, mais d'apparence relativement négligée. Il avait au moins un an de plus que moi, pourtant nous étions quand même bons amis.

Un jour, je l'ai vu se raser avec les manches détachées, dans une tenue ignoble. D'un ton amical, je lui ai dit : "Turing, tu fais peine à voir." Il ne sembla pas le prendre mal, et, sans aucun tact, je lui répétai ma réflexion. Il s'en offusqua, me demandant de ne pas bouger et de l'attendre. Je fus quelque peu surpris, mais (les châtiments se déroulant généralement dans les sanitaires) je sus à quoi m'attendre. Il revint avec une canne, me demanda de me pencher et m'en donna quatre coups. Puis il la rangea et poursuivit son rasage. Il fut inutile d'en dire davantage. Je compris que c'était ma faute, et nous restâmes bons amis. On n'y fit plus jamais allusion. »

Mais, en plus des sujets importants qu'étaient « la discipline, la maîtrise de soi, le sens du devoir et la responsabilité », il fallait continuer à songer à Cambridge :

« 02/11/30
Chère Mme Morcom,

J'attendais des nouvelles de Pembroke avant de vous écrire, et j'ai appris indirectement il y a quelques jours qu'ils ne m'accorderont pas de bourse. Je m'y attendais un peu ; je n'avais pas vraiment brillé dans aucun des trois sujets... mais je reste néanmoins plein d'espoir pour les examens de décembre. Les épreuves qu'on nous donne là me conviennent tellement mieux que celles du baccalauréat. Je n'éprouve pourtant pas le même enthousiasme que l'année dernière. Si seulement Chris pouvait encore être ici et que nous ayons une nouvelle semaine à passer ensemble.

J'ai reçu deux des livres que j'ai gagnés pour le prix Christopher Morcom. Je me suis bien amusé hier soir à apprendre quelques figures du jeu de ficelle que j'ai trouvées dans *Récréations et essais mathématiques*... On m'a nommé préfet d'école ce trimestre. À ma grande surprise, car je n'étais même pas préfet d'internat le trimestre dernier.

Je viens de me joindre à un groupe qui s'appelle "Les Cancres". Nous nous rendons (si nous voulons) un dimanche sur deux chez tel ou tel maître d'internat où, après le thé, quelqu'un fait une petite conférence sur un sujet qu'il a préparé. C'est toujours très intéressant. J'ai accepté de préparer quelque chose sur "les autres mondes". J'en suis à la moitié de sa rédaction. C'est vraiment amusant. Je ne sais pas pourquoi Chris n'a jamais fait partie de cette association.

Ma mère est allée à Oberammergau. J'ai l'impression que ça lui a beaucoup plu, elle n'a seulement pas encore eu l'occasion de m'en parler...

Affectueusement, A. M. Turing. »

Si sa nomination au rang de préfet constituait un grand réconfort pour sa mère, Alan Turing était davantage intéressé par l'amitié qui ne tarda pas à l'unir à Victor Beuttell. Celui-ci, qui avait trois ans de moins qu'Alan, appartenait au même internat. Il était de ceux qui, sans se plier ni s'opposer vraiment au système établi, s'arrangeaient pour le contourner. Comme Alan, il traînait avec lui le poids d'un chagrin secret : sa mère succombait peu à peu à la tuberculose bovine. Alan la rencontra un jour qu'elle venait voir son fils, et il apprit alors la tragique vérité. Cela éveilla en lui trop de souvenirs pénibles. Par ailleurs, on lui confia que Victor avait été tellement châtié par le préfet d'un autre internat, que sa colonne vertébrale avait été endommagée. Aussi, à la première occasion, Alan fut incapable de frapper son jeune ami, et préféra le soumettre à l'autorité d'un autre préfet. Ainsi, malgré les règles de l'école qui interdisaient la fréquentation des élèves plus jeunes, la compassion qui les réunit tout d'abord se mua très vite en amitié, grâce à l'autorisation spéciale d'O'Hanlon.

Les deux garçons passaient la majorité de leur temps à jouer avec des codes chiffrés. Sans doute tiraient-ils leurs idées de *Récréations et essais mathématiques*. Le dernier chapitre était consacré aux rudiments de la cryptographie. L'un des codes qu'Alan préférait n'avait pas grand-chose à voir avec les mathématiques. Il s'agissait de perforer une bande de papier puis de fournir à son destinataire un livre. Le destinataire, en l'occurrence le pauvre Victor, devait alors passer la bande perforée sur les pages du livre jusqu'à ce que les lettres apparaissant par les petits trous formassent un message du genre *Orion a-t-elle une ceinture ?* Alan avait en effet communiqué à Victor sa passion de l'astronomie et lui avait expliqué les constellations. Alan lui montra aussi comment concevoir des carrés magiques (d'après une méthode qu'il avait aussi apprise dans le fameux livre), et ils jouèrent énormément aux échecs.

La famille de Victor était en quelque sorte liée à la compagnie d'électricité Swan. Le père de Victor, Alfred Beuttell, avait fait fortune en inventant en 1901 une nouvelle sorte de tube électrique fluorescent, le tube Linolite. La lampe était commercialisée par Swan and Edison. Sorte de grand patriarche, Alfred Beuttell régnait sur ses deux fils, dont Victor était l'aîné. Il avait attendu les années 1920 pour se replonger dans des recherches sur l'éclairage et c'est en 1927 qu'il put faire breveter une nouvelle invention, le système lumineux par rayon-K, qui devait permettre un éclairage uniforme des tableaux et des affiches. L'idée était d'enfermer une affiche dans une sorte de boîte de verre dont le panneau avant s'incurvait afin de réfléchir uniformément la lumière d'un tube placé tout en haut du cadre. Le problème était de trouver la bonne formule pour la courbure du verre. Victor en avait parlé à Alan, et celui-ci trouva la formule comme par enchantement, sans même pouvoir exactement l'expliquer. Pourtant il n'en resta pas là, et il souleva une autre difficulté posée cette fois-ci par l'épaisseur du verre qui pouvait provoquer un second reflet sur le devant. Il fallut donc changer la courbure du système de rayon-K qui ne devait pas tarder à être utilisé pour des enseignes lumineuses extérieures : le premier contrat étant conclu avec la chaîne de restauration J. Lyons and Co Ltd.

Une fois de plus, ce qui avait passionné Alan, c'était qu'une formule mathématique puisse trouver une application dans le monde physique. Il avait toujours aimé les démonstrations pratiques, même s'il n'était pas vraiment doué pour les réaliser. Même s'il avait beau être qualifié de « matheux », il ne considérait pas qu'une pensée était rabaissée par ses implications concrètes.

De la même manière, il ne laissait pas le culte des jeux d'équipe qui régnait à Sherborne lui inspirer du mépris pour le corps humain. Il aurait aimé se sentir en harmonie avec son corps et avec les autres, et il éprouvait les mêmes difficultés dans les deux cas : un manque de coordination et de la peine à s'exprimer. Cependant, il avait fini par découvrir qu'il courait plutôt bien, et gagnait souvent les courses organisées les jours de pluie. Victor allait parfois courir avec lui, mais, à bout de forces, il faisait immanquablement demi-tour au bout d'un kilomètre pour se faire doubler un peu plus loin par Alan revenant d'un bien plus long parcours.

La course lui convenait parce que c'était un exercice pur, ne nécessitant ni matériel ni connotations sociales. Il n'était pas très rapide au sprint ni très gracieux – il avait les pieds plats –, cependant il parvint à acquérir une grande endurance à force de volonté. Alan n'était pas le premier intellectuel à s'imposer ce type de contrainte physique et à en tirer une satisfaction durable. Quel plaisir d'éprouver sa résistance physique par le biais de la course, de la marche, du vélo ou de l'escalade tout en affrontant les éléments ! Cela faisait partie de ses aspirations de « retour à la nature ». Mais il y avait évidemment d'autres éléments en jeu. Alan était conscient que la fatigue de la course le détournait de ses désirs charnels. Dorénavant, les difficultés relatives à sa sexualité n'allaient cesser de prendre de l'importance dans sa vie – à la fois pour maîtriser les exigences du corps et pour assumer une identité affective.

Puis, en décembre, ce fut à nouveau le chemin de Cambridge pour une semaine d'examens. Une fois encore, il n'obtint pas la bourse de Trinity. Cependant sa confiance en lui ne l'avait pas complètement trahi puisqu'il obtint tout de même une bourse à King's. Il arriva huitième et se vit allouer 80 livres par an[1].

Tout le monde le félicita mais il n'entendait pas s'arrêter là. Il avait l'ambition de poursuivre l'œuvre qui aurait dû être celle de Christopher. Pour un individu pourvu d'un esprit mathématique capable de gérer n'importe quel symbole abstrait comme un objet de la vie quotidienne, une bourse à King's était une sorte de démonstration, comme déchiffrer une sonate ou réparer une voiture : c'était très satisfaisant, sans plus. D'autres étaient parvenus à obtenir de meilleures bourses, et souvent plus jeunes. Plus pertinent que le terme « brillant » dont les professeurs commençaient à abuser, le couplet qu'entonna Peter Hogg au dîner de l'internat ressemblait à cela :

« C'est ensuite au tour de notre mathématicien

Qui se prend pour Einstein et ne respecte jamais le couvre-feu. »

Car il s'était vraiment penché sur le travail d'Einstein, en enfreignant parfois certaines règles.

En attendant, Alan hiberna encore pendant deux trimestres. La conjoncture de 1931 n'offrait guère la possibilité de trouver un travail d'appoint. Il en profita pour décider quelle voie choisir pour la suite de ses études à Cambridge, et il finit par opter pour les mathématiques plutôt que les sciences. Dès 1931, il se procura les *Mathématiques pures* de G. H. Hardy, base des cours de maths de l'université, puis il repassa une troisième fois son

---

1. En comparaison, un ouvrier spécialisé gagnait 160 £ par an et un chômeur touchait 40 £ d'indemnités annuelles.

baccalauréat – option mathématiques cette fois-ci –, pour obtenir enfin la mention tant attendue. Entre-temps, il postula pour le prix Morcom et le remporta pour la seconde fois. Cette fois, il reçut une sorte de registre, qu'il jugea « passionnant, reflétant à la perfection l'esprit de Chris ». Les Morcom l'avaient choisi dans un style relativement moderne qui contrastait énormément avec le côté vieillot de Sherborne.

Cette année-là, il passa ses vacances de Pâques à faire une grande randonnée – à pied et en stop – avec Peter Hogg (ornithologiste confirmé) et un autre garçon, George Maclure. Sur le trajet qui les mena de Guildford au comté de Norfolk, ils passèrent une nuit dans un foyer de travailleurs. Un jour, égal à lui-même, alors que ses compagnons avaient accepté qu'on les déposât, il poursuivit la marche en solitaire. De plus, il passa cinq jours de formation militaire obligatoire avec le corps d'entraînement pour officiers, s'initiant à la tactique. Alan éprouva d'ailleurs un certain enthousiasme à revêtir ainsi l'uniforme – peut-être trouva-t-il excitant ce contact privilégié avec des hommes étrangers à son cocon petit-bourgeois ?

Il eut même un bizut, David Harris, qui trouva en lui un maître plutôt bien intentionné mais assez étourdi. L'une des innovations révolutionnaires de Boughey consistait à pouvoir inviter les préfets des autres internats à venir prendre le thé le dimanche, et Harris n'avait plus en ces occasions qu'à confectionner des toasts aux haricots blancs arrosés de sauce tomate. Alan avait alors atteint le sommet de la hiérarchie des *public schools*. Il continuait à se perfectionner en dessin de perspective, stimulé par l'intérêt que portait Victor à cette matière, avec qui il avait eu ainsi de nombreuses discussions sur la perspective et la géométrie. Alan finit par remporter un certain nombre de prix et obtint surtout une pension de 50 livres par an de la fondation Sherborne pour la durée de ses études à Cambridge. Il reçut également la médaille d'or du roi Édouard VI pour son travail en mathématiques. À l'occasion de cette commémoration, il fut, pour la seule et unique fois, mentionné dans le magazine de Sherborne :

« G. C. Laws, qui lui avait été extraordinairement utile (au professeur), un pilier essentiel de l'établissement, un Shirburnien idéal, constamment d'humeur cordiale et enjouée. (Applaudissement.) L'autre bourse, en mathématiques, revient à

A. M. Turing, qui, dans son domaine, était l'un des meilleurs éléments qu'ils aient eus ces derniers temps. »

O'Hanlon décrivit cela comme une « réussite », et des « débuts prometteurs dans une carrière qui s'annonce intéressante et émaillée d'expériences diverses et variées », exprimant sa gratitude à Alan pour son « aide indéfectible ».

Mme Morcom invita une fois encore Alan et sa mère cet été-là. Ils durent décliner et Alan passa la première quinzaine de septembre à Sercq avec O'Hanlon. Peter Hogg, Arthur Harris et deux vieux amis d'O'Hanlon faisaient partie du voyage. Ils passèrent ces vacances dans une ferme du XVIIIᵉ siècle. Alan se baignait nu sur les plages rocheuses de la petite île. Un jour, alors qu'Arthur Harris était en train de s'essayer à l'aquarelle, Alan se présenta derrière lui, désignant du crottin de cheval sur la route. « J'espère que tu comptes aussi représenter ça », lui dit-il.

Peu d'étudiants franchissent pour la première fois le seuil de King's College sans être impressionnés par la majesté des lieux. Pourtant, l'entrée à Cambridge ne constituait pas un changement radical dans la mesure où l'université ressemblait à une grande *public school*, sans sa violence, mais avec nombre de ses traditions. La plupart des étudiants supportaient sans peine le couvre-feu à 23 heures, l'obligation de porter la robe après le coucher du soleil, ou l'interdiction de recevoir des visites d'une personne du sexe opposé sans chaperon. Ils étaient désormais libres de fumer, de boire et de passer la journée comme ils l'entendaient, et cela les satisfaisait pleinement.

Cambridge conservait un caractère proprement féodal. La majorité des étudiants sortaient de *public schools*, et la minorité issue d'un milieu plus modeste qui avait obtenu le privilège d'une bourse devait se plier aux relations spéciales qui unissaient « gentlemen » et « serviteurs ». Quant aux *dames*, il leur fallait se contenter de deux facultés.

Comme les *public schools*, les plus anciennes universités étaient très prisées, même si c'était plus en vue d'acquérir un certain statut social que pour l'enseignement qu'on y dispensait. Les joyeuses mises à sac des chambres des étudiants les plus sérieux avaient pris fin dans les années 1920. Avec la crise de 1929, les années 1930 s'annonçaient strictes et rigoureuses. Et rien ne pourrait faire obstacle à la précieuse liberté d'avoir des chambres individuelles. Celles-ci étaient équipées de doubles portes, et la convention voulait que l'occupant qui avait verrouillé la porte ne soit pas dérangé. Alan pouvait donc travailler, penser ou broyer du noir en paix – car il était loin de se sentir heureux. Il était maintenant libre de laisser sa chambre dans le plus grand désordre tant qu'il ne dérangeait pas le personnel. Il arrivait encore que Mme Turing lui reproche de se faire son petit-déjeuner sur un réchaud à gaz, ce qu'elle trouvait dangereux. Heureusement ses intrusions demeuraient très occasionnelles, et finirent même par s'interrompre la deuxième année, Alan ne voyant plus alors ses parents que lors de ses visites éclair à Guildford. Il lui aura fallu deux ans de faculté pour acquérir enfin son indépendance et sa tranquillité.

Les conférences de l'université atteignaient un très haut niveau. À Cambridge, la tradition voulait que l'ensemble des mathématiques soit couvert par des conférences faisant référence, et qu'elles soient toutes données par des personnalités d'autorité mondiale. Il y avait par exemple G. H. Hardy, le plus grand mathématicien britannique de son temps, qui avait quitté Oxford en 1931 pour venir enseigner à Cambridge.

Alan se retrouvait maintenant au cœur de la vie scientifique, aux côtés d'hommes comme Hardy ou Eddington, personnages qui jusque-là n'étaient pour lui que des noms écrits sur du papier.

En 1931, quatre-vingt-cinq autres étudiants envisageaient d'obtenir le diplôme de mathématiques « Tripos ». Ils se divisaient en deux groupes distincts : ceux qui se contenteraient du cursus A, et ceux qui suivraient le B. Le premier permettait d'obtenir un diplôme classique en deux cycles, comme tous ceux que l'on proposait à Cambridge. Les candidats au cursus B suivraient le même programme, mais lors de la dernière année, seraient également jugés sur un certain nombre, généralement cinq ou six, de matières supplémentaires. C'était un système relativement lourd, que l'on modifia dès l'année suivante, le cursus B faisant place à un troisième cycle d'études. Pour la promotion d'Alan, cela signifiait que les étudiants étaient plus ou moins contraints de délaisser le programme du premier cycle, axé sur des mathématiques très scolaires, pour se consacrer dès que possible aux cours de second cycle, se réservant la deuxième année pour étudier les cours du cursus B.

On attendait des plus érudits et des boursiers qu'ils suivent le cursus B. Alan en faisait naturellement partie, et il eut l'impression de pénétrer dans un monde où le rang social, l'argent et la politique n'avaient plus la moindre importance, et où les plus grands noms, comme Gauss ou Newton, par exemple, étaient parfois issus de simples familles de fermiers. David Hilbert, l'un des plus impressionnants mathématiciens de ces trente dernières années, avait dit : « Les mathématiques ne connaissent aucune race… car, pour les mathématiques, il n'existe qu'un seul monde. »

Alan répondait à merveille aux qualités indispensables aux mathématiques, notamment grâce à son indifférence apparente aux affaires de ce bas monde, ce qu'explique G. H. Hardy avec ses propres mots :

« 317 est un nombre premier, non parce que nous le pensons ni parce que nos cerveaux sont formés de telle ou telle façon, mais parce que *c'est comme ça*, parce que la réalité mathématique est ainsi faite[1]. »

Hardy représentait ce qu'on peut appeler un mathématicien « pur », dans le sens où il travaillait à des sujets non seulement indépendants de la vie des hommes, mais aussi du monde physique lui-même. Les nombres premiers présentaient tout particulièrement cette caractéristique immatérielle. La force des mathématiques pures s'appuyait également sur une déduction absolument logique.

À Cambridge, on avait aussi à cœur d'enseigner les mathématiques « appliquées » : les connexions existant entre les mathématiques et la physique, le plus souvent dans le secteur le plus fondamental et théorique. Newton avait développé le calcul différentiel et la théorie de la gravitation, et les années 1920 semblaient une période tout aussi fertile : on venait de découvrir que la théorie des quanta exigeait des techniques que l'on devait trouver comme par miracle dans les développements les plus récents des mathématiques pures. Dans ce secteur de recherches, les travaux d'Eddington ou d'autres personnalités comme Paul

1. G. H. Hardy, *A Mathematician's Apology*, Cambridge University Press, 1940.

Adrien Maurice Dirac plaçaient Cambridge à la deuxième place, juste derrière Göttingen où avait été élaborée la plus grande partie de cette nouvelle théorie qu'était la mécanique quantique.

Alan s'était toujours intéressé au monde physique. Mais à ce stade, il ressentait profondément le besoin de se raccrocher à la rigueur intellectuelle et à la vérité absolue des mathématiques. Ainsi, c'est vers les mathématiques pures qu'il préféra se tourner, comme vers un ami qui l'aiderait à supporter les déceptions du monde.

La première année, ayant du mal à se défaire de son appartenance à Sherborne, Alan se fit très peu d'amis. Il n'était encore qu'un gamin timide de dix-neuf ans, dont la formation avait davantage porté sur du par cœur que sur l'expression individuelle. Son premier ami et premier lien avec un groupe fut David Champernowne, l'un des deux autres étudiants en mathématiques. Il avait fait sa terminale au Winchester College en tant que boursier, et était bien plus sociable qu'Alan. Tous deux étaient dotés du même sens de l'humour et ne se laissaient impressionner ni par les institutions ni par les traditions. Il partageait également une certaine difficulté d'élocution. Cette amitié ne devait jamais devenir très profonde, mais elle compta néanmoins pour Alan dans la mesure où « Champ » acceptait sans problème sa différence. Le jeune Turing put enfin parler de Christopher, jusqu'à montrer le journal où il consignait toutes ses pensées depuis sa mort.

Ils allaient ensemble en cours. Il s'agissait en fait pour Alan de rattraper le mouvement, du moins au début, car David Champernowne avait été bien mieux préparé que lui, dont le travail demeurait encore brouillon et peu clair. Ce dernier avait d'ailleurs obtenu la distinction d'écrire un papier avant d'être gradué[a]. À King's, les deux professeurs principaux de mathématiques étaient A. E. Ingham, à l'humour décalé malgré sa rigueur, et Philip Hall, récemment nommé et dont la timidité dissimulait un caractère très amical. Philip Hall appréciait Alan, qu'il trouvait plein d'idées et d'enthousiasme. Dès janvier 1932, Alan put noter :

« Je crois que j'ai satisfait l'un de mes professeurs ; l'autre jour, en lui montrant un théorème. Il m'a dit qu'il n'avait été démontré jusque-là que par un certain Sierpiński[1], qui avait suivi

---

1. W. Sierpiński, éminent spécialiste polonais des mathématiques pures du XXe siècle.

une méthode compliquée. Ma démonstration est beaucoup plus simple. Sierpiński est donc dépassé. »

Mais il n'y avait pas que les études. Alan s'inscrivit en effet au club nautique du collège, ce qui était assez inhabituel pour un boursier. Les étudiants se séparaient en général en deux catégories distinctes, les « athlètes » et les « esthètes », or Alan n'entrait vraiment dans aucune des deux. Il lui fallait cependant trouver un équilibre physique et mental car il tomba de nouveau amoureux. L'élu de son cœur s'appelait Kenneth Harrison et étudiait les sciences naturelles à King's. Ses cheveux blonds, ses yeux bleus et son goût pour la science faisaient de lui la réincarnation du défunt Christopher, dont Alan lui parlait beaucoup. Cette fois-ci, néanmoins, Alan n'hésita pas à exprimer clairement ses sentiments. Cet amour ne fut malheureusement pas partagé, pourtant Kenneth admira la franchise d'un tel aveu, et cela ne les empêcha pas de rester amis.

Fin janvier 1932, Mme Morcom renvoya à Alan toute sa correspondance avec Christopher qu'il lui avait remise en 1931. Elle avait tout recopié, mot pour mot. C'était le second anniversaire de sa mort. Mme Morcom lui demanda à venir dîner à Cambridge le 19 février, et il prit des dispositions pour faciliter son séjour. Ce n'était pas le week-end le plus commode, car il s'était engagé dans l'équipe d'aviron de Lent qui lui imposait des contraintes alimentaires. Le jour venu, il prit le temps de lui faire visiter les lieux. Mme Morcom trouva d'ailleurs sa chambre « très mal rangée ». Ils se rendirent ensuite à l'endroit où Chris et lui avaient séjourné pendant leur examen d'entrée à Trinity.

Au cours de la première semaine d'avril, Alan retourna à Clock House, cette fois avec son père. Il demanda encore à dormir dans le sac de couchage de Christopher. Ils allèrent admirer le vitrail à la mémoire de Christopher qui ornait désormais l'église de la petite paroisse de Catshill. Alan déclara qu'il le trouvait magnifique. On y avait reproduit le portrait du jeune garçon, non pour illustrer saint Christophe franchissant le gué, mais bel et bien le Christ. Le dimanche, il y communia, et l'on organisa à la maison une soirée concert autour du gramophone. M. Turing lut et joua au billard avec le colonel Morcom, tandis qu'Alan faisait des jeux de société avec Mme Morcom. Le dernier soir, Alan demanda à Mme Morcom de venir lui souhaiter bonne nuit, alors qu'il était étendu dans le lit de Christopher.

L'esprit de ce dernier régnait encore sur Clock House. Comment était-ce possible ? Comment les atomes du cerveau d'Alan pouvaient-ils être excités par un « esprit » immatériel ? Ce fut sans doute à la suite de cette visite[b] que le jeune Turing donna cette explication à Mme Morcom :

« NATURE DE L'ESPRIT

Autrefois, les scientifiques croyaient que si l'on finissait par savoir tout de l'univers, on pourrait prédire de quoi serait fait l'avenir tout entier. Cette idée découlait en fait du grand succès des prédictions astronomiques. La science moderne est cependant arrivée à la conclusion que dès que l'on se trouve au niveau des atomes et des électrons, nous sommes absolument incapables de déterminer leur état exact, nos instruments étant eux-mêmes constitués d'atomes et d'électrons. L'idée de pouvoir un jour connaître l'état exact de l'univers paraît donc réellement compromise par la microphysique. Cela signifie donc que la théorie selon laquelle tous nos actes, tout comme les éclipses, seraient prédestinés s'effondre. Nous sommes dotés d'une volonté capable de déterminer les comportements des atomes probablement dans une petite partie du cerveau, ou peut-être même dans le cerveau tout entier. Le reste du corps n'agirait que pour amplifier cet état de fait. Demeure maintenant la question de savoir comment les comportements des autres atomes de l'univers sont régis. Sans doute par la même loi, soit en fonction des effets reculés de l'esprit qui, n'ayant ici aucun système pour les amplifier, semblent soumis au hasard pur. Le caractère apparemment non prédestiné de la physique revient pratiquement à une combinaison de possibilités.

Comme le montre McTaggert, la matière n'est rien en l'absence de l'esprit. (Je n'entends pas par matière seulement ce qui peut être solide, liquide ou sous forme de gaz mais tout ce qui touche à la physique, par exemple la lumière ou la force gravitationnelle, bref, tout ce qui constitue l'univers.) Je crois personnellement que l'esprit est éternellement lié à la matière, mais sûrement pas systématiquement par le biais d'un même corps. Je pensais qu'il était possible à un esprit défunt de pénétrer dans un univers totalement séparé du nôtre, cependant je suis maintenant d'avis que l'esprit et la matière sont si intimement liés que cela serait une véritable contradiction. Il est néanmoins possible, même si c'est peu probable, que de tels univers puissent exister.

Prenant ainsi en considération le lien reliant l'esprit au corps, j'imagine que le corps, par le simple fait qu'il est un corps vivant, peut "attirer" et s'accrocher à un "esprit", et, tant que le corps est vivant et éveillé, tous deux restent étroitement unis. Je ne sais ce qui peut se passer quand le corps est endormi, toutefois quand il meurt, le "mécanisme" qui retient l'esprit s'éteint aussi et ce dernier se voit contraint de trouver tôt ou tard, peut-être immédiatement, un nouveau corps.

Quant à savoir pourquoi nous avons besoin d'un corps, pourquoi nous n'existons pas comme de purs esprits, capables de communiquer comme tels ? Nous pourrions probablement y arriver mais il ne nous resterait alors plus rien à faire. Le corps fournit à l'esprit de quoi s'occuper. »

La lecture d'Eddington lui avait peut-être inspiré ces pensées. Le mathématicien avait en effet trouvé une solution au problème classique du déterminisme et du libre arbitre, de l'esprit et de la matière, dans la toute nouvelle mécanique quantique.

Le déterminisme scientifique était familier à quiconque étudiait les mathématiques appliquées. Il y avait toujours au programme un problème où l'on donnait juste assez d'informations sur un système physique pour que l'on puisse en déterminer l'avenir. Dans la pratique, ces prédictions ne pouvaient se faire que pour les cas les plus simples, cependant, théoriquement, il ne devait pas y avoir de différence entre ces systèmes et des sujets plus complexes. Il convient également de rappeler que certaines sciences, comme la thermodynamique ou la chimie, ne prenaient en considération que des quantités moyennées et qu'avec de telles théories, l'information pouvait apparaître ou disparaître. Une fois que le sucre est dissous dans le thé, il ne reste plus la moindre preuve, en termes pondérés, qu'il se présentait sous la forme d'un cube. En principe, si l'on va suffisamment loin dans le détail de la description, la preuve doit se trouver quelque part dans le mouvement des atomes. C'était le point de vue résumé par Laplace en 1795 :

« Considérons une intelligence, à un instant donné, capable de comprendre l'ensemble des forces qui animent la nature et les situations respectives des êtres qui la composent. Elle calculerait avec la même formule les mouvements des corps les plus grands et ceux des atomes, car pour elle, rien ne serait dû au hasard, et elle tiendrait aussi bien compte de l'avenir que du passé. »

De ce point de vue, malgré tout ce que l'on pouvait dire dans d'autres domaines (qu'il s'agisse de chimie, de biologie, de psychologie ou d'autres), il n'y avait que celui du détail physique microscopique, dans lequel chaque événement était entièrement déterminé par le passé. Du point de vue de Laplace, le hasard n'existait pas. Certains événements pouvaient en revêtir l'apparence, mais c'était simplement parce que l'on ne savait pas encore les étudier avec suffisamment de précision.

La difficulté, c'est que les gens restaient encore fortement attachés à une vision du monde de tous les jours, à celle du langage ordinaire qui incluait des notions comme la décision et le choix, la justice et la responsabilité. Et cette vision classique ne pouvait trouver de lien avec la vision des scientifiques.

Il ne fallait surtout pas que le physique ait le moindre lien avec le psychologique, car personne n'aurait aimé avoir l'impression d'être une marionnette dont les lois de la physique tiraient les ficelles. Comme le déclara Eddington :

« Concernant les objets du monde physique, j'ai une intuition beaucoup plus immédiate que dans n'importe quel autre domaine. Elle me suggère qu'il n'existe pas encore à ce jour la moindre trace d'un facteur déterminant si je vais lever plutôt la main droite ou la gauche. Tout dépend de la décision que je prendrai. J'ai le sentiment que l'avenir est en mesure de générer des facteurs déterminants qui ne sont pas entièrement indépendants du passé. »

Le but d'Eddington était donc de créer un pont entre ces deux positions. Quaker[1] convaincu, il croyait à la libre conscience. Cependant il lui fallait rendre cela compatible avec la vision scientifique des lois de la physique. Alan se sentait préoccupé par ce même dilemme, et il y pensait avec toute la passion de sa jeunesse. Il était certain que Christopher continuait à l'aider, peut-être par « une intuition bien plus immédiate que tout ce qui a trait au monde physique ». Sans esprit immatériel, indépendant de la physique du cerveau, rien ne pouvait survivre, et un esprit en survie n'avait aucun moyen d'agir sur le cerveau d'autrui.

---

1. Les quakers forment un mouvement religieux fondé en Angleterre au XVIIe siècle par des dissidents de l'Église anglicane.

La nouvelle physique quantique laissait entrevoir une telle solution dans la mesure où il semblait que certains phénomènes étaient absolument indéterminés. Quand on dirigeait un faisceau d'électrons sur une plaque percée à deux endroits, les particules passaient alors par l'un des deux trous, mais il ne paraissait y avoir aucun moyen de prévoir le chemin qu'allait emprunter tel électron en particulier. Einstein, qui interpréta en 1905 l'effet photoélectrique, apportant ainsi une contribution considérable à la première théorie des quanta du physicien allemand Planck, n'eut jamais de certitude. Eddington, lui, était tout prêt à être convaincu, et il n'eut pas peur de prendre la plume pour expliquer au grand public que le déterminisme n'avait plus cours. La théorie de Schrödinger, avec ses ondes de probabilité et le principe d'incertitude du physicien allemand Heisenberg – qui recoupait les idées de ce dernier – le conduisirent à penser que l'esprit pouvait agir sur la matière sans pour autant violer la moindre loi physique. L'esprit avait-il donc peut-être la possibilité de sélectionner parmi des événements par ailleurs indéterminés.

Ce n'était pas aussi simple que cela. Ayant dépeint l'esprit en train de contrôler la matière du cerveau de cette façon, Eddington devait admettre qu'il ne parvenait pas à croire qu'un acte mental puisse naître de la simple fonction d'onde d'un atome unique. « Il semble que nous devons attribuer à l'esprit non seulement le pouvoir de décider du comportement individuel des atomes, mais aussi celui d'influer de façon systématique sur de grands groupes – et donc de contrecarrer le côté aléatoire du comportement atomique. » Cependant, rien dans la mécanique quantique ne l'explique. Aussi, à ce stade de sa démonstration, Eddington devient-il de plus en plus vague, et Eddington avait tendance à se délecter de l'obscurité de ces nouvelles théories. Plus cela allait, plus les concepts physiques se faisaient nébuleux, au point de comparer la description quantique de l'électron au poème « Jabberwocky » de Lewis Carroll dans *De l'autre côté du miroir* : « Quelque chose d'inconnu fait quelque chose que nous ignorons. »

Eddington eut la prudence de prévenir qu'en un sens, la théorie fonctionnait, car elle produisait des nombres en accord avec l'issue de ses expériences. Alan avait repris cette théorie en 1929 : « Bien entendu, Eddington ne croit pas réellement qu'il existe

10^{70} dimensions, seulement que sa théorie expliquera le comportement d'un électron. Il pense en fait à six dimensions, ou à neuf, ou à quelque nombre que ce soit, sans pour autant s'en faire une image mentale. » Mais il paraissait désormais impossible de demander ce qu'étaient exactement des ondes ou des particules car le caractère concret de celles-ci, pensées comme des billes, avait entièrement disparu. La physique était devenue la représentation symbolique du monde et rien de plus, assurait Eddington qui flirtait de plus en plus avec l'idée d'un idéalisme philosophique où tout se trouverait dans l'esprit.

Voilà pourquoi Alan put affirmer : « Nous sommes doués d'une volonté capable de déterminer le mouvement des atomes, probablement dans une petite partie de notre cerveau, et possiblement dans l'ensemble de celui-ci. » Les idées d'Eddington lui avaient permis de jeter un pont entre la « mécanique » du corps, qu'il avait apprise dans les pages de *Merveilles de la Nature*, et l'« esprit », dans lequel il voulait croire. Alan approfondit encore cette idée avec McTaggert, philosophe idéaliste, chez qui il découvrit la notion de réincarnation. Toutefois il n'avait pas fait le moindre progrès sur les théories d'Eddington, et n'était même pas parvenu à clarifier son point de vue, n'ayant pas tenu compte des difficultés qu'Eddington avait pourtant signalées en traitant de l'action de la « volonté ». Il avait préféré prendre une direction légèrement différente, fasciné par l'idée que le corps puisse amplifier l'action de la volonté, et, de manière plus générale, préoccupé par la nature du lien existant entre l'esprit et le corps dans la vie et la mort.

En juin, il se retrouva dans la seconde classe du premier cycle du Tripos[1]. « Depuis, je n'ose plus regarder les autres en face. Je n'ai aucune explication à fournir. Je ferai tout pour obtenir de meilleures notes aux examens de mai[2], pour prouver que je ne suis pas si mauvais que ça », écrivit-il à Mme Morcom. Et, preuve de sa bonne foi, il se procura *Les Fondements mathématiques de la mécanique quantique* du jeune mathématicien hongrois John von Neumann, publiés en cette année 1932, ouvrage ambitieux et difficile d'accès.

---

1. Le *Mathematical Tripos* est le cours de mathématiques donné à l'Université de Cambridge.
2. Il s'agissait des examens officieux de deuxième année.

Le 23 juin, il fêta son vingtième anniversaire. Le 13 juillet, Christopher aurait dû avoir 21 ans. Mme Morcom lui offrit un stylo à plume de « recherche », comme disait Christopher. Alan lui écrivit de Cambridge, où il passait son « trimestre de grandes vacances » :

« 14/07/32
Chère Mme Morcom,
… Je me suis souvenu de l'anniversaire de Christopher et vous aurais écrit si je ne m'étais pas retrouvé incapable d'exprimer ce que je ressentais. Hier aurait dû être, j'imagine, le plus beau jour de votre vie.
C'est très aimable à vous d'avoir songé à m'envoyer un stylo de "recherche". C'est le présent idéal pour me rappeler Chris ; ses connaissances scientifiques et sa façon adroite de le manipuler. Je le vois encore en train de s'en servir. »

À vingt ans, Alan était toujours un garçon déraciné. Ses vacances d'été ressemblèrent beaucoup aux précédentes :

« Mon père et moi revenons d'Allemagne, où nous sommes restés une quinzaine de jours. Nous avons passé la majeure partie de notre temps à nous promener dans la Forêt-Noire, même si mon père a du mal à parcourir plus d'une quinzaine de kilomètres par jour. Ma connaissance de la langue n'était pas vraiment à la hauteur de mes espérances. J'ai appris l'allemand presque uniquement dans des ouvrages mathématiques[1]. Je suis néanmoins parvenu à trouver mon chemin…
Affectueusement, Alan M. Turing. »

Alan partit également camper avec John en Irlande. Puis, les deux premières semaines de septembre, il alla rejoindre O'Hanlon pour la seconde et dernière fois sur l'île de Sercq. Alan était un « compagnon plein de vitalité, au point de prendre volontiers des bains de minuit mixtes, écrivit O'Hanlon, qui avait fait preuve d'une certaine modernité en acceptant deux filles dans le groupe.

---

1. Pas dans le livre de von Neumann, cependant, puisqu'il ne l'a reçu qu'en octobre 1932.

Alan avait emporté des mouches pour étudier la génétique d'une manière assez peu rigoureuse. De retour à Guildford, les drosophiles s'échappèrent et infestèrent la maison des Turing pendant des semaines, à la plus grande déconvenue de sa mère. O'Hanlon décrivait Alan comme quelqu'un d'humain et d'attachant :

« Lors de ces vacances en Cornouailles et à Sercq, j'ai passé les meilleurs moments de mon existence. Avec toute sa camaraderie, son humour fantasque, son manque d'assurance, et sa voix plutôt haut perchée quand il pose une question, soumet une objection, nous révèle qu'il est parvenu à prouver les postulats d'Euclide, ou lorsqu'il étudie des mouches décadentes... on ne sait jamais ce qui nous attend ! »

Le système universitaire très prenant de Cambridge laissait quand même des moments de liberté à Alan. Il avait conservé des liens d'amitié avec le jeune Victor, qui avait dû quitter Sherborne la même année que lui en raison des pertes financières subies par son père au plus fort de la crise. Il commença alors ce qu'Alan appelait « sa triste vie d'expert-comptable ». Alan passa d'ailleurs quinze jours chez les Beuttell pour Noël 1932. Le séjour fut assombri par la mort récente de la mère, mais l'amitié entre les deux garçons n'en fut que renforcée. Ils eurent des discussions sans fin sur la religion et la vie après la mort. Victor, chrétien convaincu, croyait à la perception extrasensorielle et à la réincarnation. Alan lui apparaissait comme quelqu'un qui voulait désespérément croire, seulement son esprit scientifique le poussait à l'agnosticisme. Victor se considérait comme un « croisé » devant ramener Alan dans le droit chemin, et ils avaient parfois de violentes disputes, d'autant plus que cela ne plaisait guère à Alan d'être défié par un garçon de 17 ans. Ils argumentaient sur l'identité de ceux qui auraient pu déplacer la pierre de l'entrée du Tombeau, et sur la façon dont on pouvait parvenir à nourrir cinq mille personnes. Quels étaient les faits qui tenaient du mythe et ceux qui tenaient de la réalité ? Ils se disputèrent sur l'au-delà, et aussi sur la vie. Victor disait à Alan : « Écoute, personne n'a jamais réussi à t'apprendre les mathématiques. Peut-être t'en souviens-tu d'une vie antérieure. » Mais, comme Victor le comprit rapidement, Alan ne pouvait croire à une telle chose « sans une formule ».

Pour essayer de sortir du tunnel, le père de Victor s'était à nouveau plongé dans la recherche et le travail. Alan fut temporairement engagé pour effectuer certains calculs relatifs à l'éclairage électrique des nouveaux locaux des francs-maçons dont ce dernier était chargé. Alfred Beuttell était un pionnier en matière de mesures d'éclairement ; il avait élaboré un code sur des « principes premiers » entrant dans « la réduction de la physiologie de la vision à une base scientifique et mathématique ». Ses travaux maçonniques impliquaient des calculs compliqués pour estimer l'intensité de la lumière au niveau du sol en fonction de la puissance des lampes installées et des propriétés réfléchissantes des murs. Alan, qui n'était pas autorisé à pénétrer dans la loge, ne devait compter que sur son imagination pour vérifier les calculs de Beuttell.

Les deux hommes se lièrent d'amitié, et M. Beuttell lui raconta ses prouesses à Monte-Carlo dans sa jeunesse, quand il était parvenu à vivre de ses gains un mois durant. Il lui montra sa technique de jeu, qu'Alan étudia de retour à Cambridge. Le 2 février 1933, il lui fit parvenir les résultats de son analyse, lui démontrant qu'avec cette technique on ne pouvait espérer que des gains égaux à zéro, et que, par conséquent, les bénéfices remportés par M. Beuttell étaient entièrement dus à la chance, et non au talent. Il lui envoya également une formule sur laquelle il avait travaillé pour l'illumination du sol d'une pièce hémisphérique depuis son centre – un résultat peu utile de prime abord, mais soigné.

Il lui fallut beaucoup de courage pour contester l'efficacité de la technique de jeu de M. Beuttell, car il s'agissait d'un homme aux idées péremptoires, dont le cœur en or était enseveli sous des avis définitifs dans bien des domaines. Les deux hommes se lièrent d'amitié. Chrétien qui versait volontiers dans la théosophie, Alfred Beuttell croyait profondément en l'existence d'un monde invisible, et il confia à Alan que sa première invention, le tube électrique Linolite, lui avait été envoyée de l'au-delà. Alan eut du mal à accepter une telle affirmation. Il s'intéressa, en revanche, aux conceptions de Beuttell sur le cerveau : dès le début des années 1900, il avait imaginé que le cerveau fonctionnait selon des principes électriques, les humeurs étant déterminées par des différences de potentiel. Un cerveau électrique ! Voilà qui sonnait bien aux oreilles d'Alan, et ils eurent de longues discussions à ce sujet.

Alan se rendit aussi avec Victor en pèlerinage à Sherborne. Peu après Noël, il écrivit d'ailleurs à Blamey :

« Je n'ai pas encore décidé ce que je ferai quand je serai grand. Mon ambition serait de devenir prof à King's. Cependant je crains que cela ne doive rester au stade de l'ambition. Je veux dire que j'ai peu de chances de le devenir un jour.

Content que tu aies fait une bombe extra pour ta majorité. Moi, quand le moment viendra, j'irai m'enterrer au fin fond de l'Angleterre pour broyer du noir. Tu auras compris que je n'ai pas envie d'atteindre la majorité. »

Sherborne faisait encore partie de lui, et, même si les discours officiels sur la formation, le sens du commandement et l'avenir de l'Empire ne l'avaient pas vraiment touché, certains aspects spécifiques des *public schools* britanniques l'imprégnaient profondément. L'amateurisme austère et dépouillé, par exemple, où la possession et la consommation n'occupaient qu'une place réduite. Leur caractère à la fois conventionnel et plein d'une excentricité débridée ; et dans une certaine mesure, leur anti-intellectualisme. Alan Turing ne se considérait pas, en effet, comme membre d'une élite mais tenait simplement à jouer le rôle qui lui revenait. En cherchant à faire quelque chose de sa vie, Alan montrait qu'il avait parfaitement assimilé ce sens de mission quasi morale que ses professeurs cherchaient à inculquer à leurs élèves.

Il ne pouvait cependant garder ainsi un pied dans le XIXe siècle : Cambridge l'avait propulsé dans le XXe. David Champernowne se rappela avoir vu Alan ivre rentrer dans sa chambre, par une soirée de 1932, en répétant : « Il faut que je me ressaisisse, il faut que je me ressaisisse. » Et Champ se plut par la suite à penser que cette soirée avait marqué un véritable tournant pour son ami. De fait, l'année 1933 rapprocha Alan des problèmes du monde moderne et lui permit de s'y attaquer de front.

Le 12 février 1933, Alan écrivit à Mme Morcom pour la soutenir à l'occasion de l'anniversaire de la mort de Christopher :

« Chère Mme Morcom,

J'imagine que lorsque vous lirez ce courrier, vous serez en train de penser à Chris. Moi aussi, sans doute. Je vous écris simplement pour vous dire que je penserai à Chris et à vous, demain. Je suis certain qu'il est aussi heureux aujourd'hui que lorsqu'il était là.

Affectueusement, Alan. »

Toutefois les préoccupations des étudiants étaient tout autres : l'Oxford Union se désolidarisait du *Roi et de la Patrie*, et des idées similaires agitaient Cambridge. Il ne s'agissait pas véritablement de pacifisme, mais plutôt d'un refus de combattre pour le vieux slogan. Après la Première Guerre mondiale, le patriotisme ne suffisait plus. Une défense de la « sécurité collective » pouvait légitimement être envisagée, sûrement pas une « guerre nationale ». Journaux et milieux politiques réagirent comme si le Siècle des Lumières n'avait jamais eu lieu, mais le scepticisme éclairé était particulièrement vivace à King's, et Alan commença à découvrir que la faculté était davantage qu'une sorte d'internat imposant et quelque peu effrayant

King's jouissait de privilèges spéciaux à l'intérieur du système universitaire, et se distinguait par une certaine opulence due en grande partie à la fortune amassée par l'un des plus grands économistes du XXᵉ siècle, John Maynard Keynes. L'établissement s'enorgueillissait également d'une autonomie *morale* qui connut son apogée au début du XXᵉ siècle, comme le décrivait Keynes :

« … Nous avons entièrement rejeté l'idée de responsabilité personnelle à se conformer aux règles générales. Nous revendiquons le droit de juger chaque cas de manière individuelle en fonction de sa valeur intrinsèque, ainsi que la sagesse, l'expérience et la maîtrise nécessaires à la réussite d'une telle entreprise. C'est une part très importante de ce en quoi nous croyons farouchement, et pour les autres, il s'agit de notre particularité la plus évidente, et la plus dangereuse. Nous avons rejeté la moralité coutumière et la sagesse convenue. En fait, nous sommes, au sens strict du terme, des immoraux. Quelles qu'en soient les conséquences, naturellement. Nous ne nous reconnaissons aucune obligation morale, aucune limite, aucune règle à suivre… »

E. M. Forster avait décrit de manière plus douce mais plus générale l'importance de la prédominance des relations individuelles sur tout type d'institution. En 1927, Lowes Dickinson, l'historien de King's et premier partisan d'une « Société des Nations », écrivit dans son autobiographie :

« Je n'ai jamais rien vu de si beau que Cambridge à cette période de l'année. C'est un charmant coin perdu. On y parle de Jix[1], de Churchill, des communistes, des fascistes, des rues chaudes en ville, de politique, et de cette terrible chose qu'on appelle l'"Empire", pour lequel chacun semble disposé à sacrifier toute vie, tout ce qui a de la valeur, mais cela a-t-il le moindre intérêt ? Il s'agit d'un simple marchepied pour accéder au pouvoir. »

Le pouvoir, c'était exactement cela. Même Keynes, impliqué dans les affaires de l'État et entièrement dédié à l'économie, croyait qu'après avoir résolu ce genre de problèmes de mauvais goût, le peuple commencerait enfin à réfléchir à des sujets plus importants. C'était une attitude très différente du culte du devoir, qui considérait comme une vertu le fait de jouer son rôle dans les institutions du pouvoir. Le King's College était décidément très différent de Sherborne.

L'attitude de King's était significative par rapport au sport, aux soirées et aux bavardages qui passaient pour des plaisirs bien naturels ; et l'on insistait sur le fait que les personnes les plus intelligentes pouvaient apprécier les choses les plus ordinaires. C'était, en outre, la faculté où les professeurs se mêlaient le plus à leurs étudiants et où l'on essayait le mieux d'intégrer ceux qui ne sortaient pas de *public schools*. Alan Turing s'aperçut, peu à peu, qu'il était entré par hasard dans une faculté absolument unique, sans doute la seule institution à laquelle il pouvait prétendre s'intégrer. King's le confortait dans l'idée qu'il avait toujours eue, à savoir qu'il devait penser par lui-même. Bien sûr, l'ensemble était loin d'être parfait, pourtant Alan pouvait vraiment s'estimer heureux. À Trinity College, il aurait été terriblement seul. En outre, si Trinity avait également hérité de cette autonomie morale, l'intimité personnelle qu'on encourageait à King's n'y était pas de mise.

L'année 1933 fit remonter à la surface des idées qui étaient implantées depuis longtemps à King's. Alan fut tout naturellement porté à les adopter :

---

1. Joynson Hicks, le secrétaire d'État à l'Intérieur, conservateur.

« 26/05/33

Chère maman,

Merci pour les chaussettes et le reste... Je songe à aller passer une partie de mes vacances en Russie, mais je ne me suis pas encore décidé.

Je me suis inscrit à une organisation qui s'appelle "Le Conseil antiguerre". Plutôt proche des communistes. Son programme consiste à organiser des grèves parmi les ouvriers de l'industrie chimique et de l'armement dès que le gouvernement décidera de partir en guerre. Le Conseil est en train de réunir des fonds pour soutenir les futurs grévistes.

... Ils jouent une excellente pièce de Bernard Shaw, ici. Il s'agit de *En remontant à Mathusalem*.

Affectueusement, Alan. »

Pendant très peu de temps, les comités antiguerre fleurirent dans toute la Grande-Bretagne, réunissant pacifistes, communistes et internationalistes contre une guerre nationale. Des grèves sélectives avaient précédemment empêché le gouvernement britannique d'intervenir aux côtés des Polonais contre l'Union soviétique en 1920. Pour Alan, cependant, le but n'était pas tant de prendre des engagements politiques que de se dresser contre le pouvoir. Depuis 1917, la Grande-Bretagne croulait sous la propagande antisoviétique, pourtant en 1933, chacun pouvait s'apercevoir que le système commercial et financier occidental n'allait plus du tout. Deux millions de chômeurs, cela ne s'était jamais vu et plus personne ne savait ce qu'il fallait faire. La Russie soviétique, après sa seconde révolution en 1929, offrait la solution de la planification et du contrôle d'État, ce qui suscitait un grand intérêt parmi les milieux intellectuels britanniques. Sans doute Alan s'était-il amusé à faire enrager sa mère avec son nonchalant « plutôt proche des communistes », mais au-delà des questions d'étiquette, l'important était que les jeunes de sa génération voulaient penser par eux-mêmes, avec une plus grande ouverture d'esprit que n'en avaient eu leurs parents. Ils refusaient de se laisser effrayer par des épouvantails.

Bien qu'il eût déclaré en avoir l'intention, Alan ne se rendit pas en Russie. Cependant on devine qu'il ne se serait pas pris d'engouement pour le système soviétique. Néanmoins, ceux qui, à Cambridge, croyaient former une caste de préfets britanniques responsables pouvaient tout aussi bien assimiler l'Union soviétique à une sorte d'Inde britannique réussie, où collectivisation et rationalisation s'effectuaient pour le bien des paysans. Pour les rejetons des *public schools*, toujours enclins à mépriser le commerce, il n'était pas difficile de repousser le capitalisme et d'avoir foi en un plus grand contrôle étatique. Par bien des côtés, les Rouges n'étaient que l'image réfléchie des Blancs. Mais Alan Turing n'avait aucune envie d'organiser la vie de qui que ce soit et encore moins de voir sa vie organisée par quelqu'un d'autre. Il venait d'échapper à un système totalitaire et ne désirait nullement en retrouver un autre.

Le marxisme se prétendait scientifique et il s'adressait au besoin moderne d'un changement historique rationnel qui serait justifié par la science. Alan, lui, ne s'intéressait pas aux problèmes de l'Histoire, et la science revue et corrigée par le marxisme était bien loin de ses propres conceptions et expériences. L'Union soviétique jugeait en effet la relativité et la mécanique quantique selon des critères politiques, tandis que le théoricien anglais Lancelot Hogben offrait une explication par l'économie de l'évolution des mathématiques en n'attirant l'attention que sur leurs applications les plus élémentaires. La beauté et la vérité, qui avaient séduit Alan et tant de mathématiciens avant lui, étaient exclues. Les communistes de Cambridge passaient pour une secte d'intégristes donnant l'impression d'avoir trouvé leur sauveur, et leur système de « conversion » inspirait à Alan le même scepticisme que la foi chrétienne. Avec son ami Kenneth Harrison, il n'hésitait pas à les tourner en ridicule.

Alan s'intéressait tout de même à l'économie et avait la plus haute estime pour Arthur Pigou, cet économiste de King's qui prônait une meilleure répartition des biens pour assainir l'économie du pays et qui fut l'un des premiers à défendre la notion d'État-providence. Pendant les années 1930, Pigou et Keynes ne cessèrent de réclamer un accroissement des dépenses de l'État. Alan se mit également à lire le *New Statesman*, et s'identifiait parfaitement aux progressistes des classes moyennes à qui le magazine était destiné, s'intéressant aussi bien aux libertés individuelles qu'à la rationalisation de l'organisation du système social. On y parlait beaucoup des avantages de la planification scientifique (qu'Aldous Huxley traite d'orthodoxie déjà obsolète dans sa satire *Le Meilleur des mondes*, paru en 1932), et Alan s'intéressa à ces entreprises progressistes, comme le plan d'aide au logement de Leeds[1]. Pour autant il ne se serait pas vu en tant qu'organisateur ou animateur scientifique d'une telle entreprise.

En fait, son idée de la société se rapprochait de l'agrégat d'individus, plus proche de l'individualisme démocratique prôné par J. S. Mill, que de la conception socialiste. Pour lui, le véritable idéal était de garder sa personnalité intacte, autonome et indépendante, de ne pas se laisser corrompre par la compromission et l'hypocrisie. Il s'agissait d'un idéal plus moral que politique ou économique, plus conforme aux valeurs traditionnelles de King's qu'aux idées en vogue dans les années 1930.

Comme beaucoup d'autres, il lut avec un plaisir tout particulier le *Erewhon* de Samuel Butler, cet écrivain victorien qui mettait en doute les axiomes de la morale bourgeoise en la détournant de manière ironique : les tabous sexuels se transposent dans le fait de manger de la viande, la religion anglicane se pratique en termes de transactions d'argent ornemental tandis que les notions de péché deviennent celles de maladie. Alan appréciait aussi beaucoup Bernard Shaw qui traitait si légèrement des sujets les plus graves. Dans les milieux littéraires des années 1930, Butler et Shaw étaient dépassés depuis longtemps, mais pour qui sortait de Sherborne School, ils produisaient encore un charme libérateur. Shaw avait repris ce qu'Ibsen qualifiait de « révolution de l'esprit », et souhaitait faire monter sur scène des individus ordinaires qui ne vivaient pas selon les préceptes de mœurs coutumières mais par intime conviction. Toutefois Shaw posait aussi des questions difficiles sur le genre de société susceptible d'abriter de tels individus. Des questions que le jeune Turing trouvait très pertinentes. Alan considérait *En remontant à Mathusalem* comme une « excellente pièce » traitant avec mépris les réalités sordides d'Asquith et de Lloyd George, ce qui convenait parfaitement à son humeur idéaliste.

---

1. Ce qui lui fit un point commun avec sa mère, qui avait des parts dans une association d'aide au logement dans le quartier londonien de Bethnal Green. Alan approuvait le fait qu'ils prévoient des appartements pour les familles qui en avaient le plus besoin.

Un sujet, cependant, n'apparaissait jamais dans les pièces de Bernard Shaw, et que très rarement dans les pages du *New Statesman*. En 1933, son critique dramatique fit une chronique de *The Green Bay Tree*, à propos d'un « garçon... adopté à des fins immorales par un riche dépravé », et déclara que cette pièce valait « le coup d'être vue par ceux qui trouvent que l'histoire d'un pervers est un sujet moins ennuyeux que celle d'un homme atteint d'une maladie du foie ». À cet égard, le King's College était unique en son genre. Il y était possible de remettre en question un axiome que Shaw jugeait incontestable, et que Butler éludait nerveusement.

C'était possible, parce que personne ne franchissait la ligne qui séparait le monde officiel du monde officieux. À King's comme ailleurs, une double vie s'imposait et les homosexuels se retrouvaient enfermés dans un ghetto, avec ses avantages et ses inconvénients. La liberté interne d'exprimer les pensées et les sentiments les plus hérétiques fut sans doute bénéfique à Alan. Il se sentit ainsi particulièrement aidé par le fait que son ami Kenneth Harrison montrât une compréhension libérale des sentiments homosexuels des autres. En revanche, tout ce qui faisait le brillant de King's, ses soirées, ses manifestations artistiques, le monde de Bloomsbury, de Keynes et de E. M. Forster passait pour la plupart au-dessus de la tête de l'étudiant Turing. Il aurait été trop facilement bloqué et effrayé par une manifestation théâtralisée de son homosexualité. Si sa sexualité passait à Sherborne pour « sale » et « scandaleuse », il devait maintenant affronter d'autres étiquettes tout aussi pénibles : une *tapette*, à la fois traître et affront à la suprématie masculine. Alan ne se sentait pas à sa place parmi ceux-là non plus ; pourtant le groupe des esthètes de King's qui s'épanouissait dans son petit coin protégé ne fit pas l'effort d'aller chercher ce jeune mathématicien timide. Une fois encore, Alan se retrouva prisonnier de son indépendance. King's ne pouvait lui offrir que sa protection, il devait trouver tout seul les solutions à ses problèmes.

Il en allait de même quant à ses croyances religieuses. L'agnosticisme avait beau être de rigueur à King's, Alan n'était pas du genre à prendre le train en marche, même s'il se sentait stimulé par le fait de pouvoir poser des questions jusque-là interdites. Bien que décidé à élargir sa vie intellectuelle, il ne sut pas établir les relations sociales qu'un garçon moins timide n'aurait pas manqué de nouer. Contrairement à tous ceux qu'il connaissait, il n'était membre d'aucune association d'étudiants comme le « Ten Club », où l'on lisait des pièces, ou la Massinger Society où l'on discutait, tard dans la nuit, de sujets moraux et culturels. Il se sentait trop gauche pour s'intégrer à ces réunions. Il ne fut pas non plus nommé membre de l'association très sélective des Apostles, dont la majorité des membres venait de King's et de Trinity. Par bien des aspects, il était trop ordinaire pour King's.

Il était ainsi assez proche d'un de ses nouveaux amis, James Atkins, qui étudiait lui aussi les mathématiques. Les deux garçons s'entendaient bien, même si leurs relations manquaient de conversations passionnées sur Christopher ou sur les sciences. En tout cas, ce fut James qu'Alan invita à passer quelques jours avec lui dans la Région des lacs. Ils partirent du 21 au 30 juin, de sorte qu'Alan tint parole et se trouva loin de chez lui pour sa majorité, le 23 juin. Il faisait particulièrement chaud et Alan se baigna, nu, dans les lacs, ce qui fut l'occasion d'une approche sexuelle douce et fugitive. Ce moment de tendresse presque accidentel plongea James dans un grand trouble. Il avait été particulièrement bridé dans sa *public school* et rattrapait maintenant des années de méconnaissance de lui-même, tant sur le plan physique que sur le plan mental. La scène ne se répéta pas pendant ces vacances. James sentait pourtant monter en lui des sentiments d'affection et de désir envers son compagnon, et il espérait bien le retrouver dès son retour à Cambridge, le 12 juillet, où il se rendait moins pour étudier que pour participer aux concerts du Congrès international de recherche musicale ; car James puisait dans la musique l'absolu qu'Alan trouvait dans les mathématiques pures.

Mais James ne savait pas qu'Alan était parti le jour même pour Clock House pour rendre hommage à Christopher. Il y était retourné à Pâques, pour communier dans son sanctuaire, et avait écrit :

« 20/04/33
Chère Mme Morcom,
Je suis si content d'avoir pu passer Pâques à Clock House. J'y pense constamment, et j'ai l'impression d'être en communion

126

avec Chris. Cela nous rappelle que, d'une certaine manière, il est encore en vie aujourd'hui. On pourrait avoir tendance à le croire en vie de sorte qu'on puisse le revoir un jour, pourtant je trouve plus utile de considérer qu'il a simplement dû se séparer de nous pour le moment. »

Sa visite de juillet coïncida avec la consécration du vitrail commémoratif, le 13 juillet, le jour du vingt-deuxième anniversaire de Christopher. Les enfants des environs n'avaient pas eu école et avaient déposé des fleurs sous le vitrail. Un ami de la famille prêcha la « bonté » en mémoire de Christopher, et ils chantèrent son cantique préféré.

Sous un chapiteau à Clock House, un prestidigitateur amusa les enfants pendant qu'ils mangeaient de petits gâteaux et buvaient du citron pressé. Rupert reproduisit l'expérience de Christopher à partir d'iodates et de sulfites, et son oncle la leur expliqua. Ils firent des bulles et gonflèrent des ballons.

Alan retourna à Cambridge deux ou trois semaines après cette cérémonie douce-amère, et il n'eut pas à attendre longtemps avant que James ne lui fît savoir qu'il était prêt à poursuivre l'étreinte esquissée pendant les vacances. Curieusement, Alan ne reprit jamais l'initiative dans leurs rapports, et James sentait chez son ami une complexité qu'il ne put jamais percer. Sans doute cela s'explique-t-il en partie par le souvenir de Christopher, qu'Alan ne partagea jamais avec James. Le séjour à Clock House avait dû lui emplir la mémoire d'un amour pur, intense et romantique qu'il ne retrouvait pas avec son amant. Ils se contentaient à la place d'une amitié sexuelle agréable où ni l'un ni l'autre n'avait à feindre d'être amoureux. Mais au moins Alan savait-il enfin qu'il n'était pas tout seul.

Il lui arrivait parfois de se montrer susceptible, et il eut avec James une petite dispute lors du grand dîner de King's en décembre 1933, à cause d'un ancien camarade de classe de James qui lui fit remarquer de manière odieuse : « Ne me regardez pas comme ça, je ne suis pas homosexuel. » Contrarié par cette attaque, Alan déclara à James : « Si tu veux aller te coucher, tu iras tout seul. » Dans l'ensemble, cependant, la relation qui unissait les deux garçons se poursuivit sans anicroche ni passion pendant plusieurs années.

Personne d'autre n'était au courant, même si de manière générale, comme le révèle l'incident du dîner, Alan ne faisait pas particulièrement mystère de sa sexualité. Il éprouvait également une certaine attirance pour un autre élève (comme il le raconta à James), et leurs noms furent liés de manière imagée dans la grille de mots croisés de la feuille de chou de King's. À l'automne 1933, il se lia d'amitié avec Fred Clayton, jeune homme très différent avec qui il pouvait discuter très librement de sexualité. Si Alan et James se montraient tous deux réservés et vivaient leur différence sans faire d'histoires, Fred était tout l'opposé. Son père était proviseur d'une petite école de campagne, près de Liverpool, et il n'était pas passé par les *public schools*. Plutôt petit, assez jeune, il étudiait les lettres classiques et avait été barreur du bateau sur lequel Alan ramait. Ils ne firent cependant réellement connaissance que lorsque Fred se rendit compte qu'Alan ne cherchait pas à dissimuler son homosexualité et que celle-ci semblait acceptée par les autres. Fred éprouvait le besoin d'échanger des avis et des expériences affectives car il se sentait très intrigué par la sexualité, surtout depuis qu'il se trouvait mêlé à d'anciens élèves de pensionnats plus sensibilisés à l'attirance homosexuelle. Il profitait pleinement de la liberté d'expression qui régnait à King's pour essayer de mieux se connaître. Quelqu'un lui avait pourtant assuré qu'il paraissait être un « mâle bisexuel tout ce qu'il y a de normal », mais cela ne pouvait être aussi simple – rien n'était jamais simple avec Fred Clayton.

Alan put confier à son ami combien il regrettait d'avoir été circoncis, ainsi que ses souvenirs de jeux avec le fils du jardinier (sans doute chez les Ward) qui avaient, pensait-il, décidé de sa sexualité. À tort ou à raison, il donna à Fred et à d'autres l'impression que les *public schools* permettaient toutes sortes d'expériences sexuelles – quoique le plus important fût peut-être que ces années de pensionnat étaient encore très liées à la conscience qu'il avait de sa sexualité. Fred lisait Havelock Ellis et Freud, et il faisait également des découvertes chez les classiques qu'il s'empressait de faire partager à son ami mathématicien qui n'avait jusque-là jamais manifesté beaucoup d'intérêt pour le grec et le latin.

Il était parfaitement normal d'être intrigué par ces problèmes en cette année 1933 où, même dans ce King's College, il se passait si peu de choses pour qui n'appartenait pas aux cercles les plus distingués. Ces conversations qu'entretenaient Alan et Fred ne représentaient que des murmures dans un silence assourdissant. Ce n'était pas vraiment la loi qui était en cause – l'interdiction de toute activité homosexuelle masculine ne jouait qu'un rôle mineur en ces années 1930 – mais plutôt la notion d'hérésie, pour reprendre le terme de J. S. Mill :

« … La plus grande aberration des sanctions judiciaires, c'est qu'elles renforcent le sentiment d'injustice sociale. C'est cette injustice qui prend le dessus. Elle devient si efficace que l'expression d'opinions bannies par la société est nettement moins importante en Angleterre que dans beaucoup d'autres pays, où, en faisant ce genre d'aveu, on court pourtant le risque d'une sanction judiciaire. »

La psychologie moderne avait révolutionné le XXe siècle ; les années 1920 avaient doté l'avant-garde du nom prestigieux de Freud. Dans la pratique, cependant, ses idées étaient reprises pour discuter de ce qui « ne tournait pas rond » chez les homosexuels, et encore une telle ouverture intellectuelle était-elle atténuée par les efforts continuels du monde officiel pour rendre l'homosexualité invisible – processus dans lequel l'université jouait son rôle à coups de censure et de poursuites. Partout, la règle générale restait le silence par-dessus tout, ne laissant aux homosexuels instruits que quelques reliques pour les soutenir : les traces des procès de Wilde et les rares exceptions à la règle que constituaient les écrits de Havelock Ellis et d'Edward Carpenter.

Dans un environnement aussi particulier que Cambridge, une expérience homosexuelle pouvait présenter certains avantages, ne fût-ce que du point de vue purement physique. Le sentiment de manque ne venait pas tant de causes juridiques que de causes spirituelles : les homosexuels souffraient d'une absence d'identité. L'amour, le désir, le mariage hétérosexuels n'étaient certes pas dépourvus de problèmes et de sujets d'angoisse, mais ils se retrouvaient dans tous les romans et chansons. Dès qu'un texte traitait de l'homosexualité, il était aussitôt rangé – pour peu qu'on en parlât – dans les genres comique, condamnable, pathologique ou obscène. Il était difficile de se protéger de ces descriptions, quand elles étaient conduites avec les seuls mots que le langage offrait. Conserver une personnalité intacte et cohérente plutôt que de se scinder en une façade conformiste d'un côté et en une vérité intérieure bien dissimulée de l'autre tenait du miracle. Quant à la possibilité d'épanouir sa personnalité, de renforcer ses appuis intérieurs et de communiquer avec les autres, il ne fallait pratiquement pas y compter.

Alan se trouvait pourtant dans le seul endroit où il lui était possible d'évoluer : c'était après tout au King's College que circulait le manuscrit de *Maurice*, le roman de Forster qui traitait du fait de « ressembler de manière inavouable à Oscar Wilde ». Comment achever le travail, c'était la question. Il fallait que l'histoire propose des sentiments sincères tout en restant crédible aux yeux des autres. Il s'agissait d'une contradiction fondamentale, impossible à résoudre en permettant à son héros de s'échapper dans la « forêt verdoyante » d'une fin heureuse…

Il existait une autre contradiction : cette tentative de communication était demeurée secrète pendant une cinquantaine d'années. Mais ici, au moins, on comprenait ces contradictions, et même si la nature indépendante d'Alan le situait presque en marge de la société de King's, il était à l'abri de la férocité du monde extérieur.

Si Alan appréciait tant *En remontant à Mathusalem* de Shaw, c'est parce que le dramaturge y mettait en scène sa théorie de la Force vitale. L'homme devait donner vie à la science et à la religion pour que sa propre existence prenne un sens et vaille la peine d'être vécue. Alan était animé par les mêmes préoccupations en 1933, même s'il ne pouvait accepter les solutions par trop simplistes de Shaw. En effet, celui-ci n'hésitait pas à remodeler la science jusqu'à ce qu'elle corresponde à ses idées. Le déterminisme n'avait plus qu'à s'effacer, s'il était en contradiction avec la Force vitale. Shaw reprenait la théorie darwinienne de l'évolution et l'appliquait à toutes sortes de changements, y compris sociaux et psychologiques, pour les rejeter en bloc en tant que foi religieuse. Il écrivit que :

« Ce qui condamne la sélection naturelle de Darwin à ne pas être une philosophie religieuse, c'est le fait que l'évolution autorise un espoir, mettant ainsi fin à un fatalisme suffocant et décourageant. Comme l'a dit Butler, il "chasse l'esprit de l'univers". La génération qui a éprouvé un profond soulagement lorsqu'on l'a délivrée de la tyrannie d'une mouche du coche toute-puissante, grâce à un déterminisme sans âme, a presque disparu, laissant un vide que la nature abhorre. »

La science, d'après Shaw, n'existait que pour offrir une foi pleine d'espérance au moment où la religion révélée ne pouvait plus remplir ce rôle. La Force vitale se devait d'exister pour que les scientifiques puissent devenir les prêtres de l'an 3000.

Cependant, pour Alan, la science devait être exacte avant d'être rassurante. Or, justement, rien de ce qu'écrivait le mathématicien et physicien John von Neumann ne permettait d'accréditer l'idée d'une Force vitale. Alan avait reçu *Les Fondements mathématiques de la mécanique quantique*[1] dès octobre 1932 mais en avait vraisemblablement remis la lecture à l'été suivant, alors qu'il s'était également procuré les ouvrages de mécanique quantique de Schrödinger et de Heisenberg. Le 16 octobre 1933, il écrivit :

« Le livre que j'ai reçu en prix à Sherborne commence à se révéler très intéressant, et pas du tout difficile à lire, même si les spécialistes de mathématiques appliquées semblent le trouver plutôt ardu. »

L'exposé de von Neumann différait profondément de celui d'Eddington. D'après lui, l'*état* de tout système physique évoluait de façon rigoureusement déterministe, et c'était *l'observation* de ce système qui introduisait un élément de hasard absolu. Observée de l'extérieur, l'observation elle-même était également déterministe. Il n'y avait aucun moyen de savoir où se situait l'indétermination pour la bonne raison qu'elle n'était pas localisée en un endroit particulier. Von Neumann démontrait, en outre, que cette étrange logique propre aux observations – si différente de ce que l'on peut observer avec les objets de tous les jours – était parfaitement cohérente et conforme aux expériences connues. Si cela laissa Alan plutôt sceptique quant à l'interprétation à donner à la mécanique quantique, cela ne lui permit pas d'accréditer l'idée selon laquelle l'esprit pouvait commander certaines fonctions d'ondes dans le cerveau.

La démarche de von Neumann présentait un sujet scientifique en recourant le plus possible à la pensée logique. Alan avait, en effet, la certitude que la science pensait pour lui, voyait pour

---

1. *Op. cit.*, p. 115.

lui, et ne se résumait nullement en une collection de faits. La science remettait les axiomes en question. Alan abordait ses sujets en spécialiste des mathématiques pures, donnant libre cours à la pensée, puis vérifiant ensuite s'il pouvait y avoir ou non des applications dans le monde physique. Cela l'opposait souvent à Kenneth Harrison, partisan d'une conception plus traditionnelle selon laquelle l'expérience précède la théorie et sa vérification.

Les étudiants en mathématiques appliquées trouvaient l'étude de la mécanique quantique de von Neumann « assez ardue » parce qu'elle exigeait une connaissance très approfondie des développements les plus récents en mathématiques pures. Von Neumann avait repris les théories quantiques apparemment différentes de Schrödinger et de Heisenberg, et avait démontré leur équivalence en exprimant leurs idées essentielles sous une forme mathématique beaucoup plus abstraite. Von Neumann travaillait sur la cohérence logique de la théorie et non sur ses résultats expérimentaux. Cela satisfaisait pleinement Alan qui recherchait justement cette rigueur mathématique. De plus, un tel ouvrage illustrait parfaitement le fait que les mathématiques pures, dans leur développement propre, sont porteuses de progrès inattendus en physique.

Avant la guerre, Hilbert avait entrepris une certaine généralisation de la géométrie euclidienne, ce qui impliquait d'envisager un espace à un nombre infini de dimensions. L'espace en question n'avait rien à voir avec l'espace physique. Il évoquait plutôt un schéma imaginaire qui permettrait de représenter tous les sons musicaux tels ceux d'une flûte, d'un violon ou d'un piano comme des combinaisons, en proportions bien déterminées, du fondamental, du premier harmonique, du deuxième, etc. Chaque type de son exigeant, en principe, la détermination d'un nombre infini de composantes[1].

À un son ainsi défini correspondrait un point dans ce que l'on appelle un espace d'Hilbert. Deux points pouvant alors se superposer de la même façon que deux sons se superposent et un point pouvant être multiplié par un nombre (comme c'est le cas lors de l'amplification d'un son).

---

1. L'analogie ne cherche pas à être exacte ; l'espace d'Hilbert et les « états » de la mécanique quantitative diffèrent par essence même de tout ce qui entre dans l'expérience ordinaire. (NdA)

Von Neumann avait noté que l'« espace d'Hilbert » correspondait exactement au type d'espace nécessaire pour rendre précise l'idée d'« état » d'un système quantique – l'état d'un électron dans un atome d'hydrogène par exemple. L'une des caractéristiques de tels « états » était qu'ils pouvaient être additionnés tout comme les sons, l'autre était qu'il pouvait y avoir une infinité d'« états » possibles, un peu comme la suite infinie des harmoniques engendrés à partir d'un même son fondamental. On pouvait donc se servir de l'espace d'Hilbert pour définir une théorie quantique rigoureuse, en procédant logiquement à partir d'axiomes clairement énoncés.

Cette application imprévue de l'« espace d'Hilbert » fournissait justement à Alan les arguments appropriés à la défense des mathématiques pures. Il avait également été conforté dans cette idée par la découverte du positron, en 1932. Dirac avait, en effet, prévu le positron en s'appuyant sur une théorie mathématique abstraite qui combinait les axiomes de la mécanique quantique avec ceux de la relativité restreinte. Mais en cherchant à déterminer les relations qui unissaient les mathématiques et les sciences, Alan Turing se trouva confronté à un aspect particulièrement déroutant, subtil et fondamental de la pensée moderne.

La distinction entre physique et mathématique ne date que de la fin du siècle dernier. Auparavant on supposait que les mathématiques traitent forcément des relations entre les nombres et les quantités du monde physique, même si des concepts tels que celui de « nombres négatifs » allaient déjà à l'encontre de ce point de vue. Au XIXe siècle, cependant, dans de nombreux secteurs des mathématiques, on avait progressé vers une plus grande abstraction, et les symboles mathématiques étaient de moins en moins liés à des entités physiques.

Dans l'algèbre telle qu'on l'enseigne à l'école, qui est en réalité l'algèbre du XVIIIe siècle, on utilise des lettres pour symboliser des quantités numériques. Les règles qui régissent addition et multiplication découlent de la supposition que ces lettres représentent de « vrais » nombres. Une telle conception n'avait pourtant déjà plus cours au début du XXe siècle : une règle telle que « X + Y = Y + X » apparaissait comme une règle de jeu. Comme aux échecs, on énonce comment les symboles peuvent être déplacés et combinés de façon légitime. Certes, il était possible d'interpréter cette règle en termes de nombres, mais cela ne devenait plus nécessaire ni même toujours approprié.

L'importance d'une telle abstraction tient à ce qu'elle a libéré l'algèbre, et même toutes les mathématiques, des limites traditionnelles imposées par les comptes et les mesures. En mathématiques modernes, les symboles peuvent être soumis à n'importe quelles règles et donnent lieu à des interprétations plus générales que celles que l'on obtient en se référant à des quantités numériques, à supposer même que ce soit possible. La mécanique quantique montrait que l'expansion et la libération des mathématiques pures étaient fructueuses pour la physique. Il était devenu nécessaire de créer une théorie portant non pas sur des nombres et des quantités mais sur des « états », et précisément, l'espace d'Hilbert offrait le symbolisme nécessaire. Les mathématiques pures présentaient une autre innovation : la notion de « groupe abstrait », que les spécialistes de mécanique quantique allaient s'empresser d'exploiter. Cette idée était née alors que les mathématiciens cherchaient à transposer la notion d'« opération » sous forme symbolique, puis à considérer le résultat comme un exercice abstrait[1].

Ce mouvement d'abstraction créatif avait permis de généraliser, d'unifier et de produire de nouvelles analogies : en changeant les règles de ces systèmes abstraits, on avait inventé de nouvelles formes d'algèbre aux applications encore imprévues.

Parallèlement, ce mouvement vers une plus grande abstraction avait suscité une situation de crise au sein des mathématiques pures. Si les mathématiques devaient être considérées comme un

---

1. Le terme « groupe » n'a pas en mathématiques son sens usuel. Il fait référence à une série d'opérations soumises à des conditions bien précises. Prenons par exemple les rotations d'une sphère. Si A, B et C sont trois rotations différentes, il est clair que :

a) Il existe une rotation qui est exactement l'inverse de A.

b) Il existe une rotation qui est exactement la même action que A suivi de B. Appelons-là « AB ». Alors :

c) AB suivi de C a la même action que A suivi de BC.

Ce sont ici les conditions essentielles pour que les rotations puissent former un « groupe ». La théorie des groupes abstraits reprend ces conditions, utilise les symboles appropriés, en abandonne toute référence à la forme concrète d'origine. La théorie qui en résulte peut *s'appliquer* aux rotations, comme cela se fait en mécanique quantique, ou au secteur apparemment tout à fait étranger de la cryptologie. Les codes jouissent de propriétés des « groupes » : un code implique une opération de déchiffrement bien précise qui en est l'élément inverse et deux codes utilisés l'un à la suite de l'autre forment un troisième code.

jeu soumis à des règles arbitraires dans le maniement de ses symboles, quelle signification devait-on donner à la notion de vérité absolue ? Dès mars 1933, Alan fit l'acquisition de *l'Introduction à la philosophie mathématique*[1] de Bertrand Russell, qui le mit face à ce problème fondamental.

La crise commença par la géométrie. Au XVIIIe siècle, on pouvait encore prendre la géométrie pour une branche de la science qui énonçait des vérités sur le monde que les axiomes d'Euclide ramenaient à un noyau essentiel. Mais au XIXe siècle, des systèmes géométriques non euclidiens s'épanouirent. L'univers était-il réellement euclidien ? La géométrie euclidienne, en tant qu'exercice abstrait, formait-elle un ensemble complet et consistant ?

Il n'était pas évident, en effet, que les axiomes d'Euclide définissent une théorie complète de la géométrie. De simples suppositions avaient pu se mêler aux preuves irréfutables sous l'influence d'idées implicites et intuitives touchant aux lignes et aux points. Il devenait indispensable d'*abstraire* les relations logiques des points et des lignes pour les formuler en termes de règles purement symboliques, d'oublier leurs « significations » en terme d'espace physique, pour montrer que le jeu abstrait obtenu avait un sens en soi. Hilbert, très terre à terre, se plaisait à dire : « On doit toujours pouvoir remplacer les mots "points, lignes, plans", par les mots "tables, chaises, chopes de bière". »

En 1899, il parvint à mettre au point un système d'axiomes susceptibles de conduire à tous les théorèmes de la géométrie euclidienne, sans avoir recours à la nature du monde physique. La preuve de sa démonstration exigeait cependant que l'on tînt pour satisfaisante la théorie des « nombres réels[2] ». Ces derniers étaient ce que les mesures de longueur étaient aux Grecs, subdivisibles à l'infini, et l'on pouvait dans la plupart des cas admettre que l'utilisation des nombres réels s'enracinait profondément dans la

---

1. B. Russel, *Introduction à la philosophie mathématique*, traduction de G. Moreau, Paris, Payot, 1961.
2. Un « nombre réel » n'a rien, à proprement parler, de « réel ». Le terme est né par hasard à cause de deux autres termes tout aussi ambigus, les nombres « complexes » et les nombres « imaginaires ». Le lecteur néophyte pourra considérer les nombres réels comme « des longueurs définies avec une précision tant infinie qu'hypothétique ».

nature même de l'espace physique. Cependant, du point de vue d'Hilbert, cela ne suffisait pas.

Heureusement, il était possible de décrire les nombres réels de toute autre façon. On avait bien compris, au XIXe siècle, qu'ils pouvaient être représentés par une infinité de décimales, en écrivant, par exemple, le nombre ϖ : 3,14159265358979... On avait donné un sens à l'idée que les nombres réels pouvaient être représentés aussi précisément qu'on le désirait grâce à ces décimales, formant en fait une suite infinie de nombres entiers. Il avait fallu attendre 1872 pour que le mathématicien allemand Dedekind montre comment définir les nombres réels en fonction des nombres entiers, sans qu'il soit nécessaire de recourir au concept de mesure : les concepts de nombre et de longueur étaient unifiés et l'on pouvait appliquer à l'arithmétique, c'est-à-dire au domaine des nombres entiers, les questions qu'Hilbert posait en géométrie. Selon Hilbert, il n'avait fait que « tout ramener au problème non encore résolu de la consistance des axiomes arithmétiques ».

Les avis furent partagés. Certains considéraient qu'il était absurde de parler d'axiomes arithmétiques, rien ne pouvant être plus primitif que les nombres entiers. En revanche, on pouvait se demander si les nombres entiers présentaient un noyau de propriétés fondamentales dont découlaient toutes les autres. Dedekind aborda cette question et démontra, en 1888, que toute l'arithmétique dérivait en réalité de trois idées : il existe un nombre 1, tout nombre a un successeur, un principe d'induction permet la formulation d'énoncés concernant *tous* les nombres. Ces trois idées pouvaient être formulées comme des axiomes abstraits relevant du même esprit que les « tables, chaises et chopes de bière » si on le voulait, et il devenait possible de construire à partir de ces axiomes toute la théorie des nombres sans avoir à se demander ce que signifiaient des symboles comme « 1 » et « + ». L'année suivante, le mathématicien italien G. Peano donna les axiomes sous ce qui allait devenir leur forme courante.

En 1900, Hilbert accueillit le siècle nouveau en soumettant vingt-trois problèmes au monde mathématique. La deuxième de ses questions portait sur la consistance des « axiomes de Peano » dont dépendait toute la rigueur des mathématiques. « Consistance » était le mot crucial. Il y avait des théorèmes dont la démonstration pouvait exiger des milliers d'étapes, comme le théorème de Lagrange selon lequel tout nombre entier pouvait être exprimé par la somme de quatre carrés. Comment pouvait-on savoir avec certitude qu'aucune autre suite tout aussi longue de déductions ne conduisait pas à un résultat contradictoire ? Quels étaient les fondements d'une telle foi en des propositions portant sur tous les nombres, alors qu'il était impossible de les vérifier ? Qu'en était-il des règles du jeu de Peano, qui traitaient de « 1 » et de « + » comme de symboles sans signification, tout ce qui garantissait cette liberté de la contradiction ? Einstein mettait en doute les lois du mouvement. Hilbert allait jusqu'à douter que deux et deux fissent quatre – ou du moins jugeait qu'il fallait en trouver la raison.

Le mathématicien et philosophe allemand G. Frege s'était déjà attaqué à cette question dès 1884 avec *Fondements des mathématiques*[1]. Il s'agissait d'une vision logique des mathématiques, où l'arithmétique découlait des relations entre les entités de ce monde, et dont la consistance était assurée par une relation avec la réalité. Pour Frege, « 1 » signifiait indubitablement quelque chose : la propriété qu'avaient en commun *une* table, *une* chaise et *une* chope de bière. L'énoncé « 2 + 2 = 4 » correspondait au fait que lorsqu'on mettait deux objets quelconques avec deux autres objets, on en avait quatre. La tâche que s'était assignée Frege était d'abstraire les notions « quelconques », « objets », « autres », et ainsi de suite, afin de construire une théorie qui dérivait l'arithmétique des idées les plus simples possible de la vie quotidienne.

L'œuvre de Frege fut cependant détrônée par celle de Bertrand Russell, dont la théorie allait dans le même sens. Mais Russell avait rendu les théories de Frege plus concrètes en introduisant l'idée d'« ensemble ». Il proposait qu'un ensemble ne contenant qu'un seul objet puisse être caractérisé par le fait que si l'on ôtait un élément de cet ensemble, il s'agissait toujours du même objet. Cette idée permettait de définir le « un » en fonction de l'identité, ou de l'égalité. Mais alors l'égalité pouvait être définie comme le fait de satisfaire aux mêmes prédicats. Il s'avéra que de cette façon, le concept de nombre et les axiomes de l'arithmétique

---

1. Traduction de Cl. Imbert, Paris, Le Seuil, 1975.

pouvaient être rigoureusement dérivés de notions plus primitives telles qu'entités, affirmations et propositions.

Ce n'était malheureusement pas aussi simple. Russell voulait définir un ensemble à un élément sans faire appel au concept de dénombrement pour s'en tenir à celui d'égalité. Il voulait ensuite définir le nombre « un » comme étant « l'ensemble de tous les ensembles à un élément ». En 1901, pourtant, Russell constata que des contradictions logiques apparaissaient dès qu'on essayait d'utiliser des « ensembles de tous les ensembles ».

La difficulté venait de la possibilité d'assertions autoréférentes, autocontradictoires, telles que « l'énoncé que je prononce est un mensonge ». Un problème du même genre avait émergé de la théorie de l'infini développée par le mathématicien allemand G. Cantor. Russell remarqua que le paradoxe de Cantor trouvait une analogie dans la théorie des ensembles. Il classa les ensembles en deux catégories, ceux qui se contenaient eux-mêmes, et ceux qui ne se contenaient pas eux-mêmes. « Normalement, écrivait Russell, une classe n'est pas un élément de ses propres éléments. Par exemple, l'humanité n'est pas un homme. » Mais l'ensemble des concepts abstraits, ou l'ensemble de tous les ensembles, devrait appartenir à lui-même. Russell aboutissait au paradoxe suivant : s'appartenaient à eux-mêmes les ensembles qui ne s'appartenaient pas à eux-mêmes ! C'était une catastrophe. Un système fondé sur la logique pure ne pouvait laisser place à la moindre inconsistance. Si l'on arrivait un jour à prouver que « 2 + 2 = 5 », il s'ensuivrait que « 4 = 5 » et que « 0 = 1 », de sorte que tout nombre serait égal à 0 et que toute proposition reviendrait à « 0 = 0 » : elle serait donc vraie. Considérées sous cet angle logique, les mathématiques devaient être complètement consistantes ou bien n'existaient plus.

Pendant dix ans, Russell et A. N. Whitehead s'acharnèrent à trouver des remèdes à cette situation. La difficulté essentielle venait du fait qu'il s'était avéré autocontradictoire de supposer que toute réunion d'objets pouvait former un « ensemble ». Il fallait trouver une définition plus fine. La solution de Russell et Whitehead, qui occupait une part importante des volumineux *Principia Mathematica* de 1910, consistait à établir une hiérarchie de différentes catégories d'ensembles appelées « types ».

Il existait des objets primitifs, puis des ensembles d'objets, puis des ensembles d'ensembles, etc. En distinguant les différents « types » d'ensembles, il était impossible qu'un ensemble se contienne lui-même. Cette théorie était très compliquée, beaucoup plus difficile que la théorie des nombres qu'elle était censée justifier. On se doutait qu'il devait y avoir d'autres manières de réfléchir aux nombres et aux ensembles, et, effectivement, plusieurs possibilités furent étudiées avant 1930. L'une d'elles le fut par von Neumann.

L'ambition de démontrer que les mathématiques formaient un tout consistant avait créé une déferlante de problèmes. En un sens, les propositions mathématiques n'étaient que des signes sur du papier, ce qui conduisait à des paradoxes déroutants dès qu'on essayait d'élucider leur signification.

Lorsque l'on tentait d'approcher le cœur des mathématiques, on s'enfonçait dans une jungle de détails techniques. Ce manque de liens simples entre les symboles et le monde réel fascinait Alan. Russell achevait son ouvrage en disant : « Comme l'étude succincte ci-dessus le démontre, il reste un nombre incalculable de problèmes à résoudre, et donc beaucoup de travail à accomplir. Si ce petit livre incite des étudiants à poursuivre des études poussées, il aura atteint son but. » L'*Introduction à la philosophie mathématique*[1] de Russell fit réfléchir Alan sur le problème posé par la théorie des « types », et plus globalement le fit affronter la question de Ponce Pilate : « Qu'est-ce que la vérité ? »

Kenneth Harrison connaissait également certaines des idées de Russell, et il passait des heures à en discuter avec Alan, même si son scepticisme ne manquait pas d'énerver quelque peu ce dernier. Alan dut pourtant trouver quelques auditeurs plus enthousiastes puisqu'on l'invita en automne 1933 à faire une conférence au groupe de discussion « Moral Science Club ». Immense honneur pour un simple étudiant, surtout lorsqu'il n'appartenait pas à la faculté des sciences morales, comme on appelait le département de philosophie à Cambridge. Il était sans doute très impressionnant de s'adresser ainsi à des philosophes confirmés, mais Alan fit preuve de sang-froid comme à son habitude :

1. *Op. cit.*, p. 135

« 26/11/33

… Je vais faire une conférence au Moral Science Club vendredi. Sur la philosophie mathématique. J'espère qu'ils ne sauront pas déjà tout ce que je vais leur dire. »

Le registre du club rapporte à cette date :

« La sixième réunion du premier trimestre s'est tenue chez M. Turing, au King's College. A. M. Turing a fait une conférence sur « Les Mathématiques et la Logique ». Il a suggéré qu'une vue purement logique des mathématiques était inadéquate et que les propositions mathématiques se prêtaient toutes à plusieurs interprétations, la logique en étant une parmi d'autres. Un débat s'en suivit.

R. B. Braithwaite ».

Richard Braithwaite, philosophe scientifique, était alors jeune professeur à King's, et c'est sans doute lui qui avait lancé l'invitation. Fin 1933, Turing s'attaquait en effet à deux problèmes essentiels et parallèles : relier d'un côté l'abstrait et le physique, d'un autre le symbolique et le réel.

Les mathématiciens allemands s'étaient trouvés au cœur de cette recherche, comme pour tout ce qui touchait aux sciences et aux mathématiques. Or, fin 1933, l'école d'Hilbert se lézardait dramatiquement. John von Neumann était parti pour l'Amérique et ne devait jamais revenir, tandis que d'autres débarquaient à Cambridge. « Il y a plusieurs grands professeurs juifs allemands qui vont arriver à Cambridge cette année », écrivit Alan le 16 octobre. « Au moins deux d'entre eux, Born et Courant, enseigneront à la faculté de maths. » Alan assista sûrement aux conférences données par Born sur la mécanique quantique et par Courant[1] sur les équations différentielles. Born se fixa à Édimbourg et Schrödinger à Oxford, mais la plupart des scientifiques exilés préférèrent aller aux États-Unis. L'Institute for Advanced Study de l'université de Princeton prit un essor particulièrement rapide. Quand Einstein s'y installa, en 1933, le physicien français Langevin écrivit : « C'est un événement aussi important que le serait le transfert du Vatican dans le Nouveau

---

1. Alan s'était procuré, dès juillet 1933, un exemplaire de *Methoden der Mathematischen Physik* d'Hilbert et Courant.

Monde. Le pape de la physique a émigré, et les États-Unis vont devenir le centre des sciences de la nature. »

« Un certain nombre de mathématiciens se sont récemment réunis à l'université de Berlin pour réfléchir à la place de leur science au sein du Troisième Reich. On y établit que les mathématiques allemandes demeureraient celles de "l'homme faustien", que pour elles, la logique seule n'était pas une base suffisante, et que l'intuition allemande à l'origine des concepts d'infini était supérieure à la réflexion que les Français et les Italiens avaient mise en œuvre à ce sujet. Les mathématiques étaient une science héroïque qui mettait de l'ordre dans le chaos. Le national-socialisme s'était donné la même mission et exigeait donc les mêmes qualités. Le "lien spirituel" entre elles et le Nouvel Ordre était donc établi… par un mélange de logique et d'intuition… »

Ce qui étonnait le plus les Anglais, c'était qu'un état ou un parti puisse s'intéresser à des idées abstraites.

Pendant ce temps, pour le *New Statesman*, la rancœur d'Hitler envers le traité de Versailles ne faisait qu'appuyer le discours de Keynes et de Lowes Dickinson. La difficulté était que désormais, pour être équitable avec l'Allemagne, il fallait faire des concessions à un régime barbare. Les conservateurs, néanmoins, considéraient cette nouvelle Allemagne comme un rééquilibrage entre les nations, mais aussi un puissant « rempart » contre l'Union soviétique. Ce fut dans ce contexte que le mouvement pacifiste de Cambridge reprit de la vigueur en novembre 1933. Alan écrivit :

« 12/11/33

« Il s'est passé beaucoup de choses cette semaine. Le cinéma Tivoli a programmé un film intitulé *Notre marine de guerre*, qui n'était que de la propagande pure et simple. Le mouvement antiguerre a fait signer une pétition. Cela n'a pas été très bien organisé et nous n'avons obtenu que 400 signatures, dont 60 au moins de King's. Le film a fini par être retiré, mais c'est à cause du tapage qu'ont fait les militaristes devant le cinéma quand ils ont entendu parler de notre pétition. Ils s'étaient mis dans la tête que nous avions des intentions malveillantes. »

Il déclara plus loin qu'« il y a eu une manifestation pacifiste très réussie, hier ». Il faisait allusion à la cérémonie de dépôt de gerbe lors de la commémoration de l'armistice, qui, cette année-là, avait un parfum très politique. Son moteur n'était pas seulement le pacifisme. Ainsi, James Atkins, l'ami d'Alan, s'était décrété pacifiste, mais Alan avait pris une autre position. Il était cependant très influencé par l'hypothèse selon laquelle la Première Guerre mondiale avait été en grande partie stimulée par les fabricants d'armes. Il ne fallait pas qu'une nouvelle glorification de l'armement rende possible une autre grande guerre.

Eddington, en tant que quaker, donc pacifiste et internationaliste, fut à l'origine d'un nouveau tournant dans la carrière d'Alan, directement lié aux cours qu'il donnait sur la méthodologie des sciences qu'Alan suivit en automne 1933. Eddington traita en effet de la répartition des mesures scientifiques sur ce qu'on appelle techniquement une courbe « normale ». Qu'il s'agisse de l'envergure d'une drosophile ou des gains d'un joueur à Monte-Carlo, les mesures tendaient à se rassembler autour d'une valeur centrale et à se répartir de chaque côté d'une manière spécifique. L'explication d'un tel fait constituait un problème d'importance fondamentale dans la théorie des probabilités et des statistiques. Eddington proposait bien un début de réponse, qui était loin de satisfaire Alan. Plus sceptique que jamais, ce dernier voulait un résultat exact, prouvé par les normes rigoureuses de mathématiques pures.

Fin février 1934, il y était parvenu. Sa démonstration n'était pas parfaitement aboutie, cependant elle présentait un premier résultat convainquant. Fidèle à l'esprit d'Alan, sa démonstration reliait les mathématiques pures au monde physique. Cependant, à peine eut-il montré son travail qu'on lui apprit que le « théorème de la limite centrale » avait déjà été établi en 1922 par un certain Lindeberg. Travaillant comme toujours dans la plus grande indépendance, Alan n'avait même pas pensé à rechercher si son but n'avait pas déjà été atteint. Sa bonne foi aidant, son travail fut cependant jugé assez original pour servir de mémoire en vue d'une bourse à King's.

Du 16 mars au 3 avril, Alan partir faire du ski avec tout un groupe de Cambridge près de Lech, à la frontière austro-germanique. Cette expédition fut gâchée par le fait que le moniteur de ski allemand était un ardent défenseur des nazis. À son retour, Alan écrivit :

« 29/04/34

... Nous avons reçu une lettre très amusante de Micha, le moniteur de ski allemand... Il disait : "Mais en pensées, je suis dans votre milieu."

Je vais envoyer quelques-unes des recherches que j'ai faites l'an dernier à Czüber[1], à Vienne, car elles ne semblent intéresser personne à Cambridge. Je crains cependant qu'il soit déjà mort, car il a écrit ses livres en 1891. »

Mais il fallait d'abord passer le dernier examen du Tripos. La première épreuve se déroula du 28 au 30 mai, puis celle du cursus B du 4 au 6 juin. Entre ces deux périodes, il dut aller voir son père à Guildford. M. Turing, qui avait désormais 60 ans, devait subir une opération de la prostate, après laquelle il ne retrouva plus jamais la bonne santé dont il avait été si fier.

Alan s'en tira cette fois avec tous les honneurs et obtint le titre récompensant les meilleurs élèves – le « B-star Wrangler » – avec huit de ses camarades. Ce n'étaient pour lui que des examens et il fut assez gêné par les débordements de sa mère qui tint absolument à envoyer des télégrammes à tout le monde et voulait venir le jour de la remise des diplômes. En tout cas, ces résultats lui valurent une bourse de recherche du King's College de 200 livres par an, et la possibilité de rester pour chercher à obtenir un *poste de chercheur* – ambition élevée qu'il était en droit d'avoir maintenant. D'autres étudiants de la même année restaient aussi, dont Fred Clayton et Kenneth Harrison. David Champernowne faisait désormais de l'économie et n'avait pas encore passé son diplôme. James quant à lui, ne savait trop comment entamer une carrière et se contenta pendant plusieurs mois – durant lesquels il continua de venir voir Alan – de donner des cours privés.

La fin de ses études marqua pour Alan une période beaucoup moins dépressive et plus productive. Il avait commencé à s'enraciner à Cambridge et à devenir un personnage moins triste, plus enclin à la bonne humeur et l'humour. Il était toujours vrai qu'il n'appartenait ni à la catégorie des « esthètes » ni à celle des « athlètes ». Il avait, cependant, continué à ramer avec le club nautique et s'entendait plutôt bien avec les autres

---

1. L'auteur d'un des livres décrivant le théorème de la limite centrale.

membres. Il jouait également au bridge, même s'il avait le défaut habituel de tous les grands mathématiciens : on ne pouvait lui faire confiance pour additionner les points. Ses visiteurs trouvaient chez lui un fatras de livres, de notes et de lettres de sa mère demeurées sans réponse. Les murs étaient couverts de photos et autres souvenirs – la photo de Chris, bien sûr, mais aussi des photos de magazine au charme très masculin. Alan aimait aussi traîner dans les ventes et les marchés aux puces. Un jour, il rapporta de Londres un violon et prit quelques leçons sans grands résultats. Pourtant Alan avait en lui un petit côté « esthète », surtout lorsqu'il s'agissait de faire descendre de leur piédestal les modèles rigides de la bonne conduite. Ainsi, Mme Turing ne comprit vraiment pas lorsque son fils lui demanda pour Noël 1934 un ours en peluche, prétextant qu'il n'en avait jamais eu enfant. Alan eut gain de cause et Porgy l'ours put s'installer avec lui.

Son diplôme ne modifia guère sa vie quotidienne, sinon qu'il abandonna l'aviron pour se remettre à courir. Juste après l'année scolaire, il partit pour une grande randonnée à vélo en Allemagne avec Denis Williams. Étudiant en première année de sciences morales, Denis connaissait Alan par le biais du Moral Science Club, et aussi grâce au séjour dans les Alpes autrichiennes. Ils mirent leurs bicyclettes dans le train jusqu'à Cologne, et de là firent environ cinquante kilomètres par jour. L'un des buts du voyage était de se rendre à Göttingen où Alan voulait s'entretenir avec un spécialiste du « théorème de la limite centrale ».

En dépit du régime, l'Allemagne restait un pays idéal pour des voyages d'étudiants grâce à ses prix très bas et à ses auberges de jeunesse. Certes, ils voyaient les drapeaux frappés de la svastika flotter un peu partout, cependant pour des yeux anglais cela paraissait plus ridicule que menaçant.

Un jour, ils firent une halte dans un village minier, et entendirent les ouvriers chanter sur le chemin du travail. Dans l'auberge, Denis entama la discussion avec un voyageur allemand, puis le salua avec un « Heil Hitler », comme les étudiants étrangers le faisaient souvent pour se conformer aux coutumes locales. (Certains se sont d'ailleurs fait agresser pour ne pas l'avoir fait.) Alan fut témoin de la scène et dit à Denis : « Tu n'aurais pas dû dire ça, c'est un socialiste. » Il avait dû discuter avec l'Allemand un peu plus tôt, et Denis fut frappé par le fait que quelqu'un ait pu révéler à Alan son opposition au régime. Alan ne réagissait pas tant en antifasciste patenté, seulement il ne supportait pas de se plier à un rituel avec lequel il n'était pas d'accord.

Ils se trouvaient à Hanovre le lendemain du 30 juin 1934, jour où les SA perdirent tout pouvoir. Ils lurent les comptes rendus de la mort de Rohm et furent assez surpris de constater l'importance que la presse britannique accorda à l'événement, ne comprenant pas à l'époque qu'il signifiait la fin du pouvoir absolu pour Hitler. Quoi qu'il en soit, malgré ses affinités pour la cause antifasciste, Alan Turing ne fut jamais à proprement parler « politisé ». Pour lui, la route de la liberté était celle de son travail. Laissant la politique à d'autres, il ne visait qu'à accomplir quelque chose de juste.

Il continua de travailler sur son mémoire pendant tout l'été et tout l'automne 1934. La date limite de remise était fixée au 6 décembre, mais Alan le rendit avec un mois d'avance. Eddington, dont le rôle avait été si important dans son orientation, lui en avait suggéré le sujet. La seconde suggestion lui vint d'Hilbert, de façon plus détournée. Au cours du printemps 1935, alors que son mémoire faisait le tour des professeurs de King's, Alan suivit un cours de haut niveau portant sur les fondements des mathématiques donné par M. H. A. Newman.

Newman, qui atteignait alors la quarantaine, était, avec J. H. C. Whitehead, le chef de file britannique de la topologie. Cette branche des mathématiques résulte de l'abstraction à partir de la géométrie de concepts tels que « connexité », « bord » ou « voisinage », qui sont indépendants de toute mesure[1]. Dans les années 1930, cela revenait à unifier et à généraliser la plus grande partie des mathématiques pures. Newman faisait figure de progressiste à Cambridge, où seule la géométrie classique était fortement représentée.

---

1. Le « théorème des quatre couleurs » représente un exemple simple de problème topologique. Ce théorème stipule que, par exemple, une carte des districts anglais ou de l'Europe peut être colorée avec seulement quatre couleurs sans que deux districts voisins ou deux pays ne puissent jamais avoir la même. Alan s'intéressa aussi à ce problème qui devait pourtant rester sans démonstration jusqu'en 1976.

À la base de la topologie se trouvait la théorie des ensembles. Aussi Newman fut-il inexorablement entraîné vers les fondements de cette théorie. Il avait suivi le congrès international de 1928 où Hilbert représentait l'Allemagne, exclue en 1924. Hilbert avait alors réitéré son appel en faveur d'une recherche sur les fondements mêmes des mathématiques. Newman donnait son cours davantage dans l'esprit d'Hilbert que dans la continuation du programme « logistique » de Russell.

Le programme d'Hilbert constituait essentiellement une extension des travaux qu'il avait commencés dans les années 1890. Il ne s'agissait pas de répondre à la question déjà abordée par Frege et Russell, à savoir en quoi consistaient réellement les mathématiques. C'était, sous cet aspect-là, moins philosophique, moins ambitieux. D'un autre côté, ce programme visait plus loin dans le sens où il posait des questions profondes et complexes *à propos* de systèmes semblables à celui conçu par Russell. Hilbert cherchait à savoir quelles étaient, en principe, les limites d'un projet tel que celui des *Principia Mathematica*. Existait-il un moyen de déterminer ce qui pouvait et ne pouvait pas être prouvé avec une telle théorie ? Son approche fut qualifiée de *formaliste* parce qu'elle considérait les mathématiques comme un jeu. Les étapes autorisées d'une démonstration étaient semblables aux déplacements des pièces dans un jeu d'échecs, les axiomes correspondant aux positions de départ : si l'on suivait cette analogie, « jouer aux échecs » équivalait à « faire des maths ».

Lors du congrès de 1928, Hilbert formula une série de questions précises. Les mathématiques étaient-elles complètes au sens où chaque énoncé (comme « Tout nombre entier est la somme de quatre carrés ») pouvait être soit confirmé, soit infirmé ? Étaient-elles consistantes, au sens où il serait impossible d'arriver par une suite cohérente d'étapes correctes à l'énoncé « 2 + 2 = 5 » ? Étaient-elles décidables, c'est-à-dire existait-il une méthode permettant de décider, sans en faire la démonstration, si un énoncé mathématique était vrai ?

Aucune de ces questions ne trouva de réponse en 1928. Mais Hilbert pensait que la réponse serait positive dans tous les cas, car pour lui il n'y avait pas de problèmes insolubles ; et, quand il prit sa retraite en 1930, il alla plus loin encore :

« Afin de donner un exemple de problème insoluble, le philosophe Comte déclara un jour que la science ne permettrait jamais d'établir le secret de la composition chimique des corps de l'univers. Quelques années plus tard, ce problème fut résolu... La véritable raison pour laquelle, à mon avis, Comte fut incapable de trouver un problème insoluble est due au fait qu'il n'en existe pas. »

C'était un point de vue encore plus positif que celui des positivistes. Mais, au même congrès, un jeune mathématicien tchèque, Kurt Gödel, annonça des résultats qui lui portèrent un sacré coup.

Très vite pourtant, Kurt Gödel démontra l'*incomplétude* de l'arithmétique. C'est-à-dire qu'il existe des propositions qui, bien qu'elles soient vraies, ne peuvent être ni démontrées ni infirmées. Il prit comme point de départ les axiomes de Peano sur les entiers, l'étendit en une théorie simple des types de sorte que le système puisse représenter des ensembles d'entiers, des ensembles d'ensembles d'entiers et ainsi de suite. Son argument ne s'appliquait cependant qu'à des systèmes mathématiques suffisamment riches pour inclure la théorie des nombres, et laissait de côté les détails des axiomes.

Il montra ensuite que toutes les opérations d'une preuve, ces règles « échiquéennes » de la déduction logique, étaient par nature arithmétiques, c'est-à-dire qu'elles ne mettaient en jeu que des opérations de calculs et de comparaisons pour vérifier si une expression avait été correctement substituée à une autre. En fait, Gödel montra que les formules de son système pouvaient être codées en nombres entiers de sorte qu'il obtenait au bout du compte des entiers pour représenter des énoncés sur les entiers. C'était l'idée clé de sa démonstration.

Gödel expliqua ensuite comment coder une démonstration en nombres entiers afin d'obtenir toute une théorie de l'arithmétique codée à l'intérieur du système arithmétique. Il s'agissait d'exploiter le fait que si les mathématiques étaient regardées comme un simple jeu de symboles, autant utiliser des symboles numériques. Il put ainsi démontrer que des propriétés comme le fait d'« être une preuve » ou d'« être démontrable » n'étaient ni plus ni moins arithmétiques que celles d'« être un carré » ou d'« être premier ».

Ce procédé de codage permit de rédiger certaines assertions arithmétiques qui se référaient à elles-mêmes, comme une personne qui affirme : « Je mens. » Gödel construisit une assertion ayant exactement cette propriété : « Cet énoncé est indémontrable. » Un tel énoncé ne peut en effet être démontré ou infirmé car cela conduirait à une contradiction. Gödel avait ainsi démontré l'incomplétude de l'arithmétique au sens technique où l'entendait Hilbert.

Pourtant le plus remarquable encore dans la thèse de Gödel, c'est que si une telle assertion ne pouvait être prouvée, elle était en un sens *vraie*. Mais dire qu'elle était « vraie » exigeait la présence d'un observateur extérieur. Cela ne pouvait être démontré en restant à l'intérieur du système axiomatique.

Par ailleurs, dans l'argument on faisait l'hypothèse que l'arithmétique était consistante. Dans le cas contraire, toutes les assertions seraient démontrables. Donc, plus précisément, Gödel avait montré que l'arithmétique formalisée ne pouvait être qu'incomplète *ou* inconsistante, et ainsi que la consistance de l'arithmétique ne pouvait être prouvée à l'intérieur de son système axiomatique. Pour ce faire, il lui suffisait de prouver qu'une seule proposition (disons, $2 + 2 = 5$) ne pouvait pas être résolue. Cependant Gödel fut capable de démontrer qu'une telle déclaration avait les mêmes caractéristiques que celle qui affirmait l'impossibilité de sa propre résolution. De cette manière, il avait réduit à néant les deux premières questions d'Hilbert. Il était impossible de prouver que l'arithmétique était cohérente ni complète. C'était un formidable coup de théâtre, car Hilbert avait cru que son programme allait remettre les choses en ordre et c'était très contrariant pour ceux qui cherchaient dans les mathématiques quelque chose d'absolument parfait et d'inattaquable. Et cela soulevait naturellement de nouvelles questions.

Les cours de Newman se terminèrent sur la preuve du théorème de Gödel et conduisirent Alan aux confins de la connaissance. La troisième question d'Hilbert restait posée même s'il convenait de la formuler en termes de « démontrabilité » plutôt qu'en termes de « vérité ». Les résultats de Gödel n'éliminaient pas la possibilité qu'il existât une manière de distinguer les assertions démontrables de celles qui ne l'étaient pas. Y avait-il une méthode définie, ou, comme le dit Newman, un *procédé méca-*

nique permettant de déterminer si une proposition mathématique était démontrable ou non ? Il s'agissait d'une vue très ambitieuse qui touchait au cœur de tout ce qu'on connaissait en matière de mathématiques créatives. Aussi Hardy avait-il protesté dès 1928 :

« Il n'existe bien sûr pas de tel théorème, et c'est tant mieux car s'il y en avait un, nous aurions tout un ensemble mécanique de règles correspondant aux solutions de tous les problèmes mathématiques, et ce serait la fin de nos activités de mathématiciens. »

Il y avait énormément d'énoncés concernant les nombres dont on n'avait jamais pu prouver s'ils étaient vrais ou faux. Comme le théorème de Fermat qui affirmait qu'aucun cube ne pouvait être exprimé par la somme de deux cubes, de même qu'aucune puissance quatrième ne pouvait être exprimée par la somme de deux puissances quatrième, etc. Ou encore la conjecture de Goldbach selon laquelle tout nombre pair était la somme de deux nombres premiers. Il semblait difficile de croire que des assertions qui avaient tenu si longtemps puissent être un jour démontrées automatiquement par un ensemble de règles. En outre, les problèmes complexes qui avaient déjà été résolus – le théorème des quatre carrés de Lagrange par exemple – avaient souvent été prouvé par l'exercice de l'imagination créative, en construisant de nouveaux concepts algébriques abstraits. Comme l'a fait remarquer Hardy : « Il n'y a que les idiots qui croient que les mathématiciens font leurs découvertes en tournant la poignée de quelque machine miraculeuse. »

D'autre part, l'évolution des mathématiques n'avait pas manqué d'apporter de plus en plus de problèmes susceptibles d'être résolus par une approche mécanique. Hardy aurait pu dire que, « bien sûr », cette avancée n'engloberait jamais l'ensemble des mathématiques, mais, après le théorème de Gödel, plus rien n'était « sûr ». La question méritait une analyse plus approfondie.

L'expression de Newman, son « procédé mécanique », fit mouche dans l'esprit d'Alan. De plus, le printemps 1935 fut le théâtre de deux autres événements pour le jeune homme. L'attribution des bourses eut lieu le 16 mars. Philip Hall, qui venait juste d'être nommé membre du jury, le défendit en assurant qu'il n'avait pas encore montré toute sa force avec la redécouverte du théorème de la limite centrale, et comme Keynes, Pigou et John Sheppard, principal de King's, avaient tous déjà un avis favorable, Alan fut reçu premier de son année. Un poème se mit à circuler :

« Turing
Devait être sacrément séduisant
Pour qu'on le consacre enseignant
Si vite. »

En effet, Alan n'avait que 22 ans et se retrouvait avec une bourse annuelle de 300 livres pour trois ans renouvelable jusqu'à six, sans aucun compte à rendre. Il était également logé et nourri à Cambridge dès qu'il décidait d'y séjourner, et pouvait aussi dîner à la table d'honneur. Le premier soir qu'il passa dans la salle réservée aux professeurs, il joua au rami et gagna quelques shillings contre le principal. Mais il préférait le plus souvent dîner en compagnie de ses amis David Champernowne, Fred Clayton et Kenneth Harrison. Ce nouveau statut ne changea donc pas beaucoup sa façon de vivre et le laissa libre pendant trois ans d'approfondir sa pensée dans la direction de son choix – du moins aussi libre qu'il était permis à quelqu'un qui n'avait pas de rentes personnelles. Il arrondissait d'ailleurs ses fins de mois en donnant des leçons particulières à des étudiants de Trinity Hall.

L'obtention de la bourse coïncida avec la publication de son premier article. Il s'agissait d'une petite découverte touchant à la théorie des groupes, qu'il annonça le 4 avril à Philip Hall (qui faisait des recherches dans ce domaine), en lui précisant qu'il avait l'intention de poursuivre dans cette voie. Le *London Mathematical Society* fit paraître l'article un peu plus tard ce même mois.

Les recherches d'Alan complétaient un article de von Neumann qui exposait la théorie de « fonctions presque périodiques » en les définissant par rapport aux « groupes ». Comme par hasard, von Neumann arriva à Cambridge à la fin du mois d'avril. Il passait l'été loin de Princeton et en profita pour donner une série de conférences sur les « fonctions presque périodiques ». Sans doute Alan le rencontra-t-il en cette occasion, et il est pratiquement certain qu'il assista à ses conférences.

Les deux hommes étaient très différents. Fils d'un riche banquier hongrois, Janos von Neumann était de huit ans l'aîné d'Alan. Il ne connut pas les *public schools* et, en 1922, alors qu'Alan en était encore à faire flotter des bateaux en papier à Hazelhurst, le jeune Neumann, à dix-huit ans, avait déjà publié son premier article. Le Janos de Budapest ne tarda pas à devenir le Johann de Göttingen, disciple d'Hilbert, puis enfin, en 1933, le Johnny de Princeton, qui adoptait l'anglais comme quatrième langue. Son article sur les « fonctions presque périodiques » était le cinquante-deuxième d'une production considérable qui touchait aussi bien aux axiomes de la théorie des ensembles qu'à la mécanique quantique ou aux groupes topologiques (qui représentaient les bases de la théorie quantique), en passant par une série de sujets divers.

John von Neumann, l'un des personnages les plus marquants des mathématiques du XXe siècle, accumulait réussite sociale et succès intellectuels. Doué d'une forte personnalité, il avait aussi un humour racé, raffiné, et à sa formation d'ingénieur s'ajoutaient de très grandes connaissances en histoire – ainsi qu'un salaire important qui rendait presque superflues ses rentes personnelles. Quel contraste donc entre ce nouvel Américain et ce garçon de 22 ans en veste usée qui avait tant de mal à s'exprimer, ne fût-ce qu'en anglais ! Et suite à cette rencontre réelle, Alan écrit à ses parents le 24 mai : « J'ai demandé une bourse d'un an pour Princeton... »

D'autant que son ami Maurice Pryce, dont il avait fait la connaissance lors des examens d'entrée de 1929 et avec qui il était resté en contact, était prêt à aller à Princeton en septembre, y ayant obtenu une bourse. Il devenait de plus en plus évident que Princeton devenait le nouveau Göttingen ; le flot de mathématiciens et de physiciens de premier ordre qui traversaient l'Atlantique ne cessait de croître. Tous ceux qui voulaient *faire quelque chose*, comme c'était le cas d'Alan, ne pouvaient plus ignorer les États-Unis.

Alan continua à travailler sur la théorie des groupes en 1935[c]. Il songea aussi à aborder la mécanique quantique et consulta R. H. Fowler, professeur de physique mathématique, afin de trouver un sujet de recherches. Fowler lui suggéra d'expliquer la constante diélectrique de l'eau, qui comptait parmi ses sujets fétiches. Alan pourtant n'avança pas d'un iota et ce problème, comme tout le domaine de la physique mathématique, fut laissé de côté. En effet, il avait, entre-temps, découvert quelque chose de nouveau au cœur même des mathématiques, quelque chose qui le touchait profondément, même si c'était loin de ses études antérieures. Il s'agissait d'un sujet tout à fait ordinaire qui débouchait pourtant sur une idée spectaculaire.

Alan avait pris l'habitude de courir de longues distances seul, l'après-midi. Et c'est lors d'une de ces balades, allongé dans l'herbe pour souffler, qu'il vit comment répondre à la troisième question d'Hilbert. Ce devait être au début de l'été 1935. Newman avait parlé de « procédé mécanique » et Alan rêva de machines.

« Car, naturellement, le corps est une machine. Une machine extrêmement complexe, nettement plus compliquée que n'importe quelle autre. » C'était du moins ce qu'affirmait paradoxalement Brewster. D'un côté, le corps était vivant contrairement à une machine, mais d'un autre côté, quand on entrait dans les détails « petites briques vivantes », tout était déterminé. Cette remarque ne mettait pas en valeur la puissance de la machine, plutôt son absence de volonté.

Ce n'était pas le déterminisme de la physique, de la chimie ou des cellules biologiques qui se trouvait au centre de la question d'Hilbert sur la décidabilité, seulement quelque chose de plus abstrait : la propriété d'être fixé à l'avance d'une manière qui excluait tout élément nouveau. Les opérations devaient porter sur des symboles et non sur des objets de quelque masse ou composition chimique que ce soit.

Il fallait qu'Alan réussisse à *abstraire* cette qualité d'être déterminé pour l'appliquer à la manipulation de symboles. On avait déjà parlé, notamment Hardy, de « lois mécaniques » concernant les mathématiques, on avait évoqué le fait de « tourner la poignée » d'une machine miraculeuse, mais personne n'avait jamais essayé d'en construire une. C'est ce qu'Alan se proposait d'entreprendre. Il essaya donc, à partir de rien, d'en concevoir une capable de s'attaquer au problème d'Hilbert, à savoir décider, pour toute assertion qui lui serait présentée, si elle était démontrable ou non.

Bien sûr, il existait déjà des dispositifs qui manipulaient des symboles. La machine à écrire par exemple. Enfant, Alan avait rêvé d'en inventer une. Qu'est-ce qui faisait qu'une machine à écrire était « mécanique » ? Cela était lié au fait qu'à une action de l'opérateur correspondait de façon certaine une réponse de la machine dont on pouvait décrire à l'avance le comportement dans tous les cas de figure. Néanmoins, même avec un engin aussi simple que cela, la réponse dépendra de sa « *configuration* ». Une idée qu'Alan reprit sous une forme plus générale et plus abstraite. Il envisagea des machines qui pouvaient être positionnées en un nombre fini de *configurations* possibles. Ainsi, comme avec un clavier de machine à écrire, on ne pouvait effectuer qu'un nombre fini d'opérations sur la machine et l'on pouvait dresser un compte rendu détaillé et définitif du comportement intégral de l'appareil.

Cependant, une machine à écrire comportait une autre caractéristique essentielle à sa fonction : son point de frappe se déplaçait par rapport à la page. Alan incorpora cette idée dans son plan. Sa machine devait comporter des « configurations internes » et une position variable le long de la ligne d'impression, l'action étant alors totalement indépendante de sa position.

Les caractéristiques nécessaires à la fonction d'une machine à écrire formaient une liste exacte de toutes les positions possibles de la manière dont les touches détermineraient les caractères imprimés, dont la touche majuscule permettrait de modifier la configuration du clavier et dont la barre d'espacement et le retour marge conditionnerait la position des caractères imprimés. Qu'un ingénieur prenne en compte cette liste exhaustive et décide de créer une machine répondant à ces critères, le résultat sera forcément une machine à écrire, quels que soient sa couleur, son poids ou ses autres attributs.

Toutefois ce modèle était un peu limité. Il gérait des symboles mais ne pouvait que les écrire, et il fallait un opérateur humain pour les choisir et les changer de position et de configuration. À quoi pourrait bien ressembler une machine qui gérerait des symboles de manière globale ? Il faudrait qu'elle conserve ses qualités, et notamment le fait qu'elle ne disposait que d'un nombre limité de configurations, et un comportement déterminé dans chacune d'elles. Cependant il faudrait aussi qu'elle soit capable de bien plus. Il imagina donc une « super-machine à écrire ».

Par souci de simplification, il imagina des machines n'opérant que sur une seule ligne d'écriture, un détail technique qui permettait d'oublier les marges et les interlignes, mais il était important de ne pas être limité par des contingences de papier. Dans son idée, le point de frappe de sa *super-machine* pouvait se déplacer indéfiniment vers la gauche ou vers la droite. Pour plus de précision, Alan proposait en fait des rubans de papier divisés en cases. Ses machines devaient donc être très précisément définies, mais disposeraient d'un espace de travail illimité.

En outre, la machine devait être capable de *lire*, ou, pour reprendre le terme de Turing, d'« inspecter », la case sur laquelle elle s'arrêterait. Elle serait, bien sûr, toujours capable d'écrire des symboles, et elle pourrait aussi les *effacer*. Elle ne pourrait cependant se déplacer que d'une case à la fois. Quel rôle devait alors revenir à l'opérateur humain de la machine ? Alan mentionna la possibilité de « machines à choix multiples » où l'opérateur serait chargé de prendre les décisions à certaines étapes. Il se concentra surtout sur ce qu'il appelait des machines *automatiques*, où l'intervention humaine serait exclue. Le but était d'éprouver ce que Hardy avait qualifié de « machine miraculeuse », un procédé mécanique capable de s'attaquer au problème de la décidabilité d'Hilbert en déchiffrant toute assertion mathématique qui lui serait présentée pour juger si elle était démontrable ou non. Mais il fallait impérativement que ce verdict soit rendu sans la moindre interférence avec l'intelligence ou l'imagination humaine.

Une « machine automatique » devait travailler, lire et écrire et se déplacer absolument seule, selon la façon dont elle avait été construite. Son fonctionnement serait à chaque étape entièrement déterminé par la configuration présente et le symbole déchiffré. Pour être précis, la construction de la machine devait déterminer, pour chaque combinaison de configuration et de symbole exploré :

— s'il faut écrire un nouveau symbole (spécifié) dans une case blanche, laisser le symbole existant tel quel ou l'effacer,

– s'il faut rester dans la même situation ou se déplacer vers une autre configuration (spécifiée),

– s'il faut se déplacer vers la case de gauche, vers celle de droite ou bien rester à la même position.

Toutes ces données qui décrivaient une machine automatique formaient, une fois écrites, une « table de fonctionnement ». Cette table définirait complètement la machine au sens où, qu'elle soit effectivement construite ou non, elle comprendrait toutes les informations pertinentes la concernant. D'un point de vue abstrait, la table était la machine elle-même.

À chaque table correspondrait une machine au fonctionnement différent, et il y avait un nombre infini de tables possibles. Alan avait su faire de l'idée si vague de « méthode définie » ou de « procédé mécanique » quelque chose d'extrêmement précis : une « table de fonctionnement ». Restait maintenant une question très précise à laquelle il devait répondre : l'une de ces machines pouvait-elle permettre de résoudre le problème de décidabilité posé par Hilbert ?

Exemple de machine : la « table de fonctionnement » suivante définit complètement une machine de Turing qui additionne. Le point de départ de la tête de lecture se trouve à gauche de deux séries de cases cochées séparées par un espace blanc. La tête de lecture fera donc la somme des deux groupes puis s'immobilisera. Ainsi,

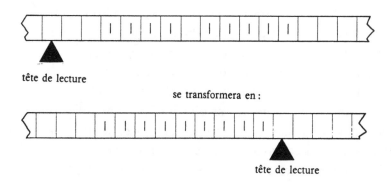

La tâche de la machine consiste à cocher la case vide et à effacer la dernière marque. Il suffira donc d'équiper la machine de quatre configurations. Dans le premier état, la tête de lecture passe les cases vides en quête de la première case cochée. Dès

qu'elle arrive à cette première suite de cases cochées, elle se met dans le deuxième état. La case vide de séparation la fera aller dans le troisième état où elle restera pendant toute la deuxième suite de cases cochées. Dès qu'un espace vide se présente, elle se met dans le quatrième état, c'est-à-dire qu'elle fait demi-tour et efface la dernière case avant de s'arrêter.

La table complète est :

Symboles inspectés

	vide	I
État 1	aller à droite : état 1	aller à droite : état 2
État 2	marquer I aller à droite : état 3	aller à droite : état 2
État 3	aller à gauche : état 4	aller à droite : état 3
État 4	rester sur place : état 4	effacer ; rester ; état 4

Même une machine aussi simple que celle de l'exemple précédent effectuerait en réalité davantage que des sommes. Il lui faudrait *reconnaître* les symboles, et déterminer si une case est cochée ou non. Un dispositif un peu plus compliqué parviendrait à effectuer des multiplications en cochant autant de séries de cases qu'il le faudrait, tout en effaçant une par une les marques de la série cochée en trop puis en s'arrêtant une fois l'opération terminée. Il pourrait également faire acte de *décision* en jugeant par exemple si un nombre est divisible par un autre, ou s'il est premier ou non. Il y avait visiblement place pour appliquer ce principe à la mécanisation de tout un choix de « méthodes définies ». Mais une telle machine pouvait-elle résoudre le problème de décidabilité posé par Hilbert ?

Il s'agissait d'une question bien trop complexe pour qu'on pût tenter d'y répondre par une « table » et il existait une voie détournée pour y arriver. Alan conçut l'idée des « nombres calculables[1] ». Le point crucial était que tout « nombre réel » régi par une loi définie pouvait être calculé par une de ses machines. Ainsi, il y aurait une machine capable de calculer l'expansion décimale de ϖ, car cela ne requérait qu'un ensemble de règles pour additionner, multiplier ou recopier. ϖ possédant un nombre infini de décimales, le travail de la machine ne s'arrêterait jamais et il lui faudrait un espace de « bande » illimité. Mais la machine pourrait arriver, à un moment donné, à une décimale déterminée, n'ayant alors utilisé qu'une section finie de bande. L'ensemble du processus pouvait donc être contenu dans une table finie.

Donc Alan disposait pour représenter un nombre comme *n* aux décimales infinies, d'une table *finie*. Il en était de même avec la racine carrée de trois ou le logarithme de sept – ou avec n'importe quel nombre défini par des règles. C'est ce qu'Alan appelait les « nombres calculables ».

En réalité, la machine elle-même ne saurait rien des nombres décimaux ni de la place des décimales. Elle se contenterait de produire une séquence de chiffres qu'Alan appelait une « séquence calculable ». Ainsi, une séquence calculable infinie précédée d'une virgule définirait un nombre calculable situé entre 0 et 1. C'est en ce sens très strict que tout nombre calculable situé entre 0 et 1 pouvait être déterminé par une table finie. Il était en outre très important que les nombres calculables soient obligatoirement exprimés par des séquences de chiffres illimitées, même si ceux-ci se réduisaient à des 0 après un certain point.

Il convenait alors de ranger ces tables en suivant une sorte d'ordre alphabétique ; soit en commençant par la plus simple puis en évoluant vers les plus importantes. Elles pouvaient faire l'objet d'une liste, ce qui revenait à dire en théorie que tous les nombres calculables étaient susceptibles d'entrer dans une liste. Ce n'était bien sûr que de la théorie, mais l'idée était en soi parfaitement définie : la racine carrée de 3 donnerait par exemple le 678e dans l'ordre tandis que le logarithme de *n* serait le 9369[e]. Une idée vertigineuse, dans la mesure où la liste comprendrait tous les nombres susceptibles d'être le résultat d'une opération arithmétique, en trouvant des racines d'équations et en utilisant

---

1. Nous traduisons *computable* par « calculable ». On se rappelle que le terme français « ordinateur » est traduit en anglais par *computer*. (NdT)

des fonctions mathématiques comme les sinus ou les logarithmes – tout nombre qui pouvait apparaître en calculs mathématiques. Une fois qu'il eut découvert cela, Alan sut répondre à la question d'Hilbert. C'était probablement la vision qu'il avait eue dans le pré de Grantchester. Il aurait vu un magnifique appareil mathématique, attendant sur son étagère que quelqu'un vienne le prendre.

Cinquante ans plus tôt, Cantor avait compris qu'il pouvait rassembler toutes les fractions – nombres rationnels – en une liste. On pouvait croire naïvement qu'il y avait beaucoup plus de fractions que de nombres entiers. Cantor montra cependant qu'il n'en était rien car il était possible de les dénombrer et de les ranger dans une sorte d'ordre alphabétique. Si on laissait de côté les fractions dotées de facteurs d'annulation, la liste de tous les nombres rationnels situés entre 0 et 1 commençait ainsi :
1/2 1/3 1/4 2/3 1/5 1/6 2/5 3/4 1/7 3/5 1/8 2/7 4/5 1/9 3/7 1/10…

Cantor imagina alors un procédé que l'on baptisa la méthode diagonale de Cantor, qui pouvait être utilisée pour démontrer qu'il existait des nombres *irrationnels*. Il s'agissait d'exprimer les nombres rationnels sous forme de décimaux infinis. La liste de tous ces nombres compris entre 0 et 1 commençait donc ainsi :

1	5000000000000000000…
2	3333333333333333333…
3	2500000000000000000…
4	6666666666666666666…
5	2000000000000000000…
6	1666666666666666666…
7	4000000000000000000…
8	7500000000000000000…
9	1428571428571428571…
10	6000000000000000000…
11	1250000000000000000…
12	2857142857142857142…
13	8000000000000000000…
14	1111111111111111111…
15	4285714285714285714…
16	1000000000000000000…
.	…
.	…

L'idée était de relever le nombre inscrit en diagonale qui commençait par :

5306060020040180...

puis de changer chaque chiffre en y ajoutant 1, le 9 devenant un 0. Cela donnait un nouveau nombre à infinité de décimales commençant par :

6417171131151291...

nombre qui ne pouvait en aucun cas être rationnel puisqu'il différait du premier nombre rationnel enregistré par la première décimale, du 694e nombre rationnel enregistré par la 694e décimale, etc. Un tel nombre ne pouvait donc se trouver sur la liste ; mais étant donné que la liste comprenait tous les nombres rationnels, le nombre de la diagonale ne pouvait être qu'irrationnel.

On savait déjà au temps de Pythagore qu'il existait des nombres irrationnels. Le but que s'était assigné Cantor était plutôt de montrer qu'aucune liste ne pouvait comprendre tous les « nombres réels », c'est-à-dire tous les nombres à infinité de décimales. Chaque liste possible ne servirait qu'à définir un autre nombre à infinité de décimales qui avait été oublié. La méthode de Cantor démontrait, au sens strict, qu'il existait davantage de nombres réels que de nombres entiers. Elle débouchait sur une théorie très précise de ce qu'on entendait par « infini ».

Néanmoins, ce qui intéressait surtout Alan Turing était que cette thèse illustrait comment le rationnel pouvait faire naître l'irrationnel. Exactement de la même manière, le calculable allait donner naissance au *non-calculable* en reprenant la méthode de la diagonale. À peine avait-il fait cette observation qu'Alan sut qu'il fallait répondre par la négative à la question d'Hilbert. Il ne pouvait y avoir de méthode définie pour résoudre tous les problèmes mathématiques. Un nombre non calculable constituait, en effet, un parfait exemple de problème insoluble.

La démonstration, cependant, était loin d'être terminée. Un paradoxe demeurait dans la thèse même. Le procédé de Cantor ressemblait fort à une « méthode définie ». Le nombre diagonal était lui-même assez clairement défini. Alors pourquoi ne pouvait-il être calculé ? Comment se pouvait-il que quelque chose élaboré par un procédé mécanique soit non calculable ?

Imaginons qu'on ait essayé de concevoir une « machine de Cantor » pour produire ce nombre non calculable de la diagonale. Elle commencerait, en somme, avec une bande vierge puis taperait le chiffre 1. Il lui faudrait ensuite donner la *première* table et l'exécuter en s'arrêtant au *premier* chiffre inscrit, et additionner 1. La machine devrait alors recommencer avec le chiffre 2, utiliser cette fois la *deuxième* table, l'appliquer jusqu'au *deuxième* chiffre, puis additionner 1. Elle devrait continuer ainsi indéfiniment, de sorte que lorsque le compteur parviendrait à « 1000 », elle produirait la *millième* table, l'appliquerait jusqu'au *millième* chiffre puis additionnerait 1, avant d'inscrire le résultat.

Une telle procédure pouvait certainement être en partie effectuée par une machine de Turing. L'opération consistant à « chercher les entrées » d'un tableau donné et à déterminer ce que ferait le système correspondant constituait bien en soi un « procédé mécanique », susceptible d'être appliqué par une machine. La difficulté venait de ce qu'on envisageait tout naturellement des tables à deux dimensions, mais c'était la seule technique permettant de les codifier sur un « ruban ». En fait, on pouvait les codifier sous forme de nombres entiers, un peu comme Gödel avait transcrit ses formules et ses preuves. Alan conçut alors ce qu'il appela les « index », de sorte qu'à chaque tableau en correspondait un. Il ne s'agissait au premier abord que d'une commodité purement technique, une simple manière de placer les tableaux sur le ruban. En approfondissant, on s'apercevait qu'on retrouvait l'idée fondamentale de Gödel, à savoir qu'il n'y avait pas de réelle différence entre les nombres eux-mêmes et les opérations effectuées *sur* les nombres. Pour les mathématiques modernes, opérations et nombres n'étaient que des symboles.

Cela établi, il s'ensuivait qu'il pouvait exister une machine capable d'assumer les fonctions de n'importe quelle autre. Turing la baptisa la « machine universelle ». Elle serait conçue pour déchiffrer les index, pour les transcrire en tables et pour les appliquer. Un tel système pouvait effectuer le travail de n'importe quel autre dispositif à condition que l'index figure sur sa bande. Ainsi, il ne s'agissait de rien moins que d'une machine à tout faire, dotée en outre d'une forme parfaitement définie. Alan entreprit donc de calculer une table exacte pour sa machine universelle.

Mais là n'était pas le problème que posait la mécanisation du procédé de Cantor. La véritable difficulté était de produire dans le bon ordre les tables destinées aux nombres calculables. Imaginons, par exemple, que les tables soient codées en index. Dans la pratique, elles n'utiliseraient pas tous les nombres entiers ; en fait, le système mis au point par Alan codait les tables les plus simples en nombres astronomiques. Peu importait. Examiner les nombres entiers successivement et laisser de côté ceux qui ne correspondent pas aux tables recherchées n'était en réalité qu'une question « mécanique », une petite difficulté technique. Le vrai problème était plus subtil : si l'on prenait par exemple la 4589e table soigneusement définie, comment pouvait-on assurer qu'elle allait donner un 4589e chiffre ? Ou même qu'elle allait donner le moindre chiffre ? Elle pouvait se limiter à un cycle sans cesse répété d'opérations sans plus produire de nouveaux nombres. En ce cas, la machine de Cantor serait bel et bien coincée et se trouverait dans l'impossibilité d'achever sa mission.

Le problème était qu'on ne pouvait *pas* savoir. Il n'existait aucun moyen de vérifier à l'avance si une table pouvait ou non produire une suite infinie. Il pouvait y avoir une méthode applicable à une table en particulier, mais non pas de procédé mécanique valable pour toutes les tables d'instructions. On en était réduit à un simple « prenez une table et essayez-la ». Toutefois, avec une telle procédure, il aurait fallu une éternité pour voir si un nombre infini de chiffres apparaissait effectivement. Il n'existait pas de règle applicable à toutes les tables, ni qui puisse fournir à coup sûr la réponse en un temps limité comme l'exigeait l'impression du nombre de la diagonale. Le procédé de Cantor ne pouvait donc être mécanisé et le nombre non calculable de la diagonale ne pouvait être calculé. Le paradoxe s'éteignait de lui-même.

Alan nomma les index qui engendraient des nombres à infinité de décimales des « nombres satisfaisants ». Il avait donc démontré qu'il n'y avait pas de méthode définie permettant d'identifier un « nombre non satisfaisant ». Il venait de mettre le doigt sur un exemple clairement défini de ce qu'Hilbert croyait impossible : un *problème insoluble*.

Il y avait d'autres façons de prouver qu'aucun « procédé mécanique » ne permettait d'éliminer les nombres non satisfaisants. Celle qu'Alan préférait mettait en relief l'aspect réfléchi de la question. En supposant qu'une telle machine capable de localiser les nombres non satisfaisants puisse exister, il faudrait qu'elle puisse se contrôler elle-même, ce qui conduisait à une totale contradiction.

Quoi qu'il en soit, Alan avait découvert un problème insoluble et il ne lui restait plus qu'une petite étape technique à franchir pour démontrer que cela réglait une fois pour toutes la question d'Hilbert sur les mathématiques. Il était allé au cœur même du problème et l'avait réglé par une constatation, à la fois simple et élégante.

Une telle découverte dépassait la simple astuce mathématique ou l'ingéniosité logique. Alan avait créé avec ses machines un concept absolument nouveau. Aussi demeurait-il une interrogation quant à savoir si sa définition de la machine comprenait bien tout ce qui pouvait entrer dans la composition d'une « méthode définie ». Ce système qui déchiffrait, écrivait, effaçait, bougeait et s'arrêtait suffisait-il vraiment ? C'était indispensable, sinon il subsisterait toujours le soupçon qu'une extension ultérieure des facultés de la machine lui permette de résoudre toujours davantage de problèmes. Alan démontra alors que ses machines pouvaient calculer n'importe quel nombre susceptible d'être trouvé en mathématiques. Il montra également qu'on pouvait créer un dispositif capable de produire toutes les assertions démontrables entrant dans la formulation des mathématiques donnée par Hilbert. Mais il produisit également quelques pages tout à fait inhabituelles pour une revue mathématique, où il justifiait sa définition en considérant ce que faisait en réalité une *personne* lorsqu'elle calculait un nombre :

« On procède généralement à un calcul en écrivant certains symboles sur une feuille de papier. On peut imaginer que cette feuille soit quadrillée comme dans les cahiers d'écolier. En arithmétique élémentaire, il arrive que cette caractéristique bidimensionnelle de la feuille soit utilisée. Pourtant cela n'est en aucun cas obligatoire et je pense que nous serons tous d'accord pour dire que cette caractéristique n'est pas essentielle au calcul. Je suppose donc que ce calcul est effectué sur une feuille unidimensionnelle, par exemple sur un ruban de papier divisé en cases. Je poserai aussi que le nombre de symboles qu'il est possible d'écrire est fini. Sans cette limitation du nombre des symboles, nous nous retrouverions avec des symboles différant les uns des autres d'une mesure arbitrairement petite. »

Une « infinité de symboles », assurait Alan, ne correspondait à rien dans la réalité. On pouvait bien évidemment prétendre qu'il existait une infinité de symboles puisque :

« un chiffre arabe comme 17 ou 999999999999999 est généralement considéré comme un symbole unique. De même, dans toutes les langues européennes, les mots sont considérés comme des symboles à part entière (en chinois, cependant, le nombre des symboles tend vers l'infini) ».

À une telle objection, Alan répondait :

« De notre point de vue, la différence entre les symboles uniques et composés est que les symboles composés, quand ils sont trop longs, ne peuvent être identifiés au premier coup d'œil. L'expérience nous le prouve. Nous ne pouvons déterminer tout de suite si 9999999999999999 est égal à 999999999999999 ou non. »

Il se sentait en droit de réduire sa machine à un répertoire fini de symboles. S'ensuivait une idée maîtresse :

« Le comportement d'un calculateur humain est à tout moment déterminé par les symboles qu'il observe et par son "état d'esprit" au même instant. Nous pouvons supposer qu'il y a une limite L au nombre de symboles ou de cases que le calculateur peut observer à un moment donné. S'il veut en observer davantage, il doit procéder par observations successives. Nous supposerons aussi que le nombre d'états d'esprit pouvant être pris en compte est également limité, et cela pour des raisons du même ordre que celles réduisant le nombre des symboles. En effet, si nous admettons un nombre infini d'états d'esprit, nous nous retrouverons avec des états d'esprit "arbitrairement proches", ce qui embrouillerait tout. Une fois encore, cette restriction n'est pas d'ordre à affecter sérieusement le calcul puisqu'on peut éviter l'utilisation d'états d'esprit plus compliqués en inscrivant davantage de symboles sur le ruban. »

Le terme de « calculateur » avait jusque-là le seul sens qu'on lui donnait en 1936 : il s'agissait d'une personne qui effectuait des calculs. Plus loin, il émet l'idée que « la mémoire humaine est nécessairement limitée », mais il ne s'est jamais aventuré plus loin à propos de la nature de l'esprit humain. Il s'agissait d'une démonstration assez osée. Fonder son raisonnement sur le fait que l'on puisse dénombrer les états d'esprit témoignait d'une imagination plus que téméraire. Il est à noter qu'en mécanique quantique, des états physiques pouvaient être « arbitrairement proches ». Alan poursuivait donc ainsi son raisonnement sur le calculateur humain (*human computer*) :

« Imaginons que l'on divise les opérations accomplies par le calculateur *{computer}* en "opérations simples" tellement élémentaires que l'on ne puisse concevoir de les décomposer plus. Chaque opération reviendrait à un changement du système physique formé par le calculateur et son ruban. Nous connaissons l'état du système si nous connaissons la suite de symboles figurant sur le ruban qu'observe le calculateur (peut-être dans un ordre déterminé) et l'état d'esprit dudit calculateur. Nous pouvons admettre qu'à une opération simple ne peut correspondre qu'un seul changement de symbole. Toute autre modification devrait être décomposée en « opérations simples ». La situation concernant les cases dont les symboles ont été ainsi modifiés est la même que celle concernant les cases observées. Nous pouvons, par conséquent, assurer que les cases dont les symboles sont modifiés sont toujours des cases "observées".

Outre ces changements de symboles, les opérations simples doivent inclure des modifications dans la distribution des cases observées. Les cases nouvellement observées doivent être immédiatement reconnaissables par le calculateur. Il paraît raisonnable d'admettre qu'il ne peut s'agir que de cases relativement proches des toutes dernières cases observées. Disons que chacune des cases nouvellement observées se trouve à moins de *n* cases de la case qui vient juste d'être observée.

Par rapport à cette "identification immédiate", on peut très bien imaginer d'autres sortes de cases immédiatement reconnaissables. Ainsi, des cases indiquées par des symboles particuliers peuvent être considérées comme immédiatement reconnaissables. Si nous disons maintenant que ces cases ne sont marquées que par des symboles uniques, il s'ensuit qu'elles ne peuvent être qu'en nombre limité et que nous n'avons pas de raison de bouleverser notre théorie en assimilant ces cases marquées aux cases observées. Néanmoins, si elles sont marquées par une suite de symboles, nous ne pouvons considérer le processus d'identification comme une opération simple. C'est là un point fondamental qu'il convient d'illustrer. Dans les revues mathématiques, les équations et les théorèmes sont généralement numérotés. Les nombres n'excèdent normalement pas 1000. Il est donc facile d'identifier un théorème au premier coup d'œil grâce à son numéro. Mais dans le cas d'une revue très épaisse, nous pourrions arriver au théorème 157767733443477 ; et alors, un peu plus loin dans le journal, nous pourrions trouver "[…] ainsi, en application du théorème 157767734443477, nous avons […]", et nous serions alors obligés de comparer les deux nombres chiffre par chiffre pour vérifier s'il s'agit du même, allant même jusqu'à cocher chaque signe au crayon pour ne pas risquer de les compter deux fois. Si l'on pense malgré tout qu'il y a d'autres cases "immédiatement reconnaissables", cela n'affecte en rien ma thèse tant que ces cases peuvent être repérées selon une méthode applicable par mon type de machine […]

Les opérations simples doivent donc comprendre :

a) Des changements du symbole de l'une des cases observées.

b) Des changements de l'une des cases observées en une autre case située à moins de N cases des cases précédemment observées.

Il se peut que certains de ces changements entraînent obligatoirement un changement d'état d'esprit. L'opération simple la plus commune devra donc pouvoir se définir comme suit :

A) Un changement (*a*) possible de symbole accompagné d'un changement possible d'état d'esprit.

B) Un changement (*b*) possible des cases observées accompagné d'un changement possible d'état d'esprit.

L'opération effectuée est déterminée, comme il a été suggéré ci-dessus, par l'état d'esprit du calculateur et par les symboles observés. Ceux-ci définissent en particulier l'état d'esprit du calculateur après la fin de l'opération. »

« Et maintenant, nous pouvons construire une machine pour effectuer le travail du calculateur humain », écrivait Alan. On voyait clairement où il voulait en venir, chaque « état d'esprit » du calculateur humain étant représenté par une configuration de la machine correspondante.

Mais comme ses « états d'esprit » constituaient le point faible de son raisonnement, il proposa une autre justification de l'idée que ses machines pouvaient appliquer n'importe quelle « méthode définie » applicable par l'homme :

« Supposons (encore) que le calcul soit effectué sur un ruban ; cependant évitons cette fois-ci d'introduire la notion d'"état d'esprit" en prenant un équivalent plus concret et mieux défini. Il est toujours possible que le calculateur humain interrompe son travail, s'en aille et le laisse en plan pour ne le reprendre que bien plus tard. Il doit en ce cas laisser une note indiquant comment il convient de reprendre le travail. Cette note correspond à l'équivalent d'un "état d'esprit". Imaginons ensuite que le calculateur travaille de façon si décousue qu'il ne fasse jamais plus d'une étape par séance. Les instructions qu'il laisse à chaque fois doivent lui permettre de franchir une étape puis de rédiger la note suivante. La progression du calcul est donc entièrement déterminée par les instructions d'une part, et par les symboles figurant sur le ruban d'autre part... »

En fait, ces deux exemples étaient radicalement différents, mais complémentaires. Le premier mettait en lumière l'éventail de pensées qui animent l'individu – le nombre d'« états d'esprit ». Le second présentait l'individu comme l'exécuteur dépourvu d'esprit des directives données. Ces deux exemples illustraient la contradiction entre le libre arbitre et le déterminisme, seulement l'un l'abordait en partant de la volonté intérieure, quand l'autre partait des contraintes extérieures. Alan ne s'aventurait pas plus avant sur ce terrain dans cet article, mais ce n'était que partie remise[1].

Stimulé par le « problème de la décidabilité » posé par Hilbert – en allemand *Entscheidungsproblem* –, Alan ne s'était pas contenté de le résoudre. Il avait en effet intitulé son article : « On computable Numbers, *with an application* to the Entscheidungsproblem »

---

1. Les deux thèses impliquaient aussi deux interprétations assez différentes de la « configuration » de la machine. Avec la première, la configuration se présentait tout naturellement comme un *état interne* de la machine – quelque chose pouvant être déduit de ses différentes réactions à différents stimuli, un peu comme dans la psychologie béhavioriste. La seconde thèse présentait cependant la configuration comme une *instruction écrite*, la table étant une liste d'instructions indiquant à la machine ce qu'elle devait faire. La machine semblait obéir à une instruction avant de passer à une autre et ainsi de suite. On pouvait se représenter la machine universelle comme un système de lecture et de décodage placé sur le ruban. Alan Turing abandonna lui-même par la suite son terme abstrait de « configuration » pour décrire plus librement ses machines en termes d'« états » et d'« instructions » selon l'interprétation qu'il avait en tête.

(« Des nombres calculables, avec une application au problème de décidabilité. ») On aurait dit que les cours de Newman avaient déclenché un courant d'interrogations qui avait fait son chemin et trouvait là une occasion d'émerger. En répondant à la question d'Hilbert, Alan avait dépassé le simple cadre des mathématiques abstraites, le jeu des symboles, pour réfléchir à ce que faisaient exactement les gens dans le monde physique. Sa démarche relevait plutôt de l'imagination que de la science, comme celle d'Einstein ou de von Neumann qui mettaient les axiomes en doute au lieu de se contenter d'en mesurer les effets. Les machines d'Alan – qui allaient bientôt devenir les *machines de Turing* – établissaient une voie de communication entre les symboles abstraits et le monde physique. En effet, pour Cambridge, son idée était affreusement industrielle.

Il y avait de toute évidence un lien, même indirect, entre la machine de Turing et l'intérêt qu'il avait manifesté pour le problème du déterminisme de Laplace. On pouvait tout d'abord relever que l'« esprit » auquel pensait Alan n'était pas celui qui accomplissait les tâches intellectuelles. Ensuite, la description des machines de Turing n'avait pas grand-chose à voir avec la physique. Il avait néanmoins cherché par tous les moyens à établir la thèse d'un « nombre déterminé d'états mentaux » qui impliquait un fondement concret de l'esprit, plutôt que de s'en tenir à l'option moins risquée de la « note d'instructions ». On s'aperçoit en effet qu'en 1936, il ne croyait plus aux idées qu'il avait prônées auprès de Mme Morcom en 1933, notions de survie et de communication spirituelles. Il se ferait bientôt le porte-parole de la conception matérialiste et se poserait en athée convaincu. Christopher Morcom mourrait une seconde fois et les *Nombres calculables* sonnaient son dernier glas.

Ce retournement apparent dissimulait pourtant une cohérence et une constance profondes. Il s'était préoccupé de réconcilier les notions de volonté et d'esprit avec la description scientifique de la matière, justement parce qu'il ressentait avec acuité la puissance de la vision matérialiste associée au miracle de l'esprit individuel. Mais le mystère restait inchangé, et il l'aborderait simplement par un autre côté. Au lieu d'essayer de vaincre le déterminisme, il voulait essayer d'expliquer les apparences de la liberté. Il y avait forcément une raison. Christopher l'avait détourné de *Merveilles de la Nature*, il était temps d'y revenir.

Il cherchait toujours à résoudre de manière concrète le paradoxe du déterminisme et du libre arbitre, refusant de se contenter d'une solution purement philosophique. La mécanique quantique n'avait jamais cessé de l'intéresser, mais si en théorie la physique quantique pouvait tout englober, la pratique montrait que tout énoncé concernant le monde requérait différents niveaux de description. Le « déterminisme » darwinien de la sélection naturelle reposait sur la mutation « aléatoire » des gènes individuels ; le déterminisme de la chimie s'exprimait dans un cadre où le mouvement des molécules individuelles passait pour « aléatoire ». Le théorème de la limite centrale constituait un exemple de la manière dont l'ordre pouvait surgir du désordre le plus généralisé. Un système de codage savait au contraire illustrer comment le désordre pouvait naître de la méthode la plus organisée. La science, comme avait pris soin de le noter Eddington, reconnaissait de nombreux déterminismes et libertés différents. L'important, c'était qu'avec ses machines, Alan avait créé son propre déterminisme de la machine automatique agissant à l'intérieur du cadre *logique* qu'il jugeait adapté à l'étude de l'esprit.

Il avait travaillé entièrement seul, ne discutant pas une seule fois de la construction de ses « machines » avec Newman. Il échangea bien quelques mots avec Richard Braithwaite au sujet du théorème de Gödel, lors d'un dîner à la table d'honneur ; il posa une autre fois une question sur la méthode de Cantor à Alister Watson, jeune professeur à King's qui avait délaissé les mathématiques pour la philosophie. Il avait aussi parlé de ses idées à David Champernowne, qui comprit bien le fond de la machine universelle mais affirma, non sans une pointe de moquerie, qu'il ne faudrait pas moins de l'Albert Hall pour abriter une telle construction. En effet, si Alan avait des idées pratiques sur la question, il ne les révélait guère dans son article sur les *Nombres calculables*[d]. En fait, même s'il avait examiné les vestiges de la « machine analytique » de Babbage au musée des Sciences, ce projet vieux d'un siècle n'eut aucune influence sur ses idées ou son langage. Son idée ne trouvait pas de modèle direct dans ce qui existait en 1936 et ne s'inspirait que de loin des toutes nouvelles industries électriques avec leurs télétypes, leur surveillance par télévision et leurs lignes directes de téléphone automatique. C'était purement l'œuvre du jeune mathématicien.

Les *Nombres calculables* durent dominer la vie d'Alan du printemps 1935 jusqu'à l'année suivante. Car c'est un article long et très travaillé, qui appelait à la publication de beaucoup d'autres. En avril 1936 il en remit à Newman une première version tapée, juste après des vacances de Pâques passées à Guildford.

De nombreuses questions restaient en suspens concernant les découvertes que Gödel et lui-même avaient faites, ainsi que ce qu'elles impliquaient pour la compréhension de l'esprit. Si ce dernier coup porté au programme d'Hilbert mettait fin à l'espoir d'un rationalisme trop naïf, où chaque problème devait obligatoirement trouver une solution par une formule donnée, il faisait naître aussi une profonde ambiguïté. Pour certains, dont Gödel lui-même, l'impossibilité de prouver qu'une assertion est consistante et complète allait dans le sens de la supériorité de l'esprit sur le mécanisme. D'un autre côté, cependant, la machine de Turing ouvrait la porte d'une nouvelle branche de la science déterministe. Ce système permettait d'élaborer des procédures plus complexes à partir des briques élémentaires que constituaient les états et les positions, le déchiffrage et l'écriture. Cela promettait un fabuleux jeu mathématique où toute « méthode définie » devait pouvoir s'exprimer dans une forme type.

Alan avait prouvé qu'il n'existait pas de dispositif miraculeux capable de résoudre tous les problèmes mathématiques, mais cela lui avait permis de découvrir quelque chose de presque aussi stupéfiant : l'idée qu'une machine universelle pourrait effectuer la tâche de n'importe quelle autre. En outre, il affirmait que tout ce qui pouvait être calculé par un homme pouvait également l'être par une machine. Par conséquent, il était possible de construire un appareil qui, en déchiffrant les descriptions imprimées sur son ruban, pourrait en quelque sorte reproduire l'activité mentale des hommes. Une seule machine pour remplacer un homme calculateur ! Un cerveau électrique !

La mort de George V marqua, entre-temps, une transition entre la révolte contre l'ordre établi et la crainte de ce que réservait l'avenir. L'Allemagne avait déjà vaincu le nouveau Siècle des Lumières. En mars 1936 la Rhénanie fut réoccupée, ce qui laissait prévoir un futur des plus militarisés. Qui donc aurait pu voir le lien avec le destin d'un obscur mathématicien de Cambridge ? Un jour pourtant, Hitler perdra la Rhénanie, et ce sera à ce moment-là que la machine universelle pourra passer du monde théorique au monde de la pratique et de l'action. Mais entre l'idée et sa matérialisation devait se produire le sacrifice de millions de personnes : il n'y avait pas de solution au problème de la décidabilité du monde.

III

Un homme nouveau

« J'apprends qu'on m'accuse d'avoir voulu détruire
les institutions,
En vérité je ne suis ni pour ni contre les institutions.
(Qu'ai-je en commun avec elles ? qu'ai-je à voir avec
leur destruction ?)
Si j'ai un but c'est d'établir sur Mannahatta, et dans
la moindre de nos cités, côtière ou intérieure,
Dans les bois, dans les champs, sur les ponts de
toutes les quilles de toutes les tailles qui enta-
ment l'eau,
En l'absence d'édifices, de règles, de garants, de
palabres,
L'institution unique du tendre amour des camarades[1]. »

Au moment-même où Alan faisait part de sa découverte à
Newman, quelqu'un d'autre démontra que le problème de la
décidabilité d'Hilbert était insoluble. Cela se passait à Princeton,
où le logicien américain Alonzo Church avait achevé sa thèse,

1. « J'apprends qu'on m'accuse » dans *Feuilles d'herbe*, traduction de Jacques Darras,
éditions Grasset et Fasquelle, 1989, 1994, révisée par Jacques Darras pour les éditions
Gallimard, collection Poésie, 2002.

le 15 avril 1936. L'idée essentielle de Church, selon laquelle le « problème insoluble » existait, avait déjà été annoncée un an auparavant, mais il avait dû attendre avril 1936 pour la formuler de façon à répondre exactement à la question d'Hilbert.

Une idée nouvelle avait germé simultanément et indépendamment dans deux esprits différents. Au début, personne à Cambridge n'était au courant, et Alan écrivit à sa mère le 4 mai :

« J'ai vu M. Newman quatre ou cinq jours après m'être présenté. Il est très occupé, en ce moment, et m'a prévenu qu'il ne pourrait pas se pencher sur ma théorie avant plusieurs semaines. Toutefois, il a étudié mon article pour CR^1 et l'a approuvé après quelques modifications. Un spécialiste français l'a également vérifié et envoyé sans que j'en sois informé, ce qui est plutôt ennuyeux. Je ne crois pas que le texte intégral sera prêt avant une quinzaine de jours. Il fera sans doute une cinquantaine de pages. J'ai beaucoup de mal à me décider sur ce que je dois mettre ou laisser de côté pour plus tard. »

Newman ne prit en fait connaissance de l'article d'Alan qu'à la mi-mai, et il eut beaucoup de mal à croire qu'une idée aussi simple et directe que l'invention des machines de Turing puisse répondre au problème d'Hilbert sur lequel tant de mathématiciens avaient travaillé depuis cinq ans. Il crut tout d'abord qu'il devait y avoir une erreur quelque part et qu'une machine plus élaborée ne manquerait pas de résoudre le « problème insoluble ». Puis il finit par être convaincu.

Puis l'article de Church traversa l'Atlantique. Comme il avait déjà été publié, il menaçait sérieusement l'article d'Alan, les revues scientifiques s'interdisant formellement de se répéter et de se plagier les unes les autres. Toutefois le travail de Church différait sensiblement de celui d'Alan. Il avait élaboré un formalisme intitulé le « lambda-calcul », et avait découvert avec le logicien Stephen Kleene qu'on pouvait utiliser ce formalisme pour transcrire toutes les formules arithmétiques selon un modèle type. Avec ce modèle, démontrer un théorème revenait à convertir une chaîne de symboles de « lambda-calculs » en une autre chaîne, suivant certaines règles assez simples. Church avait pu

---

1. Un abrégé en français pour la revue scientifique *Comptes Rendus*. Mme Turing l'a aidé pour le français et la saisie.

montrer qu'il était impossible de décider si une chaîne pouvait à coup sûr être convertie en une autre car le « lambda-calcul » ne proposait aucune formule permettant de le déterminer. Une fois trouvé un problème insoluble, il devenait possible de prouver que la question précise posée par Hilbert devait être tout aussi insoluble. Il n'était cependant pas évident qu'une « formule du lambda-calcul » correspondait à la notion de « méthode définie ». Church défendit oralement la thèse selon laquelle toute méthode effective de calcul pouvait être représentée par une formule de « lambda-calcul ». Mais la construction de Turing était beaucoup plus directe et comblait les lacunes de la démonstration de Church.

Alan put présenter son article à la London Mathematical Society le 28 mai 1936, afin de le faire publier dans ses *Comptes rendus*, et Newman écrivit à Church :

« Le 31 mai 1936
Cher professeur Church,
J'ai récemment reçu l'exemplaire que vous m'avez aimablement fait parvenir de l'article dans lequel vous définissez les "nombres calculables" et démontrez que l'*Entscheidungsproblem* (le problème de la décidabilité) est insoluble d'après la logique d'Hilbert. Il a fortement intéressé un jeune homme, ici, A. M. Turing, qui était sur le point de faire publier un article dans lequel il emploie la définition des "nombres calculables" dans le même but que vous. Son raisonnement, qui consiste à décrire une machine capable de créer n'importe quelle séquence calculable, est assez différent du vôtre, mais semble être de grande valeur, et je crois qu'il serait très important qu'il puisse travailler avec vous l'an prochain si cela vous convient. Il va vous faire parvenir son texte pour le soumettre à votre jugement.

Si vous le jugez bon et intéressant, je vous serai très reconnaissant d'aider M. Turing à entrer à Princeton l'année prochaine, en écrivant au vice-président de Clare College pour soutenir sa candidature à une bourse Procter. S'il échoue, il pourrait aussi venir travailler avec vous, j'imagine, car c'est un ancien du King's College, mais je ne suis pas sûr que cela suffise. Croyez-vous possible que Princeton puisse lui accorder une bourse supplémentaire ? Je me dois de préciser que le travail de Turing est totalement indépendant : il n'a travaillé sous la supervision de personne. Il est d'autant plus important qu'il puisse entrer en contact le plus vite possible avec ceux qui ont œuvré sur ce projet, afin qu'il puisse partager ses recherches. »

Personne en Angleterre n'aurait été capable de juger si son article méritait d'être publié dans la revue *Proceedings* de la London Mathematical Society, à l'exception de Church en personne. Newman écrivit donc au secrétaire de la London Mathematical Society, F. P. White, pour lui expliquer sa position :

« Le 31 mai 1936
Cher White,
J'imagine que vous êtes au courant de l'histoire de l'article de Turing sur les nombres calculables. Alors qu'il faisait ses dernières retouches, nous avons reçu l'exemplaire dactylographié d'un article d'Alonzo Church de Princeton qui aboutit en grande partie aux mêmes conclusions que lui.
J'espère qu'il sera néanmoins possible de publier cet article. La méthode employée est très différente, et le résultat est si important qu'il pourrait être intéressant de pouvoir bénéficier de différents raisonnements. Turing et Church parviennent à la conclusion que le problème de décidabilité sur lequel travaillaient depuis plusieurs années les disciples Hilbert – c'est-à-dire le problème qui consiste à découvrir une manière mécanique de décider si une rangée de symboles donnée peut annoncer l'articulation d'un théorème prouvable d'après les axiomes d'Hilbert – est insoluble dans sa forme générale... »

Alan rapporta à sa mère le 29 mai :
« Je viens d'envoyer mon article. J'imagine qu'il paraîtra en octobre ou novembre. Concernant *Comptes Rendus*, la situation n'est pas très bonne. Il semblerait que l'homme à qui j'ai écrit et demandé de transmettre mon papier soit parti en Chine. De plus, je crois bien que la poste a perdu ma lettre, car sa fille a reçu la seconde que j'ai envoyée.
Pendant ce temps, un article rédigé par Alonzo Church est paru aux États-Unis. Il aboutit aux mêmes résultats que moi en passant par un autre chemin. M. Newman et moi avons néan-

moins déterminé que la méthode était suffisamment différente pour garantir une publication de mon article. Alonzo Church vivant à Princeton, j'ai pris la décision de m'y rendre. »

Alan avait posé sa candidature pour l'obtention d'une bourse Procter à Princeton. L'université en question n'en accordait que trois et Alan ne fut malheureusement pas l'heureux élu. Mais sa détermination ne fut pas entamée et il décida de se rendre tout de même là-bas muni de sa seule bourse de King's.

En attendant, il lui fallut inclure à son article la démonstration que sa définition du « calculable » – soit de tout ce qui pouvait être calculé par une machine de Turing – correspondait exactement à ce que Church avait appelé « effectivement calculable ». Il dut donc se plonger dans les travaux de Church, étudiant les articles que celui-ci et S. C. Kleene avaient publiés entre 1933 et 1935, pour faire la démonstration exigée, et l'annexer à son article sous forme d'appendice. La correspondance d'idées paraissait assez évidente : Church avait utilisé une définition (celle d'une formule présentée sous « forme normale ») qui collait à ce que Turing appelait les machines « satisfaisantes », puis s'était lui aussi servi de la méthode de la diagonale de Cantor pour faire apparaître un problème insoluble.

Si Turing avait travaillé de manière plus conventionnelle, il ne se serait pas attaqué au problème d'Hilbert sans avoir lu toute la littérature disponible sur le sujet, y compris les travaux de Church. Il n'aurait alors sans doute jamais eu l'idée d'une machine logique simulant des « états d'esprit ». C'était l'avantage et l'inconvénient de travailler comme le disait Newman, en « parfait solitaire ». Aussi bien avec le théorème de la limite centrale qu'avec le problème de décidabilité, il avait été le capitaine Scott des mathématiques, arrivant toujours bon second. Et, même s'il n'était pas du genre à considérer les mathématiques et la science comme une compétition, cela n'en demeurait naturellement pas moins une déception. Cela ternissait l'originalité de sa propre méthode, et l'empêchait de se faire un nom.

Cet été-là, néanmoins, son mémoire sur le théorème de la limite centrale fut présenté pour le prix Smith, concours de mémoires mathématiques de l'université de Cambridge.

John s'était marié en août 1934, et Alan avait désormais un neveu. Ni son frère ni ses parents n'avaient la moindre idée des problèmes philosophiques que soulevait le travail d'Alan. Ils reçurent la nouvelle de son succès avec autant d'entrain qu'un bulletin de notes de terminale. Mme Turing, très versée dans la spiritualité, se serait montrée très sensible aux problèmes de libre arbitre qui préoccupaient son fils, mais comme son fils ne lui faisait jamais part de ses tourments, elle ne comprit pas les mystérieuses allusions.

Le jury se montra charitable et attribua le prix à Alan, même s'il ne s'agissait que d'une redécouverte du théorème. Cela représentait 31 livres et Alan, qui faisait maintenant de la voile pendant ses vacances, pensa tout d'abord mettre cet argent de côté en vue de s'acheter un bateau ; cependant le désir d'aller passer un an en Amérique le fit vite changer d'avis.

Son ami Victor Beuttell vint le voir à Cambridge au début de l'été. Victor était maintenant entré dans l'entreprise familiale où il était chargé de travailler au développement du système par rayon-K. Il espérait avoir le conseil technique d'Alan, mais celui-ci se révéla bien trop préoccupé par ses propres recherches.

Au cours d'une conversation sur l'art et la sculpture, Alan avoua à Victor préférer de loin les corps masculins aux corps féminins. Victor tenta alors de convaincre Alan que Jésus avait montré la voie en se liant d'amitié avec Marie-Madeleine. Alan se contenta alors d'exprimer son impression de se trouver dans un monde « de l'autre côté du miroir », dans lequel, de son point de vue, les idées les plus conventionnelles n'étaient pas forcément les meilleures. C'était probablement la première fois qu'il évoquait ce sujet hors de King's.

Victor, qui n'était pas très mûr pour ses vingt et un ans, ne sut pas très bien comment réagir. Le jeune homme choisit pourtant de rester l'hôte d'Alan, qui demeura d'ailleurs un « parfait gentleman », et lui conserva toute son amitié. Ils marquèrent simplement leur désaccord sur ce sujet comme ils l'avaient toujours fait sur la religion. Ils parlèrent également de l'acquis et de l'inné en la matière, mais pour Alan, son homosexualité faisait partie intégrante de lui-même. S'il ne croyait pas en Dieu, il croyait à une certaine consistance intérieure. Comme en mathématiques, cette consistance ne pouvait trouver à s'exprimer dans des ensembles de règles et il n'existait pas de *Deus ex machina* pour décréter le bien et le mal. Les axiomes de sa vie étaient maintenant clairement définis, même s'il n'était pas évident de les mettre en pratique. Alan aurait toujours voulu se sentir normal, commun, mais il se retrouvait mathématicien anglais, homosexuel et athée, des plus ordinaires. La tâche ne serait pas facile.

Avant de partir pour l'Amérique, Alan se rendit à Clock House pour saluer Mme Morcom qu'il n'avait pas vue depuis trois ans et qui était entre-temps devenue à moitié infirme. Elle avait néanmoins gardé toute sa vivacité d'esprit. Elle nota dans son journal :

« Le 9 septembre (mercredi) : Alan Turing est venu me faire ses adieux avant de partir étudier neuf mois en Amérique (Princetown), sous l'autorité spécialistes Godel (Varsovie), Alonso Church et Kleene. Nous avions beaucoup de choses à nous dire... Edwin et lui ont joué au billard.

Le 10 septembre : Alan et Veronica sont allés aux fermes et à Dingleside... V et Alan ont pris le thé avec moi. J'ai eu une longue discussion avec Alan à propos de son travail. Je voulais savoir s'il lui arrivait dans son domaine (une branche de la logique assez absconse) d'aboutir à des impasses.

Le 11 septembre : Alan est allé seul à l'église voir le vitrail de Chris et le petit jardin qu'il n'avait jamais vu terminé, sauf lors de la consécration du vitrail... Alan m'a appris à jouer au "go". Une sorte de Pegity.

Le 12 septembre : Rupert et Alan ont pris le thé dans ma chambre. Ensuite, nous avons dîné autour d'une grande tablée de dix. Ce fut une agréable soirée. Nous avons écouté un concert au gramophone... Les hommes ont joué au billard.

Le 13 septembre : ... Alan a travaillé sur des problèmes avec R(eginald)... Alan, Rup(ert) et deux filles sont allés se baigner à Cadbury... Rup et Alan ont pris le thé avec moi... Alan a tenté de m'expliquer ce sur quoi il travaillait... Ils sont partis pour essayer d'avoir le train de 19 h 45 à New Street. »

Lors de cette visite, Alan parvint à semer Rupert lorsqu'il lui parla de ses travaux récents en logique. Mme Morcom aurait eu du mal à saisir le lien entre cette « branche de la logique assez absconse » et l'imagination scientifique de son regretté fils.

Alan embarqua le 23 septembre à Southampton sur le paquebot *Berengaria* de la Cunard Line. Il s'était procuré un sextant[1] au marché de Farringdon Road pour se divertir pendant le voyage. En bon petit-bourgeois anglais, il était bourré de préjugés concernant l'Amérique, et les cinq jours de traversée ne firent rien pour les dissiper. Aux coordonnées 41°20' N, 62° W, il se plaignit :

« Ces Américains peuvent réellement être les créatures les plus insupportables et les plus insensibles qu'on puisse imaginer. L'un d'eux vient juste de me parler des aspects les plus détestables de son pays avec une fierté évidente. Sans doute ne sont-ils pas tous ainsi. »

Le 29 septembre, les tours de Manhattan pointèrent à l'horizon ; Alan entrait dans le Nouveau Monde.

« Nous étions pratiquement à New York à 11 heures, jeudi matin, mais avec tous les contrôles des services de quarantaine et d'immigration, nous ne sommes pas descendus de bateau avant 17 h 30. Passer le service d'immigration signifie faire la queue pendant plus de deux heures avec des gamins qui hurlent tout autour de vous. Ensuite, une fois franchie la douane, j'ai dû subir mon premier rite initiatique à l'Amérique qui consiste à se faire rouler par un chauffeur de taxi. J'ai trouvé son prix proprement scandaleux, mais comme le simple fait d'expédier mes bagages m'avait déjà coûté le double du prix anglais, j'ai pensé que c'était peut-être normal. »

Alan tenait de son père l'idée selon laquelle prendre un taxi relevait de la plus pure extravagance. Le soir même, à Princeton, une autre atmosphère l'attendait. Si Cambridge incarnait la classe, Princeton incarnait en effet la richesse. Par ailleurs, Princeton ressemblait bien peu au reste de l'Amérique. Avec son architecture néogothique, sa limitation aux seuls étudiants masculins, ses séances d'aviron sur le lac artificiel Carnegie, Princeton ressemblait à Oxford.

Alan avait l'impression qu'il s'agissait de la Cité d'Émeraude du pays d'Oz. Et, comme si son isolement avec l'Amérique ordinaire ne suffisait pas, le Graduate College (la faculté de second et troisième cycles) se trouvait à l'écart des étudiants de premier

---

1. Instrument de navigation à réflexion servant à mesurer la distance angulaire entre deux points aussi bien verticalement qu'horizontalement.

cycle, afin de maintenir une impression de supériorité, surplom-
bant une étendue de prés et de bois. Sa tour était une imitation
de celle du Magdalen College d'Oxford, et les étudiants la surnommaient la « tour d'ivoire » car le bienfaiteur de Princeton,
Procter, avait créé les savons Ivory.

La section mathématique s'était considérablement agrandie
à la fondation, en 1932, de l'Institute for Advanced Study, et
ce grâce à un don de cinq millions de dollars. Jusqu'à 1940,
l'Institut ne disposait pas de bâtiment propre. Ceux qui étaient
à l'origine de sa fondation, presque uniquement des mathématiciens et des chercheurs en physique théorique, partageaient
le Fine Hall avec les étudiants de la faculté de mathématiques
de Princeton. Même s'il existait une distinction administrative,
en pratique, tout le monde se moquait de savoir qui appartenait à l'université de Princeton et qui travaillait pour l'IAS. Ce
double département avait séduit certains des plus grands noms
du monde des mathématiques, et surtout les exilés allemands.
Richement dotées, les bourses de Princeton attiraient également
des étudiants-chercheurs d'envergure mondiale, pour l'essentiel
des Anglais. Aucun d'eux n'était passé par King's, mais Maurice
Pryce, l'ami d'Alan de Trinity, y étudiait pour la seconde année.
C'est là, parmi l'élite de l'intelligentsia européenne en exil,
qu'Alan eut l'occasion d'obtenir ses meilleurs résultats. Voici
ses premières impressions datant du 6 octobre :

« Le département de mathématiques comble toutes mes
attentes. Il réunit un grand nombre des mathématiciens les plus
éminents. J. von Neumann, Weyl, Courant, Hardy, Einstein,
Lefschetz, ainsi qu'une armée de personnalités moins connues. Il
n'y a malheureusement pas autant de logiciens que l'année dernière. Church est encore là, bien sûr, mais Gödel, Kleene, Rosser
et Bernays sont partis. Mis à part Göedel, je ne les regrette pas
beaucoup. Kleene et Rosser ne sont, j'imagine, que des disciples
de Church et ne doivent pas avoir grand-chose à proposer de
plus que ce qu'il pourra m'apprendre lui-même. D'après ce que
j'ai lu de lui, Bernays me paraît assez "vieux jeu", mais peut-être
pourrais-je changer d'opinion. »

Parmi eux, Hardy, qui venait de Cambridge, n'était là que
pour un trimestre.

« Au début, je le trouvai assez distant, ou peut-être timide. Je fis sa connaissance dans la chambre de Maurice Pryce le jour de mon arrivée, et il ne m'adressa pas la parole. Il est nettement plus amical, à présent. »

Il évoquait en fait une sorte de Turing d'une autre génération. Homosexuel anglais, athée et ordinaire, il se retrouvait presque par hasard parmi les meilleurs mathématiciens mondiaux. Toutefois il avait plus de chance qu'Alan dans la mesure où il s'intéressait surtout à la théorie des nombres qui entrait, sagement, dans le cadre des mathématiques pures classiques, alors qu'Alan devait créer son propre sujet. Quoique beaucoup plus régulier et plus professionnel qu'Alan ne le fut jamais, il se sentait, comme son jeune compatriote, en marge du système et ne pouvait s'intégrer que dans la structure très particulière du Cambridge keynésien. Légèrement plus militant qu'Alan, Hardy avait été président de l'Association des travailleurs scientifiques, et il avait une photo de Lénine chez lui.

Plus âgé, il avait des idées plus affirmées. Avec un certain esprit, Bertrand Russel fit un jour la distinction entre les catholiques et les protestants sceptiques en fonction de la tradition que ces derniers avaient rejetée. Si l'on devait s'en remettre à ce modèle, on pouvait à ce stade comparer Alan aux athées de l'Église d'Angleterre. Hardy, cependant, profitait du refus typiquement anglais de se prendre au sérieux en devenant un fervent athée. Par ailleurs, il avait un dévouement presque religieux pour le cricket. Personne ne s'y connaissait mieux que lui dans ce domaine. Cependant, durant son séjour aux États-Unis, il s'intéressa surtout au base-ball. À Trinity, il lui était arrivé d'organiser des matches opposant le scepticisme à la foi, mettant au défi le Tout-Puissant de terrasser les non-croyants. Il adorait jouer avec tout, et particulièrement l'athéisme.

Même si Alan avait quelques relations « amicales », ses rapports aux autres n'étaient pas très poussés. Et si c'était le cas avec Hardy, qui avait une vision du monde semblable à la sienne, cela l'était d'autant plus avec ses relations professionnelles, souvent plus âgées. Si on commençait à le considérer comme un universitaire sérieux, il avait malgré tout du mal à se défaire de son mode de pensée et de ses manières d'étudiant de premier cycle.

La liste de noms dans cette lettre d'Alan signifiait simplement qu'il pourrait assister à leurs conférences et à leurs séminaires. Il lui arrivait parfois de croiser Einstein dans les couloirs. Il avait aussi des contacts assez superficiels avec S. Lefschetz, précurseur de la topologie, qui avait permis à la matière de se moderniser considérablement. Lefschetz lui avait déconseillé d'assister à une conférence donnée par L. P. Eisenhart sur la géométrie riemannienne, estimant qu'il ne pourrait pas suivre, ce qu'Alan avait trouvé fort insultant. Courant, Weyl et von Neumann traitaient l'ensemble des principaux domaines des mathématiques pures et appliquées, faisant en quelque sorte revivre le Göttingen d'Hilbert sur le Nouveau Continent. Mais, parmi tous, il ne développa une réelle relation qu'avec von Neumann, grâce à leur intérêt commun pour la théorie des groupes.

Concernant les logiciens, Gödel était retourné en Tchécoslovaquie ; Kleene et Rosser, dont les travaux étaient plus substantiels que ce que laissait entendre la lettre d'Alan, avaient quitté Princeton, et le Suisse Bernays était retourné à Zurich ; aussi ne restait-il plus que Church, qui allait d'ailleurs prendre sa retraite. Princeton fut donc loin de guérir Alan de son habitude de travailler seul. Il écrivit :

« J'ai eu l'occasion de voir Church à deux ou trois reprises, et je m'entends très bien avec lui. Il semble relativement satisfait de mon article et pense qu'il pourra l'aider à mener à bien le programme de recherche qu'il a en tête. J'ignore à quel point j'y serai impliqué, puisque j'oriente le sujet dans une direction légèrement différente et envisage d'y consacrer la rédaction d'un article dans un mois ou deux. Ensuite, il se pourrait que j'écrive un livre. »

Ses projets ne virent jamais le jour. Aucun article ni aucun livre ne correspondent à sa description.

Il prit principalement des notes sur la théorie des types, montrant ainsi que son intérêt pour cet aspect des mathématiques logiques n'avait pas faibli. Ils n'étaient qu'une dizaine d'étudiants à assister à ce cours, et Alan se lia d'amitié avec l'un d'eux, un jeune Américain du nom de Venable Martin, qui avait du mal à suivre le niveau. Alan nota :

« Un grand nombre d'étudiants sont en mathématiques, mais aucun d'eux ne parle boulot. En ça, c'est très différent de Cambridge. »

À Cambridge, on trouvait de très mauvais goût de n'évoquer que sa spécialité. Princeton n'avait importé que l'architecture des universités anglaises. Les étudiants britanniques d'Oxford ou de Cambridge s'amusaient de voir des étudiants américains les saluer avec un : « Salut, ravi de faire ta connaissance. Quels cours suis-tu ? » Les Anglais dissimulaient leur travail sous une bonne couche d'amateurisme poli. Les plus respectueux d'une certaine éthique de travail étaient stupéfaits par cette négligence feinte. Mais, pour quelqu'un comme Alan, qui n'avait jamais su s'adapter aux subtilités de la vie mondaine britannique, les Américains présentaient l'avantage d'être plus directs.

Dans ce domaine, contrairement à d'autres, l'Amérique lui convenait parfaitement, comme en témoigne cette lettre envoyée à sa mère le 14 octobre :

« Je suis allé dîner avec Church, l'autre soir. Même si les autres invités étaient tous des gens de l'université, j'ai trouvé la conversation plutôt décevante. D'après mes souvenirs, j'ai l'impression qu'ils n'ont parlé que des différents États dont ils étaient originaires. La description de leurs voyages et de leur région m'a profondément ennuyé. »

Il adorait proposer des idées, et, dans la même lettre, il en laisse entrevoir une que Bernard Shaw en personne aurait sans doute trouvée intrigante :

« Tu m'as souvent demandé quelles étaient les applications possibles des diverses branches mathématiques. Je viens juste de découvrir une application possible de ce sur quoi je travaille en ce moment. Cela répond à la question : "Quelle est la forme de code ou de chiffre la plus générale possible", et cela me permet en même temps de concevoir toute une série de codes spécifiques vraiment intéressants. J'en ai un pratiquement impossible à déchiffrer sans la clé, et très rapide à coder. Je voudrais bien pouvoir les faire parvenir au gouvernement de Sa Majesté contre une somme substantielle, mais je doute que ce soit très moral. Qu'en penses-tu ? »

Le chiffrement constituait un très bon exemple de « méthode définie » appliquée à des symboles de travail pouvant être exécutés par une machine de Turing. Il était en effet essentiel à la nature même d'un code que le chiffreur se comporte comme une machine, suivant aveuglément toutes les règles fixées à l'avance avec le destinataire du message.

Quant à la « forme de code ou de chiffre la plus générale possible », on pouvait considérer en un sens que toute machine de Turing codait ce qu'elle déchiffrait et inscrivait sur son « ruban ». Pour être vraiment utile, cependant, il devait y avoir une machine *inverse* capable de restituer le « ruban » original. Sans doute ces lignes marquaient-elles une nouvelle orientation dans ses travaux, seulement sa lettre n'en disait pas plus.

Il se refusa aussi d'aborder de nouveau le problème de la « moralité ». Mme Turing, naturellement, était une Stoney. Elle partait du principe que la science existait à des fins utiles, et elle n'était pas du genre à mettre en doute l'autorité morale du gouvernement de Sa Majesté. La tradition intellectuelle à laquelle appartenait Alan était assez différente. G. H. Hardy ne s'adressait pas uniquement à une poignée d'étudiants de Cambridge, mais à une grande partie des adeptes des mathématiques modernes quand il écrivit :

« Les "véritables" mathématiques des "véritables" mathématiciens, tels que Fermat, Euler, Gauss, Abel et Riemann ne servent presque à rien (et c'est aussi le cas des mathématiques "appliquées" et des mathématiques "pures"). Il est impossible de justifier l'existence d'un mathématicien véritablement professionnel en se fiant à l'utilité de son travail… Les grandes réussites modernes des mathématiques appliquées sont issues de la relativité et des mécaniques quantiques, et ces sujets sont, du moins aujourd'hui, presque aussi inutiles que la théorie des nombres. C'est la partie la plus élémentaire et la plus fastidieuse des mathématiques appliquées et des mathématiques pures qui est à l'origine de tout. »

En expliquant de manière explicite la différence entre les mathématiques et les sciences appliquées, Hardy s'attaquait au caractère superficiel de l'interprétation « gauchisante » des mathématiques en termes d'utilité sociale et économique de Lancelot Hogben. Hardy s'adressait cependant surtout à lui-même lorsqu'il prétendait que les mathématiques « utiles », surtout mises en œuvre à des fins militaires, étaient à l'origine de plus de mal que de bien. Il affirma que l'inutilité la plus totale de son propre travail sur la théorie des nombres était plutôt une grande vertu qu'un motif d'excuses :

« Personne n'a encore découvert d'utilité guerrière à la théorie des nombres ou de la relativité, et il paraît peu probable que ce soit le cas dans les années à venir. »

Hardy avait déjà des convictions proches de celles des pacifistes bien avant la Grande Guerre. Ceux qui avaient été marqués par les mouvements pacifistes des années 1930 ne pouvaient ignorer qu'il valait mieux bannir certaines applications militaires. Si Alan avait à présent découvert une « utilité guerrière » au jeu des symboles, il était confronté, du moins de manière embryonnaire, à un dilemme de mathématicien. Derrière les paroles désinvoltes qu'il adressait à sa mère, il posait une véritable question.

Les étudiants anglais arrivaient cependant à égayer la vie universitaire en organisant des jeux :

« L'un de mes compatriotes du Commonwealth, Francis Price (à ne pas confondre avec Maurice Pryce), a organisé un match de hockey l'autre jour, entre le Graduate College et Vassar, une université pour filles, à plus de 200 km d'ici. Il a formé une équipe dont la moitié des joueurs n'avaient jamais pratiqué ce sport. Nous avons eu droit à deux ou trois séances d'entraînement, puis, le dimanche, nous sommes allés à Vassar en voiture. Il pleuvait légèrement à notre arrivée, et nous avons été horrifiés d'apprendre que le terrain n'était pas praticable. Nous les avons malgré tout convaincues de nous laisser jouer dans leur gymnase, où nous les avons battues 11 à 3. Francis tente d'organiser un match retour, qui aura probablement lieu sur un vrai terrain. »

Mais l'amateurisme était une ruse, car Shaun Wylie, le topologue, et Francis Price, le physicien, tous deux de New College, à Oxford, étaient des joueurs de niveau national. Alan n'avait pas le niveau, toutefois ce genre de matches lui plaisait. Bientôt, ils commencèrent à jouer entre eux trois fois par semaine, et parfois même contre des écoles de filles de la région.

La décadence de ces Anglais qui pratiquaient des sports de filles aurait pu étonner les étudiants américains, mais il régnait une certaine anglophilie au sein de l'établissement, dans le sens où l'on admirait tous les aspects vieux jeu et maniérés du système britannique. Durant l'été 1936, l'office donné en hommage à George V fit salle comble à la chapelle de Princeton. L'un des professeurs du Graduate College ne cessait de rappeler son admiration pour la royauté, ce que les Anglais finissaient par trouver extrêmement vulgaire. Le scandale provoqué par l'idylle entre son successeur, le roi Édouard VIII, et Mme Simpson fit sensation à Princeton. Alan écrivit ainsi à sa mère le 22 novembre :

« Je te fais parvenir quelques coupures de presse à propos de Mme Simpson. C'est un échantillon représentatif de ce que disent les journaux américains. J'imagine que tu n'as jamais entendu parler d'elle, mais ça a fait la une pendant plusieurs jours, ici. »

Effectivement, la presse britannique garda le silence jusqu'au 1er décembre, jour où l'évêque de Bradford fit remarquer que le roi nécessitait les grâces du Seigneur. Le 3 décembre, Alan écrivit :

« Je suis horrifié par la façon dont on se mêle de la vie intime du roi. Celui-ci ferait peut-être mieux d'éviter d'épouser Mme Simpson, toutefois cela ne regarde que lui. Je n'accepterais pas qu'un évêque se mêle ainsi de ma vie, et je n'ai pas l'impression que ce soit également du goût du roi. »

Seulement la vie privée du roi n'avait rien de privé. Elle était le reflet de la société britannique. Et ce qui horrifiait le plus ses camarades, c'était plutôt que le roi en personne ait pu trahir « le roi et son pays », un paradoxe logique plus troublant que tous ceux découverts par Russell et Gödel.

Le 11 décembre, les Windsor s'exilèrent, et le règne de George VI débuta. Ce jour-là, Alan écrivit :

« J'imagine que tu as été choquée par l'abdication du roi. Je suppose qu'on ne savait rien de Mme Simpson en Angleterre jusqu'à il y a dix jours. Je ne sais pas vraiment quoi penser de toute cette affaire. Au début, je souhaitais vraiment que le roi reste sur le trône, et si cela avait été l'unique problème, je serais encore de cet avis. Toutefois, j'ai entendu dire récemment que le roi avait fait preuve d'une certaine légèreté avec certains documents d'État, les laissant traîner n'importe où, et permettant à Mme Simpson et à ses amis de les consulter. Il y a eu des fuites navrantes. J'ai néanmoins beaucoup de respect pour le comportement de David Windsor. »

Son respect le poussa même à faire l'acquisition du disque de son discours d'abdication pour l'écouter sur son gramophone. Le 1ᵉʳ janvier, il écrivit à sa mère :

« Je suis désolé qu'Édouard VIII ait été poussé à abdiquer. J'ai l'impression que le gouvernement voulait se débarrasser de lui et a trouvé en Mme Simpson un bon prétexte. Qu'ils aient été sages de vouloir se débarrasser de lui est une autre affaire. Je respecte Édouard pour son courage. Quant à l'archevêque de Canterbury, je trouve qu'il s'est très mal comporté. Il a attendu qu'Édouard soit neutralisé pour déverser tout un tas d'insultes que personne ne lui demandait. Il n'avait pas osé le faire tant qu'Édouard était encore sur le trône. De plus, il ne voyait aucune objection au fait que le roi ait une liaison avec Mme Simpson ; c'est le mariage qui devenait inconcevable. Je ne vois pas comment on peut accuser Édouard d'avoir gaspillé le temps et l'esprit de ses ministres à un moment critique. C'est Baldwin qui a tout déclenché. »

Dans son allocution du 13 décembre, l'archevêque accusa le roi d'avoir abandonné son devoir afin de pouvoir poursuivre son « bonheur personnel ». Ce concept n'avait jamais fait partie des priorités des dirigeants britanniques. À propos du mariage et de la morale, Alan avait un point de vue moderniste. Lors d'une discussion à King's avec son contemporain théologique Christopher Stead, il déclara que les gens se devaient de laisser libre cours à leurs sentiments. Quant aux évêques, une catégorie de la population chère à Mme Turing, ils étaient à ses yeux la parfaite illustration de l'Ancien Régime. Il expliqua à Venable Martin, son ami américain du cours de logique de Church, son point de vue sur la « façon minable » dont on avait traité le roi.

Concernant son travail, Alan écrivit à Philip Hall :

« Je n'ai pas fait de grandes découvertes, mais je vais sans doute publier deux ou trois petits articles. L'un d'eux ferait la preuve de l'inégalité d'Hilbert, si ce sujet n'a pas été déjà traité, et un autre porterait sur les groupes ; je l'avais écrit l'année dernière et Baer pense qu'il vaut la peine d'être publié. Il faut donc que je termine ces trucs-là avant de me remettre aux maths logiques.

« J'ai découvert qu'on joue très peu au go ici, néanmoins j'ai quand même fait deux ou trois parties. Princeton me convient très bien. Mis à part leur façon de parler, il n'y a qu'une seule chose – non, deux ! – que je trouve réellement ennuyeuses : l'impossibilité de prendre un vrai bain et leur conception de la température ambiante idéale. »

Par « leur façon de parler », Alan avait de quoi se plaindre :

« Ces Américains ont certains tics de langage qui ne manquent pas d'attirer l'attention. Chaque fois qu'on les remercie pour quelque chose, ils répondent "vous êtes le bienvenu[1]". Au début, je trouvais plaisant de croire que j'étais le bienvenu, mais je trouve désormais que ça revient aussi sûrement que lorsqu'on fait rebondir une balle contre un mur. Ça commence à devenir lassant. Ils ont également l'habitude de sortir une onomatopée que l'on pourrait retranscrire par "Aha". Ils l'emploient chaque fois qu'ils n'ont aucune réponse appropriée comme s'ils pensaient qu'un silence serait jugé grossier. »

Il avait reçu les épreuves des *Nombres calculables* peu après son arrivée à Princeton, aussi la publication de l'article était-elle imminente. Le 3 novembre, il écrivit :

« Church vient de me suggérer de donner une conférence sur mes nombres calculables au Club de Mathématiques. J'espère que l'occasion se présentera, cela me permettrait d'attirer un peu l'attention sur ce sujet. Cependant je ne pense pas que ce soit pour tout de suite. »

Celle-ci eut lieu début décembre mais n'eut pas le retentissement escompté :

« Il n'y avait pas grand monde au Club de Maths pour ma conférence, le 2 décembre dernier. Le public universitaire ne semble se déplacer que pour les personnalités déjà reconnues. La semaine suivante, c'était au tour de G. D. Birkhoff. Il a très bonne réputation, et la salle était comble. Pourtant sa conférence était loin d'être à la hauteur. En fait, tout le monde s'en est moqué, après coup. »

Fin 1936, une autre déception l'attendait avec la parution de son article sur les *Nombres calculables*. Le peu de réactions manifestées par le milieu mathématique lui donna l'impression d'avoir donné un coup d'épée dans l'eau. Seuls Braithwaite, de King's College, et Heinrich Scholz, l'un des derniers représentants des mathématiques logiques restés en Allemagne, lui demandèrent

---

1. « You're welcome », ce qui signifie « de rien » ou « il n'y a pas de quoi ». (NdT)

des tirés à part, Scholz lui expliquant à quel point il lui était difficile de rester au fait de l'actualité.

Alan écrivit à sa mère le 22 février :

« J'ai reçu deux lettres me demandant des tirés à part... Ils m'ont semblé très intéressés par l'article. J'ai le sentiment qu'il a fait une certaine impression. J'ai été très déçu par la réception qu'il a obtenue ici. Je m'attendais à ce que Weyl, qui a travaillé dans un domaine analogue il y a quelques années, me fasse au moins quelques remarques. »

Alan s'était aussi attendu à des commentaires de personnages comme von Neumann. Mais il n'attendait rien des lecteurs habituels des *Comptes rendus* de la LMS, et ce pour plusieurs raisons. Tout d'abord, ils semblaient s'intéresser assez peu à la logique mathématique, car de nombreux mathématiciens la considéraient soit comme une manière d'exprimer des évidences, soit comme une façon de créer des problèmes là où ils n'existaient pas. En outre, si l'article de Turing commençait assez plaisamment, il ne tardait pas, selon la fâcheuse coutume de son auteur, à sombrer dans un style germanisant des plus obscurs pour expliquer les tables d'instructions de sa machine universelle. Les spécialistes des mathématiques appliquées, qui devaient parfois recourir à des calculs pratiques dans des domaines comme l'astrophysique ou la dynamique des fluides, ne pouvaient réellement deviner quel intérêt présentait pour eux l'invention de Turing. Les *Nombres calculables* ne faisaient guère de concessions aux applications pratiques, même dans le cadre limité des problèmes logiques auxquels s'appliquait la machine dans l'article. Ainsi Alan avait-il établi que ses dispositifs devaient imprimer les « nombres calculables » sur des cases alternées du ruban et se servir des cases intermédiaires comme espace disponible. Il eût été tellement plus facile de faire la part plus large à l'espace disponible ! Son article ne présentait donc pas grand-chose pour attirer quiconque ne faisait pas partie du cercle restreint de la logique mathématique, excepté peut-être les spécialistes des mathématiques pures intéressés par la distinction entre nombres calculables et nombres réels.

Une personne, cependant, avait lu l'article avec un très grand intérêt : Emil Post, mathématicien polono-américain qui enseignait au City College de New York et qui avait anticipé, dès le début des années 1920, certaines des idées de Gödel et de

Turing. Il avait même soumis en octobre 1936 au *Journal of Symbolic Logic* de Church un article qui proposait une façon de préciser ce qu'on entendait par « résoudre un problème général ». Il se référait nommément à l'article de Church qui résolvait le problème de la décidabilité d'Hilbert mais qui exigeait aussi qu'on affirme que toute méthode définie pouvait être exprimée comme une formule en « lambda-calcul ». Post avançait qu'une méthode définie pourrait s'écrire sous forme d'instructions destinées à un opérateur dépourvu d'intelligence travaillant sur une chaîne infinie de « boîtes » et capable uniquement de lire les instructions avant de :

a) Cocher la boîte dans laquelle il se trouve (présumée vide).

b) Effacer les marques figurant sur la boîte qu'il occupe (présumée cochée).

c) Avancer jusqu'à la boîte de droite.

d) Avancer jusqu'à la boîte de gauche.

e) Déterminer si la boîte qu'il occupe est oui ou non cochée.

Il est tout à fait remarquable de constater que l'opérateur de Post devait remplir le même genre de tâches que celles décrites pour les machines de Turing. Cependant Post faisait plus directement référence à des exemples connus comme des chaînes de montage et son article se voulait beaucoup moins ambitieux que celui d'Alan. Il ne cherchait pas à créer un « opérateur universel » et ne reliait pas sa découverte au problème de la décidabilité d'Hilbert. Il ne faisait pas non plus allusion à la notion d'« état d'esprit ». Mais il s'était bien rendu compte que sa formulation allait combler le vide laissé par Church. Ainsi, avec ou sans Alan Turing, son idée aurait fini par percer sous une forme ou sous une autre. C'était inévitable. Il s'agissait, en effet, de rien moins que du pont indispensable entre le monde de la logique et le monde matériel, théâtre de la vie de tous les jours.

D'un autre côté, c'était justement ce pont, ce lien entre le monde de la logique et le monde de l'action humaine, qu'Alan Turing avait tant de mal à imposer. Avoir des idées était une chose, les faire connaître en était une autre. Les processus à mettre en œuvre n'avaient absolument rien à voir, et Alan se trouvait intégré à un système universitaire déterminé qui, comme toute organisation humaine, réagissait beaucoup mieux avec ceux qui savaient tirer les ficelles et se faire des relations.

Pour ses contemporains, Alan était la personne la moins « politique » qu'ils connaissaient. Il aurait voulu que la vérité s'imposât toute seule, comme par magie, et il refusait de perdre son temps et sa dignité à se mettre en avant. L'un de ses termes préférés était « bidon », dont il affublait tous ceux qui avaient acquis une certaine position ou un certain rang grâce à ce qu'Alan qualifiait d'« autorité intellectuelle insuffisante ». Il l'appliqua à un professeur qui supervisa l'un des articles sur la théorie des groupes qu'il présenta au printemps, car il en avait fait une critique erronée.

Il finissait pourtant par se rendre compte qu'il devait faire un petit effort et ne pouvait s'empêcher de remarquer que quelqu'un comme son ami Maurice Pryce arrivait à joindre des capacités intellectuelles à une grande lucidité sur la meilleure façon de les utiliser.

Tous deux avaient fait bien du chemin depuis cette semaine de 1929 où ils s'étaient rencontrés à Trinity. Alan avait été le premier à se voir accorder une bourse, et Maurice venait également de recevoir la sienne, ce qui était nettement plus impressionnant. Tout le monde voyait bien que c'était lui l'étoile montante. Ils avaient développé leurs centres d'intérêt de manière complémentaire, Maurice ayant choisi de se consacrer à l'électrodynamique quantique tout en suivant de près l'évolution des mathématiques pures. Ils s'intéressaient tous les deux aux problèmes fondamentaux. Ils s'étaient souvent croisés lors des conférences de Cambridge, et avaient parfois échangé leurs notes devant un thé. Alan avait appris que les Pryce vivaient également à Guildford, Mme Turing avait eu l'occasion d'inviter Maurice au 8 Ennismore Avenue, où elle l'avait accueilli en tant qu'élève méritant de l'école de grammaire. Alan avait aussi visité le laboratoire que Maurice avait installé dans le garage de ses parents.

Ayant obtenu la bourse de Princeton l'année précédente, Maurice avait passé sa première année américaine sous la coupe de Pauli, le spécialiste autrichien de la physique quantique, mais il se retrouvait maintenant vaguement supervisé par von Neumann. Maurice connaissait tout le monde et tout le monde le connaissait. On le voyait aux fameuses fêtes de von Neumann : des spectacles qui ressemblaient à « des opéras du XVIIIe siècle » (même si elles furent moins nombreuses, cette année-là, von Neumann ayant des problèmes de couple). Si un étudiant anglais vénérait John von Neumann, c'était bien Maurice Pryce, et certainement pas Turing. C'était d'ailleurs aussi Maurice qui était parvenu à engager la conversation avec ce solitaire de Hardy. Il s'entendait avec tout le monde, et c'est un peu grâce à lui qu'Alan put se sentir bien reçu par le Nouveau Monde.

À King's, Alan avait été protégé du côté arriviste de la vie universitaire qui prenait, en Amérique, beaucoup plus d'importance encore. Il ne se sentait pas plus à l'aise dans le « rêve américain », où les mots « gagner » et « concurrence » régnaient en maîtres, que dans la conception britannique où chacun était censé jouer le rôle qui lui était imparti.

Dans *En remontant à Mathusalem*, Bernard Shaw imaginait en l'an 31 920 des êtres supra-intelligents qui ne s'intéressaient plus ni à l'art, ni à la science, ni au sexe (« ces petits jeux puérils, la danse, le chant et la reproduction »), et se consacraient uniquement aux mathématiques. (« C'est fascinant, incroyablement fascinant. Je voudrais pouvoir oublier nos éternelles danses et notre musique pour pouvoir réfléchir tranquillement aux chiffres. ») Cela aurait parfaitement convenu à Shaw, pour qui les mathématiques symbolisaient une quête intellectuelle hors de sa portée. Mais Alan devait réfléchir alors que, à 24 ans, il ne s'était pas encore lassé de « ces petits jeux puérils ». N'ayant pas clairement divisé son esprit en compartiments étanches, il déclara un jour qu'il tirait un plaisir sexuel des mathématiques. Un jour, il « manifesta de manière indirecte » un « certain intérêt pour une relation homosexuelle » à son ami Venable Martin, mais celui-ci lui fit clairement comprendre qu'il n'était pas intéressé. Alan n'aborda plus jamais le sujet, et leur relation n'en fut nullement affectée.

Le poète du New Jersey aurait compris. Mais au lieu de débarquer dans les États-Unis de Walt Whitman, il découvrit le pays de la prohibition sexuelle. Surtout depuis l'arrivée du XXe siècle, l'homosexualité était très mal vue. À Princeton, personne ne trouvait normal d'être un bisexuel. Alan put s'estimer heureux d'être tombé sur quelqu'un d'aussi tolérant que Venable Martin.

Toutefois il rencontra d'autres difficultés, notamment à s'inscrire dans un schéma social. En cette fin des années 1930, l'Amérique rejetait toute ambiguïté pour viriliser à outrance ses modèles masculins, tout en mettant en avant des femmes vraiment « féminines ». L'autre Amérique, le monde plus trouble des homosexuels, devait se contenter de la drague dans certains quartiers, des bains publics et des bars ouverts très tard la nuit, univers totalement étranger à Alan qui n'était pas encore prêt à s'adapter aux contraintes qu'imposaient ses préférences, du moins en dehors de Cambridge.

Il aurait pu comprendre qu'aucune adaptation raisonnable n'était possible. Que ce problème de l'esprit et du corps n'avait pas de solution. Pour l'heure, sa timidité le préservait de la dureté de cette réalité sociale, et il continuait à tenter de faire face à un niveau individuel, approchant en douceur certains des garçons qu'il avait l'occasion de croiser grâce à son travail. Sans grand succès.

Pour faire plaisir à sa mère, Alan passa le jour du Thanksgiving à New York, acceptant l'invitation d'un curé de droite ami avec le père Underhill[1]. (« C'est une sorte d'anglocatholique américain. Je l'aimais bien, mais je le trouvais un peu intégriste. Il ne semblait pas porter dans son cœur le président Roosevelt. ») Il en profita surtout pour flâner dans Manhattan, s'habituer à la circulation et au métro, et aller voir le planétarium. Sans doute Alan préféra-t-il les quinze jours des vacances de Noël qu'il passa à faire du ski dans le New Hampshire avec Maurice Pryce :

« Il a proposé de partir le 16 et nous nous sommes mis en route le 18. Un certain Wannier s'est joint à notre troupe au dernier moment. C'était peut-être aussi bien, car je finis toujours par me disputer quand je pars en vacances avec un seul compagnon. C'était vraiment adorable de la part de Maurice de me demander de venir. Il a été très gentil avec moi depuis mon arrivée. Nous avons passé quelques jours dans un chalet que nous étions seuls à occuper. Puis nous sommes allés dans un endroit où se trouvaient plusieurs boursiers du Commonwealth et d'autres personnes de nationalités diverses. Je ne sais pas pourquoi nous avons déménagé, cependant j'imagine que Maurice avait envie de voir plus de monde. »

---

1. Il devint évêque de Bath et de Wells en 1937.

Peut-être Alan regrettait-il de ne pas avoir Maurice davantage pour lui, son ami n'étant pas sans lui rappeler une sorte de Christopher Morcom adulte. Ils rentrèrent en passant par Boston, où leur voiture tomba en panne, et, à leur retour :

« Maurice et Francis Price ont organisé une chasse au trésor dimanche dernier. Il y avait treize indices de différentes sortes, des cryptogrammes, des anagrammes, et d'autres auxquels je n'ai rien compris. C'était très ingénieux, mais je n'ai pas été très bon. »

L'un des indices était « Rôle de franciscain rusé »[1]. Il entraîna tout le monde dans les toilettes que partageaient Francis Price et Shaun Wylie, l'indice suivant se trouvant sur le rouleau de papier toilette. Shaun Wylie était quant à lui extrêmement doué pour les anagrammes. La chasse au trésor déconcerta les Américains les plus sérieux avec son « humour potache » et sa « fantaisie typiquement anglaise ». Il y eut des jeux de mimes et des lectures de pièces de théâtre, auxquels Alan se joignit. À midi, c'étaient les parties de go, d'échecs et aussi d'un autre jeu appelé Psychology. Le tennis refit son apparition dès que la neige fondit et le hockey se poursuivait avec plus d'énergie que jamais. C'est sur le terrain de sport de Princeton, d'où ils observèrent en mai 1937 les flammes du *Hindenburg* illuminant l'horizon, que ces hommes neufs répétaient sans le savoir l'alliance anglo-américaine.

Alan appréciait ces instants, toutefois sa vie sociale demeurait énigmatique. Comme tout homosexuel, il en était réduit à jouer un rôle, sans le vouloir vraiment, simplement à force d'être pris pour ce qu'il n'était pas. Les autres croyaient bien le connaître, seulement ils ne percevaient pas les difficultés auxquelles il était confronté en tant qu'individu qui ne correspondait pas à la réalité du monde. Il devait en effet s'intégrer à une société qui visait à éliminer l'homosexualité, mais aussi se couler dans un moule universitaire qui ne correspondait pas du tout à sa ligne de pensée. Et pour quelqu'un d'aussi intègre qu'Alan, cette tricherie permanente posait de sérieux problèmes, apparemment insolubles.

---

1. « Role of wily Franciscan ». Il y a un jeu de mots entre « role », qui signifie « rôle » et « roll » qui se traduit par « rouleau », et un autre avec « wily », qui signifie « rusé ». (NdT)

Il reçut les tirés à part de ses *Nombres calculables* en février 1937 et en envoya quelques-uns à ses amis personnels. Il en fit parvenir un à Eperson (qui avait quitté Sherborne pour l'Église d'Angleterre, sans doute plus adaptée) et un autre à James Atkins, qui travaillait maintenant comme enseignant. James reçut également une lettre où Alan lui avouait, avec un certain détachement, qu'il s'était senti très déprimé et avait même échafaudé un moyen de mettre fin à ses jours qui impliquait l'utilisation d'une pomme et de fil électrique.

Peut-être ne s'agissait-il que d'un moment de dépression passager. Sa longue liaison avec les *Nombres calculables* terminée, il lui fallait passer à autre chose. N'avait-il plus la « foi » ? Ses travaux débouchaient-ils sur une impasse ? Il était bien arrivé à quelque chose, mais à quoi cela servait-il ? « Quant à la question de savoir pourquoi nous avons un corps, pourquoi nous ne pouvons pas vivre aussi librement que des esprits ni communiquer comme eux, pourquoi pas, sauf que l'on s'ennuierait. Le corps donne à l'esprit matière à s'occuper. » Comment éviter de perdre son innocence ou de tricher avec la vérité ?

De janvier à avril 1937, Alan se consacra à la rédaction d'un article sur le « lambda-calcul » et à deux autres papiers sur la théorie des groupes. L'article de mathématiques logiques constituait un petit développement des idées de Kleene. Le premier sur la théorie des groupes se rapportait aux travaux de Reinhold Baer, l'algébriste allemand maintenant rattaché à l'IAS. Le second, en revanche, partait dans une nouvelle direction et découlait de certaines discussions avec von Neumann. Il s'agissait d'un problème suggéré par le mathématicien polonais émigré S. Ulam, qui consistait à savoir si des groupes continus pouvaient être approchés par des groupes finis, un peu comme une sphère peut être approchée par des polyèdres. Von Neumann avait transmis le problème à Alan, qui l'avait résolu en avril, ce qui était vraiment très rapide, même si le résultat obtenu n'était pas vraiment positif – il démontrait que les groupes continus ne pouvaient pas, en général, être approchés de cette façon. Il écrivit aussi qu'il « ne prenait pas ces sujets autant au sérieux que la logique ».

Entre-temps, tout le monde poussait Alan à rester une deuxième année à Princeton. Le 22 février, il écrivit à sa mère :

« Hier, je me suis rendu au thé dominical des Eisenhart, et, ils ont chacun leur tour tenté de me convaincre de rester une année supplémentaire. Mme Eisenhart a surtout avancé des arguments sociaux, moraux et sociologiques. Le doyen me laissait entendre que la bourse Procter me tendait les bras si je la demandais (elle est de 2 000 dollars par an). J'ai répondu qu'à King's on préférerait sans doute que je revienne, mais je leur ai promis vaguement de leur en parler. Tous ceux que je connais ici vont partir, et je n'ai pas très envie de passer tout l'été dans ce pays. J'aimerais savoir si tu as un avis sur la question. Il est fort probable que je rentre en Angleterre. »

Le doyen Eisenhart était un personnage plutôt vieux jeu et très gentil, qui s'excusait de faire appel aux groupes abstraits de l'algèbre moderne lors de ses conférences. Avec sa femme, ils faisaient d'importants efforts pour recevoir dignement les étudiants quand ils les invitaient à boire le thé.

Philip Hall avait fait parvenir à Alan la liste des postes de maîtres de conférences vacants pour Cambridge, ce qui le séduisait beaucoup. Cela aurait signifié appartenir de manière permanente à la grande université anglaise et aurait constitué la seule solution possible à ses problèmes existentiels.

Alan lui répondit donc le 4 avril :
« Je vais postuler, mais sans trop y croire. »
Il écrivit également à sa mère, qui s'apprêtait à partir en pèlerinage en Palestine :
« Maurice et moi avons tous les deux postulé, même si je suis persuadé qu'aucun de nous deux ne l'emportera. Je crois néanmoins que c'est une bonne chose de commencer à prétendre tôt à ce genre de postes, afin de se faire connaître. C'est le genre de chose que j'aurais tendance à négliger. Maurice est plus conscient que moi de ce qu'il faut faire pour sa carrière. Il fournit de gros efforts pour se faire remarquer. »

Comme il l'avait prévu, sa candidature ne fut pas retenue et il se décida à demander la bourse de Princeton. À Ingham, qui lui écrivait de King's pour lui conseiller de passer une année supplémentaire aux États-Unis, il répondit le 19 mai :
« Je viens juste de me décider à passer un an de plus ici, cependant je rentrerai quand même en Angleterre comme prévu

cet été. Merci de me proposer ton aide, je n'en aurai pas besoin. Si j'obtiens la bourse Procter comme le laisse entendre Dean [Eisenhart], je serai riche. Sinon, je rentrerai à Cambridge. Ce serait ridicule de rester une année de plus ici dans les mêmes conditions...

Mon bateau appareille le 23 juin. Il sera peut-être possible de se balader un peu avant le départ car il n'y aura pas grand-chose à faire ici le mois prochain et ce n'est de toute façon pas la meilleure période de l'année pour travailler. Mais je ne le ferai sûrement pas car je ne voyage généralement pas pour le seul plaisir de voyager.

Je regrette vraiment que Maurice s'en aille. Il s'est montré absolument charmant.

Je suis bien content que la famille royale s'oppose au Cabinet en préférant laisser le roi Édouard VIII se marier en paix. »

Comme il restait une année de plus, il décida, à l'exemple de Maurice, de préparer un doctorat américain. Church lui suggéra pour sa thèse un sujet dont il avait parlé dans ses cours et qui avait trait aux implications du théorème de Gödel. Alan avait écrit au mois de mars qu'il « travaillait sur quelques nouvelles idées de logique. Ce n'est pas un aussi bon sujet que les nombres calculables, mais c'est encourageant ».

Et Alan obtint en effet la bourse Procter. C'était au président de l'université de Cambridge qu'il appartenait de la décerner. C'est donc à lui que l'on fit parvenir des lettres de recommandation. L'une d'elles provenait de von Neumann en personne :

« Le 1er juin 1937,
Monsieur,

M. A. M. Turing m'a fait part de sa demande de bourse Proctor (sic) pour l'université de Princeton pour l'année 1937-1938. Je souhaiterais soutenir sa candidature et vous faire savoir que je connais très bien M. Turing depuis plusieurs années. Tout au long de l'année scolaire 1936-1937, que M. Turing a passée à Princeton, j'ai eu l'occasion d'observer son travail scientifique. Il a réalisé d'excellentes avancées dans des branches des mathématiques qui m'intéressent au plus haut point, à savoir la théorie des fonctions presque périodiques, et celle des groupes continus.

Je suis convaincu qu'il mérite d'obtenir une telle bourse, et je serais ravi que vous puissiez la lui accorder.

Respectueusement, John von Neumann. »

On avait sans doute demandé à von Neumann de rédiger cette lettre parce que son nom avait un certain poids, mais celui-ci ne fit curieusement aucune mention de l'article d'Alan sur les *Nombres calculables* dans sa lettre de recommandation. Alan ne le lui aurait-il jamais fait lire ? Puisqu'il était déjà introduit auprès de von Neumann, la première chose qu'Alan aurait pourtant dû faire eût été d'en profiter pour attirer son attention sur son travail. Voilà qui était tout à fait caractéristique du manque d'opportunisme et de sens concret du jeune Anglais.

Le redoutable Maurice Pryce, lui, décrocha un poste à Cambridge, tout comme Ray Lyttleton, qui avait obtenu la bourse Procter l'année précédente. Avant de partir, Maurice Pryce lui vendit sa voiture, une Ford V8, et lui apprit à conduire, ce qui n'était pas une mince entreprise, Alan se montrant particulièrement maladroit. Il faillit même un jour les précipiter tous deux dans le lac Carnegie. Le 10 juin, néanmoins, ils allèrent rendre une visite de politesse à un vague cousin d'Alan, Jack Crawford, qui avait près de 70 ans et vivait à Wakefield, dans le Rhode Island. Alan voyait d'un bon œil que Jack ait étudié dans sa jeunesse au Royal College de Dublin : « Je me suis bien amusé chez le cousin Jack. C'est un vieux hibou encore plein d'énergie. Il a un petit observatoire avec un télescope qu'il a fabriqué lui-même et il m'a tout appris sur le polissage des miroirs...

Je crois qu'il est en concurrence avec tante Sybil pour le diplôme de la sympathie. La cousine Mary est si petite qu'on a l'impression qu'on pourrait la mettre dans sa poche. Elle est très accueillante, et plutôt timide. Elle idolâtre le cousin Jack. »

C'étaient des gens ordinaires, qui rassuraient plus Alan que les grands noms de Princeton. Sans penser à mal, les Crawford installèrent Maurice et Alan dans le même lit.

Les barrières sociales tombèrent. Maurice fut abasourdi car il n'avait jamais conçu le moindre soupçon. Alan s'excusa de son geste, puis il se laissa emporter, non par un accès de honte, mais de rancœur, racontant l'absence de ses parents demeurés si longtemps en Inde et ses années de pension. Tout avait déjà été dit dans *The Loom of Youth* d'Alec Waugh :

« Puis Jeffries laissa éclater sa colère, la colère qui avait fait de lui un athlète si brillant : "Injuste ? Oui, c'est le mot qui convient. C'est injuste. Qui a fait de moi ce que je suis sinon Fernhurst ?... Et, à présent, Fernhurst, qui a fait de moi ce que je suis, se retourne et dit : 'Tu n'es pas digne d'appartenir à cette grande école !' Et il faut que je m'en aille." »

Ce moment de gêne profonde mit en lumière une tendance à l'apitoiement sur lui-même qu'il ne montrait pourtant jamais. Son analyse, en outre, était un peu simpliste et il devait le savoir. Il s'agissait maintenant de regarder vers le futur et non de pleurer sur le passé. Maurice accepta l'explication et il n'en fut plus jamais question par la suite. Alan embarqua sur le *Queen Mary* le jour de ses 25 ans et aborda Southampton le 28 juin.

Retrouvant pour trois mois le doux été de Cambridge, Alan avait du pain sur la planche. Il lui fallait d'abord éclaircir certains points des *Nombres calculables* car Bernays, à Zurich, avait relevé quelques inexactitudes dans sa démonstration de l'insolubilité du problème de la décidabilité d'Hilbert. Alan n'avait donc plus qu'à rédiger une note de correction à ajouter à l'édition des *Comptes rendus* de la LMS. Il fit aussi la démonstration formelle que ce qu'il entendait par « calculabilité » correspondait exactement à ce que Church appelait « calculabilité effective ». Il existait d'ailleurs maintenant une troisième définition du même ordre d'idée : la « fonction récursive », qui était une façon de parfaitement préciser la manière de définir une fonction mathématique à l'aide d'autres fonctions plus élémentaires. Gödel l'avait suggérée d'abord, puis cela avait été repris par Kleene. La démonstration était déjà implicite dans la démonstration de Gödel de l'incomplétude de l'arithmétique. En démontrant que le concept de preuve selon des règles extrêmement précises était bien un concept « arithmétique », aussi « arithmétique » que de trouver le plus grand facteur commun ou quoi que ce soit de ce genre, Gödel affirmait en réalité qu'on pouvait se servir d'une « méthode définie ». Cette idée, une fois mise en forme et explicitée, conduisait à la définition de la « fonction récursive ». Et l'on découvrait maintenant que la fonction récursive générale correspondait exactement à la fonction calculable. Ainsi, le

« lambda-calcul » de Church et la manière dont Gödel définit les fonctions arithmétiques étaient tous deux équivalents à la machine de Turing. Gödel lui-même reconnut par la suite que la construction d'une telle machine constituait la définition la plus satisfaisante d'un « procédé mécanique ». Il était à l'époque très frappant et surprenant qu'il y ait eu trois manières différentes et indépendantes d'aborder l'idée de faire quelque chose d'une manière déterminée et que toutes aient convergé vers des concepts équivalents.

Ensuite, Alan avait en tête de creuser certaines conceptions nouvelles en logique, pour sa thèse de doctorat. L'idée de base était de déterminer s'il y avait un moyen d'échapper au pouvoir de l'assertion de Gödel selon laquelle il y aurait toujours des affirmations vraies mais impossibles à démontrer en arithmétique. Le sujet n'était pas entièrement nouveau car Rosser, maintenant à Cornell, avait publié en mars 1937 un article traitant de cette question. Toutefois Alan projetait de l'aborder de façon beaucoup plus générale.

Troisièmement, il avait l'intention nette de se frotter au problème crucial de la théorie des nombres. Il s'intéressait depuis longtemps déjà à ce sujet puisqu'il possédait le livre d'Ingham consacré à cette théorie depuis 1933. Mais Ingham lui fit parvenir des articles plus récents dès qu'il apprit qu'Alan voulait s'y attaquer. Le projet était ambitieux, dans la mesure où Alan avait choisi une question qui avait longtemps résisté aux efforts des plus grands noms des mathématiques pures.

Les nombres premiers avaient beau être quelque chose de très ordinaire, ils pouvaient aussi susciter des questions très déroutantes. On savait déjà, depuis Euclide, qu'il existait une infinité de nombres premiers, et, en 1937, le nombre premier le plus élevé connu était $2^{127} - 1 = 17014118346046923173168730$ 3715884105727 ; et on savait qu'il continuerait à y en avoir, indéfiniment. Autre propriété facile à deviner mais beaucoup plus difficile à prouver : les nombres premiers ne cesseraient jamais de se raréfier, les nombres étant au départ presque tous premiers, un sur quatre le restant au voisinage de 100, un sur sept au voisinage de 1 000, et un sur 23 au voisinage de dix milliards. Il devait bien y avoir une raison à cela.

Vers 1793, le jeune Gauss, alors âgé de quinze ans, remarqua que cette diminution suivait un schéma régulier. Près d'un nombre n, l'espacement des nombres premiers était proportionnel au nombre d'unités contenues dans le nombre n ou, plus précisément, il augmentait comme le logarithme naturel de n. Pendant toute sa vie, Gauss passa ses heures de loisir à identifier tous les nombres premiers inférieurs à trois millions, afin de pousser son observation aussi loin que possible.

Il fallut ensuite attendre 1859 pour que Riemann élabore un nouveau cadre théorique permettant de reconsidérer la question. Il découvrit que le calcul des nombres complexes pouvait permettre de relier les nombres premiers déterminés, discrets et fixes à des fonctions souples comme le logarithme. Il parvint à une formule s'appliquant à la répartition des nombres premiers, qui affinait en fait la loi logarithmique remarquée par Gauss. La formule, pourtant, s'était par la suite révélée inexacte et restait encore à prouver.

Cette formule de Riemann ignorait en effet certains termes qu'il ne pouvait évaluer à l'époque. Ce n'est qu'en 1896 qu'on put établir que ces termes d'erreurs étaient suffisamment minimes pour ne pas avoir de réelle influence sur le résultat principal, maintenant connu sous le titre de théorème des nombres premiers, qui établissait de manière très précise que les nombres premiers diminuaient suivant le logarithme ; il ne s'agissait pas seulement d'une observation, plutôt d'une preuve définitive. L'histoire ne s'arrêtait pas là. Aussi loin qu'allaient les tables, on pouvait voir que les nombres premiers suivaient cette loi logarithmique avec une précision ahurissante. Les termes d'erreur étaient vraiment infimes. Mais cela continuerait-il d'être vrai pour tous les nombres, même pour ceux dépassant le niveau du calcul ? Et si oui, pourquoi ?

Riemann posait cette question de manière tout à fait différente. Il avait, en effet, défini une fonction des nombres complexes, la « fonction Dzéta ». On pouvait démontrer que l'assertion selon laquelle les termes d'erreur restaient infimes équivalait essentiellement à affirmer que la fonction Dzéta de Riemann ne prenait la valeur de zéro qu'à des points tous situés sur une certaine ligne du plan. C'est ce qu'on appela l'hypothèse de Riemann. Celui-ci la croyait « très vraisemblable », et ils étaient nombreux à être de cet avis, sans que quiconque ne puisse jamais en établir la preuve. En 1900, Hilbert en avait fait son quatrième problème des mathématiques du XXᵉ siècle et la considérait comme absolument fondamentale ; Hardy lui-même s'y était attelé pendant trente ans sans succès.

Si l'hypothèse de Riemann était au centre de la théorie des nombres, il existait aussi une constellation de questions corollaires parmi lesquelles Alan choisit le sujet de sa recherche. La simple supposition que les nombres premiers se raréfiaient comme les logarithmes – sans les raffinements apportés par Riemann à la formule – semblait toujours surestimer le nombre effectif de nombres premiers. Le bon sens, ou l'« induction scientifique », fondé sur des millions d'exemples, suggérait qu'il en irait toujours ainsi, quelle que soit la taille des nombres. Mais, en 1914, un collaborateur de Hardy, J. E. Littlewood, montra qu'il en allait autrement puisqu'il existait des points où la simple supposition pouvait sous-estimer le total cumulé des nombres premiers. Puis, en 1933, un mathématicien de Cambridge, S. Skewes, démontra que si l'hypothèse de Riemann était vraie, un point de jonction interviendrait avant qui constituait sans doute, selon Hardy, le chiffre le plus élevé à pouvoir jamais trouver une application en mathématiques. On était cependant en droit de se demander si l'on pouvait faire avancer cette limite terriblement lointaine, ou bien si l'on pouvait en trouver une autre qui serait indépendante de l'exactitude du théorème de Riemann. Tels étaient les deux problèmes que voulait aborder notre jeune mathématicien.

Alan trouva à Cambridge de nouvelles perspectives en se liant d'amitié avec le philosophe Ludwig Wittgenstein. Il l'avait déjà rencontré au Moral Science Club, et Wittgenstein avait, comme Bertrand Russell, reçu un exemplaire des *Nombres calculables*. Ce fut en cet été 1937 qu'Alister Watson, professeur à King's, les présenta l'un à l'autre et qu'ils se retrouvèrent de temps à autre au jardin botanique. De son côté, Watson avait écrit un article sur les fondements des mathématiques destiné au Moral Science Club, où il citait et utilisait la machine de Turing. Wittgenstein, qui avait d'abord été ingénieur, appréciait particulièrement les constructions très concrètes, et il avait dû être sensible à la manière dont Alan avait tiré un concept aussi précis d'une idée aussi vague. Pourtant, l'échec du programme d'Hilbert avait également signifié la faillite du point de vue soutenu par Wittgenstein dans sa première phase, son *Tractatus logico-philosophicus*[1], où il prétendait que tout problème convenablement posé trouvait une solution.

Alan consacra également ses vacances au bateau – soit dans les Norfolk Broads, soit à Bosham, dans le port de Chichester. Il séjourna aussi quelque temps chez les Beuttell, à Londres. Même si M. Beuttell avait en principe épousé la cause du féminisme et du partage des bénéfices, il dirigeait sa société et sa famille selon des règles très autocratiques. Gerard, le jeune frère de Victor, étudiait la physique à l'Imperial College, mais son père mit un terme à ses études, extrêmement ennuyé par le fait qu'il passe son temps à faire voler des modèles réduits d'avions pour étudier les courants aériens. Alan avait été furieux d'apprendre cela, car il pensait que Gerard était en mesure d'apporter sa contribution à la science. D'autre part, il était déçu par ce père qu'il estimait beaucoup. À Londres, il retrouva également James pour un week-end. Ils dormirent dans un *bed and breakfast* plutôt sordide situé non loin de Russel Square, et Alan dut éprouver un réel soulagement de se trouver avec un homme qui ne repoussait pas ses avances, même s'il était clair que James n'éveillait pas chez lui de sentiments très profonds et n'exerçait pas sur lui un grand attrait physique. Leurs relations cessèrent d'ailleurs définitivement à ce moment-là, et, après ce week-end, James ne connut pratiquement plus d'expériences sexuelles pendant près de douze ans. Alan, lui, eut beau se montrer plus entreprenant, il lui faudrait attendre que beaucoup d'eau ait coulé sous les ponts pour que sa vie prenne un tournant vraiment différent.

Le 22 septembre, Alan tomba par hasard sur un ami américain dont il avait fait la connaissance à Princeton, Will Jones. Ils s'arrangèrent pour retourner ensemble aux États-Unis et embarquèrent sur un paquebot allemand, l'*Europa*, que Jones avait choisi parce qu'il était rapide. Un antifasciste plus scrupuleux qu'Alan aurait refusé de monter à bord. Il passa toute la traversée à apprendre le russe en s'amusant de l'expression outragée des Allemands à la vue d'un manuel frappé du marteau et de la faucille.

Alan écrivit à son arrivée qu'il fut...

---

1. L. Wittgenstein, *Tractatus logico-philosophicus*, Paris, Gallimard, 1972.

« très heureux d'avoir pu voyager avec Will Jones. Il ne semblait pas y avoir grand monde d'intéressant à bord, alors Will et moi avons tué le temps en discutant philosophie, et passé la moitié de l'après-midi à tenter de déterminer la vitesse du navire. »

De retour à Princeton, Alan et Will Jones passèrent des heures et des heures à discuter. Will Jones était issu d'une vieille famille blanche du fin fond du Mississippi et il avait étudié la philosophie à Oxford. Il n'avait donc rien de l'Américain caricatural. Philosophe particulièrement intéressé par la science, il rédigeait alors une thèse sur Kant qui réclamait que les catégories morales puissent être justifiées même si les actes des hommes étaient aussi déterminés que les mouvements des planètes. Il examina en profondeur ce que pensait Alan de l'influence de la mécanique quantique sur le sujet – Alan se l'était lui-même tellement demandé quelque cinq ans auparavant ! Le jeune Anglais semblait maintenant se satisfaire d'une vision russellienne des choses, à savoir qu'à partir d'un certain niveau, le monde devait forcément évoluer de façon mécanique. Alan ne cherchait plus maintenant à déterminer philosophiquement – et non scientifiquement – les problèmes de libre arbitre. Peut-être la trace de ses anciennes interrogations se traduisait-elle par la véhémence avec laquelle il s'engageait désormais sur la voie du matérialisme. « Je vois les gens comme des ensembles couleur rose de données caractéristiques », dit-il un jour pour plaisanter. Si seulement cela pouvait être aussi facile ! De manière hautement symbolique, le stylo à plume que lui avait offert Mme Morcom en 1932 fut perdu pendant le voyage.

Will Jones se fit également expliquer par Alan une partie de la théorie des nombres, et il fut enchanté par la manière qu'avait son ami de toujours montrer, à partir des axiomes les plus simples, comment toutes les propriétés pouvaient être précisément dérivées – approche bien différente des règles à apprendre par cœur des mathématiques scolaires. Turing ne parla jamais à Will de ses problèmes affectifs, mais sans doute cette relation avec Will lui apporta-t-elle un soutien d'ordre plus général, car ce que l'Américain appréciait plus particulièrement en Alan, c'était l'incarnation de la philosophie de G. E. Moore et de Keynes.

Autre membre du cercle d'amis par lequel Alan et Will s'étaient rencontrés, Malcom MacPhail, physicien canadien, participa lui aussi à certaines occupations d'Alan :

« C'est probablement en automne 1937 que Turing commença à s'inquiéter de la possibilité d'une guerre contre l'Allemagne. À l'époque, il était censé se consacrer entièrement à sa fameuse thèse, mais il trouva quand même le temps de se pencher sur le décryptage avec la vigueur qui le caractérisait [...] nous eûmes de *nombreuses* discussions à ce sujet. Il supposait que les mots étaient remplacés par des nombres tirés d'un code officiel et que les messages étaient transmis sous forme de nombres binaires. Cependant, afin d'empêcher l'ennemi de déchiffrer les messages interceptés même s'il détenait le code, il multipliait le nombre correspondant à un message spécifique par un nombre secret affreusement long et transmettait ensuite le résultat. La longueur du nombre secret dépendait entièrement du fait qu'il devait falloir cent Allemands travaillant huit heures par jour pendant cent ans pour le trouver !

Turing alla jusqu'à concevoir un multiplicateur électrique et en construisit les trois ou quatre premières étapes pour vérifier s'il pouvait marcher. Il lui fallait à cet effet des commutateurs à relais qu'il dut fabriquer lui-même car à cette époque il n'y en avait pas dans le commerce. Le département de physique de Princeton disposait d'un petit atelier mécanique assez bien équipé, destiné à l'usage de ses étudiants de troisième cycle, et ma petite contribution au projet fut de prêter à Turing ma clé de l'atelier, ce qui était probablement contraire à toutes les règles, et de lui montrer comment se servir du tour, de la perceuse, et autres engins, sans se couper les doigts. Il fabriqua donc et à notre grande surprise, et à notre plus grand plaisir, le calculateur fonctionnait[1]. »

D'un point de vue mathématique, le projet n'était guère ambitieux puisqu'il ne faisait intervenir que la multiplication. Mais s'il n'impliquait aucune théorie avancée, il exigeait l'application de mathématiques « élémentaires et fastidieuses » qui étaient encore fort mal connues en 1937.

Tout d'abord, la représentation binaire des nombres aurait fait figure de nouveauté pour quiconque s'occupait alors de calcul pratique. Alan avait déjà utilisé les nombres binaires dans les *Nombres calculables*. Ils ne relevaient là d'aucun principe parti-

---

1. Lettre de M. MacPhail, du 17-12-1977, adressée à Andrew Hodges.

culier, mais permettaient de représenter tous les nombres calculables comme des séries infinies de 0 et de 1 uniquement. Dans le cas d'un multiplicateur, cependant, les avantages des nombres binaires étaient plus concrets : la table de multiplication se réduisait alors à :

X	0	1
0	0	0
1	0	1

La table de multiplication binaire étant aussi simple que cela, le multiplicateur n'aurait plus qu'à retenir et ajouter les opérations.

Le second aspect de ce projet était ses liens avec la logique élémentaire. Les opérations arithmétiques avec des 0 et des 1 pouvaient fort bien passer pour l'équivalent de la logique des propositions. Ainsi, la table des multiplications pouvait, par exemple, être considérée comme égale à la fonction du mot « ET » en logique. Si p et q étaient des propositions, alors la « table de vérité » suivante montrerait en quelles circonstances p ET q étaient vraies :

<p>

ET	faux	vrai
q faux	faux	faux
vrai	vrai	vrai

Il s'agissait bien du même jeu, avec une interprétation différente. Tout cela avait dû paraître très familier à Alan, les calculs de propositions figurant en première page de n'importe quel manuel de logique. C'est ce qu'on appelait parfois l'algèbre de Boole, du nom de George Boole qui avait mis en forme en 1854 ce qu'il appelait avec optimisme « les lois de la pensée ».

L'arithmétique binaire pouvait se réduire aux termes de l'algèbre de Boole avec ses *et*, ou/et ses *non*. Pour élaborer son multiplicateur, le problème d'Alan était de se servir de l'algèbre de Boole afin de réduire le nombre d'opérations élémentaires nécessaires.

En théorie, ce projet rappelait par bien des côtés les machines de Turing. Mais, pour en faire un appareil capable de fonctionner, il fallait trouver des moyens pour réaliser différentes « configurations » physiques. C'est à cela que servaient les commutateurs, dont le principe même était de pouvoir se placer dans l'un ou l'autre des deux états : « ouvert » ou « fermé », « 0 » ou « 1 », « vrai » ou « faux ». Alan utilisa des commutateurs basés sur un système de relais, de sorte que l'électricité jouait pour la première fois un rôle direct pour relier les idées logiques avec un appareil fonctionnant concrètement. Les relais électromagnétiques n'avaient rien de révolutionnaire et avaient été inventés un siècle auparavant par Henry, un physicien américain. Leur principe physique était le même que celui du moteur électrique, un courant électrique passant dans une bobine et entraînant une tête magnétique. Cependant, l'intérêt du relais était que la tête magnétique pouvait soit fermer, soit ouvrir un autre circuit électrique. Il faisait office d'interrupteur. Le terme de « relais » était issu de son utilisation dans les premiers systèmes télégraphiques, lorsqu'il permettait à un signal électrique affaibli de se régénérer. C'était cette fonction logique du « tout ou rien » des relais qui rendait leur présence nécessaire dans les échanges téléphoniques automatiques qui se développaient aussi bien aux États-Unis qu'en Grande-Bretagne.

En 1937, il n'était pas évident que les propriétés logiques de combinaisons de commutateurs puissent être représentées par l'algèbre de Boole ou par l'arithmétique binaire. Mais un logicien était déjà capable de s'en rendre compte. Alan devait en fait appliquer la conception purement logique d'une machine de Turing à un réseau de commutateurs fonctionnant par relais. L'idée était que quand on présenterait un nombre à la machine, sans doute en établissant des courants dans une série de bornes d'entrée, les relais s'ouvriraient et se fermeraient, les courants passeraient pour aboutir à des bornes de sortie, ce qui « écrirait » le nombre chiffré. L'appareil n'utiliserait pas réellement des rubans, pourtant, d'un point de vue logique, cela revenait au même. C'était bien de la naissance d'une machine de Turing qu'il s'agissait. Le travail clandestin d'Alan dans l'atelier de physique symbolisait bien le problème auquel il se trouvait confronté en engendrant cette vie-là, c'est-à-dire en franchissant la frontière qui séparait les mathématiques de l'ingénierie, le logique du physique.

Le chiffre en lui-même était d'une conception étonnamment pauvre. Alan croyait-il les Allemands incapables de trouver le plus grand diviseur commun de deux nombres ou plus, permettant de découvrir le « nombre secret » qui servait de clé ? Et même si l'on y ajoutait quelques améliorations, son système souffrirait toujours du gros désavantage qu'une seule erreur dans la transmission d'une unité pouvait rendre indéchiffrable le message tout entier.

Peut-être Alan ne prenait-il pas assez au sérieux les articles de *New Statesman* qui mettait, avec plus de vigueur chaque semaine, l'Angleterre en garde contre la politique allemande à l'intérieur comme à l'extérieur du nouveau Reich. Chaque semaine, il lisait de nouveaux papiers plus effrayants les uns que les autres. Alan pensait déjà à une autre machine qui n'avait plus rien à voir avec les Allemands, puisqu'elle devait permettre de calculer la fonction Dzéta de Riemann. Il avait apparemment décidé que l'hypothèse de Riemann devait être fausse, ne fût-ce que parce que personne n'avait jamais pu la prouver. Prouver qu'elle était fausse revenait à démontrer que la fonction Dzéta prenait effectivement la valeur de zéro en un point situé hors de la ligne définie, auquel cas ce point devait pouvoir être localisé brutalement, c'est-à-dire en calculant suffisamment de valeurs de la fonction Dzéta.

Un tel programme avait déjà été mis en œuvre. Riemann avait lui-même repéré les premiers zéros et vérifié qu'ils se situaient bien tous sur une même ligne déterminée. En 1935-1936, E. C. Titchmarsh, un mathématicien d'Oxford, avait utilisé le système de cartes perforées qui servait alors au calcul des prédictions astronomiques pour montrer que les cent quatre premiers zéros de la fonction Dzéta se situaient sur la même ligne. L'idée d'Alan était d'examiner le millier de zéros suivants dans l'espoir d'en découvrir un égaré.

Il y avait cependant deux aspects au problème. La fonction Dzéta de Riemann correspondait à la somme d'un nombre infini de termes, et même si cette somme pouvait être exprimée de manières différentes, toute tentative visant à l'évaluer reviendrait d'une certaine façon à faire une approximation. Au mathématicien donc de trouver une bonne approximation et de prouver qu'elle était bonne : que la marge d'erreur était suffisamment minime. Une telle tâche n'impliquait aucun calcul avec des nombres, mais exigeait un travail extrêmement technique sur les calculs de nombres complexes. Titchmarsh avait – non sans un certain romantisme – repris l'approximation tirée des papiers mêmes de Riemann, qui avaient dormi durant soixante-dix ans à Göttingen. Cependant, pour étendre le calcul à un nouveau millier de zéros, il fallait trouver une nouvelle approximation, ce qu'Alan s'apprêtait à faire et à justifier.

La seconde difficulté, d'un ordre tout à fait différent, touchait à l'aspect « élémentaire et fastidieux » des calculs à effectuer, avec des nombres remplacés dans la formule approximative et calculés pour des milliers d'entrées différentes. La formule obtenue ressemblait beaucoup, en fin de compte, à celles qu'on employait pour établir la position des planètes : elle se présentait comme la somme de fonctions circulaires de fréquences différentes. C'est pour cette raison que Titchmarsh s'était efforcé de faire effectuer le travail à la fois répétitif et ennuyeux de l'addition, de la multiplication et de la vérification des entrées dans les tables de cosinus par le même système de cartes perforées que celui utilisé en astronomie planétaire. Alan, lui, pensa plutôt à une autre sorte de calcul pratiqué sur une très vaste échelle : la prédiction des marées. On pouvait considérer les marées comme la somme d'un nombre de vagues de périodes différentes : de mouvements journaliers, mensuels et annuels de montées et de descentes. Il existait à Liverpool un dispositif qui effectuait ces sommes automatiquement en produisant des mouvements circulaires à la bonne fréquence et en les additionnant. Il s'agissait d'une simple machine analogique ; c'est-à-dire qu'elle créait une analogie physique à partir de la fonction mathématique qui devait être calculée. Cela différait sensiblement des machines de Turing qui fonctionnaient sur un ensemble fini et discret de symboles. Cette machine à prévoir les marées, comme une règle à calcul, ne dépendait pas de symboles mais de la mesure de longueurs. Alan s'était rendu compte qu'il était possible d'utiliser une telle machine pour les additions, multiplications et vérifications des cosinus nécessaires au calcul de la fonction Dzéta.

Alan a certainement dû décrire son idée à Titchmarsh, car dans une lettre datée du 1er décembre 1937, ce dernier voyait d'un bon œil ce programme de prolongement des calculs et déclara : « J'ai eu l'occasion de voir la machine à prévoir les marées à Liverpool, mais il ne m'était pas venu à l'esprit de l'employer de cette façon. »

Il lui restait cependant encore quelques loisirs. Le hockey continuait d'occuper les étudiants anglais, même si l'équipe avait perdu de sa vigueur avec le départ de Francis Price et de Shaun Wylie. Alan se retrouva chargé d'une partie de l'organisation. Il jouait aussi beaucoup au squash. Pour le jour de Thanksgiving, il retourna voir ses cousins Jack et Mary Crawford. (« Je commence à me débrouiller avec la voiture. ») Puis, avant Noël, il accepta l'invitation de son ami Venable Martin à venir passer quelques jours chez lui, en Caroline du Sud.

« Il nous a fallu beaucoup de temps pour y aller en voiture. J'y suis resté deux ou trois jours avant de retourner chez Mme Welbourne en Virginie. Je n'étais jamais allé si au sud. La pauvreté semble toujours y régner, même si la guerre de Sécession est terminée depuis longtemps. »

Mme Welbourne était une « mystérieuse femme de Virginie » qui avait l'habitude d'inviter des étudiants anglais du Graduate College pour Noël. « Je n'ai pas vraiment fait de progrès avec eux », avoua Alan à sa famille. Alan et Will Jones organisèrent une nouvelle chasse au trésor, même si elle ne provoqua pas le même entrain que l'année précédente. Il dissimula l'un des indices dans son intégrale de Shaw. En avril, Will et lui allèrent faire un tour au St John College, à Annapolis et à Washington. « Un jour, nous sommes allés écouter les discours des sénateurs. L'ambiance m'a semblé très décontractée. Ils n'étaient que six ou huit, et ils ne semblaient pas tous intéressés par les débats. » Depuis le balcon, ils aperçurent Jim Farley, le chef du parti de Roosevelt. C'était un autre monde.

Le plus important pour Alan, cette année-là, c'était de terminer sa thèse de doctorat en cherchant comment échapper au théorème de Gödel. L'idée maîtresse était d'enrichir le système d'axiomes supplémentaires de sorte que le « vrai mais impossible à prouver » puisse justement être avéré. Cependant, considérée de cette façon, l'arithmétique faisait indubitablement penser à une hydre. Il était relativement facile d'ajouter un axiome permettant de faire la preuve d'une des assertions de Gödel. Toutefois le théorème de Gödel pouvait alors s'appliquer à l'ensemble élargi des axiomes et présentait une nouvelle assertion « vraie mais impossible à prouver ». Il n'était pas question d'ajouter un nombre fini d'axiomes ; il devenait indispensable d'étudier l'adjonction d'un nombre infini d'axiomes.

Ce n'était qu'un simple commencement car, les mathématiciens le savent bien, il y a toujours de nombreuses manières possibles de faire un « nombre infini » de choses en ordre. Cantor s'en était aperçu lorsqu'il avait travaillé la notion de classer les entiers. Imaginons par exemple que les entiers soient rangés ainsi : d'abord tous les nombres pairs par ordre croissant, puis tous les nombres impairs. Cette liste serait en un sens « deux fois plus longue » que la liste habituelle des entiers. On pourrait la rendre trois fois plus longue, ou infiniment de fois plus longue, en prenant, par exemple, d'abord les nombres pairs, puis les multiples de 3 restants, puis de 5 restants, puis de 7 restants et ainsi de suite. Il n'y a en fait pas de « limite » à la longueur de telles listes. De la même façon, on pourrait augmenter le nombre d'axiomes de l'arithmétique par *une* liste infinie d'axiomes, ou par deux, ou par un nombre infini de listes. Voilà qu'à nouveau les limites tombent d'elles-mêmes. La question restait de savoir si l'une de ces méthodes parvenait à vaincre l'effet du théorème de Gödel.

Cantor avait réuni ses divers classements des nombres entiers sous le terme de « nombres ordinaux » ; et Alan intitula ses diverses extensions des axiomes de l'arithmétique « logiques ordinales ». Il était clair, d'une certaine façon, qu'aucune logique ordinale ne pourrait être « complète », au sens où l'entendait Hilbert. En effet, s'il existait une infinité d'axiomes, il était exclu de pouvoir les énoncer tous. Il fallait qu'il y ait une règle définie pour les produire. Mais dans ce cas, le système tout entier se serait encore appuyé sur un nombre fini de règles, de sorte que le théorème de Gödel s'appliquerait toujours à montrer qu'il restait des assertions impossibles à prouver.

Une question plus subtile demeurait. Dans ses « logiques ordinales », les règles permettant de produire les axiomes étaient énoncées en termes de substitution d'une « formule ordinale » à l'intérieur d'une expression, ce qui était en soi un « procédé mécanique ». Seulement le fait de décider si une formule donnée était bien une formule ordinale n'avait rien de mécanique. La question que posait Alan était de déterminer si tout l'aspect complet des mathématiques pouvait être concentré en un point, à savoir sur le problème insoluble de décider quelle formule était une « formule ordinale ». Si cela était possible, l'arithmétique pourrait alors être considérée comme complète sous un certain angle. Tout pourrait être prouvé à partir des axiomes, même s'il n'y avait aucun moyen mécanique de déterminer ce qu'étaient les axiomes.

Alan assimilait à de la pure intuition la tâche d'avoir à décider si une formule était ou non ordinale. Dans une « logique ordinale complète », on pouvait prouver tout théorème arithmétique par un mélange de raisonnement mécanique et de phases intuitives. Turing espérait ainsi placer la notion d'arithmétique incomplète de Gödel sous un certain contrôle. Or il trouvait les résultats plutôt décevants. Des « logiques complètes » existaient bien, mais elles souffraient d'un défaut : il n'était pas possible de compter le nombre de phases « intuitives » nécessaires à la démonstration d'un théorème. Il n'y avait aucun moyen d'évaluer la « profondeur » d'un théorème, ni de repérer exactement ce qui se passait.

À côté de cela, il avait son idée de machine « oracle », qui aurait la faculté de pouvoir résoudre un problème particulièrement insoluble (comme le fait de reconnaître une formule ordinale). Pour ce faire, il imagina la notion de calculabilité ou insolubilité relative, qui ouvrait un nouveau champ de réflexion en logique mathématique. Alan avait dû songer à l'« oracle » en voyant *En remontant à Mathusalem*, par la bouche duquel Bernard Shaw répondait aux problèmes insolubles des politiciens avec un « Rentrez chez vous, pauvres fous ! ».

Ce qui est moins clair dans ses remarques, c'est dans quelle mesure il considérait ces « intuitions », la capacité de reconnaître une déclaration vraie mais indémontrable, proches de ce qui se produisait dans l'esprit humain. Il écrivit :

« Le raisonnement mathématique peut être assez schématiquement considéré comme l'exercice de deux facultés combinées que nous pourrions appeler l'*intuition* et l'*ingéniosité*. (Nous ne tenons pas compte de la faculté plus importante qui permet de distinguer les sujets intéressants des autres ; nous considérons en fait que la fonction des mathématiciens est simplement de déterminer les propositions vraies et les fausses.) L'activité de l'intuition consiste à émettre des jugements spontanés qui ne sont pas le fruit d'un enchaînement conscient de réflexions... »

Et il assurait que ses idées sur les « logiques ordinales » constituaient une manière de préciser cette distinction. Il n'était néanmoins nullement établi que l'« intuition » avait quoi que ce soit à voir avec l'aspect incomplet de systèmes formels strictement définis. Après tout, personne n'avait jamais entendu parler de cet aspect incomplet avant 1931, alors que l'intuition avait quand même quelques années de plus. On retrouvait la même ambiguïté que dans les *Nombres calculables*, où l'esprit mécanisé faisait cependant référence à quelque chose qui dépassait la mécanisation. Cela avait-il une signification pour l'esprit humain ? Alan ne se montrait pas très clair à ce sujet.

Concernant l'avenir, Alan envisageait de retourner à King's en espérant que, comme prévu, on lui renouvellerait la bourse qui touchait à sa fin en mars 1938. Pourtant, son père lui conseillait déjà (ce qui n'était peut-être pas très patriote) de trouver un emploi aux États-Unis.

Pour une raison inconnue, le King's College mit un certain temps à lui faire savoir que sa bourse était prolongée. Le 30 mars, il écrivit à Philip Hall :

« Je suis en train de rédiger ma thèse de doctorat, qui se révèle difficile à résoudre. Je ne cesse d'en réécrire certains passages...

Je suis relativement inquiet, car je n'ai toujours pas de nouvelles de ma bourse. L'explication la plus plausible, c'est qu'elle n'est tout simplement pas prolongée, mais je préfère espérer que c'est dû à une autre raison. Si vous pouviez vous renseigner discrètement et m'envoyer une carte postale, je vous en serais extrêmement reconnaissant.

J'espère qu'Hitler n'aura pas envahi l'Angleterre avant mon retour. »

Après l'alliance avec l'Autriche, le 13 mars, tout le monde commençait à prendre l'Allemagne au sérieux. Pour faire plaisir à son père, Alan alla tout de même voir Eisenhart pour se renseigner, sans grande conviction, sur les possibilités de travail de ce côté de l'Atlantique. Eisenhart ne voyait rien pour le moment, mais lui promit d'y penser. Puis voilà que soudain, von Neumann lui-même proposait un poste d'assistant de recherches à l'IAS.

Cela impliquait que la priorité serait sans doute donnée aux secteurs des recherches de von Neumann – soit, à l'époque, aux mathématiques relatives à la mécanique quantique et à d'autres domaines de la physique théorique, ce qui écartait la logique et la théorie des nombres. D'un autre côté, travailler auprès de von Neumann aurait constitué le début idéal d'une carrière universitaire aux États-Unis. La concurrence était serrée et le marché, déjà atteint par la crise, était envahi par les exilés européens. Le soutien éventuel de von Neumann représenterait un atout énorme.

Professionnellement parlant, il s'agissait d'une décision importante. Pourtant tout ce qu'Alan trouva à écrire, le 26 avril, à son ami Philip Hall, fut : « La possibilité de trouver du travail a fini par se présenter. » Puis, le 17 mai, à Mme Turing : « On m'a proposé de devenir l'assistant de von Neumann pour 1 500 dollars par an, mais j'ai décidé de refuser. » Le renouvellement de sa bourse à King's lui avait été confirmé entre-temps et il préférait sans hésitation rentrer en Angleterre.

Alan s'était fait malgré lui un nom dans l'Université américaine. Il n'était donc pas entièrement indispensable d'avoir une réputation pour se faire entendre. Von Neumann avait fini par prendre connaissance des *Nombres calculables* et avait retenu la méthode de Turing. Cependant, malgré toutes ces promesses de gloire et de confort matériel, Alan n'aspirait plus qu'à rentrer à King's.

La thèse qu'il espérait remettre avant Noël subit quelque retard. « Church a fait un certain nombre de suggestions qui ont eu pour résultat de rallonger considérablement la thèse. » Tapant lui-même très mal à la machine, il fit donc dactylographier le texte par quelqu'un d'autre qui le massacra complètement et ne put le remettre que le 17 mai. Puis il y eut un examen oral le 31 mai, sous la direction de Church, Lefschetz et H. F. Bohnenblust. « Le candidat s'est montré excellent, non seulement dans le domaine spécifique de la logique mathématique, mais aussi dans de nombreux autres. » Puis il y eut encore un contrôle rapide de ses connaissances en français et en allemand scientifiques. Tout cela paraissait relativement absurde si l'on considère qu'il faisait à la même époque partie d'un jury chargé d'examiner la thèse de doctorat d'un étudiant de Cambridge. Il donna d'ailleurs un avis tout à fait défavorable sur ce travail, et écrivit à Philip Hall, le 26 avril : « J'espère que mes remarques ne vont pas inciter le type à réécrire toute son histoire. La difficulté, avec ces gens, c'est de trouver une bonne manière d'être brutal. Je crois cependant lui avoir donné de quoi se tenir tranquille pendant pas mal de temps s'il se décide vraiment à la recommencer. » Alan passa sa thèse le 21 juin. Il ne se servit guère du titre qui n'avait pas d'application à Cambridge.

Son départ du pays d'Oz ne ressembla en rien à celui de la fable. Le magicien n'était pas « bidon », et lui avait demandé de rester. Même si Dorothy s'était débarrassée de la méchante sorcière de l'Ouest, dans son cas, c'était dans le sens inverse. Même si Princeton était à l'écart de l'Amérique orthodoxe et teutonique, il y régnait un conformisme qui le mettait mal à l'aise. Et ses problèmes n'étaient pas résolus. Il était relativement confiant, et, comme dans la pièce *Meurtre dans la cathédrale*, qu'il était allé voir au cours du mois de mars, il partait, mais pas complètement.

En un sens, cependant, il ressemblait assez à Dorothy. Car, pendant tout ce temps, il avait eu la possibilité de faire quelque chose, et avait attendu qu'une occasion se présente pour réagir. Le 18 juillet, Alan débarqua à Southampton après une traversée sur le *Normandie*, son montage expérimental de multiplicateur électrique soigneusement emballé. « Je te verrai vers la mi-juillet, avait-il annoncé à Philip Hall. Je m'attends à trouver la pelouse quadrillée de tranchées de deux mètres cinquante de profondeur. » L'Angleterre n'en était pas encore là, pourtant des préparatifs plus discrets se mettaient en place, et Alan y aurait son rôle à jouer.

Il avait eu raison de penser que le gouvernement de Sa Majesté s'intéressait aux codes et aux chiffres[1]. On avait maintenu en

---

1. Dans ce qui suit, le mot *code* fait référence à tout système conventionnel de communication de textes, qu'ils soient secrets ou non. Le *chiffre* est en revanche destiné aux communications devant rester incompréhensibles pour un tiers. La *cryptographie* est l'art

place le service chargé de réaliser le travail technique, qui était encore, en 1938, le même qu'au cours de la Grande Guerre. Un prolongement de l'organisation que l'on appelait discrètement le bureau 40 (« Room 40 »), mise en place par l'Amirauté.

Grâce à la saisie d'un livre de codes allemand, remis par la Russie en 1914, on était parvenu à déchiffrer un grand nombre de signaux radio et télégraphiques à l'aide d'un personnel majoritairement civil, directement recruté dans les universités et les écoles. Cela permettait notamment au directeur, l'amiral Hall, de maîtriser des messages diplomatiques (comme, par exemple, avec le célèbre télégramme Zimmerman). Hall n'était pas étranger à l'exercice du pouvoir. C'était lui qui avait remis le rapport de Casement à la presse, et ce n'était pas l'unique exemple de ses « travaux de renseignements indépendants des autres départements ayant trait à des affaires politiques qui n'avaient aucun intérêt pour l'Amirauté ». L'organisation avait survécu à l'armistice, mais dès 1922, le Foreign Office était parvenu à se rattacher l'ancien service de renseignements naval qui fut rebaptisé Government Code and Cypher School (GC & CS) et se proposait d'étudier les méthodes de communications chiffrées utilisées par les puissances étrangères et de « donner un avis sur la sûreté des codes et chiffres britanniques ». Cet établissement était maintenant placé sous le contrôle du chef des services secrets, lui-même responsable en titre devant le ministre des Affaires étrangères.

Le commandant Alastair Denniston, directeur de la GC & CS, reçut l'autorisation d'employer trente auxiliaires civils, comme on appelait les cadres supérieurs, et près de cinquante employés et dactylos. Pour des raisons techniques de service militaire, on sépara les cadres en quinze auxiliaires supérieurs et quinze auxiliaires en second. Les auxiliaires supérieurs avaient tous fait partie du Bureau 40, à l'exception, peut-être, de Feterlain, un Russe en exil que l'on avait nommé responsable de la section russe. Il y avait Oliver Strachey, frère de Lytton Strachey et mari de Ray Strachey, la célèbre féministe, et aussi Dillwyn Knox, l'universitaire qui avait enseigné au King's jusqu'à la Grande Guerre. Ces deux derniers avaient été membres du cercle des keynésiens

---

d'écrire en chiffres alors que le *décryptage* est celui de le lire, et la *cryptologie* est l'étude des chiffres et des textes chiffrés.

à son apogée édouardienne. On avait embauché les auxiliaires en second quand le service s'était légèrement agrandi dans les années 1920. La plus jeune recrue, A. M. Kendrick, avait complété les effectifs en 1932.

Les travaux de la GC & CS avaient joué un rôle important dans la politique des années 1920. Ainsi la fameuse *Lettre de Zinoviev*[1], généralement pensée pour être une contrefaçon et prétendument interceptée par les services secrets britanniques, avait-elle permis de porter un coup sévère au parti travailliste en 1924. Pourtant, la GC & CS semblait déployer moins d'énergie pour protéger l'Empire britannique d'une Allemagne renaissante. Si l'École réussissait assez bien à décrypter les messages italiens et japonais, l'histoire officielle devait par la suite trouver « malheureux » que, « malgré l'effort croissant consacré au travail militaire après 1936, on ait porté si peu d'attention au problème allemand ».

L'une des raisons principales à cet état de fait était d'ordre économique. Denniston dut faire des pieds et des mains pour obtenir un personnel suffisant pour faire face à l'augmentation de l'activité militaire dans le bassin méditerranéen. À l'automne 1935, le Trésor autorisa l'embauche de treize nouveaux employés, mais pour des contrats de six mois. Dans l'une des notes habituelles de Denniston au Trésor, en janvier 1937, on pouvait lire :

« La situation en Espagne demeure si incertaine qu'il faut gérer un accroissement du trafic depuis l'apogée de la crise éthiopienne, le nombre de télégrammes gérés au cours des trois derniers mois de ces dernières années étant de :

1934	10 638
1935	12 696
1936	13 990

Au cours du mois dernier, le personnel existant a dû réaliser des heures supplémentaires pour réussir à venir à bout de cet accroissement du trafic. »

En 1937, le Trésor accepta une augmentation des effectifs permanents. Cette mesure fut insuffisante :

---

1. Lettre de Zinoviev, datée du 15 septembre, interceptée par les services secrets britanniques : le président du Komintern encouragerait les travailleurs britanniques à faire la révolution.

« Le volume des transmissions allemandes augmentait ; il devenait de moins en moins difficile de les intercepter dans des stations britanniques. Pourtant, en 1939 encore, le manque de matériel et d'hommes faisait qu'on était loin d'intercepter l'ensemble des communications des services allemands. Et l'on était loin d'étudier tous les messages interceptés. Jusqu'en 1937-1938, la GC & CS n'augmenta pas le nombre de ses cadres civils, même si elle avait pu accroître le nombre de ses employés ; et, à cause de la diminution croissante des interceptions allemandes, les huit universitaires alors engagés furent principalement occupés par le volume toujours grandissant de messages italiens et japonais qui avait conduit à l'extension des sections du Service de Renseignements[1]. »

Le problème ne se limitait pourtant pas à ces questions de personnel et de budget. La GC & CS était techniquement dépassée, surtout maintenant que l'Allemagne lui opposait une machine comme *Enigma*.

« Il fut établi en 1937 que, contrairement à leurs homologues italiens et japonais, l'armée, la marine et sans doute l'armée de l'air allemande ainsi que d'autres organisations d'État comme les chemins de fer et les SS, utilisaient tous, sauf pour leurs communications tactiques, différentes versions d'un même système de chiffrement : la machine *Enigma*, qui avait été mise sur le marché dans les années 1920 mais dont les Allemands avaient encore renforcé la sûreté par des modifications progressives. Dès 1937, la GC & CS perça le modèle le moins sûr et le moins perfectionné utilisé à la fois par les Allemands, les Italiens et les forces nationalistes espagnoles. À part cette machine-là, Enigma continuait de résister aux assauts et semblait pouvoir tenir encore longtemps[2]. »

Enigma constituait le problème majeur pour les services de renseignements britanniques en 1938. Et ils le croyaient insoluble, ce qui était peut-être vrai à l'intérieur des structures existantes. Aucun mathématicien ne faisait partie de l'équipe de décryptage et il n'en fut pas question avant 1938, où l'on projeta d'engager une soixantaine de spécialistes supplémentaires en cas de guerre.

---

1. F. H. Hinsley *et al*, *British Intelligence in the Second World War*, vol.1, HMSO, 1979.
2. *Ibid*.

C'est à ce moment-là qu'Alan Turing entra en scène. Il est possible qu'il ait été en contact avec le gouvernement depuis 1936. À moins qu'il soit descendu du *Normandie* avec l'intention de faire la démonstration de son multiplicateur. Mais il est plus probable que ce soit l'un des anciens enseignants ayant travaillé au Bureau 40 pendant la Première Guerre mondiale qui ait suggéré son nom à Denniston. Le professeur Adcock enseignait à King's depuis 1911. Alan n'avait jamais dissimulé son enthousiasme pour les codes et les chiffres, et il paraissait une recrue idéale ; aussi, dès son retour des États-Unis, en été 1938, commença-t-il un stage au quartier général de la GC & CS.

Alan et ses amis sentaient particulièrement l'imminence de la guerre et se préoccupaient avant tout d'être intelligemment utilisés au lieu d'être envoyés comme simple chair à canon. Il était en l'occurrence difficile de séparer ce souci de la peur d'être blessé au combat, et ce parti pris déclaré du gouvernement de mettre de côté la richesse intellectuelle du pays survint comme un véritable soulagement pour ces jeunes gens dès lors délivrés de tout sentiment de culpabilité. C'est ainsi qu'Alan Turing prit la décision fatidique qui allait marquer le début de sa longue association avec les autorités britanniques. Mais un tel pacte avec le gouvernement de Sa Majesté sous-entendait qu'il avait, pour la première fois, cédé une partie de lui-même en faisant le serment de ne jamais divulguer les secrets de l'État britannique.

Quoiqu'austère et exigeant, le gouvernement auquel il venait de se joindre pataugeait dans le plus grand désordre. L'incapacité à lutter sérieusement contre Enigma ne représentait qu'un seul aspect de l'incohérence de sa stratégie, qui allait éclater au grand jour en septembre 1938. Jusque-là, les Anglais avaient pu se convaincre qu'il devait exister des « solutions » logiques aux « griefs » allemands sans sortir du système en vigueur. Après septembre, les débats moraux touchant à l'équité et à l'auto-détermination cessèrent de masquer les réalités de la puissance pure. Le peuple de Cambridge se rassembla pour ce qui allait être « l'année sous la terreur », selon les termes de Franck Lucas, professeur à King's. Les petits Londoniens furent évacués vers Newnham College, tandis que les étudiants sentaient peser sur eux la menace de la mobilisation. La situation était on ne peut plus floue et quelque chose d'affreux se préparait. Une agitation extrémiste mettait l'accent sur la puissance dévastatrice des bombardements aériens à venir, tandis que le gouvernement semblait obnubilé par la construction de bombardiers qui lui permettraient d'assurer la contre-attaque.

Le vieux monde avait beau toucher à sa fin, le nouveau n'apportait pas beaucoup de fuites vers la fantaisie. *Blanche-Neige et les sept nains* fut projeté à Cambridge au mois d'octobre et Alan tint exactement le rôle qu'on attendait des professeurs de King's en allant le voir avec David Champernowne. Il en retiendra surtout la scène où la méchante sorcière trempe la pomme dans le bouillon empoisonné, et ne cessera de chantonner ensuite le couplet prophétique pour lui :

« Plonge la pomme dans le brouet
Et laisse le Sommeil de Mort l'imprégner. »

Alan invita aussi Shaun Wylie, rencontré à Princeton, à la fête du collège. Shaun Wylie, maintenant à Oxford, avait été, comme David Champernowne, boursier à Winchester. Alan avait déjà parlé à Champ de son idée de chiffre par multiplication et il raconta à Shaun son stage d'été, l'informant qu'il avait avancé son nom auprès des responsables comme recrue potentielle. La chasse au trésor de Princeton avait donc eu de sérieuses conséquences. Il annonça également qu'il avait étudié la théorie de la probabilité et qu'il aimerait l'expérimenter en jouant à pile ou face. En revanche, il refusait de se faire surprendre à jeter des pièces en l'air, même si à King's, il lui était inutile de redouter de paraître excentrique. Ils jouèrent aussi à des jeux de guerre. David Champernowne avait « le nouveau jeu passionnant de Denis Wheatley, *Invasion* », pour lequel ils inventèrent de nouvelles règles pour l'améliorer. Maurice Pryce, qui enseignait alors pour la deuxième année à l'université, avait discuté avec Alan de l'idée récente de fission de l'uranium, et Maurice avait découvert une équation permettant de calculer les conditions requises au déclenchement d'une réaction en chaîne[1].

Alan posa sans doute une nouvelle fois sa candidature pour un poste de professeur, mais il fut encore déçu. Il avait cependant proposé à la faculté de donner, pour le trimestre de printemps,

---

1. David Champernowne aborda également le principe de la réaction en chaîne avec Alan après avoir lu dans le *Daily Worker* un article sur le sujet rédigé par J. B. S. Haldane.

un cours sur les fondements des mathématiques (Newman n'en donnait pas cette année-là). La proposition fut acceptée, et il perçut la rémunération plutôt symbolique de 10 livres, comme il était de coutume. On lui demanda officieusement d'évaluer aussi les affirmations de Friedrich Waismann, le philosophe du Cercle de Vienne en exil en Grande-Bretagne, exclu pour mauvaise conduite de l'entourage de Wittgenstein, qui souhaitait effectuer des conférences sur les fondements de l'arithmétique. Alan commença donc à se creuser une petite niche dans l'université de Cambridge.

Le 13 novembre 1938, Neville Chamberlain assista au service de commémoration de l'armistice à l'église de l'Université, et un évêque loua « le courage, le discernement et la persévérance du Premier Ministre dans ses entretiens avec Herr Hitler » qui avaient, six semaines plus tôt, « sauvé la paix en Europe » à Munich. Cependant, à Cambridge, d'autres semblaient plus au fait de la réalité. À King's, le professeur Clapham présidait un comité d'accueil pour les Juifs réfugiés qui affluaient après la vague de violence dont ils avaient été victimes en Allemagne, au mois de novembre. Tous ces événements revêtaient une signification particulière pour l'ami d'Alan, Fred Clayton, qui, entre 1935 et 1937, avait étudié à Vienne puis à Dresde et y avait connu des expériences bien différentes des joyeuses parties de hockey de Princeton.

Clayton en était revenu hanté par deux problèmes douloureux. D'une part, il était maintenant conscient des implications du régime nazi. D'autre part, il connaissait deux garçons ; l'un d'eux était le plus jeune fils d'une veuve juive qui habitait dans la même maison que lui à Vienne, l'autre suivait à Dresde les cours de l'école où Clayton enseignait. Les événements de novembre 1938 avaient placé la famille viennoise dans une situation très périlleuse, et il recevait des appels à l'aide de Frau S. Il l'aida à faire sortir son fils d'Autriche et parvint à leur faire gagner l'Angleterre avant Noël grâce à la Quakers Relief Action. Ils se retrouvèrent dans un camp de réfugiés à Harwich, sur la côte, et écrivirent à Fred qui alla bientôt les rejoindre. Fred, qui avait beaucoup d'affection pour le jeune Karl, se chargea ensuite de lui trouver un tuteur.

Dès qu'il fut au courant, Alan n'hésita pas. Un dimanche pluvieux de février 1939, il enfourcha sa bicyclette et se rendit avec Fred au camp de Harwich. Il avait déjà pensé à financer les études universitaires d'un jeune. La plupart étaient trop heureux d'être débarrassés de l'école pour de bon. Alan trouva tout de même l'oiseau rare en la personne du jeune Robert Augenfeld – « Bob » dès qu'il eut débarqué en Angleterre – qui voulait, depuis l'âge de dix ans, devenir chimiste. Il venait d'une famille viennoise de la haute bourgeoisie et son père, qui avait été aide de camp lors de la Première Guerre mondiale, avait insisté pour qu'il poursuive son éducation. Seulement, Bob n'avait aucun moyen pour étudier en Angleterre, et ce fut Alan qui accepta de le soutenir financièrement. Il ne touchait pourtant pas grand-chose cette année-là, mais sans doute avait-il économisé un peu d'argent sur sa bourse Procter. Son père lui écrivit pour lui demander si une telle décision était bien sage et ne prêtait pas à confusion, ce qui ennuya profondément Alan.

Les problèmes pratiques furent néanmoins rapidement résolus. Rossall, école publique située sur la côte du Lancashire, avait en effet offert de prendre gratuitement un certain nombre de réfugiés. Karl, le protégé de Fred, devait y entrer et l'on s'occupa de trouver aussi une place pour Bob. Celui-ci dut d'abord passer un entretien, et il fut accepté à la condition d'améliorer d'abord son anglais dans une école préparatoire. Parallèlement, Alan s'impliquait davantage dans les activités de la GC & CS. Il y eut un nouveau stage de formation à Noël, dans les locaux de Broadway. Alan séjourna dans un hôtel de St James's Square en compagnie de Patrick Wilkinson, professeur à King's qui avait lui aussi été entraîné dans l'aventure. Par la suite, Alan passa au quartier général toutes les deux ou trois semaines pour faire avancer le travail. Il était associé à Dillwyn Knox, auxiliaire supérieur, et au jeune Peter Twinn qui venait d'obtenir sa licence de physique à Oxford, et qui était entré à la GC & CS comme auxiliaire permanent.

Alan obtint l'autorisation d'emporter certains travaux qu'ils effectuaient sur Enigma à King's, pour ne pas perdre de temps. Tant d'efforts ne les menaient pourtant pas très loin. Une connaissance générale de cette machine n'était pas suffisante pour élaborer une attaque.

Mme Turing aurait été médusée d'apprendre que son fils maniait ainsi des secrets d'État. Ce dernier savait à présent très bien s'y prendre avec sa famille, et en particulier sa mère. Ils le croyaient tous totalement dépourvu de sens pratique et lui se complaisait dans le rôle du professeur Nimbus. « Brillant mais complètement insensé », voilà ce que sa mère pensait de lui, tout en s'efforçant de le ramener un tant soit peu à la réalité. En lui achetant chaque année un nouveau costume qu'il ne portait jamais, en se chargeant pour lui des cadeaux de Noël et d'anniversaires à la famille et en l'envoyant de temps en temps se faire couper les cheveux… Alan s'accommodait très bien de cette situation et évitait tout heurt en matières sociales ou religieuses. Il ne mentait pas à proprement parler, il préférait le silence au drame qu'il n'aurait pas manqué de déclencher. Il ne se serait pas prêté à une telle comédie avec d'autres, il comme pour la plupart des gens, sa famille demeurait pour lui le dernier bastion de la tromperie.

Cependant, Mme Turing sentait bien que son fils avait accompli quelque chose d'important ; elle était très impressionnée par l'intérêt que ses travaux suscitaient à l'étranger – une lettre arriva même un jour du Japon ! Elle fut aussi particulièrement émue en apprenant que Scholz allait mentionner les travaux d'Alan dans la révision de 1939 de l'*Encyklopädie der mathematischen Wissenschaften*. Il lui fallait ce genre de reconnaissance officielle pour se rendre compte qu'il s'était vraiment passé quelque chose. De son côté, Alan ne dédaignait pas de se servir de sa mère comme secrétaire. Il essaya même de lui expliquer la logique mathématique et les nombres complexes, mais il rencontra alors un échec cuisant.

Au printemps 1939, il donna son premier cours à Cambridge. Il commença avec quatorze étudiants de maîtrise, et « l'assistance va sans doute baisser à mesure que le trimestre avancera », écrivit-il. Il dut pourtant en rester un certain nombre, car il lui fallut préparer des sujets pour l'examen de juin. L'une des questions posées était de donner une preuve du résultat des *Nombres calculables*. Alan dut trouver un certain plaisir à poser, lors d'un examen de 1939, la même question que Newman avait présentée comme insoluble quatre ans seulement auparavant.

Parallèlement, Alan suivait l'enseignement de Wittgenstein sur les fondements des mathématiques. Quoique portant le même titre que les cours qu'il donnait lui-même, la teneur en était radicalement différente. Turing enseignait le jeu d'échecs de la logique mathématique ; il montrait à partir de quel ensemble d'axiomes, le plus précis et le plus étroit possible, commencer, pour les faire ensuite s'épanouir suivant le système exact des règles à l'intérieur même des structures des mathématiques ; puis il mettait en avant les limites techniques d'une telle procédure. La réflexion de Wittgenstein, elle, portait essentiellement sur la philosophie des mathématiques.

La méthode de Wittgenstein ne ressemblait à aucune autre. Tout d'abord, les inscrits devaient s'engager à assister à toutes les séances. Alan enfreignit un jour cette règle et il se fit sévèrement réprimander : il avait manqué le septième cours, vraisemblablement pour s'être rendu à Clock House lors du neuvième anniversaire de la mort de Christopher Morcom. Ils n'étaient pas moins de quinze – dont Alister Watson – à suivre les trente et une heures de cours de Wittgenstein. Alan trouvait Wittgenstein extrêmement bizarre et se souvenait que, lors d'un entretien qu'il lui avait accordé à Princeton, le professeur s'était soudain levé en disant qu'il devait aller méditer dans une autre pièce sur ce qui venait d'être dit.

Ils avaient le même type de physique : rude, spartiate, campagnard et négligé (même si Alan restait fidèle à ses vestons sport alors que le philosophe leur préférait des vestes de cuir), et partageaient un même sérieux, une même concentration dans le travail. Ni l'un ni l'autre ne pouvaient être classés selon leurs positions sociales (Wittgenstein, alors âgé de cinquante ans, venait juste d'être nommé professeur de philosophie à la place de G. E. Moore), dans la mesure où ils ne ressemblaient à personne et avaient tous deux un environnement mental particulier. Seuls les problèmes fondamentaux les intéressaient réellement, même s'ils prenaient ensuite des voies différentes. Mais le destin de Wittgenstein était de loin le plus complexe. Issu d'une richissime famille autrichienne, il avait distribué toute sa fortune, passé des années à travailler comme instituteur de village et vécu seul une année entière dans une hutte norvégienne. Et, même si

Alan pouvait être considéré comme un fils de l'Empire, la maison Turing avait peu à voir avec le palais Wittgenstein.

Wittgenstein s'interrogeait sur les liens qui unissaient les mathématiques au « monde du langage ordinaire ». Ainsi, qu'avaient en commun les « preuves » échiquéennes des mathématiques pures et les preuves au sens de « la preuve de la culpabilité de Lewy est qu'il se trouvait sur les lieux du crime en tenant un pistolet à la main » ? Comme se plaisait à le répéter Wittgenstein, la *connexion* n'était jamais évidente. Les *Principia Mathematica* se contentaient de déplacer le problème : il fallait toujours qu'on s'entende sur le sens du mot « preuve », sur la signification des symboles, leur interprétation et sur leurs calculs. Quand Hardy affirmait que 317 était premier, *parce que c'était comme ça*, que voulait-il dire ? Cela signifiait-il simplement que les gens continueraient d'être d'accord tant qu'ils effectueraient correctement leurs additions ? Comment pouvait-on être sûr que les règles étaient « justes » ? La technique de Wittgenstein consistait à poser des questions qui plaçaient des mots comme *preuve, infini, nombre* ou *règle* dans un contexte quotidien pour montrer que cela pouvait conduire à des absurdités. Et Alan, seul mathématicien en activité du cours, semblait devoir porter la responsabilité de tout ce que ses confrères avaient jamais dit ou fait, ce qui le contraignait à défendre de son mieux les constructions abstraites des mathématiques pures contre les assauts répétés de Wittgenstein.

En particulier une discussion s'était développée entre eux quant à la structure d'ensemble de la logique mathématique. Wittgenstein voulait montrer qu'entreprendre de créer un système logique automatique et étanche n'avait rien à voir avec ce qu'on entend d'habitude par vérité. Il visait le fait que pour n'importe quel système logique, une seule contradiction, et surtout une autocontradiction, autoriserait la démonstration de *n'importe quelle* proposition.

WITTGENSTEIN : Pensons au cas du Menteur. Les choses fonctionnent ainsi : si un homme dit « je mens », nous disons qu'il s'ensuit qu'il ne ment pas d'où il s'ensuit qu'il ment et ainsi de suite. Bien, et alors ? Vous pouvez poursuivre ainsi jusqu'à la congestion. Pourquoi pas ? Peu importe… C'est juste un jeu de langage inutile, et pourquoi ne provoquerait-il pas l'excitation ?

TURING : Ce qui est intriguant c'est qu'on utilise habituellement une contradiction comme un critère pour avoir fait quelque chose d'erroné, dans ce cas vous ne pouvez rien rencontrer d'erroné.

WITTGENSTEIN : Oui – et plus : rien d'erroné n'a été fait… et d'où viendra le mal ?

TURING : Le mal effectif ne se produira pas, sauf s'il y a une application, un pont peut s'écrouler ou quelque chose de ce type.

WITTGENSTEIN : La question est : Pourquoi les gens sont-ils effrayés par les contradictions ? On comprend facilement pourquoi lorsqu'il s'agit d'ordres, de descriptions, etc., *en dehors* des mathématiques. Pourquoi seraient-ils effrayés par les contradictions internes aux mathématiques ? Turing dit que « quelque chose peut-être erroné dans l'application. » Mais il ne se produit pas nécessairement quelque chose d'erroné. Et si jamais cela arrive – si le pont s'écroule –, alors votre faute est l'utilisation d'une loi de la nature erronée…

TURING : Vous ne pouvez pas avoir confiance dans l'application de vos calculs avant d'avoir vérifié qu'ils ne contiennent pas une contradiction cachée.

WITTGENSTEIN : Il me semble qu'il y a dans ce raisonnement une énorme faute … Supposons que je convainque Rhees du paradoxe du Menteur et qu'il dise : « Je mens et donc je ne mens pas, donc je mens et je ne mens pas, donc il y a une contradiction, donc 2 × 2 = 369. » Bien, nous n'appellerons pas cela une « multiplication », c'est tout…

TURING : Bien que vous ne sachiez pas que le pont tombera s'il n'y a pas de contradictions, néanmoins il est presque certain que s'il y en a quelque chose tournera mal.

WITTGENSTEIN : Rien n'a encore tourné de cette façon.

Alan ne se laissait pas convaincre. Pour n'importe quel mathématicien pur, ce qui demeurait la beauté du sujet, c'était que quoi qu'on dise de sa signification, le système restait serein, auto-consistant, autolimité. Cher amour des mathématiques ! Monde sûr et certain où rien ne pouvait tourner mal, aucun ennui se produire, aucun pont s'écrouler. Si différent du monde de 1939.

Alan ne mena pas ses recherches sur le problème de Skewes jusqu'à leur terme. Il jugea le manuscrit truffé d'erreurs[e], et cessa de fréquenter ce dernier. Il continuait ses recherches sur les zéros de la fonction Dzéta de Riemann. La partie théorique – la découverte et la justification d'une nouvelle méthode de calcul de la fonction Dzéta – se termina au début du mois de mars et fut prête à être publiée. Mais il restait encore à affronter toute la partie des calculs proprement dits. À ce sujet, il y avait eu un rebondissement. Malcolm MacPhail avait écrit à propos du multiplicateur électrique :

« Comment ton université est-elle équipée en batteries de stockage et en matériel utilisable pour ta machine ? Ce serait dommage que tu sois contraint de la modifier. J'espère que tu ne te trouves pas trop à l'étroit pour pouvoir travailler. Au fait, si tu as besoin d'un peu d'aide cet automne, n'hésite pas à demander à mon frère. Je lui ai parlé de ta machine et de son fonctionnement. Il est très enthousiasmé par ta façon de représenter des diagrammes électriques, ce qui m'a plutôt surpris. Tu sais à quel point les ingénieurs ont tendance à être vieux jeu. »

Son frère, Donald MacPhail, suivait des études d'ingénierie mécanique à King's. Le multiplicateur ne faisait aucun progrès, mais Donald faisait désormais partie du projet de machine de la fonction Dzéta.

Alan n'était pas seul à se préoccuper de calcul mécanique en 1939. Les idées et les initiatives se multipliaient, reflétant sans doute la poussée des nouvelles industries électriques. Plusieurs projets voyaient le jour aux États-Unis. Il y avait par exemple l'« analyseur différentiel » conçu en 1930 par l'ingénieur américain Vannevar Bush, à l'Institut de technologie du Massachusetts. Cet appareil pouvait produire des analogies physiques de certaines équations différentielles, type même d'un problème du plus haut intérêt tant en physique qu'en ingénierie. Un physicien britannique, D. R. Hartree, avait construit une machine similaire à partir de pièces de Meccano à l'université de Manchester. Un autre analyseur différentiel fut ensuite mis en service à Cambridge, où la faculté de mathématique avait créé, en 1937, un nouveau laboratoire pour l'abriter. L'un des camarades « B-star » d'Alan de

1934, le spécialiste des mathématiques appliquées M. V. Wilkes, intégra son équipe.

Un tel engin n'aurait été d'aucune utilité dans le cas de la fonction Dzéta. Les analyseurs différentiels ne pouvaient simuler qu'un seul type de système mathématique bien précis, et dans une mesure limitée et très approximative. De la même façon, la machine de la fonction Dzéta de Turing serait strictement limitée à ce problème encore plus spécifique. Elle n'aurait aucun lien avec sa machine universelle. On disait même qu'elle pouvait difficilement être moins universelle. Le 24 mars, Alan demanda à la Royal Society des fonds pour en assurer la construction, et, sur leur questionnaire, il répondit :

« Cette machine n'aura que peu de valeur à long terme. On pourra éventuellement lui assigner des calculs similaires pour une gamme plus étendue de t^1, et lui soumettre d'autres problèmes en lien avec la fonction Dzéta. Je ne vois pas à quoi elle pourrait servir d'autre. »

C'est Hardy et Titchmarsh qui furent chargés de juger du bien-fondé de sa demande, et ils lui accordèrent les 40 livres requises. Même si la machine ne pouvait exécuter de manière très précise les calculs visés, elle pourrait localiser les endroits où la fonction Dzéta prenait une valeur proche de zéro, ce qui permettait alors d'approfondir manuellement les calculs autour des points repérés. Selon Alan, les calculs manuels seraient ainsi réduits de 50 pour cent au moins et l'opération tout entière deviendrait beaucoup plus amusante.

La machine à prévoir les marées de Liverpool utilisait un système de poulies et de cordes afin de créer un équivalent physique du problème mathématique de l'addition d'ondes. Il s'agissait de mesurer la longueur de la corde lorsqu'elle s'enroulait autour des poulies pour obtenir la somme totale recherchée. Un système similaire fut d'abord envisagé pour la fonction Dzéta, puis fut abandonné. On opta à la place pour un système de roues dentées tournant sur elles-mêmes afin de simuler les fonctions circulaires requises. L'addition s'effectuerait alors non en mesurant des longueurs mais en pesant des poids. Il y aurait en fait trente séquences à additionner, chacune étant simulée par la rotation

---

1. C'est-à-dire pour observer encore plus de zéros de la fonction Dzéta.

d'une seule roue dentée. Trente poids devaient être fixés aux roues correspondantes, pas trop près de leur centre, de sorte que les moments des poids varieraient à la façon des ondes, à mesure que les roues tourneraient. Le total serait effectué en équilibrant les effets combinés des poids grâce à un seul contrepoids.

Les fréquences des trente ondes requises se répartissaient dans les logarithmes des entiers allant jusqu'à 30. La représentation de ces quantités irrationnelles par des roues dentées exigeait qu'elles soient approchées par des fractions. Ainsi, par exemple, la fréquence déterminée par le logarithme de 3 était représentée dans la machine par des roues donnant un rapport[1] de 34 × 31 / 57 × 35. Cela exigeait quatre roues dentées présentant respectivement 34, 31, 57 et 35 dents pour qu'elles puissent s'entraîner les unes les autres et que l'une des quatre assume le rôle de générateur de l'« onde ». Certaines des roues pouvaient servir deux ou trois fois, ce qui permettait de n'avoir que 80 roues au lieu de 120 en tout. Chacune des roues dentées était ingénieusement disposée en groupes, engrenée et montée sur un axe central qui permettait de les mettre toutes en marche en actionnant une seule grande poignée. Il fallait donc que les roues dentées soient fabriquées avec la plus grande précision pour que l'ensemble puisse fonctionner.

Donald MacPhail fit un plan détaillé du projet qui porte la date du 17 juillet 1939, mais Alan ne le laissa pas s'occuper de la partie mécanique de l'opération. Il préféra essayer de s'en charger lui-même, et sa chambre se mit à ressembler à un véritable capharnaüm.

Ses amis étaient impressionnés, et tout particulièrement Kenneth Harrison. Ce dernier savait pertinemment que les spécialistes de mathématiques pures travaillaient dans un univers de symboles et non avec des accessoires. La machine semblait entrer en contradiction avec le discours d'Alan. Ce qui était particulièrement remarquable en Angleterre, un pays où il n'existait aucune tradition universitaire de pointe en ingénierie, contrairement à la France, à l'Allemagne et aux États-Unis (avec Vannevar Bush, par exemple). Une telle incursion dans le monde physique risquait de susciter nombre de plaisanteries condescendantes au sein du milieu universitaire. Pour Turing, cette machine illustrait le fait

---

1. Il se servait de logarithmes en base 8, de sorte que son rapport avoisinait $\log_8 3$.

qu'il était impossible de répondre à toutes les questions uniquement avec les mathématiques. Il travaillait sur les problèmes cruciaux de la théorie des nombres et apportait sa pierre à l'édifice. Ce n'était pas suffisant. La formalisation des mécanismes de l'esprit, les questions de Wittgenstein, le multiplicateur électrique et, à présent, cette succession de roues d'engrenage... tout cela laissait supposer des liens entre l'abstrait et le physique. Ce n'était pas de la science, ni des « mathématiques appliquées », mais une sorte de logique appliquée, un domaine qui n'avait pas encore de nom.

Tout doucement, il grimpait dans la hiérarchie de Cambridge. Au printemps 1940, on lui demandait de reprendre ses cours sur les fondements des mathématiques, payés cette fois-ci à plein tarif, soit 50 livres. Il est évident qu'en temps normal, il aurait pu espérer être nommé très vite à un poste universitaire qui lui aurait assuré de pouvoir finir ses jours à Cambridge. La situation du moment en décida autrement.

Dès le mois de mars, la Tchécoslovaquie tombait sous le contrôle allemand. Le 31 mars, le gouvernement britannique assura son soutien à la Pologne et s'engagea à défendre les frontières d'Europe de l'Est, tout en excluant l'Union soviétique, déjà promue au rang de deuxième puissance industrielle mondiale.

L'objectif premier était de tenter de dissuader l'Allemagne, puisque la Grande-Bretagne était dans l'incapacité de porter assistance à son nouvel allié. Celle-ci ne semblait pas non plus pouvoir être d'une grande utilité au Royaume-Uni. Pourtant, déjà en 1938, la Pologne avait laissé entendre qu'elle détenait des informations sur Enigma. Dillwyn Knox s'y était alors rendu pour négocier, et était revenu les mains vides, assurant que les Polonais étaient tous des imbéciles et qu'ils ne comprenaient rien. La nouvelle alliance avec la Grande-Bretagne et la France changeait les données du problème. Le 24 juillet, des représentants britanniques et français participèrent à une conférence à Varsovie et en rapportèrent cette fois ce qu'ils voulaient.

Un mois plus tard, tout avait changé à nouveau et l'alliance anglo-polonaise était devenue plus difficile que jamais. En terme de services de renseignements, l'Angleterre n'avait guère progressé en un an. Un nouveau poste d'interception avait bien été créé à St Alban, mais il y avait toujours une pénurie terrible de récepteurs radio, malgré les suppliques répétées de la GC & CS depuis 1932.

Les kiosques à journaux annonçaient le pacte entre Ribbentrop et Molotov quand Alan partit passer une semaine à Bosham avec Fred Clayton et leurs deux réfugiés pour y faire du bateau. Les deux garçons, qui n'avaient jamais navigué, n'avaient guère confiance en la compétence de leurs tuteurs et se relayaient pour monter la garde de crainte de ne pas rentrer à temps. Bob avait l'impression d'être entre les mains du « boiteux guidant l'aveugle » tandis que Fred s'inquiétait plus de la tournure affective que prenaient ces vacances, Alan ne cessant de le taquiner en lui assurant, à tort, qu'après deux trimestres passés à Rossall, un garçon ne pouvait rester vierge.

Ils poussèrent un jour le bateau jusqu'à Hayling Island et débarquèrent pour voir les avions de la RAF alignés sur l'aérodrome militaire. Il en aurait fallu davantage pour impressionner les deux garçons. Quoi qu'il en soit, le soleil déclina, la marée se retira et leur bateau resta coincé dans la vase. Ils durent l'abandonner puis traverser l'île à pied à la recherche d'un bus, les jambes couvertes d'une carapace de boue qui leur donnait, selon Karl, l'allure de soldats chaussés de hautes bottes noires.

C'était à Bosham que le roi Knut avait montré à ses conseillers que, malgré ses pouvoirs, il lui était impossible de contenir la marée. La maigre rangée d'avions chargés de repousser les bombardiers ennemis ne rassura pas davantage en cette belle soirée d'août. Qui donc aurait pu deviner que ce yachtman maladroit et dégingandé qui pataugeait, jambes nues, dans la boue en souriant d'un air gêné à deux jeunes Autrichiens embarrassés, allait aider la Grande-Bretagne à remporter la guerre navale ?

Les dés étaient maintenant jetés. Alan ne donnerait pas ses cours en 1940. En fait, plus jamais il ne retournerait au monde rassurant des mathématiques pures. Les plans de Donald MacPhail ne se concrétiseraient jamais et les roues dentées en cuivre continueraient de reposer au fond de leur valise. D'autres roues plus puissantes se mettaient en marche : celles d'Enigma bien sûr, mais aussi celles des tanks. La phase d'intimidation était terminée. Il fallait se rendre à l'évidence, le plan n'avait pas fonctionné. Hitler s'était pourtant trompé : cette fois, les Britanniques n'allaient pas faillir à leur devoir. Le Parlement veillerait à ce que le gouvernement tienne parole et la guerre se ferait dans l'honneur.

Cela ressemblait beaucoup à ce que Shaw avait prophétisé en 1920 dans *En remontant à Mathusalem* :

« Et à présent nous attendons, des canons monstrueux dressés dans chacune de nos villes et dans chacun de nos ports, d'immenses avions prêts à s'élancer dans les airs et à larguer leurs bombes, chacune en mesure d'anéantir une rue entière, que l'un d'entre vous, messieurs, auréolé de son impuissance, nous annonce, à nous qui le sommes tout autant, que nous sommes de nouveau en guerre. »

Pourtant, ils n'étaient pas si impuissants qu'ils le paraissaient. Le 3 septembre à onze heures, Alan se trouvait dans sa chambre de Cambridge avec Bob pour écouter Chamberlain parler à la radio. Tandis que son ami Maurice Pryce s'engageait dans la physique concrète des réactions en chaîne, Alan se lançait dans l'autre voie du secret : la logique. Cela n'aiderait en rien la Pologne, mais cela allait lui permettre d'être en prise directe avec le monde concret à un point qui dépasserait ses rêves les plus fous.

IV

La course de relais

« Glissant par-dessus tout, à travers tout,
La Nature, le Temps, l'Espace,
Comme le navire qui avance sur l'eau,
Voyage maritime de l'âme – pas la vie seulement,
La Mort aussi, les multiples morts sont mon chant[1]. »

Dès le lendemain, le 4 septembre, Alan rejoignit la GC & CS. Celle-ci avait entre-temps été évacuée dans le manoir victorien de Bletchley Park. Bletchley était une petite ville d'une tristesse ordinaire, mais elle se situait au centre géométrique de l'Angleterre intellectuelle, là où la ligne de chemin de fer de Londres bifurquait pour Oxford ou Cambridge. Le manoir se dressait au nord-ouest de la jonction ferroviaire, sur une petite colline surplombée par une vieille église et qui donnait sur les toits de tuile de la vallée.

Les trains croulaient sous les 17 000 petits Londoniens qu'on évacuait vers le Buckinghamshire. La population de Bletchley avait augmenté de vingt-cinq pour cent. « Personne n'aurait

1. « Glissant par-dessus tout » de *Feuilles d'herbe*, traduction de Jacques Darras, éditions Grasset et Fasquelle, 1989, 1994, révisée par Jacques Darras pour les éditions Gallimard, collection Poésie, 2002.

accepté de loger ceux qui revenaient, déclara un conseiller d'arrondissement. Ils ont bien fait de rentrer au bercail. » Dans ces circonstances, l'arrivée de quelques gentlemen choisis de la GC & CS passa relativement inaperçue. On raconta cependant l'anecdote du jeune garçon, qui s'exclama en voyant le professeur Adcock arriver en gare : « J'arriverai à déchiffrer votre écriture secrète, monsieur ! » Plus tard, néanmoins, certains résidents se plaignirent de ces « bons à rien » qui occupaient les meilleurs hôtels de la région. Alan logeait au Crown Inn de Shenley Brook End, un minuscule hameau à cinq kilomètres au nord de Bletchley Park, où il se rendait chaque jour à vélo. Sa logeuse, Mme Ramshaw, faisait partie de ceux qui se plaignaient que ces jeunes gens pleins de santé ne remplissent pas leur devoir au front. Alan donnait parfois un coup de main au bar.

Lors des premiers jours à Bletchley, ils réaménagèrent une salle de professeurs qui avaient été contraints, par suite de quelque catastrophe domestique, de dîner en compagnie de collègues d'une autre faculté, s'efforçant bravement de ne pas se plaindre. Un très net parfum de King's College imprégnait l'atmosphère, avec la vieille garde composée de Knox, Adcock et Birch, et les nouveaux qu'étaient Frank Lucas, Patrick Wilkinson et Alan lui-même. L'expérience d'Alan dans Cambridge de Keynes lui offrit une entrée en matière avec Dillwyn Knox, qui ne passait pourtant pas pour quelqu'un d'accessible. La GC & CS n'était en aucun cas une grande organisation. Le 3 septembre, Denniston écrivit au Trésor :

« Cher Wilson,
Depuis quelques jours, nous sommes contraints de recruter sur notre liste d'urgence des enseignants que le ministère des Finances a accepté de payer au tarif de 600 livres par an. Veuillez trouver ci-joint une liste de ceux que nous avons déjà appelés, avec la date de leur incorporation. »

Alan n'était pas le premier, car, d'après la liste de Denniston, neuf autres « enseignants » étaient arrivés à Bletchley la veille de son entrée en fonction avec sept de ses collègues. L'année suivante, la GC & CS engagea encore une soixantaine de personnes. Ces nouveaux effectifs multipliaient par quatre le personnel militaire affecté au décryptage et doublaient pratiquement le nombre des spécialistes britanniques du déchiffrement. Seules trois personnes parmi ces recrues avaient une formation scientifique : Alan, W. G. Welchman et John Jeffries – qui mourut de la tuberculose au début de l'année 1941. Gordon Welchman était professeur de mathématiques à Cambridge depuis 1929 et avait six ans de plus qu'Alan. Son travail portait sur la géométrie algébrique, branche des mathématiques alors très représentée à Cambridge mais qui n'avait jamais attiré Alan ; leurs chemins ne s'étaient donc pas encore croisés.

Welchman, contrairement à Alan, n'avait pas eu de lien avec la GC & CS avant la guerre ; il se trouva délégué par Knox à l'analyse de la structure des indicatifs allemands, des fréquences, etc. Ce travail s'avéra extrêmement utile et Welchman ne tarda pas à hisser cette tâche, ingrate au départ, à un tout autre niveau. Il fut bientôt possible d'identifier les différents systèmes clés d'Enigma. Cela se révélera très important par la suite car la GC & CS put avoir une vision beaucoup plus globale de ce qui pouvait être entrepris. Seulement personne ne pouvait encore décrypter les messages proprement dits. Seul un petit groupe dirigé par des civils au service des trois corps d'armée se battait contre Enigma. D'abord composé de Knox, Jeffries, Peter Twinn et Alan, il s'était installé dans les écuries du manoir, rebaptisées le « cottage », pour travailler sur les idées fournies au dernier moment par les Polonais.

En 1939, le travail de n'importe quel employé au chiffre, même s'il exigeait un certain savoir-faire, était des plus ennuyeux. Le chiffre était la conséquence directe des communications par radio. Elles étaient devenues l'outil indispensable des opérations militaires navales, aériennes ou terrestres, et un message radio adressé à une personne pouvait être entendu par tous. Il convenait donc de déguiser les messages, non pas un par un comme le faisaient les espions ou les contrebandiers, mais en codant l'ensemble du système de communications. Ce qui entraînait des erreurs, des limitations, et surtout des heures de travail laborieux pour chaque message. C'était la seule solution.

Les codes utilisés dans les années 1930 ne s'appuyaient pas sur des systèmes mathématiques très complexes, mais sur des méthodes assez simples d'addition et de substitution. L'« addition » n'était pas une idée très nouvelle puisque Jules César l'avait déjà utilisée. Il remplaçait par la troisième lettre de l'alphabet suivant celle de son texte, ainsi A devenait D, etc. Les lettres formaient donc une boucle puisque Y se tranformait en B, par exemple.

Deux mille ans plus tard, cette idée d'addition modulaire suivant un nombre fixe était devenue trop simple, mais la méthode en elle-même continuait d'être utilisée. Au lieu d'un nombre fixe, on employait une suite variable de nombres qui formait la clé du code et devait être ajoutée au message.

En principe, les mots du message étaient d'abord transcrits en nombres suivant un code standard. Le travail du chiffreur consistait à prendre son texte codé, disons :

6728 5630 8923, puis de prendre la « clé », par exemple :

9620 6745 2397, et de produire le texte surchiffré :

5348 1375 0210 par addition modulaire.

Il fallait, évidemment, que le récepteur légitime du message connaisse la clé afin de pouvoir retrouver sans peine le texte codé. Un « système » permettant de convenir à l'avance d'une clé était donc nécessaire.

On pouvait ainsi utiliser le principe du code unique, l'une des idées les plus astucieuses et les plus simples de la cryptographie des années 1930. La clé devait être écrite explicitement en deux exemplaires, un pour l'expéditeur et un pour le destinataire de la transmission. L'argument en faveur de la sécurité de ce système était le suivant : comme la clé était élaborée à partir d'un procédé absolument aléatoire – en retournant des cartes à jouer ou en jetant des dés –, le déchiffreur ennemi ne possédait aucun élément sur lequel s'appuyer. Si l'on prend par exemple le texte surchiffré « 5673 », un spécialiste pourra penser que le texte codé est en réalité « 6743 » et que la clé est donc « 9930 », ou bien que le texte codé est finalement « 8442 », et par conséquent que la clé est « 7231 » ; mais il n'aura aucun moyen de vérifier ses suppositions ni aucune raison de préférer une solution à une autre. Cet argument ne tenait donc que si la clé était rigoureusement aléatoire et uniformément répartie sur les chiffres utilisables, sinon le spécialiste pouvait facilement privilégier une solution. Le travail du décrypteur, comme celui du scientifique d'ailleurs, consistait principalement à découvrir un système à ce qui en semblait dépourvu.

La méthode britannique mettait en service des carnets de clés-blocs qu'on devait utiliser un par un. Les clés étant aléatoires, les pages ne pouvant servir qu'une seule fois et les carnets n'étant jamais divulgués, la sécurité était absolue. Toutefois cela impliquait la fabrication d'une quantité colossale de clés. Cette lourde tâche revint sans doute aux Jeffries, ces dames de la Construction Section de la GC & CS qui fut évacuée non à Bletchley mais au Mansfield College d'Oxford, dès le début de la guerre. Quant au système en place, ce n'était pas non plus une partie de plaisir. Malcolm Muggeridge, écrivain britannique employé aux services secrets, le trouvait laborieux :

« Je n'étais pas vraiment doué pour ce genre de chose. Tout d'abord, il fallait soustraire des groupes de nombres du télégramme, d'autres groupes issus d'une liste prétendument à usage unique. Ensuite, il fallait vérifier ce que le résultat obtenu signifiait dans le livre de code. Toute erreur dans la soustraction, ou, pire, dans les groupes soustraits réduisait tout ce travail à néant. J'en ai bavé, m'embrouillant plus d'une fois, étant alors obligé de reprendre à zéro... »

Il existait un autre procédé de chiffrement fondé sur l'idée de « substitution ». Dans sa forme la plus simple, c'était la même technique que celle utilisée dans les casse-tête, ou lors des chasses au trésor de Princeton. À une lettre de l'alphabet correspondait une autre lettre déterminée à l'avance. Par exemple :

ABCDEFGHIJKLMNOPQRSTUVWXYZ
KSGJTDAYOBXHEPWMIQCVNRFZUL

de sorte que TURING devenait VNQOPA. Mais un chiffre si sommaire était relativement facile à briser en déterminant la fréquence des lettres, les mots les plus communs et ainsi de suite. De plus, il était peu adapté à des applications militaires. En 1939, on se servait aussi de codes légèrement plus élaborés, dont la seule complexité résidait dans l'utilisation de plusieurs substitutions alphabétiques suivant un ordre de rotation, ou tout autre schéma simple. Les quelques manuels et recueils de cryptographie qui existaient étaient consacrés pour une grande part à ces genres de chiffres « polyalphabétiques ».

Légèrement plus complexe, un procédé, au lieu de substituer des lettres simples, prenait les 676 combinaisons possibles de paires de lettres. La marine marchande britannique de l'époque utilisait un système de ce type combiné avec l'utilisation d'un code.

Le chiffreur devait d'abord transcrire le message en suivant le code de la marine marchande, ce qui donnait :

Texte :	*Texte chiffré :*
Arrivée à	VQUW
14	CFUD
40	USGL

L'étape suivante exigeait un nombre pair de rangées, de sorte que le chiffreur devait ajouter un mot intrus pour y arriver, par exemple :

Balloon	ZJVY

Le codage était alors terminé. Il ne restait plus, pour surchiffrer, qu'à prendre la première paire verticale de lettres, ici VC, pour la remplacer par la paire correspondante figurant sur une table spéciale. La table en question donnait une nouvelle paire, disons « XX ». Il fallait alors continuer ainsi jusqu'à la fin du message.

L'enjeu était, qu'avec ce genre de chiffre, il fallait que le destinataire sache quelle table de substitution le chiffreur avait employée. Si ce dernier lui avait indiqué en tête de message qu'il s'agissait de la « table numéro 8 », par exemple, il aurait permis à l'analyste ennemi de rassembler les transmissions chiffrées avec la même table, ce qui lui aurait facilité la tâche. Il fallait donc faire appel à un autre subterfuge. Le chiffreur faisait précéder le message proprement dit d'une suite de huit lettres, « BMTVKZMD » par exemple, figurant sur une liste dont était également muni son correspondant, ce qui permettait à ce dernier de déterminer quelle table était utilisée.

Cette règle simple illustrait une idée très générale. En cryptographie appliquée, il y avait d'habitude une partie du message transmis qui n'était pas porteuse du texte lui-même mais d'instructions nécessaires à son déchiffrement. Ces éléments dissimulés à l'intérieur du texte s'appelaient des indicateurs. Les systèmes de carnets de clés-blocs eux-mêmes impliquaient l'introduction d'indicateurs, ne fût-ce que pour donner au destinataire le numéro de la page utilisée. En fait, à moins que tout n'ait été fixé à l'avance d'une manière très détaillée et immuable ne laissant aucune place à l'ambiguïté, il devait obligatoirement figurer quelque part dans le texte certaines formes d'indicateurs.

Alan, qui pensait au moins depuis 1936 à « un type de code ou de chiffre le plus général », avait sans doute été frappé par la similitude entre ce mélange d'instructions et de données à l'intérieur d'une transmission, et le fonctionnement de sa « machine universelle » qui décodait d'abord les « index » pour retrouver l'instruction, puis qui appliquait cette instruction au contenu du ruban. Tout système de chiffrement pouvait être considéré comme un « procédé mécanique » compliqué, donc comme une machine de Turing possédant les règles de l'addition ou de la substitution, mais aussi celles permettant de trouver, d'appliquer et de communiquer la méthode de chiffrement proprement dite. Une bonne cryptographie résidait dans la création d'un ensemble bien défini de règles et non dans la production de tel message particulier. Aussi, un déchiffrement sérieux consistait à reconstruire l'intégralité du processus mécanique suivi par les chiffreurs, et ce grâce à une analyse de toute la masse de signaux.

Le chiffre utilisé par la marine marchande britannique n'était peut-être pas très sophistiqué, mais il respectait les limites de ce qui pouvait être pratiqué manuellement sur des navires ordinaires. Si l'on voulait envisager des chiffres plus complexes, l'usage de machines à chiffrer et à déchiffrer devenait indispensable.

De ce point de vue, Britanniques et Allemands menaient une guerre symétrique puisque chacun utilisait des machines similaires. Pratiquement toutes les communications radio officielles des Allemands étaient chiffrées par Enigma, alors que l'État britannique s'appuyait, peut-être moins totalement, sur Typex. Cette machine servait dans toute l'armée, RAF comprise. Le Foreign Office et l'Amirauté conservaient leurs propres systèmes manuels fondés sur des livres. Enigma comme Typex traitaient mécaniquement les opérations élémentaires d'addition et de substitution en les poussant à un niveau de complexité peu accessible. Elles n'effectuaient rien qui n'aurait pu être fait avec les tables, et elles permettaient de travailler beaucoup plus vite et avec plus de précision.

L'existence de ces machines n'était pas un secret. Tout le monde était au courant. Du moins, tous ceux qui avaient reçu en prix l'édition de 1938 de *Récréations mathématiques et problèmes des temps anciens et modernes* de Rouse Ball. Dans l'un de ses chapitres, Abraham Sinkov, un cryptanalyste de l'armée américaine, y dénigrait toutes ces grilles désuètes, le chiffre de Playfair, et ainsi de suite, mais signalait également que :

« Ces derniers temps, des recherches considérables ont été menées dans le but d'inventer des machines destinées au chiffrage et au déchiffrage automatique des messages. La majeure partie d'entre eux utilisent des systèmes polyalphabétiques périodiques. »

Un chiffre polyalphabétique « périodique » fait appel à une séquence de substitutions alphabétiques qu'il répète en boucle.

« Les machines les plus récentes sont électriques, et, généralement, la séquence utilisée est extrêmement longue. Elles sont nettement plus rapides et précises que les méthodes manuelles. On peut même les associer à des appareils de transmission ou d'impression, de sorte à pouvoir conserver un enregistrement du message chiffré transmis. Le destinataire peut alors traduire le message automatiquement. Jusqu'à présent, il s'agit de méthodes cryptanalytiques, et les systèmes de chiffrement employés par certains de ces appareils sont pratiquement insolubles. »

La machine Enigma de base ne présentait rien de mystérieux non plus. Elle avait été présentée au public en 1923, juste après son invention, et était vendue dans le commerce et utilisée par les banques. En 1935, les Anglais avaient conçu Typex en apportant certaines modifications à la machine Enigma de base. Les Allemands, eux, l'avaient perfectionnée beaucoup plus tôt et l'avaient transformée en un modèle, non commercial, considérablement plus efficace.

Cela ne signifiait pas que l'Enigma allemande à laquelle Alan devait maintenant s'attaquer était en avance sur son temps, ni même qu'elle était à la pointe de la technique en cette fin des années 1930. Sa seule caractéristique moderne était qu'elle fonctionnait électriquement : toute une série de substitutions alphabétiques s'effectuaient automatiquement par câbles électriques (fig. 1). Mais une machine Enigma ne servait dans un état déterminé que pour chiffrer une seule lettre, puis le rotor extérieur pivotait d'un cran, créant un nouvel ensemble de connexions entre les entrées et les sorties (fig. 2).

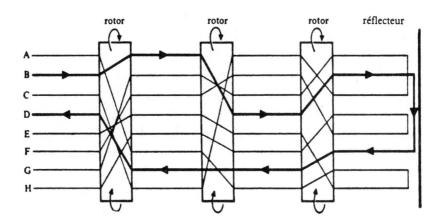

L'Enigma de base

Pour simplifier, le diagramme a été conçu avec un alphabet réduit à 8 lettres alors qu'Enigma travaillait sur un alphabet standard de 26 lettres. Il montre l'état de la machine à un moment précis de son utilisation. Les lignes tracées correspondent aux lignes électrifiées. Un simple système de commutateur placé à l'entrée permet, en appuyant sur une touche (disons la touche B), de faire passer un courant (indiqué sur le diagramme par un trait gras) qui allume une ampoule située sur le panneau d'affichage de sortie (en l'occurrence, sous la lettre D). Pour une hypothétique Enigma à 8 lettres, l'état suivant de la machine serait :

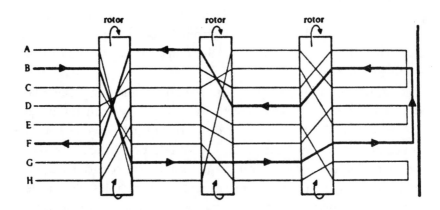

Dans le cas d'une Enigma normale à 26 lettres, il y avait 26 × 26 × 26 soit 17 576 états possibles des rotors. Ceux-ci étaient essentiellement enclenchés comme dans n'importe quel compteur ou machine à additionner : le rotor central pivotait d'un cran quand le premier avait accompli un tour complet, et le dernier rotor pivotait d'un cran quand le rotor du milieu avait terminé sa révolution. Le « réflecteur », lui, ne bougeait pas puisqu'il s'agissait en fait d'un ensemble fixe de lignes reliant les sorties au rotor intérieur.

L'Enigma pouvait donc être considérée comme polyalphabétique, avec une période de 17 576, ce qui n'était pas non plus un nombre extraordinairement élevé. En fait, il aurait fallu un livre de la taille d'un registre pour y inscrire l'ensemble des alphabets possibles. Le mécanisme ne représentait pas, en lui-même, un saut à un nouveau niveau de sophistication. Dans la vieille édition de 1922 de son livre, Rouse Ball émettait déjà un avertissement, qu'Alan avait étudié :

« Pour chiffrer, on a souvent recommandé l'utilisation d'instruments capables de varier constamment et automatiquement. Mais le risque est que ces derniers pourraient tomber entre de mauvaises mains. Des chiffres tout aussi bons peuvent être obtenus sans l'aide de ces appareils mécaniques, et je ne crois pas qu'il soit judicieux de recommander leur utilisation. »

En outre, ce qui avait été fait par une machine pouvait d'autant plus facilement être défait par une autre. La complexité interne d'Enigma, aussi impressionnante qu'elle puisse paraître, était sans grande valeur, à moins qu'elle puisse créer un système de chiffrement impossible à percer même par un ennemi en possession d'une copie de la machine. Sinon, elle ne servait qu'à donner une fausse impression de sécurité.

Dans sa conception technique, Enigma n'était pas non plus particulièrement avancée. Le chiffreur qui l'utilisait devait repérer quelle lettre s'était allumée et la noter. Il n'y avait, en effet, ni imprimante ni transmissions automatiques, et celles-ci devaient se faire laborieusement en morse. Loin d'être une arme de la guerre éclair moderne, cette machine exigeante faisait appel à une technologie pas tellement plus avancée que celle de l'ampoule électrique.

241

Du point de vue du déchiffreur, cependant, l'archaïsme du système importait peu. Ce qui comptait, c'était la description logique de la machine – exactement comme avec une machine de Turing. Tout ce qu'il y avait de remarquable dans Enigma était contenu dans sa « table », c'est-à-dire dans la liste de ses « états » et de ses comportements à chaque « état ». Et d'un point de vue purement logique, l'action d'Enigma, pour tout état donné et déterminé, était caractérisée par une propriété très spéciale. Une propriété symétrique inhérente à la nature « réfléchissante » de la machine. Pour toute Enigma et à n'importe quel état, il était vrai que si A chiffré donnait E, au même état, le chiffrement de E donnait A. Les alphabets de substitution résultant d'un état d'Enigma correspondaient toujours à des permutations.

Concernant l'hypothétique machine à huit lettres dans l'état indiqué dans le premier diagramme, la substitution serait :

En clair : ABCDEFGH

En crypté : EDGBAHCF

Pour la machine dans l'état indiqué dans le second diagramme, ce serait :

En clair : ABCDEFGH

En crypté : EFGHABCD

On pourrait ainsi retranscrire les permutations : (AE) (BD) (CG) (FH) dans le premier cas, et (AE) (BF) (CG) (DH) dans le second.

Une telle propriété présentait un avantage pratique : le déchiffrement était équivalent à l'opération de chiffrement. Le destinataire du message n'avait qu'à régler sa machine de la même façon que l'expéditeur, puis à y entrer le texte chiffré pour obtenir le texte en clair. Il était inutile de placer la machine Enigma sur un mode « chiffrement » ou « déchiffrement », ce qui évitait bien des erreurs et des confusions. Un tel avantage s'accompagnait d'une réelle faiblesse car les substitutions ainsi pratiquées ne permettaient pas qu'une lettre puisse être utilisée pour se coder elle-même.

On parle là du modèle de base Enigma, la machine effectivement employée par les militaires étant bien plus complexe. Tout d'abord, les trois rotors n'étaient plus immuables mais pouvaient être interchangés. Jusqu'à la fin de l'année 1938, il n'y avait que trois rotors disponibles, et donc une combinaison de six dispositions possibles. De cette manière déjà, la machine proposait un total de 6 × 17 576 = 105 456 substitutions alphabétiques différentes.

Il fallait évidemment que les rotors portent une marque extérieure permettant d'identifier leurs positions respectives. Chacun d'entre eux était entouré d'une bague portant les 26 lettres, si bien que grâce à la lettre qui apparaissait dans la petite lucarne placée en haut de la machine, on pouvait déterminer la position du rotor correspondant. Cependant, la position de la bague pouvait être changée chaque jour par rapport aux lignes électriques. On pouvait considérer que celles-ci étaient numérotées de 1 à 26 tandis que les positions de la bague, apparaissant dans la lucarne, étaient marquées de A à Z. La fixation de la bague déterminait par conséquent sa place exacte sur le rotor, avec par exemple G en position 1, H en position 2, etc.

Il entrait donc dans les attributions du chiffreur de positionner la bague, puis de se servir des lettres de celle-ci pour définir la position des rotors. Pour le décrypteur, cela impliquait que, même s'il connaissait la position du rotor, il ne pouvait pas savoir ce qu'on appelait, à Bletchley, la position du noyau – la véritable position physique du câblage électrique. Celui-ci ne pouvait être déduit que si l'on connaissait aussi la position de la bague. Cependant, le spécialiste pouvait arriver à déterminer les positions relatives du noyau. Ainsi, les positions K et M correspondaient à des positions du noyau décalées d'un cran. Si K se trouvait en position 9, alors M serait forcément en position 11.

Mais la principale complication était l'adjonction d'un tableau de connexions. C'était ce qui distinguait surtout l'Enigma militaire de son modèle commercial et ce qui avait tant dérouté les spécialistes anglo-saxons. Ce tableau permettait d'accomplir automatiquement une nouvelle permutation de lettres avant l'entrée dans les rotors et après la sortie. Il s'agissait techniquement de brancher des lignes équipées de prises à chaque bout, sur un tableau de connexions de 26 trous, un peu comme des lignes téléphoniques sur un standard. Il suffisait de monter astucieusement les liaisons électriques et d'utiliser des fils doubles pour que le tour soit joué. Jusqu'à la fin de 1938, les Allemands se contentaient souvent de ne brancher que six ou sept paires de lettres de cette manière.

Ainsi, si l'on imagine que les rotors et le réflecteur étaient positionnés de telle manière qu'ils donnaient la substitution suivante :

ABCDEFGHIJKLMNOPQRSTUVWXYZ
COAIGZEVDSWXUPBNYTJRMHKLQF

et que les fils du tableau de connexions étaient prêts à relier les paires :

(AP) (KO) (MZ) (IJ) (CG) (WY) (NQ),

le fait de presser la touche A renvoyait par l'intermédiaire du tableau de connexions à P qui, une fois passé dans les rotors, donnait N qui repassait à son tour par le tableau de connexions pour aboutir à Q.

Grâce à l'utilisation symétrique du tableau de connexions avant et après le passage du courant dans les rotors, le caractère auto-inverse de l'Enigma de base était préservé, de même que l'impossibilité de coder une lettre en elle-même. Si le chiffrement de A donnait Q, le chiffrement de Q produisait forcément A si la machine demeurait dans le même état interne.

Mais le tableau de connexions avait pour effet d'accroître considérablement le nombre des états possibles de la machine puisqu'on avait ainsi 1 305 093 289 500 manières différentes de relier sept paires de lettres sur le tableau pour chacun des 6 × 17 576 états des rotors.

Les autorités allemandes pensaient sans doute que ces apports avaient rendu l'Enigma proche de la sécurité absolue. Pourtant, quand Alan arriva à Bletchley le 4 septembre, les Polonais venaient de communiquer aux Britanniques les méthodes qui leur permettaient de déchiffrer les messages d'Enigma depuis déjà sept ans, alors que le matériel technique n'était arrivé à Londres que le 16 août.

Tout d'abord, et c'était là une condition *sine qua non*, les Polonais avaient pu déterminer le câblage électrique utilisé pour les trois rotors. Une telle découverte constituait en 1932, donc en temps de paix, une réussite impressionnante. Elle avait été rendue possible grâce aux services secrets français qui avaient obtenu un exemplaire des instructions d'utilisation de la machine pour les mois de septembre et d'octobre 1932. Ces derniers avaient ensuite transmis ces informations aux Polonais et aux Britanniques. Les services polonais avaient alors l'avantage de compter trois mathématiciens dynamiques dans leur équipe et ceux-ci furent les seuls capables de déchiffrer le document pour en déduire les câblages utilisés.

Grâce à une bonne dose d'intuition et à l'utilisation de la théorie des groupes à un niveau élémentaire, ils purent produire le câblage des rotors et la structure du réflecteur. Il ne fut pas évident d'établir la manière dont les lettres sur le clavier étaient connectées au mécanisme de chiffrement. Elles auraient pu être reliées de façon complètement désordonnée afin d'introduire un élément de complexité supplémentaire. Mais ils constatèrent qu'Enigma n'utilisait pas cette propriété. Les lettres du rotor étaient dans l'ordre alphabétique. Concrètement, c'était comme s'ils étaient parvenus à obtenir un exemplaire de la machine, du moins logiquement si ce n'était physiquement, et étaient donc en mesure de l'utiliser.

Les Polonais avaient pu parvenir à ces résultats grâce à la manière très particulière dont la machine était utilisée. Ils ne furent en effet capables de progresser sur Enigma qu'en exploitant toutes les possibilités de la méthode d'utilisation allemande de la machine. Ils avaient vaincu le système.

Pour se servir d'une telle machine Enigma, le principe fondamental était que ses rotors, ses bagues et son tableau de connexions soient installés d'une certaine manière, puis que le message soit encodé tandis que les rotors pivotaient automatiquement. Néanmoins, pour que tout cela soit efficace, il fallait que le destinataire connaisse lui aussi l'état initial. C'était d'ailleurs le problème essentiel de tout système de chiffrement. La machine ne suffisait pas ; il fallait qu'il y ait également une « méthode définie » établie entre expéditeur et destinataire pour l'utiliser. Les Allemands préféraient que le chiffreur détermine partiellement l'état initial de la machine au moment de l'utilisation, ce qui impliquait inévitablement l'adjonction d'indicateurs. Ce détail aida considérablement les Polonais.

Pour être explicite, l'ordre des trois rotors était indiqué par écrit, de même que le tableau de connexions et la position des bagues. Il restait donc au chiffreur à choisir le dernier élément, soit le positionnement initial des trois rotors. Cela revenait à sélectionner trois lettres, disons « WHJ ». Ces trois lettres étaient alors elles-mêmes chiffrées par la machine. Il y avait à cet effet un positionnement de base qui figurait sur les instructions écrites du jour. Cette opération, comme l'ordre des rotors, le tableau de connexions et le positionnement des bagues, était commune à tous les opérateurs travaillant sur le réseau. Si l'on imagine que le positionnement de base était « RTY », le chiffreur devait alors régler son Enigma sur la position correspondante. Puis il devait chiffrer deux fois la position des rotors qu'il avait choisie. Il encodait ainsi « WHJWHJ », ce qui donnait, disons, « ERIONM », ce qu'il transmettait alors avant de placer ses rotors sur « WHJ » pour chiffrer son message. La force de ce système tenait au fait que chaque message, après les six premières lettres, était encodé sur une position différente. Sa faiblesse était que tous les opérateurs du réseau pouvaient un jour utiliser le même état interne de leur machine pour les six premières lettres de leurs messages. Pire encore, ces six lettres représentaient toujours le chiffrement d'un triplet répété, et c'est cet élément de répétition que les spécialistes polonais furent en mesure d'exploiter.

Ceux-ci établissaient chaque jour, à partir de leurs interceptions radio, une liste de ces suites de six lettres initiales. Ils savaient qu'ils finiraient par y trouver un schéma répétitif. En effet, quand, dans un quelconque message, la première lettre était A et la quatrième lettre était R, ils voyaient bien que dans un autre message le cas de figure était le même. Avec un nombre suffisant de messages, ils pouvaient reconstituer une table complète, par exemple :

1re lettre : ABCDEFGHIJKLMNOPQRSTUVWXYZ
4e lettre : RGZLYQMJDXAOWVHNFBPCKITSEU

Il y avait ainsi deux autres tables reliant l'une la deuxième à la cinquième lettre, et l'autre la troisième à la sixième lettre. Il y avait plusieurs manières de tirer de cette information l'état interne de la machine Enigma d'où étaient sorties toutes ces suites de six lettres. Mais nous relèverons tout particulièrement une méthode qui faisait pendant au travail mécanique du chiffreur en utilisant une forme d'analyse mécanisée.

L'équipe polonaise rédigea ces tables de paires de lettres sous forme de cycles, ce qui était monnaie courante dans la théorie des groupes élémentaires. Pour donner à la relation définie ci-dessus la forme d'un cycle, il convenait de commencer avec la lettre A, puis de noter que A était lié à R. Puis que R était lié à B, B à G, G à M, M à W, W à T, T à C, C à Z, Z à U, U à K et enfin que K était lié à A, ce qui donnait un « cycle » complet : (A R B G M W T C Z U K). La relation intégrale pouvait être transcrite comme étant le produit de quatre cycles :

(A R B G M W T C Z U K) (D L O H J X S P N V I) (E Y) (F Q)

Les spécialistes avaient remarqué que les longueurs de ces cycles (en l'occurrence 11, 11, 2, 2) étaient indépendantes du tableau de connexions. Elles ne dépendaient que de la position des rotors. Le tableau de connexions, lui, déterminait quelles lettres apparaissaient dans les cycles, mais pas combien. La position des rotors laissait donc une empreinte sur le message chiffré, ou, plus exactement, trois empreintes : la longueur des cycles de chacune des trois tables des liaisons de lettres.

Ainsi, s'ils possédaient un dossier complet des empreintes de la longueur des cycles – trois pour chaque position des rotors –, il leur suffisait de chercher dans le dossier pour déterminer la position des rotors utilisée pour les six premières lettres. L'ennui était qu'il y avait 6 × 17 576 positions possibles des rotors à recenser. Nos spécialistes polonais y arrivèrent en construisant une petite machine électrique qui incorporait des rotors Enigma et fut à même de produire automatiquement les ensembles de nombres requis. Il leur fallut un an pour ficher toutes les combinaisons possibles, à la suite de quoi le travail de détective se trouva complètement automatisé. En vingt minutes, la combinaison de longueurs de cycles qui réglait le chiffrement des messages de la journée était identifiée. On pouvait alors en déduire la position des rotors lors de l'encodage des six lettres indicatrices, ce qui permettait de trouver le reste et de décrypter tous les messages du jour.

La méthode ne manquait pas d'élégance mais présentait l'inconvénient de s'appuyer entièrement sur le système des indicateurs. Elle ne fit pas long feu. Les Allemands modifièrent tous leurs systèmes, à commencer par l'Enigma de la marine.

« À la fin du mois d'avril 1937, quand les Allemands modifièrent les indicateurs de la marine, on dut se contenter de ne déchiffrer qu'*a posteriori* les transmissions navales effectuées entre le 30 avril et le 8 mai 1937. Cette faible réussite ne laissa aucun doute : le nouveau système d'indicateurs procurait à la machine Enigma un degré de sécurité nettement plus élevé... »

Le 15 septembre 1938, tandis que Chamberlain s'envolait pour Munich, un plus grand désastre survint. Les Allemands modifièrent tous leurs systèmes. Il ne s'agissait que d'un changement mineur, mais, en une seule nuit, aucun cycle catalogué n'était plus utilisable.

Dans le nouveau système, le réglage de base n'était plus fixé à l'avance. Il était désormais choisi par le chiffreur, qui devait par conséquent le communiquer au destinataire de la plus simple des manières, en la transmettant telle quelle. Ainsi, l'employé pouvait choisir « AGH », puis régler les rotors sur « AGH ». Il sélectionnait ensuite un nouveau réglage, disons « TUI ». Il chiffrait alors « TUITUI », ce qui donnait par exemple « RYNFYP ». Il transmettait donc « AGHRYNFYP » comme indicateur, suivi du message lui-même, chiffré avec les rotors en position « TUI ».

Pour sa sécurité, cette méthode dépendait du changement quotidien du réglage des bagues, sinon les trois premières lettres (« AGH », dans cet exemple) trahiraient l'ensemble du système. À charge pour l'analyste, désormais, de déterminer ce réglage des bagues, commun à toutes les transmissions du réseau. Étonnamment, les spécialistes polonais furent en mesure de rebondir grâce à une nouvelle sorte d'empreinte qui permit de découvrir ce réglage de bague, c'est-à-dire de trouver la position de base qui correspondait à l'annonce en clair du réglage des rotors, donc « AGH ».

Comme avec la précédente méthode, il était possible de constituer une empreinte en analysant l'ensemble du trafic, et en exploitant l'élément de répétition dans les six dernières lettres parmi les neuf qui composaient l'indicateur. Sans réglage de base commun, il n'y avait plus de correspondance fixe entre la première et la quatrième, la seconde et la cinquième, et la troisième et la sixième. Mais il demeurait des vestiges de cette idée. Il arrivait parfois que la première et la quatrième lettre étaient les mêmes – ou la seconde et la cinquième, ou la troisième et la sixième.

Pour une raison inconnue, ce phénomène fut surnommé « une femelle ». Ainsi, supposons que « TUITUI » était effectivement chiffré « RYNFYP », cette répétition du « Y » était alors une femelle. Cela donnait une légère indication sur l'état des rotors lorsque l'on souhaitait chiffrer « TUITUI ». Pour que la méthode soit efficace, il fallait rassembler suffisamment d'éléments de ce type afin de pouvoir déduire cet état.

Plus précisément, on disait d'une position de base qu'elle avait une « femelle » si le chiffrement de cette lettre donnait le même résultat trois lettres plus loin. Ce n'était pas un phénomène rare, et cela ne se produisait en moyenne qu'une fois sur vingt-cinq. Certaines positions de base (environ quarante pour cent) avaient la propriété de posséder au moins une lettre femelle. Cette propriété n'était pas dépendante du tableau de connexion, même si l'identité de la lettre femelle l'était.

Les analystes repéraient facilement toutes les lettres femelles au fil des transmissions du jour. Ils ignoraient les positions de base qui les avaient générées, mais, grâce à la divulgation en clair des réglages des rotors, comme « AGH » dans notre exemple, ils connaissaient les positions de base « relatives ». Les femelles créaient un motif. Et, comme seuls quarante pour cent environ des positions de base avaient des femelles, ces motifs ne pouvaient correspondre à leur distribution connue que d'une seule manière.

Il était en revanche impossible de cataloguer à l'avance tous les motifs possibles, comme cela avait pu être le cas auparavant. Mais il y avait d'autres moyens, même s'ils étaient plus sophistiqués. La méthode qu'ils décidèrent d'employer faisait appel à des cartes perforées. C'était tout simplement des tables répertoriant toutes les positions de base sur lesquelles, au lieu d'écrire « possède une femelle » ou « ne possède pas de femelle », il y avait soit un trou, soit rien. En principe, on aurait pu construire chaque jour une gigantesque table et établir un modèle à partir des motifs de femelles qu'ils avaient observés au fil des transmissions. En comparant le modèle à la table, ils auraient fini par trouver une position où les trous correspondaient. Toutefois cette méthode n'était pas suffisamment efficace. Ils préférèrent donc empiler les tables de positions de base, échelonnées de manière à correspondre avec les positions relatives des femelles observées.

Il y avait alors « correspondance » de motif quand la lumière passait au travers de toutes les feuilles. L'avantage de ce système échelonné était qu'il devenait possible d'examiner simultanément 676 possibilités. C'était encore un travail fastidieux qui requérait 6 × 26 opérations pour une recherche complète. Elle nécessitait également la création de cartes perforées listant les 6 × 17 576 positions de base. Pourtant, ils parvinrent à obtenir des résultats en seulement quelques mois.

Ils imaginèrent aussi d'autres méthodes. Le système de cartes perforées nécessitait le repérage d'environ dix femelles dans les transmissions. Ils découvrirent un système qui n'en requérait que trois. Il fallait cette fois non seulement relever l'existence d'une femelle, mais aussi la lettre de cette femelle dans le texte chiffré. Il était essentiel, pour que la méthode fonctionne, que ces lettres se trouvent parmi celles qui n'étaient pas affectées par le tableau de connexion. Puisqu'en 1938, le tableau de connexion n'était utilisé que pour six ou sept paires de lettres, cette contrainte n'était pas particulièrement compliquée.

Le principe de cette méthode consistait à faire correspondre les motifs observés de trois lettres femelles aux propriétés des positions de base. Pour autant il était impossible de cataloguer toutes les lettres femelles des 6 × 17 576 positions avant d'entamer des recherches, même avec des feuilles échelonnées. Les possibilités étaient trop nombreuses. Ils préférèrent donc opérer de manière radicalement différente. Ils procéderaient au coup par coup, sans constituer de catalogue. Un tel travail devait néanmoins être mécanisé. Dès novembre 1938, les Polonais avaient réussi à construire six machines – une pour chaque ordre des rotors – qui furent très vite baptisées « Bombes » en raison du tic-tac sonore qu'elles produisaient.

Ces Bombes exploitaient les circuits électriques d'Enigma en repérant électriquement les bonnes associations de trois « femelles » données. Le simple fait qu'Enigma soit une machine rendait la cryptanalyse mécanique possible. L'idée primordiale était d'avoir relié six exemplaires de l'Enigma de base, de sorte que le circuit puisse se refermer dès qu'il tombait sur les trois femelles. Les positions de base relatives de ces six machines étaient déterminées par les réglages relatifs des femelles, de la même manière que sur les cartes échelonnées. En conservant ces positions relatives, les Enigma étaient en mesure d'explorer toutes les positions possibles. Une recherche complète pouvait s'effectuer en deux heures, ce qui signifiait que l'on pouvait tester plusieurs positions par seconde. Il s'agissait d'une méthode bête et méchante, qui se contentait d'essayer sans réfléchir toutes les possibilités à la chaîne. Elle n'avait aucune subtilité algébrique. Pourtant, elle permit de faire entrer la cryptanalyse dans le XXe siècle.

Malheureusement pour les analystes polonais, les Allemands conservaient quelques longueurs d'avance, et à peine cette méthode électromécanique fut-elle au point qu'une nouvelle complication la rendit de nouveau obsolète. En décembre 1938, les Allemands firent passer le nombre des rotors d'Enigma de trois à cinq. Ce n'étaient plus six mais soixante possibilités d'ordres des rotors que les décrypteurs devaient maintenant affronter. Les Polonais ne baissèrent pas les bras et parvinrent à établir de nouveaux câblages, notamment grâce aux erreurs cryptographiques des services de sécurité allemands, le SD. Le calcul était simple. Il ne leur fallait plus six Bombes, mais dix fois plus. Il ne leur fallait plus six jeux de cartes perforées, mais soixante. C'était devenu trop pour eux, et ils se trouvaient au point mort lorsque les délégations françaises et britanniques arrivèrent à Varsovie en 1939. Les Polonais n'avaient pas les moyens techniques d'aller plus loin.

Voilà, résumé, l'ensemble des informations dont Alan prit connaissance. Malgré cet arrêt brutal, les Polonais restaient très en avance sur les Anglais, qui n'avaient pas réellement progressé depuis 1932. Ces derniers s'étaient révélés incapables d'effectuer les câblages, et n'avaient pas remarqué que le clavier était relié au premier rotor de façon élémentaire. Comme les analystes polonais, ils estimaient qu'à ce stade, la machine subirait de nouvelles transformations et furent étonnés que ce ne soit pas encore le cas. Jamais la GC & CS n'avait songé à « la création d'une machine ultrarapide destinée à contrer Enigma avant la réunion de juillet 1939 ». On pouvait parler d'un certain manque de volonté. Ils n'avaient ni vraiment voulu réfléchir, ni vraiment voulu savoir. Maintenant qu'ils avaient franchi cet obstacle, ils se retrouvaient confrontés au problème que les Polonais avaient jugé insoluble :

« Lorsque la GC & CS reçut les divers documents des Polonais – et notamment le câblage des rotors –, il lui fut rapidement possible de déchiffrer les anciens messages dont les Polonais avaient découvert la clé, mais les plus récents demeuraient indéchiffrables. »

Tout comme les Polonais, ils ne disposaient pas de suffisamment de Bombes ni de cartes perforées pour le modèle d'Enigma à cinq rotors. Par ailleurs, à partir du 1er janvier 1939, les chiffreurs allemands ne branchèrent pas moins de dix paires sur le tableau de connexions, ce qui rendait les Bombes polonaises absolument inutiles. Pourtant le problème fondamental était encore ailleurs. Les méthodes principalement exploitées par les Polonais dépendaient toutes du système spécifique des indicateurs utilisés. Il fallait trouver autre chose, et c'est là qu'Alan joua son premier grand rôle.

Les spécialistes britanniques entreprirent aussitôt de fabriquer les soixante séries de cartes perforées nécessaires pour exploiter la première méthode des « femelles », ce qui conduisait désormais à examiner un million de configurations des rotors. Et ils devaient savoir que si jamais le système des neuf lettres indicatrices venait à être modifié, ne fût-ce que légèrement, tout cela deviendrait inutile. Il leur fallait absolument trouver une méthode plus générale, quelque chose qui ne dépendait pas exclusivement du système des indicateurs.

De telles méthodes existaient, mais étaient seulement applicables aux appareils qui fonctionnaient sans tableau de connexions : l'Enigma dont se servaient les Italiens, par exemple, ou celle qu'avait utilisée l'armée de Franco durant la guerre civile espagnole et dont le système avait été élucidé par la GC & CS en avril 1937. Il y avait entre autres la méthode intuitive que Sinkov appelait celle « du mot probable ». Le décrypteur devait deviner un mot figurant dans le message et déterminer sa place exacte. Ce n'était pas impossible, compte tenu de la nature stéréotypée de la plupart des communications militaires et du fait qu'aucune lettre ne pouvait jamais être codée en elle-même avec Enigma. Une fois que l'on connaissait le câblage électrique des rotors Enigma, le repérage d'un seul mot permettait au décrypteur d'identifier sans peine sa position de départ du premier rotor.

De tels procédés pouvaient être appliqués manuellement. Il était en principe possible d'employer des moyens mécaniques puisqu'un million de positions possibles des rotors ne constituaient pas encore un « nombre incroyablement élevé ». Suivant l'exemple de la Bombe polonaise, une machine pouvait simplement passer en revue toutes les positions possibles jusqu'à ce qu'elle en trouve une qui transforme le texte chiffré en texte clair, identifiable.

Dans les schémas suivants, nous oublierons les détails de l'Enigma de base et considérerons celle-ci comme une simple boîte à transformer une lettre d'entrée en une lettre de sortie. L'état de la machine est représenté par trois nombres suivant la position des rotors. (Nous ignorerons également le problème de la mobilité des rotors central et interne et les supposerons fixes ; dans la pratique, cela changerait tout, mais le principe demeure le même.)

Supposons maintenant que l'on soit sûr que UILKNTN soit la forme codée du mot GENERAL par une Enigma dépourvue de tableau de connexions. Cela implique qu'il existe une position des rotors telle que U soit transformé en G, puis telle que la position suivante transforme I en E et la suivante encore fasse d'un L un N. Il n'y a en principe aucun obstacle à chercher parmi toutes les positions possibles des rotors jusqu'à trouver cette position particulière.

entrée

6.16.11

sortie

Le moyen le plus efficace serait de considérer les sept lettres simultanément. On pourrait y arriver en installant une série de l'Enigma dont les rotors seraient en positions consécutives. On entrerait respectivement les lettres UILKNTN et on attendrait de voir sortir les lettres GENERAL. Sinon, toutes les Enigma avanceraient pas à pas et le procédé serait répété. Au bout du compte, la bonne position des rotors serait trouvée et l'état des machines apparaîtrait, par exemple, comme suit :

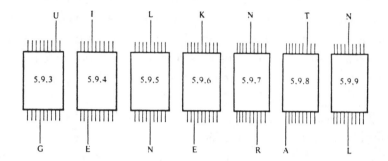

Un tel procédé n'exige pas de technique plus avancée que celle de la Bombe polonaise ; il serait assez aisé de brancher des lignes permettant à un courant électrique de passer dès que les sept lettres correspondraient au mot GENERAL et d'arrêter les machines.

Une telle idée semblait donc assez accessible. Contemporain d'Alan, le physicien d'Oxford R. V. Jones, qui était devenu conseiller scientifique des services secrets, fut envoyé à Bletchley fin 1939. Il parla des problèmes du décryptage avec Edward Travis, adjoint de Denniston, et Travis posa le problème très ambitieux du repérage automatique, non d'un texte particulier, mais de la langue allemande en général. Jones proposa aussitôt plusieurs solutions qu'Alan trouva d'ailleurs intéressantes. L'une d'elles consistait à :

« marquer ou perforer une feuille ou un film dans la position parmi vingt-six qui correspondait à la lettre sortant de la machine… et de passer le résultat obtenu sous une batterie de cellules photoélectriques, de sorte que l'on puisse compter le nombre d'occurrences de la lettre recherchée. Après avoir obtenu un résultat, il est possible de comparer la fréquence d'apparition des lettres avec celle de la langue appropriée, qui aurait pu être déterminée d'après une sorte de modèle ».

Travis présenta Jones à Alan, qui « aima cette idée ». Cependant, avec Enigma, la méthode principale devait continuer de s'appuyer sur un morceau connu de texte décodé. La difficulté, bien sûr, résidait en ce que l'Enigma militaire était équipée d'un tableau de connexions, ce qui rendait un procédé aussi naïf absolument impossible : il y avait en effet maintenant 150 738 274 937 250 manières possibles d'associer dix paires de lettres. On ne pouvait pas espérer d'une machine qu'elle les passe toutes en revue.

Mais un nombre, aussi élevé soit-il, ne saurait décourager un spécialiste sérieux. En soi, augmenter une valeur n'était aucunement une garantie contre les attaques. Ceux qui parvenaient à résoudre des messages codés dans les pages de jeux des magazines parvenaient sans le savoir à éliminer 403 291 461 126 605 635 584 000 000 possibilités de substitutions alphabétiques sauf une[1]. C'était possible uniquement parce que la lettre « E » revenait sans cesse alors que le couple « AO » se trouvait très rarement, et ainsi de suite, ce qui permettait d'éliminer tout de suite une grande quantité de possibilités.

On voit bien que le simple nombre des tableaux de connexions ne constitue pas en soi un problème si l'on considère une machine entièrement hypothétique où l'on ne procéderait à une permutation par tableau de connexions qu'avant le chiffrement par Enigma. Imaginons que, pour une telle machine, on soit certain que FHOPQBZ corresponde au chiffrement de GENERAL.

Il serait une fois encore possible d'entrer les lettres FHOPQBZ dans sept Enigma consécutives, puis d'examiner les lettres de sortie. Or on ne peut plus espérer cette fois-ci voir apparaître les lettres GENERAL puisqu'elles auront été permutées par un tableau de connexions inconnu. Il reste néanmoins quelque chose à faire. Supposons qu'à un point donné de l'examen de toutes les positions des rotors, la structure apparaisse comme suit :

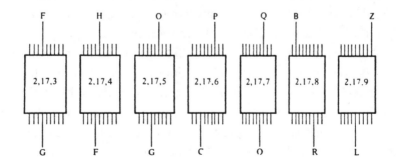

---

1. C'est-à-dire 26 ! C'est aussi le nombre de câblages possible pour chaque rotor d'Enigma.

On peut alors se demander si les lettres GFGCORL peuvent ou non être obtenues à partir de GENERAL au moyen de permutations d'un tableau de connexions. Dans l'exemple ci-dessus, la réponse est non dans la mesure où aucune permutation ne pourrait transformer le premier G en G et le second G en N ; où aucune permutation ne pouvait changer le premier E en F et le second en C. En outre, aucune permutation ne pouvait changer le R de GENERAL en O pour ensuite changer le A en R. Chacune de ces observations suffit à éliminer cette position particulière des rotors.

On peut donc aborder ce problème sous l'angle de la cohérence. Une fois entré le texte chiffré dans les Enigma, la sortie est-elle cohérente avec le texte identifiable en ce qu'elle n'en diffère que grâce aux permutations ? De ce point de vue, les correspondances (OR) et (RA) ou (EF) et (EC) sont contradictoires. Et sur cette machine hypothétique, une seule contradiction suffit à éliminer tous les milliards de tableaux de connexions possibles. Les grands nombres sont significatifs au regard des propriétés logiques du système d'encodage.

La découverte primordiale était qu'on pouvait employer une méthode similaire pour la véritable Enigma militaire dont le tableau de connexions intervenait avant et après l'entrée du message dans les rotors. Il fallut cependant du temps et les efforts conjugués de plusieurs personnes pour arriver à cette conclusion. En effet, pendant que les Jeffries s'occupaient de la production de nouvelles cartes perforées, les deux autres mathématiciens recrutés, Alan et Gordon Welchman, étaient chargés de concevoir ce qui allait devenir les Bombes britanniques.

Alan avait lancé l'offensive, Welchman ayant été assigné à l'étude des transmissions. C'est donc lui qui formula le premier le principe du traitement mécanique de la recherche d'une cohérence logique fondée sur un « mot probable ». Les Polonais étaient parvenus à traiter mécaniquement une forme simple d'identification, limitée au système spécifique des indicateurs couramment employés. Une machine telle que l'envisageait Alan était beaucoup plus ambitieuse et exigeait un circuit permettant de simuler les « implications » de telle ou telle hypothèse du tableau de connexions, ainsi que les moyens de repérer non une simple association, mais l'apparence d'une contradiction.

La Bombe de Turing

Supposons maintenant que nous sachions que les lettres LAKNQKR correspondent au chiffrement de GENERAL par une Enigma complète équipée d'un tableau de connexions. Il est inutile cette fois-ci d'essayer LAKNQKR sur des Enigma de base pour voir ce qu'il en sortirait, puisqu'il faut d'abord faire subir à ces lettres une permutation par tableau de connexions avant de les entrer dans les rotors d'Enigma. La cause n'est pourtant pas désespérée. Considérons une seule lettre, A. Le tableau de connexions ne peut avoir que 26 effets possibles sur A, aussi pouvons-nous sans peine les essayer. Nous pouvons commencer par prendre l'hypothèse (AA), c'est-à-dire que le tableau de connexions n'affecte pas la lettre A.

Dans ce qui suit, nous supposons qu'il n'y a qu'un seul tableau de connexions et que celui-ci exécute les mêmes permutations de lettres avant et après leur passage dans les rotors. (Si l'Enigma avait été équipée de deux tableaux de connexions différents, l'un pour les lettres d'entrée, l'autre pour les lettres de sortie, l'histoire eût été radicalement différente.) La méthode ci-dessous s'appuie également sur le fait que notre « support » est caractérisé par une boucle fermée. Cela apparaît plus facilement encore quand on étudie toutes les déductions que l'on peut tirer de (AA).

Passant à la deuxième lettre de la série, nous entrons A dans les rotors d'Enigma et nous obtenons à la sortie O, par exemple. Cela signifie que le tableau de connexions doit contenir la permutation (EO) :

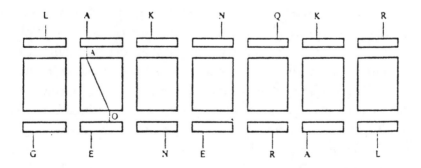

Si l'on examine maintenant la quatrième lettre, l'assertion (EO) entraînera l'implication de N, (NQ) par exemple ; la troisième lettre donnera maintenant l'implication de K ; disons (KG).

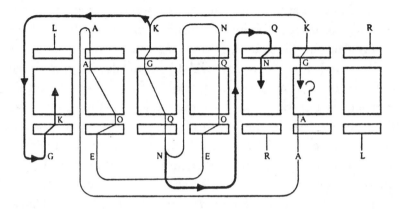

Considérons enfin la sixième lettre ; là, la boucle se referme et il y aura soit une cohérence, soit une contradiction, entre (KG) et l'hypothèse de départ (AA). S'il y a contradiction, c'est que l'hypothèse est fausse et il convient de l'abandonner.

Cette méthode était loin d'être idéale puisqu'elle dépendait rigoureusement des boucles fermées qui se trouvaient dans le « support », alors que tous les supports ne présentaient pas ce phénomène. Cependant c'était une méthode susceptible de fonctionner car l'idée de compléter un circuit fermé pouvait tout naturellement trouver une application électrique. Cela montrait bien que le nombre des tableaux de connexions ne constituait pas en soi une barrière infranchissable.

C'était un début et un premier succès pour Alan. Comme beaucoup de travaux scientifiques en période de guerre, il ne s'agissait pas tant de connaître les toutes dernières avancées du savoir que d'appliquer l'esprit de recherche de pointe à des problèmes élémentaires. Ce n'était pas ses connaissances mais plutôt sa fascination pour les machines mathématiques et pour l'idée de travailler comme une machine qui avait motivé le jeune Turing. Une fois de plus, les « contradictions » et les conditions de « cohérence » du tableau de connexions formaient un problème fini et n'avaient aucun rapport avec le théorème de Gödel, qui traitait de la variété infinie de la théorie des nombres. Toutefois, l'analogie avec la conception formaliste des mathématiques, au sein de laquelle il fallait suivre mécaniquement les implications, était encore frappante.

Dès le début 1940, Alan fut à même de matérialiser son idée par la conception d'un nouveau type de Bombe. La construction put commencer et fut menée tambour battant par Harold « Doc » Keen, à l'usine de British Tabulating Machinery de Letchworth. Celle-ci produisait des calculateurs mécaniques où des relais accomplissaient des fonctions logiques simples, comme l'addition. Il fallait maintenant que les relais jouent le rôle d'interrupteur exigé pour que la Bombe « identifie » les positions où la cohérence apparaît, et s'arrête. Une fois encore, Alan était tout désigné pour s'occuper du problème ; son expérience originale avec le multiplicateur à relais l'avait familiarisé avec les manipulations logiques qu'il convenait d'intégrer à cette sorte de machine. En 1940, personne n'était mieux placé que lui pour superviser un tel travail.

Il n'avait cependant pas imaginé quelle amélioration spectaculaire pouvait être apportée à son invention. C'est là qu'intervint Gordon Welchman. Il était arrivé dans l'équipe de décryptage d'Enigma avec un beau succès à son actif, en réinventant tout seul la méthode des cartes perforées sans rien connaître des recherches des Polonais. Ensuite, lorsqu'il put étudier le projet de la Bombe de Turing, il s'aperçut que celui-ci n'exploitait pas entièrement les faiblesses d'Enigma.

Si nous revenons à l'illustration de la Bombe de Turing, nous remarquons qu'il y a d'autres implications jusqu'alors négligées, comme le montrent les traits gras :

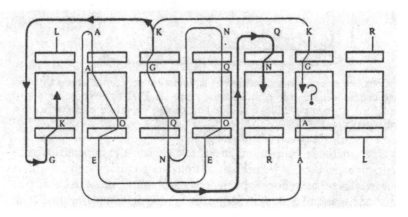

Ces implications-là diffèrent dans le fait qu'elles ne peuvent être prévues. Elles surviennent parce que (KG) signifie aussi (GK) et entraîne donc, en position 1, l'implication de L. De même, (NQ) signifie également (QN) et implique par conséquent R en position 5. Cela entraînera une nouvelle implication de L en position 7. La possibilité d'une contradiction se dessine clairement entre ces deux nouvelles implications, indépendamment de la question de la boucle se refermant en position 6. Les textes n'ont donc plus besoin de produire une boucle pour qu'une contradiction survienne de cette manière plus générale. Cette puissance de déduction plus grande dépend cependant d'un moyen automatique de passer de (KG) à (GK), et pareillement pour toutes les autres implications sans savoir à l'avance le moment ou l'endroit où ce moyen doit intervenir.

Welchman ne se contenta pas d'imaginer cette possibilité d'amélioration, il trouva rapidement comment incorporer les nouvelles implications, dans un procédé mécanique. Son idée n'exigeait qu'un circuit électrique assez simple qu'on allait bientôt surnommer le « tableau diagonal ». Le nom faisait référence à la disposition des 676 terminaux électriques en un carré de 26 sur 26, chaque terminal correspondant à une assertion comme (KG) et étant relié par des fils en diagonale de telle sorte que (KG), par exemple, soit constamment connecté à (GK). Le tableau diagonal pouvait lui-même être branché sur la Bombe de façon à obtenir l'effet désiré. On n'avait plus besoin d'interrupteur ; la succession des implications pouvait toujours se faire par un flux d'électricité pratiquement continu dans un circuit connecté.

Welchman eut du mal à croire qu'il avait réellement résolu le problème, mais un croquis grossier du câblage électrique suffit à le convaincre. Il s'empressa alors d'aller le montrer à Alan qui éprouva d'abord la même incrédulité, puis s'émerveilla de toutes les possibilités qu'une telle trouvaille ouvrait. Il s'agissait d'une amélioration vraiment spectaculaire ; il devenait inutile de courir après les boucles fermées et cela permettait donc d'utiliser moins de « supports » et d'en réduire la taille.

Ainsi dotée de ce tableau diagonal, la Bombe acquérait un pouvoir et une élégance frisant le surnaturel. Toute assertion découverte, par exemple (BL), serait réintroduite pour tout B et tout L figurant dans le texte surchiffré comme dans le texte codé une première fois. Cette multiplication par quatre du nombre des implications à chaque niveau permettait d'employer les Bombes sur n'importe quel « support » de trois ou quatre mots. Le décrypteur devrait choisir un « menu » d'environ 10 lettres dans la suite du « support » – ne comprenant pas forcément de boucle mais aussi riche que possible en lettres susceptibles de mener à des implications d'autres lettres. Cela fournissait un très sérieux état de « consistance » et éliminait des milliards d'hypothèses fausses à la vitesse de la lumière.

Le principe se rapprochait étonnamment de celui de la logique mathématique, où l'on devait essayer de tirer autant de conclusions possibles d'un ensemble d'axiomes intéressants. En outre, le processus de déduction n'était pas exempt d'une indéniable subtilité logique. Telle que nous l'avons décrite, l'opération exigeait l'examen d'une seule hypothèse de tableau de connexions à la fois. Si (AA) s'éliminait de lui-même du fait de ses propres contradictions, on passait alors à (AB) et ainsi de suite jusqu'à épuisement des vingt-six lettres de l'alphabet. C'est seulement alors que les rotors pouvaient passer à l'étape suivante et qu'il devenait possible d'étudier la nouvelle position de la même manière. Cependant Alan avait compris qu'on pouvait faire autrement.

Si (AA) se révélait faux, cela conduisait tout naturellement à (AB), (AC), etc., à mesure que l'on suivait toutes les implications. Cela signifiait que ces paires étaient également autocontradictoires et qu'il n'y avait pas besoin de les essayer toutes. Une exception survenait quand la position des rotors était effectivement correcte. En ce cas, soit l'hypothèse du tableau de connexions était elle aussi correcte et ne conduisait à aucune contradiction, soit elle se révélait incorrecte et menait à tous les énoncés du tableau de connexions sauf au bon. Cela signifiait que la Bombe devait s'arrêter quand le courant électrique avait atteint soit un seul terminal, soit 25 terminaux sur les 26 existants. C'était cet état relativement compliqué que les interrupteurs à relais devaient vérifier. Ce n'était pas du tout évident mais cela permettait au processus d'ensemble d'aller vingt-six fois plus vite. Alan insistait sur l'analogie avec la logique mathématique où une seule contradiction pouvait conduire à n'importe quelle proposition. Wittgenstein, lui, assurait que les contradictions ne causaient jamais d'ennuis à personne, mais celles-là allaient poser beaucoup de problèmes à l'Allemagne.

Si le principe logique de la Bombe était des plus simples, la construction d'une telle machine posait un bon nombre de difficultés. Pour être efficace, une Bombe devait travailler avec en moyenne un demi-million de positions de rotors par heure, ce qui signifiait que le procédé logique devait être appliqué à au moins vingt positions par seconde. C'était à la portée d'un grand central téléphonique automatique, par exemple, qui traitait un bon millier d'opérations par seconde. Sauf que, contrairement à eux, les composants de la Bombe auraient à travailler en continu et simultanément pendant des heures d'affilée tandis que les rotors devraient permuter en parfaite synchronisation.

Et même ces Bombes une fois construites, le problème d'Enigma était loin d'être résolu. Une Bombe n'allait pas se limiter au travail fourni par la méthode du « mot probable ». Car, point important : quand toutes les conditions de cohérence étaient atteintes et qu'une Bombe s'arrêtait, cela ne signifiait pas automatiquement que l'on avait découvert la bonne position des rotors. Un tel « arrêt » pouvait survenir par hasard. (Le calcul du nombre de ces « arrêts » aléatoires potentiels constituait une belle application de la théorie des probabilités.) Chaque « arrêt » devrait être testé sur une Enigma, pour vérifier que le reste du texte chiffré se transcrivait bien en langue allemande.

Ce n'était pas non plus une mince affaire que d'avoir à deviner le « mot probable » et de le faire coller au texte chiffré. En fait, un bon encodeur pouvait rendre ces opérations impossibles. La meilleure façon d'utiliser une Enigma, ou n'importe quelle machine à chiffrer, était de la mettre à l'abri d'une offensive comme celle du « mot probable » tout simplement en faisant précéder le message d'une suite variable d'absurdités, en insérant des X dans les mots longs, en utilisant une « procédure d'enfouissement » des séquences stéréotypées ou répétitives du message et en rendant généralement le système aussi imprévisible et irrégulier que possible, tout en restant compréhensible pour le destinataire légitime du message. Si un tel système était réellement appliqué, il serait impossible de repérer les « supports » précis indispensables au fonctionnement de la Bombe. Les encodeurs d'Enigma devaient faire une confiance aveugle à leur machine et ne prenaient pas toutes les précautions nécessaires, car les décrypteurs britanniques profitaient souvent de séquences régulières exploitables.

Le problème était loin d'être résolu. La guerre n'était pas gagnée pour autant : il fallait parvenir à décrypter tous les messages, et sur chaque réseau il en transitait plusieurs milliers par jour. La solution dépendait du système de chiffrement dans son ensemble. Dans un système simple d'avant-guerre, où l'on se contentait de répéter des triolets de lettres d'indicateur, il suffisait de décrypter un seul message pour pouvoir faire tomber le château de cartes, trouver le réglage de base et ainsi déchiffrer l'ensemble des transmissions. Mais l'ennemi n'était pas toujours si conciliant. De plus, il ne serait possible de deviner un mot que lorsque l'équipe serait familiarisée avec la masse des communications. La Bombe ne trouverait donc son utilité que lorsqu'on aurait déjà fait une percée.dans le flot des messages en circulation.

Concernant les signaux de l'armée de l'air allemande, la Luftwaffe, les Britanniques disposaient déjà d'une autre méthode : les cartes perforées établies pour le système des indicateurs à neuf lettres. La production des soixante séries de cartes avait été terminée en automne 1939 et on en avait fait parvenir un jeu complet aux décrypteurs français cantonnés à Vignolles. Il fallait y voir un acte d'espoir. Aucun message d'Enigma n'avait pu être décrypté depuis décembre 1938 et personne ne pouvait être sûr que ces cartes enfin terminées allaient effectivement servir à quelque chose. Cet espoir fut récompensé, car[f] :« À la fin de l'année, consigne la GC & CS, notre émissaire est revenu avec une bonne nouvelle : une clé avait été découverte (le 28 octobre, Vert)[1] sur les cartes qu'il avait apportées. Aussitôt, on se mit à travailler sur une autre clé (le 25 octobre, Vert). Ainsi, la première clé Enigma à être découverte dans ce pays en temps de guerre fut mise au jour au début du mois de janvier 1940. Les Allemands auraient-ils effectué une modification dans leur machine pour la nouvelle année ? Pendant ce temps, plusieurs

---

1. Welchman, qui avait tout d'abord travaillé sur l'identification de différents systèmes de clés, avait imaginé de leur attribuer des couleurs. « Rouge » correspondait au système destiné aux affaires courantes de la Luftwaffe ; « Vert » à l'administration intérieure de la Wehrmacht. En dépit des failles des débuts, « Vert » s'avéra être un cas où Enigma était presque inviolable car la machine était utilisée correctement.

autres clés de 1939 ont été percées. Enfin, une nouvelle journée propice se présenta… On découvrit la clé Rouge du 6 janvier. D'autres ne vont pas tarder à suivre. »

La chance leur sourit et les cartes perforées leur fournirent un premier espoir. Cela ressemblait à la chasse au trésor de Princeton, dans la mesure où tout nouveau succès donnait un indice permettant d'aller plus loin dans la rapidité et la précision du décryptage. Des méthodes particulières comme celle des cartes perforées – et il existait bien d'autres procédés algébriques, linguistiques et psychologiques – pouvaient donner naissance à des systèmes plus perfectionnés. Rien n'était jamais acquis car les règles changeaient sans cesse et il fallait aller très vite pour ne pas être définitivement distancé. Au printemps 1940, la situation était encore très précaire et seul un mélange savant d'ingéniosité et d'instinct permettait réellement de tenir. Bref, il fallait beaucoup d'intuition.

La plupart des opérations britanniques se basaient sur l'espoir. Le gouvernement, pas plus que le reste de la population, ne savait comment faire pour gagner la guerre. Il ignorait aussi ce qui se passait réellement. On aurait dit que les armées allemandes et britanniques s'étaient au bout du compte décidées à se livrer un petit combat de plus. On avait l'impression de nager en plein cauchemar.

Pour couronner le tout, la plupart des messages décryptés au prix de tant d'argent et d'efforts à Bletchley Park au mois de mars 1940 étaient des poésies enfantines qui servaient d'exercices de transmission ! La guerre avait du mal à s'imposer dans les esprits, que ce soit à Bletchley ou à Cambridge. Alan rentrait de temps en temps lors de permissions afin de travailler un peu à ses mathématiques et pour voir des amis. Des bombardements avaient été annoncés, et les universitaires avaient accepté de se réfugier dans les abris antiaériens (sauf Pigou qui refusait tout compromis avec la Luftwaffe). Mais ils n'eurent finalement pas lieu. Dès la mi-1940, les trois quarts des enfants évacués avaient regagné leurs foyers.

À Noël, pourtant, la guerre n'était toujours pas terminée. Alan s'était résolu, le 2 octobre 1939, à utiliser son droit de faire suspendre sa bourse pour la durée de la guerre et, même si son cours sur les fondements des mathématiques était toujours annoncé au programme, il se devait de ne pas le donner.

Puis il y eut la Finlande. Vers cette époque, Alan fit la connaissance d'un étudiant de troisième année, Robin Gandy, qui étudiait les mathématiques et s'efforçait le plus consciencieusement du monde de défendre la ligne du parti communiste. « Ne touchez pas à la Finlande », c'était exactement le genre de propos inconsistants qu'Alan détestait, pourtant Robin Gandy lui plut tout de suite, et, au lieu de mépriser simplement le problème, il fit subir au jeune homme un interrogatoire digne de Socrate qui lui mit le nez dans ses contradictions.

Une chose cependant était bien réelle, même pendant cette drôle de guerre, c'était les combats sur mer. Comme pendant la Première Guerre mondiale, une guerre contre la Grande-Bretagne revenait à une guerre contre l'économie commerciale du monde. Un tiers de la marine marchande mondiale était britannique, et, à part le charbon et la brique, la Grande-Bretagne importait presque tout, tandis que malgré le blocus, l'Allemagne survivait.

La guerre maritime allait donc devenir le domaine privilégié d'Alan. Début 1940, les différents systèmes Enigma étaient répartis entre les principaux décrypteurs à qui on attribua des huttes à l'extérieur du manoir de Bletchley. Welchman se chargea des systèmes Enigma de l'armée et de l'aviation dans la Hutte 6, assisté par un certain nombre de nouvelles recrues. L'une d'elles, Dillwyn Knox, s'attaqua à l'Enigma italienne[1] et à celle qu'utilisaient les SD allemands. Alan hérita de la Hutte 8, affectée aux recherches sur les signaux de l'Enigma navale. D'autres pavillons abritaient des unités de traduction et d'interprétation des données. Ainsi la Hutte 3 traitait-elle les communications de l'armée et de l'aviation en provenance de la Hutte 6, tandis que les messages en provenance de la marine étaient orientés vers la Hutte 4, dirigée par Frank Birch.

Alan ne savait probablement pas grand-chose du contexte où il se trouvait, sinon qu'il se dégageait une certaine atmosphère d'urgence, et cela valait sans doute aussi bien car la situation n'était pas des plus encourageantes. Il travaillait en fait pour

---

1. Les travaux de Knox jouèrent un rôle direct dans la bataille de Matapan, en mars 1941.

l'Amirauté, qui n'avait cédé qu'à contrecœur le décryptage des transmissions navales à la GC & CS. La Royal Navy s'attendait par tradition à une autonomie totale. Disposant de la plus importante flotte du monde, l'Amirauté pensait être capable de pouvoir assurer sa propre défense. Elle avait du mal à comprendre que la marine ne dépendait plus seulement de la force pure mais aussi de l'information, puisque canons et torpilles ne servaient pas à grand-chose s'ils n'étaient pas au bon moment au bon endroit. Les services de renseignements de la Marine étaient intégrés à une organisation que n'importe quel individu de la nouvelle génération aurait trouvée horriblement victorienne, pour ne pas dire terriblement incompétente.

Le service secret de la marine, la Naval Intelligence Division (NID), n'avait cessé de décliner depuis sa création, pendant la guerre de 1914-1918. En 1937, la NID n'était « ni intéressée, ni équipée pour recueillir ou diffuser des informations sur l'organisation, les dispositions et les mouvements des flottes étrangères. La situation n'était guère meilleure qu'en 1892. On notait à la main dans des registres les dernières positions connues des navires de guerre japonais, italiens et allemands... Ces rapports dataient souvent de plusieurs mois, et on ne communiquait à la flotte qu'une fois par trimestre les positions supposées des navires ennemis ». Le Service des mouvements de la NID (qui était constitué d'un seul employé à temps partiel) « n'était même pas abonné à la Lloyd's List, ce qui lui aurait au moins permis de connaître au jour le jour, et de façon précise, la position de tous les navires marchands du monde. Les rapports des services secrets concernant les mouvements de vaisseaux de guerre étaient pratiquement inexistants. La possibilité de localiser des navires en mer était illusoire ». Les amiraux ne semblaient pas vraiment intéressés par ce genre de choses.

En septembre 1939, un nouveau venu, Norman Denning, avait quelque peu amélioré la situation. Il avait remplacé les registres par des systèmes des fiches, établi une ligne téléphonique directe avec Lloyd et créé une « salle de suivi », dans laquelle on pouvait mettre à jour un graphique de la position des navires marchands. Sa collaboration avec la GC & CS ne fut cependant pas très concluante. Il avait en effet tendance à considérer le service de décryptage, passé sous la direction du

Foreign Office depuis la fin de la Première Guerre, comme un véritable ennemi, et il ne cessa de comploter pour sa reconquête jusqu'en février 1941.

Quoi qu'il en soit, l'entreprenant Denning avait également à son actif la création d'une sous-section du NID, l'Operational Intelligence Center (OIC), qui – événement révolutionnaire – pouvait recevoir et coordonner des informations de n'importe quelle source. À la veille de la guerre, l'OIC se composait de trente-six personnes. Ils avaient de nombreux problèmes à régler, mais le plus pressant en cette année 1939 était le manque d'informations à coordonner.

De temps à autre, un appareil de l'aviation de la défense côtière repérait un sous-marin allemand, et l'on avait réussi à persuader la RAF d'en avertir l'Amirauté. La reconnaissance aérienne se limitait à louer les services d'un pilote commercial pour prendre des photos de la côte allemande. Les informations fournies par des agents en place en Europe se faisaient plutôt rares. Les plus intéressantes provenaient d'un trafiquant de bas de soie qui avait un contact dans le service postal de la marine allemande et qui pouvait parfois livrer les adresses où certains se faisaient envoyer leur courrier, révélant ainsi quelques bribes d'indices sur leurs mouvements. Quand le *Rawalpindi* fut coulé, en novembre 1939, l'Amirauté fut incapable de déterminer ne serait-ce que la classe du navire responsable. Quant aux signaux, non seulement les messages cryptés par Enigma étaient indéchiffrables, mais la marine allemande « mit en place de nouvelles procédures de communication radio peu de temps avant l'attaque de la Pologne, mettant ainsi un terme à la possibilité de suivre ses mouvements en comparant des indicatifs d'appel avec des résultats de radiogoniométrie. Il s'écoula des mois avant que le travail de la GC & CS et de l'OIC sur le système allemand de signaux navals puisse permettre d'effectuer de vagues déductions. La première étape consista à faire la distinction entre les communications issues des sous-marins et celles provenant d'autres bâtiments. Le fait que cette avancée élémentaire n'ait pu se produire qu'à la fin de l'année 1939 en dit long sur l'étendue des lacunes de l'Amirauté en termes de renseignements ».

Jusqu'à la déclaration de guerre, la « sous-section navale de la section allemande » de la GC & CS ne comptait aucun spécialiste du décryptage. Ce n'était là que l'un des aspects de l'impossibilité de relever le défi allemand. Malgré l'aide des Polonais et la perspective de pouvoir bientôt disposer de Bombes, la situation d'ensemble restait peu brillante :

« Au début de la guerre, la GC & CS a continué à travailler sur la variante d'Enigma de la German Air Force (GAF), l'armée de l'air allemande), et lui a même donné la priorité sur les transmissions navales. Et ce pour deux bonnes raisons. Les transmissions de la GAF étaient plus volumineuses, et ceux qui travaillaient sur la version navale d'Enigma s'étaient rendu compte que la marine allemande se montrait extrêmement prudente dans son maniement. Ainsi, au début de l'année 1940, la GC & CS n'avait été en mesure de deviner ses réglages que pour cinq jours, en 1938. De plus, au début de la guerre, la machine navale, avait subi des modifications plus radicales que celle de la GAF. Au cours de l'année 1940, malgré leur petit nombre, les transmissions chiffrées de la marine allemande le confirmèrent. Même si elles employaient encore toutes les deux trois rotors, ceux de la machine navale étaient sélectionnés parmi un total de huit au lieu de cinq. »

Pour progresser, Alan avait absolument besoin de davantage d'informations. « Depuis décembre 1939, la GC & CS avait clairement fait connaître à l'Amirauté l'urgence de cette demande ; cependant l'Amirauté n'avait eu que peu d'occasions d'y satisfaire. » On était tout de même en guerre (du moins en mer) et cela signifiait que les autorités allemandes devaient garder en tête l'idée qu'une machine Enigma pouvait toujours tomber aux mains de l'ennemi. Ce qui ne tarda d'ailleurs pas à arriver. Les trouvailles polonaises n'avaient donc permis que de gagner sept mois car « trois roues d'Enigma furent confisquées à l'équipage d'un U-33 en février 1940 ». Mais cela ne leur permit guère d'avancer. Si elle était indispensable, l'acquisition d'une machine navale ne suffisait pas encore. La marine allemande était plus prudente, et ses systèmes clés étaient aussi nettement moins transparents que les triolets bêtement répétés que les Polonais n'avaient pas manqué d'exploiter. Par ailleurs, lorsque le volume de transmission se faisait plus faible, les attaques avaient moins de prise et se révélaient donc moins efficaces.

Puis la guerre navale s'étendit sur terre avec l'attaque allemande contre le front norvégien, ce qui prit les Anglais de court. La réaction anglo-française fut en outre entravée par le fait que le service de décryptage allemand, le Beobachter Dienst, lisait le chiffre de leurs messages depuis 1938. À la fin de la campagne, le commandant en chef de la flotte se plaignit. « Il est exaspérant que l'ennemi sache toujours où se trouvent exactement nos bâtiments alors que nous n'apprenons la position de ses forces principales que lorsqu'elles coulent un ou plusieurs de nos navires. » Lors de la dernière retraite de Narvik, le porte-avions *Glorious* fut coulé le 8 juin par le *Scharnhorst* et le *Gneisenau*. L'OIC ne connaissait même pas la position du *Glorious* – sans parler de celle des navires allemands – et apprit la catastrophe par une émission radio allemande qui annonçait la victoire.

C'est donc la Norvège qui plongea Bletchley Park dans la guerre. La Hutte 4 était capable d'effectuer certains décryptages qui auraient pu permettre de prévoir l'attaque du *Glorious*. Mais ces informations n'avaient pas été utilisées, et de toute manière, les conditions en Norvège étaient telles que cela n'aurait peut-être pas servi à grand-chose. L'OIC comprit qu'il leur faudrait désormais collaborer avec Bletchley. La nécessité d'un meilleur système d'information se faisait cruellement sentir. « Au début de la campagne, l'Amirauté était dans l'ignorance la plus totale. Lorsqu'elle intervint pour donner les ordres qui aboutirent à la première bataille de Narvik le 9 avril, elle le fit en croyant, d'après certains articles de journaux, qu'un seul navire allemand avait mouillé là-bas alors que l'expédition germanique sur Narvik comprenait dix destroyers. »

Dans ce contexte, par un hasard presque miraculeux, Alan se vit offrir la possibilité d'approfondir considérablement son travail sur l'Enigma navale.

« Le 26 avril, la marine britannique captura le patrouilleur allemand *VP2623* tandis qu'il se rendait à Narvik, et s'empara de quelques documents... La saisie aurait pu se révéler plus profitable si l'on s'était abstenu de piller le navire avant d'avoir pu le fouiller en règle. Aussitôt, l'Amirauté donna de nouvelles instructions destinées à empêcher toute négligence de ce style à l'avenir. En fait, à l'exception de quelques informations à propos de l'étendue des dommages subis par les principales unités allemandes durant la campagne de Norvège, les décryptages n'avaient aucune utilité opérationnelle. »

La saisie de matériel de chiffrement était prévue et autorisée. Celle d'un manuel d'instructions en feuilles de papier solubles dans l'eau fut autrement intéressante.

Au moment où l'agitation parlementaire signifiait que Winston Churchill cessait d'être responsable de tel ou tel trouble pour se charger d'un chaos plus vaste encore qu'on appela l'« effort de guerre », « les instructions données pour prévenir une négligence aussi désastreuse à l'avenir » témoignaient d'un changement tout aussi significatif. Le patrimoine d'antan ne pouvait plus suffire. Il convenait désormais de faire entrer le renseignement à tous les niveaux si l'on ne voulait pas tout perdre. Cette opposition entre la vieille et la nouvelle école allait, du côté britannique, durer tout le temps de la guerre.

Parallèlement aux travaux portant sur l'Enigma de la Luftwaffe, le succès remporté par Bletchley au début de 1940 commençait à trouver sa première utilisation militaire quand, le 1er mai 1940, les « autorités allemandes introduisirent de nouveaux indicateurs sur toutes les clés d'Enigma, excepté la Jaune[1] ». Les cartes perforées, arrivées en fin de course, ne servaient déjà pratiquement plus à rien. Par chance, il y eut des erreurs allemandes dans les quelques jours qui suivirent le changement. L'émission, par exemple, de messages codés d'abord dans le vieux puis dans le nouveau système. Une faute classique. Ainsi, dès le 22 mai, la Hutte 6 fut en mesure de percer le nouveau système (dit « Rouge »), utilisé pour les principaux messages de la Luftwaffe et put les lire ensuite pratiquement tous les jours. À ce moment-là, les Allemands arrivaient déjà à la Somme et assiégeaient Dunkerque. Bletchley ne s'était pas montré assez rapide pour révéler les intentions allemandes durant la première phase de l'attaque à l'Ouest. Effectivement, « le fait d'ignorer, pendant quinze jours, les intentions de l'ennemi était un tel problème que, dans les rapports, en haut lieu, on continuait à évoquer la guerre sous le titre "Pays-Bas et Belgique" ». Quand ils le découvrirent, il était trop tard pour que cela ait la moindre incidence.

---

1. La Jaune représentait la clé temporaire du système inter-services utilisé en Norvège.

C'est en tout cas à cette époque-là, en mai 1940, que les premières Bombes furent mises en service – vraisemblablement un prototype de Turing. Puis d'autres, équipées du tableau diagonal, les suivirent à partir du mois d'août. Naturellement, les machines « améliorèrent considérablement la rapidité et la régularité avec lesquelles la GC & CS brisait les clés journalières d'Enigma. Les Bombes ne furent pas installées à Bletchley mais dans diverses antennes comme Gayhurst Manor, situé dans un coin reculé du Buckinghamshire. Les dames du Women's Royal Naval Service, familièrement appelées Wrens, étaient chargées de s'en occuper. Sans savoir ce qu'elles faisaient et sans jamais demander pourquoi, elles chargeaient les rotors et téléphonaient aux spécialistes dès qu'une machine s'arrêtait. Il s'agissait de machines impressionnantes qui produisaient un bruit évoquant un millier d'aiguilles à tricoter en action, tandis que les commutateurs à relais cliquetaient au fil des implications successives.

Les officiers attachés à Bletchley ne manquèrent pas d'être frappés par les Bombes en action. Officier du service secret, F. W. Winterbotham parlait d'une Bombe comme d'une déesse occidentale destinée à devenir l'oracle de Bletchley. Le mot fut lui aussi employé à l'OIC, ce qui aurait sans doute amusé Alan, lui qui avait voulu concevoir un oracle capable de trouver les réponses aux problèmes insolubles. Ils commencèrent cependant à découvrir que l'interprétation des mots constituait en soi toute une entreprise. Si les machines à chiffrer avaient permis le développement des communications militaires au début du XXe siècle, les Bombes devaient plonger le renseignement dans l'ère de la production de masse.

Au cours de la Première Guerre mondiale, le Bureau 40 avait travaillé sans la moindre coordination avec l'Amirauté, ses productions n'ayant jamais été comparées aux résultats des observations et des interrogatoires. Ce ne fut qu'en 1917, quand l'offensive sous-marine battait son plein, que le responsable de leur surveillance fut autorisé à accéder à ses informations. La main gauche ignorait ce que faisait la main droite. Et, même si le travail cryptanalytique de la marine avait été « incomparable par rapport à celui des autres armes et du ministère de la Guerre », le Bureau 40 avait fonctionné de telle manière qu'il « ne laissait aucune archive, aucun index, et tout ce qui n'avait pas été d'utilité opérationnelle immédiate avait fini à la poubelle ».

Ce ne fut qu'à la chute de la France, quand la guerre cessa d'être une redite de 1915, que le Bureau 40 commença à céder du terrain. Les Polonais, Welchman et Alan Turing avaient posé une Bombe sous les institutions britanniques, et plus rien ne pourrait plus jamais être pareil. « Conçus grâce à une machine et brisés par une autre, les messages chiffrés par Enigma étaient mécaniquement transcrits en clair, de sorte qu'on se retrouvait avec une grande abondance de textes dès que la clé du jour avait été cassée. » Il était possible de s'approprier non seulement des messages, mais aussi l'ensemble du système de communication ennemi. C'était un point essentiel, surtout si l'on considère que cette « grande abondance » de textes exigeait un second niveau de décryptage pour être réellement interprétée :

« Outre leur profusion, les textes fourmillaient de points obscurs – abréviations représentant des unités et du matériel, références de cartes et de plans, noms de code géographiques et personnels, indications fallacieuses, jargon de services et autres références mystérieuses. Un exemple nous est fourni par le fait que les Allemands utilisaient fréquemment des références s'appuyant sur des cartes de France CSGS 1/50 000. Cette série n'était plus alors utilisée par l'armée britannique. Aussi, incapable de s'en procurer un exemplaire, la GC & CS fut-elle contrainte de la reconstituer à partir des références qu'y faisaient les Allemands[1]. »

Les systèmes de fichier de la Hutte 3 devaient par conséquent reproduire le système allemand dans son ensemble afin de pouvoir donner un sens à la totalité de leurs communications. C'est seulement alors que le décryptage d'Enigma put montrer sa valeur réelle – non pas seulement comme simple lecteur de messages secrets, mais comme instrument indispensable pour une connaissance générale de l'esprit de l'ennemi. Sans ces messages, l'Europe n'aurait plus été qu'un vide presque complet : avec eux, les Alliés pouvaient entrevoir les possibilités d'action.

Il n'existait pas de précédent à une si « grande abondance » de textes décryptés et l'on n'avait pas encore tous les moyens en main pour s'en servir. En 1940, la difficulté immédiate était de

---

1. *Cf.* Hinsley, vol. 1.

convaincre les autorités du sérieux des informations ainsi obtenues, sans en expliquer l'origine. Au début, on voulut les mettre au compte de l'espionnage habituel, ce qui eut pour effet de leur faire perdre toute crédibilité auprès des autorités militaires dans la mesure où quatre-vingt pour cent des renseignements fournis par les services secrets étaient considérés comme inexacts. De plus, alors que des dispositions satisfaisantes pour l'utilisation des décryptages de la Luftwaffe en France venaient juste d'être convenues, les événements rendirent l'oracle hors de propos. La signature de l'armistice stoppait en effet toute coopération avec ce pays.

À Bletchley Park, on apprit la nouvelle avec le classique sang-froid britannique. Les mois qui suivirent, ce sont les radars qui furent les yeux et les oreilles des Britanniques, même si, plus tard dans l'année, les informations révélées par Enigma donnèrent de précieuses indications sur les mouvements de la Luftwaffe. Le radar, aussi bien d'un point de vue technique qu'à travers les réseaux de communication qu'il a imposés à la RAF, avait trois ans d'avance sur Bletchley.

Il convient de dire que personne ne prétendait à un quelconque héroïsme à Bletchley. Non seulement le renseignement représentait traditionnellement le secteur le plus huppé du travail en temps de guerre, et il était tacitement convenu que chacun devait remplir son rôle avec le plus de discrétion possible. Mais au niveau supérieur, le décryptage devenait une tâche des plus attrayantes. Le fait d'être payé, ou sinon, récompensé, paraissait déjà en soi une curiosité. Par rapport à la profession de mathématicien, c'était un peu comme des vacances, dans la mesure où le travail exigé s'apparentait davantage à une application ingénieuse d'idées élémentaires qu'à une victoire sur les limites de la connaissance scientifique. Les intéressés avaient l'impression de faire une cure de jeux et de devinettes proposés régulièrement par le *New Statesman*, à la différence que personne ne savait si des solutions existaient.

Rien d'héroïque non plus dans le procédé qu'Alan mit au point pour protéger ses économies du désastre imminent. David Champernowne avait remarqué que l'argent avait particulièrement gagné en valeur réelle lors de la Première Guerre mondiale. Lui et Alan décidèrent donc d'investir dans des lingots d'argent. Mais tandis que Champ plaçait prudemment son avoir à la banque, Alan préféra jouer le jeu jusqu'au bout en enterrant son trésor.

Il s'était apparemment imaginé qu'en enfouissant les lingots d'argent, il pourrait les récupérer dès qu'une invasion aurait été repoussée, ou du moins qu'il pourrait ainsi éviter un éventuel impôt d'après-guerre. (Churchill et le parti travailliste s'étaient nettement déclarés en faveur d'une telle mesure dans les années 1920.) C'était une curieuse idée. Bien sûr, il semblait assez logique de se montrer pessimiste quant à l'issue de la guerre, cependant, s'il y avait eu invasion, on peut supposer que les spécialistes du décryptage n'auraient pas manqué d'être évacués (comme les Polonais l'avaient été vers la France), auquel cas il aurait mieux valu disposer de valeurs plus facilement transportables. Il avait acheté deux lingots qui valaient environ 250 livres et il dut les transporter dans une vieille voiture d'enfant jusqu'à une forêt non loin de Shenley. L'un des lingots fut enseveli dans le bois lui-même et l'autre sous un pont, dans le lit d'un cours d'eau. Il rédigea ensuite des instructions pour retrouver le trésor enfoui et chiffra celles-ci avant de les dissimuler dans un flacon de Benzedrine qu'il cacha à son tour sous un autre pont. Il adorait inventer des stratagèmes ingénieux susceptibles de rendre la guerre un peu plus supportable. Un jour, il proposa à Peter Twinn d'acheter des lames de rasoir et d'en remplir une valise. Dans une Grande-Bretagne affaiblie, il s'imaginait déjà marchand ambulant, à vendre ses lames au coin d'une rue.

En août ou septembre 1940, Alan eut une semaine de vacances qu'il passa avec Bob. Il voulait traiter le jeune garçon comme un pacha et choisit donc ce qui était pour lui un hôtel chic, un château restauré près de Pandy, au Pays de Galles. Le premier trimestre avait été pour Bob assez terrible mais il avait survécu à cette première année et, au moins, il n'avait pas eu à affronter l'antisémitisme qui régnait habituellement dans les *public schools*. Alan lui posa quelques questions sur son passé et sa famille, toutefois il était impossible de poursuivre plus avant cette discussion : Bob avait effacé autant que possible le passé de sa mémoire et Alan ne savait pas comment apaiser de telles blessures. Il n'apprit même sans doute jamais qu'il y avait eu des scènes éprouvantes à Manchester, quand Bob supplia sans succès la famille H. d'aider sa mère à fuir Vienne.

Ils allèrent à la pêche et firent de longues promenades dans les montagnes. Après un jour ou deux, Alan tenta une douce approche amoureuse, mais Bob le repoussa et Alan n'insista pas. Cela ne gâcha en rien leurs vacances. Bob savait qu'Alan avait envisagé cela depuis le début, pourtant il n'eut pas l'impression d'avoir été abusé. Simplement, cela ne le tentait pas.

Rien de tout cela ne correspondait à ce que Churchill avait à l'esprit lorsqu'il enjoignait au peuple britannique de prendre ses responsabilités à bras-le-corps ou quand il avait parlé de l'Empire qui pouvait durer mille ans. Mais le devoir et les empires ne brisaient pas les codes, et Churchill ne s'attendait sûrement pas à devoir compter sur un Alan Turing.

Si le danger d'invasion terrestre s'amenuisait, les attaques dont la marine faisait l'objet constituaient une sorte d'invasion de l'économie britannique. Durant la première année de la guerre, les dégâts causés par les sous-marins allemands n'avaient pas été le problème dominant. La disposition des flottes marchandes des pays neutres ou nouvellement occupés, la fermeture du commerce tant sur la Manche que sur la Méditerranée et la capacité réduite des ports et moyens de transport terrestres britanniques à absorber ce qui arrivait étaient beaucoup plus préoccupantes.

À partir de la fin 1940 pourtant, la situation commença à s'éclaircir. Les flottes marchandes sous contrôle britannique devaient ravitailler une île séparée de vingt milles seulement d'un continent ennemi, et franchir des océans infestés de sous-marins. La Grande-Bretagne devait de son côté maintenir le système économique dont dépendaient d'immenses populations de par le monde et devait enfin, pour rester en guerre, attaquer l'Italie dans un Moyen-Orient maintenant aussi distant de l'Angleterre que la Nouvelle-Zélande. Les leçons de 1917 avaient porté leurs fruits, et un système de convoi fut mis en place dès le début de la guerre, mais la marine, trop sollicitée, ne pouvait escorter les convois très loin dans l'Atlantique. En outre, cette fois-ci, l'Allemagne avait réussi en quelques semaines à établir ce que quatre ans de mitrailleuses et de gaz moutarde avaient permis d'empêcher : il y avait maintenant des bases de sous-marins allemands appelés les U-Boote sur les côtes atlantiques françaises.

Un seul facteur jouait contre une victoire probable de l'Allemagne dans la guerre navale. Sa force sous-marine, si invincible en 1917, n'était pas encore tout à fait au point en 1939. Le coup de bluff de Dantzig signifiait qu'Hitler se lançait dans la guerre alors que Dönitz n'était à la tête que d'une petite soixantaine de U-Boote. Une stratégie à courte vue permettrait de maintenir ce chiffre jusqu'à fin 1941. Même si la soudaine augmentation des succès des sous-marins allemands qui suivirent la reddition de la France était alarmante, il ne s'agissait pas en soi d'un désastre pour les Britanniques.

Afin de pouvoir continuer une politique de guerre, la Grande-Bretagne avait besoin de trente millions de tonnes d'importations par an. Elle disposait à cet effet d'une capacité de treize millions de tonneaux. Pendant l'année qui suivit juin 1940, les sous-marins allemands réduisirent cette capacité de 200 000 tonneaux par mois en moyenne. On parvenait tout juste à compenser une telle perte, mais une force sous-marine allemande trois fois plus importante et connaissant un tel taux de réussite produirait un effet désastreux sur le niveau de l'approvisionnement courant et sur la capacité totale de la marine marchande britannique. Un seul U-Boot allemand coulait plus de vingt navires durant son temps d'activité, et il n'y avait aucune contre-attaque possible tant que le submersible restait invisible. La force des sous-marins résidait dans leur puissance logique plutôt que physique. Grâce à l'impossibilité des Allemands d'exploiter pleinement de formidables avantages contre le seul ennemi qui leur restait, les Anglais purent profiter d'un répit leur permettant de mettre au point de nouvelles armes en information et en communication. Outre le radar et autres procédés de détection d'émissions radio, le sonar avait maintenant enrichi la panoplie dont disposait l'Amirauté. La Hutte 8 ne bénéficiait pas encore de tels moyens.

Alan avait commencé seul ses recherches sur les messages de l'Enigma navale, et il fut bientôt rejoint par Peter Twinn et Kendrick. Le travail de bureau revenait à des femmes qu'on surnommait « les filles de la grande salle ». Puis il y eut, en juin 1940, une nouvelle recrue spécialisée dans les mathématiques, Joan Clarke. Comme le principe « à travail égal salaire égal » trouvait une forte opposition au sein de l'administration, elle n'eut droit qu'au simple titre de « linguiste » que l'organisation d'avant-guerre réservait aux femmes, et Travis parla de la faire engager par le Women's Royal Naval Service afin qu'elle soit mieux rémunérée. Heureusement, dans le pavillon régnait une atmosphère nettement plus progressiste qu'à Cambridge. Joan Clarke terminait juste sa troisième année et avait été recrutée par Gordon Welchman qui lui avait fait passer son examen en géométrie projective. Elle avait un frère professeur à King's et avait déjà eu l'occasion de rencontrer Alan à Cambridge.

Durant l'été 1940, Alan se trouva soudain en position de dire aux autres ce qu'ils devaient faire, et ce pour la première fois depuis l'école. L'endroit évoquait d'ailleurs pas mal le cadre scolaire, dans la mesure où les « filles de la grande salle » et les membres du WRNS jouaient le rôle des bizuts, et parce qu'il s'agissait aussi de rencontrer ou d'éviter certaines personnalités des services armés. L'attitude d'Alan vis-à-vis des employés de bureau ou de certains problèmes administratifs rappelait celle d'un « intello » timide nommé préfet pour la simple raison qu'il venait d'obtenir une bourse. Néanmoins, une chose différenciait notablement cette situation de celle du collège : Alan apprenait pour la première fois à vivre au contact des femmes.

En avril 1940, la prise d'une Enigma navale sur un sous-marin avait fourni de la matière sur laquelle travailler – et c'est pour cela que Joan Clarke avait été affectée à la Hutte 8.

« La GC & CS avait ainsi la possibilité de lire, au mois de mai 1940, les communications de l'Enigma navale pendant six jours du mois précédent, ce qui lui permit d'accroître considérablement sa connaissance de l'organisation de leur radio et du chiffrement de leur marine. La GC & CS put alors confirmer que, même si les Allemands recouraient à des codes et chiffres manuels assez simples pour les bateaux-phares, les chantiers navals, bateaux marchands et autres services du même ordre, leurs unités navales, y compris les plus petites, s'appuyaient entièrement sur la machine Enigma. Plus important encore, on put établir qu'ils n'utilisaient que deux clés Enigma – la clé Intérieure et la clé Extérieure – et que les sous-marins et unités de surface partageaient les mêmes clés, ne passant à la clé Extérieure que pour les opérations en mer lointaine. »

Entre juin et décembre 1940, on ne parvint à lire que cinq autres journées de communications – prises en avril et mai –, ce qui ne fit que confirmer les pires craintes de la GC & CS quant à la difficulté de casser ne fût-ce que la clé Intérieure qui chiffrait quatre-vingt quinze pour cent des communications navales allemandes. Les travaux d'Alan démontrèrent en outre qu'on ne pouvait espérer de nouveaux progrès sans autres prises de guerre. Turing ne demeura cependant pas inactif. Il élabora la théorie mathématique qui permettrait d'exploiter ces prises éventuelles, ce qui dépassait, de très loin, la construction des Bombes.

En examinant des communications chiffrées, un vieux routier du décryptage pouvait estimer la vraisemblance d'une information, or, maintenant qu'on devait faire face à du décryptage en série, il devenait nécessaire de transposer ces jugements vagues et intuitifs en quelque chose de plus mécanique et explicite. Le dispositif intellectuel requis avait déjà été en grande partie construit au XVIIIe siècle, bien qu'il parût très nouveau à la GC & CS. Le mathématicien anglais Thomas Bayes avait, en effet, découvert comment formaliser les concepts de la « probabilité inverse » – terme technique qui s'applique à la cause vraisemblable d'un effet et non à l'effet probable d'une cause.

L'idée de base n'était rien d'autre que le calcul spontané et naturel de la « vraisemblance » d'une cause, calcul que chacun pratique quotidiennement sans même s'en apercevoir. Traditionnellement, on présentait le problème ainsi : imaginons deux boîtes identiques, l'une contenant deux boules blanches et une boule noire, l'autre contenant une boule blanche et deux noires. Quelqu'un doit alors deviner quelle boîte contient quoi ; pour cela il est autorisé à faire l'expérience suivante : sortir une boule d'une boîte (sans bien sûr regarder à l'intérieur). Si la boule est blanche, le sens commun indique qu'il y a deux fois plus de chance qu'elle provienne de la boîte contenant deux boules blanches. La théorie de Bayes rendait précisément compte de cette idée.

L'une des caractéristiques d'une telle théorie était qu'elle ne faisait pas référence aux événements eux-mêmes, mais aux modifications de l'état d'esprit de l'observateur. Il était en fait très important de ne pas perdre de vue que les expériences ne pouvaient modifier que de manière très relative la « vraisemblance » d'une situation, mais jamais sa valeur absolue. Au bout du compte, la conclusion dépendrait toujours de la « vraisemblance » *a priori* que l'expérimentateur avait en tête au départ.

Afin de donner un sens plus concret à cette théorie, Alan aimait présenter la chose en imaginant une personne extrêmement rationnelle contrainte de parier sur des hypothèses. L'idée de pari lui plaisait bien et il transcrivit la théorie sous forme de mises. Ainsi, l'expérience aurait pour effet, d'une façon ou d'une autre, de doubler les mises. Si l'on était en mesure de procéder à d'autres expériences, les mises finiraient par atteindre des chiffres astronomiques, même si, en principe, on ne parvenait jamais à la certitude totale. D'un autre côté, ce procédé pouvait être envisagé comme une accumulation de preuves. De ce point de vue, il semblait plus naturel de penser à ajouter quelque chose à chaque nouvelle expérience, plutôt que de multiplier les mises en cours. On pouvait y parvenir en utilisant des logarithmes. Le philosophe américain C. S. Peirce avait décrit une idée semblable en 1878 et lui avait donné le nom de « poids d'évidence ». Le principe était qu'une expérience scientifique donnait un « poids numérique d'évidence » à ajouter ou à soustraire à la probabilité d'une hypothèse. Ainsi, dans l'exemple cité, la découverte d'une boule blanche ajouterait un poids de log2 à l'hypothèse selon laquelle la boîte d'où elle venait était celle contenant deux boules blanches. Ce n'était pas une idée nouvelle, mais :

« Turing fut le premier à accorder une valeur à la désignation des unités en fonction desquelles sont calculés les poids d'évidence. Quand les logarithmes étaient en base e, il appelait l'unité un ban naturel, et tout simplement un ban quand ils étaient en base 10... Turing introduisit le terme de déciban pour exprimer un dixième de ban, à l'image du décibel. L'origine du mot « ban » venait du fait que les cartes étaient imprimées dans la ville de Banbury. Cartes sur lesquelles les poids d'évidence figuraient en décibans afin qu'on puisse procéder à toute une série d'opérations qu'il appela Banburismus[1]. »

---

1. I. J. Good, « Studies in the History of Probability and Statistics XXXVII. A. M. Turing's Statistical Work in World War II », in *Biometrika* 66, 1979.

Ainsi, un « ban » d'évidence représentait quelque chose qui rendait une hypothèse dix fois plus probable qu'elle ne l'était auparavant. À l'instar du décibel, le déciban serait « le plus petit changement de poids d'évidence directement perceptible par l'intuition humaine ». Alan avait mécanisé l'action de deviner, et il s'apprêtait à l'intégrer à des machines qui ajouteraient des décibans pour arriver à une décision rationnelle.

Il élabora sa théorie en quelques jours. L'implication la plus fondamentale résidait dans une nouvelle procédure d'expérimentation qu'on devait par la suite baptiser « analyse séquentielle ». Son idée était de se fixer un but permettant de déterminer les poids d'évidence nécessaires, puis de continuer à faire des expériences jusqu'à ce que ce but soit atteint. Cela constituait une méthode beaucoup plus efficace que de décider à l'avance du nombre d'expériences à tenter.

De plus, Alan posa le principe de juger la valeur d'une expérience par la quantité de poids d'évidence qu'elle produisait approximativement. Il alla même jusqu'à considérer la « variance » du poids d'évidence produit par une expérience, ce qui visait à évaluer au plus près son caractère erratique. En réunissant ces diverses idées, il éleva l'art de l'intuition tel qu'il se pratiquait dans le décryptage au niveau des années 1940. Il avait, comme d'habitude, travaillé entièrement seul, sans se préoccuper des découvertes antérieures (comme dans le cas du « poids d'évidence » défini par Peirce) et même en préférant sa propre théorie aux méthodes statistiques inaugurées par R. A. Fisher dans les années 1930.

Maintenant, quand on pensait qu'un support était « probablement » juste ou qu'un message avait « probablement » été transmis deux fois, ou que la même configuration avait « probablement » été utilisée deux fois, ou que tel rotor particulier était « probablement » le rotor extérieur, il y avait donc possibilité d'ajouter les poids d'évidence des plus légers indices d'une manière totalement systématique et rationnelle, et d'établir leurs procédures afin d'en tirer le maximum. Une heure gagnée par cette méthode empêchait possiblement un sous-marin allemand de gagner six milles sur un convoi allié.

Dès le début de 1941, la théorie commença à faire place à la pratique. Au mois de décembre précédent, Alan avait invité

Shaun Wylie, alors professeur à Wellington College, à se joindre à son équipe. Il arriva vers le mois de février. Puis, un peu plus tard, le champion d'échecs britannique, Hugh Alexander, fut lui aussi transféré à la Hutte 8. C'était également un ancien élève de King's. Il avait obtenu son diplôme en 1931 et prétendait ne pas avoir pu devenir professeur de mathématiques là-bas à cause des échecs. Il était donc allé enseigner à Winchester avant de devenir directeur de recherche de la chaîne de magasins John Lewis Partnership. Au début de la guerre, lui et les autres champions d'échecs britanniques s'étaient retrouvés coincés en Argentine, pour les Olympiades d'échecs de 1939. Heureusement, l'équipe britannique était finalement parvenue à rentrer, contrairement à l'équipe allemande. Il faudra ensuite attendre mai 1941 pour que les effectifs de la Hutte 8 s'enrichissent encore d'une nouvelle recrue : le jeune mathématicien I. J. Good, qui fut détaché du travail de recherche qu'il poursuivait à Cambridge avec Hardy pour venir à Bletchley. À cette époque-là, tout avait déjà changé.

« À mon arrivée à Bletchley, c'est le champion d'échecs Hugh Alexander qui est venu me chercher à la gare. Sur le chemin du bureau, il m'a révélé un certain nombre de secrets sur Enigma. Naturellement, nous n'étions pas censés avoir ce genre de discussion hors de l'enceinte du bureau. Je n'oublierai jamais cette conversation sensationnelle. »

Car les idées d'Alan Turing avaient pris une forme concrète. Toute une machinerie permettait de fabriquer des cartes perforées, et les « filles de la grande salle » travaillaient à la chaîne afin de rendre le jeu de devinettes le plus efficace et rapide possible. Bletchley commençait enfin à se lancer dans la bataille.

La première capture programmée intervint le 23 février 1941, lors d'un raid sur les îles Lofoten, sur la côte norvégienne. Ainsi, quelqu'un fut sacrifié afin qu'on puisse récupérer les instructions d'Enigma qui faisaient tant défaut à Alan : « Le chalutier armé allemand *Krebs* fut immobilisé et son commandant tué avant qu'il ait pu achever la destruction de ses documents secrets, puis l'épave fut abandonnée par les survivants[1]. » On put rapporter suffisamment

---

1. *Cf.* P. Beesly, *Very Special Intelligence*, Hamish Hamilton, Londres, 1977.

de matière pour que la Hutte 8 puisse, à partir du 10 mars, lire l'ensemble des communications navales de février 1941.

Ce retard était, bien sûr, extrêmement frustrant pour ceux qui interprétaient les messages. Les messages navals, contrairement à la plupart de ceux émanant d'autres services, contenaient presque systématiquement des éléments importants d'information. L'un des premiers messages décryptés disait :

« Attaché naval à Washington signale rendez-vous convoi 25 février à 200 milles nautiques à l'est de l'île de Sable. 13 bateaux de marchandises, 4 bateaux-citernes 100 000 tonnes. Chargement : pièces d'avion, pièces mécaniques, camions, munitions, produits chimiques. Numéro du convoi probablement HX 114. »

Mais, le 12 mars, une fois le déchiffrage terminé, l'équipe avait trois semaines de retard et ne put que se demander comment l'attaché naval pouvait en savoir autant. Deux jours plus tard, ils lurent un message de Dönitz :

« De : Amiral, commandement des sous-marins

L'escorte pour U69 et U107 sera au point 2 le 1ᵉʳ mars à 8 h 00. »

Ce qui aurait été précisément le genre d'information dont la salle de suivi aurait voulu disposer deux semaines plus tôt, si seulement quelqu'un avait su où se trouvait ce point 2. Pour pouvoir résoudre ce problème d'interprétation, il était nécessaire d'accumuler les transmissions. Ainsi :

« Navire anglais *Anchise* coulé à AM 4538 grâce à aviation. »

permettrait, si tant est qu'on n'ait pas jeté l'information à la poubelle à l'époque du Bureau 40, de révéler la position du point de référence AM 4538.

Aucune clé ne put être brisée concernant les communications du mois de mars 1941. Puis la Hutte 8 put s'enorgueillir d'un réel exploit : le décryptage de toutes les communications d'avril, sans avoir pu profiter de nouvelles prises. C'est uniquement par la science du décryptage que ces messages furent percés. On commençait enfin à vaincre le système. La Hutte 4 était à présent en mesure de regarder son ennemi droit dans les yeux, grâce notamment à des messages comme :

« (24 avril ; déchiffré le 18 mai)

De : NOIC Stavanger

À : Amiral côte Ouest

Rapport ennemi : Offizier G et W

Commandement naval suprême (Première division des opérations). Câble n° 8231/41, concernant capture des navires de pêche suédois :

1) Division des opérations pense que les navires de pêche suédois avaient pour mission d'obtenir des informations sur les mines pour les Anglais.

2) S'assurer que ni la Suède ni l'ennemi n'apprennent leur capture. Leur laisser croire pour le moment que les navires ont été coulés par des mines.

3) Garder les équipages en détention jusqu'à nouvel ordre. Faites parvenir un rapport détaillé de leur interrogatoire. »

Certains étaient même relativement ironiques :

« (22 avril ; déchiffré le 19 mai)

De : Commandant en chef marine

La campagne sous-marine implique de restreindre considérablement le nombre de personnes autorisées à lire nos transmissions. Une fois encore, j'interdis à toutes les autorités qui n'en ont pas reçu l'ordre de la division des opérations ou de l'amiral commandant de se caler sur la fréquence opérationnelle des sous-marins. Je considérerai toute transgression de cet ordre comme un acte criminel compromettant la sécurité nationale. »

Des informations vieilles d'une semaine permettaient d'élaborer une meilleure connaissance du système dans son ensemble, mais il demeurait évidemment capital de réduire à tout prix cette perte de temps. Fin mai 1941, on l'avait finalement à une journée. L'un des messages déchiffrés en moins d'une semaine disait par exemple :

« (19 mai ; déchiffré le 25 mai)

De : Amiral, commandement des sous-marins

À : U94 et U556

Le Führer a décoré les deux capitaines de la Croix de Fer. J'aimerais vous transmettre, à l'occasion de cette reconnaissance des services et des succès des bâtiments et de leurs équipages, mes sincères félicitations. Bonne chance, je vous souhaite autant de réussite à l'avenir. Éliminez les Anglais. »

Contrairement à ce qu'avaient pensé les Allemands, la défaite anglaise n'était pas pour demain. Le décryptage des messages, fussent-ils trop vieux, menaçait toujours leurs plans. Quand le *Bismarck* embarqua le 19 mai à Kiel, le délai de trois jours minimum nécessaires au décryptage empêcha la Hutte 8 de connaître les secrets de son itinéraire. Au matin du 21 mai, pourtant, certains messages du mois d'avril indiquèrent que le bâtiment suivrait sans nul doute les routes commerciales. Il ne restait plus à l'Amirauté qu'à exploiter la situation. L'Enigma navale ne joua finalement qu'un rôle mineur dans les événements. Si le *Bismarck* avait appareillé huit jours plus tard, tout se serait déroulé autrement. Les travaux de la Hutte 8 modifiaient en effet profondément les données du jeu.

On venait de découvrir des implications considérables contenues dans des messages datant de plusieurs mois :

« Après avoir étudié les communications décryptées de février et avril, la GC & CS put démontrer que les bateaux météorologiques allemands restaient concentrés en deux zones, l'une située au nord de l'Islande, l'autre au milieu de l'Atlantique. Leurs rapports de routine étaient transmis dans le chiffre de la météo et d'une manière très différente des signaux d'Enigma, mais les bateaux en question étaient effectivement équipés de l'Enigma navale[1]. »

Une analyse aussi astucieuse d'un matériel si ennuyeux constituait une réelle victoire pour ces nouvelles méthodes qu'Alan avait largement contribué à imposer. L'Amirauté n'aurait jamais pu trouver le temps d'établir que ces petits bateaux si vulnérables ne contenaient rien de moins que les clés du Reich. Ils étaient désormais prêts à accepter d'agir à la demande d'un département civil, et planifièrent une série de coups de filet.

Le *München* put être localisé et capturé le 7 mai 1941, ce qui permit, grâce aux nouvelles informations recueillies, de lire « presque couramment » toutes les communications du mois de juin. On avait enfin accès aux ordres donnés au jour le jour. Le 28 juin, une nouvelle prise sur un autre bateau météo, le *Lauenburg*, permit de décrypter les messages de juillet. Entre-temps, le 9 mai, de manière accidentelle, un escorteur parvint à détecter et désarmer le U-110 qui venait d'attaquer le convoi. Il ne fal-

----

1. *Cf.* Hinsley, vol. 1.

lut qu'une fraction de seconde pour aborder le sous-marin et le dépouiller de tout son matériel de chiffrement. Une mine d'or où l'on trouva le « code dont se servaient les sous-marins allemands lorsqu'ils envoyaient leurs rapports de visée par signaux courts », ainsi que la « configuration particulière qu'utilisait la marine pour ses communications destinées aux seuls officiers[1] ». Ces signaux *Offizierte* étaient chiffrés deux fois, pour plus de sécurité, à l'intérieur même du sous-marin. Selon les spécialistes de la Hutte 8, il s'agissait de messages qui, même une fois la configuration découverte et les procédés de décryptage appliqués, demeuraient en charabia alors que les autres messages apparaissaient en bon allemand. Il fallait donc procéder à une deuxième phase d'attaque pour récupérer les secrets les mieux cachés des opérations sous-marines, et les Britanniques détenaient à présent les armes nécessaires pour y parvenir.

L'Amirauté mettait plus d'énergie à utiliser la masse toujours croissante de nouvelles informations. Début juin 1941, alors que l'on décryptait l'ensemble des communications navales, elle élimina sept navires ennemis sur les huit envoyés dans l'Atlantique. Un tel ratissage posait un problème certain. Au sein de la Hutte 8, quand on déchiffrait un message à propos, par exemple, d'un rassemblement de sous-marins, on partait naïvement du principe que grâce à une telle information, on se débarrasserait facilement des bâtiments. En juin 1941, ce point de vue était sans doute également partagé en haut lieu, car on se demanda rapidement si en agissant ainsi, on ne risquait pas d'alerter les Allemands, surtout après avoir coulé le *Bismarck*.

L'opération avait effectivement trahi la réussite d'Alan, au point que les autorités allemandes ouvrirent une enquête. Mais ils éliminèrent aussitôt la possibilité qu'on ait pu briser les clés d'Enigma et arrivèrent à la conclusion que les services secrets britanniques, qui jouissaient en Allemagne d'une très haute réputation, avaient pu obtenir les informations nécessaires.

Ils avaient commis un impair. Qui s'en serait privé, les répercussions ayant une telle importance ? On finit par expliquer à la Hutte 8 qu'on ne pourrait plus désormais utiliser les messages décryptés avec la même légèreté. Il n'y avait donc rien d'autre à

---

1. Ibid.

faire qu'à croiser les doigts. Le système des Bombes, qui constituait l'axe central de la méthode, ne tenait en fait qu'à un fil. Si les Allemands avaient décidé, pour plus de sécurité, de chiffrer deux fois chaque message, la Hutte 8 n'aurait plus disposé de supports et tout aurait été perdu. Le moindre soupçon de la part des Allemands pouvait tout mettre par terre.

À partir de la mi-juin 1941, l'Amirauté décida que les messages contenant des informations dérivées des décryptages d'Enigma ne pourraient circuler que sous mention ultrasecrète, grâce à des carnets de clés-blocs spéciaux. Les autres services se décidèrent eux aussi à s'adapter, et établirent des unités de liaisons spéciales attachées aux quartiers généraux sur le terrain et réparties dans tout l'Empire, afin de recevoir et de contrôler les informations provenant de Bletchley.

Il restait cependant beaucoup à faire pour la coordination entre le cerveau et les muscles. L'Amirauté se montrait souple à cet égard, mais il fallait faire face à une situation nouvelle : si, un an plus tôt, l'information était beaucoup trop rare, elle était maintenant surabondante. L'OIC ne parvenait pas à se mettre au niveau.

La nomination de l'avocat Rodger Winn au poste de responsable de la salle des repérages de l'OIC à la fin 1940 avait déjà constitué une innovation révolutionnaire. Les résultats de la Hutte 8 purent enfin trouver une application. Il était doté d'un esprit imaginatif, et suggéra d'utiliser la prévision pour essayer de protéger les convois alliés des sous-marins allemands. Malgré une très grande résistance initiale, il parvint à imposer cette idée résolument nouvelle vers le printemps 1941. Winn considérait que :

« il valait la peine de "tenter". Si on dépassait d'un peu la moyenne, qu'on avait raison 51 % du temps, ce petit pour cent, en termes de vies et de navires sauvés, ou de sous-marins coulés, en valait largement la peine ».

Son application était cependant loin d'approcher le modernisme et la finesse de l'« analyse séquentielle ». Et, avec les traductions des messages transmises à l'OIC via un téléscripteur, on avait l'impression d'être revenu cinquante ans en arrière. Même après d'immenses progrès :

« ... Winn n'avait toujours pas plus d'une demi-douzaine d'assistants. Il leur fallait maintenir à jour un graphique sur lequel figuraient non seulement les positions estimées de l'ensemble des sous-marins, mais aussi celles des navires de guerre britanniques, qu'ils soient en convoi ou solitaires, ainsi que leurs routes de navigation. C'était leur priorité, en plus du traitement minute par minute des transmissions concernant les attaques, les observations, les modifications de cap, et des requêtes issues des Opérations ou des autres services de l'Amirauté, du service de surveillance des côtes de la Royal Air Force, ou des quartiers généraux d'Ottawa, de Terre-Neuve, d'Islande, de Freetown, de Gibraltar et du Cap. La situation commençait à ressembler à celle du Bureau 40 en 1916, lorsqu'on ne pouvait accorder son attention qu'aux sujets les plus pressants. Quand on commença à décrypter les messages à la chaîne, Winn dut se charger lui-même de leur classement, aussi bien pour des raisons de sécurité qu'à cause du manque d'effectifs. Il ne disposait pas de secrétaire, ni même d'une documentaliste particulière. »

Quelles que fussent les capacités et la motivation de chacun, le système ne s'était pas adapté à l'ampleur et à la portée des informations qu'il devait traiter. Si Bletchley devait sa réussite aux vertus britanniques traditionnelles de travail d'équipe et d'ouvrage bien fait, cette institution souffrait d'une mesquinerie et d'une étroitesse d'esprit. La Hutte 4 possédait ses propres cartes marines de repérage afin de pouvoir comprendre les références des grilles, et cela avait dû donner l'impression qu'elle était en mesure d'effectuer tout le travail de repérage et de guidage des convois, et ce avec une plus grande efficacité que l'OIC.

Mais ce problème était commun à toutes les instances supérieures, les jeunes scientifiques et les universitaires se retrouvant confrontés à la lourdeur administrative instituée en temps de paix. D'une certaine manière, pour ceux de la génération de Turing, la guerre était le prolongement des conflits qui existaient déjà sous une autre forme en 1933.

Ils refusaient d'obéir aux ordres stupides, et le gouvernement se vit contraint d'adopter une planification centralisée et de mettre en place des remèdes antidépression tant décriés dans les années 1930. Bletchley était au centre de cette bataille. C'est en 1941 que :

« Le personnel de la GC & CS, dont les recherches ne connaissaient aucune frontière, aucune division du travail dans la quête du renseignement, obtint enfin la reconnaissance qui lui était due. »

Lorsque les cloisonnements commencèrent à tomber, il y eut « d'inévitables conflits de priorités et d'*ego* ». Et ces oppositions étaient symptomatiques de la difficulté à laquelle les services secrets durent faire face en acceptant les conseils d'un département civil à la renommée inexistante :

« Au cours des seize premiers mois de guerre, la GC & CS multiplia ses effectifs par quatre. Au début de l'année 1941, elle était très mal organisée. C'était en partie dû à sa taille et à la complexité de ses activités, qui dépassaient les compétences de ses administrateurs. »

Il ne s'agissait pas d'une organisation simple et ordonnée, mais plutôt d'une « juxtaposition de groupes informels », travaillant chacun à sa manière, et faisant de son mieux pour tenter d'ouvrir les yeux des militaires concernés avant qu'il fût trop tard. Les intellectuels, qui se trouvaient dans une position inédite, refusèrent de respecter l'organisation d'avant-guerre et en mirent une nouvelle en place. Cette fois, les enjeux étaient trop importants pour être laissés aux mains des généraux et des politiciens.

« Ils instaurèrent de nouvelles sections, aussi bien au sein qu'à l'extérieur des anciennes. Grâce à leurs différences, ils comblèrent le manque d'unité. Il ne fait aucun doute que cela leur réussit, tout comme le fait d'éviter, au sein de la GC & CS, d'accorder trop d'importance aux grades ou d'insister sur la hiérarchie. »

Les chefs des services secrets s'indignait profondément de :

« ces conditions d'anarchie créatrice, aussi bien à l'intérieur des sections qu'entre elles, qui mettent en valeur le travail quotidien de la GC & CS, et qui permettent à ces équipes peu orthodoxes et indisciplinées de tirer le meilleur d'elles-mêmes ».

Alan était protégé par la Hutte 4 de tout contact direct avec les institutions. Mais son travail était perturbateur, et il était l'élément « indiscipliné » tout désigné pour profiter au maximum de l'absence d'« unité » et du « manquement à tout respect dû au rang » – un véritable cauchemar pour un militaire.

Le plus frappant était justement le peu d'importance du grade à l'intérieur de ce service. En revanche, les décrypteurs étaient très sensibles à leurs niveaux respectifs de talent et de rapidité.

S'il s'agissait d'une démocratie (où même d'une « anarchie » de l'avis des militaires), alors c'en était une basée sur un modèle grec, où les esclaves comptaient pour rien. La Hutte 8 faisait figure d'aristocratie du monde du renseignement, position qui convenait parfaitement à Alan. De l'avis de Hugh Alexander :

« Il était toujours désireux de solennité et de formalisme, ce qui était surprenant de sa part. À ses yeux, l'autorité n'était fondée que sur la raison, et il pensait que les responsabilités s'obtenaient en appréhendant un sujet en particulier mieux que les autres. Il lui était difficile de supporter l'inconséquence de ses collègues, et avait beaucoup de mal à comprendre que tout le monde ne soit pas prêt à écouter la voix de la raison. D'où sa difficulté à supporter les imbécillités et boniments de bureau. »

Les vrais problèmes survenaient lorsqu'il fallait traiter avec le reste du monde. Les civils n'appréciaient guère de découvrir que, comme dans pratiquement toutes les organisations, les militaires dépensaient une grande partie de leur énergie à rejeter tout changement et à parer les tentatives d'usurpation de leurs pairs. Alan eut peu affaire avec Denniston, qui ne put jamais s'adapter à la situation qu'il avait pourtant lui-même instaurée. Travis, lui, supervisait les travaux touchant la marine ainsi que les machines. Il se présentait comme un personnage dans la lignée de Churchill, et n'hésitait pas à pousser toute idée nouvelle. Le général de brigade J. H. Tiltman jouissait lui aussi d'un grand respect parmi les spécialistes du décryptage.

Pourtant, la mauvaise volonté et la lenteur de l'administration paraissaient toujours aussi incompréhensibles aux nouvelles recrues de Bletchley. Alan, plus que tout autre, ne comprenait pas pourquoi le reste du système ne voulait pas lui donner plus d'importance. Par exemple, la livraison de Bombes pour l'été 1941 était bien moins conséquente que ce qu'il avait envisagé ; ce qu'Alan trouvait absurde alors qu'on multipliait les efforts pour produire des bombardiers.

Pour démêler ce genre de problèmes, Hugh Alexander se révéla très vite le diplomate et l'organisateur modèle qu'Alan n'aurait jamais pu être. Jack Good, lui, prit sous sa coupe la théorie statistique, tandis que Shaun Wylie et quelques autres se chargeaient de tout ce qui touchait aux mathématiques pures. Tous se montraient beaucoup plus efficaces que lui au quotidien, mais personne ne songeait à discuter le fait que l'Enigma navale relevait de sa responsabilité. Alan avait élaboré seul ses idées sur le décryptage, sans s'appuyer sur des livres ou des documents, comme lorsqu'il avait conçu ses machines de Turing. Il n'existait d'ailleurs pas grand-chose sur le sujet. Dans la grande tradition de l'amateur britannique, il s'était simplement installé dans son petit pavillon avec sa boîte à crayons, et s'était mis au travail.

De ce point de vue, la guerre lui avait permis de résoudre certaines difficultés. Aller au cœur d'un problème, en extraire sa substantifique moelle pour l'appliquer ensuite à autre chose fonctionnait dans le monde physique... Cela correspondait exactement à ce qu'il avait recherché avant la guerre. Grâce aux méandres de l'histoire humaine, il trouva en fin de compte sa voie en comblant intellectuellement des trous que d'autres avaient creusés.

Si les corps de combat furent lents à comprendre la portée du décryptage des messages d'Enigma, il n'en fut pas de même pour Winston Churchill. Il s'intéressait au décryptage depuis la guerre de 1914 et le considérait comme fondamental dans le renseignement. Au début, il avait demandé à lire tous les messages d'Enigma, mais il dut bientôt se limiter à un envoi journalier des révélations les plus intéressantes. Puisque la GC & CS restait officiellement sous la responsabilité du chef des services secrets, les travaux d'Alan eurent pour effet secondaire de rehausser le prestige des services d'espionnage britanniques.

Ils renforcèrent également le gouvernement du Premier Ministre. En effet, seul Churchill jouissait d'une vue panoramique sur tous les services du renseignement. L'intégration des informations ne se faisait encore que dans sa tête. Cette situation laissait un peu de côté les départements militaires et le Foreign Office, surtout, car le Premier Ministre pouvait à tout moment leur « lâcher un fragment d'information brute dont ils n'avaient jamais entendu parler » et « exiger des actes ou des commentaires des chefs d'état-major ou du Foreign Office, ou encore envoyer des instructions directement aux commandants dans les zones d'opérations[1] ».

En 1930, Churchill avait écrit que la guerre avait été « complètement gâchée. La faute en revient entièrement à la démo-

---

1. *Cf.* Hinsley, vol. 1.

cratie et à la science ». Mais cela ne l'empêchait pas de se servir d'elles quand cela devenait nécessaire, et il fut loin de négliger les responsables des décryptages. Il se rendit à Bletchley l'été 1941 et fit un petit discours d'encouragement aux décrypteurs rassemblés. Il visita aussi la Hutte 8 où il fut présenté à un Alan Turing extrêmement nerveux. Le Premier Ministre faisait souvent référence aux spécialistes de Bletchley comme aux « poules qui pondaient des œufs d'or et ne caquetaient jamais ». Alan était en fait sa poule de compétition.

Le 23 juin 1941, un navire de ravitaillement allemand avait été coulé. Il y eut ce jour-là un autre événement marquant. L'Allemagne allait s'attaquer au Roi Rouge. Staline ne fut pas le seul à être surpris ; l'information venant de l'Enigma de la Luftwaffe et faisant référence à une invasion allemande imminente constitua un nouveau sujet de discorde entre la GC & CS et les chefs des armées. Ceux-ci n'en avaient pas cru leurs oreilles. Mais il fallait se rendre à l'évidence : la guerre mondiale avait commencé. L'Atlantique était désormais à la botte de l'Allemagne, et la Méditerranée venait en second plan. Le jeu avait changé, la période d'anarchie était terminée.

Durant le printemps 1941, Alan se rapprocha de Joan Clarke, ce qui le mit en face d'une décision délicate. Ils avaient commencé par aller au cinéma puis à passer ensemble quelques jours de congé. Tout convergea bientôt vers une situation inéluctable. Alan proposa le mariage et Joan accepta avec joie.

À l'époque, nombreux étaient ceux qui n'auraient pas jugé important que le mariage soit contraire à ses penchants naturels. L'idée que le mariage devait inclure la satisfaction sexuelle des deux parties était encore très moderne et n'avait pas, loin de là, remplacé la conception du mariage comme devoir social. Alan n'alla pas jusqu'à remettre en cause le rôle de la femme dans cette institution (elle restait pour lui la maîtresse de maison), mais il opta tout de même pour l'honnêteté et lui avoua quelques jours plus tard ses « tendances homosexuelles ».

Il s'était attendu à un désistement et fut surpris de voir qu'il n'en fut rien. Il l'avait sous-estimée. Joan n'était pas du genre à se laisser impressionner par des mots tabous, et les fiançailles ne furent pas rompues. Alan lui offrit une bague et ils se rendirent à Guildford pour faire les présentations d'usage. La visite se passa plutôt bien. Ils en profitèrent pour déjeuner en chemin chez les Clarke – le père de Joan était pasteur à Londres. Sans doute ne put-il s'empêcher de tout remettre en question lorsqu'il vit Joan aller communier avec sa mère, mais il avait dû mettre de l'eau dans son vin et étouffer la virulence de ses principes. En outre, le mot un peu flou de « tendance » qu'il avait employé avec Joan ne correspondait pas à ceux dont il se servait plus honnêtement avec ses amis masculins. S'il en avait dit plus, elle en aurait sans doute été blessée et choquée. Il lui parla également de Bob, lui expliquant qu'il demeurait pour l'instant un support financier pour le garçon et lui assurant qu'il ne s'agissait pas d'une liaison sexuelle. Ce qui était vrai mais, une fois encore, ne représentait pas toute la vérité.

Alan était le supérieur hiérarchique de Joan dans le cadre du travail. Un jour, il lui avoua combien il était heureux de pouvoir lui parler « comme à un homme ». Alan était en effet souvent dérouté lorsqu'il devait s'adresser aux filles de la Hutte 8, principalement peut-être parce qu'il n'arrivait pas à prendre le ton directif qu'on attendait de lui. La position de spécialiste qu'occupait Joan lui donnait un statut de mâle acceptable.

Alan organisa les équipes de sorte qu'ils puissent travailler ensemble. Joan ne portait pas la bague dans la hutte et seul Shaun Wylie était informé de leurs fiançailles. Cependant, les autres sentaient bien qu'il y avait anguille sous roche, et Alan finit par s'arranger pour dénicher quelques rares bouteilles de sherry et organiser une petite fête où ils purent faire l'annonce officielle. Lorsqu'ils ne travaillaient pas, le couple parlait un peu de l'avenir. Alan avait envie d'avoir des enfants, il n'était bien entendu pas question que Joan quitte ses fonctions pour le moment. L'issue de la guerre en cet été 1941 était loin d'être évidente et Alan avait toujours tendance au pessimisme. Rien ne semblait devoir arrêter les forces de l'Axe en Russie ou sur le front du Sud-Est.

Quand Alan disait qu'il pouvait parler à Joan comme à un homme, cela ne signifiait absolument pas qu'il devait rester guindé. Bien au contraire. Il était libre d'être lui-même et dispensé de faire preuve d'une politesse conventionnelle. S'il arrivait avec l'envie de se changer les idées, elle se joignait généralement volontiers à lui. Il lui avait appris à tricoter et était même allé jusqu'à confectionner une paire de gants.

Ils appréciaient tous les deux les échecs et se complétaient bien dans ce domaine, même si Joan n'était qu'une novice en la matière. Alan qualifiait leurs parties d'« échecs ensommeillés » quand ils se mettaient à jouer après une garde de nuit de neuf heures d'affilée. Joan ne possédait qu'un échiquier en carton. Quant aux pièces, il était devenu impossible de s'en procurer à cause de la guerre, aussi improvisèrent-ils une solution. Alan se procura de la terre glaise, et ils modelèrent ensemble les pièces du jeu. Alan les fit ensuite cuire sur la plaque chauffante du poêle à charbon de sa chambre, au Crown Inn. Le résultat était tout à fait viable, même si les pièces se révélèrent plutôt fragiles. Il tenta également de fabriquer un poste récepteur, mais ce ne fut pas une réussite.

Lors d'un passage à Londres, ils allèrent voir une pièce de Bernard Shaw, et Alan fit lire à Joan *Tess d'Urberville* de Thomas Hardy, qu'il appréciait tout particulièrement. Ce dernier fut sans conteste celui qui, avec Samuel Butler, attaqua le plus la société victorienne. Alan et Joan passaient surtout beaucoup de temps à faire de longues randonnées à bicyclette. Ayant étudié la botanique, Joan put même partager avec Alan l'une de ses passions d'enfance. Il s'intéressait plus particulièrement à la croissance et à la forme des plantes.

Avant la guerre, il avait pris connaissance de l'ouvrage classique de D'Arcy Thompson, *Forme et croissance*, qui, quoique publié en 1917, restait le seul ouvrage mathématique traitant des structures biologiques. Alan était en particulier fasciné par la présence dans la nature de la suite de Fibonacci :

1, 1, 2, 3, 5, 8, 13, 21, 34, 55, 89...

suite où chaque terme représente la somme des deux précédents. Ces nombres apparaissaient dans la répartition des feuilles et l'arrangement des fleurs de nombreuses plantes communes. Cette correspondance entre nature et mathématiques, qui semblait à la plupart une simple curiosité, passionnait complètement Alan.

Un jour, après une partie de tennis, Joan et lui, étendus sur la pelouse de Bletchley Park, essayèrent même de vérifier la théorie de D'Arcy Thompson qui repoussait l'idée que les nombres pussent avoir la moindre signification dans la nature. Ils effectuèrent toute une série de diagrammes à cet effet, sans cependant arriver à une démonstration qui pût satisfaire Alan.

En 1941, chacun devait apprendre à manier les aiguilles à tricoter et à imaginer ses propres divertissements. À Clock House, où Mme Morcom mourut cette année-là, ils en étaient à manger les jeunes chèvres tandis qu'à Bletchley, le blocus se ressentait aussi dans la misère des repas de la cantine. Mis à part ces difficultés d'approvisionnement, l'ambiance du siège convenait assez bien à Alan dans la mesure où les questions d'étiquette qui avaient paru si primordiales dans les années 1930 tombaient maintenant en désuétude. De plus, il avait toujours aimé faire les choses par lui-même, que ce soit des gants, des postes de radio ou des théorèmes de probabilités. À Cambridge, il pouvait donner l'heure en regardant les étoiles. La guerre changeait la donne, l'Angleterre devenait plus autonome. Chacun devait apprendre à vivre d'une manière plus turingesque, avec le moins de perte d'énergie possible.

Cela était assez bien compris dans les hautes sphères de Bletchley, qui faisait par divers aspects figure d'institution pour les lecteurs du *New Statesman*, car ils concentraient les éléments les plus créatifs des vieilles universités, abandonnaient la mentalité passéiste et misogyne de la haute bourgeoisie sur le déclin. À cette époque-là, Bletchley abritait déjà quelques clubs de théâtre amateur. Alan était plus timide que jamais pour ce genre de choses et il ne devint jamais une figure de la société de Bletchley. D'une certaine façon, il passait néanmoins pour être un « personnage », mais sans l'égoïsme caractéristique de Dillwyn Knox. Cette timidité faisait aisément oublier son indifférence pour les usages. Dans le petit milieu de la Hutte 8, il incarnait le rôle du « Prof », surnom qui dispensait ses collègues, notamment les femmes, des titres d'usage, tout en imposant une marque de respect. Joan aussi l'appelait « Prof » quand ils travaillaient, et Alan lui fit promettre de ne plus le faire lorsqu'il serait effectivement professeur, ou s'il devait retourner à la vie universitaire. Il y avait en fait une pointe de vulgarité dans cette façon de faire, ce que Mme Turing n'avait pas manqué de lui faire remarquer, la comparant aux femmes de la petite bourgeoisie qui se plaisaient à faire référence à leurs époux par leur titre plutôt que par leur nom. Alan ne souhaitait pas non plus paraître trop présomptueux ou professoral.

Pigou lui aussi, pour des raisons assez similaires, portait ce surnom à King's College. Il avait d'ailleurs d'autres points communs avec Alan. David Champernowne les avait présentés juste avant la guerre, et Pigou fut peut-être le seul des anciens professeurs de King's avec qui il entretenait des relations d'admiration mutuelle. Pigou jouissait d'une « maîtrise très sûre des relations logiques et d'une intégrité intellectuelle proche du fanatisme » ; il avait également la « capacité étonnante de simplifier la vie et tous ses problèmes importants », et il n'avait jamais besoin de s'armer de faux-semblants. Son regard s'attachait surtout à la beauté des hommes et de la nature – termes qui auraient tout aussi bien pu s'appliquer à Alan.

À Bletchley aussi, Alan passait pour un excentrique. Par exemple, un jour de juin, pris d'une soudaine crise de rhume des foins qui l'aveuglait quand il se rendait à vélo au travail, il décida de circuler avec un masque à gaz sur le visage, sans se préoccuper de l'allure qu'il pouvait avoir. Sa bicyclette était à elle seule tout un poème. Un défaut de mécanisme l'obligeait à partir ponctuellement dans un pédalage effréné pour éviter que la chaîne ne déraille. Alan était ravi d'avoir trouvé sa propre solution à ce problème, s'épargnant ainsi des semaines d'attente de réparation, à une époque où le vélo était redevenu ce qu'il avait été au moment de son invention, un symbole de liberté. Cela signifiait aussi qu'il était le seul à pouvoir l'enfourcher. Quant à sa tasse à thé, il l'attachait au tuyau du radiateur de son bureau avec un cadenas à combinaisons ; on finit quand même par la lui dérober pour le taquiner.

Ses pantalons tenaient par des bouts de ficelle, et il portait souvent un pyjama sous sa veste de sport. Maintenant qu'il occupait un poste important, la nervosité de ses gestes prêtait davantage à commentaires. Sans parler de sa voix, toujours susceptible de se bloquer à mi-phrase dans un son tendu et haut perché pendant que son cerveau patinait, en quête de l'expression juste. Puis quand le mot arrivait enfin, il pouvait être des plus inattendus, allant de l'analogie terre à terre à l'expression argotique en passant par le jeu de mots ou le délire complet, voire même l'image grivoise, généralement accompagné d'un rire mécanique et saccadé. Un vrai gamin, disait-on généralement de lui. Un jour, alors que le service du personnel faisait circuler des formulaires dans les pavillons, de petits plaisantins remplirent celui d'Alan et indiquèrent : « Turing A. M. ; âge : 21 ans », et d'autres, notamment Joan, allèrent jusqu'à dire qu'ils auraient dû inscrire : 16 ans.

Il se moquait des apparences, surtout de la sienne, et avait toujours l'air de sortir du lit. Il avait horreur de se faire la barbe avec un rasoir à main et préférait se servir d'un vieux rasoir électrique – sans doute parce que la vue du sang le faisait tomber dans les pommes. Ainsi, il avait toujours un léger voile sombre qui accentuait la matité et la rugosité de sa peau. Bien qu'il ne fumât pas, il avait les dents assez jaunes. Cependant, ce que les gens remarquaient en premier, c'étaient ses mains, réellement curieuses, avec des arêtes bizarres sur les ongles. Elles n'étaient jamais vraiment propres ni nettes et bien avant la guerre, il avait pris la fâcheuse habitude de se mordiller, par pure nervosité, la peau autour des ongles.

Dans une certaine mesure, ce manque de souci pour son apparence et son mode de vie franchement chiche accentuaient encore la signification donnée à son surnom. Et notamment dans les milieux extérieurs aux cercles universitaires, moins habitués à voir des professeurs aux revenus modestes pédaler sur leur bicyclette. Ce qui le distinguait le plus de ces doctes universitaires, c'était la jeunesse de son comportement. Toutefois, Alan Turing présentait au monde extérieur, à Cambridge ou à Oxford, un condensé de toutes les valeurs essentielles de King's, et cela était le plus souvent accueilli avec un mélange de respect et de suspicion. On put le vérifier tout particulièrement à Guildford, où ses fiançailles furent perçues comme l'engagement d'un professeur terrorisé par les femmes auprès de la « fille d'un vicaire de campagne » – ce qui était absolument faux – ou bien encore un bas-bleu, sorte de « mathématicien femelle ». Cette accumulation d'anecdotes amusantes touchant à la façon dont Alan réglait généralement les petits problèmes quotidiens permettait au moins de détourner l'attention de questions plus délicates. L'« excentricité » anglaise servait ici de soupape de sécurité à ceux qui mettaient en doute les codes de conduite de la société. À Bletchley, certaines personnes plus sensibles avaient conscience de la subtilité d'Alan quand on dépassait ces moqueries. Mais Alan préférait sans doute amuser la galerie et se créer ainsi une barrière qui défendait son intégrité.

Durant l'été 1941, l'observateur expérimenté Malcolm Muggeridge se rendit à Bletchley et remarqua que :

« Quand le temps le permettait, les rois du décryptage allaient, après le déjeuner, jouer à la thèque[1] sur la pelouse du parc, prenant très au sérieux ces activités qu'on aurait pu considérer comme frivoles ou insignifiantes par rapport à leur travail. Ainsi, ils se disputaient certains points avec la même ferveur que s'ils débattaient de la question du libre arbitre ou du déterminisme. On pouvait les voir secouer la tête d'un air grave, prenant de profondes inspirations en déclarant : "Ma frappe est la plus efficace", ou : " Je peux vous garantir que j'avais déjà le pied droit sur…" »

Alan avait en effet le tic de reprendre son souffle avant de s'exprimer, lorsqu'ils discutait de sport, de libre arbitre et de déterminisme avec ses camarades de la Hutte 8.

Il s'était plongé dans la lecture d'un nouveau livre de Dorothy Sayers, *The Mind of the Maker* (L'Esprit du Créateur). Ce n'était pas vraiment son genre de littérature dans la mesure où Sayers essayait dans cet ouvrage d'interpréter la doctrine chrétienne de la création divine à travers sa propre expérience d'écrivain. Il devait cependant apprécier le culot avec lequel elle abordait la question du libre arbitre, du point de vue du Seigneur lui-même qui, comme le romancier, voyait ses créatures assumer elles-mêmes leur intégrité et leur imprévisibilité. Alan avait dû être frappé par l'image du déterminisme de Laplace suggérant que Dieu, après avoir créé l'Univers, s'est reposé en attendant que le travail se fasse de lui-même.

Rien de très nouveau, certes, mais l'image devait produire son effet quand on la lisait au son des cliquetis des Bombes qui travaillaient toutes seules, pendant que les Wrens accomplissaient inlassablement leurs tâches sans jamais savoir vraiment ce qu'elles faisaient. Alan était fasciné par le fait qu'on puisse participer à l'aveugle à une aussi brillante entreprise.

Les machines avaient remplacé une grande partie de la pensée, de la réflexion et du jugement humains. Peu de gens savaient vraiment comment fonctionnait le système. Pour tous les autres,

---

1. Jeu sportif d'origine normande – similaire au base-ball.

il était un oracle mystique qui exprimait des jugements imprévisibles. Des procédés mécaniques précis produisaient des décisions intelligentes et étonnantes. On retrouvait ici un lien direct avec l'ossature des idées exprimées dans les *Nombres calculables*. Alan expliqua d'ailleurs à Joan son idée de machine de Turing et lui fit lire un exemplaire d'un des articles de Church. Mais la jeune femme n'eut pas la réaction escomptée, et Alan fut un peu déçu. Les échecs restaient leur grande passion commune pour les heures de repos. L'intérêt d'Alan ne se limitait pas à l'aspect divertissant de ce jeu ; il s'agissait également de tirer un principe général des efforts qu'il faisait pour jouer. Il essayait de trouver une « méthode définie » – ou plutôt mécanique, même si cela n'impliquait pas la construction d'une machine, mais d'un recueil de règles dont pourrait se servir un joueur ignorant, un peu comme les notes d'instructions du concept de calculabilité. Pour illustrer sa théorie, Alan plaisantait souvent en parlant de « joueur esclave ».

L'analogie entre les échecs et les mathématiques avait déjà bien servi, et dans les deux cas le problème était le même : comment choisir la bonne manœuvre pour arriver au but fixé – le mat aux échecs. Gödel avait montré qu'en mathématiques, il n'y avait aucun moyen déterminé pour atteindre des objectifs, et de son côté Alan avait prouvé qu'il n'y avait pas de méthode mécanique permettant de décider s'il existait ou non une voie pour atteindre un but donné. Mais on pouvait encore se demander comment les mathématiciens, les joueurs d'échecs et les spécialistes du décryptage parvenaient à franchir ces étapes « intelligentes », et dans quelle mesure une machine pourrait les reproduire.

Même si sa solution au problème de décidabilité et ses travaux sur la logique ordinale avaient attiré l'attention sur les limites des procédés mécaniques, ses présupposés matérialistes commençaient à être plus clairs pour lui. Il laissa de côté son interrogation sur ce que les machines ne peuvent pas faire, pour concentrer sa curiosité sur l'exploration de leurs marges de manœuvre. Il était toujours animé par le même esprit d'offensive contre les problèmes insolubles comme celui d'Hilbert, et par la certitude que rien n'était hors de portée de l'investigation humaine rationnelle – y compris la pensée rationnelle elle-même.

Comme Alan, Jack Good, partageait l'esprit Bletchley. Il était mathématicien, il aimait aussi explorer les liens entre les facultés logiques et le monde physique. Tout comme Alan, les échecs le passionnaient, et il avait même fait paraître, en 1938, un article assez léger sur la mécanisation du jeu dans une petite revue estudiantine de Cambridge. Alan lui apprit à jouer au go, et bientôt Jack le battait sur les deux terrains.

La mécanisation des échecs demeurait leur sujet de conversation favori. Ils s'accrochaient à une idée de base qui leur paraissait évidente : un joueur d'échecs envisageait souvent de merveilleux coups à condition que son adversaire se comporte de telle ou telle façon. Mais dans une partie sérieuse, les Blancs devaient toujours avoir en tête que les Noirs allaient exploiter leur avantage au maximum. La stratégie des Blancs devait donc consister à faire avorter le meilleur coup envisagé par les Noirs pour les obliger à se rabattre sur un coup moins intéressant – le maximum-minimum en quelque sorte.

L'idée avait déjà été étudiée et l'on avait appliqué le terme « minimax » à cette stratégie. Ce terme ne se limitait d'ailleurs pas aux échecs, il valait pour tous les jeux impliquant l'anticipation et le bluff. La plupart de ces notions mathématiques étaient l'œuvre de von Neumann, qui avait repris les idées émises en 1921 par le mathématicien français Émile Borel dans sa *Théorie des jeux stratégiques*. L'auteur avait en effet défini des stratégies « pures », ensembles de règles commandant le cours de l'action en n'importe quelle situation, et des stratégies « mixtes », formées de deux ou trois stratégies pures à choisir au hasard, avec des probabilités spécifiées pour chacune selon la situation.

Von Neumann avait pu montrer que pour tout jeu à deux joueurs doté de règles fixes, il existait des stratégies optimales, en général mixtes, pour chacun des joueurs. Aussi beau que déprimant, le théorème de von Neumann affirmait que dans tout jeu à deux[1], les joueurs restaient enfermés dans leurs stratégies « minimax » en découvrant ensemble qu'ils ne pouvaient rien faire d'autre que de tirer le meilleur parti d'une situation, et

---

1. Plus précisément, dans tout jeu où les pertes d'un joueur entraînent forcément un gain pour son adversaire, soit tout jeu dit « à somme nulle ».

amener leur adversaire à la plus mauvaise, et ces deux objectifs coïncidaient toujours.

Le poker, où il fallait deviner et bluffer, convenait mieux que les échecs à cette théorie. Un jeu sans dissimulation, comme les échecs, correspondait selon von Neumann à un système d'« information parfaite ». Il prouva que les jeux de ce genre s'accompagnaient tous d'une « stratégie pure » optimale. Dans le cas des échecs, il s'agissait d'un ensemble complet de règles indiquant ce qu'il fallait faire dans n'importe quelle situation. Seulement, comme il existait beaucoup plus de positions possibles aux échecs que sur un tableau de connexions branché sur Enigma, la théorie générale de von Neumann n'apportait strictement rien au jeu lui-même. Cela illustrait parfaitement comment une approche magistrale et abstraite pouvait se révéler totalement inutile dans la pratique. Alan et Jack Good abordèrent les choses tout à fait différemment puisque ce n'était pas tant la théorie du jeu que l'étude d'un processus de pensée humaine qui les intéressait. Il s'agissait d'une discussion de circonstance que l'on aurait pu qualifier d'« élémentaire et fastidieuse », d'après des critères purement mathématiques, ne tenant compte en aucun cas de l'existence de la théorie des jeux.

Dans leur analyse, on supposait d'abord qu'il existait un système de marque raisonnable où l'on attribuait une valeur numérique aux diverses positions envisageables en se fondant sur les pièces capturées, les pièces menacées, les cases contrôlées, etc. Cela posé, la « méthode définie » la plus grossière revenait simplement à manœuvrer afin de porter le score au maximum. Un premier niveau de raffinement consistait à prendre en compte la réaction de l'adversaire, ce qui intégrait donc l'idée des « minimax » revenant à choisir la solution la moins mauvaise. Il y avait en moyenne une trentaine de coups possibles pour chaque joueur, de sorte que le système le plus grossier exigeait déjà un millier de perspectives distinctes. Un second niveau de prévision conduisait à trente mille possibilités.

« Si l'on réduit le chiffre de trente à deux pour les besoins du diagramme, le joueur (blanc) qui anticipe trois niveaux de manœuvres est en fait confronté à un « arbre » semblable à celui-ci :

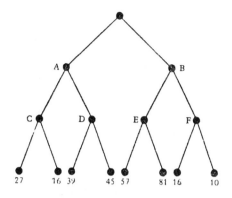

Position résultant des deux coups possibles de B.

Position résultant des répliques possibles de N.

Position résultant des répliques possibles de B.

Ces positions sont évaluées par la marque.

« Le joueur manœuvrant les pièces blanches pourra penser que l'idéal serait d'atteindre la position E, mais son adversaire ne se laissera pas faire, et à la position B il répliquera par la manœuvre F. Si les Blancs optent pour la position A, alors les Noirs s'empresseront de prendre la position C pour les empêcher d'aller en D. De deux maux, les positions C et F, C est la moins grave pour les Blancs puisqu'elle leur assure une position d'une valeur de 27 points. Les Blancs jouent donc A.

« Une "machine" pouvait simuler cet enchaînement de pensées en "remontant" l'arbre ci-dessus. Une fois calculés tous les scores pour trois manœuvres d'avance, une telle "machine" attribuait alors les positions intermédiaires sur une base minimax. Le 27 allait à C, le 45 à D, le 81 à E, le 16 à F (le meilleur dans chaque cas), puis le 27 à A et le 16 à B (soit le pire dans chaque cas), pour enfin choisir que les Blancs joueraient en A. »

Cette idée de base aboutissait à une « machine » capable de reproduire une procédure de décision rappelant d'une certaine façon l'intelligence humaine. C'était peu par rapport au problème d'Hilbert, qui avait exigé une réflexion sur les procédures de décision appliquées à l'ensemble des mathématiques. Mais, d'un autre côté, il s'agissait d'un système qui pouvait effectivement fonctionner, et, en tant que modèle pratique de « pensée » mécanique, il obsédait Alan.

Une analyse portant sur trois manœuvres était, hélas, inutile au cours d'une vraie partie d'échecs où il convenait de penser non en termes de coups mais de séries d'actions. Alan et Good en étaient bien conscients et décidèrent de moduler les niveaux de prévision en fonction des moments de la partie, les évaluations ne se faisant qu'à des positions « de repos ». Mais cela ne suffisait pas encore pour envisager une partie plus subtile impliquant des pièges, ce qui préoccupait beaucoup nos deux chercheurs. Ils étaient cependant parvenus à une attaque en force assez grossière du jeu d'échecs, qui constituait un premier pas vers la mécanisation d'un processus de pensée relativement élaboré – ou du moins un premier pas qui ne relevât pas du domaine secret.

Ces idées leur parurent cependant trop évidentes pour valoir la peine d'être publiées. En parallèle, Alan poursuivait ses propres travaux qu'il essayait de faire paraître aux États-Unis. En véritable intellectuel, il aurait eu honte de se laisser abattre par la folie et les crimes des hommes. « Avant-guerre, je travaillais sur la logique et je m'amusais à faire du décryptage, racontat-il un jour. Maintenant, c'est le contraire. » Il devait remercier Newman de stimuler sa réflexion sur la logique mathématique, car celui-ci continua de lui écrire en 1940 et 1941.

Alan se concentrait tout particulièrement sur une nouvelle formulation de la théorie des types. Russell avait considéré les types davantage comme un inconvénient, adoptés faute de mieux[1] pour préserver la théorie des ensembles de Frege. D'autres logiciens estimaient plutôt qu'une hiérarchie des catégories logiques s'imposait, et que c'était en fait l'idée de grouper toutes les entités imaginables en ensembles qui paraissait étrange. Alan rejoignait ces derniers. Il aurait en réalité préféré une théorie capable de fonctionner de manière pratique. Il voulait également que la logique mathématique puisse rendre le travail des mathématiciens plus rigoureux. Dans un essai moins technique rédigé à cette époque, *The Reform of Mathematical Notation* (La Réforme de la notation mathématique), il expliquait que malgré tous les efforts de Frege, Russell et Hilbert :

« ... les mathématiques ont très peu profité des recherches en matière de logique symbolique. La raison principale semble en être le manque de communication entre les logiciens et les mathématiciens ordinaires. Pour la plupart des mathématiciens, la logique symbolique n'apparaît que comme un charabia très

---

1. En français dans le texte. (NdT)

inquiétant, et les logiciens ne font rien pour la rendre plus attrayante ».

Sa propre volonté de relier les deux spécialités commençait par un essai visant à :

« ... présenter la théorie des types de manière plus accessible à n'importe quel mathématicien, sans qu'il ait à étudier la logique symbolique, et encore moins à l'utiliser. L'exposé de la théorie des types donné ci-dessous a été suggéré par des conférences de Wittgenstein, mais il ne faut surtout pas lui en imputer les imperfections.

Le principe des types se retrouve dans la langue ordinaire par le seul fait qu'il existe des noms et des adjectifs. On peut déclarer que "Tous les chevaux ont quatre pattes", ce qui peut être vérifié en examinant chaque cheval, et en admettant qu'il ne s'agisse que d'un nombre limité d'animaux. Or les ennuis commencent dès qu'on emploie des mots comme "chose" ou "n'importe quoi". Imaginons que nous entendions par "chose" justement n'importe quoi, livres, chats, hommes, femmes, pensées, fonctions d'hommes dont les valeurs seraient des chats, nombres, matrices, classes de classes, procédures, propositions... En de telles circonstances, que penser de l'énoncé : "Toutes les choses ne sont pas des multiples premiers de 6" ? Le nombre de choses considérées n'est en aucun cas fini. Peut-être est-il possible de donner un sens à des énoncés de ce genre ? Pour le moment, nous n'en savons rien. La théorie des types nous oblige donc à éviter l'emploi de noms comme "choses", "objet", etc., lorsqu'ils sont là pour exprimer l'idée de "n'importe quoi". »

Techniquement, le travail consistant à isoler les « noms » mathématiques des « adjectifs » reposait sur les recherches de Church, qui avait fait paraître en 1940 une description de la théorie des types. Les recherches d'Alan se faisaient en partie en collaboration avec Newman, par correspondance, et l'article qu'ils cosignèrent arriva à Princeton le 9 mai 1941. Alan écrivit un autre article, mais d'une nature beaucoup plus technique, « *The Use of dots as Brackets in Church's system* » (L'utilisation de points comme parenthèses dans le système de Church), qu'il présenta un an plus tard. Celui-ci annonçait deux autres articles qu'il n'écrivit finalement pas.

Il ne laissa pas non plus la guerre l'empêcher de considérer que, pour les mathématiques tout du moins, le monde entier ne formait qu'un seul pays. Dans une lettre adressée à Newman en automne 1941, concernant l'expédition de plusieurs tirés à part de leur article, il remarquait : « J'aimerais bien aussi qu'on en envoie un exemplaire à Scholz, mais je suppose que cela ne sera pas possible. »

Bien d'autres choses devinrent impossibles au cours de cette année 1941. Les fiançailles d'Alan et de Joan durèrent encore tout l'été, puis Alan commença à montrer des signes de conflit intérieur. Ils se rendirent un week-end à Oxford, chez le frère de Joan, et Alan en profita pour s'isoler un peu et réfléchir à la situation, mais il opta pour le maintien de son engagement. Ils eurent ensuite la possibilité de passer toute la dernière semaine d'août ensemble (on leur accordait une semaine de congé par trimestre). Ils allèrent dans le nord du Pays de Galles, prenant le train à Bletchley avec bicyclettes et sacs à dos pour arriver à Portmadoc à la nuit tombée. Alan avait prévu de loger à l'hôtel, mais la direction de l'établissement s'était trompée et avait déjà loué leur chambre. Ils furent obligés de faire un scandale pour qu'on leur trouve une autre chambre pour la nuit, et ils perdirent une matinée précieuse à chercher un autre hôtel. Ils eurent également du mal à se ravitailler, car Alan n'avait pas de carte de rationnement. Ils parvinrent à trouver de la margarine, du pain et, étrangement, du pâté qui n'était pas rationné. Ils partirent en randonnée dans les montagnes, comme dans la jeunesse d'Alan : à Moelwyn Bach, Cnicht, souffrant des mêmes problèmes de crevaison et de pluie.

Peu après leur retour, Alan se décida à couper les ponts. Ce ne fut ni facile ni agréable. Il lui cita quelques vers d'Oscar Wilde, les derniers de « La Ballade de la geôle de Reading », que l'on peut interpréter aussi bien de manière immédiate que prophétique :

« Pourtant chacun tue ce qu'il aime,
Salut à tout bon entendeur.
Certains le tuent d'un œil amer,
Certains avec un mot flatteur,
Le lâche se sert d'un baiser,
Et d'une épée l'homme d'honneur[1]. »

---

1. Traduction de Jean Guiloineau. Première publication dans la revue *Siècle 21* n° 4 (printemps-été 2004).

Il lui avait à plusieurs reprises assuré qu'il l'aimait, et il était sincère. Là n'était pas la question. La rupture créa une situation délicate à l'intérieur de la Hutte 8. Alan informa Shaun Wylie des événements, sans lui en donner les vraies raisons. Il renonça au travail d'équipe afin d'avoir à croiser Joan le moins possible, du moins au début. Cet échec se révéla très déprimant pour tous les deux, toutefois Alan s'était conduit de telle façon qu'elle ne se sentit pas rejetée pour sa propre personne. La rupture s'élevait entre eux comme une barrière, ils continuaient à être unis, mais par leur compréhension.

Tandis qu'à Bletchley on parlait de jeux, l'Atlantique devenait le théâtre d'une certaine forme de logique de combat par minimax, la stratégie impliquant la contre-stratégie, les armes impliquant les « anti-armes » et la détection entraînant une obligatoire contre-détection. Moins définis que le poker ou les échecs, ces conflits suivaient des règles qui changeaient tout le temps, des stratégies dont les conséquences ne pouvaient être évaluées et qui entraînaient des pertes d'un enjeu terriblement plus grave. La guerre des sous-marins allemands, avec sa part de bluff et de flair, pouvait se comparer au poker. Dès le mois d'août 1941, les Britanniques avaient dissimulé un miroir derrière la main de leur adversaire et arrivaient donc à lire presque toutes ses cartes[1]. Aucune nouvelle prise ne s'imposa avant fin 1941 et il ne fallait plus que trente-six heures à la Hutte 8 pour décrypter les messages – malgré les huit rotors de l'Enigma navale qui donnaient maintenant trois cent trente-six ordres possibles au lieu des soixante ordres des machines précédentes.

Mais un tel perfectionnement des méthodes n'était pas l'œuvre de la seule Hutte 8. C'était tout Bletchley qui s'était attaqué à l'ensemble du système de communications allemand :

« À partir du printemps 1941, d'abord grâce à l'aide d'un document saisi, puis grâce à la découverte du fait que certaines transmissions étaient des répétitions de messages d'Enigma décryptés, ils brisèrent le chiffrement manuel ("Werft") d'un chantier naval. En août 1941, ces signaux étaient de nouveau chiffrés avec Enigma avant d'être transmis. Grâce à la capacité

---

1. *Cf.* Hinsley, vol. 1.

de la GC & CS de les isoler, leurs déchiffrages furent d'une aide précieuse pour les attaques cryptanalytiques sur les réglages de l'Enigma navale. En même temps, c'était après avoir brisé Enigma que la GC & CS fut en mesure de parfaire sa maîtrise du chiffre du chantier naval... »

Et, en plus de cette pierre de Rosette, même le chiffre de la météorologie navale se révéla d'une importance capitale :

« Il fut cassé pour la première fois en février 1941, et en mai de la même année, la section météorologique de la GC & CS découvrit qu'il recouvrait des rapports météo émanant de sous-marins dans l'Atlantique et qui avaient déjà été transmis par l'Enigma navale[1]. Par la suite, ces décryptages se révélèrent tout aussi utiles que ceux du chantier naval. »

Tout en représentant un véritable triomphe pour Bletchley, ces découvertes portaient en quelque sorte un coup personnel à Alan. Lui qui avait élaboré de subtiles méthodes mathématiques pour lancer l'attaque du décryptage, se voyait maintenant ridiculisé par une méthode infiniment plus directe, fondée sur de nouveaux supports très sûrs. Il n'avait plus pour lui qu'à s'effacer.

La clé du développement de la GC & CS se trouvait maintenant dans l'intégration de l'ensemble des travaux plutôt que dans le génie individuel. Ces nouvelles découvertes étaient la justification finale de tout ce pour quoi ces hommes neufs s'étaient battus. Les messages du chantier naval ne contenaient aucune information cruciale, et d'après les critères du Bureau 40, n'auraient nullement mérité qu'on s'y intéresse. Mais la GC & CS avait pris le parti de s'attaquer à chaque transmission, quelle que soit leur importance apparente. Et cette méthode s'était révélée payante. Il était surtout fondamental qu'une seule organisation puisse avoir accès à tous les messages décryptés, d'où qu'ils proviennent, et puisse les utiliser à sa guise. Si l'Amirauté s'était décidée à reconquérir la cryptanalyse navale, rien de tout cela n'aurait pu être possible. Toutefois, ce genre de considérations ne dépendaient pas de Turing, mais des autorités administratives et politiques. Il appréciait le chemin parcouru, toutefois sa propre force résidait dans des problèmes plus indépendants.

---

1. On ne put jamais briser la clé du système « étranger » utilisé par exemple dans l'océan Indien. De plus, la clé « Intérieure » ne couvrait plus les navires de surface en Méditerranée.

D'une manière plus générale, le décryptage ne prenait réellement sens que par la coordination de nombreuses activités différentes. La capture audacieuse des U-Boote, l'épluchage fastidieux des listes des chantiers navals ennemis, les comparaisons entre la reconnaissance aérienne et les incidents observés, les dossiers permettant d'exploiter les informations, la conception et la fabrication de nouvelles machines – tout cela devait être parfaitement organisé et reposait entièrement sur la transcription épuisante de signaux en morse, aussi dépourvus de signification que difficiles à capter.

Une fois encore, le décryptage des messages allemands ne constituait qu'une seule facette du jeu Atlantique qui allait changer à la mi-1941. L'attaque de la Russie allait en effet mobiliser la Luftwaffe tandis que l'armée de l'air britannique se trouvait davantage en mesure de contrôler les abords occidentaux. Les sous-marins allemands se déplacèrent vers un nouveau champ de bataille situé au cœur de l'Atlantique. Escorteurs et avions furent équipés de radars permettant la détection des U-Boote à courte distance. Le système Huff-Duff[1] de détection automatique commençait à fonctionner. Et surtout, les échanges commerciaux conduisaient peu à peu les États-Unis à se lancer dans un conflit non encore déclaré, comme lors de la Première Guerre mondiale. La marine américaine escortait en effet les convois jusqu'au milieu de l'océan Atlantique, et sa neutralité officielle représentait un très net avantage pour la Grande-Bretagne, car les sous-marins ennemis avaient pour ordre de ne pas attaquer les bâtiments américains.

C'est tout de même Enigma qui se trouvait au cœur du rétablissement britannique de l'été 1941 ; non seulement en permettant de reconstituer la route des convois, mais aussi en permettant des opérations contre les sous-marins allemands et plus spécialement contre leurs systèmes de ravitaillement. Cependant, le plus important était que les Britanniques avaient à présent une vision claire et complète de ce qui se passait. C'est grâce au travail d'Alan Turing qu'« en juillet et août, alors que Winn s'était déjà lancé dans l'action », les pertes tombèrent à 100 000 tonnes par mois. Dans la seconde moitié de 1941, les succès allemands se trou-

---

1. Abréviation de *High Frequency/Direction Finding*, dispositif de repérage.

vèrent en moyenne divisés de moitié, bien que le nombre des U-Boote eût été porté à 80 au mois d'octobre. On put même affirmer avant la fin de l'année que le problème naval était résolu.

La lutte était pourtant loin d'être terminée. Les progrès britanniques ne faisaient que suivre le rythme d'accroissement des forces sous-marines allemandes, et les Alliés se trouvaient toujours à la merci du système de chiffrage d'Enigma. Ainsi, on assista en septembre 1941 à une brusque augmentation des pertes navales sur plusieurs semaines, simplement parce qu'un petit raffinement avait été introduit dans les signaux des sous-marins.

Depuis le début, ils s'étaient servis de la même grille de références pour indiquer leurs positions sur la carte :

« ... en évitant le système de latitude et de longitude. Ainsi, la position AB1234 désignait un point, disons 55 degrés 30 minutes Nord, 25 degrés 40 minutes Ouest. Cela ne nous posait aucun problème, puisque nous avions saisi une partie de leurs cartes et nous avons ainsi pu reconstituer l'ensemble. Pourtant, en septembre 1941, les Allemands se mirent à transposer ces lettres en ajoutant ou soustrayant un nombre à la partie numérique, de sorte que par exemple "1234" apparaisse dans la transmission sous la forme « 2345 ». Ces transpositions étaient modifiées à intervalles réguliers ».

La logique ne consistait pas en une tentative de neutraliser les efforts des cryptanalystes, mais d'ériger une défense supplémentaire contre des espions ou des traîtres imaginaires. Cet ajout encombrant ne parvint qu'à embrouiller les officiers allemands eux-mêmes :

« Un jour, nous sommes parvenus à déchiffrer des coordonnées chiffrées, et à prendre un convoi d'une patrouille en embuscade. Seulement le commandant d'un des sous-marins impliqués ne s'était pas révélé suffisamment malin et avait mal interprété les coordonnées, finissant par conséquent par se heurter au convoi. »

En novembre 1941, le système fut à nouveau repensé, provoquant une longue période d'incertitude à Bletchley. Ils étaient toujours sur le fil du rasoir, ce qu'on ne manqua pas de leur rappeler.

C'est à cette même période que les maîtres décrypteurs des Huttes 8 et 6 se rebellèrent contre l'administration. Alan se retrouva tout naturellement chargé de contraindre le Gouvernement britannique à prendre en compte des réalités du monde moderne. Lui et quelques autres transgressèrent donc les règles et écrivirent directement à celui qui avait pouvoir de les changer.

« Secret et confidentiel
À l'attention de Monsieur le Premier Ministre

De la part des Huttes 6 et 8 (Bletchley Park)
Le 21 octobre 1941

Monsieur le Premier Ministre,

Il y a quelques semaines de cela, vous nous avez fait l'honneur de votre présence, et nous sommes convaincus que vous estimez à sa juste valeur l'importance de notre travail. Vous avez veillé à ce que, grâce à l'énergie et à la prévoyance du commandant Travis, nous soyons suffisamment approvisionnés en Bombes afin de pouvoir briser les codes de l'Enigma allemande. Il faut néanmoins que vous sachiez que notre travail est parfois ralenti, et dans certains cas empêché, principalement parce que nous manquons de personnel pour en venir à bout. Si nous nous sommes permis de vous contacter directement, c'est parce que depuis des mois nous avons tout tenté via la voie hiérarchique traditionnelle, mais nous craignons que sans votre intervention, aucune amélioration ne voie le jour à court terme. Il ne fait aucun doute qu'à longue échéance, nos demandes finiront par être satisfaites, sauf que d'ici là, nous aurons encore perdu de précieux mois, nos besoins ne cessant de croître.

Nous comprenons que la main-d'œuvre soit rare en cette période difficile. À notre avis, le problème vient du fait que nous formons une section très restreinte aux exigences insignifiantes, et qu'il nous est vraiment difficile de faire comprendre aux autorités responsables aussi bien l'importance du travail accompli, que l'urgente nécessité de répondre rapidement à nos demandes. En même temps, nous avons du mal à croire qu'il soit vraiment impossible de trouver le personnel supplémentaire dont nous avons cruellement besoin, même s'il se révèle nécessaire à ces fins de bouleverser le mécanisme habituel des affectations.

Nous ne souhaitons aucunement vous accabler avec une liste de nos déboires, mais ceux qui suivent forment des goulets d'étranglement qui nous inquiètent profondément.

1. Le déchiffrage de l'Enigma navale (Hutte 8)

En raison du manque d'effectifs et de la surcharge de travail de l'équipe en place, la section Hollerith[1] sous les ordres de M. Freeborn a été contrainte de cesser le travail de nuit. Cela a eu pour effet de décaler de douze heures le décryptage quotidien. Afin de pouvoir relancer le travail de nuit, M. Freeborn a besoin au plus vite de vingt employés de bureau supplémentaires sans formation de Grade III. Naturellement, pour pouvoir satisfaire à toutes les demandes, le chiffre serait bien plus élevé.

Ceci est sans compter le grave danger qui nous menace désormais : certains membres du personnel, aussi bien à la British Tabulating Company de Letchworth que dans la section de M. Freeborn, ont jusqu'à présent été dispensés de service militaire, et sont dorénavant susceptibles de se faire appeler.

2. L'Enigma de l'armée de terre et de l'air (Hutte 6)

Nous interceptons de nombreuses transmissions radio au Proche-Orient, mais nous n'avons pas les moyens d'être sur tous les fronts. Nous obtenons quantité de nouveaux renseignements « Bleu ciel[2] ». Toutefois, en raison du manque de dactylos qualifiées et de l'état d'épuisement de notre personnel de déchiffrage, il nous est impossible d'en décrypter la totalité. Il en va ainsi depuis le mois de mai. Il nous suffirait pourtant d'environ vingt dactylos qualifiées.

3. Évaluation des Bombes (Huttes 6 et 8)

En juillet, on nous avait promis que le WRNS se verrait affecter le personnel nécessaire pour se charger de l'évaluation des « histoires » produites par les Bombes[3]. Nous sommes maintenant fin octobre, et rien n'a été fait. Ce point est moins important que les deux précédents, car il ne nous a pas empêchés de faire notre travail, mais cela signifie que des membres du personnel des Huttes 6 et 8, qui auraient été bien utiles ailleurs, ont dû se charger de ce travail d'évaluation. Nous ne pouvons nous empêcher de croire qu'il aurait été possible d'obtenir ce que

---

1. Référence à la machine à cartes perforées employée à d'autres étapes du processus.
2. Système codé utilisé en Afrique.
3. Référence au problème d'évaluation des positions auxquelles la Bombe s'arrête, afin d'éliminer celles qui sont dues au hasard.

nous demandions, si l'instruction en avait été faite aux services adéquats.

4. En plus de ces problèmes de personnel, nous avons le sentiment d'avoir été confrontés à des obstacles inutiles dans un certain nombre de domaines. Il serait trop long de tous les répertorier, et nous savons que certaines décisions prises prêtent à polémique. Toutefois, leur accumulation nous a donné la conviction que l'importance de notre travail n'a pas été bien comprise en dehors des autorités auxquelles nous avons affaire.

Nous avons rédigé ce courrier de notre propre initiative. Nous ignorons qui est responsable de nos difficultés, et nous ne voudrions vraiment pas vous faire croire qu'il s'agit d'une critique envers le commandant Travis, qui a toujours fait tout son possible pour nous aider. Mais si nous voulons faire notre travail convenablement, il est absolument crucial que nos demandes, si insignifiantes soient-elles, soient prises en compte. Nous avons jugé de notre devoir d'attirer votre attention sur ces faits, et sur les conséquences qu'ils ont et pourraient continuer à avoir sur notre travail sans une réaction rapide des autorités concernées.

Vos serviteurs dévoués,

A. M. Turing

W. G. Welchman

C. H. O'D. Alexander

P. S. Milner-Barry. »

Leur lettre eut un effet immédiat. Churchill rédigea aussitôt une note au général Ismay, son chef d'état-major :

« À faire ce jour.

Vérifier en extrême priorité qu'ils ont tout ce qu'il leur faut, et me le signaler une fois que c'est fait. »

Dès le 18 novembre, le chef des services secrets lui assura que toutes les mesures nécessaires avaient été prises. Même s'il restait encore quelques détails à régler, Bletchley commençait enfin à avoir les moyens indispensables à son efficacité.

Entre-temps, un autre changement profond allait modifier leur situation. Des négociations plus concrètes s'organisaient entre les États-Unis et la Grande-Bretagne au sujet du partage des renseignements. Dès 1940, certaines révélations avaient été faites sur les techniques de Bletchley. Alan avait d'ailleurs dû imaginer une méthode permettant d'expliquer leurs décryptages sans mentionner l'existence des Bombes, ce qui lui avait pris un temps infini. Dans un premier temps, les Anglais doutaient en effet de la capacité des Américains à conserver un secret. En 1941, ces craintes furent levées et des accords furent conclus, prévoyant que des officiers de liaison seraient installés à Bletchley. Les œufs de Turing étaient maintenant prêts pour l'exportation.

L'Allemagne déclara la guerre aux États-Unis le 11 décembre 1941, quatre jours après l'attaque de Pearl Harbor. « Ainsi donc, nous avions gagné ! L'Angleterre vivrait, la Grande-Bretagne vivrait ; le Commonwealth et l'Empire vivraient... », se dit Churchill. Les premiers effets furent pourtant désastreux pour l'Angleterre. La défense du Pacifique mobilisa soudain tous les navires de guerre américains qui jusque-là avaient protégé les convois. Il fut encore plus difficile de faire parvenir les renseignements à l'US Navy qu'à l'Amirauté britannique.

Les décryptages avaient signalé l'envoi de quinze U-Boote vers les côtes américaines juste après la déclaration de guerre, mais l'information avait été négligée et aucune mesure ne fut prise. L'alliance anglo-américaine commença donc par des pertes navales considérables. Puis, le 1er février 1942, il lui fallut subir un choc encore plus sérieux : les U-Boote passèrent à un nouveau système. Les Bombes cessèrent de livrer leurs prophéties. La solution n'existait plus.

Ce coup porté en février 1942 signifiait qu'il fallait repartir de zéro, et que les deux années précédentes n'avaient été que des exercices d'échauffement. Cet événement était assez représentatif de l'effort de guerre dans son ensemble, dans la mesure où la même situation pour les Britanniques aurait semblé, en 1939, absolument désastreuse. La perte de tous les alliés européens, l'annulation des avantages antérieurs sur l'Italie, la reddition de Singapour, autant de handicaps qui étaient néanmoins compensés par la promesse de l'aide d'une Amérique inexpérimentée. Piètre consolation : on pouvait constater que la RAF était devenue supérieure à la Luftwaffe en capacité brute de bombardement – ce qui n'empêcha pas le *Scharnhorst* et le *Gneisenau* de doubler Douvres en plein jour. En fait, l'économie allemande commençait tout juste à s'adapter à une production de guerre, élevée maintenant à un niveau européen. Et son principal ennemi venait d'éviter de peu la défaite aux portes de Moscou.

Il fallait imaginer des choses impossibles : créer une armée américaine à partir de rien ou presque, l'expédier de l'autre côté de l'Atlantique pour envahir un continent fortifié à l'extrême. Seulement, les préparatifs d'une telle invasion, sans même parler de sa réussite, demeuraient impossibles tant que les U-Boote continuaient de sévir. Maintenant qu'Hitler passait à la vitesse supérieure, la flotte sous-marine représentait en janvier 1942 une centaine de bâtiments, de dimensions plus importantes, et s'agrandissait de semaine en semaine. Après février, leur anonymat retrouvé, les sous-marins infligèrent des pertes carrément désastreuses – un demi-million de tonnes par mois, ce qui dépassait le taux de production des deux nouveaux alliés réunis. La possibilité d'une victoire semblait fort éloignée.

Tout avait changé. Le chômage ne sévissait plus en Angleterre comme en 1940, et tout était désormais planifié. La Grande-Bretagne et les États-Unis se retrouvèrent contraints par la force des choses à réorganiser l'ensemble de l'économie mondiale à l'exclusion de la zone d'influence de l'Union soviétique ou des forces de l'Axe. À Bletchley, l'ambiance avait changé. L'intelligentsia réquisitionnée sillonnait maintenant le Buckinghamshire à bord d'un véritable escadron de cars. Les départements militaires n'avaient plus qu'à mettre un mouchoir sur leur fierté et à s'adapter à de nouveaux rythmes de travail. Il s'agissait à présent de mettre au point une organisation de renseignements parfaitement intégrée, reflétant chaque niveau du système ennemi. En 1941, les ressources accordées à Bletchley passaient toujours pour une concession arrachée à la guerre des vrais braves, à celle des avions et des armes. Suite à la lettre adressée à Churchill, Travis fut remplacé par Denniston. Celui-ci mit en place la réforme administrative qui allait enfin adapter la direction du service de renseignements à son mode de production. Pendant ce temps, les services secrets, reconnaissant la réalité des faits – c'était le renseignement qui permettait à Churchill de maîtriser la guerre –, commencèrent à résister un peu moins aux demandes de Bletchley.

Il fallait néanmoins se rendre à l'évidence, le problème des U-Boote dépassait maintenant les moyens disponibles. En 1941, la Hutte 8 avait rendu la vue aux aveugles, et la perdre à nouveau représentait un choc extrêmement pénible. Pour être plus précis, l'Amirauté n'avait perdu qu'un œil, car seuls les sous-marins opérant en pleine mer avaient adopté le nouveau système. Les U-Boote demeurant près des côtes et tous les bâtiments de surface continuaient d'utiliser une clé « Intérieure » qu'on pouvait encore briser. On savait combien de U-Boote naviguaient en pleine mer et on avait des informations concernant leurs départs – des données qu'on pouvait relier aux observations effectuées en mer et aux détections des Huff-Duff. Mais cela représentait bien peu par rapport à ce qu'on avait eu l'habitude d'avoir.

À mesure qu'ils lisaient les chiffres des pertes et contemplaient les cartes marines désespérément muettes, la réalité s'infiltrait par trop dans le jeu mathématique et celui-ci ne devenait plus drôle du tout. La machine Enigma n'avait pas seulement subi un changement de système, elle avait été complétement modifiée. Il y avait maintenant place pour un quatrième rotor. Jusqu'à présent, les réglages de l'Enigma navale impliquaient toujours un choix de trois rotors sur huit, ce qui donnait 336 possibilités. Si la machine avait été modifiée pour permettre un choix de quatre rotors sur neuf, ce chiffre aurait été de 3 024 (soit multiplié par neuf) et le positionnement du nouveau rotor aurait encore multiplié ce chiffre par vingt-six. Heureusement, il n'en alla pas ainsi. Il y eut effectivement un neuvième rotor, mais qui ne pouvait être déplacé. La machine restait la même et on l'avait simplement équipée à son extrémité d'un rotor supplémentaire pouvant prendre vingt-six positions différentes. Cela équivalait à avoir vingt-six câblages de réflecteurs différents. Par conséquent, les problèmes n'avaient été multipliés que par vingt-six et non par 234 comme on aurait pu le craindre.

Ce n'était donc qu'une demi-mesure, prise, semblait-il, pour des raisons de précaution interne plus que par crainte des services de décryptage britanniques. La Hutte 8 se retrouvait cependant dans de très vilains draps. L'Enigma navale avait déjà monopolisé tout le monde disponible pour que le décryptage des messages puisse intervenir dans le délai de deux jours maximum, ce qui permettait encore aux convois de se dérouler. L'adjonction du rotor supplémentaire transformait les heures de travail en jours – ou bien exigeait vingt-six Bombes pour chacune de celles utilisées en 1941, à moins que l'ingéniosité ne permette de trouver un autre moyen.

La Hutte 8 constata vite que le câblage du nouveau rotor lui était familier. Pour la simple raison qu'Enigma avait été trafiquée et qu'il ne s'agissait pas véritablement d'une nouvelle machine. Pendant les derniers mois de 1941, cette quatrième roue était restée en position « neutre » sur toutes les machines des U-Boote. Un jour de décembre, un encodeur l'avait par erreur laissé pivoter pendant qu'il chiffrait un message ; la Hutte 8 avait aussitôt enregistré le charabia qui en avait résulté puis avait repéré la retransmission du message en bonne position des rotors. Cette erreur élémentaire de retransmission du même message, facile à commettre puisque les Allemands se sentaient aussi sûrs de leurs machines, avait permis aux spécialistes britanniques d'identifier le câblage de la roue. Munis d'une telle information, ils furent même en mesure de lire les communications des 23 et 24 février, puis du 14 mars – jours pour lesquels ils disposaient de « supports » particulièrement clairs tirés de messages chiffrés dans d'autres systèmes bien connus. Mais il aurait fallu que tout cela se déroule vingt-six fois plus vite : on utilisait déjà six Bombes pour déchiffrer les transmissions de dix-sept jours. Ce coup de théâtre illustrait parfaitement le côté aléatoire de cette entreprise. Si cette nouvelle version d'Enigma avait été mise en place dès le début, la chasse au trésor n'aurait sans doute pas quitté le sol polonais.

« Plus vite ! » criait-on désormais. On ne pouvait pourtant pas demander aux Bombes de faire des miracles du jour au lendemain. On avait eu en fait une opportunité de se préparer à la catastrophe. Au printemps 1941 déjà, certains messages décryptés faisaient référence à l'adjonction de ce quatrième rotor. Les spécialistes de la Hutte 8 ne purent que se reprocher de ne pas y avoir assez prêté attention. Mais ils avaient alors tellement à faire pour obtenir ne serait-ce que des moyens de travail suffisants pour traiter les communications du moment, qu'il aurait paru insensé de réclamer à leurs supérieurs hiérarchiques, des Bombes plus perfectionnées pour résoudre les problèmes à venir. Les autorités avaient gâché cette opportunité d'anticiper ce qui allait se produire. Or, grâce à la réorganisation de fin 1941, on bénéficiait d'une approche plus dynamique. La crise imminente eut pour effet immédiat de permettre l'acquisition de nouvelles connaissances en ingénierie.

L'une des méthodes les plus évidentes consistait à adjoindre aux Bombes ce fameux quatrième rotor et à lui donner une vitesse de rotation extrêmement rapide pour adopter les vingt-six positions requises. La mise au point d'un tel système fut confiée à C. E. Wynn-Williams, qui travaillait en 1941 pour le laboratoire de recherches sur le radar, qui devint le Telecommunications Research Establishment (TRE) lors de son installation à Malvern en mai 1942.

Une des caractéristiques de cette formule était qu'avec les vitesses proposées, le système logique permettant de suivre les implications de plus en plus nombreuses de chaque hypothèse de rotor ne pouvait plus s'intégrer à un réseau de relais électromagnétiques : ceux-ci se révéleraient trop lents. Il devenait donc nécessaire de passer à l'électronique. Ainsi, on suggéra pour la première fois d'introduire à Bletchley la technologie aussi nouvelle qu'ésotérique qu'était l'électronique.

Alan Turing devait être plutôt content de constater que l'électronique devait son nom à un terme inventé par son lointain parent, Georges Johnstone Stoney (il se moquait toujours du fait que Stoney ne devait sa célébrité qu'à l'invention d'un nom). L'avantage, avec les tubes électroniques, c'est qu'ils pouvaient réagir en un millionième de seconde puisqu'il n'y avait aucune partie mobile, sauf les électrons eux-mêmes, alors que le relais électromagnétique supposait un déclic physique. La possibilité était ainsi offerte de multiplier la rapidité d'exécution par mille à une époque où les délais étaient le premier enjeu. Mais les tubes électroniques étaient souvent sujets à des défaillances, ils chauffaient et étaient encombrants et chers. Quant aux personnes qualifiées pour les utiliser, elles étaient encore en nombre très restreint.

Jusque-là, on s'était servi de tubes électroniques avant tout comme amplificateurs dans les réceptions radio. Utiliser un élément d'électronique comme commutateur était une chose bien différente, même si cela avait déjà été expérimenté en 1919. Heureusement, Wynn-Williams possédait l'avantage d'avoir été un pionnier des compteurs Geiger électroniques, et comptait donc au nombre des très rares personnes à avoir une connaissance de l'application de l'électronique.

Le TRE n'était cependant pas le seul à s'occuper d'électronique. La Post Office Research Station s'en servait également pour l'installation d'un système téléphonique moderne. Le niveau de recherche y était très élevé et ses jeunes ingénieurs, triés sur le volet, avaient des capacités et des ambitions qui dépassaient largement les possibilités offertes par la situation économique des années 1930. Leur supérieur, T. H. Flowers avait :

« ... intégré la station de recherche en tant qu'ingénieur stagiaire en 1930, après avoir été apprenti au Woolwich Arsenal. Pendant des années, son principal sujet de recherche avait concerné les transmissions à longue distance, et en particulier le problème de l'émission de signaux de commande, dans le but de remplacer des opérateurs humains par des équipements de commutation automatique. Il avait déjà une expérience considérable dans l'électronique, car il avait entamé ses recherches sur l'utilisation des tubes pour les commutateurs téléphoniques en 1931. Son travail avait abouti à la création d'un réseau téléphonique payant expérimental, opérationnel dès 1935... »

Qu'un expert du TRE puisse collaborer à un projet de la GC & CS montrait déjà qu'une barrière était tombée. Mais qu'un troisième organisme comme la Post Office puisse également s'intégrer à l'affaire relevait du miracle. En réalité, les ingénieurs se partagèrent deux aspects différents de la crise de l'Enigma navale. Pour concevoir le quatrième rotor à haute vitesse, Wynn-Williams était assisté de W. W. Chandler, jeune ingénieur du Post Office. Parallèlement, T. H. Flowers, également issu du Post Office, et son assistant S. W. Broadhurst travaillaient à la fabrication d'une machine électronique destinée à automatiser le contrôle des « arrêts ». Il s'agissait d'éliminer la quantité (encore accrue par le nombre supérieur de positions de rotors) de faux « arrêts », beaucoup plus rapidement qu'en continuant à les essayer un à un manuellement sur une Enigma.

Ces deux projets furent mis en route au printemps 1942 mais déçurent tous les espoirs. Wynn-Williams semblait sans cesse sur le point de réussir, seulement il ne parvint pas à fabriquer son rotor rapide cette année-là. Le travail déjà réalisé sur le réseau électronique qui devait lui être associé ne servait donc à rien. En revanche, la machine à tester les arrêts fut très vite conçue, fabriquée et mise en service, dès l'été 1942, mais elle se révéla au bout du compte totalement inutile. Pendant ce temps, Flowers et ses collègues avaient suggéré à Keen d'améliorer les Bombes en leur intégrant quelques composants électroniques. Cela leur fut refusé.

L'été 1942 fut ainsi très frustrant pour nos jeunes ingénieurs. Leur électronique ne trouvait toujours pas d'application et Alan, qui leur indiquait ce qu'on attendait d'eux, n'était arrivé à rien non plus. Un pas avait été fait dans la bonne direction, mais l'Atlantique demeurait aussi opaque qu'en février.

En attendant, la Hutte 8 s'était dotée d'un personnel de cryptanalystes de haut niveau, même s'ils ne furent jamais plus de sept. Fin 1941, Hugh Alexander fit appel à Harry Golombek, le champion d'échecs revenu d'Argentine, mais qui avait dû passer deux ans dans l'infanterie. Puis, en janvier 1942, Bletchley accueillit Peter Hilton, âgé de 18 ans, qui n'avait passé qu'un seul trimestre à Oxford. Alors qu'il n'avait pas été tenu au courant des raisons de son déplacement, voici comment il décrivit ainsi son arrivée : « Ce type s'est approché de moi et m'a dit : "Je suis Alan Turing. Vous vous intéressez aux échecs ?" Je me suis dit : "Ça y est, je vais enfin découvrir de quoi il retourne !" J'ai donc répondu : "Eh bien, en fait, oui." Il m'a alors rétorqué : "Oh, parfait, parce que je suis confronté à un problème d'échecs que je n'arrive pas à résoudre, en ce moment." »

Il s'écoula une journée entière avant que Peter Hilton finisse par découvrir la raison de sa présence. Au cours de l'année, cette organisation quelque peu fantaisiste fit place à un dispositif plus professionnel. Alan restait le « Prof », mais doucement, subtilement, Hugh Alexander s'affirmait *de facto* comme le chef. De la manière la plus élégante possible, on tirait bel et bien le tapis de sous les pieds d'Alan. S'il était à l'origine de tout le travail effectué sur l'Enigma navale, il fallait maintenant quelqu'un de plus habile pour le développer. Alan manquait du sens du détail et il avait du mal à diriger les gens. Hugh Alexander était, par exemple, le genre d'homme qui savait concevoir et rédiger une circulaire parfaitement claire et sans ratures – ce qui semblait au-dessus des forces de Turing. Ce dernier eut l'impression qu'on lui retirait son enfant, mais il n'aurait pu nier qu'Alexander était meilleur organisateur que lui. Jack Good fit remarquer :

« Voici un exemple de la technique de gestionnaire employée par Hugh Alexander. La section œuvrant vingt-quatre heures sur vingt-quatre, on avait mis en place un roulement de trois équipes, et par conséquent, les « filles » avaient trois chefs. L'une d'elles s'était rendue impopulaire parce qu'elle était trop colérique. Hugh déclara qu'il aimerait expérimenter un système complexe à cinq équipes et qu'il fallait donc recruter deux nouveaux chefs d'équipe. Au bout de quelques semaines, il arriva à la conclusion que l'expérience était un échec, et réinstaura le système à trois équipes. Il fallut donc se séparer de deux chefs d'équipe, et il est aisé de deviner qui en faisait partie. » Alan n'aurait jamais songé par lui-même à de tels stratagèmes, même s'il avait éclaté de rire quand on le lui avait expliqué. À l'époque, il s'était en fait montré très arrangeant avec ces « filles » pour ce qui était de leurs jours de congé et leurs horaires. Désormais, une approche plus professionnelle de la gestion des ressources humaines s'avérait nécessaire.

On le délivra donc peu à peu des problèmes immédiats pour le cantonner dans la recherche à long terme. Il en fut assez peiné car il avait également apprécié le travail d'équipe et surtout le fait de contrôler l'ensemble des opérations, du début à la fin. C'était cependant la manière la plus rationnelle d'utiliser son esprit abstrait. Quoique toujours rattaché à la Hutte 8, il travaillait désormais dans son propre bureau, comme premier conseiller de la GC & CS. Alors que les autres avançaient « à l'aveugle », sans rien savoir en dehors de leur domaine précis d'activité, le rôle d'Alan semblait illimité. Le « Prof » avait accès à tout, s'enfonçant toujours plus profondément dans la masse grandissante des communications, livrées désormais par un monde plongé tout entier dans la guerre. Même si les choses avaient changé, il n'avait pas de raison réelle de se plaindre : la guerre faisait rage, et il avait la capacité unique de distinguer son pays dans la course.

Par ailleurs, une situation nouvelle commençait à apparaître. Les décrypteurs avaient déjà intercepté quelques communications dont le caractère était fondamentalement différent de celui des signaux d'Enigma. Ils évoquaient plutôt les signaux d'un téléscripteur. Ce système, qui s'était rapidement développé dans les années 1930, utilisait pour leurs transmissions le code Baudot-Murray et non plus le morse. L'avantage était l'automatisation. Le Baudot-Murray représentait chaque lettre de l'alphabet par l'une des trente-deux combinaisons possibles d'un ensemble de cinq trous maximum percés sur une bande de papier. Un téléscripteur transformait le schéma de petits trous obtenus en impulsions qui étaient à leur tour transcrites à l'arrivée en message écrit, sans la moindre intervention humaine. Les Allemands en avaient donc repris l'idée pour créer des systèmes de machines à chiffrer entièrement automatisées – des systèmes plus pratiques et qui exploitaient beaucoup mieux la technologie contemporaine qu'Enigma.

D'un point de vue logique, le trou percé dans la bande pouvait très bien correspondre à un « 1 » et le trou non percé à un « 0 ». Les transmissions se faisaient donc sous la forme de cinq séquences d'éléments binaires, les 0 et les 1. Il y avait déjà longtemps que les spécialistes de la cryptographie avaient pensé au Baudot-Murray comme base d'un chiffrage de type « addition ». Le chiffre de Vernam (portant le nom de l'inventeur américain G. S. Vernam) est fondé sur le principe le plus simple d'une addition « modulaire » de nombres binaires, ne faisant appel à aucune autre règle que celles figurant dans le schéma :

Clé En clair	0	1
0	0	1
1	1	0

En fait, on pouvait adjoindre une bande de téléscripteur de textes en clair à une bande de téléscripteur à clé, en admettant qu'un « trou » dans la bande clé changeait la bande de texte en clair (un « trou » devenant un « non-trou » et vice versa), alors qu'un non-trou laissait le texte en clair inchangé. Ainsi :

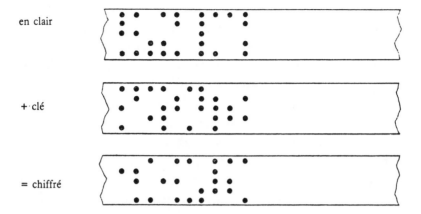

en clair

+ clé

= chiffré

Si la clé avait réellement été choisie au hasard et utilisée selon le principe de la transmission unique, le système aurait été très sûr, qu'il s'agisse d'éléments binaires ou décimaux. Si toutes les clés avaient été utilisées de manière égale, aucun poids d'évidence n'aurait pu faire pencher pour tel texte en clair plutôt que pour tel autre. Ce n'était pas le cas avec les transmissions allemandes. La clé était obtenue mécaniquement. Plusieurs sortes de téléscripteurs-encodeurs étaient employés, mais ils avaient tous une caractéristique commune : la clé correspondait à un schéma produit par le mouvement inégal d'une dizaine de roues. De telles machines ne produisaient pas de bande clé à proprement parler, pourtant, de l'avis des cryptanalystes, cela revenait au même.

Comme dans le cas d'Enigma, on pouvait espérer la capture éventuelle de matériel en service, et les Allemands auraient dû envisager cette éventualité. Mais ce n'est pas par ce biais-là que le premier progrès put être réalisé. Certaines erreurs commises lors de l'utilisation de la machine avaient entraîné une bévue élémentaire. Un message avait été envoyé à deux reprises, chiffré par la même clé, mais avec un décalage d'un caractère dans le second message. Quand on avait compris l'astuce, il devenait facile de trouver la clé puis le texte en clair.

Avec une machine conçue pour être entièrement sécurisée, tout progrès supplémentaire aurait dû se révéler impossible. La séquence de la clé ainsi élucidée aurait dû sembler aléatoire, sans motif apparent. Ce ne fut pas le cas. C'est W. T. Tutte, un jeune chimiste de Cambridge devenu mathématicien, qui fit cette observation déterminante. Un tel résultat équivalait à ce que les Polonais avaient réussi à faire avec Enigma en 1932. Cela revenait à une capture logique, sinon physique, de la machine, même s'il ne s'agissait encore que d'un point de départ. La grande différence résidait dans le fait que l'industrie allemande s'était maintenant sérieusement mobilisée et qu'il ne s'agissait plus d'un modèle commercial « gonflé », comme cela avait été le cas pour Enigma. L'autre différence tenait à son rôle dans l'organisation militaire allemande. Les messages transmis par ce nouveau procédé étaient rares mais fructueux puisqu'ils traitaient la plupart du temps des rapports et des appréciations au plus haut niveau. Bletchley se retrouvait ainsi plus proche de Berlin à une époque où Hitler prenait la direction personnelle de la guerre.

Même si l'on avait pu mettre la main sur une machine de ce type, il aurait été impossible d'aller beaucoup plus loin dans l'analyse du chiffre : c'était la règle d'or de toute bonne cryptographie. En outre, les « périodes » du mécanisme d'encodage n'étaient plus cette fois-ci de 17 576, mais d'un nombre astronomique. La situation ne semblait pourtant pas désespérée puisque dès 1942, les spécialistes commencèrent à découvrir des manières d'exploiter les connaissances qu'ils avaient déjà. Le travail effectué sur ce type précis de communications chiffrées par machines fut baptisé « Fish ». L'une des méthodes les plus générales fut mise au point par Alan, qui s'appuya pour cela sur les travaux de Tutte ; on ne tarda pas à l'appeler « Turingismus ».

Un nouveau secteur qu'Alan ne maîtrisait absolument pas se développait à Bletchley. Si l'Enigma navale avait été le jouet d'Alan, c'est à Newman, arrivé à l'été 1942, que revint la mécanisation des recherches effectuées sur les signaux Fish.

Ce dernier avait été recruté par son ami P. M. S. Blackett, physicien de Cambridge (également ancien élève de King's), qui était désormais chargé de l'analyse statistique pour résoudre le problème d'organisation des convois. (Car, enfin, l'Amirauté autorisait l'ingérence des scientifiques au cœur de ses opérations.)

Newman fut affecté à la section de recherche afin de travailler sur les signaux Fish, mais les méthodes manuelles ne lui convenaient pas particulièrement. Il songeait à retourner à Cambridge quand il imagina une approche automatisée du problème. L'analyse théorique partait en fait des méthodes statistiques élaborées par Alan en 1940 et 1941. Ces idées occupaient, en effet, une place fondamentale dans le projet de Newman. Sauf que pour les exploiter, il était indispensable de construire des machines entièrement nouvelles, capables d'effectuer des calculs extrêmement rapides. C'est à ce moment-là que les électroniciens purent réellement entrer en jeu. Pendant le reste de l'année 1942, le projet s'embourba quelque peu sur le plan de la technique, non pas tant à cause des composantes électroniques que des difficultés mécaniques que posait le passage très rapide d'un ruban de papier dans un lecteur.

Alan connaissait bien sûr tout du projet, mais son seul apport direct au décryptage Fish se limita au « Turingismus ». À l'automne 1942, ce système fut du reste repris par la section surnommée Testery (du nom de son responsable, le major Tester), qui s'occupait d'essayer les méthodes manuelles sur les communications Fish – rappelant ainsi les débuts laborieux des décryptages d'Enigma. Peter Hilton avait quitté la Hutte 8 pour intégrer cette section, juste avant l'arrivée de Donald Michie, un homme encore plus jeune directement issu de Rugby School. Ce dernier avait décroché une bourse à Oxford, et avait entamé une formation de cryptologie élémentaire en attendant de pouvoir prendre des cours de japonais. Une fois ses talents reconnus, on l'avait aussitôt jeté dans le grand bain à Bletchley. Avec Peter Hilton, ils se chargèrent de développer le Turingismus et suggérèrent quelques idées à son créateur.

Malgré des nouvelles sombres et des perspectives plus incertaines que jamais, 1942 fut une année formidable et libératrice pour les jeunes, leur apportant des possibilités et des idées qui n'auraient jamais été concevables en temps de paix. Alan était particulièrement populaire auprès d'eux : il atteignait en effet tout juste ses 30 ans quand, pour couronner toute une série de catastrophes, on apprit la chute de Tobrouk en Lybie. Les nouveaux avaient du mal à comprendre comment quelqu'un qui paraissait aussi immature pouvait réellement avoir une trentaine d'années ; en même temps, ils ne concevaient pas non plus comment quelqu'un d'un tel niveau intellectuel pouvait être aussi jeune. Ils avaient l'impression d'échanger avec un étudiant à peine plus âgé qu'eux, qu'on laissait s'abandonner à ses passions pour le jazz illicite et les romans de D. H. Lawrence, car il avait remporté une bourse très importante.

Peter Hilton savait raconter les histoires de façon pittoresque, et sa préférée à propos de Turing concernait la Home Guard[1]. Curieusement, les autorités avaient insisté auprès des spécialistes de l'institution pour qu'ils s'initient aux activités militaires pendant leur temps libre. Les chefs de section en étaient exemptés, mais Alan rêvait de savoir manier une arme. Il s'était alors engagé dans l'infanterie de la Home Guard, et, pour ce faire :

« il avait dû remplir un formulaire, dont l'une des questions était : "Est-il bien entendu qu'en vous enrôlant dans la milice, vous vous soumettez à la loi militaire ?" Fidèle à lui-même, Alan avait déclaré : "Je ne vois aucun avantage à répondre 'oui' à cette question" et avait par conséquent répondu "non". Naturellement, il fut engagé, car la seule chose qui intéressait les militaires était la signature au bas de la feuille. Ainsi, il assista à l'entraînement et devint excellent tireur. Parvenu à ses fins, il n'avait plus aucune raison de faire partie de la Home Guard, et cessa donc de participer aux exercices. À l'époque, le danger d'une invasion allemande commençant à s'estomper, Turing voulut passer à quelque chose de plus intéressant. Ses absences récurrentes furent bien sûr signalées en haut lieu, et l'officier responsable de la Home Guard finit par le convoquer pour qu'il s'explique. Il s'agissait du colonel Fillingham, et je me souviens très bien de lui, car il était complètement fou de rage.

Ce fut sans doute l'épreuve la plus terrible que le colonel ait jamais connue. Turing se présenta, et lorsqu'on lui demanda ses raisons, il expliqua sobrement qu'il était devenu très bon tireur et que c'était l'unique raison pour laquelle il s'était engagé. Fillingham lui déclara alors : "Ce n'est pas à vous de juger si vous devez participer aux exercices ou non, et il en va de votre devoir de soldat d'obéir." Ce à quoi Turing répliqua : "Mais je ne suis pas soldat." Fillingham : "Comment ça, vous n'êtes pas soldat ? Vous êtes soumis à la loi militaire !" Et Turing : "Voyez-vous, j'étais sûr que ce genre de situation allait se produire. Si vous vous donnez la peine de consulter mon formulaire, vous

---

1. Formation paramilitaire mise en place au début de la Seconde Guerre mondiale pour faire face à un éventuel débarquement allemand.

constaterez que je me suis protégé contre ce genre de situation." Ils allèrent donc chercher le formulaire, et se rendirent compte que Turing était intouchable. Il n'avait pas été recruté convenablement. Ainsi, ils ne purent que constater qu'il ne faisait pas partie de la Home Guard. Cela lui ressemblait beaucoup. Il n'avait pas prémédité son coup. Il lui avait suffi de répondre au premier degré, décidant qu'il s'agissait de la stratégie optimale dans ce cas-là. »

Ce trait de caractère lui créa également des ennuis quand quelqu'un tomba sur sa carte d'identité non signée, au motif qu'on lui avait ordonné de ne rien inscrire dessus. Au-delà de ces menues victoires sur la bureaucratie, ces anecdotes étaient symboliques de cet esprit libre qui comptait parmi les plus brillants mathématiciens britanniques. Alan était le Flash Gordon des mathématiques, le Superman de la logique, celui qui sans relâche encourageait ses collègues, et ne s'avouait jamais vaincu, sans jamais douter des capacités illimitées des gens qui l'entouraient. Aux yeux de Peter Hilton, il était :

« quelqu'un de très accessible, même si l'on avait toujours l'impression de ne rien savoir de lui. Il semblait doté d'un immense pouvoir qui lui permettait de s'attaquer à n'importe quel problème, et toujours selon des principes premiers. Ce que je veux dire, c'est que non seulement il travaillait beaucoup sur la théorie, mais il concevait aussi des machines susceptibles de résoudre ses problèmes – et aussi tous les circuits électriques nécessaires ».

Alan n'hésitait jamais à mettre la main à la pâte. Il conçut, par exemple, une machine spéciale pour aider Harry Golombek dans l'analyse du système très particulier employé par les vedettes lance-torpilles allemandes, et une autre destinée à servir pour le problème plus général de l'Enigma navale ; il s'agissait d'un appareil bien plus complexe que les Bombes. La technologie qu'il utilisait n'était pas toujours très nouvelle. Ainsi, le Banburismus impliquait l'utilisation de feuilles de papier sur lesquelles le texte chiffré était représenté par des petits trous perforés. Il fallait ensuite superposer les feuilles pour recenser laborieusement les trous qui coïncidaient, avant que puissent être appliquées les méthodes de statistiques les plus élaborées. Il y avait une certaine ironie dans le nom qu'il avait donné à ce procédé : le

« Romsing », en référence au slogan progressiste, « The Resources of Modern Science » (« Les Ressources de la Science Moderne »). Mais il décrivait également à merveille le travail que l'on faisait à Bletchley, et Alan Turing en était le centre névralgique, jamais trop fier pour se salir les mains avec une tâche « élémentaire et fastidieuse » : « Il prenait toujours les problèmes à bras-le-corps et ne cherchait jamais à esquiver une difficulté. Même s'il voulait systématiquement savoir comment quelque chose se comportait en pratique, il s'occupait également de tous les calculs théoriques.

Il nous a tous beaucoup inspirés. Non seulement il était passionné par son travail, mais il s'intéressait également à tout le reste, et il était très agréable de travailler avec lui. Il était très patient avec ceux qui n'avaient pas son niveau d'intelligence. Je me rappelle qu'il m'encourageait toujours quand je faisais quelque chose qui était loin d'être remarquable. Tout le monde l'appréciait. »

La patience et la clarté d'esprit n'étaient pourtant pas les qualités habituelles qu'on lui reconnaissait. Peter Hilton, qui était sans conteste le penseur le plus vif du groupe Fish, sut tirer les aspects les plus positifs de son « anarchie créatrice ». C'était un vrai plaisir de partager une nouvelle victoire avec lui, pour le voir aussitôt pousser des grognements, s'ébouriffer la tête et s'écrier en martelant l'air de ses doigts étranges : « Je vois ! Je vois ! » Il lui fallait ensuite redescendre sur terre et retrouver ses règles et ses limitations :

« Il se fit à nouveau assaillir par les bureaucrates, qui lui demandaient de respecter les horaires de bureau. Son mode de fonctionnement – et celui d'un certain nombre d'entre nous, permettez-moi de vous le dire, même si lui était un bourreau de travail – était tel qu'il lui arrivait de se présenter à midi et de travailler jusqu'à minuit. Une fois le problème résolu, il pouvait rentrer chez lui et se reposer vingt-quatre heures d'affilée... Il était nettement plus productif de cette façon. Mais la hiérarchie ne voyait pas les choses ainsi, et a commencé à nous demander de remplir des formulaires, de pointer, etc. »

Un jour, il commanda une barrique de bière et se heurta au refus des instances supérieures. Il s'agissait là de problèmes bien triviaux, mais qui traduisaient une confrontation beaucoup plus sérieuse avec des mentalités dépassées. Même s'il irritait la hiérarchie, Alan fut néanmoins récompensé. Un jour, en 1942, il fut convoqué, avec Gordon Welchman et Hugh Alexander, au ministère des Affaires étrangères, et gratifiés de 200 livres chacun. Alan expliqua à Joan qu'il leur était impossible de les décorer, et qu'ils leur avaient donc remis une somme d'argent. Ce qu'il trouva d'ailleurs certainement plus utile.

En septembre 1942, la situation des Britanniques semblait un peu moins désespérée, mais seulement dans la mesure où il n'y avait plus eu de grosses pertes depuis la chute de Tobrouk. L'avance orientale de Rommel en Égypte avait été contenue par le général Auchinleck en juillet, puis en août par le général Montgomery, qui avait pu bénéficier de nombreuses communications décryptées. La guerre dans le désert ressemblait davantage à une guerre navale qu'à un front conventionnel, et s'appuyait largement sur l'information. Cela exigeait à tout prix une intégration effective des trois armées, qui avaient déjà dû avaler la pilule en laissant Bletchley transmettre ses informations et ses interprétations directement à un centre de renseignement basé au Caire. Un système plus centralisé finit malgré tout par leur être imposé par l'abondance des données émanant du Buckinghamshire. En mai 1942, on avait, en effet, brisé toutes les clés du système Enigma utilisé sur la scène africaine. Au mois d'août, la Hutte 8 put se glorifier d'un nouveau succès : le système utilisé par les navires de surface en Méditerranée venait d'être cassé à son tour. Rommel commençait à perdre un quart de ses approvisionnements à cause des attaques britanniques de plus en plus précises grâce aux informations recueillies par Enigma. On communiqua la bonne nouvelle aux analystes de la Hutte 8 pour les encourager dans leur travail.

En fin de compte, la Méditerranée n'était qu'une diversion. Dans le Pacifique, le Japon subissait sa première défaite contre les Américains avec la bataille de Midway, où l'US Navy prouva que ses propres services de renseignements pouvaient avoir des effets dévastateurs. En Europe, cependant, on était loin de voir se profiler la perspective d'un renversement de situation. L'offensive de l'Axe en Russie avait atteint Stalingrad ; quant au raid de Dieppe, il avait mis fin à tout espoir de victoire facile à l'Ouest. Ce qui préoccupait davantage encore Churchill et les autres, c'était la fragilité du pont atlantique. Sans lui, la Grande-Bretagne était perdue.

Même si les premières troupes américaines étaient arrivées en Angleterre début 1942, seul l'acheminement du matériel de guerre, principalement des tanks et des avions, pouvait permettre d'envisager la reconquête de l'Europe occidentale. Mais les convois de transport devaient faire face à une flotte sous-marine allemande qui atteignait en octobre cent quatre-vingt-seize U-Boote dans l'Atlantique. Leur nombre avait en effet triplé depuis 1940 et ils avaient coulé trois fois plus de bateaux alliés. Jusqu'à la mi-1942, les Américains se montrèrent réticents à fournir des convois côtiers, aussi les sous-marins allemands se contentaient-ils souvent de captures faciles le long des côtes européennes. Des mesures furent prises dès le mois d'août pour pallier ce défaut de protection, provoquant au final un plus grand déploiement de U-Boote dans l'Atlantique. La zone se trouvait au beau milieu de l'océan, et était impossible à protéger avec l'aviation. Par là transitait désormais plus de la moitié de la flotte marchande nécessaire au ravitaillement de la Grande-Bretagne. Les chantiers navals américains tournaient à plein régime, chacun des nouveaux navires ainsi produits ayant une espérance de vie d'environ trois traversées du Pacifique. Le nombre de bâtiments alliés était de plus en plus faible, alors que celui des sous-marins allemands allait croissant : il y en aurait deux cent douze fin 1942, sans compter les cent quatre-vingt-un en phase d'essai.

En 1943, soit la Grande-Bretagne s'imposerait comme la base avancée d'une industrie américaine invincible, soit elle s'effondrerait totalement. Même si la crise était plus diffuse que celle de la guerre aérienne de 1940, elle était elle aussi arrivée à un point de rupture. Dix ans auparavant, Alan avait imaginé une série de mesures : « Notre volonté nous permet de déterminer les actions des atomes dans une petite partie de notre cerveau... Le reste de notre corps se comporte de sorte à en amplifier les effets. » Il était à présent une cellule nerveuse au cœur d'un organisme colossal qui traduisait ses idées en actes : un cerveau britannique électrique composé de relais cliquetant au fil des contradictions, sans doute le système logique le plus complexe jamais conçu. Pendant deux années de sursis, le reste du corps avait pu se préparer et se coordonner pour employer son intelligence à bon escient. Au Proche-Orient, il amplifiait les vagues signaux en morse de l'armée en déroute de Rommel. Dans l'Atlantique, c'était différent. Eisenhower et Marshall allaient se voir priver d'un territoire incroyablement plus vaste que celui de Rommel, à moins que le cerveau sorte de sa léthargie.

Au cours de ces deux années, il s'était produit un autre changement capital. Si la brusque augmentation du nombre de positions des rotors avait contraint précédemment les Polonais à se tourner vers un Occident techniquement plus avancé, la nouvelle multiplication — par vingt-six cette fois-ci — de ce nombre de positions plongeait les États-Unis dans la course aux relais électromagnétiques. L'amiral américain King, plus obstiné que l'Amirauté britannique, s'opposa à l'installation d'une salle de dépistage jusqu'à l'été 1942. Les décrypteurs de l'US Navy avaient très vite compris ce qui leur manquait. Leur département utilisait depuis 1935 un matériel moderne, et lors de l'ajout catastrophique d'un quatrième rotor sur Enigma, ils refusèrent d'attendre les bras croisés que les Anglais reprennent leur avance : ils pouvaient briser les clés tout seuls. Cela ne concordait pas du tout avec le point de vue des Anglais, qui soutenaient que leurs alliés d'outre-Atlantique devaient se concentrer sur les codes du Pacifique plutôt que de répéter ce qu'on faisait à Bletchley. L'US Navy se montra, cependant, fort insistante. En juin, déjà, ses relations avec la GC & CS s'étaient tendues en raison de plaintes concernant le retard dans la réception d'une Bombe promise. Puis :

« le Navy Department annonça en septembre qu'il avait mis au point une machine plus perfectionnée encore, qu'il en aurait construit trois cent soixante exemplaires avant la fin de l'année, et qu'il avait l'intention de s'attaquer sur-le-champ aux clés de l'Enigma des U-Boote[1] ».

Ces chiffres devaient donner le vertige aux grands esprits de Bletchley. Tout le travail de la GC & CS effectué sur Enigma reposait, à l'été 1942, sur une trentaine de Bombes seulement, même si une vingtaine était en préparation. Les Américains proposaient de prendre en main la surveillance de l'Atlantique par

---

1. *Cf.* Hinsley, vol. 2.

la force brute, en fabriquant vingt-six fois plus de Bombes que les Britanniques n'en possédaient, et en les utilisant en parallèle.

« Mais, en octobre, une seconde délégation de la GC & CS à Washington négocia un autre compromis. La GC & CS "se soumit aux desiderata américains qui préconisaient de s'attaquer aux problèmes que posaient la marine allemande" et accepta de fournir assistance et informations aux Américains, qui se limitaient à la construction de cent Bombes, laissant à la GC & CS la coordination des travaux réalisés par les machines de deux pays, et acceptaient d'échanger de manière complète et immédiate les résultats des cryptanalyses. »

Une seule personne connaissait l'ensemble des méthodes et des machines, tout en étant déchargée des responsabilités quotidiennes : la coordination fut donc confiée à Turing. Il n'appréciait guère d'avoir à régler les tensions entre Américains et Britanniques, mais il fallait absolument donner une forme concrète à leur alliance : c'est la guerre qui était en jeu. On remit à Alan un visa pour Washington le 19 octobre. Il déclara à Joan : « La première chose que je vais faire, c'est m'acheter une tablette de chocolat au lait. »

Ce ne serait pas l'unique but de sa visite. Maintenant que des opérations conjointes étaient à l'ordre du jour, les autorités alliées avaient besoin d'une nouvelle technologie de communication. Le télégraphe ne suffisait pas, car il leur fallait pouvoir s'exprimer oralement. Comme on ne disposait pas encore de câbles téléphoniques à travers l'Atlantique, toutes les transmissions orales devaient passer par radio ondes courtes. Cependant, comme il fut signalé dans une note de service du ministère des Affaires étrangères en juin 1942 :

« On n'a pas encore inventé la machine qui nous protégerait contre les ingénieurs les plus talentueux employés par l'ennemi, capables d'enregistrer chaque mot de chacune de nos conversations. »

Personne ne pouvait s'exprimer sans avoir la certitude que ses propos étaient ou non écoutés à Berlin. En septembre 1942, on empêcha même le prince Olaf de Norvège de parler à sa fille de 5 ans, de peur que cela crée un précédent dans la transmission de messages non censurés par des gouvernements en exil.

La difficulté essentielle que posait la protection des communications verbales venait de sa redondance par rapport à l'écrit. S'il fallait un travail laborieux pour traiter la somme modulaire de deux messages écrits, l'oreille et le cerveau parvenaient pratiquement sans effort à analyser et classer un signal acoustique selon qu'il s'agissait de conversation, de musique ou de bruit de fond. Cela n'était possible que parce que le discours oral comportait beaucoup plus d'informations que celles nécessaires à la compréhension. Et les décrypteurs se nourrissaient de redondances comme ils vivaient de « mots probables », de triplets répétés dans les indicateurs ou de messages chiffrés deux fois de suite. Pour une protection efficace du discours oral il fallait donc éliminer cette redondance, et les systèmes que l'on utilisait en 1942 n'y parvenaient pas. Les Américains faisaient des recherches dans ce domaine à Dollis Hill, et Alan fut chargé d'aller voir un peu ce qu'il en était. Du décryptage, il passait donc à la cryptographie, et cela reflétait bien l'orientation plus offensive que prenait la guerre pour les Alliés.

La protection du discours oral constituait un problème supplémentaire pour les autorités britanniques. Cela n'avait pas présenté de difficultés en 1940, quand il s'agissait seulement d'un petit groupe de joyeux lurons qui passaient leur temps à déchiffrer les codes allemands dans une maison de campagne. Les choses changèrent l'année suivante : Churchill obtint alors des informations très importantes en provenance d'une source connue de quelques rares privilégiés seulement. Le problème était donc de protéger un département en croissance rapide, situé en marge des structures normales de l'État. La situation évolua encore en 1942 : Bletchley Park ne se trouvait désormais plus à la périphérie des circuits ordinaires, il les dominait tous. Ses spécialistes avaient déchiffré au moins soixante systèmes de clés et produisaient environ cinq mille messages décryptés par mois – soit un par minute. Le bon vieux temps du « Rouge » et du « Jaune » était révolu, et une fois les couleurs de l'arc-en-ciel épuisées, les analystes, avec leur imagination débordante s'étaient attaqués aux royaumes végétaux et animaux : Quince (« Coing ») pour la clé des SS, Chaffinch (« Pinson ») pour les rapports de Rommel à Berlin, Vulture (« Vautour ») pour la Wehrmacht sur le front russe… Certains systèmes de clés étaient utilisés avec les précautions requises, et dans ce cas, Bletchley demeurait impuissant. Le système Shark, la clé des U-Boote, demeura par exemple inviolé à l'exception de trois jours, en février et mars 1942. Mais, à ces exceptions près, les communications radio des Allemands étaient devenues totalement accessibles.

Il fallait qu'un voile de mystère recouvre peu à peu l'ensemble de la guerre menée par les Britanniques. Toute la documentation devait être falsifiée et on devait employer toutes les « vieilles procédures », écrivait Muggeridge :

« comme la mise en place d'agents, la corruption d'informateurs, l'envoi de messages écrits à l'encre sympathique, le déguisement, le maquillage, les transmetteurs secrets et l'épluchage du contenu des corbeilles à papier pour couvrir en réalité cette autre source. Tout comme on pourrait continuer à développer un ancien commerce de livres rares simplement pour couvrir un trafic beaucoup plus fructueux de livres érotiques et pornographiques[1] ».

L'arme secrète des Britanniques consistait en réalité à pouvoir absorber les innovations nécessaires, de la manière la mieux adaptée à la situation. Sans cette souplesse, les plus grandes capacités mathématiques et linguistiques n'auraient servi à rien. Tandis qu'A. V. Alexander, ancien syndicaliste fidèle à Churchill devenu lord de l'Amirauté, n'était pas autorisé à se pencher sur le renseignement naval et encore moins sur la cryptanalyse, les différentes strates du système britannique se faisaient mutuellement confiance, ce qui leur permettait de communiquer librement entre elles. Il y eut néanmoins de sérieux conflits à tous les niveaux à propos des priorités que devait gérer le gouvernement, qui n'était pas prêt. Ces anicroches se produisirent dans un milieu où l'on s'était mis d'accord sur des règles tacites, sans qu'il y ait besoin de lois. Alan Turing aurait du reste eu beaucoup de mal à s'adapter à tout autre système que le système britannique, fondé sur la confiance et la responsabilité. Tout en ayant beau être profondément individualiste dans sa manière de travailler, Alan trouva en effet parfaitement sa place au sein de l'organisation britannique, qui sut exploiter au mieux ses capacités.

---

1. M. Muggeridge, *The Infernal Grove*, Collins, Londres, 1973.

Pour les responsables, le fruit de ses travaux entraînait des problèmes logiques largement aussi complexes que ceux proposés par Bertrand Russell. Qui devait savoir quoi et qui devait savoir qu'ils savaient ? La liaison avec le système américain, organisé de manière radicalement différente, ne représentait qu'un aspect du problème. Il y avait encore le jeu à jouer avec les Dominions[1], les forces libres et les Russes. Il fallait aussi éviter la capture de matériel de chiffrage, empêcher à tout prix les « initiés » de tomber aux mains de l'ennemi, et surtout trouver des explications convaincantes pour que la réussite des opérations ne trahisse pas les sources. Comment faire pour que tout cela ne mette pas la puce à l'oreille aux Allemands ?

C'était proprement impossible. Les succès continus de Bletchley dépendaient de la volonté des autorités allemandes de croire que leurs chiffres étaient d'une inviolabilité éprouvée, plutôt que de se remettre en question. Cela faisait penser à un théorème de Gödel militaire, l'inertie systématique rendant les dirigeants allemands incapables d'envisager leur système d'un point de vue extérieur. D'autre part, le principe du « besoin de savoir » ne fonctionnait pas non plus comme un système consistant et logique.

À Cambridge – et même à Sherborne –, certains avaient deviné la nature des travaux menés à Bletchley. En 1941, un article dans le *Daily Miror* qui s'intitulait « Espions branchés sur codes nazis » décrivait avec orgueil le travail de radioamateurs qui « captaient les messages en morse qui chargeait les airs ». L'article continuait en expliquant que, livré « aux mains de spécialistes des codes, cela pourrait donner des informations capitales pour nos services secrets ». « Une lettre de remerciements des quartiers généraux reconnaissant que nous leur avons fourni des informations utiles, c'est tout ce que nous demandons », affirmaient les radio-espions. Sans oublier qu'à l'autre bout de l'échiquier, les autorités soviétiques avaient accès aux décryptages d'Enigma. Et pourtant, le système tenait toujours bon.

Les signaux ressemblaient effectivement à « un trafic fructueux de livres érotiques et pornographiques », dans la mesure où ce qui importait n'était pas tant la non-divulgation de faits pré-

---

1. État indépendant membre de l'Empire britannique sous la souveraineté de la couronne.

cis, que l'obligation de garder l'ensemble du sujet sous silence. L'important était de faire de Bletchley Park un sujet tabou. Plutôt que d'imposer telle ou telle règle, il fallait surtout que la moindre allusion à l'endroit interdit provoque un sentiment de gêne et d'inquiétude, comme (pour reprendre la comparaison de Muggeridge) la pornographie à une certaine époque. Le stratagème fonctionnait plutôt bien, mais cela mettait Alan dans une position particulièrement inconfortable. Il était déjà assez difficile d'être mathématicien et de traiter précisément d'un sujet dont les gens les mieux instruits ne savaient généralement rien, quand ils ne se vantaient pas carrément de leur ignorance. Son homosexualité lui valait également certaines condescendances, ou pouvait même susciter certaines inquiétudes. La société réclamait le silence sur ce sujet, et pour Alan le silence équivalait à la tromperie. Lui qui haïssait la tricherie se voyait contraint de mentir sur son identité et, en tant que principal conseiller de la GC & CS, de vivre au cœur d'une vaste supercherie. Il ne lui restait pratiquement plus rien dans la vie dont il pouvait parler, sinon les échecs.

Il lui restait cependant des moments de vie ordinaire ponctuels. Il voyait de temps en temps son ami David Champernowne, qui travaillait alors au ministère de la Production aéronavale. Bien entendu, ils ne parlaient jamais de leurs occupations. Alan se souciait également de l'avenir de Bob et le poussait à demander une bourse à Cambridge. Le jeune Autrichien s'exécuta et se bourra le crâne de latin, mais il ne put parvenir qu'à un niveau moyen. Il sentit qu'il avait déçu Alan. Comme ce dernier ne pouvait se permettre de lui payer ses études à Cambridge, Bob entra à l'université de Manchester, en prenant des petits boulots pour se faire un peu d'argent.

Bob était loin d'être un imbécile, et il pressentit qu'Alan, Champ et Fred Clayton formaient une équipe travaillant pour les services secrets. Ce qui n'était ni tout à fait exact, ni entièrement faux. La seule chose qu'il savait, c'était qu'Alan travaillait en un lieu appelé Bletchley. D'autres furent également amenés à faire de telles suppositions. John Turing, par exemple, qui, en service en Égypte, découvrit que son supérieur avait lui aussi un frère à Bletchley et qui, par recoupements, devina qu'on devait s'y occuper de chiffres. Mme Turing, elle, devina la vérité en se souvenant des projets de codes qu'avait conçus Alan en 1936. L'idée lui plaisait et son seul regret était qu'une telle fonction ne s'accompagnât pas d'une coupe de cheveux militaire. Les longues lettres qu'elle adressait à son fils partaient parfois directement dans la corbeille de la Hutte 8. Elle vint même le voir en automne 1941 et Alan essaya alors de lui faire comprendre qu'il faisait quelque chose de très important et qu'il avait « une centaine de filles » sous ses ordres. Cependant, ni elle ni personne d'autre n'eut jamais vraiment la moindre idée de l'importance réelle de ses activités. Aurait-il pu en être autrement ? Le concept d'un système de traitement de l'information capable de reproduire l'organisation d'une puissance industrielle avancée venait tout juste d'être inventé.

Comment faire la part de l'ordinaire et de l'extraordinaire ? Celle de la réalité et celle de l'illusion ? Le spécialiste des mathématiques pures de 1938 était arrivé à une position proprement stupéfiante, et son cerveau se concentrait sur des notions dont dépendait la libération de l'Europe.

On parvenait seulement à décrypter les systèmes d'Enigma et de Fish, et cela conduisait déjà les esprits les plus vifs de la science moderne à leurs limites. Les méthodes reposaient encore simplement sur la chance et les éclairs de génie. Le 30 octobre, la fortune leur sourit à nouveau : la capture du U-559 devant Port-Saïd donna enfin à Bletchley une clé pour l'Atlantique, au moment même où Alan allait le traverser. Ainsi, l'État britannique vivait une formidable révolution. Pour continuer à maîtriser l'ennemi, Churchill dépendait entièrement d'un service dont il fallait taire l'existence, dans lequel personne ne savait ce que faisait son voisin de bureau. Les premières découvertes de Bletchley Park avaient eu des répercussions considérables, et le service s'était progressivement installé à chaque niveau de la hiérarchie militaire et politique. Il s'agissait d'une réaction en chaîne logique, dont personne n'avait eu le temps, ni l'envie, d'estimer les répercussions.

Le général Montgomery était du genre à toujours tenir ses troupes « au courant ». Il avait d'ailleurs tendance à trop en dire, et reçut même les réprimandes de Churchill. Mais il finit par vaincre l'Afrika Korps. C'était la première victoire décisive de la Grande-Bretagne contre les Allemands en trois ans de guerre. Le 6 novembre 1942, le général Alexander déclara : « Faites sonner les cloches ! » L'occupation britannique de l'Égypte était préservée, son gouvernement fantoche maintenu et la tenaille allemande sur le Moyen-Orient détruite. Le 8 novembre, les forces alliées débarquaient au Maroc et en Algérie, à la surprise la plus complète. Il s'agissait de la première victoire d'une coordination des renseignements alliés. Les Américains étaient désormais de retour sur le Vieux Continent, et, à la plus grande consternation des Britanniques, allaient négocier avec le vichyste Darlan. Mais les Anglais ne pouvaient se plaindre, car c'étaient eux-mêmes qui leur avaient remis le flambeau.

Alan Turing avait embarqué sur le *Queen Elizabeth* le 7 novembre. Alors que le monstre réarmé zigzaguait en solitaire vers l'Amérique, le Premier Ministre expliquait qu'il n'avait aucunement l'intention de présider à la liquidation de l'Empire britannique. Churchill ajouta même qu'on n'en était qu'à la « fin du commencement ». Mais pour la poule qui donnait les plus beaux œufs d'or jamais vus, c'était déjà le « commencement de la fin ».

Pont

Sur le pont à la barre,
Un jeune pilote prudemment qui tourne la roue.

Dans la brume, qui chante lugubrement à la côte,
Une cloche de mer – Oui, signal d'alarme balançant
    dans la houle.

Sonne bien ton alarme en effet, cloche qui chantes
    dans les récifs,
Qui chantes et qui résonnes et qui détournes des
    écueils les vaisseaux.

Pilote en qui-vive, attentif au message clair,
Voici que les bossoirs dévient, voici que louvoie la
    coque chargée, qu'elle file sous la voilure grise,
Noble et majestueux bateau glissant joyeusement
    vers le havre avec ses précieuses cales.

Mais le vaisseau, ah ! l'immortel vaisseau ! Ah ! ce
    vaisseau à bord de l'autre vaisseau !
Vaisseau de l'âme, vaisseau du corps, et qui voyage,
    et qui voyage, interminablement qui voyage[1].

---

1. « Sur le pont à la barre » dans *Feuilles d'herbe*, traduction de Jacques Darras, éditions Grasset et Fasquelle, 1989, 1994, révisée par Jacques Darras pour les éditions Gallimard, collection Poésie, 2002.

L'Atlantique restait plongé dans l'obscurité, et le mois de décembre 1942 fut particulièrement meurtrier pour les bateaux alliés. Le débarquement en Afrique du Nord avait mobilisé une partie de la flotte sous-marine allemande, et le *Queen Elizabeth* put effectuer sa traversée sans problème. Alan débarqua à New York le 13 novembre, et, d'après ce qu'il raconta à sa mère, il faillit bien se faire refouler :

« À son arrivée, il rencontra quelques problèmes, car, suivant à la lettre les recommandations qu'on lui avait faites, il n'avait pour seuls papiers que ceux qu'on lui avait remis dans la valise diplomatique. Les trois douaniers qui l'accueillirent menacèrent de l'expédier sur Ellis Island. Alan se serait alors contenté de cette réflexion laconique : "Ça apprendra à mes employeurs à me fournir des justificatifs incomplets." Après de longues délibérations, il fut finalement admis aux États-Unis. »

C'était W. Stephenson, le millionnaire canadien à la tête de la coordination de la sécurité britannique du Rockefeller Center, qui était en charge de ce genre de problèmes. Son rôle premier était de faire la liaison entre les services secrets britanniques et le FBI et il s'était donné beaucoup de mal pour le faire aussi discrètement que possible. En 1941, son service s'était agrandi afin de canaliser les productions de Bletchley jusqu'à Washington. Mais, sans doute la fâcheuse habitude qu'avait Alan de prendre tout au pied de la lettre s'était-elle finalement retournée contre lui. Quel accueil pour quelqu'un censé faire le lien entre l'Ancien et le Nouveau Continent ! Sa première mission le mena à la capitale qui s'était considérablement étendue depuis 1938 et abritait les bureaux de son homologue des services de cryptanalyse de la marine américaine, le Communications Supplementary Activities of Washington (CSAW).

Vue de Bletchley, l'Amérique était une terre miraculeuse disposant de ressources et d'hommes à faire rêver l'Angleterre démunie. Le CSAW était étroitement lié aux secteurs les plus avancés de l'industrie américaine, mettant déjà à contribution Eastman Kodak, du National Cash Register (NCR) et IBM pour fabriquer ses machines. La guerre avait eu pour effet d'associer les performances intellectuelles britanniques à l'énorme capacité des milieux d'affaires américains. Et ce fut une fois encore à Turing d'assurer la liaison entre logique et physique.

Cependant, le CSAW comptait aussi ses propres cerveaux, parmi lesquels Andrew Gleason, un jeune et brillant mathématicien frais émoulu de Yale. C'est d'ailleurs lui et Joe Eachus qui furent chargés d'escorter Alan pendant son séjour à Washington. Un jour que ce dernier dînait avec Andrew dans un restaurant bondé de la 18e Rue et conversaient sur la capacité « d'évaluer le nombre de taxis dans une ville en ayant vu une série aléatoire de leurs numéros de licence », ils furent interrompus par leur voisin de table. Médusé d'entendre des termes aussi techniques, et croyant à une fuite en matière de sécurité nationale, il se permit un « On ne devrait pas parler de ce genre de choses ». Alan répondit simplement : « Voulez-vous que nous continuions en allemand ? » Cette anecdote traduisait bien l'espionnite aiguë qui sévissait à l'époque dans la capitale américaine.

Le but de la visite d'Alan était de percer à nouveau le système Enigma des U-Boote ; on y parvint en fait sans même recourir à des Bombes plus rapides. Ce succès dépendait de la chance de toute l'ingéniosité mise en œuvre et d'une éventuelle erreur allemande. Il fallait revenir aux signaux météoréologiques qui avaient fourni à l'été 1941 des données quotidiennes précises : ces données étaient transmises à la fois dans le chiffre Enigma et dans le chiffre spécifique aux communications météo. Mais cette source se tarit début 1942 et il fallut attendre la capture du 30 octobre pour obtenir de nouvelles données. Restait le problème du délai de trois semaines nécessaire pour préciser la position des rotors pour une seule journée de transmissions. Les décrypteurs furent sauvés par une bourde des Allemands qui leur fit perdre tous les avantages que représentait le quatrième rotor. Pour les communications d'ordre météorologique et autres messages de routine, les U-Boote mettaient leur quatrième rotor en position « neutre », ramenant ainsi les difficultés au même niveau qu'en 1941. Cela n'était pas encore trop grave pour l'Allemagne ; la véritable erreur fut d'utiliser les mêmes positions de rotors pour les transmissions météo et pour les autres communications de la journée. Les décrypteurs n'avaient donc plus qu'à essayer 26 positions possibles au lieu des 26 × 336 × 17 576 qui auraient dû se présenter. La Hutte 8 fut donc en mesure de fournir des messages décryptés à partir du 13 décembre. On retrouvait la même situation qu'au printemps 1941. Pendant plusieurs semaines, rien ne fonctionna. Mais la quantité d'informations fut suffisante pour la salle de suivi de l'OIC. Le 21 décembre, elle parvint à avoir une idée précise de la localisation des quarante-huit sous-marins allemands disséminés dans l'Atlantique. Et cette fois, la Hutte 8 n'était pas seule. À Washington, Alan Turing enseigna l'ensemble de leurs méthodes aux analystes américains. Désormais, une fois les réglages des rotors découverts, on transmettait l'information de part et d'autre de l'Atlantique. Les analystes commençaient à communiquer entre eux, à l'image des deux salles de suivi.

Les messages décryptés atteignirent bientôt le nombre de trois mille par jour, constituant un journal rempli de brèves nouvelles sur les dernières opérations dans l'Atlantique. Malheureusement, début décembre, l'« irremplaçable » Winn s'effondra « d'épuisement à la fois psychique et physique ». « On dut mettre de côté tout ce qui n'était pas d'importance opérationnelle, et d'ordinaire, avant qu'on puisse s'y atteler, la crise suivante nous tombait dessus et il fallait tout abandonner. » Malgré tout, la collaboration anglo-américaine se poursuivit, et, dès le début de l'année suivante, elle fut en mesure de détourner des convois de sous-marins embusqués. Constatant la baisse spectaculaire du nombre des pertes alliées, les responsables de la marine allemande comprirent très vite que la position de leurs sous-marins était connue de leurs ennemis. Ils persistèrent malgré tout à croire qu'Enigma était indécryptable et en imputèrent à nouveau la faute à un éventuel réseau d'espionnage infiltré dans leurs bases françaises. Leur foi en la machine et en leurs experts allait de pair avec leur méfiance à l'égard des hommes. Certes, les décryptages n'expliquaient pas tout. La multiplication des escortes, les patrouilles aériennes, les progrès du radar et des mesures antidétection, ainsi que le temps désastreux de ce quatrième hiver de guerre contribuèrent à réduire les pertes alliées. Toutefois la possibilité de localiser des sous-marins allemands n'en demeurait pas moins fondamentale.

Son travail de liaison terminé, Alan quitta Washington à la fin décembre. Il avait contribué à équilibrer l'alliance à un moment où la contribution britannique n'avait pas encore été subordonnée par l'hégémonie américaine. La conférence de Casablanca, qui se tint du 14 au 24 janvier 1943, présentait encore Churchill comme l'égal de Roosevelt. Pour la dernière fois, les Américains appuyèrent une stratégie britannique de reconquête de la Méditerranée. L'Angleterre inaugurait son rôle de base américaine. Cela correspondait aussi à un moment d'équilibre particulier dans la guerre. Le nettoyage de l'Afrique du Nord prenait plus de temps que prévu et Montgomery rata plusieurs occasions – ce qui eut des conséquences désastreuses. Le front russe demeurait flou. Rien n'était certain malgré la demande de « reddition inconditionnelle ». Faute de mieux, on choisit le brutal « bombardement stratégique ». Mais la bataille de l'Atlantique, dont on avait décidé à Casablanca qu'elle serait prioritaire, venait de prendre un tournant. Pour la toute première fois, la construction de nouveaux bâtiments alliés dépassait les pertes subies.

Alan se rendit à Saunderstown, dans le Rhode Island, pour voir Jack et Mary Crawford, comme il l'avait déjà fait lors de son séjour à Princeton. Mais Jack mourut le 6 janvier, quelques jours à peine avant son arrivée. Il rendit cependant visite à la veuve avant de prendre la direction de New York. Dans l'après-midi du 19 janvier 1943, il débarqua aux laboratoires Bell Labs, et se plongea pendant deux mois dans la technologie électronique de la protection de la parole.

Comme la plupart des organismes qui se livraient à un travail secret, Bell Labs fonctionnait à travers un système de type cellulaire : personne ne savait rien de ce qui se passait en dehors de son propre département. Alan, en revanche, était libre de circuler partout où il le désirait, du moment qu'il ne divulguait aucune information. Les ingénieurs de Bell Labs avec qui il travaillait finirent par s'apercevoir que son laissez-passer n'émanait ni de l'armée de terre ni de la marine, mais bien de la Maison-Blanche elle-même. Cependant, Alan avait une « cellule » de prédilection : celle qui était consacrée aux divers systèmes de chiffrage de la parole. Il fit tout de suite forte impression en résolvant un problème moins d'une heure après son arrivée. Il s'agissait d'un système de brouillage incluant des permutations de segments de temps grâce à l'utilisation de neuf têtes magnétiques lisant simultanément une bande magnétique. « Cela devrait vous donner neuf cent quarante-cinq codes », commenta Alan dès qu'on lui eut expliqué le mécanisme. « Ça ne fait jamais que 9 × 7 × 5 × 3. » Il avait fallu une semaine à l'un de leurs techniciens pour arriver à ce résultat.

Durant sa première semaine, Alan se familiarisa avec tous les projets des laboratoires. Puis il se plut à en monter un lui-même. Il choisit le défi lancé par un ingénieur de la Radio Corporation of America (RCA). Ce dernier avait conçu un système où la transmission d'un discours était multipliée par la transmission d'une clé. Le problème était tout à fait inhabituel. Dès le samedi 23 janvier, Alan annonça qu'il avait trouvé une manière d'aborder la question. Il en fut pleinement convaincu après un week-end de réflexion. Son idée impliquait l'utilisation du vocoder.

Alan avait sans doute déjà entendu parler du vocoder en Angleterre, car Dollis Hill avait reçu des informations à ce sujet dès 1941. Il s'agissait de matériel de communication de haute technologie, breveté en 1935 par un ingénieur de Bell Labs, Homer W. Dudley. Il permettait de condenser les éléments essentiels du discours en éliminant une grande partie de ses redondances, et de reconstituer en sens inverse un son synthétique à partir du résultat de cette analyse. On pouvait, par exemple, envisager ce procédé comme une manière de réduire la largeur de la bande ou l'étendue des fréquences du signal de la parole.

Tous les ingénieurs de chez Bell Labs savaient réduire la gamme de fréquences de la voix, car le téléphone se coupait au-dessus de 4 000 Hz. Les sons ternes qui en résultaient étaient parfaitement compréhensibles, puisque les fréquences les plus hautes étaient redondantes dans les applications ordinaires. En revanche, si l'on réduisait davantage la limite de cette fréquence, on obtenait une sorte de malheureux grognement qui n'était pas satisfaisant. Le vocoder était nettement plus sophistiqué. Il recueillait l'information sur l'amplitude du signal de la voix à dix fréquences différentes jusqu'à 3 000 Hz et relevait même une onzième information. Celle-ci servait, soit à coder la tonalité fondamentale du son, soit, à l'occasion de sons inexprimés comme « ssss », une absence de tonalité. Chacun de ces onze signaux ne requerrait qu'une fréquence de 25 Hz. Ainsi, on pouvait recueillir suffisamment d'informations pour reconstruire un discours intelligible, alors que la bande passante totale ne dépassait pas 300 Hz.

Alan avait déjà suggéré que le principe du vocoder, qui prenait des échantillons à dix niveaux de fréquence différents, pouvait s'appliquer aux brouilleurs de parole à permutations de segments de temps – avec peut-être l'idée de reconnaître automatiquement les segments voisins. Son projet d'appliquer le vocoder au chiffrage de la parole par multiplication, conçu par la RCA, était bien plus ambitieux. Il évalua alors qu'il lui faudrait au moins une semaine de calculs pour en vérifier la faisabilité. Il se mit donc à l'œuvre dès sa deuxième semaine au Bell Labs et obtint même de l'aide lors la semaine suivante.

Alan s'intéressait aussi au travail d'une tout autre « cellule », celle qui se consacrait à la création du premier système de chiffrage de la parole totalement indécryptable. C'était le fer de lance et le projet le mieux gardé de Bell Labs. Au départ, l'objectif avait été de trouver une façon de chiffrer la parole selon le principe de Vernam, de sorte que si l'on employait une clé nouvelle à chaque fois, le résultat devenait aussi difficile à décrypter que les signaux télégraphiques. C'est en considérant ce principe que les chercheurs avaient décidé d'aborder le problème sous un angle inédit : représenter la parole par les 0 et les 1 discrets du chiffre de Vernam.

Dès 1941, ils avaient travaillé avec le vocoder et tenté de l'adapter à leur dessein en faisant de ses onze sorties l'équivalent des positions *on* et *off*. Cette solution n'aboutit pourtant qu'à un discours oral extrêmement mutilé. Ils durent donc abandonner le simple *on* / *off* binaire de Vernam pour approcher les sorties de vocoder non pas de deux seuils différents, mais de six. Le onzième signal exigeait une plus grande précision de ton que les autres et avait droit à trente-six seuils. Cela avait pour effet d'encoder le signal de parole sous forme d'un total de douze suites de nombres en base 6, comme 041435243021353... Chacune de ces suites pouvait alors être additionnée selon un système modulaire à une clé similaire mais aléatoire, avant d'être transmise. Le récepteur devait ainsi soustraire la clé pour obtenir le discours reconstitué. Il convenait d'échantillonner les « seuils » du signal de parole une cinquantaine de fois par seconde, ce qui signifiait que la transmission équivalait, en gros, à l'envoi de trois cents caractères de téléscripteur par seconde. Ils avaient réussi à concevoir l'équivalent du carnet de clés-blocs pour la parole.

On donna à ces recherches le nom mystérieux de « Projet X » ou de « X-system ». En novembre 1942, une machine expérimentale était installée à New York et en janvier 1943, on commençait à assembler le premier modèle destiné à être opérationnel. D'énormes obstacles techniques subsistaient pourtant. Le vocoder de base, déjà très compliqué, exigeait d'autres aménagements pour prendre en compte les seuils discrets (ou « quantisés »). Il fallait également obtenir les soixante-douze fréquences nécessaires car les douze suites de chiffres devaient être jouées comme de la musique, avec une fréquence – et non une amplitude – différente pour chaque chiffre possible. Le système exigeait également un synchronisme parfait entre l'expéditeur et le récepteur, et il convenait de tenir compte du *fading* (évanouissement des signaux sonores) et du décalage de temps dans l'ionosphère atlantique.

Le résultat fut une salle pleine de matériel électronique :

« Le terminal occupait plus de trente baies standard de 2,10 mètres équipées de relais, nécessitant pas moins de 30 kW de puissance, et impliquait l'installation d'une climatisation de la pièce qui l'accueillait. Ceux qui travaillaient sur le projet faisaient parfois le constat amer d'un terrible ratio de conversion : 30 kW de puissance pour un milliwatt de son de mauvaise qualité. »

Cependant, et c'était l'essentiel, cela fonctionnait. Pour la première fois, un discours pouvait traverser l'Atlantique en secret. L'examen attentif auquel se livra Alan pour le compte du gouvernement britannique précéda en fait un accord anglo-américain sur le sujet. Le 15 février 1943, les procès-verbaux mécontents de la réunion du comité des chefs d'état-major du cabinet de guerre expliquèrent la situation :

« Le comité a étudié un mémorandum du Bureau interarmées de communication britannique, dans lequel il propose l'installation par les Américains d'un appareil top secret destiné aux communications entre les États-Unis et Londres.

Le comité s'est vu informé que le commandant Millar, un officier américain spécialement dépêché dans le but de mettre en place l'appareil, est déjà arrivé. Il a pour instruction de monter ledit appareil dans un bâtiment sous le contrôle exclusif des États-Unis étant entendu que de hauts fonctionnaires du gouvernement britannique seront susceptibles de l'utiliser. Il n'y en a que deux autres exemplaires : l'un installé à la Maison-Blanche, l'autre au ministère de la Guerre, à Washington. Aucun autre exemplaire ne pourra être fabriqué avant huit ou neuf mois.

Voici les principaux points de la discussion :

a) *Sécurité.* Il a été noté que le seul Anglais jusqu'à présent habilité à examiner l'appareil était le docteur Turing, de la Government Code and Cypher School. Vu que les conversations ayant trait aux opérations britanniques se tiendront sans aucun doute grâce à ce téléphone secret, se pose légitimement la question de savoir si ce nouvel appareil peut être considéré comme sûr à cent pour cent. Il a été décidé de soumettre cette question à l'état-major interarmées de Washington où se trouvent les seules personnes aptes à une telle expertise.

b) *Emplacement de l'installation*[1]. Vu que le Premier Ministre se servira sans aucun doute de l'appareil, et qu'aucun poste supplémentaire branché à une ligne extérieure ne saurait être autorisé, il nous a semblé que le site le plus commode se trouvait au sein du bâtiment du gouvernement, à Great George Street. Il est noté que les Américains espèrent que l'installation sera achevée au 1er avril.

c) *Maniement de l'appareil.* Bien que le secret observé par les Américains au sujet de l'appareil ainsi que leur souhait d'en conserver la maîtrise exclusive puissent être sujets à la critique, il a été jugé préférable de n'élever aucune objection pour le moment. »

Le comité demanda ensuite à l'état-major interarmées de Washington de « contacter les Américains en vue de procéder à un examen complet du nouvel appareil secret, afin d'obtenir la certitude de sa fiabilité et de sa sécurité ». Alan quitta Bell Labs et se rendit à Washington du 17 au 25 février. Il trouva apparemment le moyen de réaliser quelques améliorations, car, d'après un procès-verbal ultérieur rédigé par les chefs d'état-major :

« Le général Nye a rapporté que le docteur Turing n'était pas entièrement satisfait quant à la sécurité de l'équipement et avait proposé quelques modifications. »

Entre-temps, les recherches d'Alan sur le chiffre de la RCA semblaient devoir démontrer que sa méthode ne fonctionnait

---

1. Les Britanniques n'eurent pas leur mot à dire sur l'emplacement choisi pour le terminal de Londres. En avril, le *X-system* fut installé au quartier général américain, et seulement plus tard on tira une ligne jusqu'à la salle d'opérations de Churchill.

pas. Il participa aussi au travail d'une autre « cellule » consacrée à une approche différente du même problème. Malgré tout le secret dont il s'entourait, ses collègues disposaient de suffisamment d'indications pour deviner qu'il s'occupait d'autres tâches de première importance. Alors qu'il s'entretenait un jour avec Harry Nyquist, l'un des principaux conseillers de Bell Labs à travailler sur le X-system, on remarqua qu'Alan avait salué William Friedman, patron des décrypteurs américains. Le bruit courut aussitôt qu'Alan était le « plus grand décrypteur d'Angleterre ». Alex Fowler, qui étudiait aussi le chiffre de la RCA, eut vent de la rumeur et pria Alan de l'aider à résoudre un cryptogramme dans un journal, en disant : « Vous êtes l'homme qu'il me faut ! » « Mais c'est un cryptogramme du *Herald Tribune*, répondit Alan. Ceux-là, je ne les ai jamais compris. » Il parlait parfois de son précédent séjour aux États-Unis, de ses liens avec Church, et certains mathématiciens de Bell Labs avaient déjà eu connaissance de la machine de Turing. Mais il avait toujours du mal à s'adapter aux manières américaines. Chez Bell Labs, certains se plaignaient qu'Alan ne les saluait pas lorsqu'il les croisait dans les couloirs. Il semblait « regarder à travers eux ». Étant son aîné, Alex Fowler se permit de lui faire la remarque. Alan se montra désolé et se justifia en faisant allusion à ce qui lui rendait la vie si difficile : « Vous savez, à Cambridge, il est considéré comme superflu de répéter "bonjour" sans arrêt. » Alan avait en outre trop conscience de tout ce qu'il faisait pour se prêter naturellement aux conventions. Il promit cependant de faire attention.

L'époque n'était pas vraiment à la détente. L'effort de guerre atteignait son point culminant et les équipes travaillaient jusqu'à douze heures par jour. Alex Fowler aurait aimé trouver le temps et l'énergie de divertir Alan mais c'était impossible. Et comme beaucoup de gens, il craignait de l'ennuyer.

Le Greenwich Village de 1943 était peut-être plus excitant que le Princeton de 1938. Alan raconta avoir rencontré à l'hôtel un homme qui lui fit des avances d'une manière si naturelle qu'il en fut éberlué. Il ne faisait guère allusion à ce genre de choses au Bell Labs. Un jour pourtant il déclara avoir passé un moment incroyable dans *leur* métro en compagnie de quelqu'un de *leur* Brooklyn qui voulait le faire jouer au go. Une autre fois, il fit ce récit : « Cette nuit, j'ai rêvé que je remontais votre

Broadway en portant un drapeau confédéré. Un de vos policiers s'est alors approché et m'a dit : "Eh vous ! Vous ne pouvez pas faire ça !" Et j'ai répondu : "Pourquoi donc ? J'ai fait la guerre de Sécession !" » Ces histoires curieuses, prononcées avec l'accent si typiquement anglais d'Alan (un peu comme si un X-system avait encodé ses informations par la fréquence au lieu de l'amplitude), produisirent une forte impression sur ses collègues du moment.

Fin février, Alan s'était déjà bien familiarisé avec le matériel électronique du laboratoire. Bien que ses recherches fussent principalement théoriques, il posa de nombreuses questions sur les oscilloscopes et les analyseurs de fréquence qu'ils utilisaient notamment pour les systèmes de décryptage de la parole, et ils furent étonnés par la somme de connaissances qu'il avait accumulée. Il profita également des théoriciens qui travaillaient au Bell Labs, se faisant ainsi expliquer par Nyquist lui-même sa théorie de la rétroaction, qui représentait un nouveau courant de pensée fondé sur l'utilisation des nombres complexes.

Son séjour fut marqué par une autre rencontre. Chaque jour, à l'heure du thé, dans la cafétéria, Alan voyait une personne qui tenait la place de l'ingénieur philosophe et érudit – rôle qu'il aurait aimé avoir si le système britannique le lui avait permis. Il s'agissait de Claude Shannon, qui travaillait pour Bell Labs depuis 1941 et concevait des projets qui n'auraient jamais trouvé autant d'encouragements en Grande-Bretagne. Si Friedman était l'homologue d'Alan en sa qualité de responsable de toutes les opérations de décryptage, il était plus âgé et quelque peu dépassé par les récentes évolutions. Shannon, lui, était son *alter ego* sur le plan intellectuel ; ils se découvrirent beaucoup de choses en commun.

On avait pensé à la machine depuis l'aube de la civilisation, mais les *Nombres calculables* avaient enfin apporté une définition mathématique précise du concept de « machine ». Cela faisait tout aussi longtemps qu'on réfléchissait sur la communication, mais là encore, il fallait un esprit résolument moderne, en l'occurrence Claude Shannon, pour donner une définition précise des concepts impliqués. Ces recherches suivaient un cours relativement parallèle. Shannon avait signé son premier article sur le sujet en 1941, et dès 1943, on commençait à appliquer ses idées fondamentales chez Bell Labs, où il était employé au service mathématique. Il fut, par exemple, consulté lors de la conception du X-system, qui posait certaines des questions auxquelles il avait déjà répondu.

Le transmetteur, l'ionosphère et le récepteur constituaient selon lui un canal de communication ; un canal de capacité limitée et un canal troublé par du bruit. Il fallait pourtant trouver un moyen d'y faire passer un signal. Shannon trouva une manière de définir la capacité du canal, le bruit et le signal en fonction d'une mesure précise de l'information. Le problème de l'ingénieur en communication revenait à encoder le signal afin d'utiliser au mieux le canal et d'empêcher qu'il ne soit déformé par le bruit. Shannon découvrit de nouveaux théorèmes qui déterminaient les limites de ce qui pouvait être fait.

Ce n'était pas le seul parallèle entre ses travaux et ceux d'Alan. Il existait entre eux une réciprocité. Alan, dont le point fort était plutôt la logique des machines, s'était néanmoins plongé dans l'étude de l'information. En outre, la mesure de l'information par Shannon correspondait en gros aux « décibans » de Turing. Un *ban* de poids d'évidence rendait une information dix fois plus vraisemblable. Un chiffre binaire, ou *bit* d'information, rendait une assertion deux fois plus précise. Il y avait des connexions fondamentales entre les deux théories, même si leurs auteurs n'avaient pas toute latitude d'en discuter. Shannon ne savait que par déduction pourquoi Alan se trouvait chez Bell Labs.

Shannon, de son côté, s'était également intéressé au concept de machine logique. De 1936 à 1938, il avait travaillé sur l'analyseur différentiel du Massachusetts Institute of Technology (dit MIT), et avait conçu un appareil logique pourvu de relais en lien avec un problème défini. Cela l'avait ensuite conduit en 1937 à rédiger un article dans lequel il établissait le lien entre les opérations de commutation des relais électromagnétiques et l'algèbre booléenne – au moment même où Alan concevait son multiplicateur électrique à Princeton.

Alan lui fit lire *Nombres calculables*, qui l'impressionnèrent aussitôt, et ils discutèrent ensemble de l'idée sous-jacente de l'article. Shannon avait toujours été fasciné par l'idée qu'une machine puisse être capable d'imiter le fonctionnement du cerveau. Il avait étudié la neurologie au même titre que les mathématiques et la logique, et considérait son travail sur l'analyseur différentiel comme un premier pas vers la machine pensante. Ils se rendirent compte qu'ils partageaient la même conception des choses : le cerveau n'avait rien de sacré, et si une machine parvenait un jour à faire aussi bien que lui, alors elle serait effectivement douée de la faculté de penser. Ni l'un ni l'autre ne proposait cependant le moyen d'y arriver.

C'était là, au moins, un sujet dont ils pouvaient parler librement. Alan s'étonna un jour : « Shannon ne veut pas seulement entrer des données dans un cerveau, il veut lui donner du culturel ! Il veut lui faire écouter de la musique ! » Une autre fois, à la cantine du Bell Labs, alors qu'il dissertait sur les possibilités d'une « machine pensante », sa voix haut perchée commença à dominer le brouhaha général des jeunes cadres dynamiques en quête de promotion : « Ce qui m'intéresse, ce n'est pas de mettre au point un cerveau puissant. Je ne cherche rien d'autre qu'un cerveau médiocre, dans le genre de celui du président de l'American Telephone and Telegraph Company[1]. » La salle entière fut pétrifiée. Mais Alan continua nonchalamment : « Fournir à la machine toutes les données concernant les cours de la bourse et les matières premières puis lui poser simplement la question : «J'achète ou je vends ?» Le téléphone sonna ensuite tout l'après-midi dans son laboratoire et l'on ne cessa de lui demander qui diable il pouvait bien être.

La défaite des Allemands à Stalingrad, le 2 février 1943, avait marqué un changement capital. Alors que le front oriental était reconquis par le fer, le front ouest bénéficiait de l'espace et du temps nécessaires pour trouver des moyens autres que la force brute. Les laboratoires de décryptage n'en constituaient qu'un exemple. Ainsi, dès novembre 1942, la région de Los Alamos avait été ratissée et les premiers scientifiques s'y installèrent en mars 1943. La bombe atomique qu'ils projetaient de construire devait surtout permettre de réduire considérablement la flotte de bombardiers, et par conséquent de mécaniser la coordination des offensives aériennes. Le projet Manhattan s'appuyait encore sur la présence d'un pilote alors qu'à Peenemünde les Allemands concevaient déjà des missiles V1 et V2 entièrement téléguidés – même s'ils connaissaient des problèmes de guidage. De nouvelles

---

1. Compagnie de téléphones et télégraphes américains, aussi appelée AT&T.

techniques faisaient leur apparition, comme les détonateurs de proximité, la navigation céleste automatique et les systèmes de conduite de tir automatisés. Pour le commun des mortels, il était facile de comprendre les canons puissants, les navires rapides et les chars indestructibles, qui n'étaient que des extensions des membres humains. Désormais, le secret du radar était éventé, et l'on comprenait à quel point ses multiples applications permettaient de prolonger la vue aux ondes les plus longues du spectre électromagnétique. Mais une nouvelle génération de machines faisait également son apparition, et pas seulement à Bletchley et à Washington. Ce n'étaient plus la physique et la chimie qui primaient mais la structure logique de l'information, de la communication et du contrôle.

Cette nouvelle orientation ne se limitait pas aux domaines militaires. À Dublin, Schrödinger donnait un cours intitulé « Qu'est-ce que la vie ? », et il émettait l'hypothèse que l'information définissant un organisme vivant devait pouvoir être codée sous forme de systèmes moléculaires. À Chicago, deux neurologues avaient lu *Nombres calculables* et relayaient une idée liant la définition de la machine logique à la physiologie réelle du cerveau. Ils avaient appliqué l'algèbre de Boole aux propriétés des cellules nerveuses. Lorsqu'Hilbert mourut, le 14 février 1943, une nouvelle forme de logique appliquée se dessinait. Face aux lointains coups de tonnerre, à l'Est, on commençait à avoir un aperçu d'une science d'après-guerre. Les premières discussions enthousiastes à propos des « machines pensantes » témoignaient aussi bien de l'immensité du champ des possibles ouvert par la guerre que de son éventuel terme.

Le 4 mars, Alan avait achevé un rapport réunissant ses propres suggestions concernant le chiffrage de la parole par la RCA, et il avait étudié en détail tous les systèmes oraux sur lesquels travaillait Bell Labs. Le chef de la section avait exprimé l'inquiétude qu'Alan puisse inventer quelque chose qui sèmerait la confusion en matière de droits et de brevets, mais celui-ci le rassura non sans un certain humour car il tenait à ce que Bell Telephone profitât de tout ce à quoi il penserait. Mais quelle idée pourrait jamais égaler celles qu'il avait déjà apportées à ces cousins d'outre-Atlantique, des idées tellement importantes qu'aucun bureau d'enregistrement des brevets ne connaissait leur existence ? Du 5 au 12 mars, Alan dut encore passer quelques jours à Washington à la demande de la marine. L'Enigma des sous-marins allemands posait de nouveaux problèmes car le code des signaux courts de la météorologie fut changé le 10 mars. Heureusement les trois mois de décryptages réussis avaient permis aux analystes de développer des méthodes alternatives, notamment en découvrant que certains signaux courts, qui étaient encore courants, étaient chiffrés avec la quatrième roue en position neutre. Une fois de plus, les Allemands avaient gâché leur avance. La modification du 10 mars fut maîtrisée en tout juste neuf jours.

Alan retourna ensuite quelques jours chez Bell Labs. Il voulait absolument être tenu au courant des recherches lorsqu'il serait rentré en Angleterre, et il leur indiqua deux manières possibles de le joindre : soit par l'intermédiaire de Friedman, soit par le professeur Bayly, ingénieur canadien attaché à la coordination de la Sécurité britannique. Le 16 mars, à 16 heures 15, un coup de fil lui annonça qu'il devait embarquer pour l'Angleterre. Une demi-heure plus tard, il avait déjà quitté l'immeuble de la West Street. Il devait, cette fois-ci, voyager sur l'*Empress of Scotland*, gros transporteur de troupes de 26 000 tonnes. Ce bâtiment britannique pouvait faire du 19 nœuds et demi avec 3 867 conscrits à bord, 471 officiers – et un seul civil.

L'*Empress of Scotland* quitta New York le 23 mars avec une semaine de retard. Le navire prit plein est, en plein milieu de l'Atlantique, puis vira vers le nord. Seule une personne parmi les passagers connaissait le système précaire dont tout dépendait. Mais ce savoir ne changeait rien. Pendant une semaine, Alan redevint quelqu'un d'ordinaire ; une personne contrainte de prendre des risques et de faire confiance aux autorités. Et le danger était bien réel. Le 14 mars, un autre navire, l'*Empress of Canada* s'était fait repérer et torpiller.

En un sens, Alan était sur le pont depuis 1939. Son souvenir du poème *Le garçon se tenant sur le pont brûlant* de Felicia Hermans – qui narrait la vertu du jeune Giocante Casabianca qui avait obéi aux ordres jusqu'à en perdre la vie – et son impression de remplir un devoir patriotique contraire à ses inclinations ne correspondaient plus à son état d'esprit. Ses actes correspondaient à ses choix, et il ne se soumettait pas : il s'exprimait. Il poursuivait sa réflexion, fasciné par les problèmes, même pendant la traversée qui le ramenait chez lui. Pendant qu'il partageait avec les autres l'impuissance, le confinement et les dangers de la guerre, il en profita pour étudier un petit livre sur l'électronique et inventa ainsi une nouvelle façon de chiffrer la voix.

S'il avait rêvé qu'il faisait la guerre de Sécession, la réalité était tout autre dans la mesure où, assigné à demeurer du côté des Yankees, il n'avait été confronté à aucun combat. Sa lutte à lui se déroulait en deçà des lignes. La situation était en réalité plus ambiguë. Un jour, lors d'une conversation avec Fred Clayton, ils discutèrent de ce qui avait pu pousser des scientifiques à continuer à travailler pour l'Allemagne. Témoignant d'un mélange d'honnêteté personnelle et de réalisme politique, Alan fit remarquer qu'il était inévitable, en matière de recherche scientifique, de se laisser absorber par son travail à un point qui ne permettait plus de réfléchir aux implications. Il s'agissait d'une « guerre miroir », contre des analystes du B-Dienst[1] tout aussi fascinés par leur travail[2]. Il aurait pu s'agir d'un monde enchanté, sans aucun lien avec la guerre. Mais Fred l'obligea à reconnaître que la conduite de l'Allemagne soulevait d'autres questions.

Pour la génération de Turing, la Première Guerre mondiale avait constitué une sorte de guerre de Sécession, une guerre fratricide. La symétrie évidente des nationalismes avait dégoûté Russell comme Einstein, Hardy comme Eddington, qui n'avaient vu que des êtres humains arborant chacun une pancarte et se détruisant les uns les autres. Ils ne rêvaient que d'échapper au système dénoncé dans *La Grande Illusion*. Pourtant, Russell et Einstein décidèrent de soutenir cette guerre-ci, la guerre contre la guerre, la guerre qu'on pouvait considérer non comme une guerre nationale mais comme une guerre civile mondiale, une croisade contre l'esclavagisme. Qu'elle impliquât deux tyrannies ; qu'elle eût considérablement renforcé les gouvernements nationaux ; qu'elle eût rendu les massacres collectifs à nouveau respectables ; qu'elle eût militarisé les économies avancées… Rien de tout cela ne comptait car, devant un tel ennemi, tout était justifié. Ceux-là

---

1. Service de décryptage de l'*Oberkommando der Marine*, haut commandement de la marine allemande.

2. Au moins l'un des étudiants de Scholz œuvrait directement contre lui.

mêmes qui, en 1933, avaient tant hué les fabricants d'armes, les imitaient dix ans plus tard.

Les Britanniques avaient commis des atrocités dans cette Irlande désormais obstinément neutre, mais pas à travers ces fichiers, ces expériences médicales, l'industrialisation de la production de cyanure. À Bletchley, ils avaient déjà déchiffré certains nombres que les Allemands ne connaissaient pas, ou ne voulaient pas connaître. Ce que les Anglais avaient du mal à comprendre, c'était cette pure détermination, cette façon de vouloir suivre une idée jusqu'à sa conclusion logique. Mais la précision nazie avait permis de stimuler la conscience scientifique sans laquelle les Alliés auraient été impuissants.

Cette dimension de la guerre était évidente ; il était inutile d'en parler. Pourtant, il y avait une certaine ironie dans le cas de Turing[1]. Himmler s'était moqué des Renseignements britanniques parce qu'ils employaient des homosexuels et il avait clairement spécifié qu'en Allemagne, les meilleurs agents n'étaient pas dispensés d'obéir à la loi. Ils ne furent pas nombreux à apprécier ce genre de considération, et encore moins se seraient imaginé que cet étrange civil naviguant sur l'*Empress of Scotland* jouerait un rôle crucial dans la chute programmée du plus important des ministres du Troisième Reich.

En 1939, Forster avait exprimé la conviction que, pour battre le fascisme, il pouvait être nécessaire de devenir fasciste à son tour. On ne dut pas en arriver là, et, par bien des aspects, les canaux de communication avaient été ouverts. Néanmoins, et de manière beaucoup plus subtile, la logique du jeu reflétait un

---

1. La politique de sécurité allemande était plus avancée que son homologue britannique. Dans une lettre datée du 9 octobre 1942, Himmler répondait à une note de service du physicien consultant de l'Office central de la sécurité du Reich au sujet de *Die Homosexualität in der Spionage und Sabotage*. « Je vous accorde [...] que les Britanniques ont trouvé matière à atteindre leurs objectifs », écrivit-il. Mais Himmler décréta qu'il était hors de question de réduire les poursuites vigoureuses contre les homosexuels pour pouvoir les recruter, refusant de courir le risque que, demeurant impuni, le vice homosexuel se répande au sein du *Volk* et pervertisse des pans entiers de la jeunesse. Quoi qu'il en soit, disait-il, si l'un de ces escrocs dégénérés devait trahir son pays, il le ferait, qu'il soit puni par l'article 175 ou non. Les poursuites, en 1942, se terminaient par des mesures de consignation dans un camp de concentration en tant que prisonnier à « triangle rose ». Le 23 juin 1943, Himmler sermonna durement les médecins pour lui avoir proposé de les « reprogrammer », ce qu'il considérait comme une perte de temps à une époque où l'Allemagne se débattait pour continuer à exister. De plus, il jugeait très incertaine l'issue de tels efforts.

aspect inhumain de ce qu'on appelait la démocratie : non seulement dans les raids des bombardiers, mais aussi d'une manière plus profonde. À mesure que les Alliés passaient de la défensive à l'offensive, de l'innocence à l'expérience, de la réflexion à l'action, une indéfinissable naïveté s'envolait à tout jamais. La réussite même et l'efficacité de leurs trouvailles scientifiques remettaient tout en cause. En 1940, on avait eu l'impression, illusoire peut-être, d'un contact individuel avec le cours des événements. Mais maintenant, un Churchill lui-même s'avouait complètement dépassé par l'ampleur et la complexité des opérations. Les années 1930 avaient laissé croire que le choix entre le bien et le mal était simple. Mais après 1943, alors que les Alliés s'apprêtaient à imiter les Russes en s'attaquant aux nazis, ils s'aperçurent aussi que rien ne le serait jamais plus.

Dans l'aube fraîche du 31 mars, une escorte britannique attendait l'*Empress of Scotland*. Le danger était passé puisque aucun U-Boote ne parvint à repérer le bateau. Le curieux civil retournait dans son pays en toute sécurité. Depuis trois ans, Alan essayait d'endiguer la marée grâce à la simple réflexion et une gigantesque machine avait été construite autour de son cerveau. On ne pouvait faire la guerre en se contentant d'en connaître par cœur les règles. Le renseignement ne suffisait pas : il fallait le replacer dans le contexte d'un monde brutal. Et même celui qui était à sa tête devrait se plier à cette règle.

DEUXIÈME PARTIE

LA PHYSIQUE

V

À l'approche

« Je chante la personne simple séparée, le Soi-même,
Cependant que j'exprime le mot Démocratique, le
  mot En-Masse.

La physiologie fait mon chant, pied et cap,
Ni la physionomie ni le cerveau à eux seuls ne méritent la Muse, je dis que la forme complète la
  mérite bien davantage,
Le Féminin autant que le Masculin fait mon chant.

Vie immense en ses passions, son rythme, sa puissance,
Trésor d'allégresse, conçu pour la liberté d'agir sous
  la contrainte divine,
L'Homme Moderne fait mon chant[1]. »

Stalingrad avait marqué pour l'Allemagne le commencement
de la fin. Les rapports de forces s'étaient inversés. Pourtant les
Alliés ne semblaient guère progresser sur les fronts sud et ouest.

---

1. « Je chante le soir même » de *Feuilles d'herbe*, traduction de Jacques Darras, éditions
Grasset et Fasquelle, 1989, 1994, révisée par Jacques Darras pour les éditions Gallimard,
collection Poésie, 2002.

La guerre s'éternisait en Afrique et les raids de la Luftwaffe se poursuivaient sur l'Angleterre. Les ports abritaient les survivants de ce qui s'était révélé être l'attaque de convoi la plus dévastatrice de la guerre ; un coup qui avait éclaté au beau milieu de l'Atlantique pendant qu'Alan attendait à New York.

Lorsque Churchill et Roosevelt s'étaient entretenus à Casablanca, ils avaient eu de bonnes raisons de croire que, dès qu'il avait été à nouveau possible de décrypter les messages de l'Enigma des U-Boote, on aurait pu ramener les pertes navales au niveau de 1941. Ce fut le cas au mois de janvier, mais les mois de février et mars tournèrent au désastre : quatre-vingt-quinze navires furent touchés, soit près de 750 000 tonnes. En tout, les sous-marins avaient coulé vingt-deux des cent vingt-cinq bâtiments qui s'étaient organisés en convoi dans l'Atlantique Est, ce mois-là. Si les Alliés avaient subi de telles pertes, c'était pour une bonne raison... à peine croyable. Non seulement les convois avaient pris la mer au cours des neuf jours de black-out provoqués par le changement de système de rapports météorologiques du 10 mars, mais aussi parce qu'on n'avait pas prévu que les spécialistes du B-Dienst briseraient le chiffre du routage des convois alliés.

Le convoi SC 122 avait pris la mer le 5 mars, le HX 229 le 8, et le plus petit – et plus chanceux –, le HX 229A le lendemain. Le 12 mars, le SC 122 fut dérouté vers le nord pour éviter ce que l'on pensait être une ligne de sous-marins appelée Raubgraf. Ce signal fut intercepté et déchiffré. Le 13 mars, le Raubgraf attaqua un convoi qui se dirigeait vers l'ouest, trahissant ainsi sa position. Le SC 122 et le HX 229 furent de nouveau déroutés. Les deux signaux furent interceptés et déchiffrés en quatre heures. Le Raubgraf ne fut pas en mesure de rattraper le SC 122, pourtant, trois cents milles marins à l'est, on ordonna aux lignes Stürmer et Dränger, fortes de quarante bâtiments, d'intercepter le convoi. Les Allemands jouèrent de malchance – ils avaient des difficultés à distinguer les convois. Mais ils connurent aussi un succès car l'un des sous-marins du Raubgraf repéra par hasard le HX 229 et put en communiquer les coordonnées aux autres. Depuis Londres, on vit les convois faire route entre les lignes de sous-marins. Trop tard. Il leur fallait combattre. Le 17 mars, les convois furent cernés et, durant les trois jours qui suivirent, vingt-deux navires furent coulés, contre un seul sous-marin. Le hasard avait joué un grand rôle dans cette attaque. Cette perte illustra de manière terrible l'échec systématique des communications alliées.

À Londres et à Washington, les premiers soupçons apparurent en février 1943 quand on remarqua, le jeudi 18, qu'une ligne de sous-marins fut déroutée à trois reprises en une demi-heure afin de pouvoir intercepter un convoi. Mais il fallut attendre le mois de mai pour trouver la preuve du décryptage adverse dans trois messages d'Enigma, chiffrés d'ailleurs deux fois. Heureusement, les informations provenant d'Enigma passaient toujours par les carnets de clés-blocs, et sa sûreté ne fut à aucun moment remise en cause par les Allemands qui imputaient encore les renseignements des Alliés à la traîtrise de certains de leurs officiers et aux progrès des radars alliés. Dans un geste inutile, ils réduisirent le nombre de personnes autorisées à connaître les transmissions des sous-marins. Comme toujours, leur confiance aveugle dans la machine les empêchait de voir la réalité en face. Les Alliés avaient pourtant bien failli montrer leur jeu par mégarde.

C'était une histoire lamentable, pas pour des individus en particulier, mais pour le système. Ni à Londres ni à Washington, il n'existait de service capable d'effectuer le tri délicat entre ce que le commandement allemand savait à coup sûr et ce qu'il savait peut-être. Les cryptanalystes n'avaient pas accès aux dépêches alliées – de toute façon, elles n'étaient pas toutes conservées. Et l'OIC, toujours en manque d'effectif et de matériel, était surchargé de travail avec les attaques de convois.

Les autorités des services cryptographiques et opérationnels travaillaient en effet d'une façon qui aurait paru d'une négligence criminelle à tous les occupants de la Hutte 8. Ainsi, le chiffre du routage des convois, présenté comme un système conjoint anglo-américain, s'appuyait en réalité sur un vieux code britannique aisément reconnaissable par le B-Dienst. Même si, en décembre 1942, un « rechiffrage des indicateurs » avait quelque peu désarçonné le service de décryptage allemand, les bourdes s'accumulaient du côté allié. D'après un débriefing américain :

« Les communications des marines américaine et britannique étaient si complexes et souvent si répétitives que personne ne semblait savoir combien de fois il fallait envoyer les messages, par qui, et avec quels systèmes. On aurait peut-être pu régler la question de la compromission du chiffre avant le mois de mai si le système de communication commun avait été moins obscur et si, dans ce domaine, la coopération avait été plus importante entre Britanniques et Américains. »

Pendant ce temps, d'après l'homologue allemand de Travis :

« L'Amiral d'Halifax, en Nouvelle-Écosse, nous a été d'une aide précieuse. Il envoyait quotidiennement un compte rendu de situation, que l'on recevait tous les soirs. Il débutait toujours par "Destinataires, lieu, date", et la répétition de cette introduction nous a aidés à choisir rapidement le code utilisé. »

Tandis qu'à Bletchley on poussait les esprits et les technologies dans leurs derniers retranchements pour déchiffrer les signaux allemands, on commettait des erreurs de débutants en tentant de protéger les siens. Résultat, depuis la fin 1941, les victoires allemandes étaient dues non seulement à la force croissante de leur flotte de sous-marins, mais aussi à leur connaissance des itinéraires des convois alliés. En 1942, le black-out d'Enigma ne fut en fait que pour moitié responsable dans les défaites qui s'ensuivirent.

Heureusement, à l'inverse des autorités allemandes, les Britanniques étaient capables de reconnaître leurs erreurs. La faute n'incombait pas à la seule Amirauté puisque c'était à la CG & CS de jouer le rôle de conseiller technique en matière de sûreté des chiffres. Mais Bletchley ne représentait qu'une partie du bureau, et il y demeurait des secteurs qui conservaient des années de retard. En 1941, on conçut un nouveau système que l'Amirauté ne consentit à mettre en œuvre qu'en 1942 pour être opérationnel en juin 1943. Considérant qu'il fallait six mois ne serait-ce que pour équiper la marine de nouvelles tables, ce genre de délais aurait pu sembler acceptable en temps de paix, toutefois il ne s'appliquait pas à l'urgence de la guerre. Si cela avait concerné des messages essentiels, des radars aéroportés capables de rendre visibles les villes pour des raids nocturnes ou encore de la bombe atomique, de nouvelles industries auraient vu le jour en seulement quelques mois. Le travail bien moins palpitant de protection des convois ne paraissait pas mériter de tels efforts. Si le principe d'intégration avait été appliqué avec force à Bletchley, il ne s'était pas étendu à tous les aspects de sa mission.

Ils en avaient tiré les leçons, mais c'était une façon douloureuse d'apprendre ; ils étaient au fond de l'abîme. Cinquante mille marins alliés périrent dans des conditions parmi les plus éprouvantes de la guerre, dont trois cent soixante lors de l'attaque du convoi de mars 1943. La marine marchande ne fut pas épargnée. Son chiffre continua d'être percé par les Allemands jusqu'à la fin 1943 et, considérée comme de moindre importance, elle devenait extrêmement vulnérable et courait un danger dont peu de gens avaient conscience.

Avec le recul, l'échec des communications navales alliées donna raison à la position visionnaire d'avant-guerre de l'amiral Mountbatten, – qui préconisait d'employer des machines à crypter. Après 1943, la Marine rejoignit les autres services et se mit à utiliser plus fréquemment Typex et son équivalent américain. Le B-Dienst ne semblait faire aucun progrès dans leur décryptage. Et, pourtant, les modernistes tels que Mountbatten auraient pu avoir vu juste pour de mauvaises raisons. Les machines à chiffrer n'étaient pas impossibles à déchiffrer, comme l'avait prouvé Enigma. Le ministère des Affaires étrangères continuait à employer un système manuel fondé sur des livres, et il résistait encore à tous les assauts. Bletchley était parvenu à décrypter le système de communication naval des Italiens, cependant il demeurait impuissant face à leurs chiffres fondés sur des livres. Ce qui était chiffré par une machine était d'autant plus facile à déchiffrer par une autre. Ce n'était pas la machine qui comptait mais bien le système humain auquel elle appartenait. Derrière le décalage entre les critères de la cryptanalyse alliée et ceux de la cryptographie se posait une question : les transmissions via Typex étaient-elles réellement plus sécurisées que celles d'Enigma ? Sans doute la réponse la plus évidente était-elle que le B-Dienst n'avait fait aucun effort pour tenter de les déchiffrer. De la même manière qu'en 1938, aucun réel essai n'avait été tenté pour lutter contre Enigma. Si l'on s'était attaqué à Typex avec les mêmes ressources que celles disponibles à Bletchley, l'histoire aurait certainement été tout autre. Peut-être les Allemands ne comptaient-ils pas dans leurs rangs l'équivalent d'un Alan Turing – ou un système lui permettant de s'exprimer ?

Telle était la situation quand Alan retrouva la Hutte 8. L'atmosphère n'était plus la même. Les décrypteurs tendaient à croire que le fruit de leur travail était relayé par un système capable et responsable, et le scandale du chiffrage des routes des convois fut pour eux une véritable douche froide. En l'absence d'Alan, c'était Hugh Alexander qui avait pris la tête de la Hutte 8. On raconte qu'un formulaire demandant quel était le chef de la section avait circulé. Alexander aurait répondu : « Eh, j'imagine que c'est moi. » Par la suite, il avait conservé la responsabilité de l'Enigma navale. Il n'y eut plus de crise, malgré la prolifération soudaine de systèmes clés du côté de la marine allemande. La mise en place d'une quatrième roue dans le système réservé aux sous-marins en juillet 1943 ne leur posa aucun problème. Ils furent capables d'en déduire le câblage sans que la saisie d'un exemplaire de la machine ne leur soit nécessaire. Les compétences d'Alan n'étaient plus vraiment requises. Plusieurs grands spécialistes du décryptage furent d'ailleurs affectés à l'amélioration des travaux effectués sur le système Fish. De plus, l'Enigma des sous-marins ne requérait plus vraiment d'efforts de la part des Britanniques. Même si ces derniers[1] étaient parvenus, en juin 1943, à concevoir la première Bombe à grande vitesse à quatre rotors, les Américains en produisirent de plus efficaces encore dès le mois d'août. Fin 1943, ils se chargèrent entièrement du travail sur les sous-marins, tout en se tenant prêts à résoudre d'éventuels nouveaux problèmes avec Enigma.

Si Alan n'avait plus grand-chose à faire dans ce qui était devenu une routine, son aide pouvait se révéler précieuse dans le contexte de la cryptographie, où l'on assistait à une légère amélioration de la coopération et de la coordination avec les autres services. On avait déjà chargé Alan d'inspecter les systèmes de chiffrage de la parole, et aussi de s'occuper des liaisons anglo-américaines – tâche délicate entre toutes. Les Alliés devaient maintenant rattraper les retards et les inconséquences de 1942, à une époque où les communications se développaient considérablement. Les plans très compliqués élaborés pour 1944 ne devaient en aucun cas connaître la désorganisation qui avait régné jusque-là. Pour Alan, il s'agissait d'un travail morne et plutôt démoralisant comparé à l'excitation d'une course. Pourtant il fallait un spécialiste pour s'en occuper.

---

1. Charles Wynn-Williams avait fait des progrès, mais cette machine était plus probablement l'œuvre d'Harold Keen et de BTM.

Après juin 1943, la bataille de l'Atlantique bascula de façon spectaculaire en faveur des Alliés ; les pertes en navires étant enfin ramenées à des normes tolérables. *A posteriori*, on décida que mars 1943 avait constitué l'apogée de la crise dans la bataille de l'Atlantique et que la suite des événements avait marqué la défaite des U-Boote. Cependant il serait plus correct de reconnaître que 1943 fut une année de crise durant laquelle ce n'étaient pas à proprement parler les bateaux qui étaient vaincus, mais plutôt le système qui subissait, selon les jours, les assauts d'un dispositif supérieur. Des patrouilles aériennes à long rayon d'action furent enfin créées pour combler le grand vide au large de l'Atlantique. L'avantage logique détenu par les sous-marins allemands depuis 1940 avait été renversé. Ils étaient désormais détectables de loin grâce à Enigma (fin 1943, les Britanniques avaient même une vision de leurs positions nettement plus claire que celle du commandement allemand) et de près grâce aux radars des avions. Parallèlement, les communications destinées aux convois maritimes retrouvèrent leur sécurité. Autant de cartes maîtresses qui donnaient une combinaison gagnante, et la partie de poker de l'Atlantique faisait de moins en moins de bruit, troublée seulement lorsque, parfois, la tricherie cessait d'opérer. Du point de vue allemand, les choses paraissaient pourtant beaucoup moins calmes. Fin 1943, ils avaient une flotte de quatre cents U-Boote à déployer en prenant toutes les précautions nécessaires pour déjouer la surveillance des radars qu'ils croyaient responsables de tous leurs maux. L'armée sous-marine allemande continuait de se développer et de se montrer plus agressive alors même que leurs U-Boote avaient une durée de vie plus courte. Un avantage certain pour les uns tandis que les autres refusaient d'admettre la défaite. Mais la Deuxième Guerre mondiale n'était pas vraiment un jeu !

La mise en place du quatrième rotor en février 1942 eut ainsi des effets inattendus en Allemagne. Le système était employé sans conviction ce qui permit aux Alliés de le maîtriser dès décembre 1942 et signifia pour les Allemands la perte de la bataille de l'Atlantique. Sa simple mise en place impliqua à Bletchley le recrutement d'ingénieurs en électronique. Les mêmes qui finirent par travailler sur Fish. Si 1943 marqua le règlement général des tensions anglo-américaines en matière de renseignements grâce à des accords où les Alliés se partageaient tout simplement le monde – à la Grande-Bretagne l'Europe, à l'Amérique l'Asie –, la Marine américaine conservait une attitude plutôt menaçante. La promptitude des Américains à fabriquer les Bombes était la preuve que l'Atlantique était désormais possession américaine. L'œuvre d'Alan Turing avait retiré la maîtrise de l'océan à l'Allemagne tout en l'assurant aux États-Unis.

Alan avait écrit à Joan Clark lorsqu'il se trouvait aux États-Unis et lui avait même demandé ce qui lui ferait plaisir. La censure ayant empêché la jeune femme de répondre, il lui offrit un beau stylo à encre tandis qu'il rapportait à Bob un rasoir électrique, ainsi que des barres de chocolat et autres sucreries pour la communauté de la Hutte 8. Il raconta à Joan sa visite à Mary Crawford en janvier, juste après la mort de Jack, et lui dit combien l'amour qui avait uni ces deux êtres l'avait impressionné. Il essaya de sous-entendre qu'ils devaient peut-être « faire une nouvelle tentative ». Joan préféra ne pas relever l'allusion : elle savait que c'était bien fini.

Il lui montra un livre sur le go et alla jusqu'à se coucher sur le sol de sa chambre, au Crown Inn, pour faire la démonstration de certaines situations du jeu. Il lui prêta aussi un roman tout à fait remarquable paru au mois de janvier 1943. Le titre en était *The Cloven Pine* (« Le Pin fendu »)[1], et l'auteur son ami Fred Clayton, quoiqu'il eût pris un pseudonyme. Le roman donnait libre cours à des récriminations politiques et sexuelles qui touchaient davantage à l'expérience et aux problèmes de Fred qu'à ceux d'Alan puisqu'il avait situé son action dans l'Allemagne des années 1937 et 1938 et s'était inspiré de ses propres réactions contradictoires face à la Vienne et à la Dresde d'avant-guerre.

Il avait tenté de comprendre ce qui s'était produit en 1933. D'un côté, les Allemands, ni plus ni moins sympathiques que les Anglais ; de l'autre, le système nazi. Et, tandis qu'il s'interrogeait sur la crédulité des Allemands, il cherchait à se découvrir à travers leurs yeux. Dans un mouvement internationaliste, *The Cloven Pine* était à la fois dédié à son petit frère George et à Wolf, l'un des garçons qu'il avait connu à Dresde. Un personnage libre et rationnel qui qualifiait ainsi le libéralisme britannique :

---

1. Frank Clare, *The Cloven Pine*, Martin Secker & Warburg, Londres, 1943.

« Que d'illusions ! Quelle liberté et quelle cohérence y a-t-il dans cet être ? Une créature d'humeur changeante incapable de comprendre ses semblables. » C'était alors la conclusion d'un libéral de King's qui tentait d'appréhender le déni absolu de soi.

Dans son roman, il abordait un second thème : une amitié entre un enseignant anglais et un jeune Allemand qui demeurait « suspendue dans une atmosphère de sentimentalisme à demi platonique ». Aux yeux de Joan, cela illustrait une certaine retenue qui méritait l'admiration, mais Alan, qui avait souvent taquiné Fred avec ce genre d'expressions, aurait probablement eu un avis différent sur la question. Le livre évitait de tomber dans un piège flagrant – celui dont Evelyn Waugh s'était moqué dans *Hissez le grand pavois* – grâce à la rigueur et à la sophistication avec lesquelles il passait en revue les différentes contradictions. Il y remettait sans cesse en question ses certitudes et son passé, y compris la récente propagande nazie de la fin des années 1930 à propos des clergés juif et catholique qui corrompaient la jeunesse. Cela permit à Alan de prétendre que ses « tendances » étaient inséparables de sa place dans la société. Elles ne pouvaient être qualifiées de secondaires dans son rapport à la liberté et à la cohérence d'esprit.

Bien qu'il ne s'occupât plus directement de décryptage, Alan demeurait dans l'enceinte de Bletchley et passait pas mal de temps libre à la cafétéria. Les conversations tournaient alors autour d'énigmes mathématiques et logiques, et Alan savait particulièrement bien résoudre un problème élémentaire et montrer quels principes s'y cachaient – ou, inversement, illustrer un argument mathématique par des expériences du quotidien. Cela relevait de sa volonté de lier l'abstrait au concret tout autant que de son plaisir à démythifier le territoire hautement sacré des mathématiciens. Il pouvait s'agir par exemple de motif de papier peint dans une conversation sur les symétries. Dans *Nombres calculables*, son « ruban de papier » jouait un rôle similaire, et ramenait d'un coup sur terre la « branche abstraite de la logique ».

Cette démarche plaisait particulièrement à Donald Michie, classiciste pour qui tout cela semblait très nouveau. Il se lia d'amitié avec Alan et ils ne tardèrent pas à se voir tous les vendredis soir de 1943, dans un pub de Stony Stratford, pour discuter et jouer aux échecs. Alan n'était pas un excellent joueur comparé aux champions qui travaillaient à Bletchley. Harry Golombek, par exemple, parvenait toujours à le battre... même en lui donnant sa reine. Il se plaignait de ce qu'Alan ne savait pas faire travailler les pièces les unes par rapport aux autres. Sans doute, comme en société, Alan avait-il trop conscience de ce qu'il cherchait à faire pour jouer avec assurance. Jack Good considérait qu'il était trop intelligent pour accepter l'évidence d'un coup que d'autres auraient joué sans réfléchir. Il fallait sans cesse qu'il reprenne tout depuis le début. Cela avait d'ailleurs été très amusant quand, après une garde de nuit vers la fin de l'année 1941, Alan entama une partie contre Harry Golombek... aux premières lueurs du jour. Travis était passé et avait été gêné de surprendre, du moins le croyait-il, son chef cryptanalyste en train de jouer pendant ses horaires de travail. « Euh... Il faut que je vous voie, Turing », lui annonça-t-il maladroitement, tel un responsable d'internat surprenant un élève de terminale en train de fumer une cigarette dans les toilettes. « J'espère que vous allez le battre », ajouta-t-il à l'intention de Golombek en quittant la pièce, convaincu à tort que le maître de la cryptanalyse était meilleur que lui. Le jeune Donald Michie, quant à lui, était à peu près de son niveau.

Ces rencontres constituaient pour Alan l'occasion de repenser à ses idées de machines à jouer aux échecs qu'il avait commencé à développer en 1941 avec Jack Good. Ils parlèrent souvent de la mécanisation du processus de la pensée, en faisant intervenir des notions comme la théorie des probabilités et le « poids d'évidence » que Donald Michie commençait à connaître. L'intervention de machines dans les opérations de décryptage avait en tout cas relancé la discussion sur les problèmes mathématiques susceptibles d'être résolus avec une aide mécanique – ainsi le problème de trouver de très grands nombres premiers revenait-il souvent lors des déjeuners, suscitant systématiquement l'étonnement de Flowers, l'ingénieur électronicien, qui n'en comprenait pas l'intérêt. Les discours d'Alan prenaient néanmoins un tour différent dans la mesure où ce qui l'intéressait n'était pas tant la construction de machines spécialisées dans telle ou telle tâche, que celle d'une machine capable d'« apprendre ». Cela prolongeait un peu la suggestion avancée dans *Nombres calculables*, selon laquelle les états de la machine pouvaient être rapprochés de la notion « d'états de l'esprit ». Si une telle suggestion se vérifiait, si une machine parvenait un jour à simuler le fonctionnement du cerveau de la manière qu'il avait envisagée avec Claude Shannon, alors une telle machine devrait présenter la caractéristique même du cerveau, à savoir la capacité d'apprendre de nouvelles choses. Il avait à cœur de contrer l'objection selon laquelle une machine, aussi complexe soit-elle, se contenterait toujours d'exécuter ce pour quoi elle a été explicitement conçue.

Toujours implicite dans ces discussions, il y avait l'opinion matérialiste que ni l'esprit ni l'« âme » n'existaient indépendamment des mécanismes du cerveau. (Sans doute son athéisme s'était-il encore affirmé, car il maniait maintenant les plaisanteries anticléricales et antireligieuses beaucoup plus librement qu'avant-guerre.) Afin d'éluder toute discussion philosophique sur ce qu'étaient censés être l'« esprit », la « pensée » ou le « libre arbitre », il préférait avancer l'idée de juger de la capacité mentale d'une machine en comparant simplement ses performances avec celles d'un être humain. Il s'agissait d'une définition opérationnelle de la « pensée », un peu comme Einstein avait insisté pour donner des définitions opérationnelles du temps et de l'espace pour libérer sa théorie des suppositions *a priori*. Tout cela ne présentait rien de fondamentalement nouveau – Alan suivant là une ligne presque classique de la pensée rationaliste. D'ailleurs, en 1933, il en avait eu la preuve sur scène, dans *En remontant à Mathusalem* de Shaw, où un scientifique du futur avait conçu un « automate » capable de monter, ou du moins d'imiter la pensée et les émotions des individus du XXe siècle. Shaw faisait dire à son « homme de science » qu'il était incapable de faire le lien entre « un automate et un organisme vivant ». Même si c'était loin d'être une nouveauté, Shaw tentait de faire dater cet argument de la période victorienne. Dans son livre *Les Merveilles de la Nature*, l'auteur avait adopté le point de vue des rationalistes. En particulier, dans un chapitre intitulé « Comment les animaux réfléchissent-ils ? », qui traitait de la pensée, de l'intelligence et de l'apprentissage ; des notions qui ne différaient que dans une certaine mesure chez les créatures monocellulaires et les êtres humains. Alan reprenait par conséquent une idée ancienne lorsqu'il parlait d'un principe d'imitation : si une machine paraissait aussi efficace qu'un être humain, c'est qu'elle était réellement aussi efficace que lui. Une telle position donnait néanmoins un aspect plus incisif, plus constructif aussi, à toutes ses conversations.

Entre-temps, Donald Michie avait quitté la Testery et Jack Good la Hutte 8 pour travailler aux côtés de Newman sur un projet extrêmement excitant lié au décryptage de Fish. En parallèle, Michie avait continué de chercher à améliorer la méthode du Turingismus, faisant officieusement part à Alan des progrès qui étaient certains puisque, au début de 1943, toute une partie des signaux Fish étaient décryptés régulièrement et avec très peu de retard. La théorie de Turing sur les statistiques, formalisée en termes de « vraisemblance » et de « poids d'évidence » à laquelle s'ajoutait l'idée d'« analyse séquentielle », jouait également un rôle important dans les travaux effectués sur Fish, qui s'y prêtaient mieux que ceux poursuivis sur Enigma. Dès le printemps 1943, les idées de Newman en vue d'une plus grande mécanisation commencèrent à porter leurs fruits. Là, les toutes dernières recherches en électronique, dont les progrès les plus importants étaient intervenus durant le séjour d'Alan en Amérique, se révélaient d'une immense portée.

Vers avril 1943, les ingénieurs du Post Office avaient pu installer la première calculatrice électronique dans la Hutte 8 où travaillaient Newman et ses deux assistants. Cette machine, comme celles qui lui succédèrent, fut baptisée Robinson. (Il y eut ainsi une Peter Robinson, une Robinson & Cleaver et une Heath Robinson.) Quoique certains problèmes de construction fussent réglés – comme le passage très rapide d'un ruban de papier dans un compteur électronique –, ces Robinson souffraient encore de nombreux défauts. Elles prenaient assez facilement feu, les rubans de papier cassaient tout le temps et les comptes étaient peu fiables. Cela était dû au fait que les parties les plus lentes des calculs étaient effectuées sur de vieux relais qui provoquaient un effet de perturbations électriques sur les composants électroniques. Mais le problème technique fondamental de la méthode était de synchroniser l'introduction des deux rubans de papier séparés. Pour toutes ces raisons, les Robinson se révélèrent trop lentes et peu sûres pour être d'une réelle utilité dans les opérations de décryptage. On ne les employait donc qu'à des fins de recherches. Une autre difficulté fondamentale, plus logique que physique cette fois, accentuait encore la lenteur de la méthode : lorsqu'il s'en servait pour un décryptage, l'opérateur devait sans arrêt produire de nouveaux rubans, assisté en cela par « une machine auxiliaire spécialement conçue pour fabriquer les rubans constituant l'une des deux entrées de la Heath Robinson ».

Cependant, avant même que la première Robinson ne soit terminée, Flowers avait fait une proposition révolutionnaire qui résolvait le problème de la synchronisation des rubans et supprimait la production continue et laborieuse de nouveaux rubans. Il s'agissait d'« enregistrer » les clés de Fish sous forme électronique : un seul ruban suffisait. Une difficulté subsistait : un tel stockage interne exigeait l'usage d'un nombre considérable de tubes électroniques. Cette suggestion fut accueillie avec une profonde suspicion par les experts-maison, Keen et Wynn-Williams. Mais Newman comprit le projet et appuya l'initiative de Flowers.

Selon les critères habituels, ce projet n'aurait dû être qu'un coup d'épée dans la mare de la technologie. Sauf que l'époque n'avait rien de normal. Ce qu'il advint par la suite n'aurait pas été concevable, ne serait-ce que deux ans auparavant. Là, Flowers n'eut qu'à dire à Radley, directeur des laboratoires du Post Office, que le projet était indispensable à leurs travaux. Ayant reçu de Churchill l'instruction de donner à Bletchley la priorité absolue, Radley n'avait rien à répliquer, même si une telle requête allait mobiliser la moitié des ressources de son laboratoire. La construction commença en février 1943 et la machine imaginée par Flowers fut terminée après onze mois de travail acharné. Personne – sauf Flowers lui-même, Broadhurst et Chandler, qui avaient conçu la machine ensemble – n'obtint l'autorisation de voir toutes les pièces de la machine. Il n'était pas question non plus de savoir à quoi elle servirait. Il fallut attendre qu'elle soit définitivement installée à Bletchley en décembre pour la voir.

En trois ans, ils avaient autant fait progresser la technologie qu'en un demi-siècle. Dillwyn Knox mourut en février 1943, juste avant la chute de l'Empire colonial italien qu'il avait tant œuvré à renverser. Avec lui, s'éteignit aussi l'esprit de l'ère préindustrielle. Enigma les avait plongés dans une première révolution scientifique et ils étaient déjà prêts à en affronter une seconde. La machine entièrement électronique se révéla beaucoup plus fiable que les Robinson, et aussi beaucoup plus rapide.

Ils l'appelèrent Colossus. Elle démontra qu'environ mille cinq cents tubes électroniques convenablement utilisés pouvaient parfaitement fonctionner ensemble et pendant de longues périodes sans la moindre erreur. Pour beaucoup, cela paraissait tout à fait invraisemblable, mais en 1943 il devenait possible d'envisager et de réaliser l'impossible.

Alan était au courant de ces nouvelles recherches, pourtant il déclina la proposition qui lui fut faite d'y participer. Newman était en train de constituer un groupe toujours plus puissant. Il y attirait les meilleurs talents, ceux des autres pavillons comme ceux du monde mathématique extérieur. Alan, lui, partait dans une direction opposée ; il n'avait rien d'un Newman doué d'une vision globale des choses, et encore moins d'un Blackett qui se montrait si à l'aise dans les milieux politiques. Il n'avait pas vraiment cherché à garder la maîtrise de l'Enigma navale et s'était retiré avant même que Hugh Alexander ne réorganise le service. Si Alan avait été différent, il aurait pu, à cette époque, s'élever à une position dominante en participant à des comités de coordination anglo-américains destinés à préparer la future politique. Sauf qu'il se souciait peu de conquérir une place ailleurs que dans la recherche scientifique. D'autres avaient trouvé dans la guerre l'occasion d'obtenir un pouvoir et une influence qui leur avait été refusés dans les années 1930. Pour Turing, la guerre avait apporté tout un lot d'idées et d'expériences nouvelles ainsi que la possibilité de faire enfin quelque chose. Il n'avait pourtant toujours aucun goût pour le commandement et restait fidèle à ses axiomes. Solitaire endurci, il voulait retrouver quelque chose de bien à lui.

Il aurait également fallu davantage qu'une Deuxième Guerre mondiale pour changer les préoccupations de sa mère qui, en décembre 1943, ne pensait plus, comme à son habitude, qu'à la corvée des cadeaux de Noël. Le 23 décembre, Alan lui écrivit :

« Ma chère mère,
Je te remercie de me demander ce que je voudrais pour Noël, mais je crois vraiment que nous ferions mieux d'avoir un moratoire cette année. Il y a plein de choses que j'aimerais mais que je sais ne pouvoir obtenir, par exemple un nouvel échiquier pour remplacer celui que je me suis fait voler ici pendant mon absence et que tu m'avais offert vers 1922 : cependant je sais que ce serait

inutile d'essayer pour le moment. Il y a ici un vieux jeu dont je pourrai me servir jusqu'à la fin de la guerre.

J'ai eu une semaine de congé il n'y a pas très longtemps. Suis allé aux lacs avec Champernowne et ai séjourné dans la propriété du professeur Pigou, à Buttermere. Je ne pensais pas que cela valait la peine d'aller dans les montagnes à cette époque de l'année, mais nous avons eu un temps merveilleux, sans pluie et juste un peu de neige quand nous sommes montés sur le Great Gable. Malheureusement, Champernowne a attrapé froid et a dû rester au lit la moitié du temps. C'était à la mi-novembre, et je ne pense donc pas que je prendrai de vacances de Noël avant février. »

Quoi qu'il en soit, dès Noël 1943, alors que le *Scharnhorst* était coulé grâce à Enigma, Alan se lança dans un nouveau projet. Une entreprise solitaire cette fois-ci. Il transmit ses dossiers sur la grosse machinerie américaine à Gordon Welchman, qui abandonna alors la Hutte 6 pour occuper un rôle de coordination générale. Welchman s'était lassé des mathématiques et trouvait maintenant un intérêt nouveau dans l'étude d'une organisation efficace – tout en étant très attiré par les contacts américains. Depuis son retour des États-Unis, Alan avait passé pas mal de temps à concevoir un procédé inédit de chiffrage de la parole. Et tandis que d'autres mathématiciens se seraient contentés d'utiliser le matériel électronique existant, Alan était décidé, à partir de son expérience chez Bell Labs, à créer de ses propres mains quelque chose qui fonctionnât. Fin 1943, il fut enfin libre de s'y consacrer.

Le chiffrage de la parole n'était pas considéré comme urgent. Le X-system avait été inauguré le 23 juillet 1943 et servait déjà pour les conversations de la plus haute importance entre Londres et Washington. La note de service des chefs d'état-major de ce jour-là stipulait : « Les spécialistes britanniques à qui l'on avait demandé d'évaluer le secret (*sic*) du matériel se sont déclarés pleinement satisfaits. » Y étaient également listés les vingt-quatre hauts responsables britanniques – de Churchill aux autres dignitaires en descendant dans la hiérarchie – autorisés à s'en servir, ainsi que les quarante Américains – de Roosevelt aux autres dirigeants influents – qu'ils pouvaient joindre. Cela résolut le problème des communications transatlantiques. Et cela signifiait aussi que les Britanniques devaient quémander le droit de l'utiliser et qu'ils ne pouvaient profiter des lignes que les Américains étaient en train d'installer vers les Philippines et l'Australie. Par ailleurs, le fait que les Américains enregistrent leurs conversations ne leur plaisait pas – l'alliance n'impliquant pas forcément que le gouvernement britannique soit contraint de confier tous ses secrets. La mainmise des Américains sur l'ensemble du système aurait dû inciter les autorités britanniques à élaborer une méthode indépendante. Rappelons que c'était la Grande-Bretagne (et non les États-Unis) qui était censée se trouver au centre du système politique et commercial mondial.

Rien ne fut pourtant entrepris, et de toute façon, l'idée d'Alan ne présentait pas un potentiel de développement suffisant. Le principe auquel il pensait s'accommodait mal des décalages de temps et du *fading* inévitable dans les transmissions radio transatlantiques à ondes courtes. Sur ce terrain, il ne pourrait jamais rivaliser avec le X-system, qui surmontait déjà ces difficultés – cela fut clairement établi dès le départ. Une telle recherche représentait quelque chose qu'Alan voulait réussir pour lui-même plutôt qu'une tâche qu'on lui avait assignée. La guerre n'avait plus besoin de sa manière originale d'aborder les problèmes et, à partir de 1943, il eut presque l'impression d'être de trop. Son idée ne fut d'ailleurs soutenue que par une subvention symbolique. Une sorte de retour à la période précaire des débuts. Pour poursuivre son idée, Alan dut émigrer vers un tout autre établissement. Alors que l'industrie de Bletchley continuait de prospérer avec dix mille personnes employées à produire du secret à la chaîne, Alan Turing se retira peu à peu non loin de là, à Hanslope Park, vaste manoir du XVIIIe siècle niché dans un coin perdu du nord du Buckinghamshire.

Si la GC & CS avait pris des dimensions proprement inimaginables en 1939, les services secrets s'étaient également développés dans toutes les directions. On y avait recruté, juste avant la guerre, le brigadier Richard Gambier-Parry, chargé d'améliorer les communications radio. Ancien de l'armée de l'air britannique au paternalisme débonnaire – ses jeunes officiers le surnommaient volontiers « Pop » –, Gambier-Parry avait depuis largement étendu son champ d'action. La première occasion se présenta en 1941, quand les services secrets détachèrent du MI5 le Radio Security Service, bureau de renseignement chargé des transmissions, aussi appelé MI8 ou RSS. La mission de ce bureau était alors de dépister les agents étrangers sur le territoire national. Et c'est Gambier-Parry qui en prit la direction. Une fois que tous les espions furent repérés, il eut également en charge l'interception des transmissions radio des agents ennemis du monde entier. Désormais connue sous le nom d'Unité de communications spéciales n° 3 (SCU3), ce bureau utilisait un grand nombre d'antennes réceptrices reliées à la station d'Hanslope Park.

Gambier-Parry fut également responsable de la fourniture d'émetteurs destinés aux radios clandestines, notamment la station Soldatensender Calais[1] dès le 24 octobre 1943. Puis le SCU3 prit en charge la fabrication du système de chiffrement Rockex, destiné aux signaux télégraphiques britanniques de haut niveau. Ces communications représentaient environ un million de mots par jour en direction des seuls États-Unis – principalement des messages en provenance de Bletchley bien sûr. Le Rockex présentait alors un net progrès technique par rapport au système Vernam.

L'un des problèmes du système Vernam était que le texte chiffré (considéré comme une entrée dans le téléscripteur en code Baudot) comprenait forcément un certain nombre de symboles opérationnels, qui ne produisaient pas des lettres mais des « fins de ligne » ou encore des « retours à la ligne ». Pour cette raison, le texte chiffré ne pouvait être remis à une compagnie télégraphique commerciale classique pour une transmission en morse, comme c'était alors préférable. C'est le professeur Bayly, ingénieur canadien du bureau de Stephenson à New York[2], qui avait imaginé une méthode pour supprimer les caractères non désirés et les remplacer afin d'imprimer correctement le texte chiffré sur une page. Il dut pour ce faire donner la capacité à l'appareil de « reconnaître » automatiquement ces symboles télégraphiques. Il

---

1. Station de radio britannique qui, pendant la Seconde Guerre mondiale, se faisait passer pour une station de l'armée allemande. Elle a fonctionné du 24 octobre 1943 au 30 avril 1945.

2. D'où le nom Rockex, inventé par Travis et inspiré par le groupe de danseuses du Rockefeller Center, les Rockettes.

lui fallut faire appel à des circuits logiques tels que ceux présents dans Colossus, mais à moindre échelle, faisant appel à des commutateurs électroniques pour réaliser des opérations booléennes sur les trous de la bande télégraphique.

Fin 1943, les recherches arrivèrent à leur terme. Pour les derniers détails de conception, on avait débauché de la célèbre entreprise de télécommunications Cable and Wireless Ltd un ingénieur en télégraphie imaginatif, R. J. Griffith. La fabrication pouvait désormais débuter à Hanslope Park.

Hanslope Park, grâce à ses relations secrètes avec les entreprises et son travail en cryptographie électronique, était le lieu idéal pour le projet de chiffrement de la voix de Turing. Ce n'en était pas moins un lieu curieux car il ressemblait à une base militaire ordinaire : uniformes, gradés et langage... (Alors qu'à Bletchley, c'étaient les militaires qui avaient dû s'adapter à la jeune intelligentsia de Cambridge.) Il n'y avait pas de cafétéria pour les civils, seulement une cantine des officiers où était encadré un extrait d'*Henri V* de Shakespeare : « Le roi est instruit de tous leurs projets – par une interception dont ils ne se doutent guère. »

Malgré cette mentalité militaire, le personnel de Gambier-Parry travaillait lui aussi au service d'une guerre idéalisée, sans comprendre son implication et ignorant celle des autres. Il allait s'écouler des mois avant que le nouveau venu ne découvre que cette organisation était en fait sous la coupe des services secrets.

Le premier contact d'Alan avec Hanslope Park eut lieu vers septembre 1943, lorsqu'il se décida à couvrir à bicyclette les seize kilomètres qui l'en séparaient depuis Bletchley. Un ancien responsable du Post Office, W. H. « Jumbo » Lee, fut chargé de le renseigner. Hanslope ne passait pas vraiment pour être le centre du chic et du bon goût ; certains de ses pensionnaires en uniformes étaient de vrais soldats quoique la plupart étaient des civils, « pékins » transférés tout droit du Post Office ou d'autres organismes similaires. Hanslope présentait cependant une allure suffisamment militaire pour que, lorsque « Jumbo » Lee présenta Alan à son supérieur, il y ait eu un léger malentendu. Le major Keen, grand spécialiste britannique de radiogoniométrie, croyant certainement avoir affaire à un coursier ou à un laveur de carreaux, les envoya tout simplement promener.

Si d'autres avaient obtenu ce qu'ils demandaient à Hanslope Park – Griffith s'était par exemple vu attribuer un atelier et tout le personnel nécessaire pour travailler sur le Rockex –, Alan se contenta de ce qu'on lui donnait, soit assez peu. On ne lui accorda pour son projet que le recoin d'une grande cabane où se poursuivaient déjà de nombreuses autres recherches. On lui proposa cependant une assistante en mathématiques, Mary Wilson, qui étudiait la radiogoniométrie avec Keen. Bien que diplômée d'une université écossaise, elle ne maîtrisait pas assez la matière pour comprendre les besoins et aspirations d'Alan. (Il l'aida par la suite dans ses travaux de goniométrie malgré la piètre opinion qu'il avait de la jeune femme.) Pendant six mois, il dut donc travailler seul sur le projet, ne venant à Hanslope en moyenne que deux jours par semaine, et encore, lorsqu'il y venait. Deux signaleurs de l'armée lui furent attribués pour assembler sous sa direction les pièces du matériel électronique, et ce fut tout.

À la mi-mars 1944, il y eut un changement notable dans le personnel d'encadrement d'Hanslope, et l'on assista à un afflux de spécialistes en mathématiques et en ingénierie. Ce n'était pas du luxe. « Jumbo » Lee montra par exemple un jour à Alan un problème sur lequel ils restaient bloqués. Ce n'était que des séries trigonométriques facilement accessibles à un étudiant supérieur de Cambridge, mais Lee fut extrêmement impressionné de voir Alan donner une réponse immédiate alors que les ingénieurs du Post Office commençaient tout juste à les additionner terme par terme. Les autorités avaient sélectionné cinq jeunes officiers tout juste sortis de l'Army Radio School de Richmond, une école militaire spécialisée en communications radio dans le Surrey. Deux d'entre eux allaient d'ailleurs occuper une place tout à fait particulière dans la vie de Turing qui connaissait à cette époque un tournant. Depuis 1943, lors d'un déjeuner à Londres, il n'avait plus revu son ancien ami Victor Beuttell. Heureusement, de nouvelles amitiés n'allaient pas tarder à combler ce vide affectif.

Le premier était Robin Gandy. Un étudiant qui, en 1940, lors d'une soirée chez Patrick Wilkinson, avait fermement défendu le slogan « Ne touchez pas à la Finlande » devant le scepticisme d'Alan. Son arrivée amena à Hanslope un peu du souffle de King's. Il avait été mobilisé en décembre 1940 et avait passé six mois dans une batterie côtière de défense avant qu'on ne se rappelle ses capacités en mathématique et qu'on ne lui attribue le rôle d'opérateur radar, puis d'instructeur. Après un passage par le *Royal Electrical and Mechanical Engineers*, (REME – Unité du génie électronique et mécanique de l'armée britannique), une série de cours accompagnée d'une bonne dose de pratique lui avait appris tout ce qu'on pouvait savoir sur les équipements radio et radars militaires.

La seconde amitié fut nouée avec Donald Bayley. De formation bien différente puisqu'il avait fait le lycée de Walsall (où un autre ami d'Alan, James Atkins, avait enseigné les mathématiques) puis l'université de Birmingham, il avait obtenu un diplôme d'électromécanicien en 1942. Également passé par le REME, il avait réussi dans toutes les disciplines.

Tous deux furent admis dans la grande cabane « laboratoire » qui abritait le projet d'Alan. Si les civils de Cambridge avaient déjà tendance à trouver Alan négligé dans son apparence, son manque de respectabilité s'était encore accentué dans l'enceinte militaire d'Hanslope. Avec son veston troué, son pantalon de flanelle élimé et ses cheveux tombant sur la nuque, il ressemblait de plus en plus à un savant fou – caricature renforcée par sa manière bien à lui de travailler puisqu'il jurait dès qu'une soudure refusait de prendre, se grattait la tête et émettait des gargouillis en réfléchissant ou encore hurlait dès qu'il recevait une décharge électrique.

Ce ne fut pas ce qui frappa le plus Robin Gandy le premier jour de travail. Il y avait dans sa section deux autres ingénieurs qui effectuaient des contrôles – opération fastidieuse entre toutes – quand Alan y mit son nez et décida qu'il valait mieux tout résoudre à partir de principes théoriques – en l'occurrence les équations de Maxwell puisqu'il s'agissait d'un problème d'électromagnétique. Il les écrivit donc sur un coin de feuille et accomplit par la même occasion un véritable tour de force d'équations différentielles partielles pour obtenir la solution. Donald Bayley, quant à lui, fut très impressionné par le projet d'Alan de chiffrage de la parole.

Un jour, Alan proposa une récompense à celui qui trouverait le meilleur nom, et, sur la proposition de Robin, le système fut bientôt connu à Hanslope sous le nom de Dalila, la traîtresse biblique. Il exploitait pleinement toute l'expérience d'Alan en matière de décryptage et, comme il l'expliquait lui-même, il était conçu pour pallier toute éventualité. En cas de danger, le système continuerait d'assurer la sécurité la plus complète. Imaginé un an plus tôt, à bord de l'*Empress of Scotland*, le système était en fait extrêmement simple. Sorti de l'esprit d'un mathématicien, il répondait juste à une question : « Pourquoi pas ? »

Cela avait commencé par l'étude de la salle équipée du matériel nécessaire au X-system ; puis Alan s'était demandé quelles étaient les caractéristiques essentielles qui permettaient un chiffre sûr. Bien qu'à l'origine du projet vocoder, il ne le considéra pas indispensable, tout comme l'idée de quantifier les amplitudes de sortie en un nombre de niveaux discrets. Alan limita à deux le nombre des idées utiles : l'« échantillonnage » du discours en une suite de moments dans le temps, et l'utilisation de l'addition « modulaire », comme dans les carnets de clés-blocs.

Dalila s'appuyait, dès le départ, sur ces deux idées, alors que le X-system ne s'en était servi que de façon accessoire. L'échantillonnage présentait l'avantage d'éliminer la redondance de l'onde sonore continue. N'importe quel signal sonore pouvait être représenté par une courbe semblable à celle-ci :

L'échantillonnage permettait aussi de ne pas transmettre l'intégralité de la courbe mais certains points seulement, compte tenu du fait que le récepteur devait pouvoir « suivre le pointillé » pour la reconstituer. C'était possible, en principe du moins, si l'on savait dans quelles limites exactement la ligne pouvait se tortiller entre deux points. Étant donné que les brusques détours correspondaient à de hautes fréquences, il s'ensuivait qu'en cas de limite aux hautes fréquences contenues dans le signal, une suite de points discrets – ou d'échantillons – de la courbe pris à intervalles réguliers contiendrait toutes les informations du signal. Mais puisque, de toute façon, les canaux téléphoniques supprimaient les hautes fréquences, la restriction apportée quant aux écarts limites de la courbe n'était qu'apparente. Un assez petit nombre d'échantillons pouvaient même suffire à convoyer le signal.

L'idée n'était pas nouvelle pour les ingénieurs en communication. Dans le X-system, on avait l'habitude d'échantillonner chacun des douze canaux de 25 Hz cinquante fois par seconde. Ces chiffres illustraient une constatation générale : il était nécessaire d'échantillonner à un taux de deux fois la variation maximale de fréquence du son, ou de largeur de bande. Cet effet donnait un résultat mathématique exact, déjà démontré en 1915, mais que Shannon avait redéfini et longuement discuté avec Alan chez Bell Labs. Ainsi, si le signal sonore était limité à des fréquences inférieures à 2 000 Hz, un échantillon prélevé quatre mille fois par seconde suffisait très exactement à reconstituer le signal. Il ne pouvait alors y avoir qu'une seule courbe dans la limite de fréquence fixée pour passer par tous les points échantillonnés. Alan décrivit donc ce qu'il appela le *théorème de la largeur de bande* et en démontra le résultat à son ami Don Bayley. Son « Pourquoi pas ? » était intervenu alors qu'il se demandait pourquoi un fait aussi élégant ne constituerait pas un pivot idéal autour duquel faire évoluer tout le procédé de chiffrage de la parole.

Il avait bien l'intention d'utiliser la fréquence de 2 000 Hz et son processus de chiffrement débuterait avec un signal sonore échantillonné quatre mille fois par seconde. Dalila effectuerait alors l'addition de l'amplitude de ces signaux échantillonnés afin de produire un nouveau flux d'amplitudes clés. L'addition serait faite de manière modulaire, ce qui signifiait que si l'amplitude de l'échantillon de 0,256 unité et celle de la clé de 0,567 unité donnaient un résultat de 0,823, l'addition de 0,768 et 0,845 était égale à 0,613 et non à 1,613. Il en résulterait une succession de « pics » de poids variant entre zéro et un[1] :

---

1. Techniquement, bien sûr, c'était plus compliqué que cela. La voix serait d'abord filtrée pour la débarrasser des fréquences supérieures à 2 000 Hz, et pour la restreindre à une gamme d'amplitude comprise en tout point entre zéro et un. Ensuite, le chiffrement était réalisé en ajoutant d'abord un signal clé continu, puis en prenant le signal et en transformant la voix plus le signal clé en une modulation de pulsations. On appliquait alors le processus de retenue, en réduisant un pic d'une unité s'il dépassait une amplitude de un.

Diagramme des pics.

Se posait également le problème de savoir comment transmettre au destinataire l'information concernant la hauteur de ces pics. Contrairement à ce que l'on avait fait avec le X-system, Alan n'envisagea aucune quantification des amplitudes. Il souhaitait les transmettre d'une manière aussi directe que possible. En principe, il était possible de transmettre les pics en eux-mêmes, mais ils ne duraient que si peu de temps (quelques microsecondes) qu'il aurait fallu un canal en mesure de supporter les très hautes fréquences. Aucun réseau téléphonique n'en était alors capable. Pour y arriver, il aurait fallu encoder les pics dans un signal de fréquence audio. Alan proposait de diriger chacun de ces pics vers un circuit électronique conçu spécialement et doté d'une propriété « orthogonale ». Cela signifiait que chaque pic d'amplitude d'une unité serait transformé en onde de la même hauteur après un intervalle d'un temps, et d'une hauteur de zéro à tous les autres intervalles.

Diagramme de l'onde.

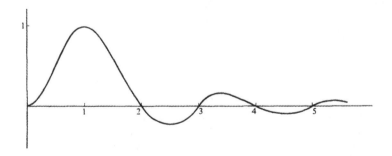

En partant du principe que le circuit serait « linéaire », ce qui signifiait que l'entrée, par exemple, d'un pic d'une demi-unité produirait une réaction exactement équivalente, le fait d'alimenter une succession de pics correspondrait à celui de joindre des points d'une façon très précise. Chaque pic serait exactement de l'amplitude de l'onde, une unité de temps plus tard.

La transmission serait alors simple et pouvait être réalisée grâce à des moyens standard. Ainsi, le processus de déchiffrage s'exécuterait avec la même simplicité[1]. À l'exception de la création de la clé, Dalila n'avait besoin de rien d'autre pour chiffrer la voix. Si la clé était effectivement aléatoire, un tel système de chiffrement de la voix serait aussi sécurisé que le chiffre de Vernam à masque jetable. Du point de vue de l'ennemi, si toutes les clés étaient également probables, alors tous les messages le seraient aussi. Ils n'auraient eu aucune matière sur laquelle travailler[2].

L'inconvénient du système Dalila comparé au X-system, résidait dans le signal de sortie. C'était un signal d'une largeur de bande de 2 000 Hz au lieu d'une succession de chiffres et il exigeait une grande précision d'émission, faute de quoi il était inutile. Le moindre décalage dans le temps ou la moindre distorsion d'amplitude, et le déchiffrage devenait alors impossible. Expéditeur et destinataire devaient être synchronisés à la microseconde. Ce manque de souplesse interdisait donc l'utilisation de ce système pour toutes les transmissions d'ondes courtes à longue distance. En revanche, il convenait parfaitement pour les ondes courtes locales, la VHF et les communications téléphoniques, ce qui lui donnait un potentiel considérable à des fins tactiques et domestiques.

Don Bayley était très impatient de travailler sur le Dalila mais il n'en eut pas immédiatement la possibilité. Il se vit confier d'autres tâches et dut attendre pour consacrer plus de temps au projet d'Alan. Et il fallut encore plusieurs mois avant de recevoir l'autorisation officielle de s'en occuper – sans pour autant être déchargé de ses autres fonctions.

---

1. Le résultat obtenu par le circuit « orthogonal » aurait les caractéristiques d'un bruit aléatoire dans la gamme de fréquences des 2 000 Hz. Il serait déchiffré en appliquant le processus d'échantillonnage (de manière strictement synchrone, naturellement, avec l'expéditeur), et en effectuant une soustraction modulaire de la clé. Cela permettrait de récupérer les échantillons originaux de la voix. Il suffirait alors, pour obtenir la voix en elle-même, de mettre en œuvre une procédure tout à fait standard qui ne ferait appel qu'à un filtre de basses fréquences.

2. Comme Alan le soulignerait en expliquant le processus, cela dépendait fondamentalement de l'utilisation de l'addition modulaire. Si on utilisait l'addition traditionnelle, il y aurait une corrélation entre les amplitudes de la voix et celles de la voix additionnée de la clé, ce que les analystes auraient pu exploiter. C'est en effet ce que fait l'oreille en séparant la voix du bruit de fond.

Alors qu'Alan était en attente de soutien, le monde était penché sur la question cruciale de l'ouverture d'un second front. À Bletchley aussi, l'excitation était à son comble dans la section de Newman. On venait d'y démontrer que, malgré une époque marquée par la planification, il restait de la place pour l'initiative. La nouvelle génération s'était fait remarquer dans un rebondissement de dernière minute. Ils auraient sûrement été ravis de l'apprendre à Turing.

Avec l'aide du tout nouveau Colossus électronique, Jack Good et Donald Michie avaient découvert qu'en effectuant certains changements manuels pendant qu'il était en marche, ils pouvaient procéder à des travaux que l'on croyait jusque-là réservés à des méthodes manuelles à la Testery. Cette découverte de mars 1944 impliqua la commande de six Colossus supplémentaires pour juin de la même année. C'était évidemment impossible à réaliser, mais, au prix d'efforts désespérés, un premier Colossus Mark II fut terminé dans la nuit du 31 mai, suivi par plusieurs autres. Avec ses deux mille quatre cents tubes, le Mark II était cinq fois plus rapide et il accomplissait surtout de manière automatique tous les changements découverts manuellement par Good et Michie. Doté d'une logique conditionnelle assez développée, Mark II parvenait à accomplir des actes de décision simples dépassant nettement le simple *oui* ou *non* d'une Bombe. Le résultat d'un calcul devait déterminer ce que Colossus devait faire par la suite. Les Bombes n'avaient été équipées que d'une simple liste d'options ; Colossus, lui, s'appuyait sur un ensemble d'instructions.

Colossus permit donc d'amener très vite le volume des décryptages de Fish au niveau de celui d'Enigma. Cependant, comme avec les Bombes, Colossus Mark II ne faisait pas tout. Il se trouvait au centre d'une théorie extrêmement complexe qui impliquait une application des mathématiques aux frontières de la recherche. Si l'on exploitait la souplesse qu'offrait sa table d'instruction variable, Colossus se prêtait à de nombreuses utilisations. L'analyste voyait s'ouvrir devant lui un véritable royaume enchanteur. Un dialogue s'instaurait pour la première fois entre l'homme et la machine :

« L'analyste s'asseyait devant la machine à écrire et donnait ses instructions pour qu'une Wren effectue les modifications dans les programmes. Ses autres usages pouvaient alors être réduits à un arbre de décisions laissées à l'appréciation des opérateurs. »

Ces arbres de décisions ressemblaient à ceux des projets de machines à jouer aux échecs. En fait, une partie du travail jusquelà effectué par l'analyste avait été mécanisé. Ce dernier se voyait donc affecté soit à la conception des instructions des Colossus, soit aux arbres de décisions – qui pouvaient même être confiés à des subordonnés sans cervelle –, soit conservés pour des tâches nécessitant une réflexion. Pendant leurs pauses, ils avaient discuté des machines qui jouaient aux échecs et imaginé qu'elles prendraient des décisions intelligentes de manière automatisée. Pendant leur travail, au cours de cette nouvelle phase extraordinaire, les modifications arbitraires du système cryptographique allemand avaient aussi laissé entrevoir une sorte de dialogue avec la machine. Peu à peu, la frontière entre le « mécanique » et l'« intelligence » s'estompait. L'histoire du futur était en marche et tous avaient conscience du privilège que cela représentait.

Personne à Hanslope n'aurait imaginé associer le succès du débarquement en Normandie au curieux savant qui passait à bicyclette, un mouchoir sur le nez – son rhume des foins l'avait encore repris. Alan considérait lui-même que sa contribution appartenait au passé. Il cherchait une réussite plus personnelle. Comme dix ans auparavant, il fit le choix de poursuivre sa route, en économisant son énergie, au sein d'une société qui en attendait moins de lui.

Le débarquement victorieux du 6 juin 1944 coïncida à peu près au moment où Alan et Don Bayley purent enfin entreprendre la construction du matériel Dalila. Il s'agissait surtout de fabriquer le circuit qui devait produire la réponse « orthogonale » extrêmement précise. C'est la conception de ce circuit qui avait le plus occupé Alan ; il s'était rendu compte qu'il ne pouvait être synthétisé à partir d'éléments standard. Une idée entièrement nouvelle pour Don Bayley – au même titre que les mathématiques relevant des séries de Fourier utilisées pour s'y attaquer. Le problème était ardu, et Alan raconta par la suite qu'il lui avait fallu passer un mois entier à calculer les racines d'une équation au septième degré. Bien qu'électronicien amateur et autodidacte, il put toutefois enseigner à son nouvel assistant de nombreuses choses, notamment sur les mathématiques qui entraient dans la conception d'un circuit. L'expérience pratique de Don devenait indispensable pour aborder le problème de la construction et pour discipliner le « nid » d'Alan qui partait dans tous les sens. Don était un rédacteur de comptes rendus merveilleusement précis et il veillait même à la bonne tenue de son chef !

En général, Alan arrivait le matin à bicyclette – même sous une pluie battante sans qu'il parût s'en apercevoir. On lui avait proposé une voiture officielle, mais il avait refusé, préférant recourir à sa propre énergie motrice. Un jour, il fut en retard et encore plus hirsute qu'à l'habitude. Pour toute explication, il brandit une main boueuse, en racontant qu'il était allé déterrer ces lingots de leur cachette dans les bois et qu'il lui restait même encore deux lingots à récupérer.

Vers la fin de l'été, alors que la tête de pont semblait se consolider et que les armées alliées commençaient à balayer la France, Alan abandonna sa chambre au Crown Inn pour s'installer dans le quartier des officiers d'Hanslope Park. On lui octroya d'abord une chambre au dernier étage, privilège supplémentaire sur les jeunes officiers, puis il emménagea au fond d'un potager muré, dans un petit pavillon qu'il partagea avec Robin Gandy et un gros chat tigré. Le chat s'appelait Timothy, et c'était Robin qui l'avait ramené de chez des amis londoniens. Alan appréciait beaucoup la présence de l'animal, même si, ou peut-être aussi, parce qu'il se plaisait toujours à vouloir jouer avec les touches de la machine à écrire quand il travaillait.

Hanslope n'était pas le pire des endroits pour hiberner en attendant la fin de la guerre, ne fût-ce que parce que leur officier d'ordinaire, un certain Bernard Walsh, était propriétaire d'un grand restaurant de Soho et qu'il approvisionnait la cantine en denrées si rares qu'on les croyait disparues. Alan put même à nouveau croquer une pomme chaque soir avant d'aller se coucher, selon la règle qu'il s'était toujours efforcé de suivre. Il sortait aussi se promener ou courir dans les champs, et il n'était pas rare de le voir mâchonner pensivement des brins d'herbe ou chercher des champignons tout en avançant à petites foulées. Un guide des champignons comestibles et vénéneux avait en effet paru, et Alan s'y référait pour rapporter à la cantine des officiers les spécimens les plus étonnants que Mme Lee, la cuisinière, lui préparait aimablement. Il avait un goût tout particulier pour le nom du plus mortel d'entre tous, l'amanite phalloïde, qu'il se plaisait à prononcer avec délectation.

Un soir qu'il sortait pour aller courir, il se brisa la cheville en glissant sur la pierre moussue du jardin. Mais le plus souvent, le « Prof », comme on le surnommait, enchantait son monde en remportant les journées sportives, allant même jusqu'à battre le jeune Alan Wesley (une autre recrue du mois de mars) qui l'avait témérairement défié sur une longue distance. On l'acceptait maintenant comme faisant partie intégrante de la troupe des officiers subalternes. Au déjeuner, ils se rassemblaient tous à la cantine et se précipitaient sur les journaux : d'abord le *Daily Mirror*, pour la bande dessinée *Jane*. Don Bayley, qui était assez féru de questions militaires, parlait de l'évolution de la stratégie des troupes en marche vers l'est. Alan, lui, ramenait toujours les sujets de conversation autour de problèmes techniques ou scientifiques. Avec Don ils faisaient parfois une petite promenade digestive, accompagnés de leur chat Timothy. Robin Gandy apprenait le russe, non à cause de ses anciennes accointances avec le communisme, mais par admiration pour les grands classiques russes. Ce dernier continuait tout de même à se considérer comme un sympathisant, ce qu'Alan jugeait comme une erreur. On parlait finalement peu de politique à Hanslope, et l'attitude dominante consistait à faire son travail sans trop poser de questions.

Chaque mois, une grande soirée était organisée et chacun devait y apparaître en grande tenue ; on allait parfois jusqu'à servir du faisan. Alan revêtait alors un smoking. Quoique menant le plus souvent une vie très austère, il aimait ces occasions et ne se privait pas de danser avec entrain avec les dames. Les commérages et intrigues allaient bon train et il se plaisait à jouer les concierges avec Mme Lee et Mary Wilson. Parfois, le statut de mystérieux professeur dont il jouissait auprès du personnel féminin d'Hanslope, et les rapports d'amitié rassurante qu'il avait noués lui attiraient même quelques jalousies. Sur cet aspect de son être, il persévérait à rester secret.

Pour la première fois de sa vie, Alan passait une longue période dans un milieu mêlant toutes sortes de personnes et non uniquement des individus sélectionnés sur des critères intellectuels.

Quelle ironie quand on pense qu'il s'agissait là d'une institution sous la houlette des services secrets ! L'absence de prétention lui plaisait, et aussi, sans doute, la possibilité de fuir la pression de Bletchley. C'était alors un gros poisson dans une petite mare. Un sentiment partagé par les équipes. Un jour, il fut invité à une soirée organisée par des sous-officiers. Pour une raison inconnue, il déclina la proposition mais il en avait été ravi : cela permettait de faire tomber les barrières et surtout il se sentit désiré. Ce n'était bien sûr pas pour déplaire à un homosexuel au passé comme le sien.

Le soir, la plupart des officiers jouaient au billard ou allaient prendre un verre, et Alan se joignait parfois à eux. Robin Gandy, Donald Bayley et Alan Wesley pensaient, eux, à des distractions plus enrichissantes pour l'esprit, et ils lui demandèrent de donner une série de conférences sur certaines méthodes mathématiques. Ils trouvèrent une pièce libre à l'étage du bâtiment qui, durant l'hiver 1944, se révéla une salle de classe particulièrement glaciale. Alan rédigea des notes à l'intention de ses auditeurs, principalement sur les suites de Fourier et leurs corollaires impliquant des calculs de nombres complexes. Il illustra son propos sur l'idée de « circonvolution » – le flou ou l'essaimage d'une fonction d'une manière définie par une autre fonction – en prenant pour exemple le rond de sorcière des champignons.

Les formes biologiques continuaient de le passionner. Il n'était pas rare qu'au retour de ses balades dans la nature, il rapportât des exemples illustrant les nombres de Fibonacci à Don Bayley. Il était encore persuadé qu'il devait y avoir une explication à une telle coïncidence. Il trouvait aussi le temps d'étudier les mathématiques pour lui-même, relisant pour cela *Les Fondements mathématiques de la mécanique quantique* de von Neumann. Les soirées s'agrémentaient parfois d'une partie de cartes ou d'échecs où Alan faisait toujours preuve d'un sens puéril de la justice et du respect des règles. Le moindre écart le mettait en rage et il quittait parfois la salle en claquant la porte. Ce genre d'attitude était caractéristique de son rapport à l'autorité. Il en attendait toujours naïvement qu'elle maintienne un certain niveau de franchise et de loyauté.

Cette période lui rappelait ses deux derniers trimestres scolaires durant lesquels, ayant obtenu sa bourse, il ne lui restait plus de fonction définie cependant que chacun lui témoignait un respect gratifiant. En août 1944, près d'un an après son installation au quartier des officiers d'Hanslope, on construisit une petite extension à la grande cabane laboratoire, et l'un des ateliers fut consacré au travail sur Dalila. Cela lui apporta enfin l'autonomie nécessaire pour expérimenter, déchiffrer et penser à l'avenir. Le « meilleur cryptanalyste d'Angleterre » trouvait très incongru de devoir attendre que son adversaire daigne admettre sa défaite et la situation s'éternisait. Le projet Dalila commençait à voir le jour, maintenant qu'il disposait d'un ingénieur compétent. Don Bayley n'avait pas été affecté à ce projet, toutefois il avait insisté pour y participer bien qu'on le pressa continuellement d'abandonner pour se consacrer à d'autres missions. Quand cela se produisait, Alan s'en s'agaçait.

Malgré tout, Alan se montrait disponible pour aider Don Bayley dans ses autres missions. On lui demanda, par exemple, si les amplificateurs à large bande qui utilisaient une grande antenne introduisaient un élément de bruit dans le système. Alan imagina quelques tests expérimentaux et procéda à des analyses théoriques. Il leur fallut se rendre à Cambridge pour y chercher des ouvrages sur les bruits thermiques. Ils connurent alors le privilège de la voiture officielle et Don Bayley put visiter pour la première fois la célèbre université. Alan avait d'ailleurs demandé à ceux qui l'accompagnaient de ne pas l'appeler « Prof » pendant qu'ils seraient là-bas.

Si ce genre d'équipée ne lui déplaisait pas, cela restait bien léger après l'Enigma navale. Il n'en parlait jamais et Don savait seulement qu'il s'était occupé de décryptage lors des séjours aux États-Unis. Alan demeurait discret sur ce sujet et c'était encore plus vrai à Hanslope. On avait beau essayer de lui tirer les vers du nez cela ne fonctionnait pas avec « Prof ». Par son silence obstiné, il ne protégeait pas uniquement les secrets d'État mais aussi son intimité[1]. Il prenait toutes ses promesses très au sérieux ; elles étaient sacrées. (Il se plaignait d'ailleurs

---

1. Il se déclara un jour choqué par l'indiscrétion de la discussion qui se tenait lors d'un dîner avec un éminent scientifique.

souvent que les politiciens ne tenaient jamais les leurs.) Ses collègues en étaient perplexes. Plus tard, Alan se montra passablement contrarié lorsqu'on on lui demanda d'intégrer l'équipe SCU3 ; il fit bien comprendre qu'il valait beaucoup mieux que cela. Finalement, il n'avait pas de supérieur attitré et peu de comptes à rendre. Personne ne vint jamais vérifier les progrès de Dalila.

Il y eut aussi quelques visites d'anciens collègues de Bletchley et l'on vint le consulter pour la conception d'une nouvelle machine de type Enigma, que Gordon Welchman s'occupait de mettre au point. Elle devait chiffrer les messages en code Baudot et avait donc des rotors à trente-deux contacts au lieu de trente-six. Il en parla aussi à Shaun Wylie, lui expliquant qu'on lui avait montré cette machine et se plaignant du fait qu'elle n'avait qu'une puissance de $32 \times 32 \times 32$. Devant faire face à une certaine résistance, il s'était lancé dans une vérification des réglages à la main, et avait découvert que la situation était pire que ce qu'il croyait, puisqu'elle n'avait qu'une puissance de 32×32. Son travail algébrique sur le sujet donna naissance à des théories purement mathématiques qu'il garda pour lui.

On lui demandait également des conseils en matière de cryptographie à Hanslope. On le pria par exemple de vérifier que les rubans-clés Rockex produits par bruits électroniques étaient suffisamment aléatoires. Ayant perdu la protection d'une Hutte 4 ou d'un Hugh Alexander pour régler ses rapports avec les militaires, la communication ne tarda pas à poser problème. S'exprimant de manière trop technique au sujet de « la part imaginaire de l'erreur », il s'aperçut que même le plus galonné des militaires présents avait cessé de l'écouter. Et tout ce qu'il percevait comme de l'incompétence ou de la stupidité le mettait de très mauvaise humeur. Il partait alors faire un grand tour au pas de course pour contrôler ses réactions.

Un autre sujet ne tarda pas à créer disputes et frustrations au sein même de l'atelier Dalila. Alan glissa un jour brusquement, au cours d'une conversation, qu'il était homosexuel. Don Bailey, son jeune assistant des Midlands, se montra à la fois très surpris et profondément choqué. Il n'avait entendu parler d'homosexualité qu'à travers les plaisanteries d'écoliers et de vagues allusions dans la presse à scandale. Ce n'était pas seulement ce que lui avouait Alan qu'il trouvait répréhensible, mais plutôt son attitude dépourvue de repentir.

Don Bailey n'avait pas été préparé par un apprentissage à Cambridge et l'esprit de King's lui était aussi étranger que les mathématiques l'étaient à la mécanique. Il répliqua très sèchement à Alan qu'il trouvait la chose répugnante et ne comprenait pas qu'on puisse en faire un objet de fierté. Alan fut très déçu par sa réaction qu'il jugeait toutefois caractéristique de la société en général. Ce fut l'une des rares fois où il se confronta à l'opinion publique. Que cela lui plaise ou non, les gens ordinaires auraient tous trouvé son attitude aussi choquante qu'écœurante. Mais il avait pris de l'assurance depuis le début de la guerre – avec la rupture de ses fiançailles et surtout grâce au travail exceptionnel qu'il avait fourni. Alors plutôt que de laisser tomber, il continua à argumenter. La discussion s'envenima à un point tel que le projet Dalila fut menacé.

Alan finit par régler le problème de manière à ce qu'aucun des deux ne perde la face. Don Bayley considéra certainement cette « affaire » comme une énième excentricité de Turing. Le projet Dalila survécut donc à l'incident et, dès la fin 1944, le matériel qui effectuait l'échantillonnage du signal de parole et traitait les échantillons chiffrés était terminé. Ils avaient établi son bon fonctionnement en laboratoire, en le réglant d'abord comme émetteur, puis comme récepteur et en lui soumettant une clé identique sous la forme d'un bruit aléatoire issu d'un récepteur radio privé de son antenne. Il ne restait qu'à concevoir et fabriquer un système capable de fournir des clés identiques à des terminaux en pratique distants l'un de l'autre.

En principe, Dalila aurait pu recourir à des clés utilisables une seule fois et enregistrées sur disques gramophones, comme le carnet de clés-blocs destiné aux transmissions télégraphiques. Cependant Alan avait préféré concevoir un système qui, quoique aussi sûr que celui des clés « uniques », n'impliquait pas le transport de milliers de bandes ou dossiers et permettait à l'expéditeur et au destinataire de produire simultanément la même clé à l'heure de la transmission.

<u>Systematic search for exceptio1 groups. Theory</u>

    In examining all possible uprights for a given T the main difficulty lies in the large number of uprights involved. Once it has been proved that a particular upright is unexceptional the same will follow for a great number of others. ~~Xxxkxxx~~ ~~therefore~~xkxtyx~~xxbxgixxxtfyximxxxtherxthexxxrixhtxxtherxxwili~~ More generally given any upright we can find a great number of others which generate either th e same group H or an isomorphic group. If we can classify these uprights together in some way we shall enormously reduce the labour, since we shall only need to investigate one member of each class . The chief princéples which enable us to find equivalent uprights are

    (i) If $U' = R^m U R^n$ then $H(U') = H(U)$

    (ii) If V commutes with(R)then $H(V U V^{-1}) \cong H(U)$. (N.B. if V commutes with(R) then $V R V^{-1} = R^{\pm 1}$)

    (iii) If $U' = U^{-1}$ on a $U = U'^n$ then $H(U) = H(U')$.

The principle (i) is the one of which we make the most systematic use. Our method depends on the fact that there are very few U for which none of the permutations $R^m U R^n$ leave two letters invariant (In other words there are very few U without a beetle) and none if T is even. We therefore investigate seperately the U with no beetles and the U without beetles.

    <u>U with no beetle.</u> We can f' d an expression which determines the classes of permutations obtainable from one anoth er by multiplic ti n right and left by powers of R as follows. Let ~~WRR~~ $U R^{a+i} Z = R^{f(a)} U R^k Z$ (h e e Z represents the last letter of the alphabet however many characters there may be in it). Then we take the number s $f(a)$ as describing
$$f(i) \ f(2) \ . \ f(T)$$

C'est sur cet aspect de Dalila qu'intervenait son expérience du chiffre. Depuis 1938, il avait passé beaucoup de temps à essayer de déterminer ce qu'il convenait d'« ajouter » au discours. Il pouvait maintenant tenir ce rôle en tant que mathématicien de Cambridge et haut personnage de Bletchley – et non plus comme une pièce rapportée, maladroite et quelque peu encombrante d'un monde de l'électronique en pleine expansion.

Au bout du compte, il ne s'agissait que de créer un équivalent du générateur de clés Fish. Ce système devait être déterminé, afin qu'il soit possible de produire la même clé au départ et à l'arrivée, mais il devait en même temps éviter au maximum les schémas répétitifs. Un mécanisme quel qu'il soit ne peut évidemment l'esquiver complètement, et les recherches visaient à ce que ces répétitions ne puissent être repérées par les décrypteurs ennemis. En effectuant ce travail pour Dalila, il allait considérablement surpasser les timides efforts des cryptographes allemands. Il faisait bien mieux qu'eux car la clé de Dalila serait fournie en séquences de centaines de milliers de chiffres. Il donnait l'impression de chiffrer non pas un message télégraphique mais plutôt l'ensemble du volume *Guerre et Paix*.

Le fait de générer une clé de cette façon pour chiffrer la voix n'était cependant pas totalement nouveau. Les clés du X-system n'étaient pas toujours des disques de gramophone à usage unique. Il existait une autre option, appelée « la moissonneuse-batteuse ». Cependant on ne demandait à cette dernière que de produire un flux de chiffres au rythme de trois cents par seconde, et on ne l'utilisait que pour tester les signaux secondaires. Dalila était plus exigeante.

Il fallait que le générateur soit électronique, et Alan avait pris comme unité de base le « multivibrateur » – paire de tubes ayant la propriété de se bloquer sur une oscillation entre les positions *on* et *off*, avec une longueur qui devait correspondre à un multiple entier de période simple. Son générateur de clés s'appuyait sur la production de huit multivibrateurs, chacun d'eux étant bloqué sur un mode d'oscillation différent. Ce n'était là qu'un début. La production de ces multivibrateurs était ensuite introduite dans des circuits avec des éléments non linéaires qui devaient combiner ces données de manière complexe. Alan avait mis au point un modèle de circuit tel que l'énergie de sortie soit répartie aussi régulièrement que possible sur la gamme de fréquences tout entière, et, en s'aidant de la théorie de Fourier, il expliqua à Don Bayley que cela doterait l'amplitude de la sortie du degré d'« aléatoire » nécessaire à la sécurité du chiffrage.

Il fallait une certaine variabilité dans les circuits si l'on ne voulait pas que le générateur produise éternellement le même bruit. Pour cela, il convenait de faire passer les interconnexions exigées pour la combinaison des sorties des huit multivibrateurs par des câblages assez semblables à ceux d'une Enigma, avec des rotors et un tableau de connexions. Un tel système servait à déterminer une suite particulière de clés, d'une manière convenue à l'avance par l'expéditeur et le récepteur. Une fois les rotors en place, la clé ne se répétait pas pendant environ sept minutes. On pouvait limiter à ce temps le message parlé dans un sens, puis une nouvelle suite de clés prenait la relève lorsque l'interlocuteur prenait à son tour la parole. Cette manœuvre pouvait être réalisée facilement en accélérant la vitesse des rotors. Il y avait suffisamment de positions de rotor et de connexions sur le tableau pour que le système puisse être jugé aussi sécurisé – d'après sa théorie – qu'avec une clé entièrement aléatoire à usage unique.

La mise en œuvre de Dalila réclamait encore beaucoup de travail. Le système devenait en effet inutile si l'expéditeur et le récepteur n'avaient pas des multivibrateurs coordonnés à la microseconde. La première partie de l'année 1945 fut donc consacrée à la recherche de cette extrême précision. Il restait également à tester la production du générateur de clés de Dalila dès qu'il aurait été construit, pour s'assurer de la régularité de la gamme de fréquences. Témoignage des piètres conditions dans lesquelles ils travaillaient, Alan Turing et Don Bayley durent construire eux-mêmes un analyseur de fréquences. Malheureusement, comme Alan le déclara lors de leur premier essai, ce fut plutôt « un genre de fausse couche »... L'expression resta et la machine fut baptisée Abort Mark I.

Pour obtenir la moindre chose, il fallait déployer des trésors de diplomatie. Alan et Don ne purent ainsi obtenir qu'un oscilloscope à double faisceau et un oscillateur Hewlett-Packard à fréquence audio. Même pour cela ils avaient dû se battre, se faisant refouler par les subalternes avant de gravir les échelons de la hiérarchie et de demander directement au colonel Maltby, directeur du SCU3. Alan avait l'impression d'être Alice dans un magasin, de l'autre côté du miroir, tentant de repérer ce qu'elle voulait dans les rayons de la Reine blanche. Jamais il n'avait été aussi nerveux qu'au téléphone avec Maltby, et, à ces occasions, on ne manqua pas de remarquer à quel point son discours, s'interrompant au milieu de ses phrases, devenait lui-même indéchiffrable. Il détestait devoir se mettre en scène pour négocier. Il s'était toujours plaint du fait que les plus doués dans ce domaine – les « charlatans », les « politiciens » et autres « représentants de commerce » – ne parvenaient à leurs fins que par leur bagou et non leurs compétences. Il croyait encore que la raison finirait par s'imposer d'elle-même.

C'était un exemple simple, mais très parlant. La réalisation du projet Dalila, manifestement trop tardive pour servir dans la guerre contre les Allemands, ne pouvait prétendre à une plus grande priorité. On était loin du travail de Bletchley. Et bien qu'il fût furieux de ce qu'il considérait comme de la bêtise et un gâchis incompréhensible, il finit par s'effacer face à l'entêtement des institutions. À cet égard, Robin Gandy et lui avaient la même vision des choses et ils se retrouvèrent tous les deux dans *La Petite Pièce du fond*, le roman de Nigel Balchin paru en 1943. Avec amertume et mordant, l'auteur y décrivait la frustration de jeunes scientifiques paralysés par des jeux de pouvoir, désireux de gagner la guerre au plus vite pour pouvoir passer à autre chose. À Hanslope, on racontait un tas d'histoires amusantes, vraies ou non, à propos de complots et tentatives de putsch dans les différents échelons de la hiérarchie… En réalité, on ne peut pas dire qu'Alan en souffrit. Personne ne s'intéressait à Dalila, même quand l'addition du générateur de clés prouva qu'Alan avait les moyens d'obtenir une sécurité totale en matière de chiffrage de la parole, et ce grâce à seulement deux petites boîtes de matériel.

Dans le livre de Balchin, les officiers étaient représentés comme des « larbins étiquetés de rouge » qui avaient embrassé une « carrière de fous », mais aux yeux d'Alan, l'armée était un système bien plus absurde. Alan était aussi très friand des romans de Trollope, l'un des romanciers britanniques les plus célèbres de l'époque victorienne, et en conservait quelques-uns à Hanslope. Ils lui permettaient d'établir un parallèle entre l'organisation de l'Église et celle de l'armée. Avec l'aide de Robin Gandy et de

Don Bayley, il mit d'ailleurs au point un système de correspondances très précis entre les rangs respectifs, de sorte qu'un lieutenant-colonel devenait un doyen, un général de division un évêque et un général de brigade un suffragant (l'évêque le plus minable de tous, assurait Alan).

Leur petit atelier recevait parfois des visites « épiscopales », lorsque Gambier-Parry et Maltby venaient présenter leurs respects et prendre connaissance des derniers progrès de Dalila. Il s'agissait pourtant davantage de politesse que d'intérêt réel car ils n'avaient aucune responsabilité directe dans le projet et n'en possédaient que des vagues notions. De toute façon, ils ne comprenaient pas, chose curieuse alors qu'ils se revendiquaient scientifiques. Les visiteurs venaient écouter la voix de Churchill puisque Dalila était testée avec un enregistrement sur disque de son discours du 26 mars 1944 :

« L'heure de fournir notre effort le plus important approche. Nous avançons avec de vaillants alliés qui comptent autant sur nous que nous comptons sur eux. Il faut que tous nos soldats, nos marins et nos aviateurs tournent leur regard vers l'ennemi et le front. Pour nous tous, le seul chemin du retour passe par la victoire. Les formidables armées des États-Unis sont là ou sur le point d'arriver. Nos propres troupes, les plus entraînées et les mieux formées que nous ayons jamais eues, se tiennent à leurs côtés en nombre égal et en véritable camaraderie. Nous avons toute confiance dans leurs supérieurs. Nous demandons aussi à notre propre peuple, au Parlement, à la presse, à l'ensemble de la population, le même calme, le même sang-froid et la même détermination qu'en cette période où nous étions seuls sous le feu ennemi. »

Ils purent ensuite vérifier grâce à l'Abort Mark I, que Dalila avait bien chiffré les phrases de Churchill en un bruit blanc parfait – sorte de sifflement uniforme et lisse. Il suffisait ensuite de faire passer le produit d'arrivée par le système de déchiffrage pour retrouver la voix du Premier Ministre :

« Et je me dois de vous prévenir : que ce soit pour tromper et troubler l'ennemi, ou pour entraîner nos forces, il y aura de fausses alertes, des feintes et de nombreuses répétitions générales. Nous courons nous-mêmes le risque de subir de nouvelles formes d'attaques de la part de l'ennemi. La Grande-Bretagne sera capable de les supporter. Le pays ne s'est jamais dérobé et n'a jamais fait défaut. Quand le signal retentira, c'est tout le cercle des nations vengeresses qui se jettera sur l'ennemi et anéantira la tyrannie la plus cruelle qui ait jamais cherché à entraver la progression de l'Humanité. »

Ce n'était pas très astucieux de tester Dalila avec cet enregistrement, car même lors de sa mise en service au printemps 1945, il était nettement plus facile de comprendre le message restitué quand on en connaissait déjà les mots. Le discours déchiffré devait en effet lutter contre un bruit de fond envahissant[1] et un sifflement de 4 000 Hz. Celui-ci provenait d'un signal utilisé pour synchroniser expéditeur et récepteur et malheureusement on ne parvenait qu'imparfaitement à le filtrer. Mais Dalila fonctionnait, et malgré toutes ses imperfections, c'était une vraie réussite ! Alan avait créé à partir de rien un système électronique complexe. Ils allèrent jusqu'à faire un bon enregistrement en seize pouces de l'effet obtenu et se rendirent pour cela aux studios clandestins de la radio Simpson. À cette occasion, Alan cassa ses bretelles et quelqu'un lui donna un bout de ficelle rouge pour le dépanner... Il continua longtemps de maintenir son pantalon avec ce même bout de ficelle !

Les prophéties de Churchill s'appuyaient certainement sur le flot continu d'informations qui lui parvenaient, sans compter que lorsque Dalila fut mise en œuvre, ses discours se firent plus directs. La « feinte » de la préinvasion fut une réussite, laissant les Allemands pour le moins perplexes, comme on le découvrit en les écoutant en retour. Lors du débarquement en Normandie, ils avaient été ravis de pouvoir écouter leur version de l'histoire. Alan, lui, se demandait toujours pourquoi « la guerre n'en finissait pas de finir ».

Plus les mois passaient, moins les progrès technologiques effectués à Bletchley se révélaient utiles. Si les renseignements d'origine électromagnétique – aussi appelés SIGINT pour *Signals Intelligence* – continuaient de fournir des informations, ils se révélèrent inefficaces dans les moments cruciaux. Malgré toutes les merveilles apportées par la révolution électronique, les Alliés

---

1. Le rapport signal-bruit n'était que de 10 dB, ce qui signifiait que le discours n'était que dix fois plus fort que le bruit.

furent totalement désemparés en décembre 1944 quand le front, qui tenait déjà depuis longtemps, menaça de s'installer aussi durablement qu'en 1917. Les radios se taisaient. C'était d'ailleurs aussi certainement la faute des militaires si personne n'avait pris au sérieux la présence des forces allemandes à Arnhem. Bien qu'on ait été prévenu de l'imminence d'une « nouvelle forme d'attaque » (représentée par les V1, sorte de petits avions sans pilote, et les V2, propulsés à la verticale grâce à un système de fusées), personne ne s'y prépara. Plus important encore : la guerre des U-Boote, qui avait représenté au premier chef une guerre des communications, était loin d'être gagnée. L'un des principaux facteurs était d'ordre politique : l'armée de l'air britannique tenait absolument à se donner un rôle indépendant et triomphant et préférait se consacrer à la destruction de villes allemandes plutôt qu'à l'élimination méthodique des sous-marins ennemis. Face à ce silence radio omniprésent, les cryptanalystes étaient inutiles. En avril 1945, il s'ensuivit une situation étonnante. Lorsque Dönitz prit la succession d'Hitler, il se retrouva à la tête d'une armée suicidaire extrêmement puissante. Les côtes américaines regorgeaient de U-Boote et des sous-marins d'un type plus perfectionné entraient en service. Ils arrivaient trop tard, comme les nouvelles Enigma, et il s'en était fallu vraiment de peu.

Les bandes défilaient, les rotors tournaient, les Wrens suivaient leurs arbres de décisions, mais au cours des derniers mois, les mathématiciens, qui avaient enfin obtenu tout ce qu'ils souhaitaient, s'étaient enfermés dans leur propre bulle. La fin de la guerre fut caractérisée davantage par la force brute que par l'esprit et l'ingéniosité ; aussi ne concernait-elle plus du tout Alan qui se sentait plus à l'aise dans la guerre défensive. Il n'y avait pas eu de répétition de 1917, et l'impossible avait été rendu possible juste à temps – avant que les Allemands ne se mettent à employer leur science et leur industrie. Et le résultat de tout cela ? L'Europe de 1945, le Dresde de son ami, le Varsovie d'où tout était parti... Est-ce que cela ressemblait à la victoire de l'intelligence ? Mieux valait ne pas y penser.

Du reste, peu en avaient le droit. L'« effondrement de l'intérieur » de 1918 avait souvent donné aux stratèges britanniques de la Seconde Guerre mondiale l'illusion réconfortante d'une victoire facile et cela avait également créé un mythe de la trahison dont avait su profiter le parti nazi. L'avantage considérable qu'avait pris Bletchley Park dans la maîtrise des transmissions avait sans aucun doute joué un rôle, lui aussi, mais sans le moindre impact populaire. Personne n'en parla. Les gouvernements alliés victorieux avaient tout intérêt à dissimuler le fait qu'ils étaient parvenus à maîtriser le système de communication le plus élaboré au monde.

D'ailleurs, personne ne remit en question ce silence volontaire. Ceux qui avaient participé aux opérations rangèrent le tout dans un compartiment de leur tête, et la guerre ne fut plus pour eux qu'une période de vide émaillée de quelques anecdotes. La vision de Bletchley avait été pour certains une sorte de voyage dans le temps, dans un monde où la science avait réponse à tout. Il fallait maintenant faire face au présent. Celui des années 1940. Certains, naturellement, n'avaient pas perdu prise avec la sombre réalité de l'époque et savaient à quel point le fossé allait être difficile à combler. Cependant, Alan Turing, plus que tout autre, avait réussi à s'en protéger. Il n'allait donc pas lui être facile de s'adapter. Le 8 mai 1945, jour de la victoire en Europe, Alan alla faire une promenade dans les bois de Paulerspury en compagnie de Robin Gandy, de Don Bayley et d'Alan Wesley. « Bon, la guerre est finie, tu peux tout nous dire maintenant », lui dit Don, sur le ton de la plaisanterie. « Arrête tes conneries », lui répondit Alan, et il n'y eut pas à y revenir.

Dalila fut achevée à peu près à l'époque de la capitulation de l'Allemagne. On ne sentait, du côté des Alliés, aucune volonté d'améliorer les normes de sécurité dans la guerre japonaise, et le progrès fondamental que constituait l'invention d'Alan ne rencontra que peu d'enthousiasme. Radley et un autre ingénieur, R. J. Halsey, vinrent à Hanslope et l'examinèrent avec une perplexité évidente. Le Post Office était déjà en train de mettre au point son propre système (peut-être basé sur le vocoder car il s'était documenté à ce sujet dès 1941). Il se méfiait surtout, et non sans raison, de la piètre qualité du son de sortie, peu exploitable commercialement. Il ne témoigna aucun intérêt pour les potentialités offertes par le principe lui-même. Alan passa quelque temps à Dollis Hill, durant l'été 1945, et il put expliquer son système à un Flowers plutôt sceptique.

Il ne restait plus que quelques détails à régler, or les finitions n'avaient jamais été le fort d'Alan, aussi fut-il très content de les abandonner à Don Bayley. Il avait déjà d'autres idées en tête. Lors de ses conversations avec Don, il avait évoqué l'idée de retourner à sa bourse de King's – ce qui signifiait une réduction de ses revenus à trois cents livres par an. Il lui restait encore à toucher dix-huit mensualités de sa bourse de 1938. En réalité il disposait d'une marge beaucoup plus importante dans la mesure où, le 27 mai 1944, King's lui avait offert de renouveler cette bourse pour trois années supplémentaires, en gage de confiance. Alan pouvait rentrer à Cambridge comme si la guerre n'avait jamais eu lieu, et reprendre là où il s'était arrêté en 1939. Un poste de professeur ne manquerait pas de se présenter. Mais la guerre avait tout changé. C'était plus qu'une simple interruption dans le cours de sa carrière intellectuelle ; toute sa vie intérieure avait été chamboulée. Si le monde avait dû apprendre à penser à grande échelle, lui aussi. Tout en parlant de sa possibilité de retourner à King's, il avait confié à Don Bayley que ce qu'il voulait par-dessus tout c'était « construire un cerveau ».

Le choix du mot « cerveau » était en parfaite cohérence avec sa référence téméraire à la notion « d'états d'esprit », utilisée dix ans plus tôt. Si l'on pouvait comparer les différents états d'une machine de Turing avec différents « états d'esprit », on pouvait sans doute comparer sa matérialisation physique à un « cerveau ». L'un des aspects notables de cette comparaison, important pour quiconque s'intéressait aux mystères de l'esprit, au paradoxe apparent du déterminisme et du libre arbitre, était que la machine de Turing ne s'appuyait aucunement sur la physique. On pouvait dès lors écarter l'argument opposé au déterminisme physique de Laplace selon lequel une telle prédiction ne pourrait jamais se réaliser dans la pratique. Cette réfutation ne s'appliquait pas à la machine de Turing, où tout ce qui survenait pouvait être décrit grâce à un ensemble fini de symboles et calculé avec une précision parfaite comme des états discrets. Plus tard, Alan le définirait lui-même :

« La prédiction que nous considérons apparaît cependant beaucoup plus praticable que celle considérée par Laplace. Le système de l'"univers pris comme un tout" est tel que de toutes petites erreurs dans les conditions initiales peuvent avoir des conséquences énormes par la suite. Le déplacement d'un seul électron sur un milliardième de centimètre à un moment donné peut entraîner la différence qu'il y a entre un homme tué par une avalanche un an plus tard et un homme qui en réchappe. L'une des caractéristiques essentielles des systèmes mécaniques que nous avons appelés "machines à états discrets" est que ce phénomène n'intervient pas. »

Afin de comprendre le modèle de « cerveau » de Turing, il est fondamental de noter que tout ce qui touche à la physique et à la chimie, y compris toutes les thèses sur la mécanique quantique auxquelles Eddington s'était référé, ne rentrait pas en ligne de compte. Selon Alan, la physique et la chimie ne concernent son projet que dans la mesure où elles permettent la matérialisation d'« états discrets », de « lecture » et d'« écriture ». Seul le schéma « logique » de ces « états » importait réellement. Pour notre mathématicien, quoi que fasse un cerveau, il le faisait en vertu de sa structuration logique et non parce qu'il se trouvait à l'intérieur d'un crâne humain ou parce qu'il était constitué de matière spongieuse composée d'une espèce particulière de formation cellulaire biologique. Sa structure logique devait être parfaitement réplicable dans un autre milieu, matérialisée par une autre espèce de mécanisme physique. C'était une conception matérialiste, qui avait le mérite de ne pas confondre les systèmes logiques et les relations avec les substances physiques et les choses elles-mêmes – selon une erreur trop souvent commise.

La démarche d'Alan n'avait rien à voir avec celle des défenseurs de la psychologie comportementaliste qui cherchaient à réduire la psychologie à la physique. Son projet ne cherchait pas à expliquer un phénomène, en l'occurrence l'esprit, par un autre. La thèse consistait en ce que l'« esprit » ou la psychologie pouvaient parfaitement être décrits comme des machines de Turing parce qu'ils se trouvaient au « même » niveau de description du monde, celui de systèmes logiques discrets. Il ne s'agissait pas d'une réduction mais bien d'une tentative de transfert vers un « cerveau artificiel ».

En 1945, Alan ne devait pas savoir grand-chose sur la physiologie réelle du cerveau humain. Sans doute pas plus que ce qu'il avait appris en regardant les jolies illustrations de l'*Encyclopédie des enfants* (le cerveau y était représenté comme un téléphone) ou en lisant *Les Merveilles de la Nature* dans lequel on pouvait lire la description de ce « petit endroit du cerveau qui permet de réfléchir » :

« Juste au-dessus de l'oreille, un peu plus gros que votre pouce, se trouve l'endroit le plus important de tous, celui qui nous permet de nous souvenir des mots de vocabulaire et de les manier. En dessous, un autre endroit nous permet de nous rappeler quels sons ont ces mots. Quelques centimètres au-dessus, et un peu en arrière, une partie du cerveau nous autorise à nous souvenir de la façon dont on les écrit. Encore plus haut, et un peu en avant se trouve le "centre du langage", qui nous permet de remuer la langue et les lèvres de la façon la plus appropriée lorsque nous souhaitons nous exprimer. Ainsi, les aires dédiées à la perception des mots, à leur compréhension et à leur expression sont relativement proches les unes des autres, de sorte que, lorsque nous désirons parler, nous pouvons disposer facilement de la mémoire dans laquelle sont stockés les mots que nous avons lus et entendus. »

Cela aurait pu lui suffire. Il avait certainement eu l'occasion de voir des illustrations de cellules nerveuses (il y en avait d'ailleurs quelques-unes dans les pages de *Merveilles de la Nature*), mais dans sa description de l'esprit, les détails n'avaient guère d'importance. Lorsqu'il parlait de « construire un cerveau », il ne pensait pas que les éléments de sa machine devaient ressembler à ceux du cerveau, ni que leurs connexions devaient en imiter les différentes régions. Il avait besoin de savoir que le cerveau stockait des mots, des images, des techniques en relation avec des signaux d'entrée émanant des sens, et des signaux de sortie dirigés vers les muscles. Néanmoins, dix ans plus tôt, il lui avait fallu clarifier certaines de ses idées sur l'être humain, et en particulier éliminer la notion d'âme ou d'esprit organisant et commandant la mémoire. Les fonctions de commande et d'organisation devaient absolument se suffire à elles-mêmes.

Lorsque, à cette époque, il avait décrit ses machines de Turing, il avait également justifié sa formalisation de l'idée de « mécanique » avec l'argument complémentaire de la « note d'instructions » — ce qui mettait l'accent non sur le fonctionnement interne du cerveau mais sur les instructions explicites qu'un travailleur humain pouvait suivre à la lettre. En 1936, il avait fait l'expérience de telles notes d'instructions notamment grâce aux règles de l'internat de Sherborne, aux conventions sociales, et, bien sûr aussi, aux formules mathématiques, que l'on pouvait appliquer « sans réfléchir ». En 1945, ces hypothèses qui avaient pu paraître farfelues avant-guerre prenaient une signification plus concrète. Une abondance de messages avaient été conçus et décryptés par ce qui étaient par essence des machines de Turing et où ce qui comptait était la transformation logique des symboles et non la puissance physique.

Il s'agissait là d'une approche résolument différente de la notion de « cerveau » mais non incompatible. Ce qui fascinait peut-être le plus Alan, c'était l'interaction entre ces deux approches – comme il y avait eu à Bletchley un jeu constant entre l'intelligence humaine et l'utilisation de méthodes purement mécaniques. Sa théorie du « poids d'évidence » avait montré comment mettre certaines sortes de reconnaissance, de décision et de jugement humains sous forme de notes d'instructions. Ses méthodes de jeu d'échecs faisaient de même et permettaient de se demander où pouvait passer une ligne censée séparer l'« intelligent » du « mécanique ». Son opinion, exprimée en fonction du principe d'imitation, était qu'une telle ligne n'existait pas, de même qu'il ne fit jamais réellement la distinction entre la méthode des « états d'esprit » et celle des « notes d'instructions » pour réconcilier les apparences de la liberté et celles du déterminisme.

Toutes ces questions restaient à explorer car les machines à chiffrer allemandes avaient à peine touché du doigt le possible. Il fallait encore déterminer ce qu'on pouvait accomplir à partir de ces fameuses notes d'instructions, tout en vérifiant qu'une machine pouvait se comporter comme un cerveau en instituant des « points de réflexion » à usage interne. Ainsi qu'il l'avait souligné dans ses entretiens avec Donald Michie, il fallait prouver qu'une machine était capable d'apprendre. Et pour approfondir ces questions, il était indispensable de disposer de machines capables de se prêter à l'expérimentation. En fait, et cela pouvait sembler proprement incroyable, il suffisait d'une seule machine pour effectuer toutes les expériences nécessaires. En effet, une machine de Turing universelle pouvait imiter le comportement de n'importe quelle autre machine de Turing.

En 1936, la machine universelle de Turing n'avait joué qu'un rôle purement théorique dans son approche du problème de la décidabilité d'Hilbert. En 1945, elle avait un potentiel pratique nettement plus élevé. Car les Bombes, les Colossus, les autres machines et les processus mécaniques n'étaient que des créatures parasites dépendant uniquement des caprices et de la cécité des cryptographes allemands. Si ces derniers avaient changé leurs méthodes, toute l'ingénierie nécessaire à leur construction serait soudain devenue obsolète. Cela s'était produit dès le début, grâce aux fichiers d'empreintes des Polonais, leurs cartes perforées et leur Bombe simpliste, et cela avait failli se transformer en catastrophe lors du black-out de 1942. La fabrication de machines particulières avait poussé les cryptanalystes à résoudre les problèmes les uns après les autres, grâce à l'acquisition et à la mise en œuvre progressive de nouvelles technologies. Or une machine universelle, une fois construite, ne nécessiterait plus de réaménagements mécaniques, seulement de nouvelles tables d'instructions sous forme d'« index », placées sur son ruban. Une telle machine serait à même de remplacer à la fois les Bombes, les Colossus, les arbres de décisions et les autres procédés mécaniques utilisés à Bletchley, et aussi d'accomplir le travail de calcul laborieux qui avait mobilisé tant de mathématiciens pendant la guerre. La machine à fonction Dzéta, le calcul de racines d'équations du septième degré, les grands ensembles d'équations qui apparaissaient dans la théorie des circuits électriques, tout cela pouvait être repris par une unique machine. Une vision qui dépassait l'entendement de la plupart des gens en 1945, mais qui, pour Alan, était évidente.

« Il n'y aura absolument aucune altération à faire, même si on veut soudain passer du calcul des niveaux d'énergie de l'atome de néon à l'énumération des groupes du sept cent vingtième ordre. »

Ou encore, comme il le formulait en 1948 :

« Nous n'avons pas besoin de disposer d'une infinité de machines différentes pour accomplir différentes tâches. Une seule suffira. Le problème de construction posé par la production de machines variées, spécialisées chacune dans une tâche, est remplacé par un travail de bureau, c'est-à-dire la "programmation" de la machine universelle pour la tâche voulue. »

D'après lui, un « cerveau » ne serait pas nécessairement une machine plus volumineuse ou meilleure. Il n'évoluerait pas en se fondant sur son expérience mais à partir de sa connaissance d'idées sous-jacentes. Une machine universelle ne devait pas être une simple machine de plus ; elle devait être « toutes » les machines. Elle remplacerait toute espèce de routine – et presque l'ensemble du travail effectué par ces dix mille personnes. Même le travail « intelligent » des analystes de haut niveau ne devenait plus intouchable. Car une machine universelle se devait aussi d'interpréter les mécanismes du cerveau humain. Tout ce dont un cerveau – n'importe lequel – était capable pouvait en principe figurer en tant que « nombre de description » sur le ruban d'une machine universelle. C'était du moins sa vision.

Sauf que rien n'apparaissait, dans le projet de machine universelle de Turing évoqué dans l'article, qui suggérât une proposition de réalisation concrète. Aucune allusion n'était faite, par exemple, à la vitesse d'exécution des opérations. Les tables figurant dans *Nombres calculables* étaient des plus simples, et une machine universelle utilisable devait pouvoir parcourir des millions d'étapes en un temps raisonnable. Une telle rapidité ne pouvait s'obtenir qu'avec des composants électroniques, et c'était là qu'intervenait la grande révolution de 1943.

Plus précisément, on pouvait considérer que les composants électroniques fonctionnaient sur des quantités discrètes, *on* ou *off*, de la même façon qu'une machine de Turing. Alan l'avait appris dès 1942, puis il s'était renseigné avec précision sur les Robinson, le X-system et le Rockex ; il avait également acquis quelques connaissances sur le radar grâce à ses amis d'Hanslope. Mais il y avait surtout les deux développements majeurs de 1943. Quelle que fût son utilité quant à l'effort de guerre, le succès technique de Colossus indiqua à Alan que des milliers de tubes électroniques pouvaient fort bien fonctionner en conjonction – ce que beaucoup avaient eu du mal à croire sans le voir. Puis il avait travaillé à mains nues sur Dalila. Sa folie était en réalité extrêmement méthodique. En choisissant de travailler dans de piètres conditions sur un sujet qu'on ne lui avait pas commandé officiellement, il avait prouvé qu'il pouvait mener à bien un projet électronique dont il était l'auteur. Ses connaissances directes en matière de technique électronique, combinées avec ses idées théoriques et son expérience des méthodes mécaniques, constituaient le dernier maillon de son projet. Il savait maintenant « comment » construire un cerveau – pas un cerveau électrique, comme il aurait pu l'envisager avant la guerre, mais un cerveau électronique. C'est donc vers 1944 que sa mère l'entendit parler de « ses plans de construction d'une machine universelle, et des services qu'une telle machine pourrait rendre à la psychologie dans l'étude du cerveau humain ».

Au-delà de l'aspect discret de la machine, de sa fiabilité et de sa rapidité, il restait à définir sa taille. Il fallait de la place sur le ruban de la machine universelle à la fois pour les index des machines qu'elle devait imiter et pour les opérations elles-mêmes. La machine universelle purement abstraite de 1936 était équipée d'un ruban de longueur infinie, ce qui signifiait que même si, à n'importe quelle étape, la longueur de ruban utilisée était finie, on supposait que, en cas de besoin, de l'espace supplémentaire serait toujours disponible. Concrètement, au contraire, l'espace disponible ne pourrait être que limité – et, pour cette raison, aucune machine existant réellement ne pouvait être complètement universelle. Néanmoins, Alan avait suggéré dans *Nombres calculables* que la mémoire humaine était limitée. Si l'on poussait le raisonnement, il en résultait que le cerveau humain ne pouvait contenir qu'un nombre limité de « tables de comportement », et donc qu'un ruban suffisamment large pouvait les réunir toutes. Compte tenu de cet argument, l'aspect fini d'une machine réelle ne l'empêcherait pas de conserver les propriétés du cerveau humain. Il fallait déterminer quelle longueur exacte de ruban était nécessaire pour que cela reste intéressant et possible. Il fallait aussi définir comment procéder à un tel stockage sans une consommation invraisemblable de tubes électroniques.

On entrait donc là plutôt dans le domaine de Don Bayley. Maintenant que la guerre en Europe touchait à sa fin et que les derniers problèmes de Dalila étaient en passe d'être réglés, Alan décrivit à son assistant la machine universelle dont il parlait dans *Nombres calculables*, ainsi que le ruban sur lequel on stockait les instructions. Ils commencèrent à réfléchir ensemble aux façons de le réaliser. C'est ainsi qu'un mathématicien anglais homosexuel et athée, aidé d'un seul assistant et enfermé dans une petite cabane éloignée de l'empire rutilant de la SIGINT, imagina l'*ordinateur*[1].

---

1. Alan Turing n'avait pas inventé une *chose* concrète mais réuni un puissant ensemble d'*idées*. Comme ses idées se résument exactement en ce qui sera ultérieurement l'*ordinateur*, l'histoire ne souffrira certainement pas trop si l'on emploie déjà le mot, même de façon

Le monde n'allait cependant pas le voir ainsi. L'invention d'Alan Turing devait s'insérer dans un contexte historique où il n'était ni le premier à penser à la construction de machines universelles, ni le seul à arriver, en 1945, à une version électronique de la machine universelle des *Nombres calculables*.

Bien entendu, il existait déjà toutes sortes de machines « à penser », à commencer par le boulier. Elles se classaient, grossièrement, en deux groupes : les « analogiques » et les « numériques ». Les deux machines sur lesquelles Alan avait travaillé juste avant la guerre correspondaient à chacune de ces catégories. La machine à fonction Dzéta s'appuyait sur la mesure du moment d'une série de roues dentées. Cette quantité physique représentait de manière « analogique » la quantité mathématique calculée. En revanche, le multiplicateur binaire ne reposait que sur l'observation de positions *on* et *off*. Ce n'était plus une machine permettant de mesurer des quantités mais une machine organisatrice de symboles. Dans la réalité, une machine pouvait présenter des aspects à la fois analogiques et numériques. Ainsi, la Bombe travaillait à partir de symboles et était donc essentiellement numérique, pourtant son mode de fonctionnement dépendait du mouvement physique précis des rotors et de leur similitude avec ceux de l'Enigma encodeuse. Le simple fait de compter sur ses doigts, qui est par définition numérique, peut présenter un aspect d'analogie physique avec les objets dénombrés. Une considération d'ordre pratique permettait cependant de distinguer entre les deux : il s'agissait de savoir ce qui se passait lorsqu'on recherchait une précision accrue.

Son projet de machine à fonction Dzéta illustrait parfaitement ce propos. Elle était en effet conçue pour calculer la fonction Dzéta avec une certaine précision de mesure. Si Alan s'était aperçu que cette précision ne suffisait pas au but qu'il s'était fixé – à savoir étudier l'hypothèse de Riemann – et qu'il avait besoin pour cela d'une nouvelle décimale, cela aurait signifié la reconstruction de tout le matériel, avec des roues dentées plus grandes ou un équilibre plus fin. Tout degré de précision supplémentaire entraînait un renouvellement complet du matériel. Au contraire, si les valeurs de la fonction Dzéta se calculaient par

---

anachronique. Cela reflète même assez bien les difficultés d'Alan à présenter dans les années 1940 un projet appartenant aux années 1960.

méthodes numériques – avec un crayon, du papier et un calculateur mécanique –, un accroissement de la précision entraînait cent fois plus de travail sans pour autant changer de matériel. Cette limitation de la précision constituait le problème principal des analyseurs différentiels d'avant-guerre, qui devaient établir des analogies (en fonction d'amplitudes électriques) pour certains systèmes d'équations différentielles. C'est cette question en particulier qui permit de révéler l'existence de ce grand fossé entre « analogique » et « numérique ».

Alan se sentait tout naturellement attiré par la machine numérique car les machines de Turing des *Nombres calculables* en représentaient précisément la version abstraite. Cette prédisposition avait été renforcée par une longue expérience des problèmes numériques du décryptage. Par ailleurs, Alan avait une expérience de l'analogie car, mise à part la machine à fonction Dzéta, Dalila présentait un aspect analogique fort. Elle dépendait en effet essentiellement de la mesure et de la transmission très précise des amplitudes alors que le X-system les numérisait. Sans doute Alan aurait-il admis qu'en certaines circonstances, la solution analogique ne pouvait être égalée par le système numérique. Restait le fait qu'aucune machine analogique ne pouvait prétendre à l'universalité puisqu'elles étaient toutes conçues pour être justement des analogies de problèmes spécifiques. Les idées d'Alan devaient donc s'insérer dans les développements déjà dominants des calculateurs numériques.

Il existait des machines pour additionner et multiplier des nombres, équivalents numériques de la règle à calcul, depuis le XVIIᵉ siècle. Alan, qui utilisait un calculateur mécanique à Hanslope, connaissait bien l'état des machines numériques et les tentatives passées. Il parlait souvent à Don Bayley des idées et projets de Charles Babbage (1791-1871), mathématicien et visionnaire précurseur de l'informatique.

Après avoir travaillé sur une « machine à différences » destinée à mécaniser la méthode numérique spécifique utilisée dans l'élaboration de tables mathématiques, Babbage avait conçu, dès 1837, une machine analytique dont la propriété essentielle était de mécaniser n'importe quelle opération mathématique. Son idée était de substituer à la fabrication de différentes machines consacrées à différentes tâches, l'élaboration d'instructions différentes pour une seule et même machine. Babbage n'avait pas de théorie comme celle des *Nombres calculables* pour prétendre à l'universalité et il se concentrait sur des opérations utilisant des nombres en notation décimale. Il comprenait pourtant que son système permettait d'effectuer des opérations sur n'importe quels symboles – et, en cela, sa machine analytique s'apparentait à ce que serait celle de Turing. Il avait découvert l'idée de mettre des instructions sur cartes perforées comme cela se faisait déjà sur les métiers à tisser Jacquard. Il prévoyait également de stocker des nombres sous forme de positions de roues dentées. Chaque carton d'instruction mettait en route une opération arithmétique comme : « Soustraire le nombre en position 5 du nombre en position 8 et mettre le résultat en position 16. » La véritable innovation du projet tenait à sa compréhension de l'importance du « contrôle logique » de l'arithmétique.

Surtout, Babbage avait imaginé qu'il devait être possible de déterminer dans quel ordre et sur quelles variables effectuer certains types d'opérations, selon des critères qui devaient être contrôlés par la machine elle-même. Cette idée de « branchement conditionnel » était certainement la plus intéressante. Elle égalait la liberté offerte aux machines de Turing de pouvoir changer de configuration selon ce qui était lu sur la bande. Pour l'époque, un véritable projet de machine universelle.

Sans le branchement conditionnel (c'est-à-dire la possibilité de mécaniser le mot *si*), le plus grand des calculateurs ne serait jamais rien d'autre qu'une « super-additionneuse ». Il fallait considérer son projet de machine comme une chaîne de montage, tous les éléments apparaissant successivement sans aucune possibilité d'interférence une fois le processus lancé. La possibilité de branchement conditionnel aurait alors été semblable au fait de définir non seulement les tâches répétitives des ouvriers, mais aussi les opérations d'évaluation, de décision et de maîtrise de la « direction ». Babbage en était bien conscient. Son *Traité sur l'Économie des machines et des manufactures* reste considéré comme le fondement du management moderne.

Pourtant ses idées ne devaient jamais voir le jour. Il était en avance de tout un siècle. Malgré le soutien financier de l'État, le cahier des charges était trop ambitieux pour l'époque. Et son mépris pour les comités, les fonctionnaires et les autres scientifiques n'améliora pas la situation. Pas plus que ses efforts pour amener l'ingénierie mécanique à un niveau supérieur, ni son dévouement dans chaque aspect théorique et pratique de son travail.

Il fallut donc attendre cent ans exactement pour qu'il y ait de nouveaux développements dans cette même direction. Sur le plan théorique, avec la parution de *Nombres calculables* en 1937. Et sur le plan pratique, avec l'extension de l'industrie électrique liée à la guerre dans les années 1930 qui fournissait enfin une puissance nouvelle capable de mettre en œuvre ces idées.

C'est en 1937, à Berlin, que l'ingénieur allemand Konrad Zuse redécouvrit plusieurs des idées de Babbage – excepté celle du branchement conditionnel. La première version de sa machine était mécanique et non pas électrique. En revanche, il avait évité les milliers de pièces mobiles exigées par le projet de son prédécesseur en adoptant l'arithmétique binaire. Sans être révolutionnaire, cela constituait déjà une grande simplification. On se libéra alors aussi du principe qui voulait que l'on représente les nombres de façon décimale. Alan avait eu la même idée au même moment, en 1937, avec son multiplicateur électrique. Avec l'aide de spécialistes de l'électronique, Zuse passa rapidement à de nouvelles versions de sa machine, utilisant des relais électromagnétiques. On utilisa ses calculateurs dans l'ingénierie aéronautique mais jamais dans le décryptage. On prétendait que la guerre serait bientôt terminée. En 1945, la vision à court terme du régime nazi obligea Zuse à tenter désespérément de sauver son travail de la destruction.

Du côté allié, on ignorait tout, même si l'on poursuivait des recherches parallèles. En Grande-Bretagne, seul Colossus constituait un exemple de calculateur numérique. Aux États-Unis, la situation était tout autre. Les succès britanniques avaient été obtenus au dernier moment par des individus soucieux de tout faire pour le salut public. Les Américains, quant à eux, avaient pris de l'avance avant même le début de la guerre sur les deux aspects du projet Babbage. En effet, en 1937, un physicien d'Harvard, Howard Aiken, commença à concevoir un analyseur différentiel analogique en fonction de relais électromagnétiques. La machine fut construite par IBM puis remise à des fins secrètes à la Marine américaine en 1944. Quoique somptueuse et impressionnante, comme les machines de Zuse, elle n'intégrait pas l'idée de branchement conditionnel alors qu'Aiken connaissait le projet de Babbage. Les instructions ne pouvaient donc être modifiées en cours d'opération. De plus, la machine d'Aiken était encore plus conservatrice que celles de Zuse puisqu'elle reposait sur la numération décimale.

Le deuxième projet américain se déroula chez Bell Labs. L'ingénieur George Stibitz avait d'abord simplement pensé à concevoir des machines à relais pour faire de l'arithmétique décimale avec des nombres complexes. Puis le déclenchement de la guerre l'avait poussé à y incorporer la possibilité de mener à bien des suites déterminées d'opérations arithmétiques. Son *Model III* était en cours de construction dans les locaux de New York à l'époque même où Alan s'y trouvait, mais il n'avait pas attiré son attention.

Une tierce personne prit cependant la peine d'étudier ces deux projets, quelqu'un qui, comme Alan, était capable d'en tirer une vision plus abstraite. Il s'agissait bien sûr de John von Neumann. Il jouait depuis 1937 un rôle de conseiller en matière de recherche balistique auprès de l'armée américaine. À partir de 1941, il s'était principalement consacré aux mathématiques appliquées aux explosions et à l'aérodynamique. Il se rendit en Grande-Bretagne début 1943 et discuta de ce sujet avec G. Taylor, spécialiste anglais de mathématiques appliquées. De retour aux États-Unis, il entra, en septembre 1943, au laboratoire de recherche atomique de Los Alamos et se mit à travailler sur les problèmes posés par l'onde de choc, dont les calculs numériques exigeaient des mois de travail fastidieux. En 1944, il entreprit d'étudier les machines existantes afin d'accélérer le processus. Warren Weaver, scientifique et mathématicien américain de l'*Office of Scientific Research and Development* (OSRD), l'avait mis en contact avec Stibitz, et, le 27 mars 1944, von Neumann écrivit ainsi à Weaver :

« Vais écrire à Stibitz : je suis curieux d'en apprendre davantage sur sa méthode de calculs par relais, et je fonde de grands espoirs dans ce domaine. »

Le 10 avril, il écrivit de nouveau pour dire que Stibitz lui avait montré « le principe et le fonctionnement de ses mécanismes de calculs par relais ». Le 14 avril, il écrivit à Rudolf Peierls, physicien allemand de Los Alamos, à propos du « problème d'affaiblissement de l'onde de choc », envisageant de mécaniser ce calcul avant d'ajouter qu'il était désormais aussi en contact avec Aiken. En juillet 1944, il y eut des négociations en vue de l'utilisation de la machine IBM-Harvard par les laboratoires de Los Alamos. Puis un véritable bouleversement se produisit. La pression de la guerre avait entraîné aux États-Unis une révolution semblable à celle survenue à Bletchley. En effet, en avril 1943, au département du génie électrique de l'université de Pennsylvanie, on avait commencé à travailler sur un calculateur d'une tout autre ampleur : il s'agissait de l'*Electronic Numerical Integrator and Calculator* (ENIAC), soit le premier ordinateur numérique électronique.

Cette nouvelle machine était mise au point par John Mauchly et Presper Eckert, ingénieurs électroniciens. Quand von Neumann entendit parler, tout à fait par hasard, du projet et qu'on lui fit miroiter la possibilité de multiplier par mille la vitesse de calcul d'une machine comme celle d'Aiken, il s'empressa d'approfondir la question et, dès le mois d'août 1944, il participa régulièrement aux réunions de l'équipe d'ENIAC, et écrivit à Weaver le 1ᵉʳ novembre 1944 :

« J'aimerais avoir l'occasion d'aborder avec vous d'autres sujets, notamment à propos du calcul mécanisé. Je vous suis extrêmement obligé de m'avoir mis en contact avec plusieurs personnes qui travaillent dans ce domaine, notamment Aiken et Stibitz. Cela nous a permis, à Aiken et à moi, d'échanger nos points de vue sur la question, tout comme avec les chercheurs de la Moore School qui sont actuellement en train de concevoir une seconde machine électronique. On m'a demandé de les conseiller, notamment dans le domaine du contrôle logique, de la mémoire, etc. »

Le projet ENIAC était extrêmement impressionnant et donnait à tous ceux qui purent l'étudier la sensation d'entrevoir l'avenir. Il n'intégrait pas moins de dix-neuf mille tubes électroniques et surpassait de loin Colossus. Pourtant l'avantage du « petit » cousin anglais était d'avoir eu un peu d'avance sur l'ENIAC qui, encore incomplet à l'été 1945, ne se serait révélé d'aucune utilité à la victoire alliée.

L'ENIAC exigeait un nombre de tubes nettement supérieur à celui des Colossus car il emmagasinait des nombres décimaux très longs – principalement à cause du système d'origine, où dix tubes étaient alloués à chaque décimale demandée, un « 9 » étant représenté par un neuvième de ces tubes en position *on*. Colossus, au contraire, fonctionnait sur des pulsions uniques correspondant aux *oui* ou *non* logiques des trous perforés sur les bandes télégraphiques.

Mais cette différence n'était que superficielle. Tous deux démontraient surtout que des milliers de tubes, jugés jusque-là trop peu fiables pour être utilisés *en masse*, pouvaient très bien fonctionner simultanément[1]. En outre, l'ENIAC intégrait l'idée à côté de laquelle étaient passés Zuse, Aiken et Stibitz... Comme les Colossus Mark II, capables d'automatiser des actes de décision, l'ENIAC comportait aussi une forme de branchement conditionnel. Il était conçu pour pouvoir circuler parmi le stock d'instructions qui lui était fournies, répétant certaines sections autant de fois que l'exigeait le progrès des calculs, sans qu'il soit besoin d'une intervention humaine. Rien de tout cela cependant ne dépassait ce que Babbage avait déjà envisagé, sinon que les composants électroniques étaient infiniment plus rapides et que l'ENIAC était en passe de devenir une réalité.

Comme Colossus, l'ENIAC avait d'abord été conçu pour une tâche très précise, en l'occurrence le calcul de tables de portées d'artillerie. Pour l'essentiel, il simulait la trajectoire des obus soumis à diverses conditions météorologiques (de la résistance de l'air à la vitesse du vent), ce qui impliquait le calcul de milliers de portions de trajectoire. Il était pourvu de commutateurs externes que l'on réglait pour fixer les paramètres constants d'un calcul de trajectoire, et d'autres dispositifs également externes destinés à la saisie des instructions concernant une portion de trajectoire. Des tubes électroniques servaient à mémoriser les chiffres de travail intermédiaires. En ce sens, il ressemblait à Colossus. Dans les deux cas, on s'était vite rendu compte des possibilités bien plus vastes qu'offraient ces machines. Ainsi, Jack Good et Donald Michie avaient considérablement étendu le rôle de Colossus, et l'on avait même réglé un jour le Mark II pour le déchiffrage d'un message crypté, dans un but uniquement scientifique, sans chercher la moindre efficacité. Bien que simple parasite de la machine à chiffrer allemande, il offrait grâce à sa table d'instructions une

---

1. Ni l'un ni l'autre n'étaient cependant les premiers à le faire ; John Atanasoff, de l'université de l'Iowa, utilisait depuis 1939 des composants électroniques pour la mécanisation d'opérations arithmétiques.

telle flexibilité que l'on aurait « presque » pu le régler pour qu'il fasse des multiplications. Von Neumann comprit d'ailleurs très tôt qu'ENIAC pouvait fort bien convenir pour résoudre certains problèmes liés à Los Alamos[1].

Contrairement au projet de Babbage, l'ENIAC n'avait pas été conçu comme une machine universelle. Celui-ci s'était en effet enorgueilli de ce que sa machine analytique serait capable d'ingérer une quantité illimitée de cartons d'instructions. La machine à relais d'Aiken jouissait de la même possibilité – même si les cartons avaient été remplacés par une sorte de rouleau de pianola. Le problème, pour l'ENIAC, se posait différemment. Étant électroniques, ses opérations s'effectueraient tellement vite qu'il serait impossible de fournir des cartons ou des rubans aussi rapidement. Les ingénieurs n'avaient plus qu'à trouver un moyen de donner des instructions à la machine en un temps proprement électronique... de l'ordre de quelques millionièmes de seconde.

Une solution fut de brancher des machines périphériques, chacune spécialisée dans des séries d'instructions très précises. L'inconvénient d'un tel système était que les suites d'instructions étaient de longueur limitée et que le branchement ne prenait pas moins d'une journée à chaque fois. Cela revenait en fait à construire une machine différente pour chaque sorte de travail demandé. L'ENIAC et Colossus évoquaient un peu des machines en kit. Ni l'une ni l'autre ne cherchait à incarner l'universalité réelle recherchée par Babbage.

Lorsque von Neumann se joignit à l'équipe de l'ENIAC, Eckert et Mauchly avaient envisagé une tout autre solution à leurs problèmes. On ne touchait plus au matériel et on fournissait les instructions nécessaires à des vitesses électroniques en les stockant de façon *interne* sous forme électronique. L'ENIAC était conçu pour intégrer son fonctionnement arithmétique, de même que Colossus avait enregistré tous les systèmes clés de Fish. Malgré tout, c'était une autre affaire que d'intégrer des instructions – une instruction apparaissant par essence comme un élément « externe » intervenant sur le fonctionnement « interne » de la machine.

---

1. D'ailleurs, on l'utilisa pour la première fois de façon sérieuse, fin 1945, pour effectuer des calculs d'essai sur la bombe H.

Selon le sens commun et la réflexion traditionnels, des nombres ne pouvaient en aucun cas se confondre avec des instructions. Il paraissait naturel de séparer les données des stocks d'instructions devant intervenir sur les données. Peut-être une évidence, mais néanmoins erronée. Au cours des mois de mars et avril 1945, l'équipe d'ENIAC avait préparé un projet qu'ils baptisèrent l'*Electronic Discrete Variable Calculator* (EDVAC), la « seconde machine électronique ».

Von Neumann apposa sa signature sur le rapport définitif le 30 juin 1945. Il ne s'agissait évidemment pas de son projet, mais la description portait bien la marque de son esprit mathématique hissé au-dessus des détails techniques.

Même si c'était avec beaucoup de prudence, le projet mettait en œuvre une toute nouvelle idée. La machine proposait les différents moyens de stockage exigés par les machines existantes, que ce soit pour les résultats intermédiaires, les instructions, les paramètres à constante fixe, les données statistiques... Et on arriva à la conclusion suivante :

« Le procédé exige une mémoire considérable. Même s'il apparaît que les diverses parties de cette mémoire auront à remplir des fonctions divergeant quelque peu par leur nature et considérablement quant à leur but, il est tentant de considérer la mémoire tout entière comme un seul organe. »

Une telle proposition équivalait à adopter le ruban unique de la machine universelle de Turing, sur laquelle tout devait être enregistré. Elle ne correspondait à rien dans le projet de Babbage et allait marquer un véritable tournant dans la conception des machines numériques. L'important était désormais de construire une « mémoire » électronique universelle immense, efficace et rapide. D'une certaine façon, cela rendait les choses plus simples dans la mesure où la conception devenait moins cloisonnée. L'idée semblait trop belle pour être vraie, et pourtant elle se trouvait depuis le début dans *Nombres calculables*.

Ainsi, au printemps 1945, grâce à l'équipe d'ENIAC d'un côté, et Alan Turing de l'autre, émergea naturellement l'idée de fabriquer une machine universelle à ruban unique. Chacun de leur côté, ils prirent des chemins fort différents. L'ENIAC, dont le principe était dépassé avant même d'être terminé, avait ouvert une voie. Et von Neumann était « contraint » par l'ensemble des besoins de la recherche militaire et de l'industrie américaine. Sa situation était alors assez proche de la vision scientifique de Lancelot Hogben : les besoins économiques et politiques du jour déterminent les idées nouvelles.

Quand Alan Turing parlait de « fabriquer un cerveau », il réfléchissait et travaillait seul, durant son temps libre, dans son établi au fond de son jardin, avec un équipement restreint, fourni à contrecœur par les services secrets. Contrairement à von Neumann, on ne lui demandait pas de résoudre des problèmes numériques ; il réfléchissait pour lui seul. Il s'était contenté d'assembler des éléments de manière inédite, et cela avait produit sa machine universelle à ruban unique, la certitude qu'une technologie par pulsations électroniques à grande échelle pouvait fonctionner, et l'expérience de la transformation de la pensée du décrypteur en « méthodes définies » et « procédés mécaniques ». Depuis 1939, il s'était trouvé plongé dans les symboles, les états et les tables d'instructions – et dans le problème que posait leur matérialisation. Il était à présent en mesure d'utiliser cet ensemble.

Maintenant que la guerre était finie, Alan se sentait plus proche des préoccupations d'un Godfrey Hardy que de la marche du monde. Il était plus concerné par le paradoxe du déterminisme et du libre arbitre que par les conséquences de calculs complexes. Naturellement, personne n'allait vouloir d'un « cerveau » privé de toute application pratique. Sur ce point, Hardy aurait trouvé la justification dans l'application des mathématiques. Le 30 janvier 1945, von Neumann avait écrit que l'EDVAC était conçu pour résoudre « des problèmes d'aérodynamisme et d'onde de choc en trois dimensions [...] concernant les obus, les bombes et les fusées dans le domaine des propulseurs et des explosifs ». Ainsi irait, d'après le discours de Churchill, le « progrès de l'humanité ». Alan Turing aussi aurait du chemin à parcourir depuis la logique d'Hilbert et Gödel, s'il souhaitait réellement fabriquer un cerveau.

Le projet détaillé d'EDVAC comportait également un aspect plus théorique (reflétant sans doute là les intérêts de von Neumann) car il attirait l'attention sur l'analogie entre un ordinateur et le système nerveux humain. L'utilisation du terme « mémoire » en était une illustration. D'une certaine façon, il s'agissait aussi de « construire un cerveau ». La théorie ne faisait pas directement référence à la notion d'« états d'esprit », et insistait plutôt sur les analogies que présentaient les mécanismes d'entrée et de sortie avec respectivement les nerfs afférents et efférents. Le projet reprenait également une communication faite en 1943 par des neurologues de Chicago, Warren McCulloch et Walter Pitts, qui analysaient l'activité des neurones en termes logiques et se servaient de leur symbolisme pour décrire les connexions logiques des composants électroniques.

McCulloch et Pitts eux-mêmes avaient été inspirés par *Nombres calculables*. Ainsi, de manière très détournée, le projet d'EDVAC devait quelque chose au concept de la machine de Turing. Il était cependant surprenant qu'aucune mention ne soit faite à l'article de Turing, ni précisé le concept de machine universelle. Von Neumann en avait pourtant été informé dès avant la guerre, et n'avait pu manquer d'établir le rapport avec le papier de Turing lorsqu'il s'était aperçu que données et instructions n'avaient pas à être enregistrées sur des supports différents. Selon Stan Frankel, qui travaillait à Los Alamos sur la bombe atomique et qui fut l'un des premiers utilisateurs d'ENIAC :

« Vers 1943 ou 1944, von Neumann avait tout à fait conscience de l'importance fondamentale de l'article de Turing, *Nombres calculables*, qui datait de 1937... C'est von Neumann qui me fit lire cet article et qui me pressa de l'étudier avec le plus grand soin... Il me certifia, et il le fit sans doute auprès d'autres spécialistes, que la conception fondamentale revient entièrement à Turing – puisqu'elle n'avait pas été anticipée par Babbage, Lovelace, ni les autres[1]. »

Quoi qu'il en soit, ce qui frappait dans les deux projets, américain et britannique, ce n'était pas leur connexion plutôt ténue, mais bien leur indépendance marquée[g].

Et même si les idées venaient principalement d'Europe, le projet d'EDVAC était le premier document à les rassembler par écrit. Aussi l'originalité britannique fut-elle une fois de plus coiffée au poteau par une publication américaine ! Alan arrivait second dans la course.

Cette suprématie américaine serait pour lui un avantage pour la suite de ses travaux. Sans l'existence d'ENIAC et du

---

1. Lettre d'Adam Frankel à Howard Randell écrite en 1972.

projet EDVAC, en effet, il n'aurait jamais pu passer à l'étape suivante : en juin, il reçut un coup de fil, à Hanslope. C'était John Womersley, responsable de la Division de mathématiques du *National Physical Laboratory* (NPL – Laboratoire national de physique).

Womersley était un homme frais occupant un nouveau poste dans une jeune organisation. Le NPL n'avait, lui, rien de nouveau. On l'avait installé en 1900 dans la banlieue un peu minable de Teddington, pour répondre à l'effort scientifique fourni à l'époque par l'État allemand. C'était le laboratoire gouvernemental le plus complet du Royaume-Uni et il jouissait d'une très haute réputation à l'intérieur de sa sphère d'activité traditionnelle : la réglementation et le maintien des normes physiques au bénéfice de l'industrie britannique. Son directeur de l'époque, en place depuis 1938, était sir Charles Galton Darwin, petit-fils du célèbre naturaliste anglais à l'origine de la théorie de l'évolution et lui-même éminent mathématicien officiant à Cambridge. Il avait fourni sa plus grande contribution à la science dans le domaine de la cristallographie des rayons X, et on le considérait comme « l'interprète de la nouvelle théorie quantique des physiciens expérimentaux ». Durant la guerre, il avait passé un an au poste de directeur de ce qui était devenu la Mission scientifique britannique à Washington, et avait été le premier conseiller scientifique de l'armée britannique.

La Division de mathématiques, cependant, était nouvelle. C'était en effet l'équivalent informatique de l'État-providence, l'un des produits du rapport Beveridge. En mars 1944, on avait proposé une agence de mathématiques indépendante, et cette suggestion, qui montrait bien que l'on anticipait la paix en temps de guerre, fit son chemin jusqu'à un comité interministériel. Le gouvernement accepta le principe de poursuivre le financement d'un tel service qui avait fait ses preuves pendant la guerre. Et l'on créa une institution centralisée censée remplacer les services concernés, qui avaient effectué l'ensemble des travaux de calcul numérique nécessaires aux objectifs militaires. Sir Charles Darwin avait finalement convaincu le comité d'en faire une division du NPL.

Pourtant le coup de fil qu'Alan reçut à Hanslope ne devait rien à Darwin. C'était son subordonné, Womersley, qui en avait pris

415

l'initiative. Celui-ci avait été nommé responsable de la division le 27 septembre 1944. Homme corpulent natif du Yorkshire, attaché au ministère des Approvisionnements et membre du comité interministériel, Womersley était probablement le candidat de Douglas R. Hartree, qui, dans le domaine des mathématiques, était presque aussi puissant que Darwin. En 1937, Womersley et Hartree avaient corédigé un article sur l'application de l'analyseur différentiel sur des équations différentielles partielles.

En octobre 1944, son programme de recherche officiel comprenait une « recherche de l'adaptation possible de matériel de téléphone automatique au calcul scientifique » et le « développement d'un procédé de comptage électronique adapté aux calculs rapides ». Ces mots dissimulaient en fait une intention marquée d'imiter les modèles américains. Hartree, avec son analyseur différentiel à l'université de Manchester, s'intéressait déjà aux mécanismes de calcul et s'était penché sur de nombreux projets scientifiques pendant la guerre. Dans les hautes sphères où il évoluait, il eut même vent de certains détails sur les projets secrets d'Aiken et de l'ENIAC. On en eut la confirmation en décembre 1944 dans un rapport de Womersley, qui, même s'il mettait l'accent sur la construction d'un plus gros analyseur différentiel, évoquait la rapidité de l'électronique et avançait : « On peut fabriquer une machine pour qu'elle effectue mécaniquement certains cycles d'opérations. Les instructions pourraient dépendre du résultat des opérations précédentes. Les États-Unis se sont déjà attaqués à ce problème. » En avril 1945, à l'inauguration officielle de la division, le communiqué de presse ne fit allusion qu'à « des moteurs analytiques, dont l'analyseur différentiel et d'autres machines, qui existent déjà ou restent à inventer. Il est évident que ce domaine réserve un énorme potentiel, même s'il est difficile de prédire la direction de ses avancées. » Tout indiquait qu'il fallait regarder vers l'ouest. En février 1945, Womersley fit pendant deux mois la tournée des installations informatiques des États-Unis, où, le 12 mars, il fut le premier non-Américain autorisé à voir l'ENIAC et à prendre connaissance du projet EDVAC.

Le 15 mai, Womersley, de retour au NPL, « révisait ses plans ». Les révélations américaines donnaient à réfléchir. Elles éveillaient un écho tout particulier dans l'esprit de Womersley qui, avant-guerre, avait lu l'article sur les machines de Turing et qui, plus remarquable encore pour un mathématicien ordinaire, ne s'était pas senti dérouté par le langage abscons de la logique mathématique. Voyons son propre récit :

« 1937-1938. Article sur *Nombres calculables* remarqué et lu par J. R. W.

J. R. W. a rencontré C. Norfolk, ingénieur des téléphones spécialisé dans la conception de totalisateurs, et a discuté avec lui de la possibilité de construire une "machine de Turing" utilisant un matériel de téléphone automatique.

Vague projet étudié et proposition au NPL envisagée. Mais machine jugée *a priori* trop lente pour être efficace.

Juin 1938, grâce à sa cagnotte, J. R. W. s'est procuré un télérupteur et quelques relais auprès de R. D. Woolwich pour ses expériences personnelles. Expériences qu'il a abandonnées, cédant à la pression de son travail en balistique. »

Découvrant la machine d'Aiken à Harvard, Womersley avait écrit à sa femme qu'il l'avait vue comme du « Turing matérialisé ». Et ce fut en juin 1945 que, selon ses propres dires :

« J. R. W. rencontre le professeur M. H. A. Newman. Dit à Newman qu'il voudrait rencontrer Turing. Fait la connaissance de Turing le jour même et l'invite chez lui.

J. R. W. montre à Turing le premier projet d'EDVAC et le convainc d'entrer au NPL, puis organise une entrevue et persuade le directeur et le secrétaire. »

Alan devait être nommé officier scientifique supérieur temporaire, avec un salaire de huit cents livres annuel. Lorsqu'il fut au courant, Don Bayley trouva le grade un peu mesquin. Alan lui assura que c'était le plus élevé possible et qu'on l'avait assuré d'une promotion dans les semaines qui suivraient son engagement. Néanmoins, que ce soit à six cents livres pour l'Enigma navale ou à huit cents livres pour un calculateur numérique, le gouvernement britannique faisait une véritable affaire en investissant dans Alan Turing. Alan affirma ensuite que Womersley lui avait demandé s'il connaissait « l'intégrale de cos x », ce qui était, comme le fit aussitôt remarquer Don Bayley, une question passablement grotesque à poser à un futur officier scientifique supérieur. « Oui, fit Alan, se moquant de sa propre étourderie légendaire, mais si je n'avais pas su répondre ? »

De son côté, Womersley se déclara enchanté d'avoir recruté Turing. Quant à Alan, qui se moquait éperdument des grades et des fiches de paie, il était évidemment heureux que ce soit le gouvernement britannique lui-même qui soutienne la réalisation de son projet de machine universelle. Il avait beaucoup travaillé pour eux et ils pouvaient bien lui rendre la pareille. Le NPL avait pour objectif d'abattre les barrières séparant la théorie de la pratique, et cela correspondait exactement à ce qu'Alan souhaitait. Quelles que fussent ses réticences vis-à-vis de l'administration, c'était une occasion à ne pas rater. Lorsqu'il fit ses adieux à Joan Clarke et aux autres qui remettaient la Hutte 8 en ordre avant le grand départ, Alan leur assura que les mathématiciens n'étaient pas près de connaître le chômage.

Lors des élections nationales de 1945, Alan vota pour les travaillistes. « Besoin d'un peu de changement », expliqua-t-il vaguement par la suite. Ce n'était pas très étonnant de la part d'une personne qui appartenait à une génération contrainte de ronger son frein pendant le long règne des conservateurs. Les conflits existant dans « la petite pièce du fond » éclatèrent au grand jour durant la campagne électorale. La guerre avait imposé des mesures que le gouvernement n'avait jamais voulu prendre dans les années 1930, et le parti travailliste proposait de maintenir ce que Churchill voulait démanteler. Alan Turing ne s'était jamais réellement intéressé à la politique. En tant qu'admirateur de Bernard Shaw, lecteur du *New Statesman* et scientifique sans cesse en butte à l'inertie de l'ancien régime, même en temps de guerre, il ne pouvait qu'approuver la réforme – sans que l'organisation ou la réorganisation ne l'intéressent vraiment.

Son attitude penchait davantage du côté de l'individualisme démocratique d'un John Stuart Mill que de celui des planificateurs de 1945. Il ne partageait pas la passion de Mill pour la concurrence commerciale. En fait, il n'y connaissait rien. Sa vie s'était déroulée dans un univers d'écoles, d'universités et d'administrations. Au temps où il était encore étudiant, les affaires lui semblaient toujours liées aux vacances, et les petites entreprises des Beutell ou des Morcom représentaient des exceptions dans le courant du XXe siècle... Un état d'esprit qui s'était éteint avec Gladstone. De plus, pendant la guerre, les fabricants de biens d'équipement travaillaient le plus souvent sur la base de contrats gouvernementaux qui ne laissaient guère de place aux considérations habituelles de profits.

L'argent, le commerce et la concurrence n'avaient pas joué un très grand rôle dans les travaux fondamentaux auxquels Alan avait participé. Il avait pu rester par bien des côtés un étudiant idéaliste. Son libéralisme primaire, sa façon de « défendre les opprimés », comme on le disait à Hanslope, son obsession pour l'essentiel absolu... C'était la preuve d'un utopisme à la Mill. Il faisait aussi parfois penser à Tolstoï et Claude Shannon l'avait même comparé à Nietzsche – notamment pour son œuvre *Par-delà bien et mal*. Mais c'est en réalité d'Edward Carpenter qu'Alan se sentait le plus proche. Cet étrange Carpenter avait critiqué Tolstoï pour son conservatisme sexuel et Nietzsche pour son arrogance et son autoritarisme. Il trouvait aussi dans Carpenter l'image d'un socialiste anglais intéressé par les sciences, la sexualité et la simplicité – et parvenant à faire cohabiter ces domaines dans la plus grande harmonie. Né en 1844, il avait écrit ses textes durant la Première Guerre mondiale et ils correspondaient déjà au jeune garçon de St Leonards-on-Sea. Alan avait simplement continué à les suivre sans se soucier des autres :

« Avant, j'allais souvent m'asseoir à la plage de Brighton pour rêver, et je suis à présent assis sur le rivage de l'existence humaine et fais sensiblement les mêmes rêves. Je me souviens de cette époque – à moins que ce soit légèrement plus tard – où j'étais parvenu à la conclusion qu'il n'y avait que deux choses pour lesquelles cela valait la peine de vivre : la splendeur et la beauté de la nature, et la splendeur et la beauté de l'amour et de l'amitié. Aujourd'hui, je n'ai pas changé d'avis. Que pourrait-il y avoir d'autre ? Toutes ces bêtises à propos de l'argent, de la célébrité, du mérite, de l'aisance, du luxe et ainsi de suite... comme elles sont insignifiantes ! Elles ne méritent vraiment pas qu'on y perde son temps. Ces choses sont évidemment secondaires, utiles seulement pour pouvoir obtenir les deux premières, et lorsque leur manque est susceptible de devenir détestable et nuisible. Pour nous unir et nous accorder à la beauté et à la vitalité de la nature (mais, Dieu nous pardonne, nous en sommes bien loin), et pour ne faire qu'un avec ceux que nous aimons. Quel autre but pourrait-on avoir dans la vie ? Ces autres choses, ces jeux et ces épreuves, ces églises et ces chapelles, ces conseils de quartier et ces marchés monétaires, ces hauts-de-forme et ces téléphones, et même cette nécessité de gagner sa vie... si ça ne sert pas à ça, à quoi cela sert-il ? »

Malgré ses travers apparents, les anecdotes amusantes que l'on racontait à son sujet, l'agitation autour de ses manières, enfant, il n'avait jamais imaginé vivre autrement. Ce n'était qu'à trente-trois ans que la guerre contre l'Allemagne nazie avait ébranlé ses convictions.

Autre point de rencontre : Carpenter avait fait ses études de mathématiques à Cambridge et était, comme Alan, fasciné par le thème de l'esprit dans un monde déterministe. Il avait les mêmes origines bourgeoises, s'intéressait également à la croissance biologique, avait renoncé à la foi chrétienne et se déclarait ouvertement homosexuel. Son livre, *Homogenic Love*, paru en 1895, fut le premier ouvrage anglais à placer le désir homosexuel dans un contexte social et psychologique contemporain, sous forme d'attaque contre les « codes moraux rigides » – très proches en somme des « règles générales » que Keynes pourfendait, beaucoup plus discrètement cependant. Et même s'il ne repoussait pas entièrement l'idée que les homosexuels avaient un rôle spécial à jouer (idée qu'on ne retrouverait pas dans l'ouvrage d'Alan Turing), son argument reposait sur l'opinion que l'amour « homogénique » devait entrer dans le grand jeu des concessions mutuelles générales, dans l'anarchie créatrice de la vie, sans être en soi ni bien ni mal, mais en se révélant aussi sociable, égoïste et fou que n'importe quoi d'autre.

En 1945, un tel point de vue aurait pu sortir de la bouche d'Alan. S'il lui était arrivé auparavant de considérer sa sexualité comme une croix à porter, il l'acceptait désormais comme une simple réalité de la vie, une partie de lui-même comme cet amour aussi amoral et spontané pour les sciences naturelles. Mais en 1945, en adoptant une telle posture, il se retrouvait totalement isolé. Tout le modernisme apporté par la guerre n'y avait rien fait et il faut avouer que depuis 1933, date à laquelle il avait pris conscience de ses attirances, il n'avait pas connu grand-chose d'autre qu'un « sentimentalisme semi-platonique ». D'autres, bien sûr, s'accommodaient très bien de l'hypocrisie dominante, et ils étaient en cela plus sages car l'homosexualité demeurait un tabou plus dangereux encore que l'hérésie soviétique.

À ses débuts, le parti travailliste s'était montré ouvert aux idéaux de Carpenter pour un retour à la simplicité et même une moralité nouvelle. Ses interrogations naïves sur le sens de la vie et le rôle du socialisme furent importantes en cette période innocente. Enfin au pouvoir, le premier gouvernement travailliste lui avait envoyé, en 1924, une lettre de remerciements pour son quatre-vingtième anniversaire. Les années 1930 avaient mis fin à tout cela. En 1937, George Orwell avait tourné en ridicule ce qu'il restait de cette naïveté dans *Le Quai de Wigan* :

« On peut parfois avoir l'impression que les termes "socialisme" et "communisme" attirent à eux avec une force magnétique tous les buveurs de jus de fruits, les nudistes, les adeptes des sandales, les obsédés sexuels, les Quakers, les charlatans, les pacifistes et les féministes d'Angleterre. »

En 1944, c'est le romancier E. M. Forster, un libéral plutôt qu'un socialiste, qui célébra le centenaire de Carpenter, et son éloge prudent lui fit honneur. Lowes Dickinson et lui reconnaissaient avoir été influencés par les idées de Carpenter — la fin joyeuse et bucolique dans la « forêt verdoyante » de *Maurice*, était inspirée de l'existence plutôt sulfureuse de Carpenter près de Sheffield avec un jeune ouvrier — et le côté plus démocratique du King's College — son ouverture d'esprit et son acceptation d'une sexualité contestataire.

En 1945, le parti travailliste chantait toujours les hymnes *England Arise !* et *The Red Flag* écrits par Carpenter, mais son manque de soutien était le reflet du succès de nouveaux individus. Il existait désormais une conscience politique de l'importance de la science (même si ce n'était pas vraiment de la façon dont Carpenter l'aurait souhaité), mais ni du sexe ni de la simplicité. En 1937, alors que les premiers grands calculateurs commençaient la course de relais arithmétique, George Orwell se sentit aussi rebuté par le credo « mécanisation, rationalisation, modernisation » que par le courant des végétariens et autres défenseurs du retour à la nature. La première voie était pourtant celle qui allait sauver l'Angleterre.

Orwell échappa à la dichotomie en comptant sur une Angleterre de gens « ordinaires et décents ». Turing aurait sans doute aimé pouvoir en faire autant mais il avait la tête désespérément pleine de contradictions extraordinaires et indécentes. Il rêvait à la fois des développements les plus fous du trio « mécanisation, rationalisation, modernisation » et de « ce qu'il y a de plus commun dans la nature », tout en étant précisément ce qu'Orwell entendait par un « maniaque sexuel ». Alan ne pouvait repousser ces éléments de sa personnalité, et le fait d'avoir vendu la moitié de son âme au gouvernement l'empêchait de vivre pleinement. Il avait, d'une certaine façon, franchi le point de non-retour.

Il n'était pas seul à vivre ce paradoxe. La guerre avait asséné un sacré coup aux « codes moraux rigides » et les changements sociaux s'étaient accélérés. Les vieilles autorités étaient l'objet de sérieuses remises en question et les jeunes talents s'imposaient de plus en plus. On venait de comprendre que les systèmes pouvaient être remplacés quand les événements l'exigeaient. Au grand dam des conservateurs, la société britannique avait été profondément ébranlée et les hommes ordinaires, les jeunes et même les femmes, catégories jusqu'alors exclues de la direction des affaires, avaient désormais accès à la connaissance. Bletchley Park n'était qu'un exemple de cette métamorphose. Il y avait eu des garçons de dix-huit ans, des femmes mathématiciennes et des ingénieurs du Post Office qui, même s'ils étaient partis du bas de l'échelle, avaient joué un rôle déterminant.

Parallèlement, la conscience de former un véritable groupe, de partager une richesse commune très limitée, avait sensibilisé les gens à la notion de la « moindre perte d'énergie » si chère à Turing – notion plutôt spartiate mais non dépourvue de gratification. Même en un lieu comme Hanslope, pris dans les rouages techniques des services secrets, les fastes des soirées de gala, les vacances à la montagne, les festins de champignons, les jeux et les conférences internes étaient teintés de cette valeur affirmée que Carpenter avait si laborieusement tenté d'expliquer par la notion de « simplification de la vie ».

Même au sein de cette machinerie, il régnait un nouvel état d'esprit. L'appareil de l'État s'était étendu et l'économie centralisée était issue de la grande bataille pour l'intelligence et la coordination. Cette fois, on irait jusqu'au bout. Et c'était la machine, plutôt que la maîtrise des ouvriers qui inspira Ernest Bevin, ministre travailliste : « Les bénéfices à tout prix et toutes ces choses qui ont entravé le progrès au cours de ces dernières années devaient faire place au génie de nos chefs d'entreprise et de nos techniciens. » C'était vrai. Libérés de toute concurrence inutile et moins soumis aux fausses économies de la rigueur budgétaire, la GC & CS et le Post Office s'étaient révélés capables de prouesses fabuleuses. Désormais, le développement de l'ordinateur électronique était aux mains du NPL, au service de l'intérêt général. En cela, le socialisme managérial méritait des applaudissements.

Hitler disparu, les jeux internes pouvaient reprendre. Attlee remplaça Churchill à la conférence de Potsdam dès que le résultat des élections britanniques fut connu. À la même époque, Alan se rendit en Allemagne avec un groupe de cinq spécialistes anglais et six experts américains, pour établir un rapport sur les progrès des Allemands en matière de communication. Flowers était de l'expédition. Ils partirent le 15 juillet et arrivèrent à Paris par une belle journée estivale. Ils devaient y retrouver leurs homologues américains, mais sans nouvelles de leurs états-majors, ils allèrent se promener. En fin d'après-midi, les télégrammes de Londres finirent par arriver et ils furent envoyés dans un centre de transit militaire, un hôtel réquisitionné près de la Madeleine. La même aventure se reproduisit le lendemain à Francfort lorsqu'ils se présentèrent aux quartiers américains. Ils se trouvaient dans le secteur contrôlé par Patton, et on les avertit de ne pas pénétrer en Bavière sans autorisation spéciale s'ils ne voulaient pas se faire arrêter par la police militaire. Ils durent attendre une journée avant de partir et de rouler à une allure folle sur les routes défoncées pour couvrir les trois cents kilomètres qui les séparaient de leur destination. Ils furent arrêtés trente-sept fois par la police militaire pour la simple raison qu'ils ne portaient pas de casques !

À bord de la jeep, Alan découvrait le pays de Gauss et d'Hilbert dévasté. Le groupe séjourna dans un laboratoire de communications à Ebermannstadt, en Bavière, et il dut, pour l'atteindre, crapahuter à pied sur trois cents mètres de montagne abrupte. C'était un ancien hôpital dont le toit arborait une croix rouge, et nos cinq Anglais durent dormir dans les lits des malades. Des femmes venaient du village voisin pour faire leur lessive contre un peu de savon. Seul Alan et Flowers avaient un véritable intérêt pour la cryptologie ; les autres n'en connaissaient rien. L'un des scientifiques allemands capturés leur montra fièrement une machine du type Fish et leur expliqua qu'elle pouvait prendre des milliards de positions sans jamais répéter la même clé. Lorsqu'il leur avoua ensuite que les mathématiciens du Reich ne l'avaient jugée inviolable que pour une durée de deux ans, Alan et Flowers se contentèrent d'un clignement d'œil en s'exclamant « Vraiment ! »

C'est lors de ce séjour en Allemagne que le champignon atomique confirma les prophéties les plus folles de 1939. La mécanique quantique, que Hardy avait si récemment enterrée, arrivait à maturité. C'était la manifestation extérieure du travail accompli par les hommes neufs. Maurice Pryce avait été l'un des premiers à jouer un rôle dans la recherche nucléaire britannique, et la touche finale avait été apportée par von Neumann qui calcula la hauteur exacte à laquelle la bombe devait exploser pour causer la destruction maximale. Les nuages renversèrent l'ennemi, ce dernier-né des empires à l'ancienne, et devinrent une menace pour quiconque chercherait un jour à en créer d'autres. Les Américains venaient de régler le dernier problème de la guerre.

Le grand secret ne l'était plus, ou plutôt on savait désormais qu'il y *avait* un secret. Des soldats américains montèrent aux laboratoires d'Ebermannstadt pour annoncer la nouvelle qui ne surprit pas Alan outre mesure. Il était déjà au courant d'une telle possibilité et il avait le chic pour saisir les informations au vol. À son retour des États-Unis, il s'était renseigné auprès de Shaun Wylie et de Jack Good au sujet d'une réaction en chaîne, exprimée en termes de barils de poudre. D'autres fois, lors de déjeuners à Hanslope, il avait parlé de « U-bombes » éventuelles. Bref, il put faire aux autres un petit exposé sur le principe physique de base tandis qu'ils travaillaient à Ebermannstadt.

Il resta en Allemagne jusqu'à la mi-août puis rentra afin de rédiger son rapport. Six ans après avoir éclaté, la guerre était officiellement terminée. Alan avait finalement participé à la chute des États esclavagistes et à la victoire des Yankees. Il se sentait prêt à contribuer au maintien de la paix.

Pour les Britanniques, l'heure était au rétablissement de la situation interne. Ils avaient échappé à la défaite et en étaient redevables auprès des Américains. Mais d'autres problèmes apparaissaient. Le « capital » britannique s'était considérablement réduit et l'Empire se diluait peu à peu. Dans les esprits, un nouveau modèle de croissance se développait déjà...

VI

Le retard de Mercure

« Comme je vais dans la majesté des jours de la paix,
(Car la guerre, le conflit du sang a pris fin dans
    lequel, Ô terrible Idéal,
En dépit d'obstacles insurmontables tu as glorieu-
    sement triomphé
Et aujourd'hui tu vas grand pas avançant peut-être
    vers des luttes encore plus ténébreuses,
Appelé à t'engager à terme dans des conflits des
    dangers encore plus redoutables,
Des campagnes des crises prolongées des travaux
    surpassant les autres),
J'entends autour de moi l'éclat bruyant du monde,
    des produits, de la politique,
Des réclames pour la science, les choses découvertes,
De la croissance approuvée des cités, de la diffusion
    des inventions.

Je remarque les vaisseaux (ils vont durer pas mal
    d'années)
Les immenses usines avec leurs contremaîtres leurs
    ouvriers
J'entends que l'on approuve tout, je n'ai pas d'objec-
    tion.

Mais je n'annonce pas moins de choses substantielles
de mon côté.
Science, vaisseaux, politique, cités, usines ne sont
pas rien,
On dirait d'une grande procession accompagnée par
la musique des clairons lointains pleuvant leurs
notes, cortèges de triomphe suivis en prévision
d'encore plus grandes houles,
Ils sont la réalité c'est très bien ainsi.

Mes réalités à moi maintenant ;
Qu'est-ce qui les égalerait en réalité d'ailleurs ?
Libertad, la divine moyenne, l'affranchissement pour
les esclaves à la surface de la terre,
L'extase promise, la lumière luminée des voyants, le
monde spirituel, les poèmes construits pour les
siècles,
Et nos visions à nous poètes, peut-on concevoir plus
fortement réel à annoncer ?[1] »

Alan Turing n'attendit pas de prendre ses fonctions au NPL pour réfléchir à la réalisation concrète de sa machine universelle. Il discuta notamment avec Don Bayley du problème qui dominait toute l'ingénierie du système, à savoir le mécanisme d'enregistrement, ou ruban. Ils passèrent en revue toutes les formes d'enregistrement discret qu'ils purent imaginer. Ils envisagèrent, par exemple, l'enregistrement magnétique ; ils avaient pu voir un « magnétophone » confisqué à l'armée allemande, premier modèle d'enregistreur à bande vraiment efficace. Pourtant ils renoncèrent, essentiellement parce qu'une bande magnétique se rapprochait trop du ruban de la machine universelle de Turing théorique – elle exigerait trop d'allées et venues. (Curieusement, ils ne pensèrent pas à ce qui deviendrait plus tard les mémoires à tores magnétiques, alors que le principe leur était déjà familier.)

---

1. « Comme je vais dans la majesté des jours » de *Feuilles d'herbe*, traduction de Jacques Darras, éditions Grasset et Fasquelle, 1989, 1994, révisée par Jacques Darras pour les éditions Gallimard, collection Poésie, 2002.

Ils optèrent pour une autre solution qu'Alan connaissait maintenant très bien : la ligne à retard acoustique.

L'idée s'appuyait sur le fait que le temps nécessaire à une onde sonore, pour traverser quelques dizaines de centimètres de conduit, était de l'ordre du millième de seconde. On pouvait considérer que le conduit enregistrait l'onde sonore pendant cette fraction de seconde. Le principe s'appliquait déjà pour le radar qui se servait de l'information emmagasinée dans la ligne à retard pour annuler tous les échos qui n'avaient pas changé depuis le dernier balayage. De cette façon, on permettait que l'écran radar ne retienne et ne montre que les éléments nouveaux ou modifiés. C'est Eckert, de l'équipe d'ENIAC, qui avait le premier suggéré l'utilisation d'une ligne à retard pour enregistrer les impulsions d'un calculateur électronique. Le conduit, ou ligne à retard, devait emmagasiner des impulsions séparées par un millionième de seconde et les restituer sans altération. Il était également nécessaire que les impulsions soient enregistrées non pour un millième de seconde seulement, mais indéfiniment, ce qui signifiait qu'il fallait les faire circuler en continu dans la ligne à retard. Si cela était mal réalisé, les impulsions ne tarderaient pas à devenir trop imprécises pour être reconnaissables. Il restait à concevoir un système électronique permettant de détecter qu'une impulsion (légèrement déformée) arrivait au bout de la ligne afin de pouvoir recommencer avec une impulsion nette au début – l'équivalent électronique des relais utilisés comme répéteurs télégraphiques. Une telle caractéristique devait se combiner avec la possibilité d'accepter des impulsions provenant d'autres parties du calculateur et de les renvoyer convenablement. On savait qu'il était préférable d'utiliser un milieu autre que l'air pour les ondes sonores et l'on se servait déjà du mercure dans des applications radars. Associé à la magie de la vitesse et de la communication, cet élément allait se trouver au centre des recherches pendant plusieurs années.

C'était une solution peu onéreuse – elle avait d'ailleurs été provisoirement retenue sur le premier projet EDVAC. En septembre 1945, Alan et Don essayèrent le principe à Hanslope. Don bricola un tube en carton de vingt centimètres de diamètre sur les trois mètres de long que faisait l'atelier, tandis qu'Alan mettait au point un amplificateur super-régénérant (sorte d'amplificateur particulièrement sensible assez en vogue à l'époque). Ils branchèrent l'amplificateur sur un microphone à un bout du tube et un haut-parleur à l'autre extrémité. Il s'agissait simplement d'appréhender le problème en recyclant une onde sonore dans l'air sur le principe de la ligne à retard, et cela en frappant dans les mains à un bout du tube, espérant ainsi obtenir une centaine d'échos en retour. Ils ne purent le faire fonctionner avant le départ d'Alan au NPL, le 1er octobre 1945. Cela montrait bien qu'Alan fourmillait d'idées, tant sur le plan logique que physique. Il s'était bien éloigné du rigoureux mathématicien qu'il était en 1938.

En créant la nouvelle Division mathématique, Womersley avait pu recruter les plus grands spécialistes du calcul numérique – comme on l'avait rêvé pendant la guerre. Sa division prit la tête du très estimé *Admiralty Computing Service* (Service informatique du ministère de la Marine), et en fit le noyau du groupe le plus puissant du monde occidental – concurrent direct du Bureau national des normes américain[1]. Ce n'est pas qu'ils étaient très doués pour faire de longues opérations, même s'ils en effectuaient vraiment sur des calculateurs mécaniques. Leurs problèmes étaient assez semblables à ceux qu'Alan avait dû affronter en calculant la fonction Dzéta de Riemann en 1938. Quand on avait pleinement exploité les ressources fournies par les mathématiques, il restait toujours une formule, un système d'équations pour aller plus loin. Procéder à ce genre de substitution sur des calculateurs mécaniques n'était pas très enrichissant. Mais la question de l'organisation du travail était relativement abstraite et faisait partie de la branche des mathématiques appelée « analyse numérique[2] ». L'un des principaux problèmes était que, même si les équations et les formules faisaient référence à des « nombres réels » d'une infinie précision, en pratique, le calcul mécanique ne fonctionnait qu'avec des quantités définies à un certain nombre de décimales, introduisant donc à chaque étape une marge. La réduction de l'effet de telles erreurs constituait un aspect crucial de l'analyse numérique. L'existence de tels problèmes était en partie ce qui faisait dire à Alan que les calculateurs numériques ne mettraient pas les mathématiciens au chômage de sitôt.

---

1. Aujourd'hui, National Institute of Standards and Technology (Institut national des normes et de la technologie), également connu sous le sigle NIST.

2. Toutefois, en tant que branche des mathématiques, elle n'était pas très considérée par les universitaires, sans doute encore moins que la théorie des statistiques.

La section chargée de ce travail était dirigée par E. T. « Charles » Goodwin, un ancien « B-star » de 1934 qui connaissait Alan depuis longtemps. Deux autres sections, celle des « statistiques » et celle des « cartes perforées », intéressaient également Turing, et la présence d'une machine à perforer les cartes allait déterminer le choix du mécanisme d'entrée de sa propre machine. Une quatrième section regroupait le personnel qui travaillait sur l'analyseur différentiel de Hartree, et restait pour le moment à Manchester. La cinquième section était constituée uniquement d'Alan Turing. À la fin de l'année, la division comptait vingt-sept collaborateurs, soit l'équivalent d'un grand département d'université.

Deux maisons victoriennes, Teddington Hall et Cromer House, situées dans le périmètre du territoire du NPL, avaient été acquises au mois de mars. La nouvelle Division s'installa tout entière à Cromer House, où Alan se vit attribuer une petite pièce dans l'aile nord. Charles Goodwin, qui dirigeait la section d'analyse numérique, et son collègue Leslie Fox se trouvaient juste de l'autre côté. Ils travaillaient à déterminer les fréquences de résonances d'un modèle d'avion. Ils ne cesseraient, durant ces mois d'automne, d'entendre le crépitement irrégulier de la machine à écrire d'Alan.

Alan séjournait dans une auberge située tout près de là, à Hampton Hill, et il n'avait toujours qu'une seule valise, comme en tant de guerre. Le seul changement notable résidait en sa direction qui n'était plus militaire mais scientifique. En réalité, ce n'était pas essentiel à ses yeux. Womersley, qu'Alan appelait lugubrement « mon chef », incarnait tout ce qu'Alan méprisait le plus. Quoique dynamique et imaginatif, il manquait de la maîtrise scientifique qu'Alan considérait comme indispensable à un homme de sa position. Puis le bruit courut que le voyage long et coûteux de Womersley aux États-Unis au début de 1945 s'était révélé un fiasco — justement parce qu'il n'avait pas été assez malin pour prendre des notes suffisamment détaillées. Flowers et Chandler s'étaient mêmes vus contraints de se rendre eux-mêmes sur place, en septembre et octobre, pour voir l'ENIAC, alors qu'ils travaillaient sur des calculateurs spécifiques à usage militaire et auraient dû simplement avoir à utiliser les notes de leur chef. Les talents réels de Womersley en matière d'organisation, sa facilité à se mettre en avant, son profond enthousiasme, son contact agréable avec les visiteurs importants, son sens de la diplomatie ne constituaient pas des talents qu'Alan estimait beaucoup. Il ne comprenait toujours pas qu'on puisse avoir besoin d'autre chose qu'un bon argument rationnel pour convaincre. Il se montra même bientôt ouvertement grossier à son adresse, l'accueillant par des « Qu'est-ce que vous voulez encore ? » ou en lui tournant le dos s'il osait s'immiscer dans une discussion. De son côté, Womersley, dès qu'il passait avec des visiteurs devant le bureau du mathématicien, se mettait à chuchoter : « Oh, là, c'est Turing, et il ne faut surtout pas le déranger ! » comme s'il s'était agi d'un spécimen zoologique rare.

Un esprit scientifique plus fort, ayant une vision personnelle de la meilleure façon d'envisager la construction d'un ordinateur, aurait pu entraver le projet d'Alan. Or il ne rencontra chez Womersley aucune résistance d'ordre technique. Au contraire, ce dernier approuvait toutes les suggestions. C'est du reste lui qui trouva un sigle pour le calculateur électronique : Automatic Computing Engine – en hommage à l'Analytical Engine, la machine analytique de Babbage. Ce serait donc l'ACE. Alan se plaisait à dire que c'était la seule contribution de Womersley au projet. En réalité, le savoir-faire politique de celui-ci l'avait indubitablement aidé. Ce n'est pas pour rien s'il avait sur son bureau un exemplaire de *Comment se faire des amis et avoir de l'influence sur les autres*. De toute façon, Alan ne voulait rien savoir. Il refusait d'entrer dans le moindre jeu politique.

Dès son installation, Alan entreprit de rédiger un rapport donnant un avant-projet détaillé de machine électronique universelle et un descriptif de son fonctionnement. Curieusement, le rapport ne faisait aucune allusion à *Nombres calculables* mais au premier projet EDVAC, avec lequel il devait être lu conjointement. Cependant, le modèle ACE n'en était pas moins autonome ; il s'enracinait bien dans la machine universelle de Turing et non dans le projet EDVAC. Quelques notes fragmentaires datant de cette époque en attestent :

« Dans *Nombres calculables*, on supposait que toutes les informations enregistrées étaient disposées de façon linéaire, de sorte que le temps d'accès était directement proportionnel à la quantité d'informations stockées, soit essentiellement le temps élémentaire multiplié par le nombre de chiffres enregistrés. C'est ce qui expliquait pourquoi la disposition indiquée dans *Nombres calculables* ne pouvait pas être reprise telle quelle dans une machine concrète. »

Comme l'indiquait implicitement l'un des paragraphes d'introduction du rapport qu'il rédigeait, l'important, pour Alan, c'était l'« écriture » :

« Il peut sembler surprenant que cela puisse se faire. Comment attendre d'une machine qu'elle accomplisse une variété aussi immense de choses ? La réponse est que nous devons considérer que la machine ne fait en réalité que quelque chose de très simple, à savoir exécuter des ordres qui lui sont donnés sous une forme standard qu'elle est capable de comprendre. »

Puis il développa considérablement cette idée lors d'une conférence donnée un an plus tard, en février 1947[1], où il expliquait l'origine de l'ACE tel qu'il le percevait :

« Il y a quelques années, j'étudiais ce qu'on pourrait appeler aujourd'hui une investigation sur les possibilités et les limitations théoriques des machines à calcul numérique. En particulier, un type de machine doté d'un mécanisme central et d'une mémoire infinie sous forme de ruban infini. Ce type de machine semblait suffisamment général. J'en ai conclu que l'idée de "méthode empirique" et celle de "procédé machine" étaient synonymes. L'expression "procédé machine" signifie, bien sûr, un procédé pouvant être exécuté par le type de machine que j'étudiais... Des machines comme l'ACE peuvent être considérées comme des versions pratiques de ce même type de machine. Il y a pour le moins une analogie très étroite.

Les machines à calcul numérique ont toutes un mécanisme central, ou "contrôle", et une forme de mémoire très étendue. Il n'est pas indispensable que la mémoire soit infinie, il faut qu'elle soit très importante. En général, la disposition de la mémoire sur un ruban infini n'est pas satisfaisante sur une machine concrète à cause du temps qu'il faudrait passer à localiser l'information recherchée sur le ruban. Si l'on pense qu'un problème peut facilement nécessiter une mémoire de trois millions d'entrées, et que

---

1. Conférence donnée le 20 février 1947 auprès de la LMS.

chaque entrée a autant de chances que les autres d'être requise, le trajet moyen le long de la bande devrait passer par un million d'entrées, ce qui serait intolérable. Nous avons besoin d'une forme de mémoire où toute entrée requise puisse être accessible très rapidement. Une telle difficulté a sans doute préoccupé les Égyptiens lorsqu'ils écrivaient sur des rouleaux de papyrus. Ce devait être très long de chercher une référence sur ces rouleaux, et la disposition actuelle de l'écrit, dans des livres pouvant s'ouvrir à n'importe quelle page, est nettement préférable. Nous pourrions dire que le stockage sur ruban ou sur rouleaux de papyrus est en quelque sorte « inaccessible ». La localisation d'une entrée prendrait alors un temps considérable. Une mémoire sous forme de livre paraît bien mieux adaptée et convient sûrement beaucoup mieux à l'œil humain. Nous pourrions envisager une machine à calculs fonctionnant avec une mémoire fondée sur des livres. Ce ne serait pas très pratique, mais ce serait nettement préférable à une longue bande unique. Supposons, juste pour la démonstration, que nous ayons surmonté toutes les difficultés posées par l'utilisation de livres comme supports de mémoire, c'est-à-dire qu'on ait pu mettre au point des moyens mécaniques permettant de sélectionner le bon livre et de l'ouvrir à la page voulue, etc., comme le feraient la main et l'œil humains. L'information contenue dans les livres demeurerait inaccessible à cause du temps que prendraient les mouvements mécaniques pour l'identifier. On ne peut tourner une page trop vite sans risquer de l'arracher, et l'on ne pourrait pas non plus manipuler un grand nombre de livres, très rapidement, sans une très grande dépense d'énergie. Ainsi, si nous devions déplacer un livre toutes les millisecondes, que nous devions lui faire parcourir dix mètres alors qu'il pèse deux cents grammes, compte tenu de l'énergie cinétique gaspillée à chaque fois, nous ne consommerions pas moins de 10^{10} watts, soit la moitié de la consommation d'électricité nationale. Si nous voulons obtenir une machine réellement rapide, alors nous devons stocker notre information, ou du moins une partie de l'information, sous une forme plus accessible que celle obtenue avec les livres. »

Après cet envol un peu fantaisiste, caractéristique du personnage, il passa en revue plusieurs propositions d'enregistrement nettement plus sérieuses et déclara que « la réserve d'une bonne mémoire représente la clé du problème du calculateur numérique ».

« Selon moi, la difficulté d'obtenir une grande mémoire disponible rapidement importe beaucoup plus que le problème d'avoir à effectuer des opérations telles que la multiplication à très grande vitesse. La rapidité est nécessaire si l'on veut que la machine soit valable commercialement, mais une grande mémoire est nécessaire si l'on veut qu'elle soit capable d'autre chose que d'opérations élémentaires. La capacité de stockage est donc l'exigence fondamentale entre toutes. »

Puis il poursuivit en donnant une définition succincte de ce qu'il entendait par « construire un cerveau » :

« Revenons maintenant à l'exemple des machines à calculs théoriques à ruban infini. On peut démontrer qu'une seule machine particulière de ce type serait capable d'effectuer les travaux de toutes les autres. Elle devrait pouvoir remplacer n'importe quelle autre et appelons-la machine universelle. Elle fonctionnerait de la manière suivante : une fois que nous avons décidé quelle machine elle devra imiter, nous perforons la description de celle-ci sur le ruban de la machine universelle. Cette description explicite ce que doit faire la machine dans toutes les configurations qui pourraient se présenter. Il suffit à la machine universelle de continuer à suivre cette description pour déterminer quoi faire à chaque étape. La complexité de la machine à imiter est ainsi concentrée sur le ruban et n'apparaît pas du tout dans la machine universelle proprement dite.

Si nous considérons les propriétés de la machine universelle en retenant le fait que les procédés machine et les méthodes empiriques sont synonymes, nous sommes à même de dire que cette machine, une fois munie des instructions appropriées, peut suivre n'importe quelle méthode empirique. Cette caractéristique trouve un équivalent dans les appareils à calculs numériques comme l'ACE. Ce sont en fait des versions pratiques de la machine universelle. Elles comprennent un noyau central de matériel électronique, et une grande mémoire. Dès qu'un problème particulier se présente, les instructions appropriées au procédé de calcul nécessaire qui sont stockées dans la mémoire de l'ACE sont alors "installées" pour mener à bien le processus. »

Ses priorités étaient une mémoire importante et un système matériel aussi simple que possible. Cette dernière exigence était un vestige de sa mentalité « de l'île déserte », qui consistait à vouloir faire le moins de gâchis possible. Il jugeait ces deux critères aussi indispensables l'un que l'autre. Tout ce qui allait dans le sens du raffinement ou de la commodité pour l'utilisateur devait être assumé par la pensée et non par le mécanisme, c'est-à-dire par des instructions et non par le matériel.

Selon sa philosophie, il eût été presque extravagant d'incorporer des possibilités d'addition et de multiplication au matériel puisqu'elles pouvaient en principe être remplacées par des instructions n'appliquant que les opérations logiques les plus primitives de *ou* et *non*. En réalité, il dut inclure un matériel spécial dans son plan d'ACE pour effectuer les calculs arithmétiques, mais là encore, il décomposa les opérations en de petits éléments lui permettant d'économiser sur le matériel au prix d'un nombre accru d'instructions enregistrées. L'ensemble était des plus déroutants pour les contemporains d'Alan. Pour eux, un calculateur était une machine à effectuer des opérations, le multiplicateur devant constituer l'essence même de ses fonctions. Pour Turing, le multiplicateur n'était qu'un détail technique sans grand intérêt. Le cœur du problème résidait en fait dans le contrôle logique qui sélectionnait les instructions dans la mémoire et les mettait en application.

Pour des raisons similaires, son rapport n'insistait guère sur le fait que l'ACE utiliserait l'arithmétique binaire. Il exposait les avantages de la représentation binaire, en particulier le fait que les commutateurs électroniques pouvaient tout naturellement représenter *0* et *1* par les positions *on* et *off*. Il ajoutait ensuite que les entrées et sorties de la machine seraient en notation décimale normale et que le processus de conversion n'aurait « virtuellement aucune forme extérieure visible ». Dans sa conférence de 1947, il développerait un peu ces points. L'universalité de la machine permettait d'encoder des nombres de toutes les manières qu'on voulait à l'intérieur de la machine – sous forme binaire par exemple, si cela convenait à la technologie employée. Il serait ridicule d'employer des nombres binaires pour une caisse enregistreuse car les conversions des entrées et sorties créeraient plus de problèmes qu'elles n'en solutionneraient. Avec l'ACE universelle, ce problème de conversion ne se posait pas :

« Cela peut paraître assez paradoxal mais c'est simplement la conséquence de la capacité de ces machines à appliquer n'importe quelle méthode empirique en se souvenant des instructions appropriées. On peut donc leur faire effectuer des conversions de décimaux en binaire et inversement. Ainsi, dans le cas de l'ACE, le convertisseur n'implique que l'adjonction de deux lignes à retard supplémentaires à la mémoire. Cela est tout à fait typique du fonctionnement de l'ACE. Il faut faire attention à un ensemble de petits détails agaçants qui, en fait, requerraient des circuits spéciaux si l'on suivait toutes les règles de construction habituelles. Nous, nous pouvons régler ces problèmes sans modifier la machine elle-même, en effectuant un simple travail de bureau qui aboutit à l'entrée des instructions dans la machine. »

Aussi logique que cela pouvait paraître pour des mathématiciens familiarisés depuis longtemps avec les nombres binaires, ces « petits détails agaçants » ressemblaient à un vrai casse-tête pour les autres. Pour un ingénieur, en particulier, le fait que le concept de nombre puisse être séparé de sa représentation sous forme décimale apparaissait comme une révélation. Beaucoup considéraient l'arithmétique binaire de l'ACE comme une innovation étrange et merveilleuse en soi. Même si en l'occurrence le terme « détails » était bien choisi, cela illustrait à merveille la difficulté d'Alan à communiquer avec les gens susceptibles de financer, d'organiser et de construire sa machine.

Mais une fois ces détails traités, il lui restait encore à développer ce qui comptait vraiment : la mémoire et le contrôle.

Concernant le problème du stockage, il fit une liste de toutes les formes d'enregistrement discret que lui et Don Bayley avaient envisagées, y compris le film, les tableaux de connexions, les roues dentées, les relais, la bande papier, les cartes perforées, la bande magnétique et le « cortex cérébral », estimant en livres sterling pour chacune, parfois assez légèrement, le temps d'accès et le nombre de chiffres pouvant être stockés. À l'extrême, il prévoyait de tout stocker sur des tubes électroniques, ce qui donnait un temps d'accès inférieur à la microseconde ; ce procédé aurait eu un coût prohibitif. Comme il le dit lui-même dans son allocution de 1947, « enregistrer le contenu d'un roman ordinaire de cette façon coûterait plusieurs millions de livres sterling ». Il était nécessaire de trouver un compromis entre le temps d'accès et le prix de revient. Il se déclarait d'accord avec von Neumann qui, dans le projet EDVAC, avait fait allusion à la possibilité de développer dans l'avenir un Iconoscope, ou écran de télévision « spécial[1] », pour stocker des chiffres sous forme d'un schéma de points. Il décrivit ce procédé comme « de loin la solution la plus tentante, où l'économie se combine avec la rapidité ». Dans un autre paragraphe du rapport de l'ACE, il suggérait une solution plus accessible :

« Il semble probable qu'on puisse développer une forme de mémoire adaptée sans recourir à de nouveaux types de tubes, simplement en utilisant un tube cathodique ordinaire avec un écran recouvert d'une feuille d'étain pour servir de plaque de signaux. Il sera nécessaire de temps à autre de régler le motif de charge car il aura tendance à se dissiper [...]. Il faudra empêcher le faisceau de lire pendant le cycle de réglage, le diriger vers le point où se trouve l'information, lui faire lire les données présentes à cet endroit, réinscrire l'information retirée par la lecture, et refaire un réglage depuis le point quitté. Il faudra également s'assurer que le réglage se fasse de manière régulière, même si d'autres tâches sont jugées plus urgentes. Rien de tout cela ne présente la moindre difficulté mais cela demandera sans aucun doute beaucoup de temps. »

Comme il ne disposait pas de mémoire à tube cathodique, il dut opter pour les lignes à retard à mercure... sans grand enthousiasme et surtout poussé par le fait qu'elles fonctionnaient déjà. Elles avaient, cependant, un inconvénient évident : un certain délai dans le temps d'accès. Il prévoyait des lignes à retard comprenant 1 024 impulsions, ce qui revenait à tronçonner le ruban de la machine universelle de Turing en segments de 1 024 cases chacun sur la longueur. Cela donnait environ 512 unités de temps pour atteindre une entrée donnée. Ce procédé constituait cependant un progrès par rapport au « rouleau de papyrus ».

---

1. Les travaux effectués à RCA sur l'Iconoscope étaient étroitement liés au développement commercial de la télévision, et il s'agissait là d'une technique beaucoup plus ambitieuse que l'utilisation d'un tube cathodique ordinaire, dont on se servait pour les écrans radar.

L'autre aspect particulièrement important de la machine était le « contrôle logique ». Cela correspondait à la « tête de lecture » de la machine universelle de Turing. Le principe était simple : « Il suffit à la machine universelle de continuer à suivre cette description [c'est-à-dire les instructions écrites sur le ruban] pour déterminer ce qu'il convient de faire à chaque étape. » Le contrôle logique consistait donc en un élément de matériel électronique comprenant deux éléments d'information : l'endroit où il se trouvait sur le ruban et l'instruction qu'il venait de déchiffrer. L'instruction prenait trente-deux cases ou impulsions sur la mémoire de la ligne à retard et pouvait être de deux sortes dans le projet d'Alan. Elle pouvait simplement faire avancer la tête de lecture jusqu'à une autre case pour y déchiffrer une nouvelle consigne. Sinon, elle pouvait commander une addition, une multiplication, un décalage ou la copie de nombres stockés ailleurs sur le ruban. Dans ce cas, la tête de lecture devait se rendre sur la case suivante du ruban pour y recevoir d'autres instructions. Lire, écrire, effacer, changer d'état et se déplacer vers la gauche et vers la droite. On n'attendait donc rien de plus de ce système que ce que prévoyait déjà la machine universelle théorique de Turing fonctionnant grâce aux index de son ruban – excepté que l'ACE comportait des dispositifs spéciaux pour que les additions et multiplications ne prennent que quelques étapes au lieu de milliers d'opérations élémentaires.

Bien sûr, il ne devait pas y avoir de mouvement physique lorsque la tête de lecture se mettait en quête d'une consigne ou agissait sur des nombres stockés sur le ruban, aucun mouvement excepté celui des électrons. Le contrôle de l'ACE fonctionnait un peu comme on compose un numéro de téléphone. La complexité des circuits électroniques venait surtout des demandes de ce système arborescent. De plus, trente-deux « maisons » intermédiaires ou « centres de stockage temporaire », consistant en lignes à retard courtes spéciales, étaient prévues pour les manœuvres des impulsions. Cela était très éloigné de la conception de l'EDVAC, qui prévoyait que toute l'arithmétique serait effectuée par des nombres mobiles à l'intérieur et à l'extérieur d'un « accumulateur » central. Dans le projet ACE, les opérations arithmétiques étaient « distribuées », de manière ingénieuse, entre les trente-deux lignes à retard de stockage temporaire.

La raison d'une telle complexité était qu'elle accroissait la vitesse des opérations ; dans ce cas, la recherche de vitesse l'emportait légèrement sur celle de la simplicité. Cela expliquait aussi pourquoi Alan prévoyait un rythme d'un million d'impulsions à la seconde, ce qui correspondait au rendement maximal du mécanisme électronique. Son insistance à mettre la rapidité en priorité était assez explicable vu son expérience de Bletchley, où chaque heure gagnée était cruciale. Cela avait aussi à voir avec l'universalité de sa machine. En 1942, ils avaient tenté d'obtenir des Bombes plus rapides pour pouvoir gérer le quatrième rotor. Ils avaient été sauvés par la bévue des Allemands avec leur système de transmission météo, or sans ce coup du sort, ils auraient dû attendre plus d'un an avant de pouvoir résoudre ce problème. L'une des vertus d'une machine universelle résidait dans sa capacité à passer immédiatement d'un problème à un autre – cela signifiait surtout qu'elle devait être aussi rapide que possible dès le début. Il fallait absolument que l'ingénierie soit réglée une fois pour toutes et qu'il ne reste qu'à concevoir de nouvelles tables d'instructions.

Même si l'ACE s'appuyait principalement sur l'idée de la machine universelle de Turing, elle s'en écartait par un point spécifique qui semblait, à première vue, incroyable : l'ACE ne présentait pas de possibilité de branchement conditionnel. Alan semblait avoir laissé de côté l'idée fondamentale avancée par Babbage cent ans plus tôt. La tête de lecture, ou contrôle logique, de l'ACE ne pouvait en effet porter qu'une seule « adresse » ou position à la fois sur le ruban. Il n'y avait aucun moyen de lui en faire retenir plusieurs avant de choisir sa destination suivante selon des critères donnés.

L'omission, cependant, n'était qu'apparente. Il s'agissait toujours d'économiser du matériel contre davantage d'instructions stockées. Alan mit au point un système permettant de faire un branchement conditionnel sans que le contrôle logique ait à détenir plus d'une seule adresse à la fois. Ce n'était pas la meilleure solution technique, toutefois elle avait le mérite d'être d'une simplicité enfantine. C'était un procédé qui l'avait conduit à mêler des données (le nombre D) avec des instructions, ce qui avait en soi une grande signification car Alan s'était permis de « modifier le programme enregistré ». Et ce n'était là qu'un commencement.

Von Neumann s'était lui aussi rendu compte qu'on pouvait agir sur les instructions stockées, mais il ne l'avait testé que d'une façon très particulière. Quand une consigne enregistrée indiquait de « prendre le nombre à l'adresse 786 », il avait remarqué qu'il serait plus commode de pouvoir ajouter 1 au 786, ce qui équivalait à « prendre le nombre à l'adresse 787 ». Il n'en fallait pas plus pour travailler sur de longues listes de nombres stockés dans les cases 786, 787, 788, 789... comme cela se produisait si souvent dans les grands calculs. Il avait programmé l'idée de passer à l'adresse suivante sans avoir à le formuler de manière explicite. Von Neumann n'alla pas plus loin. Il proposa même de prendre des mesures pour qu'on ne puisse pas modifier les instructions plus avant.

Alan voyait les choses tout à fait différemment. Dans son rapport, il écrivit à ce sujet : « Cela donne à la machine la possibilité d'élaborer ses propres ordres. Cela peut être très intéressant. » En 1945, Turing et l'équipe de l'ENIAC avaient pensé à stocker les instructions à l'intérieur de la machine, ce qui n'indiquait rien sur l'étape suivante, à savoir exploiter la possibilité de modifier les instructions elles-mêmes pendant la marche de la machine. C'est ce qu'il entreprit d'expliquer.

Cette idée était apparue un peu par hasard. Les Américains ne s'y étaient essayés que parce que c'était le seul moyen de fournir des instructions rapides. Pour Alan, c'était la continuation du ruban unique de sa vieille machine universelle de Turing. Aucune de ces raisons ne laissait entrevoir le fait que l'on pourrait modifier les instructions au cours de leur exécution. Pour les Américains, cela ne devint une caractéristique officielle qu'en 1947. De même, à l'origine, la machine universelle de Turing n'était pas conçue pour modifier le « numéro de description » sur lequel elle travaillait. Elle était destinée à lire, décoder et exécuter la table d'instructions enregistrée sur son ruban. Elle n'avait pas vocation à modifier ces instructions. La machine universelle de Turing de 1936 ressemblait à la machine de Babbage en ce sens qu'elle fonctionnait avec un nombre limité de consignes. (La différence était que la liste des instructions était désormais enregistrée sur le même média que les données, les entrées et les sorties.) Ainsi, Turing démontrait avec cette universalité qu'une machine ressemblant à celle de Babbage était suffisante. En principe, il était possible de modifier des informations en cours de traitement sur une machine qui n'en proposait pas la possibilité. Cette capacité de modification de programmes permettait d'« économiser » les instructions, sans élargir pour autant l'éventail théorique des opérations. Une telle économie pouvait cependant se révéler « très intéressante ».

Cette certitude d'Alan provenait de l'universalité même de sa machine, qui devait pouvoir être utilisée pour toute « méthode définie », même autre qu'arithmétique. Ainsi, les impulsions 1101 stockées dans une ligne à retard pouvaient très bien ne pas correspondre au chiffre 13, mais indiquer une erreur possible de 13 unités ou un 13 dans la numération à virgule flottante[1] de nombres, ou n'importe quoi d'autre selon le choix de l'utilisateur. Comme il s'en aperçut dès le début, l'addition et la multiplication impliquaient bien plus que simplement faire passer des impulsions dans l'additionneur et le multiplicateur intégrés de la machine. Il fallait que les impulsions soient organisées, interprétées, découpées, puis rassemblées suivant l'utilisation qu'on devait en faire. Alan insista particulièrement sur le choix de l'arithmétique à virgule flottante et montra comment la simple addition de deux nombres à virgule flottante exigeait toute une table d'instructions. Il conçut lui-même quelques tables de ce type. MULTIP, par exemple, avait pour effet de multiplier deux nombres ayant été encodés puis stockés sous forme de nombres à virgule flottante, puis d'encoder et de stocker le résultat. Ses tables utilisaient la caractéristique « très intéressante » de la machine dans la mesure où celle-ci pouvait réunir pour elle-même des fragments de consignes avant de les exécuter.

Mais si la simple multiplication de deux nombres à virgule flottante exigeait tout un ensemble d'instructions, toute procédure d'ampleur utile impliquerait d'en associer de nombreux ensembles. Alan n'envisageait pas cela comme une simple réunion de tables, plutôt comme une « hiérarchie » où des tables subsidiaires, telle MULTIP, servaient une table « maîtresse ». Il donna un exemple spécifique de table maîtresse intitulée CALPOL qui devait calculer la valeur d'un polynôme du quinzième ordre en

---

1. En arithmétique à virgule flottante, la suite 2658 13 servait à représenter le nombre $2{,}658 \times 10^{13}$, soit 265800000000000 ; l'ordinateur en utiliserait un équivalent binaire.

arithmétique à virgule flottante. Chaque fois qu'on avait besoin d'une addition ou d'une multiplication, il fallait utiliser une table subsidiaire. Toute cette procédure d'appel et de renvoi des tables subsidiaires réclamait en soi des consignes :

« Lorsque nous désirons commencer une opération subsidiaire, il suffit de noter le moment où nous avons laissé l'opération principale, puis d'appliquer la première directive de l'opération subsidiaire. Une fois celle-ci terminée, nous reprenons la note et poursuivons l'opération principale. Chaque opération subsidiaire peut se terminer par des instructions permettant de récupérer la note. Comment faire disparaître puis réapparaître la note ? Les solutions ne manquent pas. Nous pouvons, par exemple, conserver une liste de ces notes sur une ou plusieurs lignes à retard de taille standard... la plus récente venant en dernier. La position de la plus récente de ces notes sera indiquée sur une ligne à retard courte, et cette indication sera modifiée chaque fois qu'une opération subsidiaire commencera ou finira. Les procédés d'enfouissement et d'exhumation sont assez élaborés et il n'est heureusement pas nécessaire de répéter les opérations à chaque fois puisqu'une table d'instructions ENFOUIR et une autre EXHUMER se chargeront de tout. »

Peut-être l'image de l'enfouissement et de l'exhumation lui était-elle venue de son aventure avec les lingots d'argent. En tout cas, il s'agissait d'une idée entièrement inédite. Von Neumann envisageait simplement de travailler avec des séries d'instructions.

Le concept de hiérarchie dans les tables de consignes apportait de nouvelles applications pour modifier les programmes. Alan imagina de « conserver les tables d'instructions sous forme abrégée, et de les développer chaque fois que nous le désirons » – la machine se chargeant de l'opération grâce à une table intitulée « Develop ». Plus il avançait dans cette idée, plus il s'apercevait que l'ACE pouvait servir aussi à préparer, rassembler et organiser ses propres programmes. Il écrivit :

« Les tables d'instructions devront être conçues par des mathématiciens ayant déjà une expérience des calculateurs et un certain instinct pour les énigmes. Il y aura sans doute beaucoup de travail à faire dans ce sens, car tous les procédés connus devront à un moment ou à un autre être traduits sous forme de tables de prescriptions. Ce travail s'effectuera pendant la construction de la

441

machine afin d'éviter un retard trop important entre la livraison de la machine et la production des résultats. Des retards, il y en aura, ne serait-ce qu'à cause des accrocs inévitables. Jusqu'à un certain point, il vaut mieux laisser passer quelques difficultés que de perdre trop de temps à essayer de concevoir un modèle absolument sans défaut. (Combien de dizaines d'années cela prendrait-il ?) L'élaboration de ces tables d'instructions devrait se révéler tout à fait fascinante. Il ne devrait pas y avoir de risque de s'ennuyer un jour puisque tous les procédés trop mécaniques pourront être repris par la machine elle-même. »

Il n'est pas surprenant qu'il s'attendît à un travail « tout à fait fascinant » sur les tables d'instructions. Sa création était totalement originale et personnelle : il avait inventé l'art de la programmation informatique, en complète rupture avec les calculateurs en vigueur à l'époque – qu'il connaissait d'ailleurs très peu. Ceux-ci étaient des machines à faire de l'arithmétique, où l'organisation logique passait pour une pénible obligation. L'ACE s'en écartait absolument. Il devait exploiter des programmes pour « tous les procédés connus ». L'accent était mis sur l'organisation logique du travail et l'arithmétique intégrée ne servait qu'à raccourcir les opérations nécessaires les plus fréquentes.

Sur les calculateurs mécaniques, les chiffres de 0 à 9 apparaissaient de manière visible sur le clavier et le ruban, ce qui donnait à l'opérateur l'impression qu'ils étaient enregistrés au cœur même de la machine. En réalité, celle-ci n'était composée que de rouages et de leviers, mais l'illusion était forte et fut perpétuée sur les gros calculateurs à relais comme les machines d'Aiken et de Stibitz, puis sur l'ENIAC. Même l'EDVAC donnait l'impression que les impulsions représentaient des nombres. Mais la conception de Turing était plutôt différente et adoptait un point de vue plus abstrait. On pouvait considérer que dans l'ACE, les impulsions représentaient soit des nombres, soit des directives, selon ce que pensait le spectateur. Comme le disait Alan, la machine agissait « sans comprendre » et traitait non pas des nombres ni des consignes, plutôt des impulsions électroniques. On pouvait toujours « faire semblant que l'instruction correspondait réellement à un nombre », dans la mesure où la machine elle-même ne connaissait rien ni de l'un ni de l'autre. Il s'ensuivait qu'Alan se sentait libre de mêler données et directives, d'agir sur celles-ci et de permettre à certaines d'une « autorité supérieure » d'induire d'autres tables d'instructions.

Une approche aussi libre s'expliquait. Depuis qu'il s'intéressait à la logique, Alan considérait les mathématiques comme un jeu avec des signes écrits sur du papier, obéissant à des règles très strictes – quel que soit leur « sens ». Une conception dans la droite ligne des idées d'Hilbert. Le théorème de Gödel avait joyeusement mélangé « nombres » et « théorèmes » et *Nombres calculables* avait conduit à représenter les tables d'instructions par des « index ». La démonstration donnée par Alan de l'existence de problèmes insolubles s'appuyait sur un mélange de nombres et d'instructions qu'il traitait comme des symboles abstraits. Il n'y avait plus qu'un pas à franchir pour considérer les instructions et les tables d'instructions comme un aliment de l'ACE. Et pendant la guerre, il avait tant travaillé sur des systèmes d'indicateurs où l'on déguisait volontairement les consignes en données que la suite du raisonnement lui vint tout naturellement. Ce que d'autres prenaient pour un plongeon dans la confusion se révélait être une évidence pour lui.

Une telle vision de la fonction de l'ACE était aussi liée à la thèse de l'imitation. L'ACE ne ferait jamais réellement de l'arithmétique au sens où un être humain en fait. Il se contenterait de « simuler » l'arithmétique dans la mesure où une entrée représentant « 67 + 45 » pouvait garantir une sortie représentant « 112 ». Mais il n'y avait pas de nombres à l'intérieur de la machine, seulement des impulsions. Lorsqu'on en vint aux nombres à virgule flottante, cette conception des choses revêtit une signification encore plus concrète. L'opérateur de l'ACE devait en effet pouvoir utiliser une table subsidiaire telle que MULTIP *comme* s'il s'agissait d'une seule prescription pour « multiplier ». En réalité, cette table commanderait de nombreuses manœuvres et assemblages d'impulsions. Toutefois l'utilisateur ne s'en rendrait pas compte et il pourrait travailler comme si la machine traitait directement des nombres à virgule flottante. Comme Alan l'écrivait lui-même : « Nous n'avons à penser qu'une seule fois à la manière dont cela doit être fait, puis nous devons l'oublier. » Il en irait de même si la machine était programmée pour jouer aux échecs : il conviendrait de l'utiliser « comme si » elle jouait effectivement. À tous les niveaux, la machine imiterait extérieurement les opérations du cerveau. Mais de toute façon, qui aurait su dire comment le cerveau lui-même y parvenait ? Selon lui, il fallait utiliser les mêmes normes de langage, c'est-à-dire celles de l'apparence extérieure, pour la machine *et* pour le cerveau. Dans la pratique, les gens disaient sans réfléchir que la machine « comptait » ; ils devraient donc dire de la même façon qu'elle jouait aux échecs, qu'elle apprenait ou qu'elle réfléchissait si elle parvenait à reproduire ces fonctions précises du cerveau, sans jamais tenir compte de ce qui se passait à l'intérieur. Ainsi, même dans ses propositions techniques, Alan introduisait une vision philosophique qui dépassait largement l'ambition de construire une machine capable d'effectuer des calculs longs et complexes. Cela aussi ne l'aidait pas à communiquer avec les autres.

Quand vint le moment de mettre davantage l'accent sur la construction des programmes que sur celle de la machine proprement dite, Alan avait des plans très précis pour l'élaboration des composants. Les lignes à retard, écrivit-il,

« ont été mises au point pour les besoins des radiocompas, qui dépassent de loin et sous de nombreux aspects les nôtres. Les plans nous sont accessibles et l'un d'eux conviendrait bien à la production en série. Une estimation de 20 livres par ligne à retard devrait amplement suffire ».

Il se rendit même à l'*Admiralty Signals Establishment* (ASE – Bureau des communications du ministère de la Marine) pour voir T. Gold, qui y travaillait sur les lignes à retard. Ses plans prévoyaient deux cents lignes à retard à mercure d'une capacité de 1 024 chiffres chacune. Les dimensions, les coûts, les chiffres, le choix du mercure, Alan avait tout conçu. À en croire ses calculs, le mercure ne présentait que peu d'avantages par rapport à une solution d'eau et d'alcool, qui, d'après ses observations aurait eu la même puissance que le gin. Il aurait préféré employer du gin, ce qui aurait coûté bien moins cher que du mercure. Il n'en assuma pas pour autant la mise au point. Il voulait que ce soit des ingénieurs du Post Office déjà en charge de Colossus. Flowers connaissait bien les lignes à retard dans la mesure où il avait déjà étudié le modèle d'Eckert en octobre 1945.

Quant à la fabrication du contrôle logique et des circuits arithmétiques (« CL et CA »), il écrivit :

« La conception des éléments à tubes devrait prendre au moins quatre mois. Si l'on tient compte du fait qu'il faudra travailler encore sur les circuits possibles, un tel délai paraît tolérable, et mieux vaudrait commencer le plus tôt possible. Compte tenu du nombre relativement restreint de tubes nécessaires, la production de CL et CA ne devrait pas prendre longtemps. Six mois tout au plus. »

Une grande partie des « circuits possibles » étaient prévus dans le rapport. Alan joignit un schéma détaillé des circuits mathématiques en utilisant – et en étendant – la notation de von Neumann. Sans doute eut-il le plaisir de se servir de l'expérience qu'il avait acquise avant la guerre en concevant un multiplicateur binaire. Ses expériences passées lui avaient aussi inspiré une autre caractéristique. Il prévoyait la possibilité de brancher des circuits spéciaux, si besoin était, pour des opérations sortant des fonctions booléennes et arithmétiques, intégrées de façon permanente à la machine. L'idée semblait s'opposer à la volonté de donner le maximum d'importance aux instructions, mais se justifiait si l'on avait à disposition des circuits efficaces, parfaitement adaptés à certaines tâches précises, ce qui s'était, par exemple, vérifié avec les Bombes. En effet, les étapes qui dépendaient de cliquets à relais étaient indubitablement lentes par rapport aux normes électroniques. En revanche, les étapes qui dépendaient d'un courant électrique passant dans le câblage interne d'Enigma étaient vraiment instantanées et elles auraient pris plus longtemps pour s'accomplir au moyen de tables d'instruction appliquées à un calculateur électronique. Si nécessaire, le projet d'Alan comprenait donc de tels raccourcis. Et personne n'aurait pu deviner qu'il se fondait sur une expérience pratique pour avancer de telles théories.

Il ne s'était pas contenté de tout prévoir au niveau logique des schémas de circuits. De nombreuses pages portaient également sur le matériel électronique spécifique nécessaire. L'une des sections découlait, d'ailleurs, directement de Dalila, un autre aspect méconnu de son savoir-faire :

« *Retard d'unité*. La majeure partie du retard d'unité est un réseau destiné à travailler à partir d'une impédance basse pour obtenir une impédance haute. Il serait préférable que la réaction à une impulsion soit de la forme spécifiée sur la figure 50[1], c'est-à-dire qu'il faudrait qu'elle soit au maximum à une microseconde après l'impulsion initiale, et équivalente à zéro après deux microsecondes, avant de rester à cet état. Il est particulièrement important que la réaction soit proche de zéro aux intégrales multiples d'une microseconde après l'impulsion initiale (autre qu'une microseconde).

La figure 51a illustre un circuit simple destiné à obtenir cet effet… Il n'est pas idéal car il obtient son maximum trop tôt. Il peut être amélioré aux dépens d'un moins bon zéro à deux microsecondes en utilisant un moindre amortissement, c'est-à-dire en réduisant le transistor de cinq cents ohms. Il est également possible d'obtenir de meilleures courbes avec des circuits plus complexes. »

Il réfléchit aussi aux exigences du projet dans son ensemble :

« En raison de la grande probabilité de voir rapidement ce projet prendre de l'envergure, il paraît difficile de proposer un bâtiment plutôt qu'un autre. De nombreuses possibilités ont été écartées. Dans quelques années, en revanche, quand la machine aura prouvé sa valeur, nous souhaiterons certainement nous étendre et inclure ces possibilités, ou, plus probablement inclure de meilleures idées – qui ne manqueront pas d'être émises après avoir travaillé sur un premier modèle. Ainsi, quelle que soit la taille du bâtiment choisi, il faudra garder de la place pour d'éventuels agrandissements. »

Alan avait tiré les leçons de l'extension de Bletchley. Il évaluait à mille quatre cents pieds carrés (environ centre trente mètre carrés) la surface de la machine elle-même et de l'équipement complémentaire, et il estimait le coût total de l'installation à 11 200 livres pour une machine équipée de deux cents lignes à retard. Des possibilités d'extension et d'améliorations étaient prévues, mais pour le moment, l'important était de lancer le projet.

Dans sa conférence de février 1947, Alan expliquait comment, selon lui, sa machine allait rapidement prouver sa valeur, en donnant une idée de son fonctionnement :

« Prenons un problème posé par un utilisateur : il devra d'abord passer par la section de préparation des problèmes, où

---

1. Une figure similaire à celle de la page 377.

l'on vérifiera qu'il se présente sous une forme acceptable et qu'il est consistant, avant que ne soit établie une procédure très grossière de calcul. »

Il avançait, pour exemple, la solution numérique d'une équation différentielle comprenant des fonctions de Bessel. (Il s'agissait d'un problème typique qui intéressait les mathématiques appliquées et l'ingénierie.) Alan expliquait qu'il y aurait une table d'instructions toute prête concernant les fonctions de Bessel et une autre traitant de la procédure générale qui permettait de résoudre une équation différentielle. Ainsi,

« le travail en question exigerait donc un nombre considérable d'instructions déjà prêtes associées à quelques-unes conçues spécialement. Les cartes d'instructions des processus standard auront déjà été perforées, et les nouvelles devront l'être à part. Une fois toutes ces cartes rassemblées et vérifiées, elles seront introduites dans le dispositif d'entrée – une simple alimentation de cartes Hollerith. Lorsqu'elles se trouveront dans le magasin d'alimentation, on pressera un bouton pour que les cartes commencent à avancer. On doit se souvenir qu'il n'y a, au départ, pas d'instructions dans la machine, et qu'on ne dispose donc d'aucune fonction normale. Les toutes premières cartes à passer devront par conséquent être soigneusement pensées afin de pouvoir traiter la situation donnée. Ce sont les cartes d'entrée initiales et elles resteront toujours les mêmes. Elles vont permettre à certaines tables d'instructions fondamentales de préparer la machine – entre autres de lire le paquet de tables spécialement préparées pour la tâche du moment. Cela fait, plusieurs choses pourront intervenir, selon ce qui aura été programmé. On peut avoir fait en sorte que la machine aille au plus direct, perforant ou imprimant toutes les réponses demandées puis s'arrêtant une fois ce travail accompli. Mais on aura le plus souvent prévu que la machine s'arrête dès qu'elle aura reçu les tables d'instructions. Cela permettra en effet de vérifier que le contenu des mémoires est correct et cela autorisera un certain nombre de variations dans la procédure. Le moment convient parfaitement pour observer une pause. D'autres pauses seront d'ailleurs nécessaires. On pourra par exemple s'intéresser à certaines valeurs du paramètre a correspondant à certains chiffres obtenus expérimentalement, et il serait alors pratique de pouvoir s'arrêter après chaque paramètre puis d'entrer le nouveau paramètre à partir d'une nouvelle carte. On peut également préférer garder toutes les cartes prêtes en magasin et laisser l'ACE les prendre comme elle l'entend. Toutes les solutions sont possibles, le tout est de se décider et de s'en tenir à une seule ».

Il s'agissait là de propositions on ne peut plus pratiques, et aussi prophétiques dans la mesure où elles prévoyaient la nécessité d'une interaction souple entre la machine et l'opérateur. Naturellement, il avait déjà eu un aperçu de l'avenir, grâce à Colossus. Il alla même jusqu'à penser à d'éventuels terminaux à distance :

« ACE réalisera le travail d'environ dix mille calculateurs humains. Il va donc falloir s'attendre à la disparition de cette main-d'œuvre. On continuera à employer des calculateurs humains pour les petits calculs, comme les substitutions de valeurs dans les formules, mais chaque fois qu'on estimera qu'il leur faudra plusieurs jours de travail sur un simple calcul, on préférera sans doute les remplacer par un ordinateur électronique. Il ne sera pas nécessaire que tous ceux qui sont concernés par un tel travail disposent d'un ordinateur électronique. Il serait tout à fait possible de pouvoir commander à distance un calculateur au moyen d'une ligne téléphonique. Un mécanisme spécial d'entrée et de sortie serait mis au point pour l'utilisation de ces terminaux ; cela reviendrait à quelques centaines de livres tout au plus. »

Il sut également percevoir le besoin qu'il y aurait de programmeurs :

« Le gros du travail effectué par ces calculateurs consistera cependant en problèmes impossibles à résoudre manuellement à cause de l'ampleur d'une telle entreprise. Afin de transmettre tous ces problèmes à la machine, nous aurons besoin d'un grand nombre de mathématiciens capables. Ceux-ci seront chargés d'effectuer les recherches préliminaires sur les problèmes, puis de les mettre en forme pour le calcul. »

Il imaginait déjà un nouveau champ d'activité pour l'industrie et l'emploi :

« On comprendra rapidement que les possibilités offertes à chacun sont immenses. L'une de nos difficultés consistera à maintenir une certaine discipline, afin d'éviter de perdre la ligne directrice. Il nous faudra peut-être un certain nombre de documentalistes pour maintenir un semblant d'ordre. »

En avance de vingt ans sur son époque, Alan Turing avait tiré de son expérience à Bletchley une vision très personnelle de l'organisation d'une installation informatique. À Bletchley, ils avaient employé dix mille opérateurs et les avaient fait travailler comme un « système », comprenant des terminaux éloignés, des liaisons téléphoniques, une élite chargée de traduire les problèmes en programmes, etc. Alan n'avait pas le droit d'y faire directement référence, et personne ne se doutait de ce qui s'était fait là-bas, aussi son analyse semblait-elle sans fondement.

Le rapport de l'ACE constituait également le premier compte rendu des « utilisations » possibles d'une machine universelle. L'ACE devait résoudre « tous les problèmes qui peuvent être résolus par l'esprit humain travaillant selon des règles fixes et sans avoir à comprendre », avec une limite cependant, à cause de la taille de la machine, dans les cas où « la quantité de matériel écrit devant être enregistré à n'importe quel niveau ne dépasse pas cinquante feuillets », et où les « instructions à l'opérateur peuvent être décrites en langage ordinaire sur un espace n'excédant pas un roman ordinaire ». La machine devait donc arriver à un résultat en « un cent millième du temps pris par un homme qui effectuerait ses opérations arithmétiques sans aide mécanique ».

Cela impliquait que l'ACE aurait pu se charger de tout le travail intellectuel de routine que nécessitait l'effort de guerre britannique. Alan avançait – ce qui était rare chez lui – un argument excellent du point de vue politique : dans sa liste des applications possibles, la « construction de tables de tir » venait en premier. Or il s'agissait, rappelons-le, du travail qui avait motivé la construction de l'ENIAC. Suivaient quatre autres exemples de calculs d'une grande importance pratique car ils exigeaient en général des mois, voire des années de travail avec des calculateurs mécaniques. Quatre exemples supplémentaires sortaient, cependant, du domaine numérique, montrant ainsi la vision bien plus vaste qu'Alan avait de son calculateur.

Le premier faisait interpréter à la machine un langage spécial permettant de décrire des problèmes électriques :

« Étant donné un circuit électrique compliqué et les caractéristiques de ses composantes, il serait possible de calculer la réponse à certains signaux d'entrée. Il ne serait pas difficile d'établir un code standard pour la description des composantes à cet effet, et aussi un code permettant de décrire les connexions. »

Cela signifiait la résolution automatique de problèmes de circuits semblables à ceux sur lesquels il avait dû passer des semaines à Hanslope. Le deuxième exemple était plus terre à terre dans son choix d'application :

« Dénombrer le nombre de bouchers devant être démobilisés en juin 1946 grâce à des cartes établies à partir des archives de l'armée. »

La machine, écrivit-il, « serait parfaitement capable de le faire, mais ce ne serait pas une charge à sa mesure. La rapidité avec laquelle elle pourrait exécuter une telle mission serait en effet limitée par le rythme de lecture des cartes, aussi la grande vitesse et les autres caractéristiques intéressantes de notre calculateur ne pourraient-elles jamais entrer en jeu. Ce genre de travail peut et doit rester du domaine du matériel standard Hollerith ». Il décrivait ainsi son troisième exemple de problème non numérique[1] :

« On fabrique un puzzle en découpant une plaque en morceaux, chacun d'eux consistant en un certain nombre de cases. On peut faire en sorte que le calculateur trouve une solution au puzzle, et, s'il en trouve plusieurs, qu'il en dresse une liste. »

C'est l'allusion la plus directe qu'il fît jamais à son expérience du décryptage, même si celle-ci restait sous-jacente dans nombre de ses idées. Alan ajoutait que si le problème cité n'était pas en soi d'un grand intérêt, il était « typique d'une classe très vaste de problèmes non numériques susceptibles d'être traités par ce calculateur. Certains d'entre eux sont d'une importance militaire capitale tandis que les autres présentent un intérêt immense pour les mathématiciens ». Il avait gardé pour la fin la suggestion qui lui tenait le plus à cœur, même s'il savait très bien que ce n'était pas cela qui motiverait le soutien financier du gouvernement :

« Étant donné une position sur un jeu d'échecs, on pourrait programmer la machine pour qu'elle dresse une liste de toutes les "combinaisons gagnantes" sur trois coups et de chaque côté. Cela n'est pas sans évoquer le précédent problème, mais soulève de surcroît la question : "La machine peut-elle jouer aux échecs ?" On pourrait assez facilement la faire jouer plutôt mal.

---

1. William T. Tutte avait étudié ce problème de mathématique pures.

Mal parce que le jeu d'échecs nécessite de l'intelligence. Or nous avons précisé au début de cette partie que la machine devait être considérée comme dépourvue d'intelligence. Il semble cependant qu'on puisse faire en sorte que la machine fasse preuve d'intelligence, mais en prenant le risque de lui laisser commettre de grosses erreurs occasionnelles. En suivant cette voie, on pourrait sans doute arriver à obtenir un jeu d'un très bon niveau. »

Il ne s'agissait pas tant d'un rapport que d'un plan de campagne où stratégie et tactique se disputaient la primauté sur le papier comme dans l'esprit d'Alan. La promesse d'un « cerveau électronique » était aussi fantaisiste que l'espoir de voyages dans l'espace, un peu comme si ce rapport expliquait tous les avantages qu'il y aurait à coloniser Mars pour décrire immédiatement après un modèle de pompe à essence. Le style naïf et familier n'était pas calculé pour séduire les autorités, et ses considérations détaillées dépassaient leurs capacités d'absorption. Personne n'allait fouiller les exemples de programmes ni les schémas de circuits, et encore moins tenter de résoudre le paradoxe maladroitement formulé d'une machine « absolument dépourvue d'intelligence » qui ferait néanmoins montre d'intelligence. Hartree lui-même trouva cela quelque peu difficile à avaler.

Achevé dès la fin de l'année 1945, le rapport de l'ACE fut aussitôt remis à Womersley qui rédigea un mémorandum à l'adresse de Darwin et un rapport de présentation pour la réunion du comité exécutif du 19 février 1946. Womersley fut prompt à comprendre les possibilités qu'offrait une machine universelle, et, quelles que fussent les limites d'ordre intellectuel que lui trouvait Alan ainsi que d'autres mathématiciens, il sut rédiger une bonne défense de ce qu'il annonçait comme « l'une des meilleures affaires jamais réalisées par le Department of Scientific and Industrial Research (DSIR)[1]. » « Les possibilités intrinsèques de cet équipement sont si prodigieuses qu'il serait délicat de décrire un cas particulier sans faire preuve d'un immense enthousiasme. » On pourrait « révolutionner » l'optique, l'hydraulique et l'aérodynamisme. L'industrie plastique pourrait « progresser d'une façon inenvisageable avec les capacités de calcul actuelles. » En plus

---

1. Département de recherche scientifique et industrielle par lequel le NPL était financé.

du problème de table de tir, Alan souhaitait également se pencher sur une autre question, dont la réponse, d'après la Division mathématique, demanderait trois ans de travail. Womersley prétendit que la machine permettrait aussi « d'étudier des problèmes comme les flux de chaleurs dans les matières non uniformes ou dans celles qui génèrent de la chaleur en continu ». Il parlait bien sûr des explosifs. Womersley déclara aussi que « le soutien promis par le commandant sir Edward Travis[1], du ministère des Affaires étrangères, sera inestimable ».

D'un point de vue plus théorique, Womersley insista sur le fait que « cette machine n'est pas un calculateur dans le sens habituel du terme. Ses fonctions ne se limitent pas à l'arithmétique. Elle est également très douée en algèbre. » Et d'un point de vue plus politique, il attira l'attention sur les calculs complexes déjà en traitement aux États-Unis sur des machines dont les capacités seraient négligeables par rapport à celles d'ACE. Avec plus de subtilité, Womersley indiqua les avantages d'avoir une telle machine au NPL :

« Une occasion unique nous est offerte dans ce pays, et particulièrement au sein de cette division, de contribuer au progrès mondial. Je crois que l'on peut avancer qu'avec un tel matériel nous saurons nous montrer plus malins et ingénieux que les Américains. Toutes les machines américaines se trouvent dans les départements d'ingénierie électrique. Dans cette division, la machine sera aux mains de l'utilisateur plutôt que du producteur. »

Toute discussion à propos de cette coopération visionnaire entre le cerveau britannique et ses petites mains fut repoussée jusqu'à la réunion du comité exécutif, le 19 mars. Alan fut invité à y assister, et, présenté par Womersley comme « un spécialiste de logique mathématique », il fit de son mieux pour expliquer sa machine aussi simplement que possible. Son compte rendu commençait par ces mots :

« Si l'on voulait obtenir une grande vitesse globale de calcul, il était nécessaire d'effectuer toutes les opérations automatiquement. Il ne suffisait pas de faire des opérations arithmétiques à des vitesses électroniques : il fallait penser aussi au transfert des don-

---

1. Travis avait déjà été anobli.

nées (nombres, etc.) d'un endroit à un autre. Cela impliquait deux nouveaux impératifs : un système de "stockage" ou "mémoire" destiné aux nombres en attente, et le moyen d'indiquer à la machine quelles opérations traiter et dans quel ordre. Quatre problèmes se posaient alors, deux se rapportant à la construction et deux autres d'ordre mathématique ou combinatoire.

Problème 1 (Construction) : Fournir un système de stockage adapté.

Problème 2 (Construction) : Fournir des éléments électroniques de commutation à grande vitesse.

Problème 3 (Mathématique) : Concevoir des circuits pour l'ACE en les élaborant à partir de la mémoire et des unités de commutation décrites dans les problèmes 1 et 2.

Problème 4 (Mathématique) : Décomposer les opérations de calculs devant être effectuées sur l'ACE en processus élémentaires pour lesquels l'ACE sera conçu. Établir des tables d'instructions qui mettraient les opérations sous une forme compréhensible pour la machine. »

Abordant ces quatre problèmes dans l'ordre, le docteur Turing affirmait qu'une mémoire devait être à la fois économique *et* accessible. Et les bandes de téléimprimeurs offraient un exemple de système très économique mais parfaitement inaccessible. Elles permettaient de stocker environ dix millions de chiffres binaires pour un coût d'une livre, toutefois on perdait de précieuses minutes pour trouver un chiffre particulier en les déroulant. Des bascules électroniques comprenant des tubes radio offraient, en revanche, un exemple de mémoire très rapidement accessible, mais extrêmement chère. On pouvait obtenir la valeur de n'importe quel chiffre en moins d'une microseconde, et il faudrait compter une livre pour le stockage d'un ou deux chiffres. Il convenait de trouver un compromis. Un système paraissait convenir : la ligne à retard acoustique qui permettait d'enregistrer mille chiffres binaires pour quelques livres sterling seulement, tout en rendant n'importe quelle information disponible en un millième de seconde. »

Cependant, se laissant peu à peu emporter dans l'explication du fonctionnement des lignes à retard, Alan devint rapidement trop technique et on lui coupa la parole avant même qu'il puisse expliquer comment seraient conçues les tables d'instructions. Darwin fut relativement sceptique.

« Le directeur demanda ce qui se produirait si l'on demandait à la machine de résoudre une équation à racine multiple. Le docteur Turing répondit que le contrôleur devrait prendre en compte toutes les possibilités, de sorte que la construction des tables d'instructions soit la plus méticuleuse possible. »

Hartree vint à la rescousse avec un argument qui faisait plus appel au patriotisme d'après-guerre qu'à la science :

« Il ne lui faut que deux mille tubes au lieu des dix-huit mille de l'ENIAC, et elle a une capacité mémoire de six mille nombres par rapport aux vingt de l'ENIAC. Si on ne développe pas l'ACE dans ce pays, les États-Unis vont dominer ce domaine. Notre pays a su faire preuve d'une plus grande flexibilité que les Américains dans l'utilisation du matériel mathématique. »

Il souligna qu'il fallait accorder toute priorité à cette machine plutôt qu'à la proposition de fabriquer un analyseur différentiel plus grand. C'était une recommandation généreuse et visionnaire de la part d'une personne qui avait dépensé tant de temps et d'énergie sur l'analyseur différentiel. C'était une belle victoire du numérique sur l'analogique. Naturellement, Hartree avait eu l'occasion de voir l'ENIAC juste avant qu'il ne soit achevé et il avait sans doute également vu Colossus après la guerre. C'était surtout quelqu'un de coopératif et de serviable. Seulement, Darwin attendait encore d'être convaincu.

« Il demanda si la machine pouvait servir à d'autres fins si jamais elle ne répondait finalement pas aux espoirs du docteur Turing. Ce dernier répondit que cela dépendrait surtout de la partie de la machine qui ne remplirait pas son rôle, mais que, de manière générale, elle pouvait avoir un grand nombre d'usages. »

Darwin n'arrivait visiblement pas à saisir le principe de l'universalité de la machine. Aussi Womersley introduisit un élément nouveau dans la discussion. Un élément qui n'avait même pas été développé dans le rapport de Turing : la construction d'une machine « pilote ».

« On aborda ensuite le coût éventuel de la machine, et M. Womersley assura qu'il était possible de construire une structure pilote pour environ 10 000 livres, alors que tout le monde estimait qu'il était actuellement impossible de faire une évaluation précise du coût global de la machine complète. »

Personne ne prêta véritablement attention à l'estimation d'Alan du coût d'investissement. Womersley avait annoncé qu'il faudrait le multiplier par quatre ou cinq. En fait, ils étaient probablement ennuyés qu'il soit intervenu dans un domaine de compétence réservé à l'administration. Et ce fut pire quand il écrivit qu'il lui serait possible de faire le tour des magasins pour dénicher le matériel nécessaire. On lui fit des recommandations, notamment le ministère de l'Approvisionnement, qui gérait l'ensemble des contrats militaires[1]. Ensuite,

« Le comité décida à l'unanimité de soutenir avec enthousiasme la proposition selon laquelle la Division de mathématiques devait entreprendre la mise au point et la construction d'une machine de calculs automatiques du type de celle proposée par le docteur A. M. Turing, et le directeur accepta de discuter avec les états-majors des aspects financiers et autres du projet. »

Alan avait ce genre de réunions en horreur, et il prenait très mal le fait que les décisions soient prises, non parce qu'on avait parfaitement compris ses idées mais pour des raisons politiques et administratives. Quoi qu'il en soit, Darwin s'empressa d'agir. Le 22 février, il avait déjà écrit au Post Office au sujet de cette « machine électronique mathématique d'un type nouveau, qui devrait se révéler incroyablement supérieure par ses différents aspects à tout ce qui a été jusqu'ici construit dans le monde entier ».

« En gros, elle fonctionne grâce à des principes mis en œuvre par le personnel d'un certain projet du ministère des Affaires étrangères durant la guerre, et nous souhaiterions pouvoir en tirer parti, nous assurer notamment les services de M. Flowers, qui a énormément travaillé sur la partie électronique du projet. »

La première réponse du Post Office fut encourageante, et le 17 avril, Darwin put présenter au conseil consultatif du DSIR un plan d'action convaincant qui montrait bien qu'il avait eu cette fois-ci le temps d'assimiler les idées essentielles :

---

1. Ils souhaitaient pouvoir profiter de l'ACE pour « les obus, les bombes, les fusées et les missiles guidés ». Le 20 mars, E. S. Hiscocks, directeur du NPL, assura au ministère « nous espérons que ce sera mis librement à notre disposition afin de pouvoir remplir les objectifs mentionnés dans votre lettre ».

« L'idée d'une nouvelle machine est née d'un article du docteur A. M. Turing, il y a quelques années, lorsqu'il a révélé l'étendue des problèmes mathématiques susceptibles d'être résolus, du moins en théorie, en se contentant de fixer des règles et de laisser la machine travailler. Le docteur Turing fait désormais partie de l'équipe du NPL et est responsable de l'aspect théorique du présent projet, ainsi que de la gestion de nombreux détails pratiques. »

Il donnait trois exemples de calculs complexes que la machine serait capable d'effectuer, et expliqua :

« La machine complète serait naturellement assez coûteuse ; selon les estimations, le projet ne pourrait se faire à moins de 50 000 livres, mais n'excéderait certainement pas le double. Il serait possible de construire d'abord une machine plus petite comportant toutes les caractéristiques essentielles pour la somme de 10 000 livres environ, qui aurait pour fonction principale de mettre au point certains éléments de la conception impossibles à prévoir sans expérimentation, et ses possibilités seraient trop limitées pour que l'on puisse la construire seule sans poursuivre l'ensemble du projet. Il faudrait améliorer les lignes à retard et les circuits à bascule. Cette partie du travail reviendrait au Post Office qui dispose des installations et du personnel qualifié, en collaboration avec le docteur Turing et ses assistants.

La petite machine ne sera pas un substitut miniature de la machine finale, et entrera dans sa composition le moment venu. La machine définitive devrait pouvoir être terminée dans un délai de trois ans. Nous vous proposons de nous mettre au travail immédiatement et d'entamer sur-le-champ la conception et la fabrication de cette machine préliminaire, mais il est important de savoir que si elle tient ses promesses, vous nous accorderez les fonds nécessaires à la fabrication de la véritable machine. Au vu de sa rapidité d'action, et de la facilité avec laquelle elle peut passer d'un type de problème à un autre, il est fort possible que cette machine suffira à résoudre tous les problèmes que le pays lui soumettra. »

Darwin ne demandait donc pas moins de 10 000 livres pour financer la construction de la « petite machine ». Le 8 mai 1946, le DSIR accepta de l'appuyer et assura que si la petite machine faisait ses preuves, il sera favorable à une subvention pouvant aller jusqu'à 100 000 livres, pour la construction de la machine définitive. Le 15 août, le ministère des Finances ratifia la subvention, sans cependant s'avancer pour la suite du projet. Entre-temps, le 18 juin, le NPL s'était engagé en envoyant une lettre au Post Office lui demandant de travailler sur des lignes à retard. L'ACE était mis en chantier. Promettant d'être une machine qui résoudrait tous les problèmes du pays, on pouvait désormais la sortir de sa hutte et l'intégrer à un plan quinquennal. Cet héritage de la guerre et de la prise d'un système de communication allait pouvoir faire place à une « machine universelle ».

Après avoir remis son rapport, Alan continua d'améliorer la conception de sa machine et d'écrire des tables d'instructions pour la machine théorique. Darwin ayant décidé d'accorder la priorité absolue au projet, cela se traduisit par l'affectation de deux scientifiques supplémentaires à l'ACE. Il y eut d'abord Jim Wilkinson, diplômé de Cambridge en mathématiques pures, qui avait derrière lui six ans d'expérience sur l'analyse numérique des problèmes d'explosifs. Complètement séduit par le projet d'Alan, il accepta de rester au service du gouvernement, travaillant à mi-temps sur les calculateurs de Goodwin et consacrant le reste de son temps à l'ACE. Il commença à travailler avec Alan le 1er mai 1946. Plus tard, un second assistant se joignit à eux : le jeune Mike Woodger, fils du grand biologiste, théoricien et philosophe des sciences Joseph Henry Woodger. Il fut lui aussi emballé par la vision de Turing. Malheureusement, en juin il attrapa une mononucléose et ne put revenir qu'en septembre.

Woodger était encore là quand on annonça, en juin, qu'Alan allait recevoir la médaille de l'ordre de l'Empire britannique pour services rendus en temps de guerre – récompense décernée généralement aux fonctionnaires de son rang. Les initiales OBE furent ajoutées près de son nom sur la porte de son bureau et cela le rendit absolument furieux. Parce qu'il ne voulait pas avoir à expliquer ce qui lui avait valu cette distinction ou parce qu'il jugeait ces conventions vraiment ridicules ? Womersley était malade, et Alan reçut sa médaille par la poste. Il la cacha aussitôt dans sa boîte à outils.

À l'arrivée de Wilkinson, il en était à la version V de son projet. Celle-ci comprenait une possibilité supplémentaire de branchement conditionnel intégré. Une version VI puis une version VII ne tardèrent pas à suivre. Alan mettait l'accent sur la vitesse opérationnelle de l'ACE. Dans la version VII, le matériel avait été suffisamment développé pour qu'une instruction puisse avoir l'effet d'une opération arithmétique complète, c'est-à-dire prendre deux nombres en mémoire, les additionner et remettre le résultat en mémoire. Toujours pour des besoins de rapidité, il fallait programmer les instructions pour que chacune d'elles sorte autant que possible de sa ligne à retard au moment même où la précédente venait d'être exécutée. Mais puisque des opérations différentes prenaient des temps d'exécution différents, la construction des tables ressemblait en quelque sorte à une opération de mots croisés. Il fallait que chaque instruction précise quelle devait être l'instruction suivante, abandonnant l'idée d'un flux naturel d'ordres consécutifs. Cela impliquait aussi d'allonger les mots d'instructions de trente-deux à quarante impulsions, ce qui nécessitait du matériel supplémentaire. Dans sa version VII, chacune de ces opérations prendrait quarante microsecondes, et il en faudrait ensuite encore quarante pour assembler l'instruction suivante dans les circuits de contrôle. Toujours pour gagner en vitesse, Alan souhaita éliminer cette perte de temps en dupliquant une partie du matériel pour que chaque consigne puisse être assemblée en même temps que l'exécution de la précédente.

C'était en parfaite adéquation avec sa première idée : à force de composer des tables d'instructions, il améliorerait la machine. Il devrait sacrifier sa sacro-sainte simplicité pour obtenir un gain de rapidité. De même, l'assemblage des composants n'avait que trop tardé : ses tables étaient destinées à une véritable machine, pas à des exercices théoriques.

À cet égard, d'ailleurs, la progression était loin d'être aussi rapide que prévu. Le projet ACE présentait un problème presque insurmontable. Quoique le NPL eût une section radio, celle-ci ne disposait pas d'un seul ingénieur électronicien capable d'apprécier et encore moins de concrétiser les idées d'Alan. En décembre 1944, Womersley avait annoncé au comité exécutif que ses projets de nouvelle machine « ne pourraient être effectifs qu'en cas de coopération entre la division et certaines organisations industrielles, et peut-être faudra-t-il envisager des contrats avec des entités extérieures ». Ce type de coopération était alors improbable. Pour fabriquer une machine commercialisable, on avait pensé à English Electric, une société au sein de laquelle Darwin avait des relations. Son directeur, sir George Nelson, avait d'ailleurs assisté à la réunion de mars. Mais personne ne savait qui était en charge de la production immédiate. C'était un coup dur porté à Alan qui avait garanti être capable de produire le matériel de contrôle logique en six mois.

Un autre problème résidait dans la structure même du NPL. Alan avait formé avec Don Bayley, à Hanslope, une équipe agréable et complémentaire. À cet égard, le projet Dalila était une ébauche d'ACE car il aurait rêvé de pouvoir travailler de la même manière à plus grande échelle. Il avait évoqué avec Don la possibilité de sa venue au NPL, toutefois celui-ci n'était pas disponible avant février 1947. Surtout, il estimait valoir mieux que le rôle de « roi de l'amplificateur » proposé par Alan.

De toute façon, le NPL n'encourageait pas de telles collaborations informelles. La division du travail telle qu'elle était pratiquée dressait une frontière entre la tête et les mains. Alan devait se cantonner à son rôle de concepteur théoricien sans jamais s'occuper d'ingénierie. Les lourdeurs bureaucratiques du NPL et les difficultés d'approvisionnement d'après-guerre rendaient difficile la recherche d'hommes et de matériel qualifiés. Et comme si cela ne suffisait pas, un marché noir de revente de matériel de guerre se créait, laissant aux plus débrouillards le choix des meilleurs morceaux. Pour toutes ces raisons, il était vain d'attendre l'arrivée d'ingénieurs qualifiés pour la fabrication des circuits, et Alan n'était pas en mesure de procéder lui-même à ces expériences pratiques.

Le projet ACE se trouvait d'ailleurs confronté à une difficulté d'ordre plus général. Comme dans le cas d'Enigma, concevoir un projet révolutionnaire était une chose, l'exploiter dans une société plutôt réfractaire à l'innovation en était une autre. En 1940, les cryptanalystes britanniques s'étaient naïvement attendus à ce que le gouvernement fasse bon usage des messages déchiffrés, mais il avait fallu deux ans d'efforts pour que cela se produise – malgré la pression du conflit. Une fois encore, la richesse potentielle de l'ACE impliquait de véritables changements d'attitude. Or il n'y avait aucun précédent. Il n'existait aucune tradition d'innovation, au NPL, et le projet ACE en faisait ressortir le conservatisme.

Comme en 1941, Alan ne pouvait que constater avec impatience l'inertie qui paralysait l'organisation tout entière.

Malheureusement pour lui, en 1946, on ne pouvait attendre le même engagement qu'à Bletchley à l'époque. Les organisations n'étaient toujours pas prêtes à sacrifier leur indépendance. Ainsi, à Dollis Hill, même s'il ne remettait nullement en cause les compétences des ingénieurs de Colossus, Radley n'attachait guère d'importance au travail effectué sur les lignes à retard au NPL. Le Post Office était de son côté très occupé à tenter de rattraper le retard accumulé pendant la guerre, et il n'y avait désormais plus d'autorité supérieure ni de politique nationale pour coordonner les priorités des différentes agences. Le 3 avril 1946, Turing et Womersley avaient fait une visite officielle à Dollis Hill. Cela avait permis au travail de commencer, mais de façon très décevante.

Alan avait envisagé dans son rapport la possibilité d'employer des tubes cathodiques comme systèmes de stockage, et c'est sans doute à son initiative que, le 8 mai 1946, Womersley finit par écrire au TRE pour s'enquérir de l'état des recherches dans ce domaine, expliquant que cela « pourrait être une option appropriée, et même une avancée sur la question des lignes à retard au mercure envisagées pour notre calculateur automatique ». La réponse ne fut pas négative et, le 13 août, Darwin écrivit à sir Edward Appleton, au DSIR :

« Comme je vous l'ai dit, Womersley est descendu au TRE pour voir s'ils pouvaient nous aider à travailler sur l'ACE. Il m'a rapporté que c'était envisageable, et je suis convaincu que nous devrions poursuivre dans cette voie. Ils sont dans de bonnes dispositions, et j'ai cru comprendre que F. C. Williams était très intéressé par ce travail. Je m'en veux de ne pas y avoir songé avant.

Quant à l'avenir, Womersley a fait preuve d'un certain tact et s'est renseigné sur notre relation avec le Post Office, qui a commencé à nous aider, ce qui est parfait, mais qui ne semble pas avoir l'intention d'aller plus loin. Il sera également nécessaire de nous accorder officiellement avec le TRE sur la nature de nos priorités, et, pour cela, j'aimerais faire appel aux plus hautes autorités, car c'est une occasion en or qui nous est offerte de prendre une certaine avance sur les Américains. »

Frederick Williams, l'un des meilleurs spécialistes en électronique du TRE, débordait d'enthousiasme pour ce projet, non parce qu'il s'intéressait à l'informatique, mais parce qu'il avait hâte de trouver des applications pacifiques à l'électronique qui avait été développée pour le radar en temps de guerre. On lui proposait, cependant, de trouver ces applications ailleurs, ou plus exactement à Manchester – qui ne relevait pas de l'autorité de Darwin.

Après avoir quitté Bletchley, Newman devint professeur de mathématiques pures à l'université de Manchester ; il amenait avec lui comme maîtres assistants Jack Good et David Rees. Si Newman était parti là-bas, c'était pour y rejoindre Blackett, alors professeur de physique. À eux tous, ils constituèrent une équipe formidable qui ne voyait pas pourquoi elle devrait laisser à Darwin le monopole des calculateurs électroniques. En tant que premier lecteur de *Nombres calculables* et coauteur de Colossus, Newman savait mieux que quiconque apprécier le potentiel des ordinateurs, et ne souhaitait pas, comme Alan, « construire un cerveau » ; il saisissait mieux que lui ce qui était du domaine du possible.

Le 8 février 1946, Newman expliqua à von Neumann :

« J'espère pouvoir monter une section consacrée à la création d'une machine électronique, car je me suis énormément intéressé à ce domaine au cours de ces trois dernières années. Il y a environ un an et demi, j'ai décidé de me lancer dans l'entreprise. C'est en fait l'une des raisons pour lesquelles je suis venu m'installer à Manchester, où les conditions sont plus favorables. C'était avant que je n'entende parler du travail des Américains et des projets du NPL. Ce n'est que plus tard que Hartree et Flowers m'ont parlé des machines américaines existantes ou en prévision.

Dès que le projet du NPL a été mis en place, s'est posée la question de la nécessité d'une seconde unité. De mon point de vue, dans cette branche technologique comme dans les autres, la recherche élémentaire est indispensable, et peut se poursuivre sans se soucier d'une mise en production. »

Newman avait pour intention de « tenter de résoudre des problèmes mathématiques d'un autre genre que ceux auxquels se sont attelées les machines, comme, par exemple, le théorème des quatre couleurs, ou différents théorèmes sur les treillages, les groupes, etc. ».

Il expliquait que :

« Quoi qu'il en soit, j'ai soumis une demande à la Royal Society[1] afin d'obtenir le financement nécessaire au début des travaux. Je suis naturellement en contact avec Turing. Après avoir discuté avec lui, et avoir entendu le point de vue de Hartree et Flowers, il me semble que si nous commençons par des problèmes "mathématiques" au sens noble du terme, nous devrions pouvoir nous en sortir avec des besoins en mémoire nettement moins importants, même si j'ai demandé à la Royal Society de se préparer à quelque chose d'assez substantiel. »

Il demanda à la Royal Society une subvention représentant le coût global de plus cinq ans de salaires. La Royal Society constitua un comité formé de Blackett, Darwin, Hartree et de deux spécialistes de mathématiques pures, Hodge, de Cambridge, et Whitehead, d'Oxford. Darwin s'y opposa, alléguant que l'ACE suffirait à répondre aux besoins du pays. Womersley, quant à lui, craignait que Newman ne détourne Flowers de l'ACE. Quoi qu'il en soit, le 29 mai, le ministère des Finances accorda une subvention de 35 000 livres à Newman, étant donné que son projet relevait des « sciences fondamentales » et que celles-ci dépendaient de la Royal Society et non du DSIR. Un vent d'innocence se remettait à souffler sur les mathématiques et on cherchait enfin à développer un secteur informatique qui ne serait pas lié à l'armement.

Blackett avait connu Williams avant la guerre ; ils avaient travaillé ensemble sur un traceur de courbes automatique pour l'analyseur différentiel. Darwin et Newman comptaient donc tous deux sur Williams pour « passer devant les Américains », mais on cherchait encore qui allait construire l'ACE au moment où Williams devrait choisir entre les deux projets.

Pour envenimer la situation, un troisième projet de calculateur électronique britannique fut commencé vers la mi-1946. L'auteur en était Maurice Wilkes, qui, pendant la guerre, avait travaillé au TRE puis était retourné au Département de mathématiques

---

1. Institution fondée en 1660, destinée à la promotion des sciences. Cette société savante est l'équivalent, en France, de l'Académie des sciences.

de Cambridge dont il assurait désormais la direction. Sans accès direct aux plans de l'ENIAC et de l'EDVAC qui demeurèrent secrets jusqu'au printemps 1946, il se rendit, grâce à Hartree, à Philadelphie en juillet et en août 1946, pour assister à une série de conférences qu'y donnait l'équipe de l'ENIAC.

Ces conférences prononcées à la Moore School de Pennsylvanie, ainsi que les rapports publiés par le groupe de von Neumann à l'IAS de Princeton, eurent une influence considérable sur les développements ultérieurs de l'ordinateur. C'était la première fois qu'une machine du genre de l'EDVAC était financée au niveau fédéral, l'un des arguments présentés étant qu'une machine universelle devait faire gagner beaucoup de temps et se révéler finalement beaucoup moins chère que plusieurs machines spécialisées. Ces conférences suscitèrent en outre un véritable enthousiasme chez Wilkes, plus résolu que jamais à mettre son expérience de l'électronique au service de la construction de la version britannique de l'EDVAC.

Alan, au contraire, ne se laissait absolument pas influencer par les recherches américaines – inversement, il ne les influença pas non plus. Hartree s'était en effet rendu aux États-Unis à l'été 1946 pour étudier l'ENIAC, et il avait emporté avec lui un exemplaire du rapport de l'ACE ainsi qu'une troisième version du projet. Mais les idées de programmation qu'Alan y développait ne firent pas forte impression sur les Américains.

Théoricien en informatique, von Neumann avait été rejoint par Norbert Wiener, un mathématicien américain un peu plus jeune, que la guerre avait aussi conduit de la théorie des groupes vers la mécanique, même si, dans son cas, c'étaient les servomécanismes de l'artillerie antiaérienne qui l'avaient formé et influencé. Ainsi, von Neumann et Wiener échangeaient sur le potentiel du futur EDVAC. Ils se concentraient surtout sur la question des branchements conditionnels. Ils ne discutaient pas de la hiérarchie des programmes, ni de la possibilité pour l'ordinateur de réorganiser ou de créer ses propres instructions. Ils étaient très impressionnés par les idées de McCulloch et de Pitts, qui proposaient que les fonctions logiques des tubes électroniques soient semblables à la structure des neurones dans le système nerveux humain. Dans une lettre destinée à Wiener datée du 29 novembre 1946, von Neumann évoque le « travail extrêmement audacieux » de

McCulloch et de Pitts, avec qui il aimerait « discuter de la thèse très "non neurologique" de Turing ».

Dans l'autre sens, la communication était relativement limitée. Le NPL disposait du *Rapport préliminaire sur l'EDVAC*, et Alan continuait à se servir de ses notes sur les réseaux logiques. David Rees, qui assistait aux conférences de la Moore School, en fit le compte rendu quotidien à Turing et à Wilkinson pendant une dizaine de jours. Mais les recherches américaines n'eurent aucune influence sur le projet ACE, Alan se montrant relativement sceptique à propos de l'Iconoscope – le moyen de stockage sur lequel les Américains fondaient tous leurs espoirs. Il ne les considérait pas comme des rivaux. À ses yeux, il s'agissait simplement d'un autre projet. Au même titre que l'Enigma navale ou Dalila, l'ACE était l'œuvre d'Alan Turing et de lui seul. Son développement se révélait cependant nettement plus problématique.

Même si l'esprit du temps de guerre n'avait pas totalement disparu en cette année 1946, la section ACE ne parvenait pas à retrouver la camaraderie qui régnait à la Hutte 8 et encore moins les rapports de compréhension mutuelle instaurés entre Alan et Don à Hanslope. Lorsque Woodger revint de convalescence, au mois de septembre, il trouva sur son bureau une note lui demandant de programmer ENFOUIR et EXHUMER. Leurs relations ne devaient plus jamais perdre cette froideur hiérarchique. Pourtant Alan aimait bien Woodger, un garçon sérieux et plutôt nerveux. Maladroit, il essayait d'adoucir ses manières mais finissait toujours pas en devenir intimidant. Il n'avait certainement pas conscience de la crainte qu'il inspirait aux jeunes. Se voyant toujours comme un rebelle, il ne pouvait se percevoir comme une autorité supérieure aux autres. La lenteur l'énervait et il était toujours aussi mauvais communicant.

Wilkinson était plus âgé et plus expérimenté que Woodger, et lui aussi dut vivre de nombreux moments où il valait mieux rester à l'écart de l'« anarchie créatrice » et quelque peu solitaire d'Alan Turing. « Aimable, presque sympathique… mais parfois déprimé. » Voici l'image qu'il donnait, ne sachant jamais dissimuler son tempérament cyclothymique et son rapport émotionnel au travail. Vers cette époque, il obtint enfin la promotion tant attendue d'Agent scientifique principal senior. Pour fêter l'événement, il emmena Jim Wilkinson et Leslie Fox dîner à Londres. Le voyage en train fut gâché par une discussion tendue sur les mathématiques, mais en arrivant en gare de Waterloo, les nuages s'étaient dissipés et il retrouva sa bonne humeur.

Cette dispute avait éclaté parce qu'Alan avait commencé à se pencher sur un problème d'analyse numérique sur lequel on travaillait dans la section de Goodwin. En 1943, le statisticien Harold Hotelling avait analysé la procédure permettant de résoudre des systèmes d'équations (soit les inversions de matrices). Ses résultats avaient fait apparaître que le nombre d'erreurs risquait de s'accroître rapidement au fur et à mesure que l'on éliminait des équations. Si c'était bien le cas, cela ôterait toute utilité à l'ACE. La section de Goodwin, directement concernée par ce problème, s'y était attaquée de façon heuristique en 1946 en résolvant une série de dix-huit équations qui s'étaient présentées dans un calcul d'aérodynamisme, et Alan avait souhaité participer à ces travaux – même s'il était moins compétent en la matière. À leur grande surprise, ils découvrirent au final que les erreurs étaient négligeables. Alan avait alors entrepris une analyse théorique plus scientifique pour le démontrer à nouveau. C'était un problème comme Turing les aimait, nécessitant un œil neuf et concernant une application concrète. Il s'en empara comme il avait conçu sa théorie des probabilités à Bletchley.

Ce travail, naturellement, n'était pas très ancien, et il soumit à Woodger quelques problèmes de probabilités, dont celui des « tonneaux de poudre ». De manière générale, ceux qui avaient travaillé ensemble pendant la guerre étaient restés en contact. Good et Newman avaient fait une visite au NPL – Newman étant bien sûr intéressé par la mise en œuvre de son projet d'ordinateur à Manchester –, et Good était parvenu à réfuter l'affirmation d'Alan, qui prétendait que personne ne serait capable d'écrire du premier coup une table d'instructions sans la moindre erreur. Ce dernier avait aussi publié un livre sur *La Probabilité et l'Évaluation du témoignage*, dans lequel il exposait la théorie dont ils s'étaient servis à Bletchley – laissant toutefois de côté ses applications les plus poussées. La méthode d'« analyse séquentielle » fut bientôt publiée aux États-Unis par le statisticien Abraham Wald, qui l'avait mise au point en toute indépendance, pour l'évaluation des composants industriels. Alan, quant à lui, ne publia rien ayant un rapport avec son travail à Bletchley, même si, de manière très indirecte, tout ce qu'il faisait lui était inspiré de cette expérience et de la théorie des machines qu'il avait mise au point avant le conflit.

Plutôt que de se forger de nouvelles amitiés au NPL, Alan se contenta essentiellement de conserver ses amis du temps de guerre. Donald Michie, maintenant étudiant à Oxford, en faisait partie. Et dans une lettre qu'Alan adressait en octobre 1946 à Jack Good, on peut lire cette note mystérieuse : « Donald est d'accord pour aider et j'ai maintenant tous les gadgets nécessaires pour le trésor. » Il s'agissait en fait d'une expédition visant à récupérer les lingots d'argent. (David Champernowne avait, lui, réussi une belle opération en laissant ses propres lingots à la banque.) Il y avait déjà eu une première tentative avec Donald Michie, qui s'était vu proposer le choix entre un tiers du produit total ou un forfait de 5 livres par expédition. Il s'agissait d'un bel exemple de la théorie des probabilités de Turing : combien de chances y avait-il pour qu'une personne parfaitement rationnelle saisisse telle ou telle option ? Michie était quelqu'un de parfaitement rationnel et il choisit la seconde proposition. La première chasse au trésor avait été un fiasco : quand ils se rendirent dans le petit bois situé près de Shenley, Alan s'aperçut que ses repères avaient changé depuis 1940, et il ne put retrouver l'endroit exact. Le « gadget » auquel Alan faisait allusion était un détecteur de métal qu'il avait lui-même conçu et construit. L'appareil fonctionna lors de la seconde expédition mais sur une profondeur de quelques pouces seulement. Il permit alors de localiser de nombreux bouts de ferraille enfouis dans les bois sans jamais retrouver le lingot recherché. Quant au second lingot, Alan savait exactement où il se trouvait. Toutefois il fut impossible de le déterrer debout, les pieds dans un cours d'eau.

Ce genre d'échec le faisait facilement rire. Ce ne fut pas la seule fois qu'il revint dans le Buckinghamshire car il passa un week-end, vraisemblablement en décembre 1946, à discuter avec Don Bayley de la nouvelle théorie de la communication de Dennis Gabor. Il se distingua en cette occasion en s'évanouissant pour s'être coupé en se rasant. Il avait déjà évoqué sa difficulté à supporter la vue du sang mais c'était la première fois que Don le voyait perdre connaissance. Une autre occasion s'était présentée en octobre 1945, quand il se rendit avec Don Bayley, Robin Gandy et « Jumbo » Lee à une conférence sur le travail radio pendant la guerre à l'Institution of Electrical Engineers (IEE). Ils étaient ensuite allés au restaurant d'huîtres de Bernard Walsh espérant se voir offrir le repas, mais ils furent déçus. Alan avait fait le trajet de Teddington à Londres à vélo et avait stationné son engin devant le restaurant de Soho où on le lui avait dérobé.

Cela ne lui ressemblait guère de parcourir ce genre de distance (environ vingt-cinq kilomètres) à vélo, car d'ordinaire, il préférait les couvrir à pied. Ses succès en athlétisme remportés à Hanslope ne furent pas les derniers. En arrivant à Teddington, il s'était inscrit au Walton Athletics Club local et s'était sérieusement remis à la course. Coureur de fond plutôt que sprinter, sa résistance physique lui donnait l'avantage dès que la distance dépassait les trois miles. Il passait deux à trois heures par jour à s'entraîner et courait pour le club le samedi après-midi. En octobre 1946, il écrivit à sa mère :

« J'ai plutôt bien couru en août. J'ai remporté le mile et le demi-mile lors des jeux du NPL, et aussi le trois miles des championnats du club et une course à handicap de trois miles à Motspur Park. C'est la rencontre où toutes les grandes stars veulent battre des records mais ne réussissent qu'à se déchirer les muscles. N'ayant pas les mêmes ambitions, je m'en suis tiré sans un claquage… La saison de la course sur piste est terminée maintenant et celle du cross-country est sur le point de commencer. Je crois que cela me conviendra mieux, même si la nuit qui tombe tôt maintenant signifie que je devrai, en semaine, courir dans le noir. »

Il allongeait peu à peu sa distance et se préparait au marathon. Quand il le pouvait, il s'arrangeait pour transformer ses visites officielles en entraînement supplémentaire. Il parcourait ainsi régulièrement les dix miles qui séparaient West London de Dollis Hill où l'on élaborait laborieusement les lignes à retard de l'ACE. Il lui arrivait même de courir les dix-huit miles jusqu'à Guildford afin d'épauler Mme Turing dans ses impératifs sociaux. Cela surprenait un peu évidemment mais il s'en moquait.

Alan parvint même à combiner course à pied et échecs. Il lui arrivait de temps à autre de voir David Champernowne, soit à Oxford, où celui-ci avait maintenant une situation, soit chez ses parents, à Dorking. Ils jouaient alors au ping-pong et discutaient de la théorie des probabilités, mais ils en profitaient aussi pour élaborer une forme de jeu d'échecs où le coup devait être joué pendant que l'adversaire faisait le tour du jardin en courant. Une course trop rapide avait tendance à entraver la réflexion, aussi fallait-il trouver le bon rythme. Alan fut même interviewé par le *Sunday Empire News* pour donner des conseils d'entraînement. Il se souvenait peut-être de la discussion sur le « second souffle » inscrite dans *Les Merveilles de la Nature* ; on y expliquait qu'il fallait « enseigner » à son cerveau à ne pas « s'affoler » lorsque le dioxyde de carbone commençait à s'accumuler dans le sang.

Le plus difficile, à l'époque, c'était que le « cerveau britannique » était alimenté par un sang bien trop chargé en dioxyde de carbone. Après la Seconde Guerre mondiale, dès qu'il s'agissait d'évoquer l'avenir, tout le monde semblait épuisé et peu enclin à se remettre en selle. Cela devint soudain très clair : à Hanslope, Don Bayley avait continué à tester et à améliorer Dalila. Plus tard dans l'année, il l'avait apportée à Dollis Hill pour la faire évaluer, et, sans surprise, ils ne découvrirent aucune faille cryptographique. Début 1946, il l'apporta devant le Cypher Policy Board, un bureau créé en février 1944. Il l'installa dans leurs sous-sols à Londres et la laissa aux bons soins d'un de leurs employés. Visiblement plus intéressés que le Post Office, ils proposèrent même à Gambier-Parry de faire venir travailler cet homme avec eux. Mais Alan déclina leur offre. Fin de l'histoire : Dalila, qui proposait de sécuriser la voix grâce à moins de trente tubes, sombra dans l'oubli le plus complet. Cette contribution à la technologie britannique fut une pure perte de temps[1].

Dalila avait ainsi préparé le terrain à l'ACE, et c'était ce qui importait pour Turing. Les plans étaient tous prêts, et il ne manquait plus que le signal de départ. Un vent d'espoir souffla le 31 octobre 1946 lorsque Mountbatten, président de l'IRE, pro-

---

1. Il fallut une quinzaine d'années pour que le chiffrement de la voix rattrape l'avance prise par Dalila.

nonça un discours qui communiqua la « fièvre » générée dans le champ de la technologie de communication et de contrôle. L'époque lointaine du *Glorious* semblait aussi éloignée que celle des parchemins en papyrus :

« Non seulement la guerre nous a-t-elle permis de faire de grandes avancées techniques, mais elle s'est révélée l'occasion de nouveaux départs dans le domaine applicatif, notamment en électronique. En plus du radar, qui a sensiblement accru notre vue, il se pourrait qu'à l'avenir nous puissions, en rassemblant et en transformant les potentialités d'autres formes de radiations, comme la lumière, la chaleur, le son, les rayons X, les rayons gamma et les rayons cosmiques, recevoir l'équivalent des images radar de l'intérieur de notre corps, et pourquoi pas de chacune de nos cellules. Peut-être pourrons-nous en recevoir de l'intérieur de la Terre, voire même des étoiles et des autres galaxies ? Nous avons toutes les raisons de croire qu'il existera bientôt des équipements qui permettront d'imprimer des informations et des connaissances directement dans le cerveau humain grâce aux courants électriques qui parcourent notre corps.

Nous sommes désormais prêts à accueillir "le progrès le plus wellsien de tous". Nous considérions qu'il était possible de faire évoluer le cerveau électronique pour qu'il accomplisse des fonctions semi-automatiques analogues à celles entreprises par certaines parties du cerveau humain. Ce seront des tubes radio qui s'en chargeront, s'activant les uns les autres à la manière des neurones. Une telle machine existe déjà, l'ENIAC qui utilise dix-huit mille tubes.

À présent, les machines sont conçues pour stocker une certaine quantité de mémoire tandis que d'autres le sont pour faire des choix et prendre des décisions… jusqu'ici des prérogatives humaines. L'une d'entre elles est même capable de jouer aux échecs ! De façon sommaire, certes, mais tout de même.

Maintenant que la machine à mémoire et le cerveau électronique sont là, il semblerait que nous soyons au beau milieu d'une véritable révolution. Pas une révolution industrielle, une révolution de l'esprit. Et les responsabilités auxquelles les scientifiques doivent faire face aujourd'hui sont prodigieuses. "Veillons, conclut-il, à ce que nous ne nous contentons pas d'insister pour les endosser, et, lorsque nous aurons fait nos preuves, nous sachions nous en montrer dignes." »

En 1946, les gens croyaient encore qu'on pouvait tirer profit de l'avance technique et scientifique acquise pendant la guerre, même si l'on ne savait comment y parvenir.

L'ENIAC n'était plus un secret d'État depuis quelques mois déjà et Hartree avait écrit un article à ce sujet pour la revue scientifique *Nature* ; il fallut cependant attendre le discours de Mountbatten pour que l'information suscite un véritable écho. Celui-ci tenait ses informations du NPL, et sa référence inexacte à des machines capables de jouer aux échecs suggère qu'il a entendu Alan Turing parler avec enthousiasme des futures possibilités de l'ACE. (Naturellement, aucune machine ne savait jouer aux échecs.) L'enthousiasme et le manque de précision des propos de Mountbatten, sans même parler des erreurs, mirent cependant Hartree et Darwin dans l'embarras. Ils furent plus particulièrement gênés par l'affirmation, du reste parfaitement correcte, que l'ACE pourrait désormais « faire des choix et prendre des décisions, jusque-là des prérogatives humaines ». Mais comme ils ne voulaient pas contredire Mountbatten, ils se contentèrent d'écrire au *Times* pour se plaindre de son titre, « Un cerveau électronique », qui avait produit une impression fausse sur les lecteurs (le *Times* publia d'ailleurs leurs lettres sous le titre : « Le cerveau électronique – un mélange subtil de données et d'instructions »).

Le communiqué de presse officiel du NPL, du 6 novembre, présentait au contraire l'ACE comme une possibilité quelque peu lointaine. Il situait les origines de l'ACE dans le travail mathématique très ardu qu'Alan avait publié en 1936, et expliquait comment des commutateurs électroniques pouvaient offrir la rapidité indispensable pour qu'une telle machine présente un intérêt pratique. Ce communiqué faisait également état de la supériorité potentielle de l'ACE sur l'ENIAC, grâce à son vaste système de mémoire, et il mentionnait le travail déjà réalisé sur la programmation des tables d'instructions. L'évaluation du coût de la machine atteignait maintenant « environ 125 000 livres », et l'on assurait qu'« il faudrait encore deux ou trois ans avant de pouvoir espérer terminer cette machine, car sa construction pose des problèmes très sérieux, tant sur le plan mathématique que sur le plan technique ».

Maintenant que l'information était lâchée, la brèche était ouverte. Et c'est le *Daily Telegraph* qui se montra le plus impatient de propager la bonne nouvelle, et ce avec un certain patriotisme. L'article titré « La Grande-Bretagne sur le point de fabriquer un cerveau – L'ACE supérieur au modèle américain – Une quantité de mémoire plus importante » parut le 7 novembre, et fut suivi dès le lendemain d'un compte rendu du journaliste qui avait interviewé Hartree, Womersley et Alan au NPL :

« L'ACE va permettre aux avions de voler plus vite.

Grâce à l'invention britannique de l'ACE, que l'on surnomme désormais le "cerveau électronique", on attend des progrès révolutionnaires en aérodynamisme – ce qui permettra aux avions à réaction de dépasser la vitesse du son.

Le docteur Hartree a déclaré : "Le potentiel de la machine est tel que nous n'imaginons pas encore à quel point notre civilisation va s'en trouver transformée. Nous sommes face à une machine capable de prendre en charge une partie de l'activité humaine mille fois plus vite. Dans le domaine des transports, l'équivalent de l'ACE permettrait de voyager de Londres à Cambridge en… seulement cinq secondes. C'est presque inimaginable."

Le docteur Turing, qui a imaginé l'ACE, prévoit même à l'avenir – peut-être dans trente ans – qu'il serait possible d'interagir et de poser une question à la machine, comme on le ferait avec un humain.

Le docteur Hartree, en revanche, est persuadé que la machine aura toujours besoin d'une certaine réflexion de la part de son opérateur. Il désapprouve fortement l'idée que l'ACE puisse être un substitut au cerveau humain, ajoutant : "La tendance depuis une vingtaine d'années qui consiste à vouloir minimiser le raisonnement humain est un chemin qui mène droit au nazisme." »

Les Allemands, comme les ordinateurs, n'avaient fait qu'obéir aux ordres et cette allusion ne dissuada nullement Alan quand, le lendemain, un journaliste du quotidien local vint enquêter sur la « nouvelle merveille du NPL ». Il se contenta de repousser sa prophétie dans le temps. Le journal publia cette interview du « spécialiste en mathématiques de 34 ans » sous le titre « Un cerveau électronique conçu à Teddington » :

« Le docteur Turing, au sujet de la "mémoire" de ce nouveau cerveau [...] a déclaré qu'elle était en mesure de retenir pendant une semaine ou plus ce qu'un acteur est obligé d'apprendre pour jouer une pièce de théâtre classique. Interrogé à propos de la déclaration de Lord Louis Mountbatten, qui prétend que la machine serait prête à jouer aux échecs, le docteur Turing nous a répondu qu'il allait falloir encore attendre un moment avant que cela n'arrive. [...] Il a précisé que les échecs nécessitaient autant de jugement que de mémoire. Et à ce titre, il s'accorde à dire qu'il s'agit plus d'une question de philosophe que de scientifique. "C'est une question, a-t-il ajouté, à laquelle nous serons en mesure de répondre dans une centaine d'années." »

Le NPL n'avait jamais fait l'objet d'autant d'attention. Darwin finit même par faire une communication radio où il esquissait à grands traits la « machine idéalisée » de *Nombres calculables*, et expliquait que Turing, « qui fait maintenant partie de notre équipe, se charge de nous montrer comment matérialiser ses idées ». Une fois les feux des projecteurs de l'actualité éteints, il fallut bien reconnaître qu'un an après la présentation des idées d'Alan au NPL, Darwin ne savait toujours pas comment y donner suite.

Le 22 octobre, en effet, lorsque Hartree s'enquit des progrès de l'ACE, Darwin fut contraint d'avouer que « l'aide du Post Office n'avait pas été aussi importante que prévu ». Du côté du TRE, il y avait eu davantage de progrès techniques dans la mesure où, vers le mois de juin, Williams avait commencé à étudier le comportement de points sur des tubes cathodiques, en vue de créer un système de mémoire. Pendant la guerre, il avait assisté, au laboratoire de recherches radars du MIT, à des recherches sur l'emploi de tubes cathodiques pour la suppression des échos. Ces essais n'avaient finalement rien donné à cause de la fugacité des points qui s'évanouissaient en moins d'une seconde. Or, à l'automne 1946, et indépendamment de la proposition d'Alan dans son rapport sur l'ACE, Williams eut l'idée de renouveler périodiquement les points ; il connaissait même un moyen pour y arriver. Mais il avait finalement accepté une chaire d'ingénierie électrique qu'on lui proposait à Manchester... ce qui posait de sérieux problèmes au NPL. Darwin expliqua alors au comité exécutif que :

« Il avait également espéré obtenir l'aide du docteur F. C. Williams du TRE, toutefois il comprenait que celui-ci ait accepté un poste à l'université. Il a déclaré vouloir explorer la possibilité que le docteur Williams puisse travailler sur son projet depuis l'université. Sans doute avec l'aide du personnel du NPL ou du TRE. »

Si mince fut-elle, cette possibilité fut sérieusement envisagée. Le 22 novembre 1946, Williams et deux autres pontes du TRE, R. A. Smith et A. Uttley, se rendirent au NPL pour « discuter avec M. Womersley et le docteur Turing de la façon dont ils pourraient participer au projet ACE ». Le compte rendu officiel était un chef-d'œuvre de discrétion, Darwin étant furieux que Williams se soit laissé séduire par les sirènes de Manchester. Il tapa du poing sur la table :

« Le directeur a souligné l'extrême importance qu'il attachait au développement de l'ACE et a exigé que ce projet soit prioritaire sur tout autre travail du TRE pour le DSIR. Il craignait qu'on ne fasse pas tous les efforts possibles pour faire avancer ce projet. »

Smith expliqua que ce serait très difficile. « À l'exception du petit nombre d'employés qui travaillent désormais pour le docteur F. C. Williams, la majeure partie des techniciens ont été transférés au Département de l'énergie atomique. » (Ce qui illustrait un autre pan de l'histoire d'après-guerre.) Ainsi, « la seule façon pour le TRE de pouvoir continuer à collaborer serait de demander à un petit nombre d'employés de travailler sous la direction du docteur Williams à l'université de Manchester ». Ce n'était pas du tout ce que Darwin souhaitait entendre, mais il persévéra. La réunion se poursuivit avec Williams et Uttley du TRE, Womersley du NPL et Alan. Dans la discussion,

« il apparut que, même si l'on avait déjà conçu des plans avancés du projet, le problème crucial du stockage d'informations n'était pas encore résolu, et que, comme prévu, le travail expérimental du docteur Williams sur le stockage sur tube cathodique était bien plus avancé que celui du Post Office sur l'utilisation des lignes à retard ».

En fait, Williams était déjà parvenu à enregistrer des informations sur un tube cathodique pour une durée illimitée. On trouva donc un compromis : Williams devait « poursuivre son travail avec le moins possible d'interruptions ». Le NPL lui proposa un contrat stipulant qu'il devait se charger d'élaborer les composants et la mémoire électroniques du matériel arithmétique.

Seulement cela comportait un triple malentendu. Tout d'abord, il restait encore de grandes chances que Manchester finance le projet de mémoire de Williams indépendamment des besoins du NPL. Ensuite, la conception et la programmation de l'ACE avaient été réalisées en fonction de mémoires à lignes à retard et devaient donc être entièrement modifiées pour un système à tubes cathodiques. Enfin, alors que Darwin négociait comme s'il avait déjà un mathématicien en charge des plans et ne cherchait plus qu'un bon constructeur pour les exécuter, Williams se comportait bien différemment : comme s'il cherchait des fonds pour construire son propre ordinateur. Il fallait trouver un compromis entre ces deux positions qui étaient d'ailleurs étroitement liées au traditionnel clivage entre les « mathématiques » et l'« ingénierie ». Et pourtant la frontière était bien claire depuis que la guerre avait cessé d'imposer la coopération dans le but de lutter contre un ennemi commun.

Hartree, désirant voir renaître cette collaboration, passa à une autre étape. Le 19 novembre, il expliqua à Darwin que « M. Wilkes était prêt à aider de son mieux au projet ACE dans la mesure où il en aurait la possibilité à Cambridge ; il avait déjà conçu des lignes à retard et souhaitait échanger des informations avec le docteur Turing ». Le lendemain, Wilkes écrivit à Womersley :

« Il semblerait que le professeur Hartree vous ait prévenu que je commençais à travailler sur les machines à calculer électroniques et que j'étais impatient de collaborer avec vous. Comme vous le savez, je me suis récemment rendu aux États-Unis où j'ai vu le fruit de leur travail. Le professeur Hartree m'a dit qu'il en avait discuté avec vous et pense que nous pourrions peut-être procéder à quelques échanges mutuellement profitables. »

Le 27 novembre, Wilkes se rendit au NPL pour discuter de ses plans. Le 2 décembre, il écrivit une fois de plus :

« J'ai de nouveau réfléchi à notre discussion de mercredi dernier et je crois que je ferais bien de former ici un groupe de huit personnes de différentes qualités en plus du mécanicien et du jeune homme qui travaillent déjà à l'atelier. La somme de leurs salaires annuels s'élèverait à 2 500 livres, à laquelle il faudrait ajouter les coûts de matériel et de sous-traitance.

Je suis absolument convaincu qu'il est essentiel de fabriquer une sorte de modèle pilote de l'ACE[1]. Je ne vois pas d'autres moyens de tester certains éléments comme les circuits de contrôle. Veuillez trouver ci-joint une note que j'ai rédigée à propos de la conception d'un prototype. Je crois qu'il serait bon que vous passiez avec nous un contrat spécifique à ce sujet. Cela n'implique aucunement que nous ne vous commanderons pas de pièces de l'ACE avant la fin de la fabrication du prototype, mais il sera difficile de régler certains points sans un modèle pilote en état de fonctionnement. »

En attendant, la note jointe concernait une machine dont les caractéristiques ressemblaient à s'y méprendre à celle de l'EDVAC, soit un calculateur fondamentalement différent de l'ACE. Le projet de Wilkes impliquait l'utilisation d'un accumulateur central et, surtout, il s'opposait à toute la philosophie de Turing qui voulait que le matériel conservât un maximum de simplicité, en confiant autant que possible le travail à la programmation. Wilkes, quant à lui, optait pour une programmation simplifiée compensée par des circuits électroniques destinés à effectuer le travail d'identification et d'exécution des diverses instructions arithmétiques. Il semblait ignorer les plans de l'ACE – alors qu'Alan en était déjà à la version VII de son projet – et proposait en quelque sorte de faire une croix sur des mois d'un travail intensif. Lorsque Womersley eut transmis la proposition à Alan, celui-ci répondit de manière assez brutale dans une lettre datée du 10 décembre :

« M. Womersley,

J'ai lu les propositions de Wilkes concernant une machine pilote et je suis d'accord avec lui sur la nécessité d'une telle machine. Je suis également toujours d'accord sur le nombre de lignes à retard suggéré. Le "code" qu'il propose est cependant tout à fait contraire à la direction des recherches poursuivies ici et se place plutôt dans la tradition américaine qui est de résoudre les problèmes par une abondance de matériel plutôt que par la

---

1. Par « ACE », Wilkes entend « ordinateur ».

réflexion. J'imagine que la mise en pratique de son "code" (qu'on présente comme "réduit à la plus simple expression possible") exigerait un circuit de commande beaucoup plus complexe que celui proposé pour notre machine définitive. Par ailleurs, certaines opérations que nous tenons pour plus fondamentales encore que l'addition et la multiplication ont tout simplement été omises.

On pourrait affirmer que si l'on doit avoir une mémoire aussi restreinte, il devient alors nécessaire de disposer d'un système de commande développé. Dans la mesure où cela est vérifié, je dirais qu'il s'agit là d'un argument contre la création d'un modèle pilote, ou tout au moins contre son utilisation sur des problèmes sérieux. Ce serait évidemment de la folie pure que de mettre au point un système de commande aussi développé pour le seul besoin du modèle pilote. Je préférerais pour ma part un modèle de commande d'une taille négligeable, susceptible d'être étendu par la suite si nécessaire. Seuls les problèmes de test devraient être travaillés sur la machine réduite. »

Le 19 décembre, Womersley écrivit à Wilkes :

« Nous vous remercions pour vos suggestions à propos du prototype de l'ACE. Elles ne correspondent cependant pas aux idées de Turing, qui souhaite concevoir une machine plus réduite. De son point de vue, la partie destinée au contrôle est trop complexe – même s'il considère la quantité de mémoire conforme. Je lui ai par conséquent demandé de consigner par écrit ce qu'il entend par "machine réduite", et je me propose de vous faire parvenir cette note (sans obligation de part et d'autre bien entendu) pour que nous puissions en discuter ensemble afin de rédiger un contrat en bonne et due forme. »

Entre-temps, la publicité faite à l'ACE avait suscité l'intérêt de certains industriels britanniques. Le 7 novembre, l'*Industrial Chemist* avait commandé un article à Alan. Il avait répondu un peu rudement que si l'ACE « était parfaitement adapté pour traiter de problèmes de transferts de chaleur, du moins dans des solides ou dans des fluides sans turbulences », il pensait qu'un article ne serait utile que quand « plusieurs problèmes du même ordre auront été résolus grâce à l'ACE et que de plus amples détails pratiques pourront alors être donnés ». Le 11 novembre, Alan fut invité à rédiger un article pour l'Institution of Radio Engineers — à laquelle Mountbatten avait fait ses révélations quelques jours plus tôt. Mais Alan dut à nouveau décliner :

« Je suis navré de ne pouvoir rédiger un tel article sans l'autorisation de notre directeur. Je vous suggère de lui faire part de votre demande. »

Soucieuse de limiter les contacts d'Alan Turing avec le monde extérieur, l'administration du NPL suggéra qu'« au lieu d'expliquer sa machine de manière répétée à des individus isolés, le docteur Turing gagnerait du temps en donnant une série de conférences destinées aux principaux concernés par le développement technique de la machine ». Ces conférences furent effectivement organisées tous les jeudis après-midi des mois de décembre et janvier, à l'Adelphi, quartier général du ministère de l'Approvisionnement. Les invitations, moins de vingt-cinq en tout, étaient destinées à des ingénieurs électroniciens, des fabricants de composants électroniques, des départements militaires, etc. Tout semblait prêt, sur le modèle des conférences de la Moore School, mais la mise en scène se révéla bien différente. D'après un mémorandum du NPL, l'exposé d'Alan devait être suivi d'un moment important réservé à « la discussion — en particulier la critique des propositions du docteur Turing ». Beaucoup pensaient en effet qu'Alan ne savait pas de quoi il parlait. De toute façon, la critique était inévitable ; certains des invités avaient déjà leurs propres idées et n'avaient nullement l'intention de se plier un tant soit peu aux plans de Turing. Wilkes écrivit par la suite à ce propos :

« J'ai trouvé Turing très orienté et ses idées divergentes par rapport à la direction générale des développements de l'ordinateur. J'ai peut-être assisté à sa deuxième conférence mais je ne suis sûrement pas allé plus loin. Hartree continua cependant d'y assister et insista pour me communiquer ses notes ; toutefois je n'y vis pas grand intérêt. »

Les conférences sur l'électronique élémentaire ne furent pas non plus bien accueillies par les représentants du TRE qui découvraient que l'ACE avait été conçu avec une mémoire à lignes à retard. Normalement « ces discussions devaient permettre de définir clairement quelle pourrait être la contribution du TRE » au projet ACE. Et la situation fut clarifiée… Mais pas comme Darwin l'espérait.

Quoi qu'il en soit, le cycle de conférences fut brusquement interrompu par l'arrivée d'une lettre en provenance des États-Unis. Le 13 décembre, Womersley apprit, en effet, qu'il était invité à un grand symposium sur les machines à calcul numérique à grande échelle, qui devait se tenir à Harvard du 7 au 10 janvier, à l'occasion de l'inauguration du calculateur à relais *Mark II*. Darwin estima que cela ferait le plus grand bien à Alan d'aller goûter un peu à la sagesse américaine et il s'arrangea pour qu'il puisse assister aussi au symposium, puis visiter l'ENIAC et rencontrer l'équipe de von Neumann. Wilkinson reprit donc les conférences d'Adelphi. Alan passa Noël à Dorking, chez les parents de David Champernowne. Le lendemain, il manqua « d'une poitrine » la victoire au trois miles des rencontres d'athlétisme du Boxing Day – avec un temps de 15 minutes 51 secondes. À cette occasion, le reporter sportif de l'*Evening News* obtint une interview de Turing sur la « paternité » du calculateur numérique :

« L'ATHLÈTE "ÉLECTRONIQUE"

À l'opposé de l'image populaire du scientifique, Alan M. Turing, célibataire de 34 ans, grand et modeste, partira en dernière ligne de la course à handicap de trois miles organisée par le Walton Athletics Club pour le Boxing Day.

Bien que ce soit sa première saison dans les meetings, Turing est le meilleur coureur de fond du club. Au National Physical Laboratory de Molesey {*sic*}, il est le docteur Turing et on lui doit la conception de l'Automatic Computing Engine, plus connu sous le nom de "cerveau électronique".

Il se montre très discret au sujet de ses prouesses tant sportives que scientifiques, attribue aux Américains l'essentiel du travail effectué sur l'ACE, assure qu'il court pour garder la forme mais reconnaît qu'il faisait partie de l'équipe d'aviron de son collège à Cambridge. »

Alan embarqua sur le *Queen Elizabeth* après avoir vainement cherché un bureau de poste où envoyer du linge sale à sa mère pour qu'elle le lui lave. Il conserva donc son paquet pendant tout son séjour aux États-Unis, ce qui illustrait une fois encore son manque de sens pratique.

Le symposium avait quasiment rassemblé toutes les personnalités américaines intéressées et Alan était le seul Britannique. Il joua pourtant un rôle important dans les débats, discutant, par exemple, des propositions de mémoire à tubes cathodiques de Jay Forrester et Jan Rajchman (ce dernier s'occupait du développement de l'Iconoscope au RCA). Ses interventions furent très caractéristiques. Il commençait toujours par un problème de construction pour aller en rechercher le principe abstrait caché derrière :

« Je ne sais si je dois adresser ma question au docteur Rajchman ou au docteur Forrester car cette difficulté apparaît dans chacun de leurs articles. Le docteur Forrester assurait qu'il y avait une possibilité de récupérer la charge en se servant d'électrons lents et annonçait que le docteur Rajchman l'expliquait dans son article. Si je comprends bien le docteur Forrester, la méthode devrait être applicable à son type de mémoire. Cependant il me semble qu'il y a une difficulté fondamentale qui se résume en principe à ceci : à moins que le milieu de stockage se rapproche d'une certaine façon d'une structure granuleuse, une telle méthode ne peut être applicable puisque dans le cas où un tel schéma est stable, alors, selon une règle de symétrie et par un léger décalage, d'un côté ou de l'autre, une configuration légèrement différente est elle aussi stable. On n'obtient donc pas un nombre fini de configurations stables mais un nombre infini de ces configurations. »

Il exposa également le principe directeur de ce qui distinguait son projet ACE de ceux de von Neumann ou de Wilkes :

« Nous cherchons à exploiter davantage les possibilités de la machine de faire toutes sortes de choses différentes par la simple programmation plutôt qu'en y ajoutant du matériel supplémentaire. [...]

C'est l'application du principe général selon lequel toute opération particulière d'un appareil physique peut être reproduite par une machine de type EDVAC. Nous éliminons donc les appareils additionnels en introduisant simplement des programmes supplémentaires dans la machine. »

La conférence permit à Alan de retrouver Claude Shannon et Andrew Gleason. Il profita également de l'occasion pour soumettre à Alonzo Church un travail sur la théorie des types qu'il avait effectué pendant la guerre.

Il passa ensuite quinze jours à Princeton. Les Américains n'étaient pas vraiment plus avancés que ne l'était le NPL car ils se heurtaient aux mêmes problèmes. La frontière entre « mathématiques » et « ingénierie » faisait partie de ces difficultés. Eckert et Mauchly avaient fini par se retirer pour créer leur propre société et un procès concernant les brevets de certains aspects de l'EDVAC était même en cours. Comme Alan, von Neumann et Goldstine avaient réfléchi au problème de l'analyse numérique de l'inversion matricielle et aussi à la physique des lignes à retard à mercure. Goldstine eut d'ailleurs, à tort, l'impression qu'Alan ne croyait pas à l'efficacité des lignes à retard – sans doute parce qu'il en souligna certaines des difficultés les plus subtiles. À ce moment-là, il avait déjà conçu une grille à insérer dans les lignes de « mémoire de manœuvre » courtes, qui permettait d'éviter que les impulsions réfléchies ne repartent dans l'autre sens. Cette grille fut brevetée par la suite.

Rien de ce qu'il avait pu voir aux États-Unis ne modifia sa conception de l'ACE. Le voyage se révéla donc parfaitement inutile. Alan en profita quand même pour rapporter quelques cadeaux : des bas nylons et des fruits secs pour sa mère, ainsi qu'un colis de nourriture pour Robin Gandy. La Grande-Bretagne était à l'époque encore plus durement rationnée que pendant la guerre, la balance des paiements constituant une contrainte plus implacable encore que les U-Boote. Lorsqu'il revint en Angleterre, Alan débarqua au cœur de l'hiver rigoureux qui marquait ce début de l'année 1947.

On parlait toujours de coopération et rien ne se produisait. Le 21 janvier, E. S. Hiscocks, secrétaire du NPL, avait annoncé que le Post Office avait réussi à garder un nombre en circulation pendant une demi-heure dans son dispositif de ligne à retard. Il s'agissait là d'une nouvelle très encourageante. En parallèle, le travail du professeur Williams sur les mémoires électroniques se poursuivit. Cependant, deux jours plus tard, ce dernier refusait de signer le contrat du NPL et l'illusion qu'il travaillait pour le compte de l'ACE s'écroula en même temps. Wilkes avait écrit à Womersley le 2 janvier, se déclarant prêt à travailler pour le NPL. Assez embarrassé, Womersley rangea la lettre dans un tiroir. Hartree eut cependant une autre idée qui s'avéra plus réaliste. Il avait invité Huskey (qui faisait partie de l'équipe de l'ENIAC) à passer une année sabbatique au NPL ; et celui-ci était déjà arrivé quand Alan rentra. L'année 1946 s'achevait et rien n'avançait alors qu'il avait suffi de douze mois pour construire Colossus à partir de zéro. Alan profita de son séjour en Amérique pour résumer la situation au NPL :

« Mon séjour n'a guère mis en lumière de nouvelles informations techniques importantes, principalement, me semble-t-il, parce que les Américains nous ont tenus bien informés pendant toute l'année dernière. J'ai pu cependant me faire une certaine idée de la valeur respective des divers projets et de l'ampleur de leur organisation. Les projets de calculateurs sont maintenant tellement nombreux qu'il n'est plus possible d'en établir une liste complète. Je pense que c'est une erreur et qu'ils dispersent ainsi leur énergie. Nous devrions pouvoir faire bien mieux en concentrant tous nos efforts sur une seule machine – avec une efficacité bien supérieure à tout ce qu'ils ne pourront jamais se permettre. Pour le moment, nos efforts restent plutôt minces comparés à ceux consacrés sur chacun des grands projets américains. Pour donner une idée du nombre de gens impliqués dans ce travail aux États-Unis, je dirais déjà qu'il y avait entre deux et trois cents personnes présentes au symposium de Harvard et qu'on y donna environ quarante conférences techniques. Nous sommes tout à fait incapables de rivaliser avec eux.

Un autre point au sujet de l'organisation du travail m'a énormément frappé. Dans tous les cas, l'ingénierie et les mathématiques se font dans les mêmes locaux. Je suis convaincu que c'est la meilleure solution pour que les deux secteurs collaborent de façon étroite. Nous nous rendons fréquemment compte que nous sommes arrêtés parce que nous ignorons certains points qui pourraient être éclairés par les ingénieurs, et le Post Office se trouve confronté au même problème ; un coup de fil suffit rarement car il exclut l'utilisation de diagrammes. Plus ennuyeux encore sont les problèmes d'incompréhension, qui pourraient se résoudre d'eux-mêmes s'il y avait un meilleur contact car ils seraient mis en lumière par de simples conversations informelles. Il est clair que nous aurons finalement une section d'ingénierie associée à l'ACE, et il me semble que le plus tôt sera le mieux.

Le côté positif de ma visite a été de montrer que nous sommes bien sur la bonne voie. Il est probable que la machine de Princeton, fondée sur le Selectron, sera supérieure à l'ACE en matière de rapidité, mais notre projet comprend d'autres avantages et, tout bien considéré, je pense qu'il est préférable que les deux types de machines soient essayés. Le groupe de Princeton me paraît de loin le mieux conçu et le plus précis de toutes ces entreprises américaines et j'aimerais rester en relation avec eux. »

Si les plans ne cessaient d'être retardés, aucun manque de confiance ne fut perceptible lorsque, le 20 février, Alan donna une conférence à la London Mathematical Society. Il parla comme si la réalisation de l'ACE n'était plus qu'une formalité : bientôt les terminaux bourdonneraient d'une activité débridée et les programmeurs seraient débordés par le nombre de problèmes nationaux à convertir en tables d'instructions.

Son discours commença par l'image de « maîtres » et de « serviteurs » qui seraient au service de l'ACE, un peu comme les grands spécialistes du décryptage et les « filles » avaient pu travailler sur le déchiffrement de l'Enigma navale. Les maîtres se chargeraient de la programmation logique et les serviteurs des opérations physiques. Mais, assura-t-il, « au fur et à mesure, le calculateur reprendra lui-même les attributions des maîtres et des serviteurs. Ces derniers seront remplacés par des membres et des organes sensoriels mécaniques et électriques. On pourra, par exemple, utiliser des lecteurs de courbes pour que la donnée soit prise directement sur ces courbes, au lieu d'employer des "filles" pour reconnaître les valeurs et les perforer sur des cartes. » L'idée n'était pas nouvelle puisque Williams avait déjà construit un dispositif similaire pour le vieil analyseur différentiel de Manchester. La nouveauté apparaissait plutôt lorsqu'il suggéra :

« Les maîtres sont susceptibles d'être remplacés dans la mesure où, dès qu'une technique apparaît trop stéréotypée, il devient possible de concevoir un système de tables d'instructions permettant au calculateur de s'en charger tout seul. Cependant, il arrivera sans doute que des maîtres refusent de s'y prêter et de se laisser ainsi dépouiller de leur travail. Dans ce cas, ils envelopperont leur travail de mystère et trouveront toujours des excuses, formulées dans un vocabulaire nébuleux, pour s'y opposer. Je crois que ce genre de réaction constitue un danger réel. Cela nous conduit tout naturellement à nous interroger sur les limites d'une machine à calculs pour simuler l'activité humaine. »

Il s'agissait d'une idée sujette à polémique. Hartree, par exemple avait répété en novembre dans *The Times* que « la machine n'est pas un substitut à la réflexion ou à l'organisation des calculs mais uniquement à l'exécution de ces calculs ». Darwin avait complété :

« Dans le langage populaire, le terme "cerveau" est associé aux plus hautes sphères de la réflexion, pourtant, une grande partie du cerveau n'est rien d'autre qu'une machine automatique inconsciente qui, lorsqu'elle est stimulée, produit des réactions précises, parfois très complexes. C'est l'unique partie du cerveau que nous aspirons à imiter. En aucun cas, les nouvelles machines ne remplaceront la réflexion. Au contraire, elles vont en avoir de plus en plus besoin... »

Ce n'était pas faire preuve de tact que de traiter ces déclarations prudentes et responsables de « charabia ».

Darwin et Hartree se faisaient en fait l'écho d'Ada, comtesse de Lovelace, qui avait écrit en 1842, à propos de la machine analytique de Babbage, que « la machine n'a pas pour vocation de prendre la moindre décision. Elle n'est capable de faire que ce qu'on est capable de lui ordonner de faire ». Il était sans doute nécessaire de l'affirmer pour combattre le fait de qualifier d'« intelligente » une machine qui effectuait « seulement » des calculs complexes. Première conceptrice de programmes destinés à une machine universelle, Lady Lovelace savait que c'était dans son esprit que résidait la véritable intelligence. Alan était également de son avis. Le directeur qui tirait toutes ses décisions de son règlement ne pouvait guère être qualifié d'intelligent. On ne pouvait pas prétendre qu'il prenait réellement des décisions. C'était bien celui qui était l'auteur du règlement qui déterminait le cours des événements. Malgré tout, Alan pensait qu'il n'existait aucune raison pour qu'une machine ne puisse reprendre le travail du « maître » chargé de sa programmation jusqu'à un certain point où on pourrait la qualifier d'intelligente.

Mais ce qu'il avait en tête dépassait la simple mise au point de langages capables de prendre le dessus sur le travail des « maîtres » en créant des tables d'instructions. Il évoqua cette étape ultérieure, qu'il avait déjà rapidement explorée dans le rapport de l'ACE :

« Nous pourrions en fait communiquer avec ces machines dans n'importe quel langage pourvu qu'il soit exact, c'est-à-dire qu'on devrait en principe pouvoir communiquer dans n'importe quelle logique symbolique, du moment que les machines auront reçu les tables d'instructions nécessaires pour interpréter ce système logique. Cela devrait signifier que les systèmes logiques auront un champ d'action nettement plus concret que par le passé. On essaiera sans doute de faire effectuer à la machine de véritables manipulations de formules mathématiques. Il faudra alors mettre au point un système logique spécifique qui devrait ressembler de très près à une procédure mathématique normale mais tout en étant aussi ambigu que possible. »

En réalité, lorsqu'il évoquait l'« imitation d'activités humaines », il parlait surtout de la faculté d'apprendre. Dans cette idée, la machine ne se contente plus de « faire ce que nous sommes capables de lui ordonner de faire », comme l'avait dit Lady Lovelace, car personne n'en connaîtrait le fonctionnement :

« On a dit que les calculateurs ne peuvent s'acquitter que des tâches qu'on leur a commandé d'exécuter. Cela est certainement vrai dans le sens que, s'ils font autre chose que ce qu'on leur a commandé de faire, c'est qu'il y a une erreur. Il est également vrai qu'en construisant ces machines, l'intention première est d'en faire des esclaves, de ne leur confier que des travaux pensés dans leurs moindres détails, des travaux tels que l'utilisateur comprenne constamment ce qui se passe. Jusqu'à présent, les machines n'ont été utilisées que de cette façon. Pour autant est-il nécessaire qu'il en soit toujours ainsi ? Imaginons que nous ayons conçu une machine avec certaines tables d'instructions initiales élaborées de telle manière que certaines d'entre elles puissent, le cas échéant, en modifier d'autres. La machine ayant fonctionné pendant quelque temps, on peut concevoir que les instructions se seront modifiées ; cependant, elles resteront dans un état tel que l'on devra admettre que la machine peut continuer d'effectuer des calculs tout à fait valables. »

Il attirait alors l'attention sur la richesse intrinsèque d'une machine universelle à programmes enregistrés. Il avait parfaitement conscience que l'exploitation de la capacité à modifier les instructions n'étendait pas, au sens strict, le domaine de la machine et c'est ainsi qu'il écrivait :

« Comment les règles d'une machine peuvent-elles changer ? Elles sont censées décrire parfaitement la manière dont la machine va réagir, quelle que soit son histoire, quelles que soient les modifications qu'elle doive subir. Les règles semblent donc plutôt inaltérables. [...] L'explication du paradoxe est que les règles modifiées au cours du processus d'apprentissage sont d'un type nettement moins prétentieux et ne revendiquent qu'une validité éphémère. »

Mise à part cette réserve d'ordre purement logique, Alan considérait que le processus de modification des instructions était relativement proche de celui de l'apprentissage humain et méritait qu'on s'y arrête. Il voyait dans les progrès de la machine modifiant elle-même ses instructions, un « élève » intégrant l'enseignement d'un « maître ». « Une machine qui apprend, expliquait-il encore, doit toujours pouvoir obtenir le type de résultats pour lequel elle a été mise au point, et cela de façon encore plus efficace. Dans ce cas, on sera forcé d'admettre que les progrès de la machine n'ont pas été prévus par les instructions originales introduites dans la machine. Ce serait un peu comme un élève qui aurait beaucoup appris de son professeur, mais qui aurait appris encore davantage tout seul. Quand cela se produira, j'ai le sentiment qu'on sera bien obligé de reconnaître que la machine fait preuve d'intelligence. Dès que l'on pourra disposer d'une mémoire de capacité assez importante, il sera possible de commencer à faire des expériences dans ce sens. La capacité de mémoire d'un cerveau humain est de l'ordre de dix milliards de chiffres binaires et elle est sans doute utilisée dans sa majeure partie pour se remémorer des impressions visuelles et d'autres applications tout aussi vaines en comparaison. On peut raisonnablement espérer parvenir à des progrès réels avec quelques millions de chiffres binaires seulement, surtout si on circonscrit les recherches à un domaine limité, comme les échecs par exemple. »

Comme prévu, l'ACE devait comprendre deux cents mille bits de mémoire ; parler de « quelques millions » constituait donc une projection assez lointaine. Malgré tout, Alan considérait la mise au point de programmes évolutifs comme réalisable à court terme : un objectif qui, en dépassant la simple hypothèse, influençait effectivement la recherche. Le 20 novembre 1946, il avait répondu aux questions de William R. Ashby, un neurologue qui souhaitait vivement travailler sur des modèles mécaniques de fonctions cérébrales :

« Comme vous le suggérez, l'ACE sera d'abord utilisé d'une manière totalement disciplinée, automatique, analogue aux actions réflexes – même si les réflexes seront d'une complexité extrême. L'action disciplinée sous-entend le fait assez désagréable, que vous mentionnez d'ailleurs, qu'on ne pourra rien lui reprocher si quelque chose ne se passe pas comme prévu. Elle serait également entièrement dépourvue de ce qu'on pourrait appeler "originalité". Il n'y a cependant pas de raison de limiter la machine à une telle utilisation : rien dans sa construction ne nous oblige à le faire. Il serait tout à fait possible que la machine essaie des variations de comportement, puis les accepte ou les rejette de la manière que vous décrivez. Et j'espère bien pouvoir le faire faire à l'ACE. C'est envisageable dans la mesure où, sans altérer la conception de la machine proprement dite, celle-ci doit, en théorie du moins, pouvoir remplacer n'importe quelle autre machine, dès l'instant qu'elle dispose, en mémoire, d'un ensemble correspondant d'instructions. L'ACE équivaut en fait à la "machine universelle" décrite dans mon article sur les nombres calculables. Cette possibilité théorique est réalisable pratiquement et raisonnablement, peut-être au prix d'une moindre rapidité que celle d'une machine qui aurait été conçue spécialement à cet effet. Ainsi, même si le cerveau peut agir en modifiant ses circuits neuroniques par le développement des axones et des dendrites, nous pourrions néanmoins réaliser, dans le cadre de l'ACE, un modèle permettant une telle possibilité, sans que la structure même de l'ACE ne s'en trouve modifiée : seules les données enregistrées indiquant le mode de comportement applicable à n'importe quel moment pourraient être transformées. Je crois que vous auriez intérêt à tirer parti de ce principe et à effectuer vos expériences sur l'ACE au lieu de construire une machine spéciale. »

Étendant son propos à son exemple favori, les échecs, Alan assura que :

« Il serait probablement assez simple de trouver des tables d'instructions qui permettraient à l'ACE de vaincre un joueur moyen. Et de fait, Shannon, de Bell Labs, me dit qu'il lui est arrivé de gagner des parties en jouant de manière totalement empirique. Il ne précise pas le niveau de ses adversaires. »

Il s'agissait probablement d'un malentendu. Shannon envisageait effectivement, depuis 1945, un appareil à jouer aux échecs suivant une stratégie des minimax qui exigeait le « secours » d'un arbre de recherches – reprenant donc l'idée de base déjà imaginée par Alan Turing et Jack Good dès 1941. En revanche, il n'avait jamais prétendu avoir mis au point un programme gagnant. Mais Alan ne jugeait pas

« qu'une telle victoire soit très significative. Ce que nous voulons, c'est une machine qui puisse assimiler l'expérience. Cela pourrait être obtenu en permettant à la machine de modifier ses propres instructions, toutefois, cela ne nous mènerait sûrement pas très loin ».

Alan s'intéressa ensuite à l'objection de « machine intelligente ». Objection qui passait par la présence de problèmes insolubles par un procédé mécanique – comme il l'avait découvert dans *Nombres calculables*. Dans les « logiques ordinales », la tâche de voir la vérité d'une assertion indémontrable était à la charge de la notion psychologique d'« intuition ». Or Alan proposait de changer de point de vue. Il n'était pas loin de soutenir que de tels problèmes n'avaient rien à voir avec l'« intelligence ». Il ne chercha guère à approfondir le sens du théorème de Gödel, ni ses propres résultats, mais préféra trancher le nœud gordien :

« Je dirais que justice doit être rendue aux machines. Au lieu de les laisser parfois dans l'incapacité de fournir une réponse, nous pourrions faire en sorte qu'elles nous donnent occasionnellement des réponses erronées. Le mathématicien humain commet lui-même des erreurs lorsqu'il essaye de nouvelles techniques. Il nous paraît tout naturel de lui pardonner et nous sommes prêts à lui donner une nouvelle chance, alors que nous nous montrerions implacables avec une machine. En d'autres termes, si une machine n'a pas droit à l'erreur, on ne peut attendre d'elle qu'elle soit intelligente. Il existe plusieurs théorèmes qui reviennent exactement à cela. Sauf que ces théorèmes ne disent pas dans quelle mesure une machine peut être intelligente si elle ne prétend pas à l'infaillibilité. »

C'était tout à fait vrai. Le théorème de Gödel et la propre découverte d'Alan n'envisageaient la machine que comme une sorte d'autorité papale, infaillible avant d'être intelligente. En somme, Alan voulait, suivant le principe d'imitation, qu'on se montre « tolérant » avec les machines lorsqu'il s'agissait de « tester leur QI », ce qui le ramenait directement à l'idée d'un apprentissage mécanique fondé sur l'expérience :

« Un mathématicien humain a toujours suivi un entraînement passé. Cet entraînement n'est pas sans rappeler les tables d'instructions qu'on introduit dans une machine. On ne doit donc pas attendre de celle-ci qu'elle crée elle-même beaucoup de tables d'instructions. Aucun homme n'apporte autant à la somme générale de la connaissance. Pourquoi attendre davantage d'une machine ? Pour aborder le problème autrement, il faut que la machine ait des contacts avec les hommes afin qu'elle puisse s'adapter à leurs normes. Le jeu d'échecs conviendrait sans doute très bien dans la mesure où les coups de l'adversaire fourniraient automatiquement ce contact. »

La fin de la conférence plongea son auditoire dans un abîme d'incrédulité. Tous regardèrent autour d'eux avec perplexité – sans doute à la grande joie d'Alan. Il savait pertinemment qu'il rompait l'armistice de rigueur entre science et religion et cela ne faisait qu'apporter de l'eau à son moulin. Il y réfléchissait depuis qu'il avait lu Eddington, en classe de première, et il ne comptait certainement pas s'aligner sur la position officielle qui distinguait la « machine automatique inconsciente » des « sphères supérieures de l'intellect ». Il était formel : une telle séparation n'existait pas.

C'était au fond le problème de l'esprit et de la matière qu'Eddington avait tenté de détourner en invoquant le principe d'incertitude de Heisenberg. Mais Eddington avait fait référence au déterminisme de la loi physique pour traiter de la vision du monde « scientifique » de l'époque victorienne et Samuel Butler l'avait parodié dans *De l'autre côté des montagnes* :

« Si l'on avançait que l'action de la pomme de terre est uniquement mécanique et chimique et qu'elle est due aux effets mécaniques et chimiques de la chaleur et de la lumière, la réponse reviendrait à se demander si toute sensation ne serait pas chimique et mécanique dans son fonctionnement. […] S'il n'existait pas une action moléculaire de la pensée d'où l'on pourrait déduire une théorie dynamique des passions ? Ne devrions-nous pas nous demander, strictement parlant, de quels leviers est fait tel ou tel homme plutôt que de s'interroger sur son tempérament ?

Comment sont-ils réglés ? Combien faudrait-il de ceci ou de cela pour les abaisser et lui faire faire ceci ou cela ? »

Il s'agissait d'un tableau inspiré de la biologie, de la physique et de la chimie du XIXe siècle. Mais le défi que lançait Turing se situait à un autre niveau de la description déterministe : celui de la machine logique abstraite, comme il l'avait défini lui-même. Il y avait encore une autre différence. Des victoriens comme Butler, Shaw et Carpenter s'étaient souciés d'identifier une âme, un esprit ou une force vitale. Alan Turing parlait, lui, d'« intelligence ».

Il ne définit pas exactement ce qu'il entendait par ce mot, mais l'exemple du jeu d'échecs, auquel il revenait sans cesse, en faisait la faculté de concevoir comment parvenir à un but donné, et son allusion aux tests de QI indiquait une façon de mesurer les résultats produits par cette compétence. Venant de Bletchley, Alan était bien placé pour savoir que cette sorte d'« intelligence » était d'une importance primordiale et évidente. L'intelligence[1] avait permis de gagner la guerre. Ils avaient résolu d'innombrables problèmes logiques et avaient fini par mettre les Allemands échec et mat. Et, de manière générale, à l'image des scientifiques de sa génération, sa vie avait été une véritable lutte pour l'intelligence contre des institutions scolaires périmées et bornées, contre un système économique aberrant et, pendant la guerre, contre des réactionnaires stupides qui occupaient la « profession des crétins » – sans même parler des nazis qui avaient élevé la stupidité en religion. On décelait dans cette vision l'influence du socialisme à la Sydney Webb pour qui la société était sur le point d'être administrée par des fonctionnaires intelligents. Il faut ajouter que l'on parlait beaucoup, en 1947, des tests de QI. À l'époque, on envisageait scientifiquement une nouvelle division de la jeunesse britannique en catégories, en fonction de l'« intelligence » et non de la classe sociale. Oscar Wilde avait écrit *L'Âme de l'homme sous le socialisme*. Mais sous le socialisme des dirigeants travaillistes, des mots comme « âme » – termes surnaturels ou « vaseux », comme le disait Bertrand Russell – devaient être laissés aux évêques ou aux conversations d'adolescents sur l'esprit d'équipe.

---

1. Le terme *intelligence* désigne en anglais aussi bien une faculté de l'esprit que le renseignement militaire. (NdT)

Si beaucoup doutaient de la sagesse ou même de l'utilité des scientifiques, ceux-ci jouissaient enfin des faveurs du gouvernement. La guerre avait éveillé l'intérêt des dirigeants pour la science et ce qui avait pu passer pour une position visionnaire, puis progressiste, était en train de devenir simplement orthodoxe. Les scientifiques sortaient de leurs tanières – où ils avaient été jusqu'ici confinés à de « basses besognes » – et paraissaient enfin être capables de fournir aux gouvernements de vraies solutions à leurs problèmes. Alan était dans ce même état d'esprit. Il réfutait également l'idée selon laquelle les scientifiques, non les généraux et les politiciens, étaient responsables des imperfections de ce monde. Répondant à Mermagen (un ancien de Sherborne) qui lui écrivait pour lui demander quelle place occupaient, selon lui, les mathématiques et les sciences dans le monde d'après-guerre, Alan écrivit :

« À propos de la carrière des mathématiciens, je suis tenté de penser que les effets de l'ACE, des projectiles guidés, etc., aboutiront pour les autorités à un besoin croissant de mathématiciens. Je suis moi-même à la recherche de mathématiciens pour convertir les problèmes sous une forme intelligible pour la machine. À vue de nez, le niveau critique correspondra au degré d'intelligence atteint par la machine. Nous ne souhaitons bien sûr pas de gens incapables d'assumer des responsabilités : c'est la machine qui les remplacera. Ce niveau critique est cependant assez bas pour le moment et je suis sûr que vous pouvez en toute confiance encourager de bons élèves à entreprendre une carrière de mathématiciens s'ils le veulent. Le pire danger réside probablement dans la réaction antiscientifique de certains. »

Mais à quoi devait servir cette intelligence ? Personne ne posait la question. Dans quel but travaillaient techniciens et administrateurs ? Nul ne semblait le savoir en cette année 1947, alors que les grandes convictions des années 1930 et l'unité provoquée par la guerre s'étaient envolées. Le grand adversaire de la partie d'échecs avait été battu et personne ne l'avait remplacé – pour le moment.

Alan Turing était l'illustration parfaite de la pensée technocratique de 1947 en matière de gestion sociale. En surface au moins car il n'était pas intéressé par la résolution des problèmes de société par les ordinateurs. S'il avait judicieusement cité dans son rapport quelques exemples de domaines dans lesquels l'ordinateur pourrait se révéler fort utile, c'était uniquement pour qu'on accepte de financer son projet. Sa vision n'était qu'une copie de ce qu'il avait vu à Bletchley. Il savait que c'était possible mais ne s'y intéressait guère et aurait été bien incapable de s'en occuper. Il aurait fallu un Travis pour s'occuper de l'ACE. Même dans cette lettre sur l'utilité des mathématiques, il préférait comparer l'intelligence du futur ordinateur à celle des enfants – une autre de ces comparaisons favorites. Si le projet le motivait, c'était parce qu'il restait toujours aussi fasciné par le savoir lui-même, en l'occurrence, la magie de l'esprit humain. Il n'était pas un Babbage à la recherche d'une meilleure division du travail. Son intérêt pour l'ACE n'avait aucun rapport avec le leitmotiv « mécanisation, rationalisation et modernisation » décrit par Orwell. Et c'était pourtant ce qui en finançait la création. Son attachement était dû à son émerveillement intact pour « la splendeur et la beauté de la nature » et à un désir presque érotique de la comprendre. Dans une lettre adressée à Ashby, il avouait d'ailleurs sans détour :

« En travaillant sur l'ACE, je m'intéresse davantage à la possibilité de produire des modèles de l'action du cerveau qu'aux applications pratiques des calculs. »

En fait, si Alan avait préféré ne s'occuper que d'un seul aspect des choses, ce n'est pas parce qu'il considérait la forme d'« intelligence » consistant à trouver des solutions à des problèmes comme supérieure à toutes les autres qualités humaines. C'était même plutôt l'inverse.

C'était peut-être là l'aspect le plus surprenant de sa personnalité. Malgré tout ce qu'il avait pu faire pendant la guerre, ses multiples combats menés contre la stupidité, il ne considérait pas les intellectuels ou les scientifiques comme appartenant à une classe d'élite. La machine intelligente, en reprenant le rôle des maîtres, constituerait un progrès qui allait remettre les spécialistes intellectuels à leur place. De même que la technologie du XIXe siècle avait mécanisé le travail des artisans, l'ordinateur automatiserait le processus de la pensée humaine. L'art que pratiquaient si jalousement les spécialistes l'enchantait, un point c'est tout. Il était en ce sens sincèrement anti-technocrate et se plaisait à réduire de manière subversive l'autorité des nouveaux prêtres et magiciens du monde moderne. Il voulait transformer des intellectuels en gens ordinaires, sans pour autant chercher à plaire à sir Charles Darwin.

Par le plus grand hasard, la conférence d'Alan eut lieu le jour même où le gouvernement britannique annonça son retrait du territoire indien. Les leçons de la guerre portaient enfin leurs fruits, aggravées par une crise du combustible que la nouvelle direction de l'Office national du charbon ne parvenait plus à maîtriser. La Grande-Bretagne ne faisait déjà plus partie du trio des grandes puissances ; son rôle dans la Méditerranée avait été récupéré par les États-Unis. Un moment de vérité où elle apparaissait comme une grande île isolée. L'Allemagne avait contraint les deux Grands à un isolement artificiel, et ni l'un ni l'autre n'avait songé à protéger les marchés et les intérêts des Britanniques. Une lueur d'espoir demeurait : la certitude que l'Angleterre pouvait faire mieux qu'en suivant « la tradition américaine qui vise à résoudre les problèmes par une abondance de matériel plutôt que par la réflexion » – pour reprendre les termes d'Alan.

Le gouvernement britannique était enfin disposé à trouver des solutions scientifiques à ses problèmes, et avait annoncé le 5 février un grand plan de culture d'arachide dans ses colonies d'Afrique orientale. À ce titre, en 1947, l'ACE, même s'il ne représentait qu'une infime part des investissements envisagés, faisait encore partie des projets en cours. C'était en fait ce que les groupes de pression de gauche demandaient depuis les années 1930, que l'État prenne en charge le développement des sciences et des nouvelles technologies plutôt que de le laisser aux mains des entreprises. Blackett, en tant que président de l'Association des travailleurs scientifiques, était à l'avant-garde de ce mouvement. En 1947, il rédigea une introduction au livre de son organisation, dans laquelle il promettait de petites merveilles, comme « l'organisation scientifique de la bureaucratie ». Pour autant, l'application en temps de paix de telles politiques scientifiques était susceptible de prendre des directions inattendues. Quant à Blackett, en incitant Williams à travailler sur un ordinateur purement mathématique à Manchester, on ne pouvait pas dire qu'il allait dans le sens du plan national. Et, même si c'était un partisan de gauche de la planification, il avait fait preuve d'un certain personnalisme. Darwin avait une position encore plus paradoxale. Par hérédité ou non, il avait le point de vue de droite des socio-darwinistes, et ne voyait pas d'un très bon œil l'État-providence. (« La politique qui consiste à focaliser son attention sur les catégories inférieures est la façon la plus inefficace d'améliorer la race humaine. ») Sa recette du progrès, ou, plutôt, sa façon de contrer ce qu'il considérait comme un suicide racial européen, consistait à promouvoir la « reproduction » de ceux qui avaient été « promus » en faisant plus d'enfants que les autres. Mais le NPL ressemblait moins à une jungle concurrentielle où tous les coups étaient permis qu'à une organisation soviétique dirigée d'une main de fer. L'environnement était loin d'être propice à la diversité et à l'action.

Durant le printemps 1947, alors que Darwin cherchait des solutions aux problèmes de Turing, certaines personnes moins bien placées sur l'échelle hiérarchique commençaient à s'impatienter et à prendre des initiatives incohérentes – Harry Huskey par exemple, qui souhaitait voir la construction d'un ordinateur commencer avant la fin de son année sabbatique. Il admirait le projet ACE dans son ensemble mais pensait qu'il serait préférable de construire une « petite » machine à lignes à retard, « selon un plan qui serait un compromis entre celui du NPL et celui de la Moore School ». Les relations entre Turing et Huskey n'avaient jamais été très chaleureuses, pourtant elles se détériorèrent brusquement au printemps. Un jour, Alan, pénétrant dans le bureau de Mike Woodger, le trouva occupé à rédiger un programme intitulé Version H. Il s'agissait en fait de l'adaptation par Huskey de la version V de l'ACE, revue afin de n'y inclure que le strict minimum pour effectuer un travail utile, défini comme étant la solution de huit équations simultanées[1]. Quoique cohérente dans l'ensemble avec la philosophie du projet ACE, une telle déviation ne pouvait que diminuer le contrôle d'Alan sur l'entreprise. Celui-ci avait toléré l'option du pilote à la condition que cela ne nuise en rien à la machine finale et en fasse, au contraire, partie

---

1. Ce critère marquait à lui seul une divergence d'attitude et de politique. Pour quelqu'un qui venait de l'ENIAC, il paraissait évident que la fonction première d'un calculateur était d'effectuer des calculs numériques. Huskey avait donc allègrement supprimé toutes les fonctions logiques de l'ACE qui « ne servaient pas dans la plupart des problèmes de calcul ». Mais qui pouvait prétendre savoir ce qu'étaient ou seraient les problèmes de calculs ? Le projet d'Alan tenait compte du fait qu'il avait passé la guerre à traiter de problèmes non numériques, ce dont il ne pouvait toujours pas parler.

intégrante. Si le projet d'Huskey échouait, ce serait une perte de temps supplémentaire ; s'il réussissait, cela aurait conduit à une modification importante du plan initial. Bien entendu, Alan boycotta le projet. Huskey parvint néanmoins à rassembler assez de matériel pour démarrer. Officiellement, son rôle le plaçait « du côté de l'équipement », et il savait mieux s'y prendre qu'Alan pour remplir des formulaires ; par ailleurs, il n'avait pas besoin de penser en fonction de la construction d'une vaste installation comme l'ACE mais seulement en fonction d'un dispositif expérimental. Jim Wilkinson et Mike Woodger se joignirent à lui. La vie devint alors très compliquée à la Division de mathématiques, cependant ils pouvaient enfin apprendre quelque chose en électronique.

À la même époque, Alan réussit à conduire lui-même quelques expériences dans la cave de Teddington Hall, bâtiment réservé à la Division de mathématiques, et il entreprit d'enseigner un peu d'électronique à Woodger. Il avait conçu des circuits permettant de transmettre et de recevoir des impulsions dans une ligne à retard ainsi qu'un système destiné à sonder le circuit afin de pouvoir examiner la forme de l'impulsion sur un oscilloscope. Le NPL ne disposant d'aucun système pour assurer cette fonction élémentaire, il en avait fabriqué un lui-même, comme il l'avait fait auparavant à Hanslope. Il s'agissait de fixer quatre ou cinq tubes sur un montage expérimental, rien de plus. Il n'avait pas même de ligne à retard sur laquelle travailler. Un jour qu'il rentrait de déjeuner, il repéra dans l'herbe un morceau de gouttière et se fit aider pour le rapporter afin de s'en servir comme d'une ligne à retard pour ses expériences. Don Bayley et « Jumbo » Lee virent ce « truc qui ne ressemblait à rien » au début du printemps 1947. Alan alla se plaindre auprès de Don de la façon dont il était traité. Alister Watson, ancien philosophe devenu spécialiste des radars, en visite au NPL pour affaires, l'entendit se plaindre : « Ils disent que je n'y connais rien en magnétisme ! » Francis Price, qui était allé à Princeton à la même époque que lui et dont la famille vivait à Teddington, surprit ses commentaires acides sur le fait que l'administration refusait de lui fournir du matériel standard pour ses expériences[1].

---

1. En novembre 1946, il avait également tenté de récupérer un bloc d'alimentation de rechange de Dalila auprès du Cypher Policy Board : « Pensez-vous pouvoir me le faire parvenir ? C'est un vieil ami et je suis habitué à ses mauvais tours. » Mais en vain.

Ces initiatives furent soudain bloquées par une décision de Darwin qui admettait enfin l'idée qu'il était momentanément impossible de répartir la construction de l'ACE entre plusieurs organisations – contrairement à ce qui avait été réalisé en temps de guerre. Il s'était jusque-là opposé à la création d'une section d'électronique au sein du NPL. Il devenait évident qu'il n'y aurait pas de calculateur national unique comme on l'avait cru en 1946, mais diverses installations parmi lesquelles le NPL, qui en posséderait une si tout se passait bien. Darwin proposait donc de construire un prototype au NPL, puis de l'expédier à l'English Electric.

Décision judicieuse. Le lien ténu qui subsistait encore avec Wilkes fut coupé de façon formelle le 10 avril et le contrat avec le Post Office annulé. À l'été, une nouvelle section électronique de la Division radio fut créée sous la direction d'un certain H. A. Thomas.

Les résultats ne furent pas aussi positifs qu'escompté. Thomas s'intéressait davantage aux applications industrielles de l'électronique qu'aux ordinateurs, et il ne connaissait proprement rien de l'électronique utilisée dans les techniques numériques ou par impulsions. Non qu'il refusât de faire la moindre concession au projet ACE : il présenta rapidement un rapport (avec lequel Womersley se déclara « parfaitement d'accord ») sur la façon dont il voyait la construction d'un calculateur. Cependant ce rapport se référait peu au projet de Turing. Thomas fit ensuite importer d'Allemagne d'énormes tubes cathodiques destinés, selon lui, à servir de tubes d'affichage numérique. Tout le personnel de la section ACE vint consciencieusement regarder l'arrivage – curieux de savoir comment cela pourrait s'intégrer aux plans d'un calculateur.

Un véritable imbroglio créé par l'administration du NPL qui donnait finalement l'impression de faire tout son possible pour ne pas « construire un cerveau ». Le NPL s'était lancé à la poursuite de Williams alors que cela impliquait de repenser entièrement la conception de la machine pour pouvoir employer le type de mémoire qu'il travaillait. Ils envisagèrent d'en confier la construction à Wilkes alors qu'il ne disposait que d'« un technicien et d'un gars » et avait des principes de conception incompatibles. Ils financèrent le trajet d'Huskey depuis les États-Unis parce qu'il avait l'expérience de l'« aspect technique », pour finalement y renoncer. Enfin, ils recrutèrent à la tête de la section électronique un homme qui, en plus d'un manque de motivation certain, n'avait aucune expérience de ce genre de travail. À ce moment-là, le seul en qui ils n'avaient jamais eu confiance était Alan Turing. L'unique politique jamais adoptée consistait à trouver des ingénieurs expérimentés pour réaliser des propositions pourtant approuvées depuis 1946. Il est sûr que ces ingénieurs étaient difficiles à dénicher mais le NPL n'avait pas vraiment essayé.

Après l'arrivée de Thomas, Alan se démobilisa complètement. La programmation se poursuivit, et l'on avança de façon notable sur les sous-programmes d'arithmétique à virgule flottante, qui incluaient des matrices et la solution numérique d'équations différentielles. Mais Alan avait perdu tout intérêt pour ce travail bien qu'il consacra pas mal de temps à ce qu'il appelait les « instructions de programmation abrégée ». Celles-ci reprenaient les idées de son premier rapport selon lesquelles le calculateur pourrait étendre lui-même ses programmes. Il s'agissait en fait d'un langage très élaboré destiné à l'ordinateur et ce bien longtemps avant que de telles techniques ne soient développées ailleurs. Mais Alan était déjà passé au niveau supérieur. Celui qu'il avait évoqué dans sa conférence de février, à savoir le moment où un calculateur pourrait faire preuve d'intelligence. Et il se rendait compte qu'il n'y avait plus rien à attendre du NPL. Darwin et Womersley partageaient ce point de vue, et le 23 juillet, Darwin écrivit au DSIR que, puisque l'ACE avait maintenant atteint le stade de la « ferronnerie », il serait préférable que son concepteur « aille passer quelque temps ailleurs ». Le divorce entre la « tête » et les « mains » n'aurait pu être demandé de façon plus explicite. On décida qu'Alan irait une année à King's College pour développer sa pensée théorique. Cette « année sabbatique » intervenait tôt dans une carrière de fonctionnaire classique, toutefois on réussit à convaincre le DSIR et le ministère des Finances que Turing était un cas à part.

Le début officiel de la construction de l'ACE fut fixé au lundi 18 août 1947. Le matin même, Darwin présida une réunion spéciale, soigneusement préparée, avec pour objectif de faire comprendre aux ingénieurs subalternes qu'ils étaient des privilégiés en travaillant sur le projet de Womersley. Alan assista à la réunion et ne prononça pas un mot.

Womersley fut très heureux de pouvoir assurer à Darwin que l'ACE serait terminé pour le début de l'année 1950. En théorie, l'ACE restait une entreprise d'importance nationale, et Hiscocks parlait du 18 août comme du « jour J ». La vérité était autre : le NPL avait presque réussi à réduire l'ACE aux dimensions mesquines de sa propre bureaucratie. Seul Turing empêchait que le triomphe ne fût complet en rappelant le projet original avec maladresse. Le 30 août, il écrivit à Darwin :

« Une lettre du ministère de l'Équipement vient d'arriver nous demandant de nous charger de leur programmation. C'est un travail que nous devons être capables d'entreprendre et qui ne sera pas possible avec l'équipe de programmation réduite dont nous disposons actuellement. Cette équipe ne suffit déjà pas à nos propres besoins. Il faudrait qu'elle soit au moins trois fois plus importante si nous voulons que l'ACE soit un succès. L'arrivée de Donald W. Davies sera évidemment d'un grand secours car nous avons dans l'immédiat besoin de deux ou trois scientifiques brillants.

Il est essentiel de recruter maintenant le personnel qui travaillera sur l'ACE car il devra être formé et parfaitement opérationnel longtemps avant que la machine elle-même ne soit utilisable. Il faut absolument que nous ayons une grande équipe de programmation prête à l'avance si nous voulons qu'un travail sérieux soit effectué sur la machine dès qu'elle sera terminée. »

En 1941, une requête adressée au plus haut niveau avait produit des miracles ; mais en 1947, on aurait pu croire que la guerre n'avait jamais eu lieu. Les discussions à propos du personnel chargé de la machine universelle étaient aussi surréalistes qu'elles l'auraient été en 1936. En fait, Davies, la nouvelle recrue issue de la recherche atomique, avait étudié la machine universelle abstraite de *Nombres calculables* et avait profondément agacé son auteur en y dénichant d'infimes erreurs de fabrication. Alan donna également une conférence sur l'ACE au NPL. Rupert Morcom y assistait. Malheureusement, onze ans après leur dernière discussion, Alan n'avait rien de plus à montrer que des plans, une machine et des programmes obscurs et abstraits sur papier – à l'image des « nombres satisfaisants » qu'il avait tenté d'expliquer à Clock House en 1936. Il avait tout donné mais n'avait rien à présenter. Il avait pourtant apporté au NPL une véritable chance de créer les conditions nécessaires. La roue qui, en 1939, paraissait tourner dans son sens, était en train de changer de cap.

Durant l'été 1946, Alan avait repris contact avec James Atkins, qui vint le voir à Teddington. James avait vécu la guerre bien différemment puisque, se déclarant très vite objecteur de conscience, il avait passé quatre mois en prison avant de travailler dans la Friends' Ambulance Unit[1] (FAU). Quand il demanda à Alan ce qu'il avait fait, celui-ci se contenta de lui répondre : « Tu ne devines pas ? » Et James imagina tout de suite que cela avait à voir avec la bombe atomique. Après neuf ans de séparation, ils découvraient qu'ils n'avaient plus rien à faire ensemble. En partant, James s'aperçut qu'il avait oublié quelque chose dans la chambre d'Alan ; il revint sur ses pas quelques minutes plus tard et trouva Alan prostré dans un état de détresse totale.

Alan avait parlé à James de *The Cloven Pine*, et, au début de l'année 1947, Fred Clayton en personne reprit contact avec lui. Alan lui répondit le 30 mai :

« Je suis ravi d'avoir eu de tes nouvelles et j'aimerais beaucoup refaire de la voile avec toi. L'idéal serait début septembre ou début juillet. Depuis un ou deux ans, je me suis remis à beaucoup courir. Je compense d'une certaine manière les mauvais résultats que j'avais en sport à l'école. Je vais faire un marathon le 23 août et je ne voudrais pas contrarier mon entraînement en partant faire de la voile en août ou fin juillet. »

Durant le printemps 1947, Alan s'était essayé à des compétitions nettement plus relevées que celles organisées par les clubs locaux de banlieue. Il s'était « très mal » comporté lors du championnat du dix miles des Southern Counties, le 22 février ; quinze jours plus tard, il s'était tout de même classé soixante-deuxième sur trois cents pour le dix miles national. Il voulait participer à

---

1. Unité d'ambulanciers volontaires fondée par des membres britanniques de la Société religieuse des Amis (quakers).

ce marathon, pensant qu'il saurait à cette occasion mieux tirer parti de son endurance. Il arriva à la cinquantième place avec un temps de 2 heures 46 minutes – ce qui le plaçait à seulement treize minutes du vainqueur. En disant qu'il s'était « remis à beaucoup courir », il avait été des plus sérieux. Il poursuivit sa lettre à Fred avec une référence à la guerre tout aussi réfléchie :

« Plusieurs fois, j'ai entendu dire à B. P. que tu souhaitais venir mais que rien ne se passait. Tu ne manques vraiment rien. »

Alan se rendit à Bosham fin juin et projeta d'y retourner en vacances en septembre.

Entre-temps, le 3 août, le père d'Alan mourut, à l'âge de 73 ans. Depuis plusieurs années déjà sa santé s'était dégradée. Il laissait à Alan 400 livres de plus qu'à son frère John, à titre de compensation de l'argent dépensé pour la formation de notaire de ce dernier, vingt ans auparavant. Alan estima cependant que le partage n'était pas équitable et il fit don à son frère de l'intégralité de la somme – qui fut d'ailleurs placée au nom de ses nièces. Alan hérita également de la montre en or de son grand-père, John Robert Turing. Douze jours après la mort de Julius Turing, l'indépendance de l'Union indienne fut proclamée, mettant ainsi fin au monde qui avait été le sien. Mme Turing ne parla plus guère de lui après sa mort et ne conserva que très peu de souvenirs de leur vie commune. Elle se portait d'ailleurs comme un charme et marqua sa liberté retrouvée en se faisant appeler par son deuxième nom, Sara, au lieu d'Ethel. Elle s'intéressait encore davantage aux activités d'Alan, heureuse de le savoir enfin travailler à quelque chose d'utile. Elle avait perçu les grands espoirs de 1945 et comprenait à présent l'amertume que son fils pouvait ressentir après tout ce qu'il avait enduré.

Lorsque Mountbatten renonça à l'Inde et au Pakistan, c'était une victoire tardive pour l'homme moderne. Un autre exemple de la manière dont la guerre avait poussé à mettre en place des réformes nécessaires depuis les années 1930. C'était aussi un renouvellement majeur du rôle de la Grande-Bretagne dans les affaires du monde. Mais la période n'en demeurait pas moins inconfortable. Le nouvel ordre mondial s'imposait de manière toujours plus visible. Le prêt américain, négocié par Keynes avant sa mort, en 1946, et censé remettre à flot l'économie britannique, s'était plus ou moins volatilisé ; les Américains avaient insisté pour que les Britanniques rendent de nouveau leur monnaie convertible. Le 20 août, après une crise financière, le docteur Dalton supprima la convertibilité de la livre, essayant ainsi de créer à nouveau un esprit de corps dans un pays manifestement las : « Dieu vous bénisse, vous et vos familles. Allez faire le plein de bonheur, de santé et de force au bon air de la mer, puis retourner travailler pour aider votre pays. »

Comme d'habitude, on faisait appel aux « serviteurs » pour réparer les crimes et les folies des « maîtres ». Alan en avait probablement assez. Fred Clayton et lui prirent le conseil au mot et profitèrent du bon air de la mer. Ces vacances leur rappelaient certainement le mois d'août 1939. Alan avait tendance à faire preuve d'impatience quand son ami barrait le navire et il jurait en silence. Un jour, Fred fit cap sur l'île de Wight. Aidés par un vent favorable, tout se déroula à merveille jusqu'au moment où ils heurtèrent une bouée sur le chemin du retour. Ils en rirent beaucoup.

Pourtant il n'y avait plus rien de drôle. Ils échangèrent leurs observations sur le marché noir de la sexualité parallèle, Fred parlant des coutumes pratiquées en Inde – il y avait fait un peu de décryptage de messages japonais – et Alan assurant que la guerre avait été pour lui un désert sexuel, mis à part l'incident survenu aux États-Unis. Fred comprit alors qu'Alan avait attendu de ces vacances une relation plus « poussée » et il en fut très contrarié car, comme il le lui annonça, il était sur le point de se marier.

Après la guerre, Fred, avait pu reprendre ses contacts avec l'Allemagne et il avait alors débuté une correspondance très chaleureuse avec la sœur des deux garçons qui avaient inspiré son livre, *The Cloven Pine*. C'était cette jeune fille que Fred avait l'intention d'épouser. Par pure coïncidence, alors qu'ils se trouvaient en mer, ils croisèrent la route d'un autre bateau et Alan s'écria : « Oh ! Comme c'est drôle, c'est la sœur de Martin Clarke ! Nous avons été fiancés. » Joan reconnut elle aussi Alan et lui sourit en faisant un grand signe. (Elle l'avait revu quelques mois auparavant, à la conférence de la LMS.) Ils ne s'arrêtèrent pas. Alan raconta ainsi à Fred l'histoire de ses fiançailles. Fred se sentit profondément troublé par son rejet d'Alan alors même qu'il n'avait jamais été physiquement attiré par son ami. Ils parlèrent longuement de leurs décisions respectives. « Liberté et cohérence d'esprit » représentait une ligne difficile à tenir pour Fred, mais Alan, lui, savait parfaitement où il en était.

Le 30 septembre 1947, Alan retrouva sa bourse à King's[1], après une interruption de près de huit ans. Grâce au renouvellement proposé en 1944, cette bourse devait se prolonger jusqu'au 13 mars 1952. Il avait 35 ans mais paraissait presque dix ans de moins. Lors de cette année passée à Cambridge, il fut même arrêté un soir par un censeur qui lui reprocha de ne pas porter son habit d'étudiant après la tombée de la nuit. Son aspect juvénile accentua sans doute son impression de marche arrière. Par certains côtés, Cambridge avait changé. La plupart des étudiants, qui avaient dans les 25 ans, avaient effectué plusieurs années de service militaire et étaient loin de l'immaturité artificielle des *public schools*. L'ambition personnelle était plus forte et la politique moins importante que dans les années 1930. Personne ne parlait de la guerre qui semblait n'être plus qu'un mauvais rêve. De toute façon, il aurait fallu plus qu'une guerre pour changer l'esprit de King's.

Un ami se détacha tout de suite des autres. Robin Gandy avait obtenu sa licence de mathématiques cet été-là et il travaillait maintenant la physique théorique en vue d'obtenir une bourse. Au début du trimestre, Robin passa voir Alan avec un ami physicien (probablement Keith Roberts) pour lui demander s'il pouvait lui emprunter l'ouvrage d'Eisenhart sur les groupes continus. Alan attrapa le livre sur une étagère, et il en glissa une photographie découpée dans un journal, représentant une rangée de petits « pages » assistant au mariage de la princesse Élisabeth. À l'attention des deux jeunes hommes, Alan se contenta de déclarer : « Vous trouverez pas mal de "pages" de ce genre dans mes livres. » Dès le lendemain matin, Alan lui avoua qu'il était homosexuel. Robin ne partageait pas ses préférences, mais, comme l'expliqua Carpenter, cela lui plut qu'Alan tienne à ce que « les

---

1. Il touchait également 630 livres pour son année sabbatique, soit la moitié de son salaire normal au NPL. Darwin avait offert de lui verser la totalité de son salaire mais Alan avait assuré qu'il préférait n'en toucher que la moitié, pour ne pas avoir mauvaise conscience en faisant une partie de tennis le matin si l'envie lui en prenait.

hommes apprennent à s'accepter les uns les autres de manière simple, sans se plaindre… se rendant compte du don inestimable que leur a fait la nature et savourant leur personnalité sans honte ni fausse pudeur ».

Robin fut très content qu'Alan ait choisi de le lui avouer. Cela le changeait des moments délicats avec Don Bayley. Il fut surtout surpris de découvrir qu'Alan avait eu assez de force de caractère pour s'assumer. La vérité le rendait moins austère et plus amusant. De son côté, Alan fut heureux que Robin le comprenne si bien, et comme tout était clair, il ne restait plus aucun sujet tabou entre eux (à l'exception de Bletchley), qu'il s'agisse de sciences ou de simples bavardages.

Alan se montrait également plus sûr de lui avec les autres qu'avant la guerre. Il fut élu au Ten Club de George Rylands, où on lisait des pièces de théâtre, ce qu'il aurait trouvé affreusement prétentieux autrefois. Il ne fut cependant pas élu aux Apostles, dont Robin faisait partie, pour la seule raison qu'il avait dépassé l'âge limite. Il s'intégra cependant bien mieux au milieu social de King's que lors de ses études, et Robin y contribua fortement. « Quand je dois me souvenir d'une période passée de ma vie », répondit un jour Alan à une question que lui posait Norman Routledge, « je pense à qui j'aimais à ce moment-là » – illustrant ainsi des années de désir inassouvi.

Il passa l'hiver sur divers sujets mais aucun ne l'accapara réellement. L'article sur l'analyse numérique – seule preuve publiée de son travail sur l'ACE – fut terminé en novembre. Ce qui le préoccupait avant tout, c'était de comprendre le mécanisme de la pensée. Le cerveau arrivait à penser, mais comment ? Les physiologistes de l'époque n'avaient que des idées extrêmement vagues sur les réponses et les stimuli des neurones. Alan assista aux cours de R. Adrian et fut plutôt déçu. Si la physique et la chimie faisaient enfin leur entrée dans la biologie, toute sa thèse s'appuyait sur un autre genre de description – une description « logique » du système nerveux où la physique et la chimie ne jouaient qu'un rôle de support. Alan fit part de sa déception à Peter Matthews, un brillant étudiant qui comptait parmi les rares à être arrivés à Cambridge à 18 ans et qui suivait lui aussi les cours de physiologie. Ils avaient de longues conversations au moment du déjeuner ou le soir autour d'une tasse de cacao.

Wilkinson venait de temps à autre à Cambridge et tenait Alan au courant des derniers développements – ou de l'absence de développement – à Teddington. Il ne lui parla que de crises, de coupes budgétaires et de vision toujours plus étriquée. Lors d'une réunion, en novembre, ils avaient abandonné une grande partie des idées envisagées pour l'ACE, y compris les instructions en code abrégé. Darwin avait demandé à Huskey d'interrompre l'assemblage de la machine pilote à cause de plaintes de Thomas. La section ACE en fut réduite à la rédaction d'un rapport sur leur travail d'analyse numérique et de programmation.

Le début de l'année 1948 allait enfin apporter de nouvelles perspectives. Si le projet du NPL paraissait ne pas devoir évoluer, celui de Manchester avançait très vite. Fin 1947, Williams avait enregistré 2 048 spots sur un écran à tube cathodique ordinaire, soit l'équivalent d'une ligne à retard à bas prix et en état de marche. Newman n'avait toujours pas entamé la subvention accordée par la Royal Society et il proposa qu'Alan fût engagé à Manchester pour diriger la construction de l'ordinateur dont il s'occupait avec son équipe. Alan prit du temps pour se décider. Pourtant, dès le mois de mars, Newman demanda à son université la création d'un nouveau poste rémunéré sur les fonds réservés à l'ordinateur, avec un statut de professeur sans chaire.

La perspective de travailler sur un ordinateur était tentante, pourtant Alan tenait à sa vie à Cambridge (il y avait presque trouvé un foyer). Il faisait à nouveau partie du Moral Science Club, où il donna le 22 janvier une conférence sur « Les problèmes des robots » (le terme tchèque de « robot » avait un parfum d'actualité). Il s'inscrivit aussi au club d'athlétisme, le Hare and Hounds Club, et continua son entraînement. Il essaya en outre une théorie des jeux de von Neumann et mit lui-même au point, assez laborieusement d'ailleurs, une stratégie pour une version simplifiée du poker. Robin, de son côté, s'éloignait du domaine de la physique théorique pour se consacrer à la philosophie de la physique ; il avait de nombreuses discussions avec Alan et Keith Roberts. Lorsqu'ils eurent tenté de mettre au point une définition purement opérationnelle de la relativité restreinte, et quand l'un d'eux fit remarquer qu'il n'existait pas de solides indéformables en relativité, Alan répliqua : « Eh bien, appelons-les des "raclettes à vitres" ! » C'était pour cette manière de traiter les sujets les plus sérieux sans jamais cesser de s'amuser et en gardant une certaine légèreté qu'Alan aimait l'ambiance de King's. Il passa aussi un excellent moment quand Don Bayley vint y passer le week-end avec Robin et lui. Il l'accueillit avec une machine à vapeur pour enfants qu'il avait achetée à Woolsworth. « J'ai toujours rêvé d'avoir ce genre de jouet, quand j'étais petit, expliqua-t-il avec regret, mais je n'ai jamais eu suffisamment d'argent de poche pour pouvoir m'en offrir un. Maintenant que j'ai de l'argent, c'était l'occasion. » Ils s'amusèrent avec le jouet tout l'après-midi.

« Il arrive qu'on soit assis et qu'on parle avec quelqu'un, et qu'au bout de trois quarts d'heure on sache déjà si l'on va passer une nuit merveilleuse ou si l'on va être viré de la chambre », avait dit Alan à Robin. Pourtant, il n'en allait pas toujours ainsi. Les séances de chocolat chaud avec l'innocent Peter Matthews n'impliquaient pas une telle dichotomie. Alan n'excellait pas vraiment dans le jeu social nécessaire des mots et des regards : trop timide, trop brusque, pas assez de confiance en soi. Cambridge parvint cependant à lui faire prendre davantage conscience de son aspect extérieur. Un jour, il montra même à Robin une photo de lui à 16 ans pour lui faire admirer sa beauté de l'époque. Il est vrai qu'Alan ne correspondait pas aux canons de beauté des années 1940. Son col ouvert, sa tenue négligée et sa spontanéité fébrile passaient auprès des grincheux pour de la saleté et de la vulgarité. Mais il se rachetait par d'autres côtés : il pouvait user du charme rude de ses ancêtres irlandais et, en plus de ses yeux bleus perçants, il avait de longs cils fournis ainsi qu'un nez bien dessiné. Et malgré ses doutes et ses faiblesses, il n'hésitait maintenant plus à arpenter les cours de King's pour inviter de jeunes gens à prendre le thé chez lui. Cela fonctionnait même parfois. Comme en avril 1948, lorsque Neville Johnson monta pour le thé avant d'y revenir de nombreuses autres fois par la suite.

Neville, qui en était à sa troisième année de bourse de mathématiques, avait alors 24 ans. Et étrangement, au lieu de les rapprocher, les mathématiques constituaient une gêne. En effet, le jeune homme, bien que boursier, n'était pas brillant en la matière et souffrait d'un complexe d'infériorité. Un jour, Alan lui dit avec une petite lueur triste dans le regard : « Quand tu sauras ce qu'est le problème de décidabilité, tu comprendras quel grand mathématicien je suis » ; mais Neville ne comprit jamais. Il se croyait très ordinaire par rapport au prestigieux King's et se considérait simplement comme « ce qu'Alan pouvait trouver de mieux ».

Alan, quant à lui, se sentait attiré par l'aspect terre à terre et plutôt rude de Neville. Son problème était surtout de percer la carapace qu'il s'était construite depuis si longtemps. Peut-être était-ce déjà trop tard ? Neville avait l'impression qu'Alan n'avait pas eu de chance avec les gens et cela expliquait sa grande attirance pour les machines. Une fois, alors qu'ils étaient au lit, Alan confia au jeune homme : « J'ai plus de contacts avec ce lit qu'avec tous les autres gens. » Il lui dévoila également certains aspects de son passé. Le souvenir de Christopher le tenaillait toujours autant, ne serait-ce que parce qu'il était sur le point de s'évanouir dès que l'on faisait allusion au sang ou aux dissections en cours de physiologie. Mais, en 1948, c'était « un garçon de la haute, un milieu où l'on s'habille pour dîner ». À propos de Bletchley, il laissa échapper que les Polonais leur avaient été d'une aide décisive et précisa aussitôt qu'il n'est pas autorisé à en dire davantage. Un jour, dans la rue, il désigna un professeur de grec et révéla qu'il y avait accompli un travail fantastique.

Ils se voyaient souvent, parfois avec des amis d'Alan, même si Neville se sentait alors quelque peu mal à l'aise. Ils disputaient consciencieusement des parties de poker afin de tester la stratégie des minimax mise au point par Alan. (Ce qui était peu passionnant puisque la stratégie en question consistait principalement à aller au plus évident.) Bref, c'était une liaison assez ordinaire, un peu comme celle qu'il avait entretenue avec James Atkins avant la guerre.

Cela réglait au moins le problème sentimental ; l'avenir professionnel, quant à lui, restait des plus incertains, et Alan avait l'impression d'être de retour en 1939. Il avait toujours l'esprit aux mathématiques, à l'ingénierie et à la philosophie, mais d'une manière incompatible avec les structures universitaires. Pendant un temps, la guerre avait estompé sa frustration, lui donnant à faire quelque chose d'intellectuellement satisfaisant et utile. Tout cela était terminé, et au lieu de l'impliquer, il avait l'impression qu'on l'avait poussé vers la sortie.

Que pouvait-il faire, lui qui avait gagné la guerre et perdu la paix ? S'il ne retournait pas au NPL, l'*Entscheidungsproblem* se posait encore entre Cambridge et Manchester. Alan pouvait rester à King's : un poste de maître assistant finirait bien par se présenter. Il pouvait retrouver le monde d'Hilbert et de Hardy comme si les neuf dernières années ne s'étaient jamais écoulées. Il n'aimait pas le retour en arrière et rêvait toujours de maîtriser l'ordinateur qu'il avait inventé. À Cambridge, Wilkes dirigeait tout le projet de calculateur, et Alan était trop fier pour demander humblement la permission d'y participer. S'il voulait un ordinateur, il faudrait aller à Manchester.

Malgré tout, Darwin attendait le retour d'Alan au NPL dès la fin du dernier trimestre de Cambridge. Le 20 avril 1948, il adressa un rapport au comité exécutif au sujet des « projets futurs pour le docteur Turing » :

« Le docteur Turing, qui est actuellement détaché pour une durée d'un an à l'université de Cambridge, va bientôt revenir au laboratoire, et le directeur propose de discuter avec lui du genre de travail qu'il souhaiterait y entreprendre. Le directeur juge préférable que, pour sa carrière, le docteur Turing se lance dans l'écriture d'articles plutôt que de poursuivre les études physiologiques fondamentales dans lesquelles ses recherches l'entraînent. Il rejoindra sans aucun doute le personnel d'une université en temps voulu et le directeur pense qu'il vaudrait mieux qu'il passe cette période intermédiaire au NPL. »

C'était très aimable de la part de Darwin de s'inquiéter de sa carrière mais le fait était que rien ne s'était passé en un an. Womersley déclara à la même réunion que :

« Il n'y a aucune raison d'être satisfait de ce projet, car cela fait dix-huit mois qu'il n'a pas progressé. L'ACE a plusieurs concurrents, et, parmi eux, celui qui est en fabrication à l'université de Cambridge sous la houlette du professeur *(sic)* Wilkes, sera probablement le premier à être opérationnel. »

La coordination et la coopération avaient depuis longtemps fait place à la compétition. Quelques jours plus tard, Womersley suggéra à Darwin quelques propositions au sujet de la fabrication de la machine qu'il estimait « d'une importance capitale aussi bien dans le domaine de la recherche scientifique que dans ceux de l'administration et de la défense nationale ». Il proposait notamment d'« utiliser au maximum les travaux de mise au point de Wilkes, tant qu'ils restent cohérents avec notre propre système de programmation », et de s'arranger avec Williams pour obtenir un exemplaire de la machine qu'on construisait à Manchester. Ces profondes modifications, ou plutôt cet abandon pur et simple du projet ACE, furent décidées sans même en consulter son inventeur. Les administrateurs du NPL le considéraient comme une entité abstraite, anonyme.

Sans doute Alan péchait-il par un manque total du sens de la communication ? Il avait remis à maintes reprises la visite qu'il devait à Wilkes alors que le laboratoire de mathématiques ne se trouvait qu'à quelques centaines de mètres de King's. Il avait repoussé l'échéance jusqu'au dernier moment, à la fin du mois de mai, pour découvrir que la construction de ce qui allait être l'EDSAC avançait incroyablement vite. Wilkes avait obtenu tous les crédits nécessaires ; il avait eu la chance de pouvoir rapidement se procurer les plans de lignes à retard à mercure, par l'intermédiaire de Gold, qui venait d'arriver à Cambridge. Il avait obtenu des financements de la part du DSIR, du comité de l'université Grants et de J. Lyons and Co. – une entreprise privée qui était intéressée depuis le début par la conception de cette machine. Il avait aussi l'immense avantage de travailler sans avoir un Darwin ou un Womersley sur le dos, et donc de pouvoir tout contrôler, de la conception à la fabrication : exactement ce dont Alan avait rêvé. Poussé par l'amertume et la jalousie, il ne put s'empêcher de dire après leur entrevue : « Je n'ai pas écouté un mot de ce qu'il a raconté. Je n'arrêtais pas de me dire qu'il ressemblait tout à fait à un scarabée. »

Quelques jours plus tard, le 28 mai, Alan passa au NPL. C'était le jour de la fête du sport. Il s'entretint avec Wilkinson qui le mit au courant du désastre et avoua ne voir aucune perspective intéressante pour lui au NPL. Il pensait qu'Alan devait rester à Cambridge et retourner aux mathématiques pures car il prévoyait des problèmes à Manchester.

L'université de Manchester avait finalement créé un poste pour Alan Turing, et le 21 mai, la Royal Society accepta que son salaire soit prélevé sur la subvention qu'elle avait accordée à Newman. Dans une lettre datée du 26 mai qu'Alan reçut probablement juste avant sa visite au NPL, on l'informa de la situation. Le 28 mai, Alan démissionna du NPL et écrivit à Manchester qu'il acceptait leur proposition. Il rompait ainsi l'accord passé avec le

NPL, selon lequel son « année sabbatique » l'obligeait à rester deux années supplémentaires. Pour la deuxième fois, il manquait un engagement et Darwin se montra extrêmement fâché contre Blackett et Newman.

Tout le monde avait eu du mal à s'adapter aux réalités d'après-guerre. En étant persuadé que le Post Office allait coopérer avec lui sur les lignes à retard, Alan s'était montré aussi irréaliste que n'importe quel autre administrateur. Pourtant il était étonnant qu'en mai 1948 on n'ait pas encore commencé à fabriquer les circuits de contrôle. Ce n'était pas la faute d'Alan. Ce travail était celui des administrateurs ; c'était même là leur seule raison d'être. Mais peut-être que Darwin n'avait jamais vraiment voulu cet ordinateur, de même que l'Amirauté n'avait jamais vraiment voulu savoir où se trouvaient les navires allemands. Le « soutien » de Travis du ministère de l'Approvisionnement n'avait pas permis de bousculer l'inertie de la bureaucratie. Darwin et Womersley avaient joué le rôle de commissaire tandis qu'Alan n'avait été qu'un modeste travailleur.

Même en s'usant à la tâche, le projet aurait été un fiasco. Il avait probablement sous-estimé la difficulté technique de transmettre des impulsions au rythme d'un million par seconde, et surestimé ses propres connaissances en ingénierie. Sans doute aurait-il eu tendance à intervenir dans trop de détails, donnant des cours sur leur spécialité à des spécialistes peu enclins à l'écouter. Il n'aurait pas su décrocher les contrats pour le matériel nécessaire, flatter les gens pour obtenir ce qu'il en attendait, dresser un expert contre un autre. Il n'avait aucun talent pour l'organisation. Pour autant, on ne lui laissa jamais la possibilité de commettre ses propres bêtises alors que cela relevait pleinement de son droit de créateur. Et pourtant sa vision était fondamentalement la bonne puisque tous les projets d'ordinateur qui ont abouti par la suite eurent à régler le problème de l'intégration des aptitudes « mathématiques » et « techniques ».

La guerre lui avait donné des impressions fallacieuses sur ce qu'il était possible de réaliser. Il avait été beaucoup plus facile pour lui de régler le problème d'Enigma que de traiter avec d'autres gens, en particulier avec ceux qui détenaient le pouvoir. Pendant cette période, si son travail avait pris une importance considérable, c'était uniquement parce que d'autres s'étaient chargés de l'organisation et de la coordination, et grâce au soutien personnel de Churchill. Il n'y avait désormais plus personne pour le faire à sa place – les administrateurs s'étant montrés inefficaces. Quelqu'un d'autre aurait sûrement accepté des compromis et se serait battu avec plus d'efficacité pour mener à bien le projet, mais avec lui, c'était tout ou rien. Comme son père, il démissionna de l'administration lorsqu'il estima qu'elle ne travaillait plus pour lui. Contrairement à son père, il ne s'en plaignit jamais. Ce n'est que très rarement qu'il fit référence au NPL. Cette période de sa vie ne devint qu'un nouveau blanc à ajouter aux autres.

Malgré sa démission et tous les ennuis qu'elle impliquait, il passa les mois de juillet et août 1948 à terminer un rapport pour le NPL. Son style presque familier reflétait les nombreuses discussions qu'il avait eues, surtout à Bletchley, sur l'idée de « machines intelligentes ». Quoiqu'il s'agît, théoriquement, du mémoire de son année sabbatique, et qu'il fût écrit à l'intention d'une institution de haute technicité, c'était en réalité une description du rêve de Bletchley Park, où Alan passait en revue – non sans une certaine nostalgie – certains épisodes de sa propre vie, au lieu d'aller dans le sens d'une proposition pratique.

Développant les idées qu'il avait publiquement annoncées en février 1947, il explicitait cette fois-ci certaines des raisons qui faisaient qu'un Darwin pouvait percevoir le concept de « machines intelligentes » comme parfaitement contradictoire :

« *a*) Un refus d'admettre la possibilité même que l'humanité puisse avoir le moindre rival en terme de puissance intellectuelle. Celui-ci est aussi vrai chez les intellectuels que les autres : ils ont même davantage à perdre. Ceux qui admettent cette possibilité s'accordent à penser que sa réalisation sera très désagréable. La même réaction survient lorsque l'on évoque la possibilité d'être un jour supplantés par une autre espèce animale. C'est presque aussi désagréable et c'est, théoriquement, une possibilité indiscutable.

b) La certitude religieuse que la moindre tentative de construire une telle machine constitue une sorte de gifle à Prométhée. »

Ces objections, écrivait-il, « étant purement émotionnelles, elles n'ont pas besoin d'être réfutées ». Elles ressemblaient aux plaintes de Bernard Shaw contre Charles Darwin, trouvant ses thèses « décourageantes ». L'objectif, toutefois, n'était pas de trouver du réconfort mais de découvrir la vérité.

Il passa ensuite à une objection qu'il jugeait « moins émotionnelle » quoique tout aussi erronée :

« *c*) Le caractère très limité des appareils utilisés jusqu'à une époque très récente (1940). Cet état de fait portait à croire que les machines étaient forcément limitées aux travaux les moins compliqués, voire aux travaux répétitifs. Cette attitude est fort bien rendue par Dorothy Sayers (*The Mind of the Maker*, p. 46) qui imagine que Dieu, une fois qu'il a créé l'univers, a revissé le capuchon de son stylo, posé les pieds sur la cheminée et laissé le travail se faire tout seul. »

Il s'agissait, selon Dorothy Sayers, d'un déterminisme poussé à l'absurde. Pour Alan, tout ce que cela prouvait, c'était qu'il n'existait aucun terme pour décrire les opérations « mécaniques » des machines équipées d'une structure logique complexe. En 1941, Dorothy Sayers ignorait que même la petite machine Enigma était suffisamment imprévisible pour occuper plusieurs centaines d'employés. Alan était absolument fasciné par le fait qu'une machine comme le générateur de clés Dalila puisse être parfaitement déterministe à un niveau et produire quelque chose d'apparemment aléatoire à un autre. Cela lui donnait un modèle permettant de réconcilier déterminisme et libre arbitre. Mais cela n'allait pas très loin. C'était la capacité qu'ont les machines à « apprendre » qui restait le centre de ses préoccupations. Une machine qui n'aurait rien à voir avec une « simple machine ».

Il balaya l'objection que représentait le théorème de Gödel de la même façon qu'en 1947, c'est-à-dire en distinguant les notions d'« intelligence » et d'« infaillibilité ». Cette fois, il donna un exemple de la manière dont une approche intelligente pourrait se révéler fausse et une approche juste stupide :

« Il paraît que lorsqu'il était enfant, on a demandé à Gauss d'additionner $15 + 18 + 21 + \ldots + 54$ (ou quelque chose de ce genre). Il a aussitôt répondu 483, ayant probablement calculé $(15 + 54) (54 - 12) / 2 \times 3\ldots$ Imaginons une situation dans laquelle on donnerait aux enfants un certain nombre d'additions, dont les cinq premières seraient toutes des progressions arithmétiques, mais la sixième, disons, $23 + 34 + 45\ldots +100 + 112 + 122\ldots + 199$. Gauss aurait peut-être donné la réponse comme s'il s'agissait d'une progression arithmétique, sans avoir remarqué que le dix-neuvième nombre était 112 et non 111. Il se serait agi d'une erreur flagrante que le moins intelligent des enfants n'aurait certainement pas commise. »

Il aurait sans doute été plus pertinent de reconnaître, malgré le fait qu'il s'en désintéressait, qu'il était encore considéré comme le cerveau responsable de la cryptanalyse. De manière implicite, cet argument faisait appel au principe d'imitation du « *fair-play* pour les machines ». C'est aussi ce qui motiva sa réponse à une cinquième objection :

« Dans la mesure où une machine peut faire preuve d'intelligence, il ne s'agit que du reflet de celle de son créateur. »

Il décrivait cela comme étant :

« semblable à l'idée que les découvertes faites par un élève doivent être attribuées à son professeur. Dans un tel cas, le professeur devrait être ravi de l'efficacité de ses méthodes mais éviter d'en revendiquer la paternité – à moins qu'il ne les ait lui-même communiqués à son élève. Il a sans doute envisagé de manière très large les résultats à obtenir sans toutefois les avoir prévus dans les moindres détails. Il est aujourd'hui possible de créer des machines qui reproduiraient ce genre de situation à petite échelle. On pourrait très bien en créer pour jouer aux échecs. Sauf qu'en jouant contre une telle machine, on aurait l'impression de jouer contre un être vivant ».

Cette idée de pouvoir enseigner des choses à une machine pour améliorer son comportement et la rendre « intelligente » était la clé de la plupart des propositions de son rapport. Cette fois, il tenterait de mettre en pratique son principe d'imitation. Le véritable objectif de ce rapport était de montrer qu'il commençait à réfléchir sérieusement à la nature de l'intelligence humaine, à ses différences et à ses points communs avec les ordinateurs. Avec le temps, l'ordinateur devenait de plus en plus le moyen d'exprimer ses pensées, non pas au sujet des mathématiques, mais à propos de lui et des autres.

Il envisageait deux pistes possibles. Celle des notes d'instructions, qui permettrait de concevoir des programmes toujours mieux écrits et permettait à la machine d'entreprendre de plus en plus de choses de manière autonome. À ses yeux, c'était ce qu'il fallait faire. Mais il optait également pour une approche plus proche de son état d'esprit. Son idée directrice était celle-ci : « le cerveau y parvenait bien d'une façon ou d'une autre » et il n'avait pas acquis la faculté de penser grâce à un être suprême qui lui aurait rédigé des programmes. Il y avait forcément une façon de faire apprendre les machines par elles-mêmes, à l'image du cerveau. Selon lui, l'« intelligence » n'était pas innée, et il expliquait cette conviction dans un passage qui montrait l'influence de ses récentes recherches en physiologie et en psychologie :

« Le cerveau humain est en partie constitué de circuits nerveux spécifiques destinés à des buts très précis. Ainsi les "centres" qui contrôlent la respiration, l'éternuement ou encore ceux qui permettent aux yeux de suivre un objet mobile, etc. Tous les réflexes qui ne sont pas strictement conditionnés découlent de l'activité de structures définies du cerveau. Sans doute les systèmes permettant l'analyse élémentaire des sons et des formes entrent-ils dans cette catégorie. Cependant les activités plus intellectuelles du cerveau sont trop variées pour fonctionner de la sorte. La dissemblance entre les langues que l'on parle de part et d'autre de la Manche ne provient pas de différences de développement des parties francophone et anglophone du cerveau, mais de ce que ces systèmes linguistiques ont été soumis à des formations divergentes. Nous en déduisons donc que de vastes secteurs du cerveau, situés principalement dans le cortex, ont des fonctions très indéterminées. Chez le petit enfant, ces secteurs ne jouent pas un grand rôle : leur action manque de coordination. Chez l'adulte, au contraire, ils ont une action très étendue et déterminante : la forme que prend cette action dépend essentiellement de la formation acquise pendant l'enfance. Toutefois un reste important de comportement aléatoire demeure chez l'adulte.

Tout cela tend à suggérer que le cortex du jeune enfant est une machine encore inorganisée mais qui peut l'être grâce à une formation adaptée. De cette organisation peut naître la transformation de la machine simple en une machine universelle de Turing, ou quelque chose de ce genre. »

Même s'il exprimait le fond de sa pensée dans des termes plus modernes, il ne proposait rien de neuf quant à l'éternel débat sur l'inné et l'acquis qu'il avait eu l'occasion de lire dans *Les Merveilles de la Nature* – avec ses sermons sur les vertus de la formation de l'esprit pendant l'enfance et l'importance de « mettre en mémoire » le langage et autres compétences pendant cette période où le cerveau était encore réceptif.

Si l'on suivait ce point de vue, il devenait possible de partir d'une machine inorganisée, qu'il imaginait constituée d'éléments semblables à des neurones, suivant une forme relativement aléatoire, à laquelle on « apprenait » ensuite à se comporter :

« En intervenant de façon appropriée, en reproduisant les schémas de l'éducation, nous devrions espérer modifier la machine jusqu'à ce qu'elle soit en mesure de produire elle-même des réactions précises à certaines commandes. »

Alan pensait en fait à une forme d'éducation rappelant celle des *public schools* ; une éducation basée sur le principe de la carotte et du bâton que le parti conservateur accusait d'ailleurs Attlee de vouloir supprimer du monde du travail :

« La formation de l'enfant repose principalement sur un système de récompenses et de punitions, ce qui suggère qu'il devrait être possible de procéder à l'organisation grâce à deux entrées d'intervention seulement, l'une correspondant au "plaisir" ou à la "récompense" (R), et l'autre pour la douleur, la "punition" (P). On peut mettre au point un grand nombre de ces systèmes "plaisir-douleur". [...] L'intervention par le plaisir a tendance à fixer le caractère, c'est-à-dire à empêcher qu'il ne change, alors que le stimulus de la douleur a tendance à redevenir sujet à des variations aléatoires... On prévoit donc que le stimulus douloureux intervient lorsque le comportement de la machine est erroné, et celui de plaisir quand la machine s'est particulièrement bien comportée. Ainsi, grâce à des stimuli appropriés et judicieusement mis en œuvre par le "maître", on peut espérer que le "caractère" ira dans le sens désiré, c'est-à-dire que le comportement mauvais aura tendance à se raréfier. »

Si l'objet avait été simplement de construire une machine universelle, mieux valait la concevoir et la produire directement. L'intérêt, cependant, était que la machine ainsi instruite ne se cantonnerait pas à l'exécution d'instructions compliquées, ce qu'Alan décrivait comme « quelqu'un qui n'aurait aucun bon sens et obéirait aux ordres les plus ridicules sans ciller ». Elle serait donc capable d'accomplir son devoir mais serait aussi capable de cette « initiative » intangible qui caractérise l'intelligence. Nowell Smith, qui s'inquiétait du développement d'une certaine indépendance de l'esprit au sein d'un système routinier, formula parfaitement le problème :

« Pour devenir intelligent, l'enfant à l'esprit non exercé doit acquérir à la fois de la discipline et de l'initiative. Jusqu'à présent, nous n'avons considéré que la discipline. La transformation d'un cerveau ou d'une machine en machine universelle est une forme de discipline extrême, sinon, c'est impossible et la discipline ne suffit pas à produire de l'intelligence. Il faut également ce que l'on appelle de l'initiative. Il faudra que cette affirmation serve d'hypothèse. Notre tâche consiste à découvrir la nature de ce résidu chez l'homme et de tenter de le restituer dans des machines. »

Alan aurait beaucoup apprécié l'idée d'enseigner à un garçon mécanique la prise d'initiative. Il travailla sur un exemple de modification à apporter à une machine de base pour la transformer en machine universelle, mais en conclut que c'était de la triche parce que sa méthode revenait à reproduire à l'identique la structure interne de la machine, le « caractère » de la machine, puis à les modifier. Cela ressemblait plus à du décryptage qu'à de l'enseignement. Sur le papier, c'était une tâche très fastidieuse, et il était impatient de passer à l'étape suivante :

« J'ai l'impression qu'il reste encore beaucoup de travail à faire dans ce domaine. J'aimerais étudier d'autres types de machines non organisées et aussi tenter différentes méthodes d'organisation plus proches de nos "méthodes d'éducation". J'ai déjà commencé à me pencher sur cette dernière question et il s'agit d'un travail trop laborieux pour le moment. Quand des machines électroniques seront vraiment opérationnelles, j'espère que ce sera plus envisageable. Il ne devrait pas être très difficile de concevoir à l'intérieur d'un tel ordinateur[1] un modèle de machine sur lequel quelqu'un souhaite travailler, plutôt qu'une machine à papier, comme cela a été le cas jusqu'à présent. Si l'on se décidait aussi à définir des "règles d'enseignement", on pourrait les programmer dans la machine. On pourrait alors lancer le système pendant un temps donné, puis l'interrompre, comme le ferait un inspecteur d'académie, pour constater les progrès réalisés. »

---

1. L'expression précise employée est « calculateur universel » (*Universal Practical Computing Machine*)

Il était un peu optimiste de penser qu'une machine pourrait, telle une *public school*, fonctionner de manière déterministe, sans que personne ne sache ce qui s'y passait à l'intérieur. On ne pourrait que constater les résultats. Tout cela « sentait » le béhaviorisme de Sherbone School. Cette manière de parler de boutons de « douleur » et de « plaisir » mais aussi son usage désabusé des termes « enseignement », « discipline », « caractère » et « initiative ».

Plus exactement, c'était la description officielle de la scolarité – même si c'était présenté sous forme de plaisanterie. Son développement mental n'avait pas grand-chose à voir avec sa scolarité. Personne n'avait, en effet, appuyé sur le moindre bouton « plaisir » pour récompenser ses initiatives ; les boutons « plaisir » avaient d'ailleurs été très peu utilisés alors qu'il avait eu droit à toutes les touches « douleur » pour lui faire assimiler toutes sortes de schémas comportementaux sans rapport avec le développement intellectuel. S'il devait y avoir un lien avec sa propre expérience, c'était sans doute à propos de la discipline qu'il prétendait nécessaire à toute communication car lui-même avait été « poussé » à communiquer pour avancer. Alors que ce n'était pas le duo douleur-plaisir qui avait stimulé son désir de communiquer, mais l'aura – s'agissait-il de douleur ou de plaisir ? – qui entourait la personne de Christopher Morcom. Comme Victor Beuttell le lui avait autrefois répété, son intelligence était un vrai mystère dans la mesure où personne n'avait jamais été capable de véritablement lui enseigner les mathématiques.

Wittgenstein aimait également discuter d'apprentissage et d'enseignement. Toutefois, ses idées ne lui avaient pas été inspirées des *public schools* britanniques mais de sa propre expérience dans une école élémentaire autrichienne, où il avait ouvertement tenté de s'affranchir de l'apprentissage par cœur qu'Alan avait dû supporter. À ce moment-là, Alan avait déjà eu l'occasion de comparer sa scolarité à celle de Robin, qui avait été visiblement plus heureux que lui à Abbotsholme, l'internat progressiste inspiré par les idées d'Edward Carpenter. Alan, en parlant de Sherbone, avait dit à Robin : « Ce qu'il y a de bien avec l'éducation dispensée dans les *public schools*, c'est qu'après, si malheureux soit-on, on sait au moins que ça ne pourra être pire[1]. » Pourtant il n'existait aucune critique de sa scolarité à Sherborne dans ses écrits – à l'exception faite de son souhait de remplacer ses vieux enseignants pompeux par des machines. C'était la preuve d'un vide, d'un certain manque de sérieux. Cela rappelait Samuel Butler dans *Erewhon* qui transposait malicieusement les valeurs liées au « péché » et à la « maladie » dans le but de taquiner la mentalité victorienne officielle sans jamais remettre en question l'idée que les corrections étaient le « remède » le plus approprié au « péché ».

Quoi qu'il en soit, Alan ne manquait pas de reconnaître que ses modèles mécaniques du cerveau seraient privés de certaines caractéristiques fondamentales de la réalité humaine. Il commençait à remettre en question la valeur du chercheur isolé comme modèle permettant de mieux comprendre l'esprit :

« Pour autant que l'homme soit une machine, c'en est une qui est soumise à beaucoup d'interférences. L'interférence constitue en fait plus la règle que l'exception. L'homme est fréquemment en communication avec d'autres hommes et reçoit continuellement des stimuli visuels et autres qui constituent tous une forme d'interférence. C'est seulement lorsqu'il se "concentre" afin d'éliminer ces stimuli, ou "distractions", qu'il se rapproche d'une machine sans interférence. [...] Même si un homme qui se concentre peut se comporter comme une machine sans interférence, son comportement restera largement déterminé par la façon dont il aura été conditionné par de précédentes interférences. »

Puis, dans une envolée imaginative, il songeait à une machine équipée de « caméras de télévision, microphones, haut-parleurs, roues et servomécanismes, ainsi que d'une sorte de "cerveau électronique" ». Non sans une certaine ironie, il proposait qu'elle « parcoure la campagne » afin d'« avoir l'occasion de découvrir des choses par elle-même », comme les hommes, et il pensait peut-être à ses propres randonnées dans les environs de Bletchley, où ses curieuses manies avaient attiré les soupçons d'un voisinage alors obsédé par les espions. Il admettait, cependant, qu'un robot, aussi bien équipé fût-il, ne pouvait avoir de « contact avec la

---

1. Il se trompait.

nourriture, le sexe, le sport et beaucoup d'autres choses intéressantes pour l'être humain » – en tout cas pour lui. Il arrivait à la conclusion qu'il était nécessaire de chercher ce qu'il est

« possible de faire avec un "cerveau" plus ou moins dépourvu de corps et doté tout au plus des organes de la vue, de l'ouïe et de la parole. Nous devons alors déterminer dans quels secteurs de pensée la machine pourrait exercer ses capacités ».

Il faisait des suggestions qui revenaient tout simplement aux activités expérimentées dans les Huttes 8 et 4 à Bletchley qu'il révélait brusquement au grand jour :

« (1) divers jeux, dont les échecs, le morpion, le bridge, le poker ;

(2) l'apprentissage des langues ;

(3) la traduction de langues étrangères ;

(4) la cryptographie[1] ;

(5) les mathématiques.

Parmi ces applications, (1), (4) et, dans une moindre mesure, (3) et (5) conviennent très bien puisqu'elles n'exigent que peu de contacts avec le monde extérieur. Ainsi, pour jouer aux échecs, les seuls organes dont la machine ait besoin seraient des "yeux" capables de distinguer les différentes positions sur un tableau spécialement conçu et un moyen d'annoncer ses propres mouvements. Il serait préférable de limiter les mathématiques à des branches ne faisant pas trop appel aux diagrammes. De tous les champs d'activité indiqués ci-dessus, l'apprentissage des langues serait le plus impressionnant étant donné que ce serait le plus spécifique à l'homme. Mais peut-être cette activité dépend-elle justement trop des organes sensitifs et moteurs pour être vraiment réalisable.

Le secteur de la cryptographie sera sans doute le plus gratifiant. Il existe un parallèle incroyablement serré entre les problèmes qui se posent aux physiciens et ceux qui se posent aux cryptographes. Le système par lequel un message est chiffré correspond aux lois de l'univers, les messages interceptés, aux indices disponibles, les clés de la journée ou même d'un seul message, à des constantes importantes qu'il convient de déterminer. La correspondance est très étroite mais un sujet comme

---

1. Il entend en fait par-là la science du décryptage, comme le montre la suite du texte.

la cryptographie peut sans problème être pris en charge par une machine discrète alors que ce serait difficilement le cas pour la physique. »

Son texte sur les *Machines intelligentes* recelait encore autre chose. Alan y donnait des définitions de ce qu'il entendait par « machine » d'une façon qui reliait directement la machine de Turing de 1936 au monde réel. Il distinguait d'abord :

« *Les machines "discrètes" et "continues".* Nous pouvons dire qu'une machine est "discrète" lorsqu'il est naturel de décrire ses états possibles comme un ensemble discret. [...] En revanche, les états de machines "continues" forment un ensemble continu. [...] Toute machine peut être considérée comme continue mais il vaut mieux la considérer comme discrète dès que cela est possible. »

Puis :

« *Les machines "de contrôle" et "actives".* Une machine peut être décrite comme "de contrôle" quand elle ne traite que des informations. Cela équivaut dans la pratique à dire que la portée de l'action de la machine peut être aussi réduite qu'on le désire. [...] Une machine "active" est destinée à produire certains effets physiques précis. »

Il donnait alors des exemples :

« Un bulldozer	actif continu
Un téléphone	de contrôle continu
Un Brunsviga	de contrôle discret
Un cerveau est probablement	de contrôle continu, mais très semblable à beaucoup de machines discrètes
L'ENIAC, ACE, etc.	de contrôle discret
Un analyseur différentiel	de contrôle continu »

Un Brunsviga était une marque standard de calculateurs mécaniques et il aurait mieux valu considérer une telle machine au même titre qu'une Enigma, une Bombe, un Colossus, l'ENIAC ou la future ACE, c'est-à-dire comme un système de contrôle. Dans la pratique, un tel système avait une forme physique, mais la nature même de cette forme ou la portée de son action physique ne comptaient pratiquement pas. La machine de Turing représentait la version abstraite d'une machine de contrôle discrète tandis que des machines

518

à chiffrer et à déchiffrer en constituaient des versions physiques. Ces machines avaient monopolisé une grande partie de la vie d'Alan, et la thèse fondamentale de *Machines intelligentes* était qu'il « valait mieux considérer » le cerveau comme une machine de ce type.

Le rapport comportait également un rapide calcul qui reliait les deux descriptions d'une machine du genre d'un calculateur : la description logique et la description physique. Il démontrait que pour une tâche comportant plus de 10^{10} étapes, un mécanisme de mémoire aurait toutes les chances de tomber dans le « mauvais » état discret à cause des effets omniprésents du bruit thermique erratique. Cela ne constituait pas une véritable gêne et il aurait pu effectuer un calcul similaire sur l'effet de l'incertitude quantique, le résultat aurait été le même. Ce passage du rapport intégrait ses divers intérêts pour la logique et la physique, situait ses propres recherches dans un cadre plus vaste et réunissait une longue suite d'ambitions frustrées.

Une dernière section indiquait des approches de « machines intelligentes » qui ne s'appuyaient pas sur la notion grossière d'« enseignement », mais sur son expérience bien réelle de spécialiste de mathématiques pures. Il examinait comment faire passer des problèmes d'une formulation à une autre, comment résoudre un problème en démontrant un théorème dans un autre système logique et retranscrire le résultat dans la forme originale. En fait, cela suivait de près le fonctionnement même des mathématiques : repérer les analogies, et chercher des ouvertures vers des démonstrations à l'intérieur d'un cadre d'idées bien précis. « Une exploration plus approfondie de l'intelligence de la machine sera probablement très dépendante de "recherches" de ce genre », écrivait-il. « Nous pourrions peut-être qualifier celles-ci de "recherches intelligentes". On pourrait sommairement les définir comme des "recherches menées par des cerveaux en vue de trouver des combinaisons aux propriétés particulières". » On n'était bien sûr pas loin du travail des décrypteurs qui devaient trouver des schémas répétitifs dans ce qui en était apparemment dépourvu.

Il donnait alors un parallèle tout à fait darwinien :

« Il serait peut-être intéressant de mentionner deux autres sortes de recherches dans le même ordre d'idées. Il y a la recherche génétique, ou évolutionniste, où l'on poursuit des combinaisons de gènes, le critère étant la valeur de survie. Le succès remarquable de ces recherches confirme dans une certaine mesure l'idée que l'activité intellectuelle consiste principalement en diverses formes de recherche.

Il reste une autre forme de recherche que j'aimerais appeler la "recherche culturelle". Comme je l'ai déjà dit, l'homme isolé ne développe pas ses facultés intellectuelles. Pour cela, il est nécessaire qu'il soit immergé dans l'environnement d'autres gens dont il absorbera les techniques pendant les vingt premières années de sa vie. Il lui sera alors possible d'explorer un peu par lui-même et de faire quelques découvertes qu'il pourra transmettre à son tour. De ce point de vue, on doit considérer que la recherche de nouvelles techniques est prise en charge par la communauté humaine tout entière, et non par des individus isolés. »

Il s'agissait d'une révélation rare de l'opinion qu'il avait de lui. C'était une réponse digne et généreuse aux leçons de 1937 et 1945, quand d'autres s'étaient mis en avant avec des idées semblables aux siennes – une réponse beaucoup plus réaliste que les habituelles interrogations au sujet des priorités où il exprimait implicitement sa crainte de tricher et de copier, loin de la concurrence virile de plus en plus manifeste dans la science en 1948. Il ne fit jamais de revendications plus importantes que « il y a quelques années, j'ai étudié ce que l'on pouvait faire de manière empirique », en évoquant son propre rôle. Naturellement, c'était l'une des autres leçons qu'il avait tirées de 1941 : les recherches de l'ensemble de la communauté de Bletchley étaient ce qui importait le plus. Mais cela le poussa certainement à se demander s'il fallait vraiment qu'il concentre la plus grande partie de son attention sur le fonctionnement du cerveau. La simple existence de facteurs de descriptions sociaux et culturels lui faisait douter que l'intelligence individuelle soit le fin mot de l'histoire. Il n'aborda cependant pas cette question dans ses écrits. En attendant, il allait pouvoir mettre à profit sa capacité à se tenir à l'écart des conflits pour se fondre à Manchester dans une équipe déjà formée, qui travaillait qui plus est sur un ordinateur concurrent.

Il écrivit d'ailleurs à Williams pour lui demander des informations et dut recevoir une réponse vers le 8 juillet. Dès le 21 juin 1948, l'équipe de Manchester avait réussi à exécuter un programme sur le premier calculateur numérique électronique à programme enregistré qui n'eût jamais fonctionné dans le monde. Les « formidables difficultés d'ordre mathématique » annoncées par Darwin avaient été balayées à Manchester. La mémoire utilisée était le tube cathodique imaginé par Williams et on ne pouvait disposer à ce moment que d'une mémoire totale de 1 024 chiffres binaires enregistrés sur un tube. Alan attira l'attention sur ce nombre dans un tableau de « capacité de mémoire » qui figurait dans son rapport :

Brunsviga	90
ENIAC sans cartes et avec programme fixe	600
ENIAC avec cartes	∞
ACE telle que prévu	60 000
Machine de Manchester telle qu'elle fonctionne actuellement (8/07/1948)	1 100

Le contraste était souligné entre une machine simplement « prévue » et une autre qui fonctionnait déjà. Mais les chiffres montraient également que Williams s'était contenté d'un projet plus modeste. Le calculateur de Manchester était petit, voire étriqué. Pourtant, il était la première incarnation d'une machine de Turing malgré un ruban très court. Alan rédigea un petit programme pour effectuer de longues divisions et l'envoya aussitôt à Manchester.

Jack Good et Donald Michie passèrent voir Alan à King's, et l'irritèrent quelque peu en regardant la version encore incomplète de ses *Machines intelligentes* en son absence. Peu après, alors qu'ils marchaient dans King's Parade, Alan lâcha à l'adresse de Jack une remarque délibérée à propos d'un jeune garçon à Paris[1]. Jack Good, qui n'était pas au courant, saisit parfaitement l'allusion. Ils continuèrent à correspondre pendant tout l'été. Jack écrivit :

---

1. On ne sait rien de cette rencontre en particulier mais depuis la fin de la guerre, Alan était devenu coutumier de ce genre de remarques.

« Le 25 juillet 1948,

Cher Prof,

La dernière fois que je suis allé à Oxford, j'ai croisé un maître de conférence en biologie qui m'a dit qu'il estimait à deux millions le nombre de neurones dans le cerveau humain. Cela me semble incroyablement peu, même si l'on se fonde sur le fait que chacun d'entre eux puisse établir une quarantaine de liaisons. Je me suis demandé si tu ne pouvais pas me renseigner sur ce point, avec ou sans référence.

J'ai cru comprendre qu'en octobre prochain nous allons changer de ville. À en juger d'après la conjoncture internationale, j'ai l'impression que tu t'en tires mieux que moi…

Tu aurais pu participer aux jeux Olympiques ? »

Jack quittait son poste de maître assistant à Manchester pour entrer au GCHQ, basé à Eastcote, au nord-ouest de Londres. Sur le plan international, la situation se durcissait rapidement. La Yougoslavie venait juste d'être expulsée du Kominform et des prosoviétiques d'avant-guerre comme Robin se détachèrent alors brusquement du parti communiste. Un pont aérien était mis en place avec Berlin-Ouest, et pour la première fois, on parlait d'une guerre avec l'URSS.

L'armée de l'air américaine avait commencé son stationnement temporaire sur le sol britannique, et les Américains écrasaient les courageux petits perdants anglais dans l'Empire Stadium, où une Grande-Bretagne exsangue et rationnée accueillait les jeux Olympiques de 1948. Alan s'y rendit avec Anderson, du Hare and Hounds Club, et ils assistèrent à la victoire du Tchécoslovaque Zatopek dans le dix mille mètres. Le marathon fut remporté par un Argentin – dans un temps qui ne battait celui d'Alan que de dix-sept minutes. Il répondit à Jack :

« Cher Jack,

J'ai cherché à maintes reprises dans des ouvrages de neurologie, le nombre N à propos duquel tu souhaitais de plus amples renseignements mais je n'ai rien trouvé. Ma propre estimation est de $3 \times 10^8 < N < 3 \times 10^9$. Je me fonde sur le diagramme p. 207 du dernier Starling, qui fait référence à une souris et au poids moyen d'un cerveau (environ 1,5 kg). J'ai également posé la question à un certain nombre de biologistes, qui m'ont donné des réponses allant de 10^7 à 10^{11}.

Pendant quelques mois, j'ai eu un problème à la jambe, ce qui m'a empêché de participer aux marathons de cette saison.

Cordialement,

Prof. »

À cause d'une blessure à la hanche, il ne put participer aux sélections. Il ne fit donc pas partie de l'équipe britannique et vit surtout s'évanouir ses espoirs de parvenir un jour à un haut niveau en course de fond.

Alan envoya un autre programme à Manchester le 2 août, sur les nombres factoriels cette fois-ci. Puis il partit en vacances en Suisse avec Neville. Pour la première fois, ils échappaient à l'austérité de l'Angleterre d'alors, et ils eurent du mal à en croire leurs yeux devant l'abondance de produits frais. Ils voyagèrent à bicyclette, s'arrêtant dans des auberges de jeunesse, escaladant glaciers et montagnes. Ils connurent les disputes habituelles des couples en voyage comme lorsque Alan cassa sa bicyclette par manque d'attention, ou quand il regarda d'un peu trop près un autre jeune homme dans un hôtel. Il ne s'agissait pas encore de la « forêt verdoyante » d'E. M. Forster mais il n'en avait jamais été si proche.

L'été se poursuivit par une semaine dans le Lake District, en compagnie de Peter Matthews, chez Pigou qui adorait l'alpinisme, et plus encore, quoiqu'en toute innocence, le jeune alpiniste Wilfrid Noyce. Avant de partir, Alan avait pris soin de s'entraîner à l'escalade sur le portail de King's avec Peter. Ce fut une semaine dans la grande tradition des sorties de Cambridge, le vieux Pigou chronométrant les courses et comptant les victoires aux échecs. Il possédait toute une collection de médailles de la Grande Guerre qu'il avait obtenues – bien que pacifiste – pour ses services d'ambulancier et qu'il avait l'habitude d'attribuer après un repas d'adieu à celui qui s'était le mieux comporté sur les pentes. Alan fit un peu d'escalade, mais se contenta le plus souvent de parcourir en short les alentours de Buttermere. Jack Good écrivit :

« Le 16 septembre 1948,
Cher Prof,

Je te prie de m'excuser de me servir d'une machine à écrire mais je commence à préférer les machines discrètes aux machines continues.

M'étant récemment rendu à Cambridge, je me suis lancé à la poursuite de N, le nombre de neurones dans le cerveau humain, mais en vain. Peu après, Donald est parvenu à trouver une référence. Il m'a dit grossièrement que N = 10 000 000 000.

Je suis allé à Oxford, le week-end dernier. Donald m'a montré la "machine à jouer aux échecs" qu'il a inventée avec Shaun (Wylie). Elle a le sérieux inconvénient de ne pas analyser plus d'un coup d'avance. Je suis convaincu qu'elle ferait un piètre joueur, malgré une analyse précise de la situation. En fait, il serait aisé de la battre en jouant de manière "psychologique", c'est-à-dire en tenant compte de sa principale faiblesse.

À Oxford, j'ai réussi à hypnotiser Donald. Accepterais-tu de dire que l'une des caractéristiques principales du cerveau est sa capacité à réfléchir par analogie ? C'est-à-dire à ne tenir compte que d'une partie des données nécessaires à la prise d'une décision ? [...]

Connaîtrais-tu des ouvrages traitant des ordinateurs électroniques russes ? »

Donald Michie étudiait maintenant la physiologie à Oxford. Poursuivant les recherches entreprises à Bletchley, il s'était associé à Shaun Wylie pour concevoir un programme d'échecs qu'ils baptisèrent Machiavelli. De leur côté, Alan et David Champernowne en avaient mis au point un autre, appelé Turochamp, qui s'appuyait sur le système des minimax et sur la poursuite, aussi longtemps que possible, des captures en chaîne. Il comprenait un système dans lequel le mouvement des pions, le roque, les prises étaient prévus jusqu'au rang sept. Cela n'allait guère plus loin que ce dont il avait déjà discuté avec Jack Good en 1941 ou avec Champ en 1944. Alan avait d'ailleurs parié avec ce dernier qu'une machine pourrait le battre avant 1957. La cote était à treize contre dix en faveur de la machine. Si le Turochamp était encore loin d'atteindre un tel niveau, il parvint tout de même à battre la femme de Champ qui commençait tout juste à apprendre les échecs. Tout cela ne constituait en réalité qu'un divertissement et personne ne prit la peine de consigner quoi que ce soit par écrit, mais Alan avait l'« impression de mesurer son intelligence à quelque chose », comme il le disait lui-même dans *Machines intelligentes*. Champ reprit également le système qu'Alan avait plus soigneusement élaboré pour le poker et il eut l'immense plaisir de le battre sur un simple coup de chance. Alan répondit à Jack :

« Le 18 septembre 1948,
Cher Jack,
Ravi de t'entendre dire que mon estimation du nombre de neurones n'est pas entièrement fausse.

Notre machine à jouer aux échecs, à Champ et à moi, correspond peut-être plus à tes attentes. Malheureusement, nous n'avons pas encore couché sur le papier ses caractéristiques. Mais je les consignerai sans aucun doute dans les jours qui viennent, dans le but de lui faire affronter la machine Shaun-Michie.

Je suis en grande partie d'accord avec toi, à propos de la "réflexion par analogie". Je ne pense cependant pas que le cerveau cherche sciemment ces analogies, pourtant ses limites font qu'on lui en impose. »

Le rapport fut remis au mois de septembre. Mike Woodger fut emballé par les perspectives offertes par le texte et il s'empressa de tracer soigneusement tous les diagrammes pour la version dactylographiée. Darwin fut moins impressionné, sans doute gêné par la nature peu conventionnelle de certaines références – l'écrivain Dorothy Sayers, Dieu ou encore les petits robots parcourant la campagne. Lors de la réunion du comité exécutif, le 28 septembre, il expliqua d'un ton légèrement méprisant que « le docteur Turing avait rédigé un rapport qui, bien que ne convenant pas à la publication, démontrait qu'il avait été plongé dans des recherches assez fondamentales durant son séjour là-bas ». Le mémoire embarrassant disparut donc dans les dossiers du NPL. Ironie du sort, le 20 septembre 1948, von Neumann donnait une première conférence publiée sur la « théorie des automates » – en fait la théorie des machines de contrôle discrètes – où, onze ans après sa création, il attirait l'attention sur l'importance fondamentale de la machine universelle de Turing.

Il arrivait parfois à Robin de louer la maison de vacances de Blackett, au Pays de Galles, et ce fut le cas cette année-là. Il y invita Alan qui put profiter d'un troisième lieu de villégiature cet été-là. Nicholas Furbank, l'ami d'E. M. Forster qui avait récemment publié un livre sur Samuel Butler, était également invité. Le séjour fut une fois encore dans la pure tradition des sorties de Cambridge – randonnées, surnoms amusants et lectures à haute voix du *Melincourt* de Thomas Love Peacock.

Alan paraissait enfin très heureux. Ils jouèrent au jeu des vingt questions tout en se promenant dans les collines, empruntant d'anciens tunnels de chemin de fer. Alan mit au point une théorie sur celui qui devait poser la question suivante afin de maximiser le « poids d'évidence » de chacune des réponses. Il raconta également des histoires pittoresques de l'époque de Pigou, dont la misogynie d'un autre âge l'avait laissé pantois. « Le niveau est très élevé, chez les Pigou, expliqua-t-il. J'ai fait le tour de Buttermere en battant le record de Noel-Baker en 1928, pourtant je ne suis arrivé que troisième. » Un jour, au petit matin, ils prirent un taxi et un car pour partir en expédition sur les pentes du Snowdon Horseshoe, où Nick Furbank eut la peur de sa vie et finit par longer l'étroite crête de Cribgoch à quatre pattes. Fidèle à lui-même, Alan poursuivit son chemin comme si de rien n'était. Comme vingt ans auparavant, mais entouré d'amis cette fois.

Malheureusement il fut bientôt temps de redescendre des sommets gallois pour faire ses valises. Celle qui contenait les pièces de sa machine à fonction Dzéta se trouvait toujours dans sa chambre, ainsi que le globe céleste et la photo de Christopher. Il conserva certaines des roues dentées en souvenir et chargea Peter Matthews de vendre le reste, plutôt déçu d'ailleurs du prix qu'ils en tirèrent.

Un autre moment fort en émotions fut le mariage de Bob. Le jeune Autrichien s'était installé à Manchester pour y effectuer des recherches avant de devenir chimiste pour l'industrie. Alan se rendit à la cérémonie le 2 octobre, à Cumberland, et fit au couple un beau cadeau de mariage. Puis il partit lui aussi à Manchester pour y entamer une nouvelle vie. Tous ses plans s'étaient effondrés mais le temps n'était plus aux projets. Il ne lui restait plus, comme à l'Angleterre du reste, qu'à faire contre mauvaise fortune bon cœur.

VII

L'arbre de la forêt verdoyante

« Bourgeons invisibles, infinis, bien dissimulés,
Sous la glace la neige, l'obscurité, dans chaque pouce
   cubique ou carré,
Germination exquise, dentelle délicate, microsco-
   pique, à naître,
Comme bébés dans l'utérus, latents, repliés, com-
   pacts, endormis ;
Milliards de milliards, millions de milliards de mil-
   lions de milliards dans l'attente
(Dans la mer sur la terre – dans l'univers – aux
   étoiles dans le ciel),
Poussant patiemment, allant vers l'avant sans fai-
   blesse, se formant sans fin,
Et attendant toujours plus, toujours plus dans la suite[1]. »

Alan Turing ne savait pas qu'un certain nombre de change-
ments étaient intervenus depuis le mois de mai à l'université de
Manchester. Il avait en effet été nommé « directeur adjoint » du
Royal Society Computing Laboratory que Newman était censé

---

1. « Bourgeons invisibles » de *Feuilles d'herbe*, traduction de Jacques Darras, éditions
Grasset et Fasquelle, 1989, 1994, révisée par Jacques Darras pour les éditions Gallimard,
collection Poésie, 2002.

diriger et que la Royal Society devait financer. Mais en octobre, il était devenu évident que F. C. Williams n'avait besoin ni d'un directeur, ni de la Royal Society.

Grâce aux appuis que ce dernier avait gardés au TRE, il pouvait profiter de leur matériel et y trouva deux assistants qui sortaient de Cambridge pour se charger du développement électronique : T. Kilburn, jeune ingénieur diplômé en mathématiques, et G. Tootill.

Quant au développement de la conception logique, Newman s'occupa de la première étape. Il expliqua le principe de l'enregistrement des nombres et des instructions, ce qui, d'après Williams, « ne prit pas plus d'une demi-heure ». Il s'appuya sur la méthode de von Neumann, le rapport de Turing lui ayant paru assez difficile à lire. Fin 1947, les plans avaient bien avancé. Williams et ses deux assistants disposaient maintenant d'un petit calculateur dont Alan avait appris l'existence pendant l'été. Sa mémoire se limitait à un seul tube cathodique.

L'avantage du tube sur la ligne à retard était justement qu'il éliminait le retard, aux deux sens du terme. Matériel relativement ordinaire, il n'exigeait pas la précision extrême des lignes à retard à mercure et pouvait se trouver en réserve, même si, dans la pratique, les tubes déjà existants présentaient beaucoup trop d'impuretés pour être utilisables. Le tube cathodique n'était pas vraiment rapide : il lui fallait en fait dix microsecondes pour lire un chiffre, ce qu'Alan obtenait en une seule microseconde avec l'ACE. Mais cela était compensé par un accès direct à l'information stockée sur le tube, alors qu'il fallait attendre que l'impulsion puisse sortir de la ligne à retard. Pour poursuivre son analogie avec les parchemins en papyrus, Alan le compara à « un certain nombre de feuilles de papier disposées sur une table et exposées à la lumière, de sorte qu'un terme ou un symbole particulier apparaisse dès que l'on focalise son regard dessus ».

Williams et son équipe avaient réussi à faire tenir au total 2 048 spots sur le tube en les régénérant périodiquement, et ils s'étaient finalement contentés de 1 024 spots, disposés en trente-deux lignes de trente-deux spots chacune. Chaque ligne représentait soit une instruction, soit un nombre. Un second tube cathodique servait de contrôle logique en enregistrant l'instruction en cours et l'adresse de cette instruction. Un troisième faisait office d'accumulateur, sorte de gare d'aiguillage des opérations arithmétiques. Il s'agissait d'un système d'« adresse unique », de sorte que chaque opération d'aiguillage d'entrée-sortie constituait en soi une instruction complète – dispositif fondamentalement différent donc de celui de l'ACE. L'arithmétique y était cependant réduite au strict minimum, comme simple démonstration de faisabilité. Extérieurement, le calculateur de Manchester se présentait comme un enchevêtrement de châssis, de tubes et de fils. En émergeaient trois écrans qui luisaient dans la pénombre d'une salle carrelée brunâtre et malpropre, style « sanisettes publiques dernier cri », comme se plaisait à la décrire Williams.

La caractéristique la plus évidente de la mémoire à tube cathodique était qu'on pouvait voir les nombres et les instructions stockés dans la machine sous forme de spots brillants sur les trois tubes-écrans. C'était essentiel car il n'y avait aucun autre mécanisme de sortie. De même, il n'y avait pas d'autre entrée que des boutons manuels pour introduire un à un les chiffres dans le tube mémoire.

C'était suffisant. Comme Williams le décrivit en ce jour de gloire :
« Une fois le programme conçu, on l'inséra péniblement, et on pressa le bouton. Aussitôt, les spots se mirent à entamer une danse folle sur le tube cathodique. Les premiers essais ne donnèrent qu'une danse macabre, n'aboutissant à aucun résultat utile, et pire, à aucun indice sur ce qui ne fonctionnait pas. Puis un jour, la réponse apparut, brillant à l'emplacement attendu. »

C'était le 21 juin 1948. Pour la première fois au monde, un programme fonctionna sur un calculateur à mémoire électronique. Il s'agissait d'un programme écrit par Kilburn destiné à trouver le plus grand facteur d'un nombre entier de manière grossière, par la force brute.

« Plus rien ne serait jamais pareil. Nous savions que seuls le temps et le travail nous permettraient de fabriquer une machine de taille significative. Nous avons aussitôt redoublé d'efforts en recrutant un second technicien. »

C'est à cette époque-là que Kilburn annonça à Tootill qu'un « type appelé Turing » allait les rejoindre et qu'il avait écrit un programme. Williams, bien sûr, connaissait Alan pour sa collaboration avec le NPL. Kilburn en avait vaguement entendu parler. Tootill, lui, ne sachant absolument pas de qui il s'agissait, entreprit de vérifier le programme d'Alan. Il fut étonné (et donc plutôt satisfait) de constater non seulement que le programme ne pouvait pas marcher, mais surtout qu'il contenait une erreur.

Bref, il y avait à présent à Manchester une machine qui fonctionnait vraiment, et ce simple fait comptait bien plus que n'importe quel projet, si ingénieux ou impressionnant soit-il. Cela signifiait que pendant les vacances d'Alan, l'organisation de Manchester avait été modifiée. Dès le mois de juillet, sir Henry Tizard, alors conseiller scientifique en chef du ministère de la Défense, avait eu l'occasion de voir la machine et de considérer « d'utilité publique que son développement puisse se poursuivre aussi promptement que possible, afin de maintenir l'avance du pays dans le domaine des gros calculateurs, et ce en dépit des efforts considérables que les États-Unis avaient mis en œuvre dans des projets similaires ».

Il promit son entier soutien aussi bien pour l'approvisionnement en matériel que pour l'obtention des priorités nécessaires. Pour les ingénieurs, le verdict fut réjouissant, même si cela n'avait aucun lien avec la « recherche fondamentale en mathématiques » qui faisait l'objet des travaux de Newman et de la subvention de la Royal Society.

La position de Tizard n'était guère surprenante. En 1948 (même s'il changea d'avis en 1949, souhaitant que la Grande-Bretagne reconnaisse qu'elle ne faisait plus partie des grandes puissances), il soutint l'idée d'une bombe atomique britannique. En effet, en août 1946, la loi McMahon (Acte d'énergie atomique) avait protégé les États-Unis d'un éventuel partage de leurs connaissances en nucléaire avec la Grande-Bretagne, et dès le début 1947, le gouvernement britannique avait secrètement-décidé d'entamer des recherches de son côté. La conception d'un ordinateur électronique fut aussi défendue par deux autres spécialistes : le météorologiste sir David Brunt, successeur de R. V. Jones aux Renseignements scientifiques, et sir Ben Lockspeiser, conseiller scientifique en chef du gouvernement. Quelques jours après la visite de Lockspeiser, le ministre de l'Approvisionnement passa commande chez Ferranti Ltd, la fabrique d'armes et d'appareils électroniques de Manchester, pour – d'après une lettre datée du 26 octobre 1948 – « la fabrication d'un calculateur électronique suivant les spécifications du professeur F. C. Williams ».

Dans l'affolement général, le gouvernement déboursa 100 000 livres, tranchant soudainement avec la lenteur extrême du travail planifié du NPL. Il faut dire que tout cela était moins lié aux intentions de la Royal Society qu'à ce qui se passait à Berlin et à Prague. (Ce fut la même année qu'on interrompit brusquement la destruction des abris antiaériens.) Cela n'avait en tout cas aucun rapport avec Alan, simple pion sur le grand échiquier. Ni avec Blackett ou Newman. Ce dernier ne s'intéressait qu'aux mathématiques pures et regrettait que son projet ne puisse bénéficier des mêmes talents qu'à Bletchley. Son premier souhait aurait été de se procurer une machine pour poursuivre ses recherches, mais il s'était rendu compte, depuis, que c'était impossible. Toute l'attention était focalisée sur la conception du matériel, ce qui ne l'intéressait guère. Il ne s'opposa donc pas à la fin du projet. Blackett, quant à lui, était fort ennuyé, peu désireux de participer au programme atomique britannique contre lequel il s'élevait.

Malgré tout, quels que fussent les objectifs politiques de la machine, Alan arrivait trop tard pour en diriger les développements. En outre, il avait déjà été décidé d'opter, en guise de mémoire de stockage, pour un tambour magnétique rotatif tel que A. Booth du Birkbeck College de Londres l'avait conçu pour une utilisation avec un calculateur à relais, et ce malgré sa taille imposante et sa relative lenteur. Avec ses chiffres enregistrés de manière séquentielle sur le tambour, destinés à être lus par une tête de lecture, c'était l'équivalent de lignes à retard lentes et de mauvaise qualité, les données et les instructions n'étant pas disponibles immédiatement. La machine présentait une autre innovation, une modification proposée par Newman : le « tube B ». (Il devait son nom au fait que les tubes arithmétique et de contrôle s'appelaient spontanément les tubes « A » et « C ».) Ce tube cathodique supplémentaire avait la propriété de modifier les instructions de contrôle. En particulier, on pouvait l'utiliser lorsqu'on travaillait sur une séquence de nombres, de sorte qu'il devienne inutile de rédiger un programme laborieux pour passer d'un nombre à l'autre[1]. C'était contraire à la vision qu'Alan

---

1. Cette invention, que l'on appellera plus tard le « registre d'index », eut une importance considérable dans l'évolution des ordinateurs.

avait développée pour l'ACE, puisqu'il avait préféré privilégier les instructions au matériel.

De manière plus générale, il n'avait rien à voir avec la conception et le développement de cette machine. On l'appelait le « bébé machine », mais c'était le bébé d'un autre.

Williams avait complètement retourné la situation. Si Darwin avait espéré le faire travailler sur les indications de Turing, c'est maintenant ce dernier qui avait pour mission de faire marcher la machine de Williams. Même avec la meilleure volonté du monde, le conflit semblait inévitable, d'autant plus qu'à Manchester, la frontière entre ingénieurs et mathématiciens était très clairement définie et que les premiers n'avaient nullement l'intention d'être « dirigés » par les seconds. La machine de Manchester ne serait jamais la machine de Turing. Alan préféra rester aussi détaché que possible de toute responsabilité dans ce secteur. Il conservait cependant la possibilité de la voir grandir et la perspective de pouvoir l'utiliser un jour. Sa nouvelle position lui valait en outre un salaire de 1 200 livres par an (qui se montèrent à 1 400 livres en juin 1949), ainsi qu'une liberté considérable.

Il demeura donc à Manchester, non comme « directeur adjoint », mais comme « Prof » (on continuait à l'appeler ainsi malgré l'irritation des professeurs en titre). Après Cambridge, on pouvait avoir l'impression de rétrograder en se retrouvant à Manchester, grande université technique du Nord d'où sortaient plus de docteurs et d'ingénieurs que d'idées abstraites. La faculté s'enorgueillissait néanmoins de son niveau, et Newman avait réussi à y fonder un département de mathématiques capable de rivaliser avec celui de Cambridge. Ainsi, Alan avait beau faire figure de gros poisson dans une petite mare, il était encore loin d'être hors de l'eau. Évidemment, les locaux n'étaient pas très gais : des bâtiments gothiques de l'époque victorienne, couverts de suie depuis la première révolution industrielle, situés face à la voie de tramway d'Oxford Road et à des taudis, et dont les trous et les murs soutenus par des étais évoquaient le souvenir des bombardiers ennemis. Alan se plaignit aussi du peu d'attrait que présentait dans son ensemble la gent masculine locale, ce qui n'était pas très surprenant dans une ville qui n'était pas encore revenue de la Grande Crise. Pourtant le paysage industriel permettait de se procurer quelques menus plaisirs. Ainsi, en 1950, quand Malcolm MacPhail rendit visite à Alan, son ami de Princeton, ce dernier l'emmena voir l'embranchement du canal du duc de Bridgewater et du canal maritime de Manchester, l'ayant au préalable défié de comprendre la construction d'un tel édifice.

Comme à Princeton, Alan se sentait en exil et n'avait même plus la compensation de l'opulence américaine. Par ailleurs, Manchester représentait également un bastion de respectabilité, la petite bourgeoisie non conformiste du Nord se montrant nettement moins tolérante devant la diversité humaine que ne l'était (en privé) la société privilégiée de Cambridge. Pourtant Alan devait trouver quelque satisfaction à travailler dans l'Angleterre industrielle ordinaire, même si elle était dépourvue des rites et de l'affectation qui allaient de pair avec la vie à Cambridge.

Car s'il l'avait voulu, il aurait pu retourner à King's, où il était toujours boursier. Il fut aussi vaguement question d'une proposition à Nancy en France, qui n'aboutit pas. Enfin, Alan aurait toujours pu se faire une situation aux États-Unis – même si cela n'aurait pas été de gaieté de cœur. Il préféra tirer le meilleur parti de sa décision. Pour beaucoup, à Manchester, Alan Turing représentait une gêne qu'on leur avait imposée. Tant pis pour eux, il leur faudrait s'y faire.

En mars 1949, Alan écrivit à Fred Clayton :

« Je commence à m'habituer à cette partie du monde mais je trouve toujours Manchester assez répugnante. J'évite autant que possible d'y aller. »

Il travaillait ou traînait chez lui. La plupart des universitaires vivaient dans la banlieue de Victoria Park, mais Alan avait trouvé un grand meublé plus éloigné encore, à Hale. (« Un seul grand lit, mais je pense que tu le trouveras sans danger », écrivit-il à Fred en l'invitant à venir le voir.) Comme c'était à la lisière de la zone urbaine, il pouvait aller courir dans la campagne du Cheshire, loin des usines sombres et tristes, ainsi que des tensions de l'université. Il était resté lié au Walton Athletic Club et courait encore de temps en temps sous ses couleurs. Il commençait à se désintéresser de la compétition, et courait surtout pour lui-même. Il lui arrivait parfois de courir jusqu'à Manchester, même si, le plus souvent, il s'y rendait à bicyclette, offrant une vision plutôt comique avec son ciré et son suroît jaunes dès qu'il pleuvait. Il finit par équiper sa bicyclette d'un petit moteur, mais ne fit jamais l'acquisition d'une voiture : « Je pourrais devenir fou tout d'un coup et avoir un accident », confia-t-il à Don Bayley.

Il ne faisait pas grand cas de la Victoria University, comme on l'appelait officiellement : il prenait ce qui lui paraissait intéressant et ignorait le reste. Pour Alan, il y avait les gens sérieux, selon sa propre acception du terme, et les autres, avec qui il ne voulait pas perdre de temps. Au mois de septembre 1947, juste au moment où il quittait effectivement le NPL, y entrait un jeune ingénieur, Ezra Ted Newman, qui connaissait bien l'électronique grâce à son expérience sur les systèmes radars aéroportés H2S. Ce dernier, bon coureur lui aussi, prit l'habitude de monter voir Alan à Manchester à peu près tous les mois. Ils s'entraînaient ensemble et discutaient pendant des heures du concept de machines intelligentes. Toutefois Alan pouvait refuser abruptement de « parler boulot » avec des personnes nettement plus diplômées et mieux placées dans la hiérarchie universitaire.

Il ne laissait de seconde chance à personne. En revanche, ceux qui étaient sur la bonne longueur d'onde pouvaient faire l'objet de son attention plusieurs heures d'affilée de manière si intense que cela en devenait presque embarrassant. Mais à la moindre variation de fréquence, à la moindre impression d'être jugé selon des normes conventionnelles ou dépassées, la lumière s'éteignait et la porte se refermait. Comme les impulsions d'un ordinateur, c'était tout ou rien. Dès qu'il s'ennuyait, il partait sans un mot d'excuse, et cette haine maladive de la prétention et des faux-semblants lui fit sans doute rejeter de nombreuses approches sincères mais trop timides. Il avait été rembarré par un Hardy en 1936 ; il était à présent celui qui obligeait les autres à venir le rencontrer sur son propre terrain.

« Puéril », « enfantin » : ces mots revenaient sans cesse pour décrire son caractère trop franc, son apparence plus que négligée et sa capacité à toujours croire que l'habit ne fait pas le moine.

On le considérait souvent à Manchester comme l'*enfant terrible*[1] de Newman. Sa vie sociale y fut très réduite ; cela aurait exigé trop de compromis. À part quelques visites à Bob et sa femme qui habitaient maintenant dans la banlieue du Cheshire, c'était la maison des Newman, sorte de pièce rapportée de Cambridge, qui l'accueillait le plus souvent. Avec Max Newman, ils en vinrent même à s'appeler par leur prénom alors que ce dernier passait pour un personnage assez hautain. Son épouse, l'écrivain Lyn Irvine, étonna Alan par « ses manières brusques et ses longs silences – qui étaient finalement brisés par sa voix aiguë et saccadée et son rire de coq qui portaient sur les nerfs de ses amis les plus proches » ; elle avait aussi une « étrange façon d'éviter les regards » et de « s'éclipser avec un mot de remerciement brusque et désinvolte ».

Il ne se lia pas non plus avec le milieu homosexuel de la ville qui se concentrait sur l'université, la BBC et le *Manchester Guardian*. De ce point de vue, il restait toujours tourné vers Cambridge. L'exil à Manchester impliquait aussi, en effet, d'être séparé de Neville, qu'Alan alla cependant voir à Cambridge toutes les deux ou trois semaines pendant les deux années qui suivirent son installation à Manchester. Neville suivait alors un cursus supérieur de statistiques de deux ans. Ils passèrent à nouveau de courtes vacances ensemble en France à Pâques en 1949, faisant de la bicyclette et visitant les grottes de Lascaux. (Alan adorait les peintures rupestres et rêvait de pouvoir redessiner la nature à son goût.) Il retourna chaque mois d'août à King's, un peu comme il l'avait fait en 1937.

King's, et en particulier Robin, conservait donc son rôle protecteur. Fougueux et plein d'énergie, ce dernier finit par acheter une moto puissante et toute la panoplie de cuir noir qui allait avec, emmenant parfois Alan faire des virées dans le district de Peak. Alan parla à ses amis des chasses au trésor de Princeton, et avec Robin, Nick Furbank et Keith Roberts, ils en organisèrent plusieurs au cours des années qui suivirent. Alan courait pour trouver les indices alors que les autres les cherchaient à vélo. Un jour, Noel Annan se joignit à eux et il fit forte impression en apportant une bouteille de champagne pour illustrer un indice en vieux français qui faisait référence au noble breuvage. Keith

---

1. En français dans le texte. (NdT)

Roberts eut de nombreuses discussions avec Alan, notamment sur la science et les ordinateurs, mais jamais rien de personnel. Il ne parvint jamais à déchiffrer les messages codés que les autres se transmettaient. Nick Furbank, qui n'avait pas le bagage scientifique nécessaire, s'intéressait en revanche au nationalisme, à la théorie des jeux et au principe d'imitation.

Alan, Robin et Nick imaginèrent aussi un nouveau jeu qu'ils baptisèrent « Cadeaux » : l'un des joueurs quittait la pièce pendant que les autres établissaient une liste de présents fictifs susceptibles de lui plaire. À son retour, le joueur pouvait poser des questions avant de faire son choix. Commençait alors le jeu de bluff et de double bluff : l'un des cadeaux était secrètement désigné par le nom « Tommy », et dès que Tommy était choisi, le joueur devait passer son tour. Les inventions ne tardèrent pas à devenir de plus en plus délirantes, reflétant parfois des désirs enfouis depuis longtemps : « Prendre le thé dans la caserne de Knightsbridge » avait par exemple proposé Alan ! Dans le monde réel, le calculateur de Manchester avait concrétisé, d'une manière inattendue et détournée, l'un des produits de son imagination. Mais il lui restait encore beaucoup d'autres rêves aussi difficiles à réaliser et à comprendre.

Il fut convenu à Manchester que les ingénieurs de l'université devaient construire un prototype que Ferranti utiliserait suivant « les instructions du professeur F. C. Williams ». Durant toute l'année 1949, ils perfectionnèrent donc leur « bébé machine ». En avril, on l'avait équipée de trois tubes cathodiques supplémentaires destinés à servir de mémoire rapide, de multiplicateur et de « tube B », et on procédait également à des essais sur un petit tambour magnétique utilisé comme mémoire auxiliaire lente. Autre nouveauté : chaque ligne de la mémoire à tube cathodique comprenait maintenant quarante spots, une instruction en monopolisant vingt. Pour plus de commodité, ceux-ci étaient groupés par cinq, tandis qu'on considérait qu'une suite de cinq bits formait un seul chiffre en base 32.

Entre-temps, pour la démonstration de la machine, Newman fit un choix ingénieux, concevant un problème capable de tirer profit de sa faible mémoire, mais aussi de son multiplicateur. Ils en avaient déjà discuté à Bletchley ; il s'agissait de trouver de grands nombres premiers. En 1644, le mathématicien français Mersenne avait supposé que $2^{17} - 1$, $2^{19} - 1$, $2^{31} - 1$, $2^{67} - 1$, $2^{127} - 1$ et $2^{257} - 1$ étaient tous des nombres premiers, et que c'étaient les seuls de cette forme dans cette gamme. Au XVIIIe siècle, Euler avait péniblement démontré que $2^{31} - 1 = 2\ 146\ 319\ 807$ était effectivement premier, sauf que, faute de nouvelle théorie, la liste était restée la même. En 1876, le mathématicien français E. Lucas prouva qu'il existait un moyen de trouver si $2^P - 1$ était premier ou non, grâce à une succession de p racines carrées dont on ne retiendrait que les restes. Il affirma alors que $2^{127} - 1$ était premier. En 1937, l'Américain D. H. Lehmer s'attaqua à $2^{257} - 1$ à l'aide d'un calculateur mécanique, et au bout de deux ans de travail, montra que Mersenne s'était trompé. En 1949, le nombre de Lucas restait le plus grand nombre premier connu.

La méthode de Lucas était taillée sur mesure pour un ordinateur se servant de nombres binaires. Il leur suffit de répartir les grands nombres dont on souhaitait les racines carrées en sections de quarante bits et de programmer les opérations. Newman expliqua le problème à Tootill et à Kilburn, et, en juin 1949, ils parvinrent à stocker un programme dans les quatre tubes cathodiques, bénéficiant de suffisamment de place pour travailler jusqu'à $p = 353$. Ils purent constater la justesse des résultats d'Euler, Lucas et Lehmer, mais ne firent aucune découverte[1]. C'était une alliance précaire entre le monde des ingénieurs et celui des mathématiciens.

Newman se désintéressant très vite de la machine, c'est à Alan qu'échut le rôle du « mathématicien » attitré. Il lui fallait spécifier l'éventail des opérations que devrait prendre en charge la machine – éventail qui serait d'ailleurs sérieusement réduit par les ingénieurs. Il ne jouait aucun rôle dans la conception de la logique interne de la machine, tâche qui revenait à Geoff Tootill. Il gardait même un certain contrôle des mécanismes d'entrée et de sortie qui s'apparentaient davantage au secteur de l'utilisateur.

Au NPL, Alan avait choisi l'entrée par cartes perforées. Ici, il préféra opter pour une bande de téléscripteur qui pourrait plus tard passer sur une imprimante. Son expérience à Bletchley et à Hanslope l'avait totalement familiarisé avec ce système, et l'on

---

1. Le suivant se trouvait hors de portée, avec $p = 521$, comme on le découvrit en 1952.

savait, à Manchester, que son perforateur de bande venait d'un « endroit dont on ne doit pas parler ». Une fois le perforateur connecté, les 32 combinaisons différentes de 0 et de 1 disposées sur ruban de téléscripteur à cinq rangs devinrent le langage de la machine de Manchester qui allait hanter les jours et les rêves de tous ceux qui travaillaient dessus.

L'objectif d'Alan consistait à rendre la machine le plus pratique à utiliser, mais cette conception du caractère pratique ne correspondait pas toujours à celle des autres. Il s'était bien entendu opposé au principe sur lequel travaillait Wilkes et selon lequel le matériel de la machine devait être conçu pour rendre les instructions faciles à suivre pour tout utilisateur – comme par exemple dans le projet EDSAC, où la lettre « A » devait symboliser l'instruction à ajouter. Alan, au contraire, pensait que c'était la programmation, et non l'électronique, qui simplifierait la tâche de l'utilisateur. Un exemple parmi d'autres : jugeant trop ennuyeux de faire la conversion des chiffres binaires en chiffres décimaux, il trouva plus simple de travailler directement en arithmétique en base 32 qui correspondait normalement au langage de la machine, et s'attendait à ce que tout le monde fasse de même.

Pour utiliser cette arithmétique, il était nécessaire de trouver 32 symboles correspondant aux 32 « chiffres ». Il reprit le système dont se servaient déjà les ingénieurs, qui consistait à classer les combinaisons de cinq bits suivant le code de téléscripteur Baudot. Ainsi, le chiffre « trente-deux », correspondant à 10 110 en chiffres binaires, pouvait être représenté par la lettre « P » puisque celle-ci donnait la suite 10 110 sur un téléscripteur. Travailler directement dans ce système signifiait mémoriser tout le code Baudot et sa table de multiplication – exercice que lui seul pouvait trouver facile.

La principale raison qui obligeait à s'en tenir à cette forme de codage affreusement primitive et lourde pour l'utilisateur était la mémoire à tube cathodique. Celui-ci permettait – et même exigeait – la vérification du contenu de la mémoire en « jetant un coup d'œil », pour reprendre le terme d'Alan, sur un tube moniteur ; les spots qui apparaissaient sur le tube devaient en effet correspondre, chiffre par chiffre, au programme enregistré. Afin de conserver ce principe de correspondance, il fallait transcrire les nombres en base 32 à rebours, le chiffre le moins significatif venant en premier – cela pour des raisons d'ingénierie électronique, les mêmes qui contraignaient les tubes cathodiques à toujours lire de droite à gauche. Une autre gêne venait de combinaisons de cinq bits qui ne correspondaient pas à des lettres de l'alphabet sur le code Baudot. (Il s'agissait là d'un problème que le système Rockex dut lui aussi surmonter.) Geoff Tootill avait déjà introduit des symboles supplémentaires pour ces combinaisons-là, le zéro de la notation en base 32 étant représenté par une barre « / ». Il arrivait donc que des pages de programmes soient couvertes de ces barres, et l'on disait à Cambridge qu'elles reflétaient la pluie de Manchester fouettant les carreaux.

Dès octobre 1949, tout était quasiment prêt à passer dans les usines de Ferranti. Le prototype demeura en place pendant la production, car on pensait en profiter pour rédiger un manuel d'utilisation et des programmes de base pour le futur Mark I.

C'est là qu'Alan intervint à nouveau. Il dut passer énormément de temps à vérifier les opérations de la moindre fonction sur le prototype, discutant de leur efficacité avec les ingénieurs. Au mois d'octobre, il avait déjà rédigé un programme de lancement, à savoir un moyen de persuader la machine, encore vierge d'instructions et tout juste mise en route, de lire de nouvelles consignes sur un ruban, de les enregistrer au bon endroit et de commencer à les exécuter.

Il ne s'agissait pas de recherche de pointe. Le *Manuel des programmateurs*, qu'il rédigea, contenait peu d'idées nouvelles, même s'il était riche en conseils pratiques et utiles. Il était loin d'être aussi élaboré que les programmes qu'il avait conçus au NPL pour les nombres à virgule flottante. Il ne trouva rien non plus de révolutionnaire concernant l'organisation de sous-programmes. La machine de Manchester était soumise à la présence de deux sortes de mémoires : sur le calculateur construit par Ferranti, il y avait huit tubes cathodiques comprenant chacun 1 280 chiffres binaires, et le tambour magnétique dont on n'espérait pas moins de 655 360 bits disposés sur 256 pistes de 2 560 chiffres chacune[1]. Toute la programmation tournait autour du processus consistant

---

1. Cette promesse ne fut pas entièrement tenue car on s'aperçut que les pistes avaient été trop rapprochées et qu'elles étaient souvent inutilisables.

à « faire descendre » données et instructions du tambour vers les tubes puis à les renvoyer, tandis que le matériel imposait que chaque sous-programme soit stocké sur une nouvelle piste du tambour afin de pouvoir être transféré en totalité. La méthode de Turing s'accommodait bien de ces critères, pour autant Alan ne s'encombra pas d'un système de sous-programmes emboîtés à quelque niveau que ce soit. Il traita de cette possibilité dans un passage plutôt désinvolte de son *Manuel* :

« Les sous-programmes peuvent eux-mêmes avoir des sous-programmes. Cela ressemble à l'histoire des grosses et des petites puces. Je ne suis pas certain de comprendre précisément ce que le poète entendait par "à l'infini", et j'aurais tendance à croire qu'il souhaitait davantage démontrer que la chaîne parasitique des puces ne connaissait aucune limite, plutôt que le fait qu'il croyait dans des chaînes infiniment longues. C'est certainement le même cas avec les sous-programmes. On finit toujours par arriver à un programme sans sous-programme. »

Il laissait l'utilisateur s'organiser tout seul. Lui proposait avec son « plan A » un seul niveau d'appel de sous-programmes.

Le *Manuel* mit l'accent sur de nombreux problèmes de communication qui se posaient à Manchester. Pour Williams et ses ingénieurs, un mathématicien était quelqu'un qui devait bien connaître les calculs. Ils considéraient en particulier la notation binaire comme une nouveauté imposée par les « mathématiques ». Cependant, pour Turing, cela illustrait simplement le fait que les mathématiciens étaient libres de se servir du symbolisme comme ils l'entendaient. Il lui paraissait évident qu'un symbole n'avait pas de relation intrinsèque avec l'entité représentée. Par exemple, un long paragraphe de son *Manuel* expliquait comment avait pu naître une convention qui permettait d'interpréter des suites d'impulsions comme des nombres. Mais il n'était pas d'une grande utilité pour celui qui ne savait pas qu'on pouvait exprimer les nombres autrement qu'en base dix. Non qu'Alan méprisât un travail de routine détaillé à l'intérieur d'un symbolisme comme celui demandé par le calculateur de Manchester, mais il avait tendance à passer de l'abstrait au concret d'une manière qui ne paraissait très claire que pour lui seul. Il aurait certainement pu exploiter à la fois sa conception très libre du symbolisme et sa volonté d'effectuer le gros œuvre dès que cela s'imposait, en se lançant dans le développement de langages de programmation. Pourtant il ne s'y employa pas et perdit ainsi l'avantage que lui donnait sa maîtrise des mathématiques abstraites[1].

Après le mois d'octobre 1949, deux assistantes vinrent l'aider à la rédaction des programmes standard concernant en particulier les racines carrées : Audrey Bates, qui poursuivait des études supérieures, et Cicely Popplewell, qu'Alan avait déjà rencontrée durant l'été 1949. Elle avait passé sa licence de mathématiques à Cambridge et avait une certaine expérience des cartes perforées utilisées dans les statistiques immobilières. Toutes deux durent partager le bureau d'Alan dans la forteresse victorienne qui constituait le corps principal de l'université, en attendant que soit construit le nouveau laboratoire de calculs qui abriterait la machine de Ferranti. L'idée n'était pas très bonne, dans la mesure où Alan ne leur reconnut jamais ne fût-ce que le droit d'exister. Ainsi, le premier jour de travail de Cicely, Alan se contenta de lancer « Déjeuner ! », puis sortit du bureau sans même indiquer à la malheureuse où se trouvait le réfectoire. Alan bavardait volontiers avec quiconque entrait dans le bureau mais il ne cachait pas sa désapprobation si ses assistantes faisaient de même. Il arrivait pourtant que la carapace se fendille. À force d'insister, elles finirent par le persuader de venir jouer au tennis avec elles. La première fois, elles le virent arriver vêtu d'un seul imperméable sans rien en dessous, ce qui ne manqua pas de déclencher leurs rires. Mais la plupart du temps, Alan n'apparaissait pas du tout, ce qui avait plutôt pour effet de les soulager. Il ne se souciait pas

---

1. De nombreuses occasions se présentèrent à lui, mais il les négligea consciencieusement. Il aurait pu, par exemple, se servir de ses connaissances sur les « fonctions récursives » pour concevoir un traitement des sous-programmes nettement plus puissant et intéressant. Le calcul lambda de Church et tout le travail abscons et « inutile » qu'il avait fait jusqu'à présent sur des problèmes comme « les points et les parenthèses » en logique mathématique auraient pu lui servir à imaginer des langages de programmation. Il aurait pu appliquer ses connaissances en probabilités et en statistiques, qui s'étaient révélées fort utiles dans son travail sur *Enigma*, à la théorie de la programmation. Son expérience de la recherche, du tri et des « arbres », dont s'inspiraient ses idées pour jouer aux échecs, convenait parfaitement aux problèmes de traitement de données qu'il était désormais possible de soumettre aux ordinateurs. Il aurait pu mettre en place des normes qui auraient servi aux ingénieurs de cette nouvelle discipline, ne serait-ce que parce qu'il était capable de dépasser le caractère technique de n'importe quelle machine. Il aurait pu tenter de changer les mentalités contre la séparation souvent absurde et débilitante entre les mathématiques universitaires et le développement d'applications informatiques. Mais, à de rares exceptions près, par exemple lorsqu'il insista pour mettre en place des procédures de vérification de programmation, il ne s'intéressa pas vraiment à ce domaine.

du fait qu'elles avaient encore beaucoup à apprendre, et ne faisait rien pour apaiser le « sérieux complexe d'infériorité » qu'éprouvait Cicely par rapport à sa rapidité intellectuelle. Cette dernière était notamment chargée de calmer le jeu avec les ingénieurs quand les tensions entre départements devenaient trop fortes.

L'utilisation du prototype n'était pas de tout repos, loin de là. On pourrait la comparer à une Robinson. D'après Cicely Popplewell : « Il fallait une sacrée endurance. Il fallait d'abord prévenir l'ingénieur, puis entrer le programme manuellement à l'aide des boutons. Un voyant lumineux indiquait qu'on était entré dans la boucle d'attente. Ensuite, il fallait courir à l'étage, mettre la bande dans le lecteur, puis redescendre dans la salle. Si la bande se trouvait encore dans la boucle d'entrée, il fallait appeler l'ingénieur pour qu'il active l'écriture et vide l'accumulateur (pour permettre au contrôle de sortir de la boucle). Avec un peu de chance, la machine se mettait à lire la bande. Dès qu'un voyant sur le moniteur indiquait que l'entrée des données était achevée, l'ingénieur coupait l'écriture sur le tambour. Tout véhicule passant dans la rue à était une source potentielle de parasites. Il fallait généralement s'y reprendre à plusieurs fois, chaque nouvelle tentative nous obligeant à une nouvelle course. »

Par ailleurs, le prototype ne permettait absolument pas d'écrire directement sur le tambour à partir des tubes. Alan écrivit à ce sujet :
« Du point de vue du programmeur, la partie la moins fiable de la machine semblait être le dispositif d'enregistrement magnétique. On ne sait pas si c'était l'écriture ou la lecture qui était le plus souvent défectueuse. Les effets d'un enregistrement incorrect étaient cependant tellement plus désastreux que toutes les autres erreurs pouvant être commises par la machine qu'on ne recourait pratiquement jamais à l'enregistrement automatique... La défaillance des tubes mémoires et du multiplicateur constituait également une source d'erreurs graves. »
À l'automne 1949, Alan apporta ce qui allait être sa seule contribution à la conception de la machine Ferranti. L'une des fonctions du matériel, sur laquelle il avait particulièrement insisté, fut celle du générateur de nombres aléatoires – caractéristique

qui n'apparaissait pourtant pas dans son projet ACE. Ses propres connaissances en électronique étaient un peu limitées pour couvrir tous les détails pratiques nécessaires, toutefois la collaboration de Geoff Tootill lui permit de concevoir son propre système. Il s'agissait de produire des chiffres réellement aléatoires à partir de bruits, contrairement aux générateurs de clés de chiffrement et assimilés qui produisaient des chiffres apparemment aléatoires mais en vérité déterminés Pour cela, il s'inspira sans doute du circuit qui produisait les rubans-clés Rockex à Hanslope.

Geoff Tootill se montra intéressé par les idées d'Alan, même si certaines d'entre elles se révélèrent totalement impraticables en raison du temps limité et des forces disponibles. Il imagina par exemple un système de reconnaissance de caractères qui impliquait un dispositif élaboré de caméra de télévision pour transmettre une image visuelle à la mémoire à tube cathodique et la réduire à une taille standard. Tootill était sans doute le plus à même à comprendre de tels rêves, mais pour lui comme pour tous les autres ingénieurs attachés à l'université, Turing était, bien que mathématicien brillant, un ingénieur raté. L'année 1949 marqua la fin de ses efforts plutôt tâtonnants pour devenir un ingénieur accompli ; ils étaient trop peu à apprécier qu'un spécialiste britannique de mathématiques pures veuille bien se salir les mains.

Entre-temps, l'aspect le plus théorique des développements de l'ordinateur était devenu nettement plus public. En 1948, Norbert Wiener avait publié un ouvrage intitulé *La Cybernétique*[1], définissant ce terme comme recouvrant « la régulation et les communications dans l'être vivant et dans la machine ». Cela signifiait, en fait, la description du monde où l'information et la logique importaient davantage que l'énergie ou la constitution matérielle. Cette science était donc fortement influencée par les gigantesques développements technologiques dus à la guerre, même si certaines de ses idées de base comme la rétroaction (*feedback*) lui étaient nettement antérieures. Wiener et von Neumann avaient tenu au cours de l'hiver 1943-1944 une conférence sur le sujet, mais l'ouvrage de Wiener sortait cette matière du domaine

---

1. Norbert Wiener, *Cybernetics*, New York, Wiley, 1948.

étroit des articles techniques. En réalité, le livre était encore très technique, parfois peu cohérent et presque illisible, et le public se jeta dessus comme sur une clé magique permettant de déverrouiller un certain nombre de secrets.

Wiener considérait en fait Alan comme un cybernéticien, et avec ce terme, il avait au moins un nom à mettre sur l'ensemble des problèmes qu'il tentait de résoudre depuis quelque temps, et qui ne connaissait pas encore de catégorie universitaire. Durant le printemps 1947, alors qu'il se rendait à Nancy, Wiener avait eu la possibilité de « discuter des idées fondamentales de la cybernétique avec M. Turing », comme il l'expliquait lui-même dans l'introduction de son livre.

En 1949, la suprématie américaine, dans le domaine scientifique comme ailleurs, ne faisait plus de doute pour personne. Le 24 février, le magazine populaire *News Review*, qui présentait un résumé de la pensée de Wiener, expliquât non sans fierté que les scientifiques britanniques avaient pu fournir des « informations intéressantes » au professeur américain lorsque celui-ci se trouvait en Europe. Alan apparaissait comme un satellite tournant autour du soleil Wiener, la photographie de son profil jeune et légèrement nerveux contrastant avec les traits lourds de Wiener et l'aspect imposant du biologiste J. B. Haldane.

Alan avait bien plus d'envergure que Wiener, et malgré leurs nombreux intérêts communs, ils ne partageaient pas du tout la même conception des choses. Wiener était de l'étoffe des bâtisseurs d'empire, et il assimilait pratiquement tous les secteurs des réalisations humaines à des branches de la cybernétique. Il manquait par ailleurs cruellement d'humour. Tandis qu'Alan parvenait toujours à faire passer ses idées les plus farfelues avec un flegme britannique, Wiener ne pouvait faire la moindre suggestion sans une solennité effrayante.

Ainsi, dans *La Cybernétique*, on sous-entendait que McCulloch et Pitts avaient résolu le problème de la reconnaissance visuelle. Le mouvement était sujet à de nombreux excès d'optimisme. On racontait par exemple qu'au cours d'une expérience durant laquelle on était censé déterminer la capacité mémoire du cerveau, on hypnotisa des maçons pour leur demander : « De quelle forme était la fissure dans la quinzième brique de la quatrième rangée au-dessus du vide sanitaire dans telle et telle maison ? »

Ces histoires cybernétiques amusaient beaucoup Alan, même si elles se révélèrent plus tard être des canulars.

En outre, Wiener ne cachait pas son intérêt pour les implications économiques. Pour lui, la machine devait continuer à servir l'homme, et non l'inverse. Ses idées le plaçaient à l'extrême gauche de l'opinion publique américaine de 1948. Ce n'était pas un hasard si, lors de sa visite en Grande-Bretagne, il était allé consulter les sommités scientifiques de gauche qu'étaient J. D. Bernal, H. Levy et Haldane.

Mais le débat universitaire qui suivit la parution de son ouvrage en Grande-Bretagne évita d'aborder cette question, ainsi que celle de l'utilisation des ordinateurs et de la technologie née pendant la guerre à des fins pacifiques et constructives, et des avantages respectifs de la coopération et de la concurrence. Quand le *News Review* qualifia la cybernétique de « science effrayante », ce n'étaient pas tant les conséquences économiques que redoutait le magazine, que la menace que cela pourrait avoir sur les croyances populaires. La réaction d'après-guerre fut plus conservatrice que commerciale et s'inscrivit dans une certaine austérité. Les temps avaient changé. Cette fois, ce n'était pas un évêque mais un chirurgien qui conduisit la réaction intellectuelle britannique contre l'idée de machines à penser. L'éminent sir Geoffrey Jefferson donna ainsi le 9 juin 1949 une conférence intitulée « L'Esprit de l'homme mécanique ».

Titulaire d'une chaire de neurochirurgie à Manchester, Jefferson était au fait des progrès de la machine de Manchester pour en avoir discuté lui-même avec Williams. La plupart de ses impressions lui venaient de Wiener, qui insistait encore sur les similitudes entre les cellules nerveuses du cerveau et les composants d'un ordinateur[1]. La cybernétique avait bien besoin des idées de Turing sur l'universalité ou les machines à états discrets pour se défendre. Certaines des assertions de Wiener étaient vraiment trop faciles à contrer, et Jefferson ne s'en priva pas :

---

1. Turing lui-même avait toujours pris soin de minimiser cette comparaison qui prétendait que l'on pouvait considérer le cerveau comme une machine à un état discret, car de son point de vue, cela ne concernait pas l'essentiel de sa thèse. Ainsi, en 1948, il écrivit dans un rapport pour le NPL : « Nous pourrions produire des modèles électriques plutôt précis capables d'imiter le comportement de nos nerfs, mais l'utilité d'un tel projet me semble discutable. Cela équivaudrait à fournir un travail immense pour faire fonctionner les voitures sur des jambes plutôt que de continuer à se servir de roues. »

« Il est impossible d'expliquer les animaux ou les hommes en se contentant d'étudier leur système nerveux de manière isolée. Leur système endocrinien est bien plus complexe et leurs émotions plus riches. Les hormones sexuelles provoquent des comportements particuliers souvent aussi inexplicables qu'impressionnants (comme par exemple la migration des poissons). »

Jefferson adorait parler sexualité, pourtant il conclut son oraison par des envolées lyriques qui se contentaient d'évoquer la question. Dans un passage fréquemment cité, il soutient que :

« Tant que les machines seront incapables de composer un sonnet ou un concerto en s'inspirant de leurs émotions, et non par pur hasard, nous serons certainement d'accord pour affirmer qu'elles ne sont pas l'égale du cerveau. Il ne leur suffira pas d'écrire, il leur faudra aussi prendre conscience qu'elles le font. Aucun mécanisme ne peut ressentir (et je ne parle pas d'un signal artificiel) une satisfaction d'avoir réussi quelque chose ou de la peine lorsque l'un de ses tubes vient à griller. En aucun cas il ne peut être sensible aux compliments, malheureux à cause d'un échec, frustré, furieux ou triste quand il ne peut accéder à ses désirs. »

Pour conclure, Jefferson se rangeait « auprès de l'humaniste Shakespeare plutôt que du côté des mécanistes », citant les vers de Hamlet : « Quel chef-d'œuvre que l'homme ! Qu'il est noble par sa raison, infini dans ses facultés ! » Dans ce genre de débats, Shakespeare servait souvent de caution aux exquises sensibilités humaines de l'orateur. Jefferson avait toutefois grandement participé à l'amélioration du « chef-d'œuvre », non seulement en raccommodant les « gueules cassées » des deux guerres, mais aussi en défendant la lobotomie frontale à la fin des années 1930.

C'était l'argument « de l'autruche », partant du principe que les machines étaient incapables de toute pensée créatrice, puisque leurs composants n'étaient pas biologiques. « Quand nous entendons dire que des tubes radio pensent, il y a de quoi désespérer du langage », déclarait Jefferson. Cependant aucun cybernéticien n'avait jamais dit que les tubes pensaient, pas plus qu'on ne le dirait de cellules nerveuses. Selon Alan, c'était le système pris dans son ensemble qui pouvait « penser », et ce grâce à sa structure logique et non à ses caractéristiques physiques.

Le *Times* se jeta sur ces quelques mots de Jefferson :

« Une machine est en mesure de résoudre des problèmes de logique, car la logique se rapproche énormément des mathématiques. Dans le département philosophique *(sic)* de mon université, on réfléchit à quelques mesures allant dans ce sens. »

Le journaliste s'empressa de téléphoner à Manchester, où il tomba sur un Alan tout prêt à parler sans inhibition :

« "Il ne s'agit là que d'un avant-goût de ce qui doit venir, et nous ne voyons que l'ombre de ce qui va se produire. Il nous faut encore procéder à quelques expériences avant de pouvoir connaître réellement les capacités de la machine. Il faudra peut-être plusieurs années pour que nous nous attaquions aux nouvelles possibilités, mais je ne vois pas pourquoi la machine n'aborderait pas tous les domaines normalement couverts par l'intellect humain, et ne finirait pas par rivaliser avec lui en termes d'égalité.

Je ne pense pas qu'on puisse fixer de limite, même si la comparaison n'est peut-être pas très juste dans la mesure où un sonnet écrit par une machine sera mieux apprécié par une autre machine." M. Turing a ajouté que ce qui intéressait réellement l'Université, c'était l'exploration des possibilités des machines en tant que telles. La recherche viserait alors à trouver le degré d'activité intellectuelle dont elles sont capables, et dans quelle mesure elles peuvent réfléchir. »

Une telle définition de ce qui « intéressait réellement l'Université » suscita naturellement un tollé au sein des *public schools* catholiques :

« Quoi qu'on puisse penser de la conférence du professeur Jefferson à Lister, les scientifiques les plus responsables ne tarderont pas à se dissocier d'un tel programme. Que cela nous serve à tous d'avertissement. Même nos spécialistes en matérialisme dialectique, comme les erewhoniens[1] de Butler, jugeront sans doute nécessaire de se préserver contre la possible hostilité des machines. Et ceux d'entre nous qui croient au plus profond d'eux-mêmes que les hommes sont des êtres libres (ce qui serait incompréhensible si nous étions dépourvus d'esprit et devions nous contenter d'un cerveau) devront nous demander jusqu'à quel

---

1. De *Erewhon*, roman utopique de Samuel Butler, satire de la société victorienne.

point nous partageons l'avis de M. Turing, et nous avons vraiment envie que les dirigeants de ce pays le partagent.

Cordialement, Illtyd Trethowan

Downside Abbey, Bath, le 11 juin. »

Les dirigeants en question s'abstinrent de commenter. Mais Max Newman écrivit au *Times* pour corriger l'impression laissée par les déclarations irréfléchies d'Alan, les submergeant d'explications rébarbatives sur le problème des nombres premiers de Mersenne. Jefferson, quant à lui, se révéla un excellent ambassadeur pour Manchester, car le *Times* publia des photos de sa machine, suivi par l'*Illustrated London News* le 25 juin. Cela faillit d'ailleurs faire passer au second plan l'inauguration de l'EDSAC à Cambridge.

L'équipe de Wilkes avait fait des progrès spectaculaires en finalisant la construction de son calculateur de type EDVAC, doté d'une mémoire à lignes à retard à mercure, ce qui le plaçait nettement devant les développements américains. Contrairement à ce qui était prévu, il n'avait que 32 lignes à retard de mémoire et un temps élémentaire de deux microsecondes. Mais il fonctionnait. Et si le « bébé machine » de Manchester fut le premier calculateur électronique à programme enregistré à entrer en fonction, l'EDSAC fut la première machine à pouvoir effectuer un travail mathématique réellement sérieux[1].

Alan assista au discours d'inauguration et donna lui-même, le 24 juin 1949, une conférence sur le « Contrôle des gros programmes ». Il décrivait une procédure convenant aux programmes longs où l'on perdait trop facilement la trace de ce que devenaient les nombres en mémoire. Pour illustrer ses arguments, il effectua quelques opérations au tableau et dérouta tout le monde en écrivant ses nombres à rebours, comme il avait coutume de le faire à Manchester. « Je ne pense pas qu'il voulait faire rire et encore moins nous impressionner, écrivit Wilkes, c'est simplement qu'il

---

1. Le problème des nombres premiers de Mersenne était une application artificielle, sinon ingénieuse, que l'on confia à la machine de Manchester en pleine croissance. Ce n'est qu'à l'automne 1949 que l'on put lui donner des problèmes « normaux ». En plus des problèmes d'Alan, comme on le verra plus tard, on lui présenta des calculs d'optique, traçant des rayons à travers un système de lentilles, ainsi que du travail mathématique en lien avec les missiles guidés.

ne se rendait pas compte qu'une anecdote aussi simple pouvait dérouter son auditoire. » Ce genre de petits détails masquait peut-être une certaine ironie dans le fait que, si les gens de l'EDSAC n'avaient commencé à écrire des programmes qu'en mai 1949, Alan, lui, était rodé à cette technique depuis des années.

Entre-temps, l'ACE semblait devoir naître malgré tout. Après la démission d'Alan, il y eut d'autres remaniements au sein du NPL, et F. Colebrook prit la place de Thomas. Dès juin 1949, ils avaient fini par obtenir une ligne à retard qui fonctionnait, et ils terminèrent le câblage du contrôle au mois d'octobre. La machine en question, l'« ACE pilote », s'appuyait sur la « version V » de Turing. Elle reprenait le traitement « réparti » qui distinguait le projet de Turing de celui de von Neumann – celui-ci se servant d'un accumulateur. L'ensemble technique faisait de cette machine la plus rapide du monde. Sir Charles Darwin avait pris sa retraite en 1949, et Max Newman assura par la suite lui avoir rendu un fier service en éloignant Alan, ce que celui-ci reconnaissait sans peine. Lors de l'inauguration officielle de l'ACE pilote, en novembre 1950, Alan fit d'ailleurs preuve d'une grande générosité en disant à Jim Wilkinson qu'ils avaient certainement fait beaucoup mieux sans lui que s'il était resté. L'ACE pilote n'aurait sûrement jamais existé si Alan était resté au NPL, mais cela ne devait pas lui faire oublier qu'il ne s'agissait là que de l'ombre de son projet initial.

Après le départ d'Alan, Womersley parvint à gommer presque entièrement son rôle dans toute l'histoire de l'ACE. Le nom de Turing n'apparaît pratiquement pas dans les notes établies par Colebrook sur les indications de Womersley, lors de la réunion du Comité exécutif du 13 novembre 1949 :

« M. Colebrook fit ensuite référence aux différentes organisations successives du projet Automatic Computer Engine. Le travail s'inspira d'abord de l'article du docteur Turing, « Des nombres calculables avec une application au problème de décision » (sic), avant que M. Womersley s'attelle à la conception logique, en 1938, après avoir lu l'article et discuté avec le professeur Hartree. M. Womersley est arrivé au laboratoire début 1944, et s'est rendu l'année suivante aux États-Unis afin de pouvoir étudier les machines ENIAC à Harvard. Le professeur Newman est venu voir M. Womersley en 1945 et lui a présenté le docteur Turing, qui a rapidement rejoint le personnel du laboratoire. »

C'est là l'unique mention de la participation d'Alan au projet. Le récit se poursuit ainsi :

« En 1946, on entama le travail sur l'Automatic Computing Engine, et il fut que convenu que le Post Office se chargerait du travail expérimental, et le laboratoire du travail théorique, y compris de la programmation de la machine. En 1947, en raison des progrès relativement lents du Post Office, on mit en place une section responsable de la fabrication de l'ACE au NPL. »

Éludant habilement la période Thomas, Colebrook décrivit les progrès effectués en 1948 et 1949. Il compara ensuite l'ACE avec « la machine initialement proposée » et déclara :

« La taille effective de l'ACE résulte de longues réflexions entre le professeur von Neumann et M. Womersley au cours des séjours de ce dernier aux États-Unis. »

Ainsi, en 1950 déjà, Alan Turing se voyait dépossédé de son idée ; il devenait le Trotski de la révolution informatique.

Il n'était pas du genre à se plaindre. Par bien des côtés, sa position à Manchester rappelait celle qu'il avait occupée à Hanslope, qu'il s'agît de statut, de position sociale ou des batailles à livrer. L'environnement de Manchester était cependant beaucoup plus rude, ce qui exacerba encore son caractère rustre. Mais si Hanslope lui avait permis d'acquérir une expérience pratique en électronique, Manchester lui donnait la possibilité d'utiliser un ordinateur. Il avait lui-même conçu une machine universelle, et il pouvait maintenant travailler, ou même jouer, avec l'une des deux seules machines de ce type qui existaient au monde en 1949. Il y avait malgré tout une certaine méthode dans sa folie.

Pour le moment, il se contentait de profiter de la puissance de la machine universelle dont il avait rêvé. Sa première idée fut de reprendre les calculs de la fonction Dzéta. Il pouvait désormais remplacer les engrenages qui leur avaient tant fait défaut, par des instructions enregistrées sur la bande de la machine universelle. Pourtant, les choses ne tournèrent pas comme il l'avait imaginé :

« En juin 1950, on utilisa le calculateur électronique [prototype] de l'université de Manchester pour effectuer quelques calculs liés à la répartition des zéros de la fonction Dzéta de

Riemann. On voulait déterminer s'il y avait ou non des zéros sur la limite critique entre certains intervalles particuliers. Les calculs avaient été projetés à l'avance, mais durent être réalisés en grande hâte. Si le calculateur n'était pas resté en service pendant des périodes inhabituellement longues allant de 15 heures à 8 heures le lendemain matin, les calculs n'auraient sans doute jamais été effectués du tout. On étudia l'intervalle $2\varpi.63^2 < t < 2\varpi.64^2$.

On vérifia également l'intervalle $1414 < t < 1608$. Malheureusement, la machine tomba en panne, rendant impossible tout travail supplémentaire. De plus, on découvrit plus tard que l'on avait étudié cet intervalle avec une valeur fausse, et l'on dut se contenter d'une seule certitude : il y avait des zéros sur la limite critique jusqu'à $t = 1540$, Titchmarsh ayant étudié la question jusqu'à 1468... »

Ce fut là un exercice de collaboration exceptionnel, pour lequel Kilburn veilla toute la nuit. Alan finit par lire la bande du téléscripteur : « Il est possible d'imprimer automatiquement le contenu d'une bande. Cela consiste principalement en une série de nombres en base 32, les chiffres les plus importants se trouvant à droite. On peut se servir de la base 10, plus commode, mais il faut avoir enregistré au préalable un sous-programme de conversion. Quoi qu'il en soit, le programmeur s'est satisfait des résultats en base 32, qu'il maîtrise parfaitement. »

Alan en profita pour régler un autre vieux compte, à savoir celui d'Enigma :

« J'ai mis sur le calculateur de Manchester un petit programme qui ne prend que mille unités de mémoire et grâce auquel la machine peut répondre à un nombre de seize chiffres par un autre en moins de deux secondes. Je défie quiconque d'en connaître assez sur le programme à partir des seules réponses pour pouvoir prédire la réponse de la moindre valeur non essayée. »

En d'autres termes, il avait mis au point un système de chiffrement qu'il considérait comme impossible à décrypter, même avec l'aide du texte en clair. À leur tour, les énormes engrenages de la Seconde Guerre mondiale devenaient aussi obsolètes que sa machine à fonction Dzéta.

Il y eut d'autres indices de son intérêt toujours marqué pour la cryptologie. Il demanda en effet aux ingénieurs d'équiper la machine Ferranti Mark I de ce qu'ils appelèrent une « additionneuse ligne par ligne ». Elle visait à dénombrer les impulsions « 1 » dans une suite de quarante bits. Bien que sans aucune application dans un programme numérique, cela se révélerait très utile dans un programme où les chiffres codaient par *oui* et *non* les réponses à des questions booléennes : le procédé permettait en effet de dénombrer les *oui* comme l'avait fait Colossus. Ces applications correspondaient sans doute à un intérêt personnel pour Alan. C'est cependant vers cette époque, alors que la situation internationale se durcissait, que le GCHQ le consulta. Il aurait été très étonnant qu'un tel organisme ne fasse pas appel à la personne la plus qualifiée en Grande-Bretagne en matière de décryptage et de calculateurs électroniques. Et n'avait-il pas qualifié la cryptanalyse de domaine le plus « enrichissant » pour la programmation ? Peu de monde, cependant, était en mesure de s'en rendre compte, ce sujet étant plus que jamais couvert du sceau du secret.

Ce fut également l'époque de sa rencontre avec le jeune Américain David Sayre. Diplômé des Laboratoires de rayonnements du MIT, ce dernier étudiait alors la biologie moléculaire à Oxford avec Dorothy Hodgkin. Ayant travaillé avec Williams pendant la guerre, il venait à Manchester pour voir le calculateur car il pensait que celui-ci pourrait trouver des applications en cristallographie à rayons X. Williams le confia à Alan, qui fut d'une gentillesse et d'une amabilité rares avec le jeune homme, le mettant tout de suite « parfaitement à l'aise ». Ils parlèrent pendant deux jours et demi, interrompus seulement quand « le téléphone sonnait pour annoncer que la machine était libre pour quelques minutes, au cas où il aurait voulu s'en servir. Il [Alan] rassemblait alors des piles de papiers, de rubans et de bandes perforées, et disparaissait pour un moment ».

David Sayre devina qu'Alan avait travaillé sur le décryptage pendant la guerre. La cristallographie à rayons X, que l'on appliquait maintenant à l'étude de la structure des protéines, ressemblait énormément, par sa nature même, aux techniques de décryptage. Les rayons X permettaient en effet d'obtenir un modèle de diffraction que l'on pouvait considérer comme le chiffrement de la structure moléculaire. Ainsi, le processus de décryptage se rapprochait beaucoup du problème que posait l'identification du texte en clair et de la clé à partir du seul texte chiffré[1]. Le résultat de cette analogie fut que :

« Avant la fin de nos entretiens, il avait réinventé la plupart des méthodes qu'avaient élaborées jusque-là les spécialistes de la cristallographie. L'étendue de ses connaissances dépassait largement celles de tous les cristallographes que j'ai pu connaître, et je suis certain qu'il aurait pu faire avancer ce domaine d'un grand pas s'il s'y était attaqué sérieusement pendant quelque temps. Il aurait pu avoir la maîtrise d'une méthode qui n'avait pas encore fait son apparition en 1949, et qui aurait permis d'établir quantitativement la somme d'informations indispensable pour qu'on puisse commencer une recherche en étant sûr de pouvoir arriver à une solution. »

Alan lui parla du théorème de Shannon qu'il avait exploité pour Dalila, et Sayre s'en servit dans une publication qui fit nettement avancer la théorie sur le sujet. Alan ne se décida cependant pas à aborder sérieusement ce domaine, quoiqu'il encourageât le jeune Sayre à revenir à Manchester pour effectuer certains calculs sur la machine. Il s'agissait d'une branche de la science où l'on faisait des progrès passionnants, mais à ses yeux, cela lui aurait ravivé trop de souvenirs. D'autre part, il s'agissait d'un domaine très concurrentiel, et Alan avait toujours rêvé de travailler avec une certaine indépendance.

Claude Shannon vint lui aussi faire un tour à Manchester. Depuis 1943, leurs discussions sur les machines et l'esprit, l'infor-

---

1. Les mesures aux rayons X ne donnaient que les amplitudes de la fréquence des différents composants, et non les phases. L'analyse dépend de l'estimation des phases. On peut juger que l'estimation est correcte lorsque, ayant assemblé les amplitudes et les phases, on obtient l'image d'un cristal en lien avec la réalité physique, avec le bon nombre d'atomes et une densité d'électrons positive. Cela revient exactement au même que de deviner une clé à l'aide d'un passage crypté : l'estimation est correcte lorsqu'on obtient un message compréhensible.

L'analogie avec la cryptanalyse est même plus poussée en ce sens que le cristallographe s'attaque à un problème, à première vue trop titanesque pour envisager de le résoudre, en formulant une hypothèse sur la structure du cristal. Ainsi, Watson et Crick ont tenté d'analyser l'ADN, à l'image de Pauling, en estimant à juste titre que sa structure était hélicoïdale, ce qui leur permit de s'approcher de plus en plus de la solution. Cela reprend l'idée de la méthode du « mot probable », qui permettait de réduire considérablement le nombre de clés probables. Aussi, avec Enigma, par exemple, il ne leur restait qu'un petit nombre d'arrêts de Bombe à vérifier, pour chercher du texte dans un allemand compréhensible. Il n'est pas surprenant qu'Alan ait été à même de quantifier la notion d'information nécessaire pour qu'une solution soit possible : cela était très proche de la mesure du « poids d'évidence », qui constituait son plus grand développement conceptuel à Bletchley.

mation et la communication, s'étaient étendues à tous les sujets. En septembre 1950, il y eut un congrès à Londres, sur la « théorie de l'information » dont Claude Shannon était l'invité vedette. Son article sur le jeu d'échecs, qui expliquait les principes de la méthode minimax et de l'arbre de recherche, venait juste de paraître. Quelqu'un en fit la critique, et Alan comprit qu'il avait confondu la cause et l'effet. Pour ce dernier, c'était comme si :

« Il avait fait une analyse statistique des lessives effectuées par des hommes de différentes catégories sociales, et en avait déduit, d'après les données qu'il avait recueillies, que pour réussir dans la vie il fallait laver un grand nombre de chemises chaque semaine. »

Shannon se rendit ensuite à Manchester pour voir le prototype de la machine, et Alan en profita pour lui parler de ses calculs de la fonction Dzéta[1].

La conférence à l'origine de cette visite était organisée par le mouvement créé autour de la « cybernétique ». En effet, en juillet 1949, à la suite d'une conférence de Konrad Lorenz à Cambridge sur le comportement animal, un groupe de discussions informelles sur la cybernétique s'était constitué pour se rencontrer ensuite une fois par mois à Londres. Ce groupe fut baptisé le Ratio Club. McCulloch, qui était avec Wiener l'un des premiers grands prêtres de la cybernétique, assista à la première réunion. (Lui aussi fit le voyage jusqu'à Manchester pour voir Alan, qui le considéra comme un charlatan.) Alan ne faisait pas partie du groupe fondateur du Ratio Club, mais lors de la première réunion, son nom fut avancé par Gold et par le biologiste John Pringle, qui avait fait ses études à King's à la même époque qu'Alan. Il prit ensuite l'habitude d'assister épisodiquement à leurs dîners mensuels, car il les trouvait amusants. Robin Gandy l'imita un peu plus tard, puis Jack Good, après avoir entendu la conférence qu'Alan donna en décembre 1950 sur « L'éducation du calculateur numérique ». Uttley, du TRE, et le physicien philosophe D. Mackay se montrèrent eux aussi très intéressés par la

---

1. Shannon ne fut pas très convaincu par ce programme de travail, et il avait raison. En 1977, des calculs par ordinateur montreront qu'il n'y a pas un seul zéro sur les sept premiers millions de zéros de la fonction Dzéta qui ne soit pas sur la ligne spéciale. Il s'agissait donc d'un cas où l'attaque par la force brute ne pouvait qu'aboutir à un résultat négatif.

notion d'intelligence de la machine, tandis que W. Grey Walter et W. Ross Ashby, des neurologues qui publièrent tous deux des ouvrages importants sur les fondements de la cybernétique, furent des membres assidus du club. Les réunions avaient lieu au National Hospital for Nervous Diseases, et John Bates tenait le rôle de secrétaire et d'animateur. L'enthousiasme ne manquait pas, même s'il finit par retomber un peu au cours des années qui suivirent, lorsqu'on s'aperçut que la cybernétique n'offrait pas de solutions immédiates aux problèmes posés par les êtres humains.

Il s'agissait également d'une tentative de remettre au goût du jour les associations des jeunes scientifiques qui avait caractérisé les années de guerre. Certains avaient déjà travaillé au TRE, où ils avaient organisé ce qu'ils appelaient les « Soviets du dimanche », suivant en quelque sorte le mode de fonctionnement des sections de Bletchley. Il s'agissait plus ou moins d'une « anarchie créatrice ».

En 1948, Peter Hilton, qui connaissait Alan depuis Bletchley, quitta Oxford pour le département de mathématiques de Manchester. Ce fut l'occasion pour Turing de l'emmener voir la fameuse machine, qui était née, d'une certaine manière, de leurs expériences. En 1949, Hilton assista à une discussion liée au passé d'Alan, puisqu'elle concernait la théorie de groupe et la logique mathématique, domaines qui lui avaient permis de lancer sa carrière. La discussion tournait autour du « problème du mot » pour les groupes. Le débat ressemblait au problème de décision d'Hilbert, mais plutôt que de chercher une « méthode précise » pour déterminer si un théorème donné était prouvable, il fallait en trouver une pour déterminer si un produit donné d'éléments de groupes était égal à tel autre produit ; c'est-à-dire si une suite donnée d'opérations pouvait avoir le même effet que telle autre suite[1]. Emil Post avait donné un premier résultat en 1943, en démontrant que le problème du mot pour les « semi-groupes » était insoluble[2]. La question se posait toujours pour les groupes. Hilton était stupéfait car :

---

1. Si les opérations sont représentées par des lettres, alors une telle séquence sera représentée par un « mot », d'où le nom du problème. Pour un groupe fini, il existerait naturellement une telle méthode, à savoir une façon grossière de passer en revue toutes les possibilités. Le problème se posait surtout pour les groupes infinis.

2. Un semi-groupe est la version abstraite d'une suite d'opérations ne remplissant pas toutes les conditions pour former un « groupe » car ses éléments n'admettent pas forcément d'inverse.

« Turing prétendait n'avoir jamais entendu parler de ce problème et le trouva fort intéressant. Ainsi, même s'il se consacrait surtout aux machines à l'époque, il annonça au bout de dix jours qu'il avait démontré que le problème du mot était insoluble. On organisa donc une réunion pour que Turing puisse exposer ses preuves, mais il se ravisa quelques jours avant : "Il y avait une petite erreur dans mon raisonnement, même si celui-ci tient toujours pour les semi-groupes d'annulation." Il fit donc une démonstration pour ce dernier cas[1]. »

Il exposa une démonstration qui exigeait des méthodes relativement nouvelles, plus compliquées d'un point de vue technique que celles utilisées dans sa démonstration de *Nombres calculables*, pour relier les idées d'opérations réalisables et non réalisables à l'action même d'une machine de Turing. En tout cas, cela prouvait qu'à tout moment il pouvait redevenir un « logicien ». C'était un retour fracassant, même s'il était loin d'avoir ce genre de considérations. Il passa encore un peu de temps sur le problème original des groupes, sans non plus s'y consacrer corps et âme. Il avait l'impression d'avoir 20 ans à nouveau, époque bénie où il n'avait pas encore été mêlé aux affaires du monde.

Alan proposa à von Neumann les résultats de ses recherches en vue de leur publication. Ils furent acceptés le 13 août 1949. Il reçut une réponse du grand maître lui-même :

« Le 13 septembre 1949
Cher Alan,
Notre projet de machine progresse de manière plutôt satisfaisante, mais nous n'en sommes pas encore à votre niveau. Je pense qu'elle sera achevée au début de l'année prochaine. Sur quels problèmes travaillez-vous, à présent, et quel est votre programme dans un avenir proche ?
Cordialement, John. »

La machine de von Neumann prenait en effet des années de retard à cause de l'Iconoscope qui, malgré tous les espoirs, n'arrivait pas à fonctionner. Les premiers ordinateurs américains à

---

1. Un semi-groupe d'annulation se rapproche davantage des groupes dans la mesure où, si AC = BC, alors A = B obligatoirement.

fonctionner furent, en août 1950, le BINAC d'Eckert et Mauchly, destiné à l'ingénierie aéronautique, et en décembre 1950, l'ATLAS de décryptement du CSAW. Mais l'Union soviétique avait effectué ses premiers essais nucléaires fin septembre 1949, et cela incita les Américains à prendre la décision de construire une arme thermonucléaire dès le début 1950. L'accent fut mis sur l'élaboration à Los Alamos de la machine IAS et de son double, MANIAC, qui ne furent terminées qu'en 1952. L'Iconoscope fut finalement abandonné et les Américains le remplacèrent par les simples tubes cathodiques de Williams. Avec deux assistants seulement, ce dernier avait réussi à battre toute l'industrie américaine.

Que devenait Alan dans tout cela ? Quels étaient, comme le lui avait si pertinemment demandé le grand maître, ses projets pour l'avenir ? Il fallait avant tout qu'il accepte que ses rêves de machines qui apprennent, qui enseignent et qui inspectent étaient encore loin de la réalité. Il devait donc trouver une nouvelle voie où engager ses recherches.

Pendant ce temps, les objectifs de la cybernétique commençaient à attirer l'attention de philosophes plus influents que Jefferson, et Alan dut défendre ses idées de manière plus professionnelle. La force motrice du mouvement s'incarna en la personne de Michael Polanyi, émigré hongrois qui avait tenu la chaire de physique-chimie à Manchester entre 1933 et 1948, année où on inaugurait la chaire d'« études sociales », créée spécialement pour faciliter ses ambitions philosophiques.

Polanyi se fondait sur le théorème de Gödel pour démontrer que l'esprit était capable de choses dépassant tout système mécanique. C'était justement sur ce sujet qu'Alan et Polanyi discutaient le plus. Alan se rendait souvent chez le physicien, qui n'habitait pas très loin de Hale. (Polanyi alla une fois chez Alan qui travaillait son violon dans un froid insupportable : il n'avait pas pris la peine, ou n'avait peut-être pas osé, demander à la propriétaire de lui mettre le chauffage.) Mais Polanyi avait d'autres idées dans sa manche. Il rejetait le raisonnement d'Eddington qui défendait le libre arbitre en s'appuyant sur le principe d'incertitude. Contrairement à lui, il pensait que l'esprit pouvait interférer avec le mouvement des molécules, et écrivit que « des lois étendues de la nature peuvent permettre la réalisation de principes opérationnels agissant par le biais de la conscience[1] », et que l'esprit pouvait « exercer un pouvoir sur le corps en sélectionnant simplement les impulsions aléatoires de l'agitation thermique ambiante ».

Polanyi était assez d'accord lui aussi avec la thèse selon laquelle la science n'existait de toute façon que dans l'esprit humain et n'avait aucun sens sans la « fonction sémantique » que celui-ci pouvait apporter. Karl Popper, qui tenait des propos similaires, déclara en 1950 que « seul notre cerveau humain a la capacité de donner un sens au pouvoir aveugle qu'ont les calculateurs de produire des vérités[2] ». Popper et Polanyi soutenaient tous les deux que les gens détenaient une part de « responsabilité » inaliénable, et que la science n'existait qu'en vertu de décisions conscientes et responsables. Selon Polanyi, la science devait s'appuyer sur des bases morales. « Mon opposition à une interprétation mécanique universelle des choses implique également un certain désaccord sur la notion de neutralité morale absolue de la science. » Le ton quelque peu professoral de cette « responsabilité » différait assez nettement de la douce vision proposée par Eddington, de l'Esprit percevant le monde spirituel. Mais il ne faut pas oublier non plus le poids important de la guerre froide. Polanyi attaquait la vision laplacienne car elle « conduit à estimer que la sécurité matérielle [...] est le bien suprême » et que « l'action politique est nécessairement dirigée par la force ». Il associait évidemment ces doctrines rebutantes au gouvernement soviétique plutôt qu'à l'autre grande puissance, et s'opposait à la suggestion que « toutes les activités culturelles devraient aider le pouvoir de l'État à transformer la société pour la réalisation du bien-être ». Alan aimait assez l'argument selon lequel toute mesure implique finalement un élément de décision, et il apporta à Polanyi la photo-*finish* d'une course où deux chevaux ne pouvaient être départagés qu'en tenant compte du jet d'écume que crachait l'un d'eux – une contingence que les règles ne prévoyaient évidemment pas. Le philosophe chrétien poussait ses arguments dans une direction très différente de la sienne.

---

1. Michael Polanyi, *Personal Knowledge*, Routledge & Kegan Paul, 1958.
2. Karl Popper, « Indeterminism in Quantum Physico and in Classical Physico » in *Brit. J. Phil. Sci.*, 1950.

Telle était la toile de fond d'un colloque sur « L'esprit et la machine à calculs » qui se tint au département de philosophie de l'université de Manchester, en octobre 1949, et qui rassemblait tous les universitaires britanniques intéressés. Max Newman et Polanyi discutèrent de la signification du théorème de Gödel, et Alan eut un débat sur les cellules du cerveau avec J. Z. Young, physiologiste du système nerveux. La discussion fit rage entre tous les courants de pensée sous la présidence de la philosophe Dorothy Emmet. Elle constata, lors d'une accalmie, que « la différence fondamentale semble donc résider en ce qu'une machine n'a pas de conscience ».

Mais ce genre de phrases ne satisfaisait pas plus Alan que l'assertion de Polanyi selon laquelle il était impossible de définir la fonction de l'esprit d'après un système formel quel qu'il soit. Il exposa son propre point de vue dans un article intitulé « Computing Machinery and Intelligence » (Machine et intelligence informatique), qui parut en octobre 1950 dans la revue philosophique *Mind*. Son style différait très peu, selon son habitude, de celui dont il se servait dans une conversation entre amis. Ainsi, il présentait dans cet article l'idée d'une définition opérationnelle de la « pensée », de l'« intelligence » ou de la « conscience » en recourant à un jeu de devinettes.

Il imaginait qu'un interrogateur devait découvrir qui, du couple se trouvant dans une pièce voisine, était la femme, en se fondant uniquement sur des réponses écrites. L'homme s'efforçait de leurrer l'interrogateur et la femme de le convaincre en assurant tous deux : « C'est moi la femme, ne l'écoutez pas ! » Quoique rappelant de façon assez amusante les messages secrets échangés lors de ses conversations avec Robin et Nick Furbank, ce passage faisait malheureusement diversion et manquait de la lucidité qui caractérisait presque tout le reste de l'article. Le but du jeu était de démontrer que la victoire de l'homme se faisant passer pour la femme ne prouvait absolument rien. L'appartenance sexuelle dépendait de faits qui n'étaient pas réductibles à des suites de symboles. Alan espérait, en revanche, convaincre qu'un tel principe d'imitation s'appliquait bien à la « pensée » ou à l'« intelligence ». Si, sur la base de réponses écrites à des questions, un ordinateur ne pouvait être distingué d'un interlocuteur humain, alors le *fair-play* obligeait à reconnaître que la machine était capable de « penser ».

Il avançait un argument en faveur de l'adoption du principe d'imitation : la seule méthode permettant d'affirmer que les autres « pensaient » et étaient « conscients » était de les comparer à soi-même, et il ne voyait aucune raison de ne pas faire de même avec les ordinateurs[1].

L'article de *Mind* reprenait largement ce qu'Alan avait déjà dit dans son rapport du NPL, qui n'avait bien entendu pas été publié. Il comprenait cependant quelques nouveaux développements, pas forcément très sérieux. Non sans une ironie voilée, Alan démolissait ce qu'il appelait l'« objection théologique » à l'idée de machines pensantes, et concluait en décrétant que la pensée pouvait effectivement être la prérogative d'une âme immortelle, mais que rien n'empêchait alors Dieu d'en doter la machine. Il répondit aussi, sur un ton plus ambigu, à une objection inspirée par la « perception extrasensorielle ». Il écrivit à ce propos :

« Ces phénomènes troublants semblent réfuter toutes nos idées scientifiques habituelles. Comme il nous plairait de les discréditer ! Malheureusement, l'indice statistique, du moins pour la télépathie, est écrasant. Il est très difficile de réorganiser ses convictions afin d'y faire entrer ces nouveaux faits. Une fois qu'on les a admis, il semble en effet relativement naturel de croire aux fantômes et aux croque-mitaines. L'idée que notre corps ne se meut que grâce aux lois connues de la physique ainsi qu'à d'autres lois encore à découvrir mais, d'une certaine façon, similaires, serait la première à tomber. »

Les lecteurs durent se demander si les statistiques étaient réellement « écrasantes » ou s'il s'agissait d'une plaisanterie. Alan avait sûrement été impressionné à l'époque par les déclarations de J. B. Rhine, qui assurait détenir la preuve expérimentale de la perception extra-sensorielle – certainement un reflet de sa passion pour les rêves, les prophéties et les coïncidences. Il s'agissait surtout d'un cas où l'ouverture d'esprit devait, selon lui, l'emporter ; ce qui *était* devait prévaloir sur ce qu'il paraissait plus commode de penser. Il ne pouvait, d'un autre côté, prendre à la légère l'absence de consistance de ces idées avec les principes de cau-

---

1. Suggestion que Polanyi réfutait absolument, prétendant qu'une machine était une machine, et un esprit humain un esprit humain, et que rien ne permettrait jamais d'affirmer le contraire.

salité en œuvre dans les « lois de la physique », et parfaitement attestés par l'expérience.

L'idée d'« enseigner » à la machine avait elle aussi progressé depuis 1948. Les essais d'Alan lui avaient probablement appris que la méthode par la douleur et le plaisir était affreusement longue, et il avait voulu déterminer pourquoi – ce qui n'était pas sans le renvoyer à ses souvenirs de Hazelhurst :

« L'utilisation de punitions et de récompenses peut, tout au plus, s'intégrer à un programme d'enseignement. En gros, si le professeur n'a pas d'autres moyens de transmettre ses connaissances à l'élève, la quantité d'informations susceptibles de parvenir à celui-ci ne peut excéder le nombre total de récompenses et de punitions données. Avant qu'un enfant n'ait appris à réciter *Casabianca*, il serait vraiment dans un triste état si la seule manière de découvrir le texte revenait à une technique de questions, chaque *erreur* prenant la forme d'un coup. Il est donc nécessaire d'avoir d'autres canaux de communication "non émotionnels". S'il y en a de disponibles, il devient possible d'apprendre à la machine, par la méthode de la punition et de la récompense, à obéir aux ordres donnés dans un langage spécial, symbolique par exemple. Ces ordres doivent alors être transmis par les canaux "non émotionnels". L'utilisation de ce langage devrait réduire notablement le nombre des punitions et celui des récompenses requises. »

Il faisait une petite allusion à sa propre expérience en citant *Casabianca*, car l'enfant qui exécutait les ordres mécaniquement sur son lieu de torture, ressemblait bien à un ordinateur. Il poursuivait en suggérant qu'une machine-élève atteindrait un état « supercritique » quand, de la même manière qu'une pile atomique, elle produirait plus d'idées qu'on ne lui en aurait inculquées. Une telle vision illustrait sa propre évolution et impliquait que d'une certaine façon, son originalité elle-même avait été déterminée. Peut-être pensait-il à sa série pour la fonction de la tangente inverse, et à la loi du mouvement dans la relativité générale, lorsqu'il avait commencé à tout vouloir rassembler dans sa tête ? Une fois encore, il ne s'agissait pas d'une idée nouvelle. Bernard Shaw l'avait lui-même abordée dans *En remontant à Mathusalem*, quand Pygmalion montrait son automate :

« ECRASIA : Ne peut-il rien faire d'original ?

PYGMALION : Non. Mais vous savez, je suis bien certain qu'aucun d'entre nous ne peut faire quelque chose de réellement original, même si Martellus pense le contraire.

ACIS : Peut-il répondre à une question ?

PYGMALION : Oh certainement. Une question est un stimulus, vous savez. Posez-lui-en une. »

Un certain ombre d'écrits d'Alan justifiaient la position de Pygmalion que Shaw, fondateur de la Force de Vie, avait tournée en dérision.

Cette fois-ci, Alan avançait aussi une prophétie soigneusement étudiée et tout à fait délibérée :

« Je crois que dans une cinquantaine d'années, il sera possible,de programmer des ordinateurs d'une capacité de mémoire d'environ 10^9 pour leur faire jouer le jeu de l'imitation si parfaitement, qu'un interrogateur moyen n'aurait pas plus de 70 % de chances de faire la bonne identification après cinq minutes d'interrogatoire. La question de départ – "Les machines peuvent-elles penser ?" – me paraît trop insignifiante pour mériter discussion. Je crois néanmoins qu'avant la fin du siècle, l'usage des mots et l'opinion publique éduquée auront tellement évolué qu'on pourra parler de machines pensantes sans s'attendre à être contredit. »

Ces conditions (« moyen » ; « cinq minutes », « 70 % ») n'étaient pas très contraignantes. L'important résidait dans le fait que le jeu de l'imitation pourrait porter sur tous les domaines, et pas seulement les mathématiques et les échecs.

De telles déclarations reflétaient son audace et son intransigeance intellectuelles, et tombaient au bon moment. Une génération de pionniers des sciences de l'information et de la communication – von Neumann, Wiener, Shannon, et surtout Alan lui-même – bénéficiant d'une excellente connaissance des sciences et de la philosophie ainsi que de l'expérience de la Deuxième Guerre mondiale, cédait peu à peu la place à une deuxième génération qui possédait les capacités techniques et administratives nécessaires pour construire effectivement les machines. La connaissance approfondie et l'habileté à court terme avaient peu en commun, et c'était l'un des grands problèmes d'Alan. Ces articles faisaient figure de vision, léguant au monde la passion originelle avant qu'elle ne soit submergée par les détails techniques. Il s'agissait donc d'une œuvre classique bien inscrite dans la tradition philosophique britannique. Un doux reproche qui visait aussi bien les essais pesants d'un Norbert Wiener que le courant réactionnaire de la culture anglaise en cette fin des années 1940. Bertrand Russell y fut sensible, et son ami Rupert Crawshay-Williams alla jusqu'à écrire à Alan pour lui dire combien Russell et lui-même avaient apprécié son article.

D'un point de vue philosophique, on pouvait dire qu'il allait dans le sens de *La Notion d'esprit* de Gilbert Ryle[1], qui avait présenté en 1949 une idée de l'esprit non comme un ajout au cerveau mais plutôt comme une sorte de description du monde. Cependant, l'article d'Alan proposait une sorte de description spécifique, à savoir celle d'une machine à états discrets. Plus scientifique que philosophe, Alan prônait l'expérience avant la recherche abstraite : essayer et voir jusqu'où on pouvait aller. On pourrait le comparer à un Galilée de la science moderne : lui aussi était parti d'un modèle abstrait du monde qu'on appelait la physique, pour passer à la pratique. Alan partait du modèle que constituait la machine de Turing.

La comparaison lui aurait sans doute plu : il faisait lui-même référence à Galilée dans son article en rappelant que le physicien s'était attiré le courroux de l'Église, et que ses « objections » et « réfutations » avaient pris la forme d'un procès. Il donna d'ailleurs une conférence sur ce sujet un an plus tard, qu'il intitula « Une théorie hérétique ». Il se plaisait à faire des déclarations du genre : « Un jour, des dames emmèneront leurs petits ordinateurs au parc et se raconteront entre elles : "Mon petit ordinateur m'a dit une chose si amusante ce matin" », simplement dans le but de briser toute velléité de prétendre aux « sphères supérieures ». Ou quand on lui demandait de faire dire quelque chose de drôle à un ordinateur, il répondait : « Faites-le discuter avec un évêque. » Il est certain qu'en 1950, si ses idées ne pouvaient lui valoir de procès pour hérésie, il se heurtait tout de même à une véritable barrière de superstition irrationnelle qui le poussait bien évidemment au défi. Il poursuivait :

« Je crois de plus qu'on ne sert aucune cause utile en dissimulant de telles convictions. L'imagerie populaire qui veut que le scientifique parte de faits bien établis pour en arriver tout aussi

---

1. Traduction de Suzanne Stern-Gillet, préface de Francis Jacques, Payot, Paris, 1978.

inexorablement à d'autres, sans jamais se laisser influencer par la moindre conjecture non vérifiée, est absolument fallacieuse. À partir du moment où l'on pose très clairement ce qui relève du fait prouvé et ce qui relève de la conjecture, cela ne crée aucun problème. Les conjectures sont également très importantes en ce qu'elles suggèrent de nouvelles lignes de recherche. »

Selon Alan Turing, la science pensait pour lui.

Sans avoir rien perdu de son éclat malgré tous les procès d'intention et les erreurs entourant les installations des ordinateurs de l'époque, une « conjecture » s'imposait : la réalisation avant la fin du millénaire de quelque chose approchant l'intelligence artificielle que le mythe de Pygmalion annonçait depuis longtemps. Sa pensée sur la machine à états discrets, sur l'universalité et sur l'emploi constructif du principe d'imitation pour créer un cerveau arrivait à maturité.

Néanmoins, sous un aspect plutôt péremptoire, l'article dissimulait des questions de fond embarrassantes et irritantes. Contrairement à de nombreux scientifiques, Turing ne se laissait pas enfermer dans le champ étroit où ses idées venaient à éclore. Polanyi faisait ressortir nettement les différents modèles utilisés par les secteurs de la recherche scientifique, et l'importance de cette distinction. Mais Edward Carpenter avait depuis longtemps déjà cerné le cœur du problème[1] :

« La méthode scientifique est celle de toute la connaissance de ce monde ; celle de la limitation de l'ignorance actuelle. Placés devant la grande unité écrasante de la Nature, nous ne pouvons l'aborder par la pensée qu'en sélectionnant certains détails et en les isolant (consciemment ou non) du reste. »

Reproduire l'activité du cerveau comme « machine de contrôle discret » était un bon exemple de sélection de « certains détails ». La thèse d'Alan était cependant qu'il s'agissait d'un modèle applicable à ce qu'on entendait par « penser ». Comme il le dit un peu plus tard en parodiant le raisonnement de Jefferson : « Le fait que le cerveau ait la consistance du porridge froid ne nous intéresse pas. Nous ne voulons pas dire : "Cette machine est beaucoup trop dure pour être un cerveau, donc elle ne peut pas penser." » Ou, comme il l'écrit dans son article :

---

1. Edward Carpenter, *Civilization, its Cause and Cure*, 1889.

« Nous ne voulons pas pénaliser la machine parce qu'elle ne peut briller dans les concours de beauté, ni pénaliser un homme parce qu'il ne peut gagner une course contre un avion. Les règles de notre jeu font qu'on ne peut prendre en compte ces impossibilités. Les "témoins" peuvent vanter autant qu'ils veulent leur charme, leur force ou leur héroïsme, s'ils le jugent souhaitable, mais l'interrogateur ne peut exiger de démonstrations pratiques. »

On pouvait discuter sa thèse à l'intérieur de ce modèle, ou même directement le modèle lui-même. La discussion du théorème de Gödel faisait partie de celles qui se basaient sur le modèle d'un système logique. Toutefois, s'intéressant à la philosophie des sciences, Alan contestait la validité même du modèle. Et avant tout le fait qu'aucune machine physique ne puisse être discrète :

« À strictement parler, il n'existe pas de telles machines. Tout bouge en réalité continuellement. Mais il y a de nombreuses sortes de machines qu'on aurait tout intérêt à considérer comme à états discrets. Quand on considère, par exemple, les interrupteurs d'un système d'éclairage, il est simple de s'imaginer que chaque interrupteur est soit en position ouverte, soit en position fermée. Il y a forcément des positions intermédiaires, que l'on peut très bien oublier la plupart du temps. »

Cet « oubli » correspondait précisément à la « sélection de certains détails » nécessaire à la méthode scientifique. Alan reconnaissait que le système nerveux était en soi continu, et donc n'était :

« … certainement pas une machine à états discrets. Une petite erreur d'information concernant la mesure d'une impulsion nerveuse heurtant un neurone peut entraîner une grande différence dans la mesure de l'impulsion résultante. On peut en déduire qu'il est impossible de reproduire le comportement du système nerveux avec un système à états discrets ».

Mais il assurait que, quel que soit le genre d'éléments continus ou aléatoires impliqués dans le système, tant que le cerveau travaillait de manière définie, une machine discrète pouvait parfaitement simuler celui-ci. C'était tout à fait raisonnable puisqu'il ne s'agissait que d'appliquer la même méthode d'approximation déjà éprouvée dans la plupart des branches des mathématiques appliquées et dans le remplacement du procédé analogique par le procédé numérique.

Les Merveilles de la Nature commençaient par poser une question : « Qu'ai-je en commun avec le reste du monde vivant, et en quoi en suis-je différent ? » Or Alan se demandait maintenant ce qu'il avait en commun avec un ordinateur, et ce qui l'en séparait. Outre la distinction entre « continu » et « discret », il restait à considérer celle entre « de contrôle » et « actif ». Il arrivait ainsi à la question de savoir si ses sens, son activité musculaire et sa chimie interne dépendaient de la « pensée », ou du moins si tout cela pouvait être intégré dans un modèle « de contrôle » pur où les effets ne comptaient pas. Il écrivait à ce propos :

« Il ne sera pas possible d'appliquer exactement les mêmes procédés d'enseignement à la machine qu'avec un enfant normal. Par exemple, la machine n'aura pas de jambes et l'on ne pourra lui demander d'aller remplir le seau à charbon. Elle n'aura sans doute pas d'yeux, et même si ces déficiences peuvent être compensées par la technique, on ne pourra pas envoyer la créature à l'école sans que les autres élèves en fassent tout un cirque. Il conviendra donc de lui donner des cours particuliers. Nous ne devrons pas trop nous préoccuper des problèmes de jambes, d'yeux, etc. L'exemple de Miss Helen Keller[1] montre que l'éducation est possible du moment qu'une communication dans les deux sens existe entre maître et élève, par un moyen ou un autre. »

Alan se montrait très ouvert sur ce sujet. Il ajoutait à la fin de son article (peut-être pour parer aux critiques) :

« On peut également soutenir qu'il vaut mieux doter la machine des meilleurs organes sensitifs financièrement possibles, puis lui apprendre à comprendre et à parler anglais. Cela pourrait être calqué sur l'apprentissage standard d'un enfant. Chaque chose serait désignée et nommée, etc. Une fois encore, je ne sais pas quelle est la bonne solution, mais je pense que les deux méthodes valent la peine d'être essayées. »

En réalité, il voyait plutôt les choses autrement. Il alla jusqu'à dire :

« J'espère et je crois qu'on ne déploiera pas trop d'efforts à doter les machines de caractéristiques physiques et sensitives typiquement humaines, telles que la forme du corps humain.

---

1. Institutrice américaine, Helen Keller parvint à tirer de son enfermement une fillette autiste.

Ce genre d'essais me paraît tout à fait futile, et le résultat rappellerait de toute façon le caractère déplaisant que peuvent présenter par exemple les fleurs artificielles. Chercher à produire une machine pensante relève pour moi d'une tout autre catégorie. »

Dans les domaines d'application qu'il avait proposés en 1948, Alan avait pris soin de choisir ceux qui n'impliquaient pas de « contact avec le monde extérieur ». Les échecs, en particulier, ne traitaient d'aucun événement sinon l'état de l'échiquier et l'état intellectuel des joueurs. Les mathématiques étaient, sous cet aspect, très similaires, au même titre que tout système purement symbolique impliquant une certaine technique. Selon Alan, il en était de même pour le décryptage, mais il avait hésité pour la traduction. Dans son article de *Mind*, Alan étendait aussi témérairement la portée de l'intelligence artificielle à la conversation d'ordre général. Ce domaine était touché assez facilement par ses propres critiques, dans la mesure où il impliquait effectivement des « contacts avec le monde extérieur ».

Parler sérieusement, c'est agir et non plus simplement produire une chaîne de symboles ; mais il n'aborde pas ce problème. Le discours peut viser à apporter des changements dans le monde liés au sens même des mots prononcés. Le mot « sens » conduisait Polanyi à des connotations religieuses, extramatérielles, mais il n'y a rien de surnaturel dans le fait très concret que le cerveau humain est relié au reste du monde par d'autres moyens que le téléscripteur. Une machine « de contrôle » devait avoir des effets physiques aussi limités qu'on le voudrait : pour être audible ou visible, le discours devait avoir un effet physique précis, relié à la structure du monde extérieur. Turing tenait cela pour un détail insignifiant qu'il était inutile de prendre réellement en compte, mais il défendait assez faiblement son point de vue.

Si, comme il le suggérait lui-même, la connaissance et l'intelligence des êtres humains dérivent de l'interaction avec le monde, cette connaissance doit être enregistrée dans le cerveau d'une façon qui dépend de la nature même de cette interaction. La structure du cerveau doit relier les mots qu'elle emmagasine aux occasions d'utiliser ces mots et aussi aux crises, aux larmes, aux peurs ou aux émotions qui leur sont associées ou qu'ils remplacent. Les mots pourraient-ils être enregistrés pour un usage « intelligent » dans une machine à états discrets reproduisant le cerveau sans

que cette machine soit également équipée des organes sensoriels et moteurs du cerveau ou des périphériques chimiques ?
L'intelligence existe-t-elle sans la vie ? L'esprit existe-t-il sans la
communication ? Le langage existe-t-il sans le vivant ? Peut-il
y avoir une pensée sans l'expérience ? Autant de questions qui
découlaient du raisonnement de Turing – et d'ailleurs très voi-
sines des préoccupations de Wittgenstein. Le langage est-il un
jeu ou est-il connecté avec la vie réelle ? Les échecs, les mathématiques, les domaines techniques et toutes sortes de réflexions
purement symboliques appuyaient indiscutablement les thèses
d'Alan. En les étendant à tous les domaines de la communication
humaine, il soulevait des questions qu'il ne traitait pas vraiment
dans son article.

En fait, il les avait même affrontées beaucoup plus directement dans son rapport de 1948, lorsqu'il avait choisi des activités
pour un cerveau « désincarné », en se restreignant à celles qui
n'exigeaient ni les sens ni la locomotion. Mais lorsqu'il avait
proposé le décryptage comme champ d'action de l'intelligence
artificielle, il avait minimisé les difficultés posées par les interactions humaines. Réduire le décryptage à une activité purement
symbolique découlait bien de l'expérience de la Hutte 8 pendant
la guerre, à l'abri des manœuvres politiques et militaires et où
l'on travaillait en autarcie. Le héros de *The Small Back Room* avait
dit de façon plutôt ironique :

« Il est vraiment dommage, quand on y pense, que nous ne
puissions supprimer la marine, l'armée de terre et l'armée de
l'air et continuer tout bêtement à gagner la guerre sans elles. »

On ne pouvait se passer des unités de combat. L'intelligence et
les opérations devaient êtes intégrées pour que Bletchley ait un
sens. La difficulté posée aux autorités était d'établir une démarca-
tion : les spécialistes du renseignement pesaient sur l'évaluation,
qui influait sur les opérations, qui, à leur tour, étaient nécessaires à un décryptage plus efficace. Mais les opérations, elles,
participaient physiquement à la victoire et à la destruction des
bâtiments ennemis. Or il était difficile de croire, dans la Hutte 8
où la guerre semblait bien irréelle, que le travail effectué débouchait sur une action.

Il était sans doute tentant pour les mathématiciens de considérer que les machines et les feuilles de papier étaient purement

symboliques. Mais une traduction dans les faits importait beaucoup à ceux pour qui la connaissance équivalait au pouvoir. S'il y avait réellement quelque chose de secret à Bletchley, c'était dans la façon d'intégrer les différentes sortes de description de ses activités, qu'elles soient logiques, politiques, économiques et sociales. Alan avait toujours eu tendance à travailler en indépendant et il se montrait réfractaire à ce qu'il considérait comme des ingérences administratives. Un problème constant pour lui. Ayant déposé un projet de la plus haute intelligence, il croyait que les rouages politiques allaient s'animer comme par magie pour le mettre en chantier. Mais il n'avait jamais effectué les actions nécessaires pour arriver à quoi que ce soit dans le monde réel...

On retrouvait l'objection qui apparaissait dans les réflexions de Jefferson, aussi peu claires qu'elles fussent. Alan ne la contournait pas complètement, car il reconnut tout de même :

« Il y a cependant quelques remarques à faire concernant nombre des impossibilités que nous avons mentionnées. L'incapacité d'apprécier des fraises à la crème peut paraître bien frivole au lecteur. Il serait peut-être possible de faire en sorte qu'une machine puisse apprécier ce mets délicieux, mais ce serait là une entreprise stupide. Ce qui importe au sujet de cette incapacité, c'est qu'elle contribue à certaines autres impasses, par exemple la difficulté d'arriver à une amitié du même ordre entre un homme et une machine qu'entre un Blanc et un autre Blanc, ou un Noir et un autre Noir. »

Il s'agissait en réalité d'une concession notable, qui débouchait sur la question du rôle joué par des facultés humaines dans l'usage « intelligent » du langage. Mais il se garda bien d'explorer davantage ce problème.

D'une manière assez voisine, il n'hésita pas à répondre directement à l'objection de Jefferson, pour qui une machine ne pouvait apprécier un sonnet par manque d'« émotions réellement ressenties ». Ces « sonnets » évoquaient un peu le conseil que Churchill donna à R. V. Jones[1] : « Glorifiez les humanités, mon garçon. Cela fera croire que vous êtes un grand esprit ! » Alan s'empressa alors de s'attaquer, probablement non sans cruauté,

---

1. R. V. Jones, *Most Secret War*, Hamish Hamilton, Londres, 1978.

à la prétendue culture de ce soi-disant amateur de Shakespeare. Il s'appuya sur le principe d'imitation : si une machine pouvait discuter d'une manière apparemment aussi authentique qu'un être humain, comment lui refuser l'existence de sentiments qu'on attribuerait normalement à tout interlocuteur humain ? Il donnait un exemple illustratif de conversation :

« EXAMINATEUR : Dans le premier vers de votre sonnet – "Me faut-il te comparer à un jour d'été" –, ne pourrait-on remplacer "jour d'été" par "jour de printemps" ?

TÉMOIN : Le nombre de pieds n'y serait plus.

EXAMINATEUR : Et avec "jour d'hiver", le compte y serait.

TÉMOIN : Oui, mais personne ne voudrait être comparé à un jour d'hiver.

EXAMINATEUR : Diriez-vous que M. Pickwick vous fait penser à Noël ?

TÉMOIN : D'une certaine façon, oui.

EXAMINATEUR : Pourtant, Noël est bien un jour d'hiver, et je ne pense pas que M. Pickwick s'offusquerait de cette comparaison.

TÉMOIN : Vous ne parlez pas sérieusement. Quand on évoque un jour d'hiver, on pense à une journée hivernale typique et non à un jour aussi spécial que Noël. »

Une telle réponse appellerait la même question concernant le rôle de l'interaction entre le sujet et le monde dans l'« intelligence ». Un tel jeu avec les mots ne dépassait pas le fond de la classe de littérature de Ross ! Où se cachaient donc les sentiments « authentiques » ? Jefferson parlait sans doute davantage d'*intégrité* intellectuelle que d'une simple note à un examen : une vérité ou une sincérité visant à une sorte de relation entre les mots, et aussi une certaine expérience du monde. Mais une machine à états discrets ne pourrait à elle seule apprécier semblables intégrité, constance et cohérence de parole. Le résultat serait plus clair si la machine se trouvait confrontée à une question du genre : « Avez-vous été… ? » ou « Qu'avez-vous fait pendant la guerre ? » Ou encore, pour reprendre le principe des devinettes sur le sexe de l'interlocuteur, si on demandait à la machine d'interpréter certains des sonnets de Shakespeare les plus ambigus. Si on attendait qu'elle discute certaines propositions littéraires, la préférence du docteur Bowdler pour ce qui suit ferait un sujet très révélateur :

Under the greenwood tree

Who loves to work *with me*[1]. Des questions sur le sexe, la société, la politique ou le secret montreraient que ce qu'il était possible de *dire* pouvait être limité non par l'intelligence dans la solution des énigmes, mais par les restrictions de ce qu'on avait le droit de faire. De telles questions n'apparurent cependant pas dans la discussion.

Alan avait horreur de tout ce qui pouvait paraître sacré ou prétentieux, et aimait user d'un style léger agrémenté de métaphores simples pour traiter des sujets les plus sérieux. Il s'inscrivait dans la tradition de Cambridge et de ces écrivains comme Samuel Butler et Bernard Shaw. Ainsi, comme à ces derniers, on pouvait lui reprocher une certaine complaisance et une tendance à chercher l'argument vain et stérile. Alan aimait jouer avec les idées – mais une joute logique avec Dieu et Gödel, la lutte du lion et de la licorne pour le libre arbitre et le déterminisme, ne suffisait pas.

Il n'était pas nécessaire de se montrer prétentieux pour aborder les questions de la pensée et de la conscience. En 1949 sortit le livre d'Orwell, *1984*. L'ouvrage impressionna beaucoup Alan, jusqu'à lui tirer un commentaire politique – ce qui était assez rare chez lui –, lors d'une conversation avec Robin Gandy : « Je trouve cela très déprimant [...] j'imagine vraiment que le seul espoir qui reste, ce sont les prolétaires. » Les déclarations d'Orwell sur la capacité de la structure politique à déterminer le langage, et sur celle du langage à déterminer la pensée, s'accordaient d'ailleurs pleinement avec les thèses de Turing. Orwell aurait très bien pu penser à l'ordinateur compositeur de sonnets lorsqu'il imaginait ses machines à produire des chansons populaires, les « versificateurs ».

Mais Orwell ne se souciait pas de réserver aux humains la tâche intelligente, et réellement stimulante du point de vue intellectuel, de réécrire l'histoire pour le compte du ministère de la Vérité. Il était véritablement passionné par l'intégrité intellectuelle : préserver l'esprit, et le maintenir en contact avec la réalité extérieure. O'Brien assurait à Winston Smith : « Il faut

---

1. Extrait de *Under the Greenwood Tree* de William Shakespeare. Le texte original dit : *"who loves to* lie *with me"*. L'auteur change avec ironie ici le mot "lie" par "work" (travailler).

se débarrasser de toutes ces idées du XIXe siècle concernant les lois de la nature. C'est nous qui faisons ces lois… Rien n'existe sans la conscience humaine. » C'est là que se concentrait la peur d'Orwell. Et pour la conjurer, il brandissait la vérité scientifique comme une réalité extérieure que la politique ne pouvait réfuter : « La liberté, c'est la liberté de dire que deux et deux font quatre. » Il y ajoutait le passé immuable et la spontanéité sexuelle, autant d'éléments définitifs, quoi que l'on puisse dire. La science et la sexualité ! Les deux voies qui avaient justement permis à Turing de s'extirper du système social dans lequel il avait été élevé. Tel n'était pas le cas pour la pure machine à états discrets : son univers serait absolument vide, mis à part de la parole de son maître. On pouvait tout aussi bien lui dire que l'espace était à cinq dimensions ou même que deux et deux faisaient cinq si *Big Brother* le décrétait. Comment pouvait-elle « penser par elle-même », comme Turing le demandait ?

Comme il fut dit dans *The Brains Trust*[1], tout dépendait de ce que l'on entendait par « intelligence ». Les premières fois que Turing se pencha sur ce mot, ce fut pour l'associer au jeu d'échecs et à d'autres sortes d'énigmes. Ce sens qu'il lui donnait s'accordait bien avec l'esprit de l'après-guerre, dans la mesure où l'intelligence – ou les renseignements –, était ce que détenait la Hutte 8 et non l'Amirauté. Mais on avait toujours employé le terme dans une acception plus large qui impliquait une certaine connaissance de la réalité, plutôt que la capacité de résoudre des énigmes ou de briser des codes. Un tel débat était absent de « Computing Machinery and Intelligence ». Il ne s'y trouvait que sa rapide allusion à Helen Keller pour justifier l'assurance que les moyens de communication, interface entre le cerveau et le monde, n'interviendraient pas dans l'acquisition de l'intelligence. Il s'agissait d'un argument bien léger pour une question d'une telle importance. Bernard Shaw lui-même, toujours à sa manière irrationnelle, avait mis le doigt sur le problème qu'Alan fuyait : « PYGMALION : Mais ils sont conscients. Je leur ai appris à lire et à parler, et ils me disent même des mensonges maintenant. Tout cela ressemble tellement à la vie.

MARTELLUS : Pas du tout. S'ils étaient vivants, ils diraient la vérité. »

---

1. Émission radio et télé de la BBC, populaire dans les années 1940-1950.

Inévitablement, les choix d'Alan reflétaient ses origines et ses expériences. En tant que mathématicien, il s'intéressait tout particulièrement au monde des symboles. De plus, l'école *formaliste* de mathématiques, qui avait donné un tel élan à sa carrière, conduisait à traiter cette science comme une partie d'échecs, sans exiger le moindre lien avec le reste du monde. À d'autres, donc, de s'attaquer au problème. Le genre de comportement de machine qu'il décrivait, un comportement totalement isolé de l'action, ne correspondait pas tant à une capacité de *penser* qu'à une capacité de *rêver*.

La machine à états discrets, communiquant par le seul biais du téléscripteur, semblait représenter pour Alan un idéal de vie : rester tout seul enfermé dans une pièce et traiter avec l'extérieur sur des bases exclusivement rationnelles. C'était l'incarnation parfaite d'un J. S. Mill, préoccupé par le libre arbitre et la libre parole de l'individu. De ce point de vue, son projet constituait un développement naturel de l'argument en faveur de sa définition du « calculable » donnée en 1936. Celle où sa machine devait stimuler tout ce qui provenait de l'esprit individuel en travaillant sur de petits bouts de papier.

La force principale d'Alan résidait dans un sérieux directement appliqué à la réalité plutôt qu'à une ingéniosité à résoudre des énigmes. Il n'était pas dupe. Dans son article de 1938, « Les Logiques ordinales », on pouvait lire : « Nous oublions trop souvent la faculté la plus importante qui permet de distinguer les sujets vraiment dignes d'intérêt ; en fait, nous considérons que la fonction du mathématicien consiste essentiellement à déterminer si certaines propositions sont vraies ou fausses. » Lui-même avait choisi soigneusement les sujets qui méritaient qu'il s'y intéressât. Une faculté aussi cruciale ne trouvait pas de place dans une machine à états discrets, dépendante de son contact avec la réalité. De plus, il fallait bien qu'Alan vive dans le monde et communique, comme tout un chacun. Et sa fascination pour les ordinateurs relevait aussi d'un autre aspect. Étonné depuis l'enfance par les plus « élémentaires devoirs », il était doublement détaché du jeu d'imitation de la vie sociale – en tant que pur scientifique et en tant qu'homosexuel. Les bonnes manières, les comités, les examens, les interrogations, les codes allemands et les codes de la morale... Autant de points qui menaçaient sa liberté.

Il en tolérait quelques-uns, il en acceptait d'autres avec un certain plaisir et il en rejetait aussi, mais il conservait toujours une conscience aiguë de ce que la plupart acceptaient sans même y penser. C'était dans cet esprit qu'il aimait écrire des programmes de « routine » pour son calculateur, tout comme il aimait lire Jane Austen et Trollope, ces romanciers du devoir social et de la hiérarchie. Il aimait faire de la vie un jeu, une pantomime. Il avait fait de son mieux pour transformer la Deuxième Guerre mondiale en jeu de société. Point qu'on retrouvait dans un autre article de 1936 sur la « calculabilité », où la machine de Turing devait effectuer toutes les tâches conventionnelles, tout ce pour quoi il existait des règles définies[1].

Sa vie était celle d'un individu libre, qui travaille parfois avec la machinerie sociale mais le plus souvent contre elle, qui apprend grâce à des « interférences » de l'extérieur et qui pourtant ne les apprécie guère. Un jeu mutuel entre l'intelligence et le devoir, entre l'érosion et la stimulation de l'interaction avec l'environnement. Même si tous ces éléments étaient présents dans ses idées sur l'intelligence artificielle, pour autant elles manquaient totalement de cohésion. Il n'avait pas abordé les problèmes des canaux de communication, ni exploré la représentation physique de l'esprit à l'intérieur du système politique et social, et les avait même écartés avec insouciance.

Cette attitude n'était pas constante. Par exemple lorsqu'il expliquait dans une lettre à Mme Morcom que nous pouvions vivre aussi libres que des esprits et communiquer pareillement, « mais il n'y aurait alors plus rien à faire ». La pensée et l'action, la logique et la physique : tel le problème de sa théorie, et de sa vie.

Durant l'été 1950, Alan décida d'en finir avec les meublés. Il acheta une maison à Wilmslow, petite ville résidentielle et bourgeoise située à une quinzaine de kilomètres au sud de

---

1. On retrouvait ces éternels aller-retour entre les deux concepts de calculabilité dans son *Manuel du programmeur*. Sur la première page, il accueillait le lecteur par une affirmation : « Une partie de la machine appelée le "contrôle" correspond en fait au calculateur (humain). S'il fallait représenter son comportement avec précision, il s'agirait d'un circuit extrêmement complexe. Toutefois, nous attendons simplement de lui qu'il se contente d'obéir aux instructions écrites. Ces dernières sont si explicites qu'il devrait être relativement simple de les maîtriser. »

Manchester. Une maison de style victorien, qui se dressait à l'écart de l'agglomération. Les champs et les collines du district de Peak s'étendaient juste derrière, et ici, enfin, il était libre. Neville pensait qu'il serait mieux qu'il ne vive pas en solitaire, mais Alan n'était pas plus seul avec lui-même qu'en plein milieu de la foule. Neville avait terminé ses études de statistiques à Cambridge et avait trouvé un emploi dans une société d'électronique près de Reading, où il alla vivre avec sa mère. Il était devenu beaucoup plus difficile pour les deux amis de se voir, ce qui constituait un autre changement dans la vie d'Alan.

La maison, « Hollymeade », excédait nettement ses besoins. Ni les beaux meubles dont il fit l'acquisition, ni ses installations provisoires, n'arrivèrent jamais à atténuer l'impression de vide qui avait toujours régné chez lui. Sans doute sa conception de la vie était-elle éloignée de celle de ses respectables voisins. Pourtant il eut une bonne surprise. La maison attenante était occupée par des gens très aimables, les Webb, et il s'avéra même que Roy Webb, avocat à Manchester, avait lui aussi fait sa scolarité à Sherborne, et ce pratiquement à la même époque qu'Alan. Ce dernier allait souvent prendre le thé chez eux, et parfois même y dîner. Il utilisait leur téléphone, et ne fit jamais installer de ligne chez lui. Alan proposait du jardinage, des parties d'échecs et de longues courses à pied. Il préférait cependant nettement se promener dans la nature plutôt que tondre la pelouse. « Les choses ne poussent pas en hiver », disait-il à Roy Webb pour justifier sa grande passivité par rapport au monde végétal. Les Webb prirent l'habitude de le voir passer en short et maillot de corps à n'importe quelle heure, et ils lui confiaient même de temps en temps leur petit garçon Rob né en 1948. Alan adorait cela. Il trouvait bien sûr un intérêt intellectuel à voir un jeune cerveau s'éveiller, mais il éprouvait surtout une vraie joie à communiquer avec lui, et cela semblait réciproque. Ils prirent plus tard l'habitude d'aller s'installer sur le toit du garage des Webb pour discuter, et on les entendit un jour se demander de manière subversive si Dieu pouvait attraper froid en restant assis par terre.

Le fait d'avoir sa propre maison lui donna davantage d'occasions de mettre à l'œuvre son ingéniosité de bricoleur. Il eut envie d'une allée de brique, et décida aussitôt de fabriquer les briques lui-même, comme le jeu d'échecs, à Bletchley. Il se ravisa pourtant et en commanda des toutes faites, il se chargea néanmoins de la maçonnerie. Malheureusement, Alan avait nettement sous-estimé le coût de l'opération, et le sentier ne fut jamais terminé. Son environnement spartiate et en désordre ne surprenait que ceux qui ne connaissaient pas de professeurs d'université. Mais cela dérangeait ceux qui le voyaient comme un bourgeois incapable de faire quoi que ce soit de ses mains.

Alan ne parvint cependant pas à se débrouiller absolument seul : il trichait en employant les services d'une Mme C... pour ses courses et son ménage quatre après-midi par semaine. On voyait bien qu'en réalité, il mourait d'envie d'avoir quelqu'un qui lui procure le confort qu'il ne savait pas s'octroyer tout seul. La vie ordinaire des Webb lui offrait un contact avec la vie familiale qui lui faisait défaut. Il apprit à cuisiner, de sorte que Mme Webb se retrouva à lui expliquer, outre la meilleure manière de faire sécher les chaussettes, la recette du *sponge cake*. Alan avait ainsi un peu l'impression de renouer avec ses expériences de petit garçon.

Peu de visiteurs parcouraient le mile qui séparait sa maison de la gare. De jeunes ingénieurs étaient parfois invités à venir ramasser des pommes. Bob et sa femme passèrent le voir une ou deux fois avant leur départ à l'étranger. Robin Gandy était un habitué : au moins une fois par trimestre, il venait de Leicester où il était devenu maître assistant à l'University College. Alan était maintenant son directeur de thèse et ils discutaient pendant des week-ends entiers de la philosophie des sciences. Robin se tournait de plus en plus vers la logique mathématique plutôt que scientifique, et ses travaux rejoignaient peu à peu ceux d'Alan. Il s'était surtout penché sur la théorie des types, ranimant l'intérêt d'Alan pour le sujet. Les deux hommes profitaient parfois de ces occasions pour effectuer quelques travaux dans la maison ou le jardin. Il y avait toujours une bouteille de vin pour accompagner le dîner, qu'Alan chauffait en la plongeant dans un pot d'eau bouillante. Ensuite, pendant qu'ils faisaient la vaisselle, ils exerçaient leur perspicacité en cherchant, par exemple, à déterminer comment les arbres arrivent à pomper de l'eau à plus de dix mètres de profondeur.

Sans doute y avait-il une autre sorte de visiteurs occasionnels dans sa vie, ceux qui passaient par la porte de service. Car pour qui savait voir, une autre Angleterre se cachait dans les trains, les bars, les parkings, les musées, les bains publics, les stations de bus et les toilettes. Tout un réseau de regards furtifs. Des millions de personnes évacuées d'une culture britannique lobotomisée, dont Alan faisait partie. Avant la guerre, il avait été trop timide pour se joindre à eux, mais en 1950, il avait déjà fait quelques découvertes. Traditionnellement, les bourgeois homosexuels faisaient à Paris des escapades qui les libéraient de la loi britannique. Mais l'Angleterre recelait aussi des possibilités. Lorsqu'il séjournait à Londres, Alan persistait à descendre au YMCA, d'abord parce qu'il ne lui serait pas venu à l'idée de trouver quelque chose de mieux, ensuite parce qu'il prenait plaisir à observer les jeunes gens se baigner dans la piscine. Cependant, à Manchester, c'était une autre histoire.

En parcourant la ville depuis la Victoria University, à un moment donné, Oxford Road devenait Oxford Street, juste sous le pont de la voie de chemin de fer. On était loin des flèches, à l'autre bout de l'A34. Il y avait là deux cinémas, une salle de jeux, un pub – l'*Union Tavern* – et l'un des premiers milk-bars d'Angleterre. Une toute petite portion d'une rue du centre-ville, située entre les toilettes publiques et le cinéma, concentrait tous les regards homosexuels mâles... Trottoir qu'avait peut-être déjà arpenté Wittgenstein en son temps, ce genre d'institutions parallèles durant, en effet, souvent aussi longtemps que les officielles. Là se mêlaient toutes sortes d'âmes et surtout toutes sortes de désirs – envies purement physiques, besoin d'attention, besoin de fuir la famille ou l'usine, besoin d'argent... La séparation n'était pas très nette. L'argent, quand il en était question, concernait des sommes équivalentes aux pourboires que l'on se versait entre individus de milieux différents. Ce n'était pas très différent non plus de ce que certains hommes pouvaient donner à une femme pour l'entretenir quelque temps. Toute relation un peu particulière avait sa contrepartie, et ce genre-là valait plutôt dix shillings qu'une livre. Sorti d'Oxford ou de Cambridge, voilà ce qui attendait l'homosexuel de 1950 : un monde de pauvreté qui ne convenait pas à un homme respectable. Mais Alan se plaçait au-dessus de la respectabilité.

577

Candide s'était retiré pour *cultiver son jardin*[1], l'arrière-cour de la science. Mais que prévoyait-il de faire maintenant ? Les deux dernières années avaient été couronnées de succès dans sa vie « militaire ». Il devait à présent bâtir une carrière universitaire classique en exploitant au maximum ces succès. Seulement ce n'était pas son genre. Il lui fallait trouver quelque chose de stimulant pour continuer. Il avait l'impression qu'un long sous-programme se fermait, avec Christopher Morcom, avant de se poursuivre avec Eddington et von Neumann, Hilbert et Gödel, les *Nombres calculables*, ses machines de guerre et ses appareils mécaniques, les relais, l'électronique et l'ACE, la programmation des ordinateurs puis les machines intelligentes... Et qu'il pouvait reprendre le cours de sa vie au moment où ses études l'avaient interrompu. Commença alors à se profiler quelque chose qui avait toujours été présent, caché, en filigrane dans toutes ses recherches.

L'allusion s'était déjà faite plus nette dans les *Machines intelligentes* :

« La représentation du cortex comme machine non organisée est tout à fait satisfaisante du point de vue de l'évolution et de la génétique. Il n'est nullement besoin d'un système de gènes très élaboré pour produire quelque chose du genre "machine non organisée". En fait, cela devrait être beaucoup plus simple que de produire des choses aussi complexes que le système respiratoire... »

En tout cas, la nature y arrivait très bien. D'innombrables cerveaux ne venaient-ils pas au monde chaque jour, sans toutes les difficultés et les problèmes suscités par la préparation de l'ACE, au cerveau si minuscule ? Il y avait deux possibilités : ou bien le cerveau apprenait à penser à force d'interactions avec le monde extérieur, ou bien la pensée était inscrite en lui dès la naissance, et était en quelque sorte programmée par les gènes. C'était un sujet bien trop compliqué pour être abordé de manière aussi simpliste. Aussi la plus importante des questions restait : comment une chose pouvait-elle savoir comment grandir ? Un enfant aurait pu se la poser, et *Les Merveilles de la Nature* l'avait placée au centre de son propos. E. T. Brewster, lorsqu'il s'était embarqué dans le délicat débat concernant « de quoi les petits enfants

---

1. En français dans le texte. (NdT)

sont-ils réellement faits ? », s'était lancé dans une description de la croissance de l'étoile de mer, commençant par :

« l'œuf, avant qu'il soit occupé par la moindre créature. On pourrait s'attendre à voir un mélange d'huile et de gelée se transformer progressivement en étoile de mer. Pas du tout. Une espèce de petit ballon se sépare d'abord en deux, puis forme deux autres ballons strictement identiques... Au bout d'environ une demi-heure, chacun de ces ballons, bulles, ou "cellules" de leur vrai nom, se divise de nouveau. Il y en a donc à présent quatre. Les quatre deviennent huit, puis seize... En quelques heures, les cellules se comptent par centaines, toutes agglomérées les unes aux autres. L'ensemble fait penser à un tas de bulles de savon ».

À partir de ce groupe de cellules, explique Brewster, l'animal commence à prendre forme :

« S'il s'agit d'un animal, comme les humains, c'est une boule toute ronde avant d'être un corps. Un sillon se forme alors à l'endroit où se trouvera son dos, et devient sa moelle épinière. Une tige semble s'étirer juste en dessous, avant de former sa colonne vertébrale. La partie avant de la moelle épinière grandit plus vite que le reste, et forme le cerveau. De petits bourgeons se mettent alors à pousser sur le cerveau : il s'agit des yeux. La surface extérieure du corps, qui n'a pas encore de peau, se creuse pour faire place aux oreilles. Quatre prolongements descendent du front pour faire le visage. Les membres naissent de boutons informes et poussent lentement jusqu'à former des bras et des jambes... »

Alan avait toujours été fasciné par l'embryologie, et notamment par le fait que la croissance était déterminée par quelque chose « dont personne n'a encore la moindre idée ». Peu de progrès avaient été faits en la matière depuis *On Growth and Form (Croissance et Forme)* de D'Arcy Thompson. Les années 1920 avaient permis d'invoquer le principe d'incertitude pour suggérer que la vie était intrinsèquement inconnaissable, à l'instar de l'impossibilité d'une mesure simultanée de la position et de la vitesse d'un corpuscule en mécanique quantique. Comme avec l'esprit, la religion et les superstitions verrouillaient le sujet, et cela ne faisait qu'augmenter davantage le scepticisme d'Alan. C'était un domaine où tout restait à faire. Les travaux de C. Waddington sur l'embryologie se limitaient à recenser toutes les expériences connues en 1940 sur des tissus en développement, et à expliquer dans quelles circonstances le tissu semblait savoir anticiper.

Le grand mystère était de comprendre comment la matière biologique pouvait s'organiser en systèmes aussi importants par rapport à la taille des cellules. Comment un assemblage de cellules pouvait-il « savoir » qu'il devait former une symétrie radiale d'ordre 5 pour donner une étoile de mer ? Comment une telle symétrie pouvait-elle être communiquée à des millions de cellules ? Bref, comment la matière pouvait-elle *prendre forme*, ou, selon l'expression des biologistes grecs, quel était le secret de la *morphogenèse* ? Les spécialistes employaient des mots évocateurs comme « champ morphogénétique » pour décrire la manière dont un tissu semblait doté au départ d'un système invisible lui dictant ultérieurement tous ses développements harmonieux. On avait avancé que ces « champs » pourraient être décrits en termes chimiques – mais aucune théorie ne fut réellement présentée. Polanyi pensait qu'il n'y avait pas d'explication, sinon celle d'un *esprit de corps* directeur. Le caractère inexplicable de la forme embryonnaire constituait l'un de ses nombreux arguments contre le déterminisme. À l'inverse, Alan expliqua à Robin qu'il espérait « dépasser l'argument physique » avec ses nouvelles idées.

Alan était bien au fait du sujet abordé dans la conférence de Schrödinger de 1943, « Qu'est-ce que la vie ». En découlait l'idée fondamentale que l'information devait être enregistrée au niveau moléculaire, et que la théorie quantique des liaisons moléculaires expliquait comment une telle information pouvait être préservée durant des milliards d'années. La tâche que s'assignait maintenant Turing n'était pas d'approfondir cette suggestion, mais d'y trouver une explication parallèle. Étant donné la production de molécules par les gènes, comment une soupe chimique pouvait-elle faire surgir un système biologique ? Cela revenait à se demander comment l'information contenue dans les gènes passait au stade de la production. Comme la contribution de Schrödinger, celle d'Alan se fondait sur des principes mathématiques et physiques et non sur l'expérience. Il s'agissait d'un travail d'imagination scientifique.

Alan décida de partir de l'idée que le « champ morphogénétique » était déterminé par une variation de concentrations chimiques, et de voir jusqu'où cette thèse pouvait le conduire. Il ne s'agissait donc pas simplement d'étudier des substances et leurs transformations, mais de découvrir dans quelles circonstances un mélange de solutions chimiques réagissant entre elles pouvait se fixer en un système. Un système palpitant d'ondes chimiques : ondes de concentration faisant durcir les tissus en développement, ondes enveloppant des millions de cellules et les organisant en symétries d'ordres beaucoup plus élevés encore. Comme chez Schrödinger, tout résidait dans l'idée fondamentale qu'une soupe chimique pouvait contenir l'information nécessaire pour programmer le développement d'un système, à grande échelle, dans l'espace.

Il y avait là un problème absolument fondamental. Il trouvait une illustration dans le phénomène de la *gastrulation*, où une sphère de cellules parfaite se marquait soudain d'un sillon, déterminant ainsi les extrémités de la tête, ou de la queue chez certains animaux. Si la sphère était vraiment symétrique, tout comme les équations chimiques, donc sans notion de droite ni de gauche, de haut ni de bas, d'où venait alors cette « décision » ? C'était ce genre de phénomène qui avait poussé Polanyi à prétendre qu'il devait y avoir à l'œuvre une force immatérielle.

D'une certaine façon, l'information était créée à ce moment-là, et cela allait contre la logique habituelle. Quand le morceau de sucre se dissolvait dans le thé, il ne subsistait plus de trace, au niveau chimique, de la forme qu'il avait présentée. Mais dans certains phénomènes comme la cristallisation, l'inverse se produisait. Des structures pouvaient être créées au lieu d'être détruites. L'explication ne pouvait résider que dans les effets combinés de plusieurs niveaux de description scientifique. Dans la description chimique, où seules des concentrations et des pressions partielles étaient prises en compte, aucune direction spatiale ne prévalait par rapport à une autre. À un niveau microscopique, pourtant, le mouvement individuel des molécules pouvait ne pas être parfaitement symétrique et, dans certaines conditions, pouvait permettre de sélectionner une direction dans l'espace – comme dans celles d'un liquide en train de cristalliser, par exemple. Alan choisit, pour sa part, un exemple tiré de son expérience en électricité :

« La situation est très semblable à celle d'un oscillateur électrique. Il est en général assez facile de comprendre comment celui-ci continue son mouvement une fois qu'il a débuté ; même s'il n'est pas évident au premier abord de comprendre comment l'oscillation commence. L'explication consiste en ce qu'il y a toujours des perturbations aléatoires présentes dans le circuit. Toute perturbation dont la fréquence correspond à la fréquence naturelle de l'oscillateur aura tendance à le mettre en marche. Le destin final du système sera un état d'oscillation à la fréquence qui lui est propre, et avec une amplitude (et une forme d'onde) également déterminée par le circuit. La phase de l'oscillation elle-même est déterminée par la perturbation. »

Il installa alors un système de circuits à oscillations dans son bureau, et prit l'habitude de montrer aux visiteurs comment ils se mettaient graduellement à résonner les uns avec les autres.

Un processus comme celui de la cristallisation pouvait être décrit comme la résolution d'un équilibre instable. Dans le cas de la croissance d'une sphère de cellules, il fallait montrer que, d'une certaine façon, une variation de température ou la présence d'un catalyseur conduisaient l'équilibre chimique stable à soudainement devenir instable. Alan choisit de prendre comme analogie une souris escaladant un pendule.

Il y avait là une idée susceptible d'expliquer, en partie, comment l'information contenue dans les gènes pouvait se muer en états physiologiques. Le problème de la croissance dans son ensemble était, bien entendu, considérablement plus complexe. Mais l'analyse de cet instant de la création donnait peut-être un indice sur la façon dont la symétrie et les structures biologiques émergeaient brusquement du néant, comme par magie.

Pour examiner mathématiquement ce moment de crise, il fallait sans cesse trouver de nouvelles approximations. Alan devait négliger la structure interne des cellules, et oublier que celles-ci se déplaceraient et se scinderaient à mesure que le processus de structuration se déroulerait. Le modèle chimique présentait en outre des limites évidentes. Comment se faisait-il que le cœur humain soit toujours placé du côté gauche ? Si la rupture de symétrie de la sphère primitive était déterminée au hasard, les chances seraient équitablement réparties pour que le cœur se trouve soit à droite, soit à gauche. Alan laissa pour le moment ce problème de côté, supposant qu'à un certain niveau, l'asymétrie des molécules elles-mêmes devait jouer un rôle.

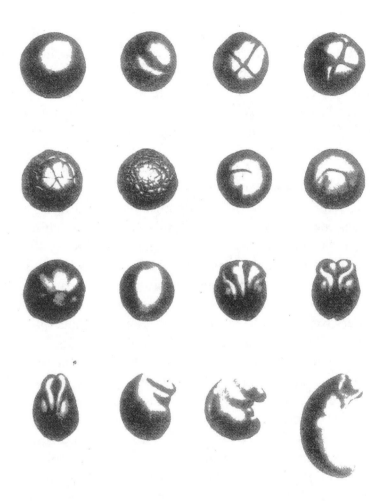

Le processus de gastrulation, comme révélé dans *Les Merveilles de la Nature*.

À ces réserves près, sa démarche consista à suivre un modèle et à l'essayer jusqu'au bout. Il écrivit :

« Un modèle mathématique de l'embryon en développement sera décrit. Il sera une simplification et une idéalisation, donc une falsification. On doit espérer que les caractéristiques retenues comme bases de discussion sont les plus importantes dans l'état actuel des connaissances. »

C'était un travail de mathématiques appliquées par excellence. Comme son idée primitive de machine de Turing l'avait conduit au-delà des frontières reconnues des mathématiques de Cambridge, cette fois encore, une idée fondamentale de chimie-physique l'amenait à des problèmes mathématiques totalement inédits. Cette fois au moins, son initiative était entière, et personne ne viendrait l'y déranger.

Malgré d'extrêmes simplifications, les équations mathématiques décrivant une soupe de quatre solutions chimiques seulement étaient encore trop difficiles à traiter. La difficulté venait des équations non linéaires régissant les réactions chimiques. En effet, si l'on double la concentration des réactifs, la réaction peut aller quatre fois plus vite ! Et si l'on superpose deux solutions, alors le résultat peut être totalement aléatoire... De tels problèmes devaient être résolus en bloc, et non selon les méthodes habituelles de la théorie électromagnétique, qui décrivent un système comme la somme de nombreux petits segments. Néanmoins, le moment critique de la croissance pouvait être traité en processus « linéaire » – méthode bien connue en mathématiques appliquées, ce qui fournissait à Alan une première prise.

Voilà qu'il se penchait sur une autre énigme essentielle de la vie. Il ne s'agissait pas cette fois de l'esprit, mais du corps, même si ces deux questions étaient liées. Il avait toujours adoré étudier les plantes lorsqu'il se promenait ou courait, et s'était mis à collectionner les fleurs sauvages de la campagne du Cheshire. Il vérifiait leur nom dans son vieil exemplaire de *La Flore britannique*, les conservait dans des herbiers et notait l'endroit de leur récolte sur des cartes d'état-major. La nature regorgeait de motifs. Cela lui évoquait le décryptage et ses millions de messages. Là aussi, le champ des possibles était infini. Avec son modèle chimique, il possédait un outil efficace. Et ce n'était qu'un début.

Le motif en spirale de la suite de Fibonacci était omniprésent dans la nature. Elle revenait dans la pomme de pin, dans la disposition des graines sur la fleur de tournesol et celle des feuilles des plantes les plus communes. Et cela lui posait un sérieux défi. Il fallait pour cela analyser une surface à deux dimensions et il préféra laisser cette question pour plus tard pour étudier d'abord des cas plus simples en détail.

Dans un chapitre intitulé « L'Atelier de réparation de la nature », Brewster s'était attardé sur la régénération de l'hydre, un minuscule animal qui vivait dans l'eau, dont la tête et la queue repoussaient quand on les lui tranchait. Il simplifia la forme tubulaire élémentaire de l'hydre en négligeant sa longueur, et en se concentrant sur l'idée d'un *anneau* de cellule. Il découvrit ensuite qu'en prenant un modèle de deux réactifs chimiques agissant l'un sur l'autre, il pouvait donner une analyse théorique de toutes les différentes possibilités qui se présentaient au moment de la croissance et du bourgeonnement. Il apparaissait que sous certaines conditions, les produits chimiques se rassemblaient en ondes stationnaires de concentration, déterminant un certain nombre de lobes sur l'anneau. Ceux-ci devaient former la base du motif des tentacules. L'analyse montrait aussi la possibilité d'ondes se rassemblant en blocs asymétriques de concentration, rappelant les taches et les rayures sur la robe de certains animaux. Partant de cette dernière idée, il effectua quelques travaux numériques expérimentaux. À la fin de l'année 1950, en attendant le nouvel ordinateur de chez Ferranti, on réaliserait ce travail sur un calculateur mécanique, et Alan pourrait avoir de nouveau l'impression d'être actif.

À Noël 1950, Alan et J. Young reprirent leurs discussions d'octobre 1949 sur les cellules du cerveau. Young venait de donner des conférences dans lesquelles il expliquait le comportement de manière plutôt agressive en s'appuyant sur la neurophysiologie. Young se souvint plus tard d'Alan et de « sa gentillesse quand il tentait de rendre compréhensible au plus grand nombre les idées qui avaient germé dans son esprit. Pour moi, qui ne suis pas mathématicien, ses exposés étaient souvent difficiles à suivre, même s'il les illustrait fréquemment avec de drôles de petits diagrammes et des généralisations, comme s'il tentait de me convaincre. Il était aussi très attentif aux remarques de chacun. Il leur cherchait souvent une réponse pendant plusieurs heures ou plusieurs jours. Au point que je me suis demandé s'il ne valait pas mieux cesser de lui faire remarquer quoi que ce soit, car il prenait tout vraiment trop au sérieux ».

Ils évoquèrent les fondements physiologiques de la mémoire et des systèmes de reconnaissance. Young écrivit :

« Cher Turing,

J'ai beaucoup réfléchi à vos abstractions, et j'espère avoir compris vos propos. Bien que je n'y connaisse pas grand-chose dans ce domaine, je suis sûr que le processus de comparaison fera l'affaire. Mais si vous prétendez que pour pouvoir nommer un bus il faut d'abord l'avoir comparé à une théière, à un nuage et à je ne sais quoi, je pense que vous vous égarez. Le cerveau emploie sans aucun doute une méthode pour raccourcir ce processus en faisant appel – si j'ai bien compris – à ce que vous appelez l'abstraction. Le problème, c'est que nous n'avons pas la moindre idée de la façon dont il procède. Mon hypothèse est qu'il reconnaît ces différents objets en les comparant à une série très limitée de modèles. Il procède très certainement de manière séquentielle, peut-être en filtrant certaines caractéristiques connues à chacune des étapes et en remettant les autres dans le système.

Cela n'est peut-être pas très scientifique, et la seule preuve dont on dispose, c'est que les individus regroupent leurs réactions en fonction de modèles relativement simples : un cercle, Dieu, une machine, un État, etc.

Cela nous avancerait-il de connaître la capacité mémoire de 10^{10} neurones disposés de différentes manières, et de supposer que l'usage permettrait au cerveau de prendre des raccourcis ? Le nombre de dispositions différentes des neurones est-il fini ? Par exemple, chacun d'eux ayant la possibilité de s'associer avec un autre de cent façons différentes, soit au hasard le plus complet, soit avec une fréquence décroissante en fonction de la distance. Selon les réactions et en envisageant un accroissement des probabilités de réutilisation d'une association à chaque tentative, pourrait-on comparer les capacités mémoire ?

Tout cela est très vague. Si vous avez une idée des prochaines questions importantes qui vont se poser, n'hésitez pas à me le faire savoir. Serait-il utile de pouvoir spécifier la destination des données (à l'intérieur du cortex) de chacune des cellules ? Je suis

586

certain que nous parviendrons, d'une manière ou d'une autre, à démêler cet écheveau.

Cordialement, John Young. »

Dans sa réponse, Alan lui expliqua clairement le lien qu'il y avait entre son intérêt pour la logique et la structure physique du cerveau :

« Le 8 février 1951

Cher Young,

J'ai surtout l'impression que nos désaccords portent sur les termes employés. J'avais naturellement conscience que le cerveau ne comparait jamais un objet à tous les autres, et que l'identification se faisait par étapes. Mais si l'on continue à employer cette méthode, sans doute vaudrait-il mieux cesser de la qualifier de "méthode de comparaison".

La capacité de stockage atteignable par N (disons 10^{10}) neurones dotés de M (disons 100) liaisons suffit à donner des résultats aussi précis que nécessaire. Si j'ai bien compris, vous pensez qu'à l'usage, certains chemins se révéleraient plus efficaces que d'autres. Quelle quantité d'informations pourrait-on alors emmagasiner dans notre cerveau ? La réponse est simplement MN bits, car il existe MN chemins, chacun capable de deux états. Si vous permettez à chaque chemin d'avoir huit états (même si cela ne veut absolument rien dire), vos obtiendriez 3MN...

J'ai bien peur d'être assez loin de l'étape où j'aurais des questions anatomiques à vous poser. À mon avis, cela ne se produira pas avant longtemps, une fois que j'aurais établi une théorie sur le fonctionnement des choses.

À présent, je travaille plutôt sur ma théorie mathématique de l'embryologie, qu'il me semble vous avoir expliquée il y a quelque temps. Je suis en plein traitement, et d'après ce que je peux voir, cela me permettra d'expliquer de manière satisfaisante :

1. la gastrulation ;

2. les structures polygonales symétriques, comme les étoiles de mer et les fleurs ;

3. la disposition des feuilles, en particulier lorsqu'elles reproduisent la suite de Fibonacci (0, 1, 1, 2, 3, 5, 8, 13,...) ;

4. les motifs colorés des animaux, comme les rayures et les taches ;

5. les motifs sur la majeure partie des formes sphériques, comme certains radiolaires (mais c'est nettement plus difficile, et j'en doute).

C'est pour l'instant que c'est plus facile à traiter. Et je suis convaincu que tout cela est lié à l'autre problème. La structure du cerveau est forcément créée par le mécanisme embryologique génétique, et j'espère que la théorie sur laquelle je travaille permettra d'expliquer le genre de restrictions que cela implique. À ce sujet, ce que vous m'avez dit à propos de la croissance des neurones sous stimulation est très intéressant. Cela expliquerait pourquoi les neurones finissent par former un circuit particulier plutôt que d'atteindre un endroit précis.

Cordialement, A. M. Turing. »

Quelques jours plus tard, on livra le Ferranti Mark I dans les nouveaux locaux du laboratoire. Alan écrivit alors à Mike Woodger, de retour au NPL :

« Notre nouvelle machine arrivera lundi (le 12 février 1951). J'espère pouvoir travailler dès que possible sur l'"embryologie chimique". En particulier, je crois que nous serons en mesure d'expliquer l'apparition des nombres de Fibonacci dans la pomme de pin. »

Au bout de vingt et un ans, l'ordinateur commençait à atteindre une certaine maturité. On aurait dit que tout ce qu'Alan avait fait jusque-là ne s'était produit que pour lui fournir une machine universelle électronique qui lui permettrait de réfléchir au secret de la vie.

Une grande partie de l'installation qu'il avait envisagée pour l'ACE existait désormais. Des gens viendraient présenter leurs problèmes, les « maîtres » les programmeraient et des « serviteurs » assisteraient la machine. On constitua effectivement une bibliothèque de programmes. (L'une des dernières contributions d'Alan au système informatique de Manchester fut d'exposer une manière de rédiger et de classer une description formelle des programmes destinés à un usage courant.) Alan obtint un bureau personnel et il devint, théoriquement, le « maître » principal de la machine. Les ingénieurs, eux, furent chargés d'en construire une nouvelle, plus rapide (à laquelle Alan n'accorda pas la moindre attention).

Le Ferranti Mark I constituait le premier ordinateur électronique commercialement exploitable du monde, battant de quelques mois l'UNIVAC d'Eckert et Mauchly. Cela donna lieu à toutes sortes de séminaires, publications et autres manifestations. Il bénéficiait en outre du soutien du gouvernement britannique et parvint à trouver huit autres commanditaires : l'université de Toronto d'abord, puis d'autres organismes plus ou moins liés à la recherche pour l'arme atomique, et enfin le GCHQ (ces derniers obtinrent au bout du compte des versions légèrement modifiées du Mark I). Étant donné qu'Alan remplissait également des fonctions de conseiller au GCHQ, on peut supposer qu'il fit partie de ceux qui persuadèrent le Centre des communications d'acquérir la machine universelle qu'il avait promise à Travis six ans auparavant. Pourtant, à mesure que les ordinateurs commençaient à grignoter l'économie mondiale, Alan continuait de s'en écarter pour s'investir plus que jamais dans la « recherche fondamentale ».

Une grande conférence d'inauguration fut prévue pour le mois de juillet, et les ingénieurs et la société Ferranti se chargèrent absolument de tout. Non pas qu'Alan gênait en quoi que ce soit, simplement, il préférait éviter toute participation. Personne n'aurait pu deviner qu'il était officiellement payé pour « diriger » le laboratoire. Au cours de l'année 1951, il trouva d'ailleurs l'occasion de se débarrasser des engagements qu'ils avaient pris avec Tony Brooker, ancien de l'équipe EDSAC de Cambridge. Ce dernier avait envie d'aller vivre dans le Nord, et il demanda à Alan s'il avait un poste à lui proposer. Alan le recruta, et Tony Brooker rejoignit l'équipe un peu plus tard dans l'année.

L'attitude d'Alan énervait les ingénieurs, qui trouvaient que le monde mathématique et scientifique n'accordait pas à leur réalisation toute l'attention qu'elle méritait. Par certains côtés, le laboratoire de calculs demeurait aussi secret que l'avait été la Hutte 8, et le calcul restait comme toujours le parent pauvre de la vie mathématique. Cependant, les mérites d'Alan finirent par être reconnus : le 15 mars 1951, il fut élu *Fellow of the Royal Society*. Ce titre lui était attribué pour ses travaux sur les nombres calculables, effectués quinze ans plus tôt – ce qui amusa plutôt l'intéressé. Ses parrains furent Bertrand Russel et Max Newman.

Ce dernier, qui s'était complètement désintéressé des ordinateurs, était reconnaissant à Alan d'avoir rallumé sa flamme grâce à la théorie de la morphogénétique.

Jefferson, lui-même *Fellow* depuis 1947, lui envoya une lettre de félicitations qui disait :

« Je suis très heureux ; et je suis sûr que tous vos tubes rougissent de satisfaction et envoient des messages qui vous semblent autant de signes de plaisir et de fierté ! (Méfiez-vous cependant !) » Il réussissait donc à mélanger les niveaux de description logique et physique en une seule phrase. Pour Alan, c'était un « vieil ahuri », car il ne parvint jamais à comprendre le modèle mécanique de l'esprit. Jefferson formula néanmoins une description très juste d'Alan en le comparant à une sorte de Shelley scientifique. Outre les similitudes les plus évidentes, Shelley vivait lui aussi dans le désordre : « Chaos sur chaos de matériel chimique, de livres, d'appareils électriques, de manuscrits inachevés et de meubles rongés à l'acide » s'entassaient. La voix de Shelley était elle aussi « atroce, d'un aigu intolérable, dur et discordant ». Ils se trouvaient tous deux au centre même de la vie et en marge de la société respectable. Tandis qu'Alan continuait de mener son existence banale de bourgeois, Shelley s'en extirpa. Les qualités d'Alan étaient étouffées par le sens de l'humour britannique qui imposait « de sourire et de se taire ».

La mère d'Alan éprouva une grande fierté à l'élection de son fils, – le titre de *Fellow* l'élevant au même niveau que George Johnstone Stoney ! Elle donna à Guildford une grande fête en son honneur, ce qui ne fut évidemment pas au goût d'Alan. Mme Turing avait du mal à comprendre comment, en dehors d'elle, des gens aussi importants pouvaient s'intéresser autant à son fils, même si elle avait fait beaucoup de progrès depuis les années 1920. Alan se plaignait auprès de ses amis de son côté pointilleux et de sa religiosité, mais c'était tout de même l'une des rares personnes à s'intéresser vraiment à lui.

Ils ne se voyaient pas très souvent. Alan se rendait à Guildford deux fois par an, annonçant toujours son arrivée au dernier moment par une simple carte postale ou un télégramme. Sa mère, elle, faisait chaque été le voyage jusqu'à Wilmslow. Entre deux, il devait y avoir quelques coups de téléphone. Alan avait découvert qu'ils aimaient tous les deux les histoires de l'émission de radio

Children's Hour, et il la prévenait lorsqu'ils s'apprêtaient à diffuser une bonne émission. Mme Turing aimait avoir l'impression d'être impliquée dans le travail de son fils, et elle était heureuse qu'il s'occupe de biologie plutôt que d'ordinateurs. Même si elle ignorait complètement la nature de son travail à Manchester, elle n'hésitait pas à l'aider avec des herbiers et des cartes. Avec un optimisme propre au XIXe siècle, elle était convaincue qu'il œuvrait pour l'humanité, et voyait ainsi en lui un nouveau Pasteur. Elle s'imaginait sans doute qu'il allait découvrir un vaccin contre le cancer ! Le lien n'était pas totalement incongru, mais ce n'était pas vraiment les motivations d'Alan. Pas plus qu'il n'existait de moyen de savoir où ses tâtonnements faustiens allaient le mener cette fois. Même si ses méthodes semblaient quelque peu du siècle dernier, et que cela l'obligeait à retrouver l'objet de ses fascinations enfantines, son travail s'inspirait beaucoup de la grande modernisation qui avait permis de remettre un peu d'ordre dans la biologie. Les progrès techniques des années 1930 avaient permis avec succès l'application de l'analyse quantitative en physique et en chimie. On ne pouvait plus ignorer quoi que ce soit sur la vie. Il fallait à tout prix savoir comment elle fonctionnait.

Au laboratoire de calculs, on l'appréciait de façon plus terre à terre. Là-bas, son histoire débutait en 1951, et personne n'avait entendu parler des *Nombres calculables*. Au NPL, on avait eu de nombreuses relations avec le département de mathématiques de Cambridge, ainsi qu'avec la Royal Society. Les nouveaux maîtres de Mark I, en revanche, formaient une équipe assez récente qui ignorait tout de son passé. Alan ne s'était pas non plus donné la peine de s'étendre sur la question. N. E. Hoskins, un étudiant chercheur en mathématiques qui commençait tout juste à se servir du nouvel ordinateur, déclara : « Jamais je ne vous aurais imaginé *FRS* ». Alan se contenta de rire, un peu crispé.

Il paraissait en effet très jeune pour être *FRS*, même si à trente-huit ans il n'était le plus jeune élu par la docte assemblée. Hardy avait obtenu cette distinction à trente-trois ans, et Ramanujan, le mathématicien indien autodidacte, à trente. Dans une lettre à Philip Hall, Alan avoua qu'il trouvait « très gratifiant d'être aussi près de gagner l'Olympe ». Il se déclarait également enchanté d'apprendre que son ami de Princeton, Maurice Pryce, se trouvait lui aussi sur la liste, et terminait avec cette boutade : « J'espère qu'on ne me décrit pas comme "reconnu pour ses travaux sur les problèmes insolubles". »

Peu concerné par l'organisation du laboratoire, Alan se rendait à peine compte que l'on se servait de l'ordinateur pour effectuer des calculs ayant trait à la bombe atomique britannique. Il lui arrivait de discuter avec A. E. Glennie, un jeune scientifique qui travaillait pour lui, de méthodes mathématiques, même si cela n'allait jamais plus loin que les généralités. Un jour, Glennie se retrouva coincé avec lui, quand il avait demandé un « joueur médiocre » sur lequel tester son nouveau programme d'échecs. Ils passèrent trois heures dans la chambre d'Alan. Celui-ci fut tiraillé entre exécuter les déplacements demandés par l'algorithme et réaliser les coups qui lui semblaient évidents. De longs silences s'installaient pendant qu'il calculait les scores et qu'il choisissait le meilleur coup minimax, et Alan poussait mugissements et grognements lorsqu'il se voyait passer à côté d'occasions. Le plus ironique était que, malgré les progrès effectués les dix dernières années, Alan n'était toujours pas près d'essayer de jouer aveuglément aux échecs sur une machine. Les ordinateurs existants ne disposaient ni de la rapidité, ni de l'espace suffisants pour résoudre ce problème[1].

Glennie comparait parfois Alan au Caliban de Shakespeare, avec ses humeurs changeantes, parfois joyeux, parfois maussade, apparaissant au laboratoire de manière plus ou moins aléatoire. Aux yeux de Cicely Popplewell, il s'agissait d'un supérieur imbuvable, et il était impossible de se montrer poli ou déférent envers lui. On le considérait comme une sommité dans le domaine des méthodes mathématiques. Lorsqu'on souhaitait son avis, il suffisait de le lui demander, et si l'on parvenait à susciter son intérêt et sa patience, il était fort probable qu'on obtienne un conseil précieux. Alick Glennie fut relativement étonné par ses connaissances en hydrodynamique. Alan n'était pas un mathématicien de classe mondiale, et Alick était souvent plus surpris par ce

---

1. Pendant ce temps, D. G. Prinz, qui travaillait pour Ferranti, programmait l'ordinateur de Manchester de manière indépendante afin de lui faire résoudre des problèmes d'échecs en deux coups. Mais cela n'aurait guère intéressé Alan. Si tant est qu'une solution existait, il ne s'agissait que d'une question de patience, le temps que la machine passe en revue toutes les possibilités jusqu'à la bonne. À moins que cela donne une idée de la façon dont le cerveau opérait ou bien l'impression de se mesurer à l'ordinateur, la programmation si ingénieuse soit-elle, ne le séduisait pas. Comme en 1941, ce n'était pas les échecs en eux-mêmes qui l'intéressaient, mais le modèle de réflexion qu'ils suggéraient.

qu'il ne connaissait pas que par ce qu'il connaissait. Il n'évoquait jamais le statut de von Neumann, ni l'étendue de ses connaissances. En fait, depuis 1938, il avait lu très peu d'ouvrages de mathématiques.

En avril 1951, il travaille à nouveau sur la théorie des groupes, et aboutit à un résultat que J. H. Whitehead, à Oxford, trouva « sensationnel » – et qui ne fut jamais publié. Max Newman lui assurait un contact avec la topologie, et il assistait à des séminaires sur le sujet. Mais dans l'ensemble, les mathématiques pures d'après-guerre prenaient des directions qui l'intéressaient peu. L'abstraction pour l'abstraction devenait de plus en plus fréquente alors qu'Alan, fidèle à lui-même, préférait rester entre l'abstrait et le concret, même s'il y était seul. N'étant pas non plus un fanatique des conférences, il se coupait de ses confrères. Il se rendit malgré tout au Colloque de mathématiques britannique auquel participait Newman, puis à un autre colloque à Bristol avec Robin, au printemps 1951, où il put discuter de topologie avec le mathématicien Victor Guggenheim. Cependant il ne s'agissait que de diversions.

La BBC proposa une série de cinq émissions sur les ordinateurs, dont les invités furent respectivement Alan, Newman, Wilkes, Williams et Hartree. Celle d'Alan, diffusée le 15 mai 1951, s'intitulait : « Les ordinateurs numériques peuvent-ils penser ? » Elle porta principalement sur la notion de machine universelle et de principe d'imitation, avec quelques références à la « controverse de l'âge d'or » au sujet du « libre arbitre et du déterminisme », ce qui le ramenait en arrière, aux idées d'Eddington sur l'indéterminisme de la mécanique quantique, et certaines suggestions plus récentes sur les manières possibles d'incorporer des éléments de « libre arbitre dans la machine ». Il termina l'émission avec cette justification des recherches sur l'intelligence artificielle :

« Le processus de la pensée dans son ensemble nous est encore relativement mystérieux, et je crois que toutes les tentatives de création de machines pensantes nous seront d'une grande aide pour découvrir comment nous raisonnons nous-mêmes. »

Lors de cette discussion, il ne donna aucun détail sur la façon dont il comptait s'y prendre pour programmer une machine à penser. Il se contenta d'affirmer que « cela ressemble beaucoup à l'acte d'enseigner ». Ce commentaire suscita l'intérêt immédiat d'un auditeur averti : Christopher Strachey, fils de Ray Strachey, mathématicienne, et d'Oliver Strachey, cryptographe.

Malgré ses origines, Strachey ne s'était pas particulièrement fait remarquer à King's. Après avoir travaillé sur les radars pendant la guerre, il enseignait à Harrow. L'idée de machines intelligentes retint aussitôt son attention. En 1951, un ami commun l'avait mis en relation avec Mike Woodger au NPL, et il avait entrepris d'écrire un programme de jeu de dames pour le tout nouveau Pilote ACE. Au mois de mai, il travaillait déjà avec le *Manuel des programmeurs* de Turing et espérait pouvoir un jour se servir de la machine de Manchester. Le soir même de l'émission, il écrivit une longue lettre à Alan pour lui faire part de ses projets ambitieux :

« Il faudrait tout d'abord permettre à la machine de se programmer toute seule à partir de données simples et générales... Il serait très commode, et c'est peu de le dire, que la notation choisie soit aussi intelligible que les mathématiques aussitôt le résultat imprimé. Une fois la notation choisie, il suffirait de saisir des mathématiques ordinaires et de lancer un programme qui convertirait cela en instructions pour que la machine puisse réaliser les opérations demandées. Cela peut paraître utopique, et pourtant je le crois possible. On ouvrirait la voie à la conception de programmes d'apprentissage simples. Je n'y ai pas encore réfléchi très longuement, mais dès que j'aurais terminé le programme de jeu de dames, j'ai bien l'intention de me pencher sérieusement sur ce sujet. »

Il avait déjà réfléchi au processus d'apprentissage notamment en jouant au jeu de Nim[1] avec un ami peu féru de mathématiques. La majeure partie des mathématiciens avaient lu dans *Récréations mathématiques* de Rouse Ball qu'il existait une méthode infaillible pour gagner, en exprimant le nombre d'allumettes dans chaque tas en binaire. Peu nombreux étaient ceux capables de l'appliquer, mais l'ami de Stratchey avait repéré une position particulière (n, n, 0), qui lorsqu'elle était atteinte par un joueur,

---

1. Dans ce jeu, on dispose trois tas d'allumettes, et deux joueurs retirent chacun leur tour, dans un seul tas, le nombre d'allumettes qui leur sied. Le joueur qui retire la dernière allumette remporte la partie.

celui-ci avait gagné, car il lui suffisait ensuite de copier les mouvements de l'autre joueur pour réduire les tas à (0, 0, 0). C'était l'élément d'abstraction atteint par un élève humain qui intéressait Stratchey. Il avait mis au point un programme qui pouvait garder en mémoire les positions gagnantes et ainsi améliorer son jeu avec l'expérience, sauf qu'il ne pouvait les enregistrer que de manière individuelle, comme (1, 1, 0), (2, 2, 0), etc. Cette limitation permit bientôt à son ami novice de battre le programme. Strachey écrivit :

« À mon avis, cela démontre très clairement que l'une des caractéristiques primordiales de la pensée est la capacité à établir de nouvelles relations dans une situation inconnue... »

Il décrivit aussi son programme utopique comme « un aperçu de la façon dont on pourrait demander à une machine de le faire ».

Alan se consacrait maintenant surtout à la biologie, mais des spéculations touchant à une éventuelle pensée mécanisée l'intéressaient toujours. Vers la même époque, il donna d'ailleurs une conférence où il faisait certaines propositions, à commencer par un système de classement de bureau très proche de celui des renseignements de la Hutte 4 :

« La machine comprendrait une mémoire. Ce serait simplement une liste de tous les énoncés faits pour ou par elle, de tous les mouvements effectués par elle et des cartes jouées par elle au cours de ses parties. Tout cela serait classé par ordre chronologique. Outre cette mémoire directe, il y aurait un certain nombre d'"index d'expériences". Pour mieux me faire comprendre, je suggérerai la forme qu'un tel index pourrait prendre. Ce pourrait être un index alphabétique des mots utilisés [...] de sorte qu'on puisse les repérer dans la mémoire. »

Et c'est alors que l'esprit même des employés au classement commence à être suppléé par la machine :

« À des stades d'enseignement relativement tardifs, il sera possible d'étendre la mémoire afin d'y inclure des parties de la configuration de la machine à chaque instant, où, pour le formuler différemment, la machine commencerait à se souvenir de ce qu'elle a pensé. Cela serait à l'origine de nouvelles formes d'indexation extrêmement pratiques. On pourrait introduire de nouvelles sortes d'index suivant les faits spéciaux observés dans les index déjà utilisés... »

Par bien des côtés, il établissait en fin de compte sa propre théorie de la psychologie, la machine (principalement en imagination) représentant la scène où on pouvait l'interpréter.

Le Congrès inaugural de l'ordinateur de Manchester, du 9 au 12 juillet 1951, fut un événement nettement plus mondain. Alan y donna une conférence – assez ennuyeuse, sur le code de la machine de Manchester, avec tous les détails sur les calculs inversés en base 32 – et participa aux discussions, évoquant des sous-programmes d'interprétation utilisables sur le prototype d'ACE.

Mais la vedette fut sans conteste Wilkes, avec sa « microprogrammation » : système tout nouveau et très élégant destiné à la conception de matériel arithmétique et de commande. On assurait à l'époque que c'était la démarche de Cambridge qui montrait le bon chemin, faisant certaines concessions à l'utilisateur humain. Le groupe de Cambridge s'était d'ailleurs fait surnommer les « Cadets de l'Espace », réduisant les autres à l'état de « Primitifs ». Alan Turing pouvait de son côté passer pour un « ultra-primitif » dans la mesure où il voulait être capable de suivre les opérations de la machine de Manchester chiffre par chiffre. Mais à un autre niveau, il savait se montrer le plus aventureux d'entre tous, et embarrassait souvent les autorités scientifiques avec ses conceptions anthropomorphiques de la machine.

On discuta beaucoup du rôle des ordinateurs à des fins commerciales, et M. J. Lighthill, le nouveau professeur de mathématiques appliquées de Manchester, prédit qu'en 1970 :

« l'utilisation de la machine sera au programme des futurs diplômés. Il sera peut-être même nécessaire de repenser l'enseignement des mathématiques à l'école. Toutefois, l'idée que l'on puisse remplacer l'"ABC" par un "/E@A" n'est, espérons-le, qu'illusoire. »

Ces plaintes contre la notation en base 32 qu'avait adoptées Alan furent bientôt entendues. On jugeait absurde d'espérer que des utilisateurs ordinaires s'adaptent à la machine. Cette conférence constitua la dernière apparition d'Alan en tant qu'innovateur en matière de programmation d'ordinateurs. Il entrait déjà dans la légende – fantôme du passé surgissant d'une science pourtant sans histoire. Survivant las et excentrique du Cambridge des années 1930, Alan se retrouvait maintenant jugé et incompris.

Mike Woodger fit un exposé sur les performances relatives des codes d'instruction des machines de Manchester et du NPL.

Alan l'avait invité à séjourner chez lui pendant toute la semaine du congrès. Sans doute le jeune homme aurait été effrayé de se savoir sous le toit d'un homosexuel, il n'en sut évidemment rien. Il tomba sur un grand fouillis de pots et récipients divers emplis d'herbes et de mélanges odorants qui constituaient une base de recherches pour Alan, toujours désireux de voir quelles substances chimiques il pouvait obtenir à partir de produits naturels. Mike Woodger marqua un bon point en admirant le sentier de brique, mais ne se montra pas tout à fait à la hauteur lorsqu'Alan tenta de lui expliquer ses recherches sur la morphogenèse.

La théorie biologique, en effet, avait remplacé le jeu d'imitation dans ses conversations avec les autres. Enfin il s'intéressait à une chose dont il pouvait parler. Dès que le nouvel ordinateur fut installé et prêt à fonctionner, Alan lui fit simuler les ondes chimiques de son anneau de cellules idéalisé, l'*Hydre* de Turing. Après avoir étudié différents cas, il aboutit à un ensemble convaincant de réactions hypothétiques qui, une fois déclenchées dans une « soupe » initialement homogène, auraient pour effet d'entraîner une répartition spatiale stationnaire d'ondes de concentration chimique. Cela pouvait être réalisé à des vitesses différentes, avec des résultats différents : Alan parla par exemple de « cuisson rapide » et de « cuisson lente ». Il aborda également le problème de la gastrulation, et il montra comment des perturbations aléatoires sur une sphère pouvaient conduire à ce qu'un axe particulier soit sélectionné.

Dans son travail, Alan était en interaction très étroite avec la machine. Il s'en servait comme d'un ordinateur individuel avant la lettre. Pour Roy Duffy, le nouvel ingénieur responsable de la maintenance, Alan « jouait de l'orgue » lorsqu'il était assis devant sa console, manipulant les commandes manuelles. Tous ceux qui utilisaient la machine devaient bien savoir comment elle fonctionnait, ne fût-ce que parce qu'il y avait toujours une piste du tambour ou un tube cathodique en panne exigeant des modifications dans la programmation. Alan était parvenu à une maîtrise parfaite. Il écrivit des instructions permettant, par exemple, de déclencher le signal sonore de l'appareil à diverses étapes, lorsque de nouveaux paramètres devenaient nécessaires. Il arrivait donc, à sa façon, à surveiller tout le déroulement de la « cuisson ». L'utilisateur bénéficiait également du contrôle total des modes de traitement et de sortie de la machine, de sorte qu'Alan pouvait voir afficher ses diagrammes biologiques sur les moniteurs à tubes cathodiques, et faire imprimer ses cartes hypsométriques.

Alan travaillait généralement toute la nuit, et pas exclusivement sur la biologie. On pouvait le plus souvent le voir émerger au matin, brandissant des imprimés sous le nez de quiconque passait par là – « taches de girafe », « ananas », ou tout ce qu'il avait pu tirer – avant de rentrer chez lui pour dormir jusqu'à l'après-midi. Ce travail nocturne se reflétait sur son manuel, lorsqu'il expliquait comment faire pour que la machine se charge d'exécuter le travail de bureau consistant à garder trace de toutes les expériences et modifications. Dans ce texte technique, il s'amusait avec l'idée de « règles » et de « descriptions » : on autorisait le programmeur à se servir de la logique de la machine, l'ingénieur de sa partie physique, et le « mode soutenu », comme il l'appelait, consistait à imprimer la description de l'opération « achevée » :

« On peut employer la machine dans un grand nombre de modes et de styles, et chacun d'eux possède ses propres conventions, restreignant le nombre d'opérations jugées acceptables. Les ingénieurs, par exemple, considèrent comme acceptable le fait de retirer un tube ou de relier temporairement deux points à l'aide de pinces crocodiles, mais feraient la grimace si on leur demandait de se servir d'une hachette. La suppression des tubes et les modifications de connexions sont interdites aux programmeurs et autres utilisateurs, et ont eux-mêmes d'autres tabous de leur côté. On peut en fait distinguer un certain nombre de modes d'opérations, pourtant il ne sera fait mention ici que du seul "mode soutenu". Ce mode a des conventions assez strictes et précises. L'avantage de travailler dans ce mode, c'est que la sortie imprimée donne une description complète des calculs effectués. Il suffit de jeter un coup d'œil à cette liste ainsi qu'à d'autres documents pour obtenir toutes les informations souhaitées. En particulier, cette impression liste l'ensemble des choix arbitraires effectués par celui qui manipule la machine. Il n'est donc pas nécessaire d'essayer de se souvenir de ce que l'on a fait à un moment ou à un autre. »

Mais à l'exception de ce genre de conséquences issues de ses travaux, les autres utilisateurs du Mark I n'avaient qu'une idée très vague de ce qu'il faisait. Après l'été 1951, ils n'étaient pratiquement plus en contact.

Alan passa comme d'habitude le mois d'août 1951 à Cambridge. Puis il alla assister à Londres au *Festival of Britain*[1] avec tout un groupe composé de Robin, Nick Furbank, Keith Roberts et l'ami de Robin, Christopher Bennett. Ils se rendirent au musée des Sciences de South Kensington, qui abritait toutes les expositions scientifiques et technologiques. Ils purent voir les tortues cybernétiques de Grey Walter d'abord tourner en rond, puis exécuter devant un miroir une danse rétroactive tout à fait amusante. Ils purent également découvrir le NIMROD, exposé par Ferranti : machine électronique qui jouait au Nim avec le public. Très contents de voir Alan, les représentants de Ferranti l'invitèrent à essayer la machine, ce qu'il s'empressa de faire. Comme il connaissait bien les règles, il gagna. L'appareil afficha sagement « MACHINE PERD », puis, soudain prise d'un accès proprement turinguesque, refusa de s'arrêter et afficha « MACHINE GAGNE » à la place. Alan fut enchanté d'avoir provoqué un comportement aussi humain de la part d'une machine.

Après ces aperçus sur la nouvelle Grande-Bretagne scientifique renaissant de ses cendres, ils se rendirent tous à la grande foire de Battersea Park. Emporté par un soudain élan de liberté, Alan alla même jusqu'à briser sa règle sacrée en prenant un taxi au lieu de se contenter du bus. Il refusa de monter sur les montagnes russes, prétextant que cela le rendait malade. Enfin ils se rendirent tous dans le Palais du rire et s'étudièrent mutuellement à la lumière noire en écarquillant les yeux.

Son retour à Manchester coïncida avec l'arrivée de Tony Brooker, qui entreprit aussitôt de rédiger de nouveaux systèmes, plus efficaces, pour remplacer la méthode difficile et dépassée de la base 32. Cela ne dérangea pas du tout Alan, même s'il préféra conserver ses propres méthodes, son imagination lui permettant de visualiser sans peine les taches sur la robe d'une vache ou les pétales d'une rose dans le fouillis des symboles du téléscripteur en base 32. Entretemps, Christopher Strachey était arrivé à Manchester pour essayer un long programme, – le plus long en fait jamais tenté –, qu'il

---

1. Exposition nationale qui promouvait la contribution britannique aux sciences, la technologie, le design industriel, l'architecture et l'art, en 1951.

avait conçu simplement à partir du manuel et de quelques séances avec Cicely Popplewell. Il était censé résoudre un problème que lui avait suggéré Alan, à savoir permettre à la machine de simuler son propre comportement, ce qui devait donner la possibilité de tester d'autres programmes. Au laboratoire, tout le monde considéra ce jeune homme ambitieux avec une condescendance amusée ; un tel premier essai n'avait aucune chance de réussir. Le programme fut néanmoins perforé et Strachey obtint l'autorisation de l'essayer. Alan lui montra comment fonctionnait la machine, le bombardant de conseils, puis le laissa se débrouiller tout seul. Alan, qui s'énervait toujours de la lenteur relative des autres, trouva là son égal. Le lendemain même, Strachey était capable de faire marcher son programme et, mieux encore, d'épater tout le monde en faisant retentir *God Save the Queen* sur le signal sonore de la machine. Sur la recommandation d'Alan, Lord Halsbury proposa aussitôt un poste à Strachey au National Research Development Corporation (NRDC), et un salaire suffisant pour le convaincre d'abandonner ses élèves de Harrow. Le règne d'Alan aux commandes était terminé. Il avait passé la main[1].

Son article sur la théorie morphogénétique fut terminé début novembre. Alan décida de l'envoyer au département biologique des Comptes Rendus de la Royal Society. Cela impliquait d'introduire des développements mathématiques relativement élémentaires. Comme il le faisait lui-même remarquer, peu de lecteurs seraient à la fois rodés aux équations différentielles, à la chimie physique et à la physiologie. Les biologistes savaient en général mieux transcrire ce qu'ils voyaient en grec ancien qu'en phrases mathématiques. De leur côté, les mathématiciens ne connaissaient la plupart du temps rien des sciences de la vie, même si Lighthill se montra particulièrement encourageant au sujet des travaux d'Alan. Une fois encore, Alan pensait d'une manière qui n'entrait dans aucun compartiment d'étude prévu. Le Département de chimie offrait un terrain d'entente, et Alan y donna une conférence le 11 décembre 1951.

Noël approchait, et avec lui la difficulté de trouver des cadeaux pour chacun, l'une des seules obligations sociales auxquelles Alan

---

1. Jusqu'à sa mort en 1975, Christopher Stratchey demeura un élément essentiel de l'informatique britannique, et son programme de jeu de dames une application phare dans l'étude de l'« intelligence artificielle ».

se pliait encore, poussé par sa générosité naturelle. Il avait par exemple offert à sa tante préférée, Sybil, un système de braille lorsqu'elle avait perdu la vue. Il avait aidé son amie d'enfance Hazel Ward à retrouver son travail de missionnaire après la mort de la vieille Mme Ward, et cela malgré son propre athéisme. Mais ce Noël-ci, Alan avait le sentiment qu'il se devait bien un présent après avoir terminé un article qu'il jugeait aussi important que les *Nombres calculables* ! Car il ne posait pas simplement de nouveaux résultats, il offrait aussi un nouveau cadre de travail, et un nouveau monde à conquérir.

Alan raconta l'anecdote plus tard dans une nouvelle[h], dans le style nouveau, « honnête », amer et engagé d'Angus Wilson[1], qui suivait lui-même la tradition d'E. M. Forster. Cela commençait par :

« Alec Pryce commençait à se faire plutôt [illisible] avec ses achats de Noël. Sa méthode n'était guère conventionnelle. Il faisait le tour des boutiques de Londres ou de Manchester jusqu'à ce qu'il aperçoive quelque chose qui lui plaise, puis il se demandait auquel de ses amis cela pourrait plaire. Cela illustrait parfaitement sa façon de travailler (même s'il l'ignorait), qui dépendait de son inspiration.

Appliquée aux achats de Noël ou à son travail, cette méthode pouvait le faire passer par toutes sortes d'émotions. Il errait désespérément dans les magasins, et, environ toutes les demi-heures, de manière totalement imprévisible, quelque chose attirait son attention. Ce matin, Alec y avait passé deux bonnes heures. Il avait découvert un saladier en bois qui plairait à coup sûr à Mme Bewley. Il avait aussi acheté une couverture chauffante pour sa mère, qui souffrait de problèmes de circulation. Elle lui avait coûté plus cher que prévu, mais c'était vraiment ce qu'il lui fallait, et elle n'aurait jamais pensé à s'en acheter une toute seule. Il avait également rempli deux ou trois autres engagements mineurs. Il était à présent l'heure d'aller déjeuner et Alec se dirigeait vers l'université en cherchant un bon restaurant sur le chemin.

Cela faisait deux ou trois semaines qu'il travaillait dur. Il se consacrait au voyage interplanétaire. Il avait toujours été passionné par ce genre de problèmes tordus, mais, même s'il préfé-

---

1. C'est Robin Gandy qui présenta Angus Wilson à Alan à Cambridge. Même si Wilson avait travaillé à Bletchley, ils ne s'y étaient pas croisés.

rait s'en prendre au marchand de journaux ou à la BBC dès qu'il en avait l'occasion, son travail était précis lorsqu'il écrivait pour des lecteurs qualifiés d'un point de vue technique. Ce dernier article était très bon, meilleur que tous ceux qu'il avait rédigés depuis ses 25 ans, quand il avait présenté l'idée que l'on connaît désormais sous le nom de "Pryce's buoy" ("bouée de Pryce"). Alec était toujours fier quand quelqu'un employait cette expression. Le fait qu'on puisse lui prêter deux significations lui plaisait aussi beaucoup. Il avait toujours aimé faire étalage de son homosexualité, et, en bonne compagnie, il prétendait que cela s'écrivait sans le "u" (ce qui donnait "Pryce's boy", soit "le garçon de Pryce"). Cela faisait un moment, désormais qu'il n'avait pas eu quelqu'un. En fait, depuis qu'il avait fait la connaissance de ce soldat, à Paris, l'été dernier. Maintenant qu'il avait terminé son article, il pouvait à juste titre considérer qu'il avait bien mérité d'avoir un nouveau compagnon gai[1], et il savait où en trouver un. »

Et il ne s'était pas trompé : alors qu'il déambulait dans Oxford Street, feignant d'étudier les affiches devant le cinéma Regal, il croisa le regard d'un jeune homme.

Arnold Murray, âgé de dix-neuf ans, venait d'un milieu sordide. Son père, ancien maçon, battait sa femme. Amaigri par la malnutrition et l'état de tension constante pendant le Blitz, on l'avait envoyé dans un camp scolaire du Cheshire, et il était très fier de s'être alors hissé au premier rang de la classe grâce aux encouragements et à l'émulation ambiante. Ils avaient applaudi le débarquement de Normandie et la victoire du 8 mai 1945, mais cela avait signifié pour lui le retour à son taudis de Manchester,

---

1. « Gai » ou « gay » ? S'agit-il d'un texte en clair ou crypté ? Voici un bon exemple de terme dont le sens dépend de son contexte social. Au moins depuis les années 1930, on employait couramment le mot « gay » au sein de la communauté homosexuelle américaine, en guise de mot codé au sens simple. Ainsi, dans *The Homosexual in America*, paru en 1951, le précurseur D. W. Cory expliquait : « Depuis des années, on était à la recherche d'un terme ordinaire, neutre, que l'on employait au quotidien, susceptible d'exprimer le concept d'homosexualité sans le magnifier, ni le condamner. Il ne devait surtout pas véhiculer la haine du stéréotype féminin. Ce mot existait depuis longtemps, et commençait à acquérir une certaine popularité depuis quelques années. Il s'agit du mot "gay". » Alan Turing employait habituellement le terme « homosexuel », ou, entre amis, le mot « queer » (« tapette »). Mais il connaissait sans doute les coutumes américaines, et aurait approuvé la logique de D. W. Cory. Pour cette raison, nous utiliserons ce terme à partir de maintenant. L'éventuel effet anachronique ou transatlantique sera le reflet de la difficulté qu'avait Alan à communiquer ses dispositions dans la Grande-Bretagne du début des années 1950. Comme avec l'« ordinateur », il était en avance sur son temps.

près de la distillerie de poix et de goudron, et six mois d'études techniques avant que son père l'envoie travailler. Il avait eu plusieurs emplois, et à celui qu'il avait gardé le plus longtemps, il avait fabriqué des montures de lunettes, après le lancement du National Health Service, en 1948. (Une profession qui fut victime de la guerre de Corée. Le budget de 1950, qui annonçait le réarmement massif pour la nouvelle décennie, mettant fin à la fourniture gracieuse des lunettes.) Arnold put enfin briser la triste monotonie de son existence en juillet 1951 en se rendant à Londres en stop, pour le *Festival of Britain* lui aussi. Malheureusement, il fut pris en train de commettre un larcin et dut retourner à Manchester sous liberté conditionnelle. Il vivait toujours chez ses parents, et était la plupart du temps au chômage et à court d'argent.

Arnold était à la recherche d'une identité, et il pensait mériter mieux que cette existence misérable. Il avait essayé la science – à quatorze ans, il avait soufflé toutes ses fenêtres en faisant des mélanges avec une boîte de chimie. Et il avait essayé le sexe, multipliant les expériences depuis ce même âge. Il n'était pas doté d'une grande liberté d'esprit ni d'une pensée très cohérente. Il rêvait d'une relation parfaite avec une femme, tout en appréciant l'absence de performance obligatoire qui caractérisait l'union avec un autre homme. En outre, l'homosexualité semblait faire partie d'une élite à laquelle il aspirait de s'intégrer. Arnold méprisait ceux qui se donnaient simplement pour de l'argent. Alan lui offrait la promesse d'un mieux-vivre tout en conservant une fraîcheur d'esprit, une juvénilité qui lui apparut aussitôt, sur le trottoir d'Oxford Street.

Alan demanda à Arnold où il allait et celui-ci lui répondit : « Nulle part en particulier. » Il l'invita alors à déjeuner dans le restaurant situé de l'autre côté de la rue. Blond aux yeux bleus, sous-alimenté et le front déjà dégarni, avide de connaissances et donc beaucoup plus réceptif que bien des gens instruits, Arnold toucha Alan, qui avait toujours eu un faible pour les brebis égarées. Le jeune homme était par ailleurs pourvu d'une grande vivacité et d'un sens de l'humour salvateur qui lui permettait de traverser les épreuves les plus difficiles. Quand Alan lui expliqua qu'il devait retourner à l'université où il donnait des cours, et qu'il travaillait sur le cerveau électronique, Arnold fut tout simplement fasciné. Alan l'invita à venir le voir à Wilmslow pendant le week-end, et le jeune homme accepta. Le restaurant, l'invitation chez Alan étaient déjà beaucoup plus qu'il aurait pu attendre d'une rencontre dans Oxford Street. Pourtant, il ne se rendit pas à Wilmslow.

L'histoire aurait très bien pu s'arrêter là si Alan ne l'avait pas recroisé au même endroit le lundi suivant. Arnold lui présenta ses excuses, et Alan l'invita aussitôt chez lui. Ils passèrent la soirée ensemble, se donnant rendez-vous pour le 12 janvier. Alan lui offrit un canif pour Noël.

La BBC organisa un débat récurrent sur le thème « Peut-on dire des machines qu'elles pensent ?[1] ». Vers Noël 1951, Alan alla voir David Champernowne à Oxford, et ils s'amusèrent tous deux à enregistrer une parodie de la future émission de la BBC, « Champ imitant la voix d'un humaniste, prétendant que la machine ne pourrait jamais aspirer ni à la beauté, ni aux autres concepts nobles ». Fred Clayton, qui les rejoignit un peu plus tard, fut complètement stupéfait. Comme il l'avait annoncé à Alan, il s'était marié, et il avait eu la chance d'obtenir un poste de professeur de lettres classiques à l'université d'Exeter. Il travaillait à présent à une thèse sur les parallèles entre la littérature classique et la littérature britannique, et consulta Alan sur les probabilités et les statistiques dont il pourrait avoir besoin pour établir de telles comparaisons. Il s'intéressait également à l'importance de l'astrologie chez les auteurs classiques, et fit appel aux lumières d'Alan en astronomie élémentaire.

La véritable émission fut enregistrée le 10 janvier 1952 dans les studios de la BBC à Manchester. Jefferson, le neurochirurgien esthète, défendait évidemment la cause de la conscience qu'Alan cherchait sans cesse à rabaisser. Max Newmann et Richard Braithwaite tenaient les rôles d'arbitres.

Comme c'était l'habitude à l'époque, le débat se déroula sur un ton jovial. Alan écrivit à sa mère, qui écoutait l'émission :

« Bien sûr, la majeure partie des questions qu'on m'a posées étaient plus ou moins des plaisanteries. »

---

1. La BBC avait déjà fait plaisir de manière ponctuelle aux adeptes des ordinateurs en diffusant l'interprétation par la machine de Manchester de « Vive le vent » et « Good King Wenceslas ».

Braithwaite commença avec un commentaire très pertinent : « Tout dépend de ce que l'on inclut dans la pensée. » Alan expliqua que le jeu d'imitation faisait partie des critères de la réflexion, les autres objectant aussitôt : « Faut-il absolument que les questions soient d'ordre arithmétique, demanda Braithwaite, ou puis-je lui demander ce qu'elle a mangé au petit déjeuner ? » « Posez-lui toutes les questions que vous voulez, répondit Alan. Et d'ailleurs, comme au tribunal, il n'est pas nécessaire que les questions en soient vraiment. Vous savez, du genre : "J'en déduis que vous faites simplement mine d'être un homme." Cela conviendrait parfaitement. » Ils discutèrent d'apprentissage et d'enseignement, et Braithwaite déclara que la capacité des hommes à apprendre était déterminée par « leurs appétits, leurs désirs, leurs élans et instincts », et qu'une machine susceptible d'apprendre devrait être équipée de « quelque chose qui corresponde à un ensemble d'appétits ».

Newman ramena prudemment la conversation aux mathématiques en soulignant l'effort d'imagination qu'il avait fallu pour relier les « nombres réels » de mesure aux nombres entiers de calcul, ce qui impliquait de voir des analogies entre des choses que personne n'avait songé à rapprocher avant. Comment deviner de quelle manière une machine pourrait produire une telle invention à partir d'un programme dont l'auteur ne possédait pas lui-même le concept ? Alan, lui, le *devinait* très bien ; c'était justement le genre de choses sur lequel il réfléchissait :

« Je pense qu'on peut faire en sorte qu'une machine repère une analogie. C'est en fait un très bon exemple de la façon dont une machine peut être amenée à faire certaines choses généralement considérées comme exclusivement humaines. Imaginons quelqu'un essayant de m'expliquer, par exemple, la double négation : si une chose n'est pas non verte, alors elle est verte ; mais qui n'y arriverait pas vraiment. Il pourrait dire : "C'est comme traverser la rue. On la traverse, puis on la retraverse, et on se retrouve sur le trottoir d'où on est parti." Cette remarque peut provoquer le déclic de la compréhension. C'est le genre de choses que nous voudrions trouver avec les machines, et je suis certain que cela arrivera. J'imagine que les analogies fonctionnent un peu de cette manière à l'intérieur de notre cerveau. Quand deux ensembles d'idées ou plus suivent le même système de connexions logiques, le cerveau aurait plutôt tendance à économiser en les utilisant deux fois de suite, pour se souvenir de la connexion logique dans un cas comme dans l'autre. On peut supposer qu'une partie de mon cerveau a donc servi deux fois de la même manière : une fois pour l'idée de la double négation, une fois pour celle de traverser et de retraverser la route. Je suis censé connaître toutes ces choses, mais je ne parviens pas à saisir où mon interlocuteur veut en venir tant qu'il ne me parle que de ses *ne* et de ses *non*. Pour une raison ou pour une autre, cela n'atteint pas la bonne partie de mon cerveau. En revanche, dès qu'il parle de cette histoire de route à traverser, la bonne partie du cerveau est atteinte, bien que par une voie différente. S'il existe une explication purement mécanique de la manière dont cet argument par analogie circule dans le cerveau, il serait possible de faire faire la même chose à un ordinateur numérique. »

En 1939, Wittgenstein avait déjà abordé l'« explication » de la double négation. Mais Jefferson ramena bien vite la discussion au problème terre à terre des appétits. « Si nous devons nous approcher de quoi que ce soit pouvant véritablement porter le nom de "pensée", il convient de ne pas négliger les effets des stimuli externes. L'homme est une machine essentiellement chimique, et il est très affecté par la faim, la fatigue [...] et les besoins sexuels. » Hélas, ces appétits gênaient la réflexion ! Il s'agissait d'un argument fort contre la machine discrète. Jefferson se fit de nouveau plaisir en évoquant la complexité du système nerveux (ce qui était hors de propos, car, si on lui attribuait la quantité de mémoire suffisante, une machine universelle était en mesure d'imiter n'importe quelle complexité). Il poursuivit : « Vos machines n'ont aucun gène ni pedigree. L'Héritage mendélien[1] ne signifie rien pour des tubes électroniques. » Et ainsi de suite. Jefferson affirma qu'il ne croirait les machines capables de penser que lorsqu'il en verrait une tenter d'en séduire une autre. Ce fut coupé au montage car, comme le déclara Braithwaite, on ne pouvait pas vraiment appeler cela « de la réflexion ». Braithwaite était persuadé qu'il serait nécessaire d'incorporer de la « sensibilité » dans une machine pour qu'elle puisse penser, mais qu'il

---

1. Des lois de Mendel. Se dit d'un caractère génétique à déterminisme simple, par un couple ou un petit nombre de couples de gènes.

ne leur appartenait pas de déterminer les difficultés auxquelles cela pourrait mener. On mettait enfin le doigt sur le problème, et Jefferson conclut en rassurant l'*intelligentsia* britannique que ce serait toujours « ce bon vieil humain qui continuerait à avoir les idées ».

L'émission fut diffusée le 14 janvier. Arnold était alors déjà revenu voir Alan, comme prévu, et les événements avaient pris un tour plus sérieux. Alan s'était arrangé pour que leur relation prenne l'allure d'une « liaison », ce qui signifie qu'Arnold avait été invité à dîner et aussi à passer la nuit à Hollymeade. Flatté de se retrouver maintenant du côté des « maîtres » – il avait été particulièrement impressionné d'apprendre qu'Alan avait une femme de ménage –, le jeune homme réagit tout à fait positivement.

Ils n'avaient pas grand-chose en commun pour alimenter la conversation, mais ils trouvèrent tout de même des liens qui démontrèrent à Arnold à quel point Alan avait besoin de communiquer et de toucher un esprit neuf. L'un comme l'autre ne pensaient rien de bon de l'ingérence des Américains dans la volonté des Britanniques de chasser Mossadegh du pouvoir en Iran. Arnold était très patriote et s'élevait contre la présence de bases de l'US Air Force dans le Cheshire. En plus de la politique, Alan lui parla aussi d'astronomie, lui joua un air au violon, et laissa Arnold s'essayer à l'instrument. Après le dîner, alors qu'ils dégustaient du vin étendus sur le tapis, Arnold se mit à lui raconter les cauchemars récurrents qu'il faisait quand il était enfant, dans lesquels il avait l'impression d'être suspendu dans le vide, dans un endroit totalement désert, un bruit étrange résonnant de plus en plus fort, jusqu'à ce qu'il se réveille en sueur. Alan lui demanda de quel genre de bruit il s'agissait, mais il fut incapable de lui décrire. Cette histoire d'endroit désert fit penser à Alan à ce vieux hangar de la RAF, sur la route, et il se mit à inventer un scénario de science-fiction (évoquant H. G. Wells), dans lequel le hangar était en fait un cerveau programmé de telle sorte qu'il fonctionnait normalement pour tout le monde sauf pour lui. Il s'y retrouverait pris au piège, les portes s'étant refermées derrière lui. Il lui faudrait alors jouer une partie d'échecs en trois manches contre la machine. Celle-ci contrerait si vite ses coups qu'il lui faudrait lui faire la conversation pour détourner son attention. Il lui parlerait donc, tentant d'abord de la mettre en colère, puis de lui faire plaisir en jouant les idiots, et enfin en la réconfortant.

« Parviens-tu à réfléchir à ce que je ressens ? Ressens-tu ce que je pense ? » déclara-t-il à un moment de manière théâtrale, emporté par son histoire. Arnold était captivé. Il saisit alors un morceau de craie et imagina un moyen de battre la machine, en faisant des calculs si lentement et en commettant tant d'erreurs que la machine se suiciderait de désespoir.

Arnold tenta à son tour de lui expliquer ses idées. Alan se montra patient, même s'il aurait pu aisément le réduire à néant. « Tout ce que tu peux imaginer existe », annonça-t-il à un moment. Cela signifia beaucoup pour Arnold, qui souhaitait plus que tout pouvoir réaliser ses rêves. « Il faut absolument amener tout cela à un autre niveau », s'écria Alan, presque en colère. « Il faut que je t'instruise, que je te sorte de tout ça ! »

Alan laissa clairement entendre au jeune homme qu'il voulait coucher avec lui, et celui-ci consentit. Le lendemain matin, Alan se leva pour aller préparer le petit déjeuner, puis ils discutèrent un peu en fumant avant de reprendre les plaisirs de la nuit. Ils se donnèrent rendez-vous quinze jours plus tard. Une question cependant demeurait en suspens : celle de l'argent. Arnold était complètement démuni et Alan avait visiblement plus d'argent qu'il ne lui en fallait. Cependant, Arnold refusait de recevoir de l'argent liquide de crainte d'être considéré comme un prostitué, et Alan était aussi peu doué pour les pratiques sociales conventionnelles dans sa propre chambre que dans le salon de sa mère. Il se sentit donc particulièrement troublé en remarquant le lendemain qu'il manquait de l'argent dans son portefeuille. Soupçonnant évidemment le jeune homme, il lui écrivit qu'il préférait ne plus le revoir. Arnold se présenta néanmoins chez lui quelques jours plus tard afin de demander des explications, puis de protester avec véhémence. Il alla même jusqu'à avouer une dette de 10 livres sur un costume acheté à crédit et demanda à Alan de lui en prêter trois. À demi convaincu seulement, Alan les lui donna. Rendez-vous fut repris par lettre, Arnold le remercia le 18 et lui redemanda un prêt, de sept livres cette fois-ci. Plus méfiant que jamais, Alan lui demanda le nom de la société à qui il devait de l'argent. Il souhaitait être certain de son honnêteté.

Le 21, Arnold se présenta à Hollymeade pour se plaindre du manque de confiance qu'Alan lui témoignait, et repartit avec un chèque de 7 livres. Il allait commencer à travailler dans une imprimerie de Manchester et lui promit de le rembourser rapidement.

Entre-temps, Robin était venu passer le week-end chez Alan. Ils discutèrent l'essai qu'il venait de terminer sur la théorie physique d'Eddington. Alan le décréta « beaucoup plus satisfaisant que tout ce que tu as fait jusqu'à présent ». Ces encouragements firent grand plaisir à Robin. En 1949, à King's, Alan avait durement critiqué son mémoire, ce qui l'avait fait fondre en larmes.

Sinon, la vie continuait. La tante Sybil mourut le 6 janvier, lui laissant la coquette somme de 500 livres. Dernière de la génération de son père, elle avait récupéré l'ensemble de la fortune des Turing. Elle léguait 5 000 livres à Mme Turing, qui eut l'idée de contracter un emprunt sur sa maison, ce qui d'après son fils, « était à peu près aussi utile que d'aller faire des ménages quand on avait besoin d'aide chez soi ». Aussi cessa-t-il de lui envoyer les 50 livres par an qu'il lui allouait depuis 1949.

Il avait écouté l'émission de radio et trouvé sa propre voix « moins crispante à entendre qu'avant ». Le 23 janvier, alors que l'on rediffusait l'émission, Alan retrouva sa maison cambriolée en rentrant chez lui le soir. Dès le lendemain, il écrivit à Fred Clayton pour lui parler de l'astronomie dans l'Antiquité. Il lui expliqua l'importance du zodiaque et termina par :

« Je viens de me faire cambrioler, et je continue à découvrir toutes les heures de nouveaux articles manquants. Heureusement, je suis assuré, et on ne m'a rien volé d'irremplaçable. Tout de même, cela m'a beaucoup contrarié, surtout que c'est intervenu peu de temps après un vol à l'université. Je m'attends maintenant à prendre une brique sur la tête ou aux pires catastrophes à tout moment. »

On lui avait dérobé une série d'objets dépareillés : une chemise, des couteaux à poisson, un pantalon, des chaussures, un rasoir, une boussole, et même une bouteille de sherry déjà entamée. Il évalua l'ensemble à un montant de 50 livres. Il fit bien sûr une déclaration au commissariat, et deux policiers vinrent faire un relevé d'empreintes chez lui. Il ne pouvait cependant s'empêcher de soupçonner Arnold d'avoir joué un rôle dans cette affaire. Il consulta un avocat que lui avait recommandé son voisin

Roy Webb, et écrivit sur son conseil à Arnold dès le 1ᵉʳ février pour lui dire qu'il attendait toujours le remboursement de ses sept livres, que mieux valait ne plus se revoir et que de toute façon, sa porte lui resterait fermée s'il se présentait à Hollymeade.

Mais lorsque, le lendemain, après avoir reçu la lettre, Arnold sonna à la porte d'Alan, celui-ci le fit bien sûr entrer. Ce furent à nouveau des protestations d'innocence, puis, sous le coup de la colère, la menace d'aller *tout* dire à la police, ce dont Alan le défia aussitôt. Il attendit que l'emportement de son jeune ami se soit dissipé avant de parler du cambriolage, et là, Arnold fournit aussitôt une explication : s'il ne savait pas qu'il avait eu lieu, il savait très bien qui avait dû le commettre. Il avait en effet parlé d'Alan à un type qui s'appelait Harry, un jeune chômeur de vingt ans qui sortait juste de son service militaire dans la marine. Ils s'étaient quelque peu vantés de leurs conquêtes respectives, et Harry avait fini par suggérer un cambriolage. Arnold avait refusé d'y prendre part, mais il savait qu'un vol se préparait.

Cette confession eut pour conséquence de rétablir leurs relations amicales et surtout intimes. Arnold coucha à nouveau avec Alan, même si celui-ci se sentait pris entre deux eaux. Pendant la nuit, il alla en effet jusqu'à mettre de côté le verre d'Arnold afin de comparer ses empreintes avec celles des voleurs. Le lendemain matin, quittant Arnold devant le commissariat, il inventa toute une histoire pour expliquer les nouvelles informations dont il disposait.

Arnold le quitta en promettant de faire de son mieux pour retrouver trace de ses affaires, et lui écrivit effectivement quelques jours plus tard pour lui faire son rapport. Mais tout avait déjà changé. Le jeudi 7 février, les cloches de Manchester annoncèrent non pas la victoire des Alliés, cette fois, mais la mort de George VI. La future reine Elisabeth revint du Kenya de toute urgence, et Winston Churchill, de nouveau Premier Ministre, l'accueillit à l'aéroport. Le soir-même, alors que l'on entrait dans l'ère élisabéthaine, des policiers débarquèrent chez Alan Turing. « Nul homme n'est une île, un tout en soi[1]. » Et ce fut le début des ennuis.

---

1. Extrait d'un poème de John Donne, *No Man is an Island*, qui aurait inspiré *Pour qui sonne le glas ?* (NdT)

VIII

À la plage

« Par des sentiers vierges,
Par des maquis touffus sur la marge des étangs,
M'étant échappé de la vie qui se donne en spectacle,
M'étant évadé des normes jusqu'ici reconnues, des
    plaisirs, profits et mille conformismes
Dont je fis si longtemps l'aliment de mon âme,
Claires à mes yeux désormais les normes encore te-
    nues secrètes, clair à mes yeux que l'âme,
Mon âme humaine pour qui je parle se plaît à l'ami-
    tié des camarades,
Seul dans mon coin à l'écart du tapage du monde,
En concert avec les mots des langues aromatiques,
Toute honte bue (car dans ce coin discret je peux
    enfin répondre comme je ne l'eusse osé nulle part
    ailleurs),
Prégnante en moi la vie qui ne se publie pas mais
    est pourtant exhaustivement inclusive,
Résolu à ne plus chanter aujourd'hui que des chants
    d'affection virile,
Médités à l'ombre de cette vie substantielle,
Léguant en héritage des types d'amours athlétiques,
L'après-midi de ce délicieux neuvième Mois de mon
    année quarante et une,

Parlant au nom de tous ceux qui furent ou sont
     jeunes gens,
J'affiche le secret de mes jours et mes nuits,
Célèbre mon besoin des camarades[1]. »

Il n'avait pas fallu longtemps à la police pour suspecter Alan. À partir du moment où il avait fait sa déclaration de vol, c'était pratiquement inévitable. Les empreintes révélèrent que le cambriolage avait été commis par Harry, qui venait d'être arrêté pour une autre effraction. Il ne tarda d'ailleurs pas à avouer avoir reçu des informations par Arnold, qui faisait des « trucs » chez Alan. L'initiative d'Alan le dimanche matin donna simplement à la police des preuves supplémentaires.

Alan conduisit les inspecteurs à l'étage, où il travaillait sur son calculateur mécanique. M. Wills et M. Rimmer découvrirent alors un environnement assez inhabituel, jonché de feuilles de papier couvertes de symboles mathématiques. Ils annoncèrent à Alan qu'ils « savaient tout », sans autre précision. Alan assura par la suite à Robin qu'il était admiratif de leur technique d'interrogatoire. Les policiers lui demandèrent de répéter la description qu'il avait donnée le dimanche matin, et Alan s'exécuta : « Il a environ 25 ans, un mètre soixante-quinze, des cheveux noirs. » M. Wills lui répondit alors : « Nous avons des raisons de penser que votre description est fausse. Pourquoi avez-vous menti ? » Le mensonge n'était pas vraiment le fort d'Alan, une machine intelligente aurait sûrement mieux fait.

Là où d'autres auraient plus astucieusement tenté de s'en sortir par la ruse, Alan débita tout ce qu'ils voulaient entendre, et en particulier qu'il avait dissimulé l'identité de son informateur parce qu'il avait une liaison avec lui. « Quel genre de liaison ? » s'enquirent les policiers. Alan leur fit une description mémorable de trois des activités qui avaient effectivement eu lieu dans la chambre. « Un homme très honorable », se dirent les inspecteurs alors qu'ils lui faisaient les avertissements d'usage. Ils furent encore plus impressionnés quand celui-ci s'offrit d'écrire une déclaration de cinq pages manuscrites. Exemptés de la rédaction d'un long

---

1. « Par des sentiers vierges » de *Feuilles d'herbe*, traduction de Jacques Darras, éditions Grasset et Fasquelle, 1989, 1994, révisée par Jacques Darras pour les éditions Gallimard, collection Poésie, 2002.

rapport, ils apprécièrent le « style enlevé, presque de la prose », même s'ils se sentirent un peu « dépassés par sa phraséologie ». Ils étaient surtout frappés par son absence de honte. « C'était un vrai converti... Il croyait vraiment faire ce qui était bien. »

Alan avait notamment déclaré aux policiers qu'il pensait qu'une commission royale était chargée de « légaliser ça », mais il sous-estimait la gravité de ces dires, qui devinrent l'objet même de son « délit ». En tant que pervers sexuel, il n'était plus protégé par la loi. Et visiblement, il n'arrivait pas à intégrer cela, sinon il aurait rédigé sa déclaration autrement. Dans son récit, il s'attardait surtout sur la sincérité d'Arnold, les détails du « délit » lui semblant accessoires. On aurait pu trouver peu réaliste de sa part d'espérer qu'une relation fondée sur une telle inégalité puisse passer pour une « liaison » entre individus consentants. Il ne prit pas en compte le fait que les paroles et les actes pouvaient avoir des significations différentes selon les circonstances sociales. Cette preuve de manque de réalisme était justement ce qu'avait apprécié Arnold, ému d'avoir été traité comme un ami de l'élite. Mais la police se moquait éperdument de ses dilemmes intellectuels, se concentrant sur ses activités corporelles. Alan trouvait cela presque par trop absurde pour y croire. Pourtant, c'était bien là l'objet du délit sur lequel les forces de l'ordre enquêtaient avec soin, minutie et ténacité.

Les policiers ne l'interrogèrent cependant pas sur sa vie avant l'affaire en question. Ils se contentèrent de relever ses empreintes et de prendre une photo pour s'assurer auprès de Scotland Yard de ses éventuels antécédents. Alan se rendit compte plus tard qu'il lui aurait suffi de dire qu'Harry avait menti pour que l'affaire n'aille pas plus loin : il avait considérablement facilité la tâche de la police ! Dès le samedi matin, M. Wills arrêta Arnold à l'imprimerie où il venait d'être embauché (et d'où il fut aussitôt renvoyé), le conduisit au commissariat de Wilmslow et lui montra la déclaration d'Alan. Il lui fallut peu de temps pour faire signer au jeune homme une déclaration soigneusement dictée. Après lecture, Alan confirma, le lundi 11 février, qu'elle était « matériellement correcte ». La police venait donc de régler un cas qui pouvait valoir jusqu'à deux ans d'emprisonnement[1].

---

1. Oscar Wilde fut, à la fin du siècle précédent, condamné à deux ans de travaux forcés pour mœurs homosexuelles. (NdT)

Précisément, on l'accusait d'« outrage à la pudeur contraire à la section 11 de la loi de 1885 du code pénal ». Le texte parlait uniquement de différentes parties de l'anatomie masculine, sans se préoccuper de facteurs tels que l'âge, la position financière, et sans distinction des sphères publique et privée. La déposition d'Alan ne laissait aucun doute sur sa culpabilité et il avait tort de s'imaginer que ce qu'il avait fait serait bientôt « légalisé ». Cependant, il avait raison de croire que des changements étaient en train de s'opérer dans la perception officielle de l'homosexualité. Le silence était en train de se briser[1].

En effet, pendant les années 1940 se produisit en Grande-Bretagne une recrudescence d'actes semblables à ceux qui avaient mené à la loi de 1885, du procès d'Oscar Wilde aux livres de Havelock Ellis et d'Edward Carpenter dans les années 1890. L'objectif de cette loi avait été de remplacer les « pratiques contre nature » ou le « crime dont les chrétiens ne pouvaient pas parler » par un texte précis. Lorsqu'Oscar Wilde parlait d'« amour qui n'osait pas dire son nom », il mettait le doigt sur l'un des principaux aspects de cette situation : son expression, son « étalage », son caractère explicite.

Au cours des cinquante années qui suivirent, quand des ouvrages tels que *The Loom of Youth* et *The Cloven Pine* avaient bousculé l'inconscient public britannique, c'était avec une extrême circonspection et de manière uniquement allusive. Mais, pendant les années 1940, une nouvelle vague de clarté et de lucidité avait traversé l'Atlantique pour venir ébranler la culture austère et hypocrite des îles Britanniques. Là-bas, par exemple, le biologiste sociologue Alfred Kinsey avait recensé depuis 1938 les différents comportements sexuels des Américains, et en 1948, son vaste tableau révéla que les brèches ouvertes dans les codes de moralité étaient si importantes qu'elles ne pouvaient plus être ignorées.

---

1. Plus précisément, c'était surtout l'homosexualité masculine qui commençait à faire parler, de la même manière que la loi de 1885 définissait l'« outrage à la pudeur comme une infraction masculine ». Après la Première Guerre mondiale, les services secrets allemands avaient rédigé un « livre noir » dans lequel ils avaient consigné le nom de milliers de « pervers sexuels », aussi bien des hommes que des femmes. Raison pour laquelle, en 1921, la Chambre des communes avait voté l'extension aux femmes de la loi de 1885. Mais la Chambre des Lords avait rejeté la proposition de loi, persuadée que le simple fait de faire mention de cette infraction aurait pour effet de donner des idées à la gent féminine. Cela faisait partie des privilèges de l'homme… même si Alan Turing n'aurait jamais vu la chose sous cet angle.

En Angleterre, de telles révélations auraient pu passer pour de l'extravagance et de la vulgarité typiquement américaines, mais on avait tendance depuis quelque temps à condamner la politique de l'autruche. D'une certaine manière, ce qui se produisait était un des effets à retardement de la guerre. Ou, plutôt, l'expression d'idées nées du leitmotiv « mécanisation, rationalisation et modernisation » de la fin des années 1930. Même si, dans les affaires militaires, l'ancien régime s'était vu contraint d'adopter des méthodes modernes nécessaires à sa survie en 1942, il fallut plus de temps à la politique sociale pour évoluer. En 1952, l'ouverture d'un débat public à propos de l'homosexualité masculine en Grande-Bretagne n'intéressa pas grand monde – comme s'il se déroulait dans d'autres sphères.

Néanmoins, en 1952, la Grande-Bretagne se portait mal. Ses dirigeants regardaient encore sa population comme s'il s'agissait d'élèves de *public schools*. Cette année-là, l'argent de poche et les épiceries de quartier étaient mieux gérés que jamais, et les « modernes » se plaignaient moins ouvertement. De plus, en octobre 1951, le retour du vieux « Proviseur » Churchill, avait réveillé le souvenir d'anciens triomphes avec envie. En 1951, la Grande-Bretagne avait perdu le contrôle de l'Iran et de l'Égypte, des pays qui avaient vaillamment résisté contre l'envahisseur allemand moins de dix ans auparavant. Comme au cours de la crise de l'impérialisme dans les années 1890, on compara cette perte militaire à une perte sexuelle. Selon la tradition, l'homosexualité était un acte, ou une pratique, dans laquelle n'importe quel homme pouvait sombrer, et un tel laisser-aller ne devait être toléré ni dans l'armée ni dans la vie civile qui éduquaient et formaient les futurs soldats.

Ce point de vue rétrograde s'effaçait peu à peu depuis 1940. Pendant près d'un siècle, il avait existé une description officielle d'un autre genre, qui ne se focalisait pas sur l'acte, mais sur l'état d'esprit. Au cours des dernières années, un effort important avait été fait pour tenter de définir une « personnalité homosexuelle », un peu comme certains psychologues du XIXe siècle avaient tenté de cerner des types de criminels, d'arriérés mentaux ou autres « dégénérés ». Le mot « homosexuel » lui-même était un néologisme médical de la fin du siècle précédent et l'on attribuait souvent à Freud sa vulgarisation. Alan et Robin se demandaient parfois comment, avant Freud, les gens faisaient pour penser au désir sexuel.

Dans son article publié dans *Mind* en 1950, Alan s'était référé à l'analogie de la « peau d'oignon » :

« Lorsque nous considérons les fonctions de l'esprit ou du cerveau, nous nous apercevons que certaines opérations peuvent être expliquées en termes purement mécaniques. Mais cela, assure-t-on, ne correspond pas réellement à l'esprit : c'est une sorte de peau qu'il convient d'éplucher si nous voulons trouver l'esprit véritable. Nous découvrons alors une deuxième peau, à éplucher elle aussi. En continuant ainsi, arrivons-nous enfin à l'esprit "véritable" – ou terminons-nous par la peau qui ne contient plus rien ? »

Alan était bien entendu d'avis que l'esprit tenait davantage de l'oignon que de la pomme et qu'il n'existait aucun cœur indéterminé, irréductible et central. La science du XIXᵉ et du XXᵉ siècle n'avait cessé de peler l'oignon de l'esprit et d'ébrécher le concept de responsabilité à coups de « maladies mentales », traumatismes, névroses, dépressions et autres. Où devait se situer la frontière ? Les conservateurs craignaient que tout comportement puisse trouver une excuse dans quelque force incontrôlable et irrésistible. Ainsi, l'homosexualité ne devait en aucun cas se réfugier derrière des termes comme « conditions » ou « complexes ». C'était un fléau social qui corrompait et affaiblissait tout sur son passage et il convenait de la traiter comme tel.

Cependant, une troisième forme de description commençait à poindre, à savoir celle d'homosexuels déterminés *socialement*. L'accent était alors mis, non pas sur les sentiments ou la réflexion, ni sur l'acte sexuel lui-même, mais sur des schémas particuliers de relations sociales, d'argent et d'occupations en liaison avec l'homosexualité. En 1952, le livre du sociologue Gordon Westwood, *Society and the Homosexual*, ouvrit le débat en reprenant l'ensemble de ces descriptions. Puis, un jour, le *Sunday Pictorial*[1] décida de briser ce qu'il appelait la « conspiration du silence » en publiant un reportage sur le sujet, stipulant bien que les « folles » ne constituaient en vérité que le haut de l'iceberg et que la réalité dépassait de loin ce qu'on pouvait imaginer et qu'il était grand temps d'aborder le problème.

---

1. Journal britannique qui fut rebaptisé *Sunday Miror* en 1963.

La difficulté venait principalement de ce qu'aucune de ces trois descriptions ne convenait vraiment, bien qu'elles eussent toutes trois leurs vertus. Certains « actes » homosexuels – à l'école, par exemple – ne correspondaient sans doute ni à des sentiments profonds, ni à une « minorité sociale ». En revanche, l'atmosphère romantique de *The Clover Pine* ne tombait dans aucune des catégories reconnues par le code pénal britannique. Certains, à l'image d'Arnold, ne savaient pas vraiment ce qu'ils voulaient mais étaient familiers des modèles sociaux, de leurs avantages et de leurs inconvénients, dans ce qu'un pasteur méthodiste cité dans l'article qualifiait de « pire ville dans laquelle j'ai eu l'occasion d'aller concernant l'homosexualité tant ils sont présents ».

Les hommes de l'ombre de la médecine et des sciences sociales commençaient à faire remonter à la surface ces contradictions malvenues. La loi était attaquée pour ses descriptions purement physiques. Gordon Westwood, quant à lui, soutenait qu'« il faut avant tout considérer les contrevenants homosexuels comme des malades mentaux ». Cependant, la vie n'était pas aussi simple. L'application de la loi était plus liée à la structure de la société britannique qu'à la prédominance des actes.

Pour cette raison, la volonté de formuler une description plus scientifique se heurta à la « double-pensée » orwellienne des Britanniques. Le psychologue Clifford Allen expliqua, dans les pages du *Sunday Pictorial*, que « par le passé, on a remporté quelques batailles sur le terrain scolaire, mais de nombreuses vies ont été brisées dans les dortoirs ». La réalité était très éloignée de la ligne officielle et, dans le privé, même la plus conservatrice des personnalités aurait trouvé cette loi et ces théories psychologiques parfaitement absurdes. Malgré toute cette confusion, un élément se démarquait des autres. Comme dans ce « monde en miniature » qu'étaient les *public schools*, c'était le contact entre des individus de milieux sociaux différents qui était le plus aisément sanctionné. L'infraction d'Alan Turing en était la parfaite illustration. Sa révélation via une infraction mineure, était un cas de détection classique. L'arrestation s'était déroulée comme dans un manuel, et la différence d'âge de trente à quarante ans était la plus courante dans ce genre d'affaires. Il était également vrai qu'étant ce que Westwood, qui connaissait mal ce milieu social, qualifiait d'« étranger », il était une proie de choix au chantage.

Dans l'évolution de sa vie sexuelle, Alan Turing ressemblait beaucoup aux gays de son époque. Il avait bénéficié de l'ambiance inhabituellement privilégiée de King's, mais, une fois à « l'extérieur », tous les facteurs recensés par Kinsey à partir des statistiques étaient entrés en jeu :

« Il y a chez les jeunes gens un terrible conflit préalable à l'adoption d'une conduite relevant d'un tel tabou social. Il est certain qu'il y a beaucoup plus de garçons tentés par une expérience homosexuelle que de garçons qui effectivement passent à l'acte. Peu à peu, au fil des ans, beaucoup de ceux qui se sentent attirés par des situations de type homosexuel reconnaissent plus franchement leur attirance et cherchent plus directement à concrétiser une relation, même si la peur du chantage en retient encore quelques-uns[1]. »

Kinsey trouvait parmi sa population « active » un accroissement général de la fréquence des rapports homosexuels jusqu'à l'âge de trente-cinq ans, puis une stabilisation jusqu'à cinquante ans, ce qui corroborait l'impression que les « tabous sociaux » pouvaient inhiber le développement sexuel pendant une vingtaine d'années. De ce point de vue, Alan était tout juste au début de son expérience. Il lui avait fallu attendre d'avoir passé trente ans pour trouver sa voie en dehors de King's. Peu fait pour la vie conjugale, il n'avait entretenu que deux liaisons. Poussé par un besoin constant d'exploration, il dut apprendre à vaincre sa timidité pour oser aborder d'autres hommes ; et encore ne se montra-t-il pas très doué pour cela. « Le mendiant ne choisit pas », écrivit-il dans sa nouvelle autoanalytique, mais du moins pouvait-il s'enorgueillir d'avoir brisé le carcan de son éducation, d'être parvenu seul à quelque chose, sans profiter de privilèges particuliers. Il avait acquis de l'expérience et, comme il portait très bien ses quarante ans, comptait en profiter avant d'être trop âgé. C'est donc ce processus qui fut interrompu.

Par ailleurs, il faut noter qu'à cette époque, il existait une sorte d'acharnement de la loi à détruire ainsi l'âme de certains. Cet acharnement était en constant accroissement. Entre 1931 et 1951, le nombre des poursuites pénales avait été multiplié

---

1. A. C. Kinsey et *al., Sexual Behaviour in the Human Male*, W. B. Saunders, Londres, 1948.

par cinq, une augmentation régulière malgré la crise, la guerre et les bombes. En 1933, la situation ressemblait à ce que J. S. Mill avait dit à propos de l'hérésie : l'opinion publique s'avérait plus dévastatrice que l'application directe de la loi. En 1952, les choses avaient quelque peu changé. Cela coïncidait avec l'extension du rôle de l'État dans tous les domaines, État qui occupait désormais des fonctions précédemment dévolues aux individus, aux familles, aux associations, etc. On pourrait avancer que, d'une certaine manière, l'État intervenait d'autant plus dans la réglementation des comportements sexuels que les effets inhibiteurs de l'opinion publique s'affaiblissaient.

Dans les milieux les plus conservateurs, on était persuadé que la loi ne faisait qu'entériner avec autorité l'ostracisme de la société. George V aurait d'ailleurs déclaré : « Je croyais que ces gens-là finissaient par se tirer une balle. » Alan Turing, lui, se moquait bien de ce que pensait la société. Pour la plupart des homosexuels, il était crucial de savoir exactement *qui était au courant*, et la vie se divisait en deux groupes séparés : ceux qui savaient, et ceux qui ne savaient pas. Le chantage reposait tout autant sur ce fait que sur les sanctions judiciaires. Alan se préoccupait lui aussi de cette question, quoique de manière relativement différente, simplement parce qu'il ne voulait pas être accepté ou respecté pour ce qu'il n'était pas. Il pouvait très bien lâcher une remarque sur un jeune homme séduisant dès la troisième ou quatrième fois qu'il fréquentait un collègue sympathique. Pour se lier d'amitié avec lui, il était essentiel de l'accepter en tant qu'homosexuel. Il s'agissait à ses yeux d'une condition indispensable.

La perspective de la publicité faite autour de son homosexualité ne lui faisait pas peur, toutefois un procès rendrait publics les moindres détails, non seulement de ses rapports avec Arnold, mais aussi de l'inconséquence dont il avait fait preuve. Alan ne semblait pas s'en rendre compte. Comme toujours avec lui, c'était tout ou rien. Il avait manifestement décidé depuis longtemps que ce genre de chose faisait partie « des vestiges du comportement aléatoire de la prime enfance », et qu'il serait absurde d'avoir honte de plaisirs si innocents, qu'il s'agisse de jeux de société ou de divertissements plus intimes. Cela signifiait qu'il ne lui fallait prendre position ni pour un idéal, ni pour un fait particulièrement gratifiant ou positif, mais pour la simple vérité. Il refusa de se dérober. Il ne cessait d'ailleurs d'étonner les policiers, allant même jusqu'à leur jouer un air de folklore irlandais au violon après leur avoir offert du vin.

Le 27 février, Alan et Arnold comparurent devant le tribunal de Wilmslow. L'inspecteur, M. Wills, décrivit les circonstances de leurs arrestations et lut les dépositions en entier. L'autre témoin de la partie civile fut le banquier d'Alan, dont les registres corroboraient le détail du chèque de 7 livres. Il n'y eut pas de contre-interrogatoire. L'avocat d'Alan « réservait sa défense », et obtint la remise en liberté de son client contre une caution de 50 livres. Arnold, lui, devait rester en prison jusqu'au procès proprement dit. Le journal local rapporta la comparution et son principal motif. Il donnait également, selon l'usage, l'adresse complète des deux accusés, ainsi qu'une photo d'Alan.

L'affaire ne fut pas mentionnée dans la presse de Manchester, mais il en irait sûrement autrement au moment du procès : Alan devait prendre quelques précautions s'il ne voulait pas que son entourage soit informé par les journaux ou autre biais déplaisant. Il écrivit à son frère John une lettre — et non une carte postale, pour une fois —, qui commençait par : « J'imagine que tu sais que je suis homosexuel. » John l'ignorait totalement. Il avait toujours pris son frère pour un « misogyne », car il évitait systématiquement de parler de conquêtes féminines les rares fois où il venait à Guildford. Et Alan ressemblait si peu à l'image que John se faisait d'un « pédé » que cela ne lui était jamais venu à l'esprit. John enfouit la lettre dans sa poche et en réserva la lecture pour plus tard au bureau.

Dans sa lettre, Alan lui expliquait rapidement l'affaire, lui indiquait qu'il allait plaider non coupable et qu'il serait correctement défendu. John se précipita séance tenante à Manchester. Il consulta un confrère expérimenté, membre d'un cabinet en vue, et rencontra ensuite l'avocat d'Alan. Ils s'efforcèrent de persuader celui-ci de plaider au contraire coupable. Alan se trouvait en réalité pris entre deux tromperies. Nier aurait constitué un mensonge et aurait accrédité le fait qu'il considérait son homosexualité comme honteuse. Cependant, se présenter au public en des termes comme « coupable », « a lui-même confessé que », « a admis que », équivalait à un autre mensonge. Il n'existait aucun moyen de rester intègre. Dans la pratique, sa déposition à la police avait rendu toute défense impossible, et il n'avait rien à perdre à plaider coupable. John pensait en outre qu'en plaidant « coupable, le procès serait plus rapide et ferait moins de bruit ». Il trouvait qu'Alan avait fait preuve d'une « bêtise incroyable » en signalant le cambriolage à la police, et que chacun de ses actes illustrait sa naïveté envers ceux qui ne faisaient pas partie de l'élite intellectuelle.

Restait encore la question de savoir comment annoncer la chose à leur mère. C'était la raison pour laquelle « ces gens-là finissaient par se tirer une balle ». Alan avoua à Robin que c'était ce qui l'ennuyait le plus dans toute cette histoire. Il eut alors le culot de demander à John de le faire à sa place, ce que John, bien sûr, refusa. Lorsqu'il se décida à faire le voyage jusqu'à Guildford, Mme Turing eut du mal à accepter les faits, et la discussion fut assez houleuse. Néanmoins, préférant éviter de perdre son fils, elle finit par lui offrir son soutien tacite.

Alan écrivit à son frère pour déplorer son manque de compréhension envers la condition des homosexuels de l'époque. Il l'accusait également de ne se soucier que de sa propre réputation dans le milieu des affaires. Ce qui était franchement injuste, car John avait simplement l'habitude de dire ce qu'il pensait sans prendre de gants. Il trouvait effectivement l'homosexualité répugnante et honteuse, un point c'est tout. Il se sentit d'autant plus offensé par la lettre d'Alan qu'il était tout de même intervenu pour l'empêcher de commettre des erreurs.

Peut-être Alan éprouva-t-il la même difficulté à avertir Max Newman, qui était presque un deuxième père pour lui, pourtant il n'en montra rien. Il se contenta d'annoncer, en plein déjeuner au réfectoire, qu'il avait été arrêté et pour quel motif. Il parlait d'une voix forte, faisant clairement comprendre qu'il préférait être entendu par tout le monde. Max Newman fut étonné, mais se rangea tout de suite aux côtés d'Alan. Celui-ci lui demanda s'il accepterait de comparaître au procès, requête qu'il adressa également à Hugh Alexander ; tous deux acceptèrent. Le libéralisme de King's serait donc présent au rendez-vous pour défendre Alan – ce qui n'était pas une mince affaire quand on considérait les homosexuels comme des lépreux susceptibles de jeter l'opprobre sur leurs fréquentations.

Il lui fut plus facile d'annoncer le procès à ceux qui connaissaient déjà son homosexualité. À Fred Clayton, par exemple, il écrivit :

« L'affaire du cambriolage s'est révélée plus grave que prévu. C'est mon amant qui a donné mon adresse à ses acolytes. L'un d'eux s'est fait arrêter par la police et a tout raconté. La prochaine fois que tu iras à Liverpool, n'hésite pas à faire un crochet pour venir me voir en prison. »

Puis il y eut Neville. Alan lui téléphona puis alla le voir à Reading. Le jeune homme trouva tout d'abord incroyablement naïf de la part d'Alan d'être allé voir la police. Il se sentait indirectement menacé, et s'estimait heureux qu'elle n'ait pas poursuivi son enquête, en lisant leur correspondance, par exemple. Quand un navire était coulé, le reste de la flotte devait redoubler d'attention. Par ailleurs, il était outré que l'on puisse traiter ainsi quelqu'un qui avait joué un rôle si important pendant la guerre. L'entrevue fut assez pénible. La mère de Neville, qui surprit une partie de la conversation, interdit à son fils de revoir Alan.

D'autres devaient également être mis au courant. Alan écrivit à Joan Clarke, qui était sur le point de se marier. Il lui avoua pour la première fois qu'il « pratiquait de manière occasionnelle » et qu'il s'était fait prendre. « Ils ne sont plus aussi brutaux qu'avant », ajouta-t-il, sans doute en référence aux procès d'Oscar Wilde. Il écrivit également à Bob, qui vivait désormais à Bangkok. Cette lettre, sûre de son bon droit, presque agressive, choqua et attrista son destinataire.

À l'université, ce ne fut qu'un exemple de plus des problèmes qu'Alan ne cessait de poser. Certains professeurs l'évitèrent. La plupart s'abstinrent surtout d'en parler. Au laboratoire même, à part une ou deux personnes réellement choquées, l'atmosphère resta libre et décontractée. Tony Brooker, par exemple, ne savait même pas que de telles lois existaient et se sentit tout simplement intéressé par le récit d'Alan. D'une certaine façon, l'affaire rendait ce dernier plus humain. Il convoqua Cicely Popplewell et lui demanda d'abord si elle était facilement choquée, puis il lui expliqua qu'il allait peut-être être envoyé en prison. C'était la première fois qu'il la traitait comme une personne à part entière. Il n'était cependant pas question pour tous ces gens de l'aider ou de manifester leur sympathie – sa personnalité l'interdisait.

La plupart se sentaient simplement spectateurs, cette affaire leur paraissait très éloignée de leurs préoccupations. Alan prit un certain plaisir à affronter les éléments les plus « vieux jeu » de Manchester, agissant comme s'il se moquait éperdument de ce qu'il vivait. Comme à l'époque, il souffrait dans la bonne humeur.

On commençait à plaisanter, au laboratoire, sur la manière dont il gagnerait sa vie s'il était renvoyé. Armés du rapport Kinsey, Max Newman et Blackett prirent d'ailleurs les devants auprès de sir John Stopford, professeur de neurologie expérimentale, ancien Mancunien et directeur de l'université, pour qu'aucune mesure discriminatoire ne soit prise à son encontre. Blackett lui demanda de protéger « à tout prix » le travail d'Alan. Le directeur se montra moins réceptif aux statistiques de Kinsey que l'Amirauté aux calculs des positions des convois de Blackett dix ans auparavant. « J'écouterai tous vos arguments avec soin et compassion, répondit Stopford, mais si vous souhaitez m'apporter des preuves, il va vous falloir trouver des témoins que j'estime respectables. » Connu pour être l'ennemi juré de tout « relâchement », Stopford fut difficile à convaincre, toutefois Alan put conserver sa place. Le témoignage de Max Newman s'avéra déterminant. Il fut lui-même étonné de l'autonomie dont il jouissait à la tête de son département. Il déclara qu'il souhaitait qu'Alan Turing reste en poste, et cela fut suffisant.

Ses liens avec King's devaient également être pris en considération, mais une curieuse coïncidence survint alors. Sa bourse devait expirer le 13 mars 1952. Alan consulta Philip Hall au sujet de sa position, et celui-ci s'adressa à son tour au professeur Adcock. Tous deux lui conseillèrent de ne pas démissionner et d'attendre, simplement, l'échéance de sa bourse. Alan n'eut donc aucune raison de se sentir rejeté par King's, et Cambridge pouvait rester un lieu de refuge et de sécurité pour lui. Il trouva encore un sujet de réconfort dans l'attitude de ses voisins, les Webb, qui continuèrent à le recevoir chaleureusement chez eux.

Cette affaire lui prenait beaucoup de temps, pourtant Alan n'arrêta pas de travailler. Il s'en serait voulu de capituler ainsi. Le lendemain même de son arrestation, il se rendait à Londres pour participer à une réunion du Ratio Club, où il parla de sa théorie de la morphogenèse. (John Pringle fit de cette idée le fondement de sa discussion sur l'origine de la vie lors d'une conférence, fin 1952.) Puis, le 29 février, alors que la presse locale relatait sa première comparution devant le tribunal, Alan défendait ses travaux contre les critiques du chimiste belge Ilya Prigogine, alors invité au Département de chimie de Manchester. Ce même jour, il terminait aussi les corrections de son article sur la morphogenèse, et, le 15 mars, présentait pour publication ses travaux sur la fonction Dzéta, malgré l'échec de ses tentatives sur le prototype de l'ordinateur de Manchester. Sans doute précipitait-il un peu les choses, de crainte de devoir séjourner en prison.

Le 21 mars, Alan se rendit à Henley-on-Thames pour une importante conférence portant sur la recherche biologique. Les discussions, nettement influencées par la montée de la cybernétique, et qui mettaient l'accent sur l'importance du problème morphogénétique, se révélèrent très intéressantes pour lui. Donald Michie était présent. Ils avaient tous deux échangé leurs points de vue sur la morphogénétique, Alan ayant progressivement délaissé la physiologie pour la génétique. Alan lui demanda de le rejoindre à l'extérieur et lui révéla que, en dépit des apparences, il était très inquiet. Il lui fit part de son récent passage au tribunal et du procès à venir, moins d'une semaine plus tard. Donald eut beau essayer de le rassurer, Alan savait bien qu'il devenait non seulement hors-la-loi, mais qu'il se trouvait aussi virtuellement exclu de toute la culture officielle britannique : administration, journaux, écoles, églises, vie sociale et divertissements.

Si Alan pouvait feindre d'ignorer l'attitude de la plupart des gens, il ne pouvait prendre à la légère l'aspect pratique de l'affaire. Sa vie affective allait être exposée et jugée en public. Il y avait aussi la sanction qui l'attendait, au terme du procès. Les circonstances du délit, l'âge d'Alan, son statut social, tout cela concourait à faire de lui un « vieux vicieux » et rendait sa défense plus difficile.

Son attitude intransigeante constituait également un défi à l'autorité de la loi. Heureusement pour lui, en 1951, sur les 746 hommes poursuivis pour outrages aux bonnes mœurs, 174 seulement avaient été emprisonnés, et la plupart pour moins de six mois. Son cas aurait été plus désespéré si on l'avait accusé de « sodomie », car la loi faisait soigneusement la distinction. Il n'était pas non plus « récidiviste », ce qui réduisait le risque d'emprisonnement. D'autre part, on était en train de changer d'époque, et l'évolution des mentalités n'allait pas tarder à se manifester. Les hommes de l'ombre commençaient à faire parler d'eux.

En 1946, dans sa nouvelle préface au *Meilleur des mondes*, Aldous Huxley avait écrit : « Le lancement de la bombe atomique est un événement marquant de l'histoire de l'humanité, mais pas le dernier (à moins que nous nous fassions tous réduire en miettes et mettions ainsi un terme à notre histoire), ni le plus réfléchi. » Même s'il était convaincu que l'atome mènerait à « des États totalitaires fortement centralisés », il restait sur ses positions de 1932 : « Cette révolution véritablement notoire doit être accomplie. Non pas dans le monde extérieur, mais dans l'âme et la chair des êtres humains », avait-il proclamé, et on pouvait en voir les signes au sein de la recherche « en biologie, en physiologie et en psychologie ».

Alan Turing maîtrisait bien ces sujets. Intellectuellement, il avait évolué au point de se voir confronté à la question posée dans *Merveilles de la Nature* : « Par quel processus suis-je finalement apparu sur cette terre ? » En effet, la signification de son travail mathématique s'appuyait sur le fait que des substances spécifiques, les « hormones de croissance » dont il parlait dans son article, avaient été isolées par des biochimistes. Depuis 1899, la découverte des hormones sexuelles avait suscité un très vif intérêt, tant chez les scientifiques que parmi les profanes, et l'on prétendait généralement que les « messages chimiques » déterminaient tout autant la psychologie que la physiologie de l'individu.

Si, pour les plus conservateurs, le problème de l'homosexualité relevait de l'« abjection » et de l'indiscipline, tout un courant de psychologie moderniste laissait entendre que la nature avait en réalité doté homosexuels et lesbiennes d'un cocktail inhabituel de caractéristiques[1] « masculines » ou « féminines ». L'un des attraits

---

1. Cette idée apparaît en 1931, dans le roman *Strange Brother* de l'américain Blair Niles, l'une des rares exceptions d'avant-guerre au silence généralisé : « Voyez-vous, les glandes surrénales sont non seulement constituées d'une glande de reproduction, mais aussi d'une glande fabriquant les substances chimiques responsables de la virilité des hommes et de la féminité des femmes.

On trouve ces substances chimiques dans chaque embryon humain. Cependant, en cas de développement anormal, les substances féminines peuvent prédominer chez un homme, ou les substances masculines chez une femme. Cela donne alors des hommes attirés par d'autres hommes, ou des femmes par des femmes.

Il s'agit au moins de la théorie la plus plausible que la science moderne est en mesure de nous offrir. Et nos expériences sur des rats et des cochons d'Inde ne font que confirmer cette hypothèse. Nous avons la preuve que, indépendamment de la fonction de reproduction, les différences sexuelles sont chimiques. »

d'une telle vision était de préserver la certitude d'une hétérosexualité universelle, dans la mesure où l'on pouvait ramener ces exceptions apparentes à une explication très simple : sous la femme concernée se cachait un homme, et vice-versa. Certains trouvaient en cette théorie une justification scientifique de l'homosexualité, d'autres y voyaient l'espoir de résoudre un problème jusque-là insoluble.

La découverte des hormones laissait penser que les valeurs éternelles du « masculin » et du « féminin » se concentraient en des formes chimiques simples. Cela convenait à une époque où ces grandes vérités étaient si assidûment cultivées par Hollywood que la première expérience américaine notable visant à tester cette théorie, fut pratiquée à Los Angeles en 1940. Les endocrinologues mesurèrent la quantité d'hormones mâles, ou androgènes, et celle d'hormones femelles, ou œstrogènes, dans les urines de dix-sept homosexuels masculins qui avaient été arrêtés, et de trente et un « hommes normaux ». Les résultats montrèrent que pour un même individu, ce taux pouvait varier dans une proportion de 1 à 13. Un calcul suggéra cependant que les homosexuels masculins montraient un rapport androgènes-œstrogènes d'une valeur de soixante pour cent[1].

Suite à ces résultats, des mesures furent prises. Le docteur Glass expliqua que, « évidemment, si une cause biologique était établie, cela conduirait à des recherches thérapeutiques plus larges qu'aujourd'hui », ce qui, en langage courant, signifiait qu'ils pourraient chercher un remède susceptible de changer les homosexuels en hétérosexuels[2]. Ainsi, dès 1944, le docteur Glass injecta à onze homosexuels des doses d'hormones mâles, « généreusement fournies » par des laboratoires pharmaceutiques. « Quatre d'entre eux acceptèrent l'organothérapie sous la contrainte – par ordre du tribunal dans un cas, et sur la demande des parents dans les trois autres. Hélas, l'expérience fut un échec. Parmi les onze sujets, seuls trois assurèrent avoir tiré profit de la thérapie, et cinq autres ressentirent au contraire une intensification de leurs pulsions. » Pour les scientifiques, il s'agissait

---

1. Certains des résultats ne correspondaient pas, car les individus dits « normaux » avaient parfois de bas ratios, et les homosexuels des ratios élevés. Mais on avait trouvé une explication ingénieuse : « Ces quelques sujets normaux sont certainement des homosexuels en puissance, tandis que les homosexuels aux coefficients élevés ne rassemblent peut-être pas tous les critères requis pour appartenir à cette famille.

2. Dans la même veine : « L'importance croissante des critères sociologiques des sujets incite à poursuivre les recherches d'un point de vue psychosomatique plus large. »

d'« une dégradation de leur état ». Cela ne favorisa en rien « le traitement médical de l'homosexualité masculine ».

Retour à la case départ pour l'endocrinologie. L'échec de cette expérience conduisit à une approche diamétralement opposée. Puisque les hormones mâles accroissaient les pulsions sexuelles, les hormones femelles allaient peut-être les affaiblir – et ce pour les homosexuels comme pour les hétérosexuels. L'américain C. W. Dunn avait déjà eu cette idée, et en 1940, ses expériences lui avaient permis d'assurer qu'« à la fin du traitement, on constatait une absence totale de libido » !

L'un des attraits de cette technique était qu'elle paraissait beaucoup plus efficace que la castration physique, pratique courante aux États-Unis, surtout depuis le grand nettoyage eugénique de la fin du XIXe siècle. En 1950, onze États autorisaient la castration volontaire, et cinquante mille cas étaient recensés. Mais il était scientifiquement prouvé que la castration n'inhibait en aucun cas les pulsions sexuelles, et à cet égard, l'approche chimique semblait plus prometteuse.

Le premier article sur le sujet dans la presse britannique parvenait à la même conclusion. Il fut publié dans les pages de *The Lancet*[1] quelques jours seulement après que Jefferson eut évoqué les « charmes du sexe » prodigieusement humains dans son allocution de Lister. Il était signé par F. L. Golla, directeur de l'institut neurologique Burden de Bristol, où Grey Walter avait conçu ses tortues cybernétiques[2]. La castration, volontaire ou forcée, était interdite en Grande-Bretagne. Cependant, comme il le rappela, « le *Criminal Justice Act* de 1948 avait insisté sur le devoir de la communauté de fournir un traitement pour les criminels sexuels récidivistes ». Le dosage hormonal permettait de répondre à cette demande tout en demeurant dans la légalité. En 1949, Golla avait déjà appliqué son traitement sur treize hommes, et découvert qu'avec des doses suffisamment importantes, « la libido pouvait disparaître en un mois ». Il terminait son article ainsi :

« Considérant la nature non mutilante de ce traitement et la facilité avec laquelle il peut être administré à un patient consentant, nous pensons qu'il devrait être adopté chaque fois que cela

---

1. Revue scientifique médicale britannique, hebdomadaire.
2. Ainsi, William Ross Ashby remercia les deux scientifiques Golla et Walter d'avoir lu l'ébauche de son livre sur la cybernétique sorti en 1952, *Design for a Brain*.

est possible dans les cas de pulsions sexuelles masculines anormales et incontrôlables. »

Il avait ouvert la voie à la castration chimique pour tous les homosexuels masculins. En 1952, le *Sunday Pictorial* commentait :

« Il faut leur consacrer un nouvel établissement comme Broadmoor. Il devrait plus ressembler à une clinique qu'à une prison. Il faudrait y enfermer ces hommes jusqu'à ce qu'ils soient guéris. Cette idée serait sans aucun doute bien accueillie par les médecins et les psychiatres. Il y a encore beaucoup à apprendre sur l'équilibre délicat des glandes endocriniennes, qui détermine si un homme est susceptible de s'adonner ou non à ce genre d'activité importune.

L. R. Broster, le spécialiste de l'hopital Charing Cross, qui s'est révélé être un précurseur dans ce domaine, écrit que le traitement chirurgical a fait d'énormes progrès récemment, mais qu'il "n'en est encore qu'à ses balbutiements". »

Les possibilités avaient en réalité permis d'envisager une gestion humaine nettement plus ambitieuse. Dans un autre article, on décrivit comment on avait administré des hormones mâles à un élève de 14 ans qui ne cessait de faire l'école buissonnière :

« Pendant de nombreuses années, il avait fait preuve d'une grande sensibilité et timidité, et avait fui tout contact personnel, ce qui l'avait rendu très solitaire. Depuis peu, il avait commencé à montrer une fascination morbide pour des sujets abscons qui n'étaient pas de son âge, notamment en psychologie et en religion [-...] À l'hôpital, il a beaucoup lu, écrit de nombreuses lettres, participé aux tâches ménagères, montré un grand intérêt pour la philosophie, mais s'est peu mêlé aux autres. »

En revanche, après le traitement :

« Ces préoccupations se sont dissipées. Son état s'était grandement amélioré, et le traitement fut interrompu. L'adolescent fut renvoyé chez lui. Six mois plus tard, nous apprenions qu'il avait trouvé un emploi chez un imprimeur, mais qu'il avait toujours tendance à s'interroger sur la religion et à se laisser volontiers séduire par d'autres jeunes. »

À 14 ans, peut-être un tel traitement aurait-il fait plus de bien au jeune Alan Turing que les sports d'équipes. D'un autre côté, c'était l'hormone féminine qui, d'après cette sommité, avait :

« été la plus utile pour maîtriser les crises épisodiques d'homo-sexualité au sein des groupes d'adolescents de 12 à 16 ans ».

Plus efficace que les bains glacés et les longs discours de Nowell Smith, c'était l'œstrogène qui avait « permis de mettre en application le *Criminal Justice Act* de 1948 ». C'était le début d'une nouvelle époque, où l'on chercherait à régler des problèmes de société par des solutions chimiques.

Il y eut bien sûr d'autres scientifiques pour tirer une sonnette d'alarme. En 1952, sir Charles Darwin, qui avait toujours eu une vision à long terme, publia un livre intitulé *The Next Million Years* (Le prochain million d'années). Traité de biologie plus que de physique, il veilla à proposer « les possibilités les plus pas-sionnantes », l'une d'elles étant que :

« il doit forcément exister un traitement qui, sans effets secon-daires trop néfastes, soit en mesure de supprimer les pulsions sexuelles, et ainsi reproduire chez les hommes le statut d'ouvrière chez les abeilles ».

Certains proposèrent d'autres méthodes de soins qui, dans l'ensemble, déçurent les spécialistes. Gordon Westwood compila l'expérience de psychanalystes analytiques et déclara que l'homo-sexualité était le cas qui leur posait le plus de problèmes parmi tous ceux qu'ils avaient rencontrés. On expérimenta la loboto-mie, mais, comme l'écrivit Westwood, cela ne semblait guère plus « efficace ». L'application du comportementalisme à ce problème, en administrant des décharges électriques ou des médicaments écœurants en même temps que l'on stimulait le patient avec des images sexuellement attirantes, en était au stade expérimental en Tchécoslovaquie, et n'avait pas encore droit de cité en Grande-Bretagne. De toute façon, prévalaient surtout les perspectives tra-ditionnelles de peine de prison, perte d'emploi, ostracisme social et chantage comme éléments de dissuasion et, lorsque cela ne suffisait pas, l'« organothérapie » des modernistes, ou castration chimique. Voilà donc tout ce que la science moderne pouvait offrir à Alan Turing lorsqu'il se rendit à son procès. Il considérait ces options comme un moindre mal. C'était le procès du passé contre l'avenir.

L'affaire « État contre Turing et Murray » débuta le 31 mars 1952, à Knutsford[i], petite ville du Cheshire. Le juge était M. J. Fraser Harrison. Alan était représenté par maître G. Lind-Smith, et Arnold par maître Emlyn Hooson. Le procureur s'appelait Robin David. Douze charges pesaient contre eux. Avec la symétrie d'un miroir, l'acte d'accusation débutait par :

« 1. Le 17 décembre 1951, à Wilmslow, étant de sexe masculin a commis un outrage à la pudeur en compagnie d'Arnold Murray, lui aussi de sexe masculin.

2. Le 17 décembre 1951, à Wilmslow, étant de sexe masculin, s'est rendu complice d'un outrage à la pudeur en compagnie d'Alan Mathison Turing, lui aussi de sexe masculin. »

Et ainsi de suite, pour chacune des deux autres nuits, puis Arnold fut inculpé de la même manière, la dernière accusation stipulant que :

« 12. Le 2 février 1952, à Wilmslow, étant de sexe masculin, s'est rendu complice d'un outrage à la pudeur en compagnie d'Alan Mathison Turing, lui aussi de sexe masculin. »

Ils plaidèrent tous deux coupables à chacune de ces accusations, mais Alan ne manifesta aucun sentiment de culpabilité. D'ailleurs, le procureur le nota en exposant les faits.

Son statut social jouait en sa défaveur. L'éducation qu'il avait reçue et la position qu'il occupait maintenant auraient dû l'obliger à se poser en exemple, et non à bafouer la loi. Seulement, Alan ne s'était jamais préoccupé des privilèges ni des obligations de sa condition. Il n'avait jamais tenté d'abuser de son rang en présence des enquêteurs, qui avaient vu en lui « un type normal », qui se rendait à l'occasion au pub près de chez lui. Inversement, l'ancienne génération considérait son crime comme une trahison envers son milieu social. De même, la famille d'Arnold tenta de faire croire que le seul crime de ce dernier avait été de salir la réputation d'un gentilhomme.

On fit mention de sa décoration à l'Ordre de l'Empire britannique[1], et Hugh Alexander déposa en sa faveur, assurant qu'Alan était un « atout pour le pays ». On demanda à Max Newman s'il accepterait de recevoir un tel homme chez lui, et il répondit que cela avait déjà été le cas, Alan étant un ami personnel de son épouse et de lui-même. Il le décrivit comme « particulièrement

---

1. Le fait qu'on ne le prive pas de sa décoration est en lui-même un détail intéressant de cette affaire. Le ministère de la Guerre aurait aussitôt exigé le retrait des médailles d'un contrevenant à la loi de 1885. Manifestement, le ministère des Affaires étrangères avait un tout autre point de vue sur la question.

honnête et franc ». « Il est totalement absorbé par son travail, poursuivit-il. C'est l'un des esprits mathématiques les plus originaux de sa génération. » Lind-Smith plaida pour qu'on n'envoie pas l'accusé en prison :

« Il est entièrement focalisé sur son travail, et ce serait une grosse perte si un homme d'un tel talent ne se trouvait plus en mesure de l'exprimer. Le public perdrait le bénéfice de ses recherches. Il existe des traitements. Je vous demande de réfléchir à l'intérêt public, qui ne serait pas bien servi si on empêchait cet homme de poursuivre un travail éminemment important. »

M. Hooson, toutefois, défendit Arnold comme un innocent que les ruses d'Alan auraient détourné du droit chemin :

« Murray n'est pas maître de conférences à l'université. Il travaille dans une imprimerie. C'est lui qui s'est fait aborder et non l'inverse. Il ne cultive pas les mêmes penchants que M. Turing, et s'il n'avait pas croisé son chemin, il ne se serait jamais adonné à cette pratique. »

Max Newman et Hugh Alexander se montrèrent d'abord étonnés qu'Alan se retrouvât dans une telle situation avec quelqu'un comme Arnold, puis ils furent impressionnés par la « détermination » d'Alan ainsi que par son « courage moral ». Il n'hésitait pas en effet à répondre aux remarques du juge et refusa catégoriquement de renier ses préférences. Hilbert avait écrit de Galilée qu'en se rétractant, « il n'avait pas été idiot. Seul un imbécile pouvait croire que la vérité scientifique méritait qu'on puisse se sacrifier pour elle. C'était peut-être nécessaire en religion, mais avec le temps, les résultats scientifiques finissaient toujours par parler d'eux-mêmes. » Néanmoins, il ne s'agissait pas d'un procès de la vérité scientifique.

Le verdict oscilla un long moment, et le modernisme l'emporta sur le conservatisme. Bletchley Park remportait enfin une victoire. L'État se lavait les mains de toute cette histoire et remettait Alan entre celles de la science. Il fut laissé en liberté conditionnelle, avec l'obligation de « se soumettre à un traitement appliqué par un médecin qualifié de la Manchester Royal Infirmary ».

Le journal de Wilmslow en fit bien sûr un gros titre :

« Le maître de conférences en liberté conditionnelle.

Il devra suivre un traitement organothérapeutique. »

De son côté, Alan écrivit quinze jours plus tard à Philip Hall :

« Je dois à la fois rester sous contrôle judiciaire pendant un an pendant lequel je dois me soumettre à une organothérapie. Cela est censé réduire l'appétit sexuel dès qu'il s'éveille, mais il semble que tout redevienne normal dès que le traitement s'arrête. J'espère que c'est vrai. Les psychiatres ont l'air de penser qu'il est inutile de tenter la moindre psychothérapie.

Le jour du procès n'a pas été du tout désagréable. Pendant que je me trouvais arrêté avec les autres accusés, j'éprouvais un sentiment très plaisant d'irresponsabilité, un peu comme si j'étais revenu à l'école. Les gardiens ressemblaient plutôt à des préfets scolaires. Et j'étais également assez content de revoir mon complice, même si je ne lui fais pas confiance du tout. »

On pourrait être surpris qu'il ait au bout du compte préféré la solution scientifique à l'emprisonnement. Il n'était pas sensible au manque de confort, et n'aurait certainement pas trouvé un séjour d'un an en prison – même dans une prison anglaise – plus terrible qu'à Sherborne. Toutefois, s'il avait choisi cette possibilité, cela l'aurait gêné dans son travail et compromis son poste à Manchester et son travail sur l'ordinateur. Le choix se situait entre son corps et ses sentiments d'un côté, et sa vie intellectuelle de l'autre. Il s'agissait d'un cas de conscience tout à fait remarquable. Il opta pour la « pensée » et sacrifia ses « sentiments ».

Dans la Grande-Bretagne de 1952, le concept de droit à l'expression sexuelle n'existait pas. On prétendait en plaisantant que l'on versait du bromure dans le thé des militaires concernés. Samuel Butler se serait certainement moqué depuis sa tombe de l'inventeur de la machine intelligente en apprenant qu'on l'avait sanctionné parce qu'il était malade et qu'il avait commis un crime. Pour Jefferson, qui se rangeait parmi les humanistes, ou Polanyi, adhérent du Congress for Cultural Freedom, qui s'élevait contre la prétention de l'État à vouloir organiser la vie humaine il ne s'agissait que d'un problème médical aussi détestable que privé, qui ne méritait pas l'attention de l'*intelligentsia* de Manchester, celle-ci préférant discourir sur la folie de vouloir traiter l'esprit comme une machine.

Harry, le jeune cambrioleur, fut envoyé le jour même à Borstal – maison de redressement pour les plus de seize ans – à l'issue d'un autre procès. Arnold, lui, sachant à peine ce qu'il avait confessé, fut relaxé sur parole et ne tarda pas à être montré du doigt dans la rue. Il s'enfuit à Londres quelques semaines plus tard et trouva un emploi dans un café, le Lyons Corner House, sur The Strand, puis finit par se faire une place dans le quartier de Fitzrovia. Grâce à son travail, il put rencontrer des personnages comme l'écrivain britannique Colin Wilson, et apprit à jouer de la guitare.

Pour Alan, les conséquences du procès s'avérèrent assez différentes en raison du traitement hormonal. Malgré l'opinion des scientifiques qui prétendaient que les effets des hormones s'interrompaient dès la fin du traitement, celui-ci le rendit totalement impuissant. Il eut, en outre, d'autres effets physiques dans la mesure où :

« pour obtenir l'effet psychique nécessaire, il était indispensable de maintenir une réponse gynécomastique modérée et non excessive. »

En clair, cela signifiait qu'il ne pouvait y avoir réduction de la libido sans accroissement de la poitrine. Et, d'après la même sommité :

« Il n'est pas exclu que les œstrogènes puissent avoir un effet pharmacologique direct sur le système nerveux. Zuckerman (1952) a démontré grâce à ses expériences sur des rats que l'apprentissage pouvait se voir modifié par les hormones sexuelles, et que l'œstrogène pouvait avoir des effets antidépresseurs chez ces rongeurs. Même s'il fallait encore démontrer qu'une telle influence puisse s'exercer chez l'homme, certaines études cliniques préviennent que l'on peut observer une diminution des performances sexuelles, bien qu'on ne puisse encore tirer aucune conclusion à ce jour. »

Ainsi, peut-être ne pouvait-on pas faire une distinction si nette que cela entre la « pensée » et les « sentiments »[1].

Il y eut encore quelques conséquences mineures. Le *News of the World*[2] traita l'affaire dans ses éditions destinées au nord du pays avec un petit article intitulé « L'accusé était très intelligent ». Alan resta sous la tutelle d'un officier de probation que David

---

1. À la conférence de la fondation Nuffield à laquelle Alan assista, P. B. Medawar avait proposé un programme d'expériences sur des animaux mâles qui consistait à leur injecter des œstrogènes afin de révéler le mécanisme neuropsychologique à l'œuvre dans l'altération du comportement qui en résulterait. Rarement un *Fellow of the Royal Society* avait eu l'occasion de participer à une telle expérience… en tant que cobaye.

2. Tabloïd britannique fondé en 1843 et publié chaque dimanche.

Champernowne, venu à Manchester pour travailler sur l'ordinateur[1], avait rencontré lors d'un dîner à Hollymeade. Alan raconta alors que l'ancien évêque de Liverpool avait entendu parler de l'affaire et avait demandé à le voir. Curieusement, pour quelqu'un qui avait écrit en 1936 qu'il ne tolérerait pas que des curés se mêlent de sa vie privée, il y avait consenti. Désormais, sa vie privée n'existait plus. Il avait trouvé l'évêque bien intentionné quoique terriblement vieux jeu. Maintenant que la mention « turpitude morale » figurait sur son casier judiciaire, Alan se voyait automatiquement refuser l'entrée sur le territoire américain[2], mais cela n'avait plus vraiment d'importance pour lui.

Il s'efforçait de poursuivre son existence comme si de rien n'était. Pourtant, cette aventure l'obligeait à faire davantage attention à sa manière de vivre et à son entourage. La nouvelle autobiographique qu'il griffonna pour lui-même constituait un symptôme de cette prise de conscience. À présent qu'il n'était plus ce mathématicien solitaire obsédé uniquement par ses machines, il prenait une dimension plus humaine que certains découvrirent à ce moment, et en particulier Lyn Newman. La vérité ayant éclaté au grand jour, Alan cessa de se montrer évasif, et elle découvrit que : « Une fois qu'il avait regardé franchement et attentivement son compagnon, dans la confiance d'une conversation amicale », écrivit-elle, ses yeux, « bleus de la profondeur et de l'éclat du verre teinté », s'imposaient à tout jamais. « Il en émanait une telle candeur et une telle compréhension, quelque chose de tellement civilisé, qu'on osait à peine respirer. » C'est à cette époque qu'elle lui mit :

« d'abord *Anna Karénine*, puis *Guerre et Paix* entre les mains. Je savais qu'il trouvait soporifique l'œuvre de Jane Austen et de

---

1. Il travaillait sur l'application de l'analyse séquentielle sur l'économie. Même s'il savait qu'Alan s'intéressait aux statistiques bayésiennes, il ignorait qu'il avait inventé, seul, l'analyse séquentielle quand il était à la Hutte 8.

2. Dans une réforme typique de l'époque, les États-Unis modifièrent en 1952 leur politique d'immigration, et la définition légale de l'homosexualité (la transgression d'une loi) fit place à une définition médicale. La loi sur l'immigration et la nationalité de cette année-là stipulait que « les étrangers atteints d'une maladie mentale se verraient refuser l'entrée sur le territoire américain ». En 1967, la Cour suprême confirma que « l'histoire législative de cette loi indique sans l'ombre d'un doute que le Congrès incluait l'homosexualité dans l'expression "maladie mentale". » Toutefois, en 1952, Alan Turing faisait stricto sensu partie de la catégorie interdite, et ce indépendamment du procès. En pratique, naturellement, le fait était qu'on l'avait percé à jour.

Trollope, mais il ne s'intéressait pas du tout à la poésie et n'était pas particulièrement sensible à la littérature, ni à aucune autre sorte d'art. Ce n'était par conséquent pas facile de lui trouver de la lecture. Il s'avéra qu'il considéra *Guerre et Paix* comme un chef-d'œuvre et m'écrivit dans des termes émouvants à quel point il avait apprécié la compréhension et la sagacité de Tolstoï. Il s'était reconnu dans ce livre, et l'auteur avait gagné un lecteur d'une stature morale, d'une complexité et d'une originalité d'esprit comparables aux siennes. »

Dans *Guerre et Paix,* il se retrouvait effectivement dans Pierre errant au cœur de la bataille – et alors ? Quelle signification cela pouvait-il avoir ? Quelles conséquences ? Et il se retrouvait en Tolstoï, dont les mystères ne concernaient jamais tel ou tel fait, mais l'histoire dans son ensemble. Un individu pouvait-il être le déclencheur d'un événement, détenir le pouvoir ou exercer sa volonté comme dans ce livre ? « Le sujet de l'histoire, écrivit-il, n'est pas la volonté d'un homme en tant que telle, plutôt la représentation que nous nous en faisons. » En d'autres termes, il était question du niveau de description. Le degré de « volonté » dépendait du genre de la description et « de ce que nous appelons les lois de la nécessité. Nous qualifions de libre arbitre ce que nous ne connaissons pas. Au regard de l'histoire, le libre arbitre n'est qu'une expression qui se contente d'évoquer ce que nous ne savons pas sur les lois de l'existence humaine. » En particulier celles qui traitent des « relations » entre l'esprit et le reste du monde, encore inconnues et par conséquent qualifiées de libres. C'était le genre de questions que se posait Turing, d'une certaine façon. Dans le débat radiophonique du mois de janvier précédent, il avait déclaré : « La réflexion, c'est ce processus mental que nous ne comprenons pas. »

Pourtant, Tolstoï ajoutait aussi qu'« imaginer un homme totalement privé de liberté revient à imaginer un homme privé d'existence. La vie serait insupportable car toutes les aspirations de l'homme, tout ce qu'il y a d'intéressant à vivre nécessitent une grande liberté. »

Pour Alan, il devait, en effet, rester une liberté. Même si ce n'était pas celle imaginée par Tolstoï. L'exil. Quand le directeur de l'internat avait pris des mesures pour empêcher certaines associations au sein du dortoir, il avait dû se résoudre à étudier les possibilités offertes par les garçons des autres dortoirs[1]. Car il n'avait aucunement l'intention de se laisser annihiler par le système. Il y eut, le 1ᵉʳ mai 1952, une réunion du Ratio Club à Cambridge à laquelle il assista et, sans doute à cette occasion, il vit Norman Routledge à King's. Alan lui raconta le procès et le traitement hormonal (« Je commence à avoir des seins ! »), et Norman lui assura avoir entendu parler de boîtes de nuit réservées aux hommes en Norvège.

Dès l'été 1952, Alan partit en vacances dans ce pays. Il eut un peu de mal à trouver les endroits en question, mais finit par y parvenir et se sentit particulièrement attiré par un jeune homme prénommé Kjell, dont il montra la photo à Robin à son retour. Il ne s'était en réalité pas passé grand-chose, et ainsi Alan put prouver qu'on était loin de l'avoir brisé, et c'était peut-être là le plus important.

Quant aux « performances » intellectuelles dont parlaient les endocrinologues, les travaux d'Alan sur la théorie biologique ne cessaient de croître en longueur et en portée. Il s'attaquait à présent aux problèmes posés dans son premier article. En particulier, il cherchait, avec l'ordinateur, la solution des équations différentielles complexes qui s'imposaient quand on tentait de suivre le développement chimique de la morphogenèse. Il s'agissait d'un travail expérimental, nécessitant de tester de nombreuses conditions initiales, chaque fois différentes, afin d'étudier l'évolution du processus. Cela exigeait aussi la maîtrise de mathématiques appliquées, impliquant l'utilisation d'« opérateurs », un peu comme en mécanique quantique. L'analyse numérique avait également son importance quand il s'agissait d'approcher les équations pour permettre le calcul. Tout cela évoquait quelque peu la construction d'une bombe atomique personnelle, l'ordinateur suivant, dans les deux cas, le développement des ondes fluides interactives.

Sur un tout autre front, il mettait au point une théorie purement descriptive de la disposition des feuilles, où il utilisait des

---

1. Peut-être que pour éviter la prison, il a dû promettre de ne pas réitérer l'« infraction », en plus de suivre son traitement hormonal. Le manque de preuves nous empêche de l'affirmer. S'il avait formulé une telle promesse, il s'y serait tenu, et il aurait été le premier à faire remarquer que cela ne concernait pas sa conduite à l'étranger. Pour cette raison, ses vacances en dehors du pays ont sans doute eu une importance déterminante dans sa vie d'après 1952.

matrices permettant de représenter l'enroulement des spirales de feuilles ou de graines autour d'une tige ou d'une fleur. Pour cela il introduisit dans cette théorie le concept de « structures inverses » rappelant celui qui servait en cristallographie. Il effectua également un grand nombre de mesures. Il avait l'intention de réunir ces deux approches lorsqu'il aurait découvert un système d'équations capable de générer les motifs répondant aux critères de la suite de Fibonacci qu'il exprimait dans ses matrices.

Bien qu'en correspondance avec quelques biologistes, Alan travaillait essentiellement seul. C. Wardlaw, botaniste à Manchester, se montra particulièrement intéressé et rédigea en août 1952 un article visant à décrire en termes biologiques la signification de la première publication de Turing sur le sujet. Peu après, Alan reçut une lettre de C. Waddington, lui assurant son intérêt, mais aussi son scepticisme quant à l'exactitude de son hypothèse chimique. En revanche, Alan était plutôt déçu par la lenteur avec laquelle ses idées se propageaient, et par le manque de réaction qu'elles suscitaient. Peut-être fallait-il voir là une analogie avec ses *Nombres calculables*, car le « solitaire confirmé » décrit par Max Newman en 1936 était toujours aussi peu doué pour se promouvoir, et n'avait guère fait de progrès en tant que conférencier. En parallèle, il s'intéressa à la thermodynamique irréversible, et après avoir donné une conférence dans le département de chimie, il eut une entrevue avec W. Byers Brown pour discuter du sujet. Cela ne dura pas, Alan étant manifestement plus intéressé par le jeune Byers Brown que par son domaine d'expertise. À la différence de ses précédentes réalisations, cette fois, personne ne le devança. Il était seul.

Il se laissa convaincre par Robin de l'accompagner au Colloque mathématique britannique qui se tint au Royal Naval College de Greenwich, ce qui leur donna l'occasion de prendre le bateau ensemble sur la Tamise. Alan découvrit des fleurs sauvages remarquables sur les lieux du bombardement de Greenwich, et il passa un excellent moment au bar avant de disparaître brusquement par une porte lorsqu'il remarqua qu'un logicien particulièrement ennuyeux venait à sa rencontre. Alan, qui commençait à être assez connu pour les *Nombres calculables*, ne cessa de fuir les personnalités qui auraient voulu échanger quelques mots avec lui. S'il était heureux qu'on fasse référence à ses machines de Turing (la « bouée de Pryce », dans son histoire), il refusait d'en subir la contrepartie.

Il préférait de loin discuter avec Christopher Strachey, qui avait apporté un peu de l'air frais de King's dans l'atmosphère purement technique du laboratoire de calculs de Manchester. Il se comportait comme Alan et avait le même sens de l'humour. L'été 1952 lui permit de jouer avec son programme et d'y apporter de nombreuses améliorations. C'était en fait la première fois qu'on testait réellement un programme de jeu du genre. Alan et Christopher s'amusèrent aussi à faire rédiger des « lettres d'amour » par l'ordinateur grâce aux nombres aléatoires.

Tous les gens « sérieux » qui travaillaient sur la machine dans des domaines comme l'optique ou l'aérodynamique voyaient évidemment là des enfantillages, alors que c'était une façon comme une autre d'étudier la nature de la syntaxe.

Pendant ce temps, Tony Brooker avait conçu un programme intitulé Floatcode, qui permettait d'interpréter l'arithmétique à virgule flottante (un peu comme Alan l'avait envisagé en 1945, mais auquel il n'avait jamais pris la peine de se remettre). Puis, en 1952 toujours, Alick Glennie alla plus loin encore avec son Autocode, qui constituait le tout premier langage informatique fonctionnel de haut niveau. Christopher Strachey se montra enthousiaste – Autocode correspondait aux idées qu'il avait eues en 1951 au sujet de la transformation de formules mathématiques en instructions informatiques. Alan, lui, n'y prêta que peu d'attention. Alick Glennie lui en parla, mais comme il l'avait déjà expliqué en 1947, la simple traduction l'ennuyait, et il préféra mettre un terme à ses travaux dans cette voie. Il aurait préféré une machine qui ne se contente pas de transcrire l'algèbre, mais qui en fasse réellement.

L'industrie informatique était maintenant susceptible de s'étendre au-delà des frontières d'une petite élite entraînée, les langages de programmation rendant la machine universelle accessible à une clientèle beaucoup plus vaste. Si Autocode, qui ne trouva guère de retentissement ailleurs qu'à Manchester, ne parvint pas à jouer ce rôle, le Fortran américain n'en était pas loin.

En 1952, les ingénieurs de Manchester disposaient déjà d'un *Mark II*, et ils avaient aussi commencé à concevoir un prototype à base de transistors. Le manque total d'intérêt d'Alan en la matière ne laissait vraiment pas deviner avec quelle passion il avait travaillé ces sujets jusqu'en 1949, quand il devint évident que son travail n'intéressait personne. Dans le livre *Faster Than Thought* (Plus rapide que la pensée) de Bertram Vivian Bowden, qui faisait une sorte d'état des lieux de l'informatique britannique, on ne parlait même pas de sa contribution au développement de l'ordinateur. Il y apparaissait surtout comme l'auteur d'une partie d'un chapitre consacré à « L'ordinateur numérique appliqué au jeu ». Il conçut son jeu d'échecs avec Alick Glennie, aidé des conseils pratiques de Hugh Alexander. En plus d'une ligne indiquant qu'il avait été l'auteur des *Nombres calculables* et l'un des assistants de Womersley, il avait droit à une entrée dans le glossaire :

« Machine de Türing : En 1936, le docteur Turing rédigea un article sur la conception et les limites des machines informatiques. Pour cette raison, on leur donne parfois son nom. Le tréma sur le "u" est un ajout indésirable probablement dû à l'impression que tout ce qui est incompréhensible doit forcément être allemand. »

Le monde de 1945 était désormais bien loin, et tout aussi secret que celui de 1942. Ce à quoi Alan semblait parfaitement résigné.

Grâce à Robin, il ne perdait pas de vue la théorie des types et exhuma même l'article qu'il avait rédigé à ce sujet pendant la guerre, et qui n'avait jamais été publié. Il en allait de même pour sa tentative de persuader les mathématiciens de faire un usage plus attentif des « noms » et des « adjectifs ». Mais cette fois encore, les suggestions qu'il apportait dans sa « Réforme de la notation mathématique » (ainsi qu'il avait intitulé son essai) étaient en fait extérieures au développement des mathématiques d'après-guerre qui avaient réglé par d'autres moyens les confusions dénoncées par Alan.

Alan parla de ses propositions de « Réforme » à Don Bayley, qu'il alla voir cet été-là à Woburn Sands près de Bletchley, où il vivait avec son épouse. Cependant, le but principal de ce week-end était de tenter un dernier essai pour récupérer ses lingots d'argent. Équipés d'un détecteur de métal, ils se rendirent d'abord au pont de Shenley en voiture. « Ça a bien changé », déclara Alan en ôtant ses chaussures et ses chaussettes avant de se mettre à patauger dans la boue. « Mince, ils ont reconstruit le pont et bétonné le lit de la rivière ! » Ils se mirent en quête de l'autre lingot dans les bois. Le landau dans lequel il les avait transportés en 1940 était encore là, mais ils n'eurent pas plus de chance. Ils découvrirent des clous et divers objets métalliques, comme la fois précédente, avec Donald Michie. Considérant les deux lingots perdus à jamais, ils prirent la direction du Crown Inn, à Shenley Brook End, et s'y restaurèrent de pain et de fromage. Ils parvinrent à surmonter leur déception, d'autant plus que Mme Ramshaw, sa logeuse durant la guerre, leur réserva un accueil des plus chaleureux.

Lorsqu'il était allé l'accueillir à la gare, Don Bayley avait remarqué qu'Alan avait un précis de grammaire norvégienne à la main. Alan expliqua qu'il revenait juste de vacances en Norvège et qu'il avait trouvé la langue intéressante. Quoiqu'il en fût encore à un niveau rudimentaire, ses connaissances en norvégien et en danois lui permirent de lire des contes d'Andersen à sa mère un an plus tard. Il ne vint pas à l'esprit de Don que le voyage en Norvège avait eu des motifs très précis, même si Alan lui expliqua qu'il lui fallait maintenant partir à l'étranger pour s'amuser un peu. Il lui parla aussi d'une lettre qu'il avait écrite à une dame connue dans le monde politique pour réclamer un changement de loi. Son ton n'était pas implorant, comme celle qu'avait écrite en son temps Oscar Wilde. Alan y faisait tout bonnement allusion à l'homosexualité du fils de la dame en question. Tout ce qu'il reçut en réponse fut un brusque démenti de la part de la secrétaire.

En octobre 1952, Don et Robin se rendirent tous les deux à Wilmslow, recréant Hanslope pour un week-end. Don arriva le premier, et ils attendirent ensemble Robin à la gare. Alan lui montra les figures de diffraction qui apparaissaient lorsqu'on regardait les lumières de la gare à travers son mouchoir. Durant l'été, Alan avait pris plaisir à se faire choyer le temps d'un week-end dans la famille de Bayley. Il désigna à ses amis une pile de dossiers débordant de lettres du monde entier, traitant toutes de logique, et il leur avoua qu'il n'avait aucune envie de retourner à l'université et qu'il préférait travailler chez lui. Il leur expliqua qu'il avait un assistant qui se chargeait de toute l'organisation de l'ordinateur. Quand Don lui conseilla de prendre garde à ne pas se faire prendre sa place par son assistant, Alan lui répondit par un « Peuh ! » qui signifiait : « Ça me serait complètement égal ! »

Si sa période informatique était terminée, Alan, en revanche, continuait de se passionner pour l'esprit humain. En octobre 1952, le psychologue suisse Jean Piaget donna une série de conférences à la faculté de philosophie de Manchester, et Alan y assista. Ces conférences portaient sur l'apprentissage des idées logiques par l'enfant et reliaient la logique symbolique à des observations psychologiques. Ainsi, pour la première fois peut-être, Alan écoutait à propos de l'enseignement et de l'apprentissage des arguments qui ne provenaient pas de sa propre expérience, et qui reposaient sur des théories éducatives modernes dont on n'aurait pas même soupçonné l'existence à Sherborne. Vers la même époque, il commença à voir un psychanalyste jungien, Franz Greenbaum.

Tout d'abord, cette démarche le mit mal à l'aise. Elle impliquait qu'il se considérait comme malade et devait donc « soigner » son homosexualité. Au cours des années 1950, on assista à un grand retour de la psychanalyse, et l'on prétendait que cette technique était à même d'éliminer les pulsions homosexuelles. Greenbaum, cependant, en jugea tout autrement. L'homosexualité d'Alan ne constituait pas, selon lui, un problème. Alan était « homosexuel par nature », et en tant que disciple de Jung, Greenbaum ne pouvait considérer les activités humaines en termes de sexualité « anormale ». Réfugié allemand depuis 1939 – né d'un père juif et d'une mère catholique, il s'intéressait surtout à la psychologie de la religion. Comme Jung, il n'était pas du tout enclin à la dévalorisation de l'intellect et fut au contraire fier d'apprendre qu'Alan était l'un des inventeurs de l'ordinateur, et qu'il se penchait maintenant sur la nature même de la vie. Greenbaum insistait en fait sur l'*intégration* de la « pensée » et du « sentiment ». Il s'agissait d'appliquer son intelligence à soi-même, d'étudier son propre système de l'extérieur, comme Gödel, et de briser son propre code – ce qui ne fit qu'accroître l'intérêt qu'Alan portait depuis longtemps à la psychologie. Le 23 novembre 1952 constitua une date décisive. Il écrivit à Robin pour lui parler de sa thèse de doctorat à présent achevée, et ajouta :

« J'ai décidé de retourner chez le psychiatre et de me montrer un peu plus coopératif. S'il parvient à me pousser à la résignation, ce sera déjà un grand progrès. »

Franz Greenbaum lui fit retranscrire tous ses rêves[1], ce qu'Alan entreprit sans ménager ni son temps ni son énergie – il ne remplit pas moins de trois cahiers. Une véritable amitié ne tarda pas à naître entre les deux hommes, Alan donna du temps et de l'énergie à toutes ces choses qu'il avait mises de côté car elles ne méritaient pas qu'on y réfléchisse sérieusement. Comme avec la guerre, il tenta de tirer le meilleur parti possible de la situation dans laquelle il se trouvait.

Il fut surpris d'apprendre que beaucoup de ses rêves se rapportaient, de façon plus ou moins directe, à sa mère, et qu'ils étaient hostiles, alors que dans la réalité leurs relations devenaient de plus en plus chaleureuses. Depuis le procès, en effet, ils avaient appris l'un et l'autre à mieux se connaître et s'accepter. Sa mère avait compris, à plus de soixante-dix ans, qu'elle faisait partie des rares amis d'Alan. Elle avait désormais la certitude qu'il ne cesserait jamais d'être l'« intellectuel excentrique » qu'elle avait toujours redouté, et il savait quant à lui qu'elle s'intéresserait toujours à des détails aussi saugrenus que les couteaux à poisson lorsqu'elle organisait des dîners à Coonoor. Lors de ses visites occasionnelles, on les entendait souvent se chamailler gentiment, elle se fendant d'un « Allons, Alan ! », et lui ripostant avec un « Ne sois pas ridicule, mère ! ». Il commençait sans doute à comprendre certains de ses problèmes et de ses frustrations, pendant qu'elle se rendait certainement compte qu'Alan lui offrait un aperçu de la vie artistique dont elle avait toujours rêvé. Après avoir cherché pendant si longtemps à s'élever au sein des églises et des institutions, elle s'épanouissait dans son fils. Pendant quarante ans, elle lui avait reproché de tout faire de travers, mais elle avait trouvé la force de changer. Alan aussi commençait à se montrer moins dédaigneux de ses centres d'intérêt.

Il y avait sûrement de quoi fouiller dans quarante ans de ressentiment à l'encontre d'une mère si différente de l'image sensuelle et séductrice proposée par Freud. Peut-être Alan dut-il également affronter l'image d'un père qui ne s'était pas montré vraiment à la hauteur, et qui n'avait pas fait preuve des qualités

---

1. Jung affirmait que les rêves avaient une signification, mais ne croyait pas qu'il était possible de les déchiffrer de manière automatique : « L'interprétation des rêves et des symboles exige une certaine intelligence. Il ne s'agit pas d'un mécanisme mécanique. Cela exige une certaine connaissance de la personnalité du rêveur. »

de coureur de fond de son fils. Sans doute était-il aussi un peu déçu que son père ne se soit jamais véritablement intéressé à lui de la même façon que sa mère, même si le comportement de celle-ci l'avait parfois passablement agacé. Alan n'avait jamais parlé de lui à ses amis. Quoi qu'il en soit, exhumer des éléments aussi profondément enfouis dans l'inconscient était une chose, s'accommoder de la situation qui était la sienne en 1952 en était une autre. À cet égard, la psychanalyse était confrontée aux mêmes limites que son jeu d'imitation : il ne s'agissait que du monde des rêves, et non de la réalité. On lui permettait de faire des associations d'idées, on ne lui permettait pas de fréquenter des hommes. Franz Greenbaum n'avait pas la capacité de changer les lois ni de lui fournir le type de relations dont il avait besoin. La consistance et la complétude de l'esprit ne suffisaient pas ; il fallait faire quelque chose.

Seulement le problème d'Alan ne pourrait se résoudre à son niveau. La seule solution qui lui était offerte était de se résigner. On ne l'avait pas accusé d'avoir fait du tort à quelqu'un, mais d'être un ennemi de l'ordre social. Alan Turing n'était cependant pas intéressé par le fait de réglementer la vie des autres, et se serait volontiers contenté d'un innocent « pourquoi pas ? » quant à sa sexualité[1]. Ce problème ne pouvait être résolu par des arguments rationnels, et, en cela, le docteur Greenbaum n'y pouvait rien.

La soutenance de la thèse de Robin traitant des fondations logiques de la physique dut être reportée car Stephen Toulmin, le philosophe de la science, avait brusquement décidé de se retirer du jury. Au début de l'année 1953, Alan écrivit à Robin :

« Ils ont enfin trouvé quelqu'un pour évaluer ta thèse. Il s'agit de Braithwaite. Il me semble que ce serait bien de passer l'oral à Cambridge, et je vais lui écrire pour le lui suggérer... J'ai de nouveau tenté de proposer ton essai à l'*Unity of Science*. Je crois qu'il pourrait être important d'avoir des exemplaires en double. Ils ne répondent pas à la question "Qu'est-ce que le temps ?". Le terme "impénétrabilité" m'a beaucoup amusé. J'ai d'abord cru

---

1. Il était d'accord avec Robin, mieux valait éviter d'attirer l'attention des garçons de moins de 15 ans. (Robin avait été le sujet d'une grande attention lorsqu'il était enfant, et un admirateur un peu trop enthousiaste l'avait dégoûté du sexe durant un moment.)

qu'il s'agissait d'une référence à *De l'autre côté du miroir*, quand Humpty Dumpty dit "impénétrabilité. C'est ce que je dis." Après réflexion, j'ai compris que ce n'était pas le cas. »

Il avait imprimé cette lettre grâce à l'ordinateur, même si le résultat ne fut guère probant[1]. Alan lui proposait de passer son oral en mars, mais cela ne convenait pas à Robin, qui avait prévu de partir au ski en Autriche. Alan lui écrivit alors :

« Je suis navré qu'il ne soit pas possible de te faire passer ton oral avant. Braithwaite n'aura pas fini de le lire avant fin mars... Si tu vas skier, il sera sans doute possible de le repousser en avril ou en mai, même si je l'aurai probablement oublié d'ici là.

J'ai reçu ta dernière lettre au beau milieu de la crise du "Den Norske Gutt". Je n'ai donc pas pu me pencher sérieusement sur la partie cruciale concernant la théorie de la perception. »

Il révéla en partie la nature de cette crise dans une autre lettre, datée du 11 mars 1953 :

« Mon cher Robin,
Je vais tenter d'empêcher ton séjour en Autriche en informant les autorités douanières des faits suivants :

1) Malgré l'autorisation de ta mère, le contreseing du maire de Leicester est un faux réalisé par l'un des patients de Strauss[2].

2) Le prétexte du ski n'est qu'un leurre, et tu n'es parti que pour satisfaire les désirs de la Contessa Addis Abbabisci[3] (la maîtresse en chef du pape), qui est tombée amoureuse de toi lors de ta visite de l'opéra de Naples.

3) Tu es un hérétique qui a prêté allégeance à l'Église de Princeton.

Chacun de ces motifs devrait se suffire à lui-même, et si, contre toute attente, ils te laissent entrer sur leur territoire, j'espère que

---

1. Quand bien même, elle était nettement plus lisible que le message qu'il avait un jour envoyé à David Champernowne, qui consistait en une simple bande de téléscripteur. Son ami avait été contraint de passer des heures à déchiffrer le code Baudot.

2. E. B. Strauss, le psychanalyste junguien que Robin connaissait depuis longtemps.

3. Référence à un incident qui s'est produit pendant l'enfance de Robin, quand l'empereur exilé d'Abyssinie avait logé près de chez lui et avait invité Robin et sa mère à venir prendre le thé.

tu passeras de bonnes vacances. Je vais laisser à Braithwaite le soin de déterminer une nouvelle date pour ta soutenance. Quoi qu'il en soit, je vais certainement passer par Cambridge à la fin du mois de mars.

La crise Kjell est maintenant dissipée. Elle a fait beaucoup de bruit pendant une bonne semaine. J'ai commencé par recevoir une carte postale de lui m'annonçant qu'il arrivait. Toute la police du nord de l'Angleterre s'est alors mise à ses trousses, le cherchant particulièrement à Wilmslow, Manchester, Newcastle, etc. Je te raconterai tout ça. Enfin, il est à présent rentré à Bergen et je n'ai même pas pu le voir ! Cela a été presque aussi mouvementé que l'épisode Arnold. »

Alan parla vaguement de cette histoire à Norman Routledge et à Nick Furbank, avec qui il resta brièvement à la fin du mois de mars, pour qu'il puisse assister à une conférence sur les ordinateurs au NPL. Toutefois il s'abstint d'entrer dans les détails, réduisant cette affaire à une nouvelle preuve de la bêtise de la police[1], qui n'avait pas hésité à surveiller son domicile. Il ne vint pas à l'esprit de ceux à qui il l'avait racontée qu'il puisse y avoir une autre explication. Il n'en disait pas davantage dans sa lettre à Robin, préférant évoquer d'autres sujets d'inquiétude :

« J'ai incroyablement tendance, ces temps-ci, à perdre mon temps avec des broutilles. Je croyais avoir trouvé la raison à tout cela, mais ça n'a rien changé. La seule chose que j'ai réussi à faire, c'est de transformer la pièce contiguë à la salle de bains en laboratoire électrique. Je suis loin d'être un exemple. »

Dans ce laboratoire, il pouvait procéder à toutes les expériences d'électrolyse qu'il désirait, en se servant de charbon coke en guise d'électrodes et de sucs d'herbe comme source d'oxygène. Il aimait voir quelle quantité de substances chimiques il pouvait produire, à commencer par des produits ordinaires comme le sel – comme il aurait pu le faire à Dinard, si sa mère le lui avait permis.

---

1. Il y avait un post-scriptum à sa lettre pour Robin : « Le début de cette lettre serait-il fantaisiste ? » Une question à laquelle il ne répondait pas. Robin ne chercha d'ailleurs aucune réponse : il lui écrivit en retour, faisant subtilement référence à la « crise » en lui recommandant de lire les romans de Denton Welch.

La pièce dont il se servait était en fait un réduit, d'anciennes toilettes situées au milieu de la maison. Il baptisa ce laboratoire la « chambre de cauchemar », en référence aux craintes de Mme Turing qu'il ne s'y produise un accident.

Dans sa lettre, Alan expliquait aussi qu'il était allé :

« à Sherborne pour donner des cours d'informatique à de jeunes gens. Un petit plaisir à bien des égards. Ils étaient très séduisants et bien élevés, avec malgré tout un soupçon de malice, et Sherborne n'avait pas changé. »

Sa scolarité avait dû lui sembler simple et sans danger par rapport à ce monde dans lequel il attendait la prochaine réprimande. Cette visite avait eu lieu le 9 mars, et, dans son discours au gotha de la science :

« M. Turing a fait une comparaison très claire entre un employé de bureau lambda armé d'un calculateur mécanique et de papier pour y consigner son travail, et un cerveau électronique réunissant tout cela en une seule machine. Il suffisait d'entrer les instructions sur une machine à bandes, et les câbles, les lampes, les transistors et les condensateurs faisaient le reste, la réponse s'imprimant sur une autre bande. »

L'existence depuis 1943 de ce club, les Alchimistes, était une concession au monde moderne. À part cela, Sherborne n'avait effectivement pas changé. Ni la guerre ni la fin de l'Empire n'avaient modifié la formation des administrateurs. Alan, lui, avait évolué et, avec le temps, à mesure que des ridules apparaissaient au-dessus de sa lèvre supérieure, il commençait à se donner le droit de lever un peu le pied de l'étrier. Quand il se trouvait avec des amis, en particulier Robin et son ami Christopher Bennett, Alan avait mis au point une sorte de jeu pour briser la glace : ils se devaient de partager ce qu'Alan avait baptisé des « sagas » et des « saga-ettes ».

Une saga devait atteindre les dimensions de l'« histoire d'Arnold », alors qu'une « saga-ette » se contentait de révéler une petite histoire personnelle. Alan raconta, par exemple, une aventure qui lui était arrivée à Paris. Ayant dragué un jeune homme, il avait insisté pour rentrer à pied à son hôtel au lieu de prendre le métro. Ce qui déjà avait causé un certain étonnement, car le jeune homme, assura-t-il, ne semblait connaître que les environs des bouches de métro, et non les portions de chemin les séparant. Une fois dans la chambre, le Français avait soulevé le matelas puis y avait glissé son pantalon, *pour conserver les plis*[1], ce qui avait complètement éberlué Alan. Avant de partir, le garçon avait monté toute une histoire pour qu'ils échangent leurs montres jusqu'au lendemain afin de se prouver leur confiance mutuelle. Alan n'avait bien sûr jamais revu ni le garçon ni la montre, mais l'aventure avait à elle seule mérité le sacrifice. Alan et Robin n'hésitaient pas non plus à désigner des hommes séduisants dans la rue, chacun tentant de cerner les goûts de l'autre[2]. « C'est ça, pour toi, une jolie fille ? » lui demanda un jour Alan, afin de lui faire comprendre qu'il avait mauvais goût.

Dès lors qu'Alan avait acquis la certitude que la découverte de soi et l'ouverture au monde étaient des objectifs qui en valaient la peine, il les poursuivit sans compromission. Dans le laboratoire de l'ordinateur, par exemple, un garçon qu'il trouvait particulièrement séduisant débarqua un jour de Londres pour se servir de la machine. « Qui est ce beau jeune homme ? » demanda-t-il aussitôt à Tony Brooker. Il invita sans tarder le jeune diplômé, qui se déroba avec une piètre excuse, prétextant une visite à une tante malade.

Franz Greenbaum pensait qu'Alan était toujours attiré par les gens qui lui ressemblaient, ou qui ressemblaient à ce qu'il aurait voulu être. Il s'agissait d'une analyse classique à laquelle Alan n'avait jamais réfléchi, et cela l'intrigua. La personne qui l'encouragea le plus dans cette introspection fut Lyn Newman, qui entra bientôt dans le cercle restreint des amis en qui Alan avait pleinement confiance. Leur correspondance (en partie en français) était assez badine[j], mais cela impliquait une sérieuse fêlure dans sa coquille de mâle. Au mois de mai, il écrivit à Lyn que « Greenbaum a fait de gros progrès au cours de ces dernières semaines. Il semble que nous arrivions tout près du cœur du problème maintenant[3] ».

---

1. En français dans le texte. (NdT)

2. Les goûts de Robin étaient répartis de manière plus uniforme.

3. Le fait de consulter un psychanalyste, étranger et juif qui plus est, était naturellement source de discrimination, et en tout cas une rupture significative avec son passé. Cela lui ressemblait beaucoup d'écrire de façon si désinvolte. À cet égard, Lyn Newman n'était pas une confidente privilégiée, et Alan était aussi devenu ami avec John Polanyi, le jeune fils de Michael, devinant en lui un grand chimiste en devenir, n'hésitant pas à

Au printemps 1953, il était assez souvent l'invité de Greenbaum, qui, étant étranger, juif et psychiatre, ne passait pas pour une fréquentation très respectable parmi l'*intelligentsia* de Manchester. Alan ne parvenait guère à communiquer avec Mme Greenbaum, cependant il se plaisait beaucoup à jouer avec leur fille, Maria, qu'il sut très vite conquérir en lui offrant une boîte de bonbons. Il lui assura que celle-ci était spéciale, conçue pour les petites filles gauchères comme elle. Un jour, il surprit Mme Greenbaum, tant il semblait en effervescence pour un jeune voisin qu'elle ne trouvait pas du tout séduisant. Elle le trouvait « obsédé par le sexe » – alors qu'il était obsédé par le refus de se cacher.

La période de contrôle judiciaire prenait fin en avril 1953. Cela faisait trois mois qu'on lui avait implanté des hormones dans la cuisse au lieu de lui administrer sa dose en pilules. Mais, suspectant que l'effet pouvait se prolonger au-delà du temps prévu, il se les fit retirer dès qu'il en eut le droit. Il se retrouvait libre, d'autant plus qu'il savait son avenir à Manchester assuré : le 15 mai 1953, le Conseil d'université vota la création en sa faveur d'un poste de professeur de théorie du calcul qui prendrait effet dès la fin légale de son statut actuel, le 29 septembre. Il pouvait donc être serein pendant au moins dix ans s'il le souhaitait. À cet égard, l'insouciant « Peuh ! » qu'il avait adressé à Don Bayley était justifié : il obtint une augmentation, et on lui accorda la liberté de travailler comme il l'entendait.

Le 10 mai, Alan envoya une lettre à Maria Greenbaum, lui indiquant une solution complète à un jeu de patience, qu'il termina par :

« J'espère que vous passez de bonnes vacances en Suisse italienne. Je ne serai pas très loin, au Club Méditerranée de Corfou, en Grèce. Cordialement, Alan Turing. »

Il était déjà allé – très probablement en 1951 – au Club Méditerranée, sur la Côte d'Azur en France. En cet été 1953, pro-

---

l'inviter à dîner pour discuter morphogenèse, et lui présentant une enveloppe sur laquelle il avait griffonné « échantillons de la cuisine de Turing ». Elle contenait une mystérieuse plante qui poussait sur son mur, et il s'imaginait, avec un peu trop d'optimisme, que John pourrait l'identifier. Lors d'un séjour au Canada, celui-ci reçut une lettre d'Alan « pleine d'espoir pour l'avenir et d'éloges pour son analyste ».

bablement durant le couronnement de la reine[1], Caliban quitta son île pour profiter des plaisirs de la vie, d'abord à Paris, puis à Corfou. Il en revint avec une bonne demi-douzaine de noms et adresses en Grèce, mais se déclara plutôt déçu par son exploration du Méditerranéen oriental. Comme à l'école, si le français ne lui réussissait pas très bien, le grec lui opposait une plus forte résistance encore.

Sur la plage de Corfou, l'horizon souligné par les montagnes sombres d'Albanie, il eut tout loisir d'étudier à la fois les algues et les éphèbes. Staline était mort et un soleil encore brumeux se levait enfin sur une Europe nouvelle. La mesquinerie frileuse de la culture britannique elle-même n'était pas à l'abri du changement, et après plus de dix ans de cartes de ravitaillement, un nouvel état d'esprit s'installa alors que personne ne l'avait réellement prévu. Le couronnement de la reine marqua le premier événement télévisuel de masse dans une Grande-Bretagne où la frontière entre les idées officielles et les autres devenait de plus en plus floue. Un marginal, un beatnik intellectuel comme Alan Turing, allait pouvoir trouver plus d'espace pour respirer.

Outre le relâchement général des comportements, la diversification de la vie se faisait plus perceptible encore à propos des questions sexuelles. Comme dans les années 1890, la grande prise de conscience officielle de la sexualité fut accompagnée d'une plus grande liberté de ton de la part de certaines personnalités – surtout aux États-Unis, où le processus avait débuté plus tôt qu'en Grande-Bretagne. L'exemple le plus notable fut l'Américain Fritz Peter, avec son roman *Finistère*, paru en 1951, qu'Alan admirait énormément. Il décrivait dans son livre la relation entre un garçon de 15 ans et son professeur. Comme dans *The Cloven Pine*, il tentait de voir le monde à travers le regard de l'adolescent. Il s'agissait cependant d'une relation très différente de celle, beaucoup plus vague, du *Cri du cœur* de Fred Clayton. Jadis, Alan avait souvent taquiné Fred, parvenant à le choquer avec des affirmations simplistes sur la prévalence de l'activité homosexuelle, et l'auteur reprenait dans ce livre le sujet sérieux

---

1. À la Pentecôte (le 24 mai), il devait se rendre à Guildford, et le 30 mai à Cambridge pour la soutenance de thèse de doctorat de Robin. Il est donc fort probable qu'il ait pris ses vacances début juin. Elisabeth II fut couronnée le 2 juin.

qui se cachait derrière le plaisir des ragots – il tentait de défier le « rejet social » et de parler de sexe comme s'il s'agissait d'un sujet anodin. *Finistère* évoquait également la réalité du « tabou social », et son histoire suivait une trame complexe faite de révélations tantôt privées, tantôt publiques. Celles-ci conduisaient l'auteur à une issue sans espoir, comme si l'homosexualité était intrinsèquement contradictoire et fatale : « la bande de sable, les empreintes distinctes menant droit vers l'onde noire. »

Avec son dénouement tragique, qui symbolise la « fin du monde » – et en comparant le désir du garçon pour un ami du même sexe plus âgé et l'échec du mariage de ses parents – *Finistère* figure en bonne place dans la littérature traitant de l'homosexualité. Le roman apporte à un genre qui commençait à dater, un caractère sans équivoque propre à l'après-guerre. En 1953, il est évident pour tout le monde que les gays sont capables de se débrouiller comme n'importe qui d'autre. Ainsi, le roman anglais *The Heart in Exile* (Le cœur en exil) de Rodney Garland passe en revue les tabous en voie d'extinction de la haute bourgeoisie, ainsi que l'obsession moderne pour les explications psychologiques, et rejette le tout, préférant une conclusion plus banale où « le combat doit se poursuivre ». Dans *La Cigüe et après,* avec un humour noir et sarcastique envers les différents milieux sociaux, Angus Wilson s'est lui aussi rapproché de cette façon moderne et pragmatique de parler de sexe propre à Alan. D'ailleurs, ce dernier discuta beaucoup avec Robin de ce roman – une preuve supplémentaire que la Seconde Guerre mondiale n'avait pas seulement engendré une gestion clinique et bureaucratique. Pourtant, Alan Turing ne put profiter de ce vent d'anarchie autant qu'il l'aurait souhaité. Moins libre qu'il y paraissait, lui aussi était au bord du gouffre. Un an plus tard, le 7 juin 1954, il se donna la mort.

La mort d'Alan Turing causa un véritable choc parmi ceux qui le connaissaient. Elle ne s'insérait dans aucune logique événementielle. Rien ne fut exprimé – il n'y eut ni avertissement ni mot d'explication. Il semblait ne s'agir que d'un cas isolé d'autoannihilation. Qu'il fût malheureux, tendu ; qu'il fût suivi par un psychiatre et qu'il eût subi un traumatisme dont beaucoup ne se seraient pas remis, c'était évident. Mais le procès avait eu lieu deux ans auparavant, le traitement hormonal était terminé depuis une année déjà et il donnait réellement l'impression d'avoir surmonté tout cela. En outre, pour ceux qui le connaissaient bien, il n'était tout simplement « pas du genre » à se suicider. Ceux qui refusaient de voir un lien entre le procès de 1952 et la fin de 1954 oubliaient peut-être qu'il ne fallait pas obligatoirement interpréter le suicide comme une preuve de faiblesse. Alan avait lui-même cité Oscar Wilde en 1941, et l'homme brave pouvait lui aussi se donner la mort par l'épée.

Cependant, l'enquête établit le 10 juin qu'il s'agissait bien d'un suicide. Elle fut d'ailleurs rapidement expédiée, car les faits semblaient clairs. Alan avait été retrouvé allongé dans son lit par Mme C..., le mardi 8 juin à 17 heures. Il avait l'écume aux lèvres, et le médecin qui pratiqua l'autopsie le soir même n'eut aucun mal à identifier la cause du décès : empoisonnement au cyanure dans la nuit du lundi. On retrouva dans la maison un pot de cyanure de potassium et un autre de dissolution cyanurée. Il y avait une demi-pomme entamée près du lit, mais on ne procéda pas à l'analyse du fruit. Ainsi, on ne put jamais établir exactement qu'il avait été trempé dans le poison, même si cela paraissait évident.

John Turing rencontra Franz Greenbaum et Max Newman, puis prit connaissance des conclusions de l'enquête. Mme Turing, en vacances en Italie, prit le premier avion dès qu'elle fut mise au courant du drame. John avait déjà jugé qu'il valait mieux ne pas contester la version du suicide, décision que favorisa évidemment la présence de tout un groupe de journalistes. « Je dois arriver à la conclusion qu'il s'agit d'un acte délibéré. On ne peut jamais prévoir les processus mentaux de ce genre de personne », déclara le coroner à John, et le verdict fut le suivant : suicide « lors d'un moment de déséquilibre ». La presse nationale mentionna à peine le décès et ne fit nullement le rapprochement avec le procès de 1952.

Mme Turing refusa le verdict. Il ne pouvait s'agir selon elle que d'un accident. Elle en voulait pour preuve que, tandis qu'Alan dormait dans sa petite chambre, une électrolyse était en cours dans une pièce du fond. Il poursuivait en fait cette expérience depuis très longtemps. Il lui arrivait parfois d'utiliser du cyanure, élément nécessaire au plaquage de l'or. Il s'était récemment servi de l'or de la montre de son grand-père John Robert Turing pour plaquer une cuillère à thé. Elle était persuadée qu'il s'était mis les doigts à la bouche alors qu'il avait du cyanure sur les mains. Elle était sûre que cela finirait par se produire un jour. À Noël, en 1953, lors de sa dernière visite à Guildford, elle n'avait cessé de lui répéter : « *Lave-toi* les mains, Alan, et surtout brosse-toi bien les *ongles* ! Ne mets pas tes *doigts* à la *bouche* ! » Il s'était contenté de lui répondre de ne pas s'inquiéter. Cela prouve bien qu'il savait qu'elle craignait ce genre d'accident. Il se serait donc arrangé pour blesser le moins possible sa sensibilité de mère et de chrétienne. Ce fut un traumatisme pour Mme Turing, alors que leur relation s'était améliorée de jour en jour. D'après la loi, le suicide était un crime, sans parler du rejet social, et elle croyait aussi fermement au purgatoire. Le plan qu'Alan avait dévoilé à James Atkins en 1937, qui faisait appel à une pomme et à des fils électriques, avait peut-être joué un rôle. Peut-être l'avait-il mis en œuvre. Si c'était bien le cas, il avait réussi le « suicide parfait », prévu pour ne tromper que la seule personne qu'il souhaitait tromper.

Sa mort ressemblait au mélange d'enquête policière et de plaisanterie pour chimiste qui lui avait tant plu lors des chasses au trésor. Un jour, il avait imaginé un indice qui reposait sur la conductivité électrique de la boisson Tizer. En compagnie de Robin, il avait organisé une dernière chasse au trésor à Leicester, au cours de l'été 1953. Il avait préparé des bouteilles de liquide rouge, avec des indices rédigés à l'encre couleur sang sur le dos de l'étiquette, de sorte qu'on ne puisse les lire qu'après avoir vidé les flacons. Il les avait délibérément mal étiquetées : « Libation » pour celle qui dégageait l'odeur la plus forte, et « Potion » pour la potable. Peut-être l'idée lui avait-elle été inspirée par Christopher Morcom et ses « trucs mortels » ou par les poisons expliqués dans les pages de *Merveilles de la Nature*. Quoi qu'il en soit, il avait découvert une solution chimique radicale.

Tout autre personne qui aurait voulu conclure à un accident aurait dû, pour le moins, reconnaître qu'Alan avait fait preuve d'une imprudence suicidaire. Alan Turing lui-même n'aurait pas manqué d'être fasciné par la difficulté que posait l'étroite limite entre l'accident et le suicide, ligne déterminée par la seule conception du libre arbitre. Intéressé comme il l'avait été par l'idée d'introduire un élément aléatoire dans les ordinateurs pour leur conférer l'apparence de la liberté, il avait très bien pu donner un petit côté « roulette russe » à sa propre fin. Même ainsi, son corps ne présentait aucun signe de lutte contre la suffocation qu'entraînait le cyanure. C'était bien le corps d'un homme résigné à mourir.

Comme Blanche-Neige, il avait donc croqué la pomme, trempée dans le poison de la sorcière. Restait à déterminer de quoi ce dernier était fait. Une enquête plus sérieuse aurait-elle pu le dire ? Là encore, cela aurait dépendu du niveau de description. Se demander ce qui avait provoqué la mort d'Alan équivalait à chercher les causes de la Première Guerre mondiale : un coup de feu, les horaires des trains, la course aux armements ou la logique du nationalisme pouvaient tous être tenus pour responsables. À un certain niveau, les atomes se déplaçaient simplement suivant les lois de la physique ; à un autre, il existait une part de mystère ; à un troisième, une sorte d'inéluctabilité.

Et au niveau le plus superficiel, il n'y avait absolument rien à voir. Le désordre habituel régnait dans les papiers qui peuplaient son bureau à l'université. Le vendredi soir précédant le drame, Gordon Jack, qui travaillait sur l'ordinateur à des problèmes optiques, l'avait vu rentrer chez lui à bicyclette, comme à son habitude[1]. Comme à son habitude encore, Alan avait retenu la soirée du mardi pour se servir de l'ordinateur, et les ingénieurs l'attendirent longtemps, n'apprenant sa mort que le lendemain. Ses jeunes voisins, les Webb, avaient déménagé le jeudi précédent, et il les avait invités à dîner le mardi soir, se montrant gai et disert. Il avait beaucoup regretté leur départ, avait parlé d'aller les voir à Styal – où ils allaient s'installer – et s'était réjoui que les nouveaux occupants avaient des enfants en bas âge. On retrouva chez lui des places réservées de théâtre et aussi une lettre non postée, où il acceptait une invitation à une réception de la Royal Society pour le 24 juin. Un voisin l'avait vu se promener le dimanche matin, « aussi échevelé » que d'habitude. Il avait ramassé l'*Observer* le dimanche et le *Manchester Guardian* le lundi ; il avait pris ses repas et laissé la vaisselle. Rien de tout cela ne jetait la moindre clarté sur sa mort.

---

1. Il avait abandonné son vélo à moteur depuis peu et en utilisait un qu'il avait emprunté. Un vélo pour femmes, en fait, mais cela ne faisait aucune différence à ses yeux.

Certes, durant la dernière année, ses vieux amis de King's l'avaient trouvé préoccupé, mais sans que cela fasse le moins du monde obstacle à ses activités. Pour Noël 1953, outre sa visite à Guildford, Alan s'était rendu à Oxford, chez David Champernowne, et à Exeter, chez Fred Clayton. Il avait reparlé non sans une certaine inquiétude de son jeune Norvégien avec Champ, et celui-ci jugeait qu'il avait fait preuve d'une grande imprudence. Il trouvait aussi que son ami rabâchait un peu et ne tarda pas à le considérer comme légèrement ennuyeux.

À Exeter, il alla se promener avec Fred et sa femme, désormais parents de quatre enfants. Il trouvait que l'un des garçons ressemblait étrangement à son oncle de Dresde. Il raconta son arrestation, le procès et le traitement hormonal, décrivant le gonflement de sa poitrine avec un humour grinçant. Pour Fred, c'était la confirmation de toutes ses craintes, et comprenant à quel point ces rencontres fugaces laissaient à désirer, il lui conseilla de se trouver un « ami » régulier dans le milieu universitaire. (Il ignorait tout de Neville.) Croyant fermement aux vertus de la vie familiale, Fred avait eu l'impression qu'Alan l'enviait un peu. Alan découvrit un gros champignon, qu'il déclara comestible, à la grande surprise des Clayton. Ils le cuisinèrent donc et le mangèrent. Par la suite, Alan leur envoya un mot de remerciement, accompagné de quelques notes sur l'astronomie et d'un cadran solaire bricolé dans une boîte en carton. Cela ne ressemblait en rien à un adieu. Pas plus que son passage à Guildford. Son dernier message à sa mère, rédigé peu de temps après, se terminait par des renseignements sur un magasin qu'il avait découvert à Londres où l'on pouvait se procurer « des babioles en verre bon marché qui conviendraient parfaitement pour des cadeaux de mariage, etc. ».

Ses deux autres plus proches amis d'après-guerre, Robin et Nick Furbank, n'avaient également rien vu venir. Robin passa le week-end du 31 mai à Wilmslow, soit dix jours avant le suicide, et il ne remarqua aucune crise psychologique chez son ami, qui avait pourtant l'habitude de se confier à lui. Ils s'amusèrent avec les expériences d'Alan, tentant de concevoir un désherbant non toxique et un produit pour nettoyer les éviers à partir d'ingrédients naturels. Ils discutèrent de la théorie des types et envisagèrent même de se revoir en juillet.

Alan s'était beaucoup investi dans son amitié avec Nick Furbank – ce qui reflétait peut-être une volonté de s'écarter un peu de la science, et même de s'intéresser à la littérature. Alan avait d'ailleurs déjà abordé la question du suicide avec ce dernier, qui le raconta à Robin. Mais cela n'expliquait rien. Franz Greenbaum ne découvrit rien non plus dans l'étude des carnets de rêves d'Alan.

John Turing lut deux de ces carnets que lui prêta le psychiatre, avant de les détruire tous. Les propos « sanglants » d'Alan concernant sa mère, et la description de son homosexualité depuis l'adolescence, apprirent à John plus qu'il n'en aurait voulu savoir, et il trouva ces explications largement suffisantes pour justifier un suicide. Il ne pouvait que remercier le ciel que de tels documents ne fussent pas tombés aux mains de la concernée. Pour les amis d'Alan, les choses ne pouvaient pas être aussi simples.

Un indice, cependant, annonçait qu'il préparait sa mort : il avait fait un nouveau testament le 11 février 1954. Il faisait de Nick Furbank son exécuteur testamentaire à la place de John, et léguait à Robin tous ses livres et travaux mathématiques. Il laissait 50 livres à chacun des membres de la famille de son frère, et 30 à sa femme de ménage, le reste étant à partager entre sa mère, Nick Furbank, Robin Gandy, David Champernowne et Neville Johnson. John Turing fut effaré qu'Alan eût pu reléguer ainsi sa mère avec de simples amis – il s'agissait pourtant là d'une attention beaucoup plus chaleureuse et personnelle que de lui laisser le legs conventionnel dû à sa position[1].

Le testament comprenait néanmoins un addendum surprenant pour quelqu'un qui avait projeté de se suicider : Alan avait en effet prévu que Mme C... devrait toucher dix livres supplémentaires pour chaque année de plus passée à son service après 1953. En se rendant sur place, Nick eut l'impression qu'Alan avait regroupé certaines lettres en paquets. Tout portait à croire qu'il s'était préparé à la possibilité d'un suicide, mais qu'il avait en fin de compte agi sur une impulsion. Quels facteurs avaient donc pu, au dernier moment, le pousser au désespoir ?

---

1. Le montant de la succession s'élevait à 4 603 livres 5 shillings et 4 pence et l'université de Manchester était redevable de 6 742 livres 4 shillings et 11 pence, grâce à une assurance-vie souscrite en fonction de sa cotisation retraite. Le fait qu'il s'agisse officiellement d'un suicide n'affecta en rien ce versement. John Turing veilla à ce que l'intégralité de cette somme soit versée à Mme Turing.

Il mourut un lundi de Pentecôte le plus froid et le plus humide depuis cinquante ans. S'agissait-il, symboliquement, du jour suivant l'inspiration, au moment où l'esprit commençait à s'effacer ? G. H. Hardy avait tenté de se suicider en 1946, même si, dans son cas, il avait été privé de toute créativité pendant sept ans en raison d'un accident vasculaire cérébral. Y avait-il un motif sous-jacent dans la vie et la mort d'Alan Turing, sur cette seconde couche psychologique ? Sa nouvelle autobiographique suggérait qu'il avait connu sa grande « inspiration » en 1935, et qu'il ne s'était ensuite battu que pour maintenir ce niveau. Les vagues d'inspirations s'étaient en fait succédées chez lui tous les cinq ans après la mort de Christopher Morcom : la machine de Turing en 1935, l'*Enigma* navale en 1940, l'ACE en 1945, le principe morphogénétique en 1950. C'était du moins ainsi que s'exprimait extérieurement sa pensée. Lui-même fonctionnait un peu comme une machine de Turing, écrivant et effectuant toutes les étapes intermédiaires par cases successives, chacune étant séparée par une phase de *reculer pour mieux sauter*[1].

Quoi qu'il en soit, même si ses dernières recherches ne suscitaient chez lui ni ennui ni désillusion, il avait l'impression d'avoir épuisé ce qu'il pouvait accomplir. Alan était particulièrement soucieux de ne pas se laisser enfermer ni catégoriser en fonction de sa réputation. Il aurait donc eu besoin, au cours des années 1954 ou 1955, de trouver quelque chose de nouveau où s'exprimer, afin de conserver toute sa fraîcheur d'esprit. De ce point de vue, 1949 avait dû être beaucoup plus difficile à vivre que 1954.

Il est possible que ses recherches morphogénétiques se soient révélées plus laborieuses que prévu. Cela faisait trois ans qu'il cherchait à expliquer le schéma présenté par la pomme de pin, et il n'y était toujours pas parvenu au moment de sa mort. Rien cependant n'avait pourtant dénoté la moindre baisse d'intérêt. Durant l'été 1953, il avait engagé Bernard Richards, étudiant, pour effectuer certains calculs détaillés liés à ses modèles de formation de systèmes en croissance sur des surfaces sphériques. Celui-ci trouva certaines solutions exactes aux équations d'Alan,

---

1. En français dans le texte. (NdT)

prouvant ainsi que la théorie pouvait s'appliquer aux systèmes les plus simples possible découverts dans un monocellulaire, le radiolaire. Alan possédait un livre de gravures[1] sur ces organismes océaniques qu'il ne se lassait pas de faire admirer aux ingénieurs lors des nuits passées devant l'ordinateur.

Si ses relations de travail avec Alan n'étaient jamais devenues vraiment chaleureuses, Richards avait pu se rendre compte que le travail du scientifique était loin du déclin ou du point mort, même dans les tout derniers temps. Alan rédigeait beaucoup, mais ce n'était pas au détriment de nouvelles expérimentations sur l'ordinateur. Et il ne s'agissait pas non plus de ce genre de théories monolithiques dont on doit démontrer en bloc qu'elles sont vraies ou fausses. Il pouvait au contraire y intégrer des idées de chimie et de géométrie pour voir où elles le menaient. Cela dépendait plus de l'intégration de différentes branches des mathématiques et de la science que de la volonté de résoudre un problème particulier dans un cadre donné.

Alan laissait derrière lui une quantité de documents détaillés, certains organisés sous forme d'un second article, d'autres sous forme d'exemples vérifiés et d'impressions informatiques incompréhensibles pour d'autres que lui. Le passage suivant illustre parfaitement l'état de ses recherches au moment de sa mort :

« L'amplitude des vagues est en grande partie contrôlée par la concentration V de "poison". »

À la façon de *Merveilles de la Nature*, il avait baptisé « poison » l'élément chimique dont la fonction était d'inhiber la croissance. Ce qui avait un côté légèrement macabre. Il poursuivait :

« Si la quantité R est minime, cela signifie que le poison se diffuse très rapidement. Cela réduit l'étendue de son pouvoir, car si les valeurs U sont élevées sur une parcelle et que de grandes quantités sont produites, le poison aura surtout pour effet de se diffuser hors de la parcelle et d'empêcher l'augmentation de U dans un voisinage proche... Si l'on permet que R ait une valeur trop élevée, il peut se produire que l'effet de "suppression des bandes latérales" empêche même la formation de treillage hexagonal... »

---

1. Sans doute s'agissait-il du recueil de planches tirées du rapport du zoologiste allemand E. Haeckel sur les radiolaires, publié par le gouvernement britannique dans les années 1880.

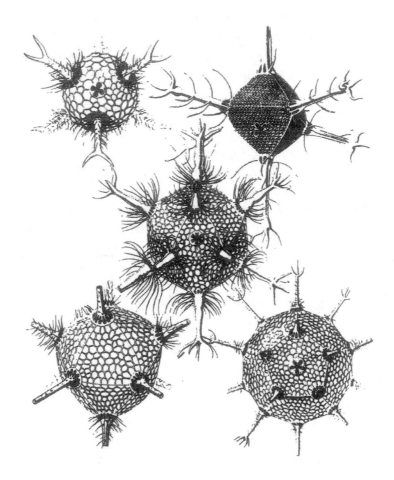

Extrait d'une planche issue du rapport d'Ernst Haeckel
sur les radiolaires.

De telles observations prouvaient qu'il n'en était pas à son premier essai, notamment avec ce modèle particulier qu'était « le développement des contours de la pâquerette ». Il avait finalement « regardé pousser les pâquerettes » – non seulement en « examinant quinze plantes », comme cela avait été le cas avec Joan Clarke en 1941, mais aussi sur sa machine universelle. Toutefois, il ne s'agissait là que d'un pan de ses recherches parmi d'autres : il y en avait un autre intitulé « Fircones » (« pommes de pin » – [NdT]), accompagné d'un sous-programme « Outerfir » (« écorce de pin » – [NdT]). Un autre encore s'appelait « théorie de Kjell », et était consacré à une autre forme de ses équations élémentaires, accompagné des sous-programmes « Kjellplus », « Ibsen », etc., tous affublés d'un nom scandinave. Rien de tout cela n'étant lié à son futur article, il lui restait visiblement de nombreux projets à mener à bien.

Il continuait également à travailler avec Robin sur la théorie des types et ils projetaient d'écrire un article ensemble sur le sujet. Alan écrivit aussi un article de vulgarisation sur le « problème du mot », qui parut début 1954 dans le *Science News* de Penguin[1]. Le mathématicien russe P. S. Novikov avait annoncé que le « problème du mot » était, pour les groupes, effectivement insoluble suivant n'importe quelle méthode définie. L'article d'Alan expliquait ce résultat et le reliait à certaines questions de topologie, montrant que le problème de décider si tel nœud était égal à tel autre nœud était essentiellement un « problème de mot ». Les travaux de Novikov étaient tout récents, et Alan avait hâte que la démonstration complète de ce qu'avançait le Soviétique soit disponible. Alan appréciait que les problèmes soient réglés jusqu'au

---

1. Il devait s'intituler « Problèmes solubles et insolubles » et donnait d'abord un exemple de problème « soluble ». Il s'agissait d'un jeu de patience nommé « le taquin », dans lequel, comme il le décrivait, il n'y avait qu'un nombre fini de possibilités à étudier (à savoir 16 !, soit 20.922.789.888.000). Par conséquent, en principe, le jeu était « soluble » en dressant la liste de l'ensemble des positions. Cela l'aida à illustrer la nature d'un problème véritablement « insoluble », et ce grand nombre de possibilités prouvait qu'il existait un fossé entre la théorie et la pratique. Naturellement, la Bombe avait exploité le caractère fini d'Enigma grâce à une méthode de force brute, mais, de manière générale, le fait de savoir qu'un nombre n'est « que » fini n'a aucune importance dans la pratique. On ne peut pas jouer aux échecs, ni déduire l'ensemble des câblages d'une machine Enigma rien qu'en sachant que les possibilités sont finies. Le taquin posait un problème sérieux au programmeur. Les machines de Turing, une fois dans le monde physique, étaient considérablement limitées par des considérations qui n'avaient aucun rapport avec la logique.

bout : la dernière lettre qu'il adressa à Robin, en mai 1954, discutait certaines idées avancées par Robin pour « contourner l'argument de Gödel », puis se terminait ainsi :

« J'ai repris le problème de l'arc-en-ciel. J'arrive à quelque chose de satisfaisant avec les sons, mais c'est un échec total avec l'électricité. Amitiés, Alan. »

Alors qu'ils se promenaient dans Charnwood Forest, près de Leicester, ils avaient aperçu un curieux double arc-en-ciel, phénomène qu'Alan avait absolument voulu étudier. Il devait y avoir une explication.

S'il cherchait quelque chose de résolument nouveau, c'était dans le domaine de la physique théorique, qu'il avait aussi mise de côté depuis les années 1930. Avant-guerre, il avait en effet parlé à Alister Watson de l'intérêt qu'il portait aux « spineurs » qui apparaissaient dans la théorie de Dirac sur l'électron. Et au cours de la dernière année de sa vie, il effectua quelques recherches sur les fondements algébriques du calcul des spineurs. Il définit ce qu'il appela des « fontes », comme les fontes de caractères en imprimerie[1]. Il se pencha aussi sur l'idée proposée par Dirac en 1937, selon laquelle la constante de la gravitation changerait avec l'âge de l'univers. Lors d'un déjeuner avec Tony Brooker, il lui demanda : « Pensez-vous qu'un paléontologue puisse déterminer le poids d'un animal aujourd'hui disparu à partir de son empreinte ? » Toujours aussi peu confiant en la ligne officielle de la mécanique des quanta, il se remit également à en étudier les fondements. Il découvrit même un paradoxe au sein de l'interprétation standard telle que von Neumann l'avait établie, car il s'aperçut que si l'on « observait » un système quantique suffisamment souvent, son évolution pouvait devenir d'une lenteur illimitée, et finirait même par s'arrêter tout à fait dans le cas d'une observation continue. Le compte rendu standard dépendait donc de l'assurance implicite que ce mystérieux moment d'« observation » ne se reproduisait qu'à intervalles discrets.

---

1. Si l'on peut décrire certaines quantités physiques (une température par exemple) par un seul nombre, il faut en général avoir tout un ensemble de nombres, ce qui est par exemple le cas pour une direction dans l'espace. On représente le plus souvent cet ensemble par une lettre de l'alphabet. D'un point de vue moderne, la structure de l'ensemble reflète le groupe de symétries associé à l'entité physique, et il est courant d'employer différents types de caractères (bas de casse, haut de casse, etc.) dès que différents groupes symétriques sont impliqués. Le mot « fonte » explicitait donc ce principe.

Il entretenait ainsi d'autres conceptions hérétiques qu'il expliqua à Robin : « Les spécialistes de mécanique quantique ont toujours l'air d'exiger un nombre infini de dimensions ; je ne crois pas que je puisse me débrouiller avec autant. Je me contenterai d'une bonne centaine... ça devrait suffire, non ? » Et une autre idée commençait aussi à germer : « La description doit être non linéaire alors que la prédiction doit être linéaire. » Un regain d'intérêt de sa part pour la physique fondamentale serait tombé à pic. Le développement de la théorie de la relativité connaissait en effet un nouvel essor en 1955, après des années de stagnation dues à la guerre. L'interprétation de la mécanique quantique, peu explorée depuis les travaux de von Neumann en 1932, constituait également un domaine ouvert à toutes les idées nouvelles et aurait très bien convenu à la forme d'esprit d'Alan.

Si Alan n'était pas, contrairement à ce que pensait Mme Turing, sur le point de faire la découverte du siècle, sa vie intellectuelle ne présentait aucun signe de déclin. Il s'agissait plutôt d'une période transitoire comme Alan en avait vécu auparavant, mais qui cette fois, s'accompagnait d'un champ d'intérêt beaucoup plus vaste et d'une attitude beaucoup plus ouverte face à la vie intellectuelle et émotionnelle en général.

L'année 1954 n'avait pas été très fertile en événements. Cependant, un incident sort du lot. C'était à la mi-mai 1954 ; Alan passait la journée au bord de la mer en compagnie de la famille Greenbaum. Ils se rendirent à une fête foraine et passèrent devant la roulotte d'une gitane diseuse de bonne aventure. Alan voulut absolument y entrer – une autre gitane ne lui avait-elle pas prédit son génie dès 1922 ? Les Greenbaum attendirent pas moins d'une demi-heure devant la roulotte. Quand Alan en sortit enfin, il était blanc comme un linge et ne voulut pas desserrer les dents de tout le trajet de retour en bus. Il ne chercha ensuite à les joindre que le samedi 5 juin, deux jours avant sa mort, mais ils étaient absents et ils apprirent le drame avant d'avoir eu le temps de le rappeler.

Que lui avait-elle dit ? La devise de sa famille était *Audentes Fortuna Juvat* (« la fortune sourit aux audacieux »), mais son oncle Arthur avait trouvé la mort en 1899, pris en embuscade. Comme pour Alan, il demeurait une grande part d'inconnu dans ce qui lui était arrivé. Robin, Nick et Franz Greenbaum n'étaient sans doute pas parvenus à percer tous les mystères de son esprit, sans parler de ceux qui déplaçaient les pièces sur l'échiquier. La fin de partie prévue semblait très différente de celle de Lewis Carroll, où Alice parvenait à capturer la Reine Rouge et à sortir de son cauchemar. Dans la vraie vie, la Reine Rouge s'échappait pour aller festoyer à Moscou. La Reine Blanche serait sauvée, et Alan Turing sacrifié.

Lorsqu'Alan avait rencontré Don Bayley en octobre 1952, il lui avait confié l'un de ses plus grands secrets. Il avait aidé Hugh Alexander dans ses travaux de décryptage, mais il devait arrêter, les homosexuels n'ayant pas droit de cité dans ce domaine. Il acceptait cela comme un fait. Le choc psychologique ne fut sans doute pas très important, comparé à tout ce qu'il venait de traverser. Le GCHQ eut certainement beaucoup plus de mal à digérer la nouvelle dans la mesure où – c'est ce qu'Alan raconta à Tony Brooker – ils lui avaient proposé un salaire colossal de 5 000 livres pour qu'il revienne travailler un an chez eux. Le gouvernement ayant cessé de fonctionner comme une entité monolithique après la guerre, les institutions cryptographiques, avec leurs puissantes relations à Cambridge, ont certainement dû se montrer réticentes à l'idée de perdre leur meilleur consultant. Les « services de sécurité », ou MI5, dont le rôle en 1952 avait été étendu par le ministre de l'Intérieur sir David Maxwell-Fyfe, avaient sur la question un point de vue très différent. Le concept de « sécurité », qui se développait fort rapidement, connut de profonds bouleversements durant les deux dernières années de la vie d'Alan Turing. Même s'il ne s'intéressait nullement à la politique, il ne pouvait se soustraire aux exigences de réformes de l'État. En fait, il se trouvait au cœur du problème.

Les services de sécurité, ou MI5, se mettaient de plus en plus à l'heure américaine : mécanisation des méthodes, gestion déshumanisée et, par-dessus tout, sécurité. En 1950, aux États-Unis, une enquête sénatoriale avait été menée concernant :

« l'emploi d'homosexuels et autres pervers sexuels au sein du gouvernement ; les raisons pour lesquelles leur présence dans les services de l'État était indésirable ; et l'efficacité des méthodes utilisées pour régler ce problème ».

La sous-commission sénatoriale parvint, entre autres, à la conclusion que les homosexuels ne devaient généralement pas être engagés parce que :

« Il est convenu de penser que ceux qui pratiquent des actes de perversion manifeste sont dépourvus de la stabilité émotionnelle d'une personne normale. Il y a en outre une abondance de preuves démontrant que la pratique de perversions sexuelles affaiblit la fibre morale de l'individu à un degré qui ne lui permet plus de tenir une position de responsabilité[1]. »

Durant cette phase-clé de l'enquête, le comité avait fait appel aux lumières d'éminents psychiatres. Pour leur seconde trouvaille majeure, ils s'appuyèrent cependant sur le témoignage d'autres sommités :

« Les conclusions du sous-comité, qui affirment que les homosexuels et autres pervers sexuels présentent un risque pour la sécurité du pays ne se fondent pas sur de simples conjectures. Nous sommes parvenus à cette conclusion en demandant leur avis à ceux qui étaient le plus qualifiés pour réfléchir aux questions de sécurité de l'État, à savoir les responsables des agences de renseignements. »

Malgré son expérience de la Seconde Guerre mondiale, l'État américain accordait une confiance absolue à ses services de renseignements. Suivant la piste proposée par William Stephenson, les Américains disposaient désormais de leur propre organisation chargée d'espionner et de manœuvrer à l'étranger, la Central Intelligence Agency (CIA). La situation avait bien changé depuis 1945, quand les États-Unis avaient paru vouloir reprendre leur rôle de gendarme de l'hémisphère nord. Depuis la guerre, la politique étrangère britannique avait toujours œuvré en direction d'un maintien de la présence américaine en Europe, même si les planificateurs de 1945 auraient difficilement pu imaginer la forme qu'avaient prise leurs idées, désormais incarnées par le traité de l'Atlantique Nord et différents accords apparentés. Ayant rapidement perdu son innocence d'avant-guerre, l'Amé-

---

1. Rapport repris dans D. W. Cory, *The Homosexual in America*, Greenberg, New York, 1951.

rique avait à présent l'occasion, grâce à la CIA, de pouvoir se conduire comme toutes les autres nations du monde, et surtout, de pouvoir prendre exemple sur les services secrets britanniques. À la différence près, toutefois, que cette organisation ne dissimulait pas son action aux législateurs et fonctionnait de manière plutôt ouverte :

« Nous avons recueilli des témoignages auprès de représentants du FBI, de la CIA et des services secrets de l'armée de terre, de l'air et de la marine. Toutes ces agences sont d'accord pour dire que les pervers sexuels employés par le gouvernement présentent un risque de sécurité.

Le manque de stabilité émotionnelle et de force morale que l'on retrouve chez la plupart des pervers sexuels fait d'eux des personnes susceptibles de se laisser séduire par des espions étrangers. En effet, la majeure partie des pervers ont tendance à se retrouver dans les mêmes restaurants, les mêmes boîtes de nuit et les mêmes bars. Il est reconnu parmi toutes les agences de renseignements que les organisations d'espionnage du monde entier considèrent les pervers sexuels détenant ou ayant accès à du matériel confidentiel comme des cibles privilégiées sur lesquelles exercer des pressions. Malgré leurs protestations, dans presque tous les cas, les pervers succomberaient au chantage, car ils craignent invariablement que leurs amis, leurs associés ou le public au sens large ne viennent à découvrir leur particularité. »

Le FBI apprit, par exemple, que « des ordres ont été donnés par les hauts dirigeants du renseignement soviétique visant à réunir des détails sur la vie privée des membres du gouvernement ». L'argument présentait, il est vrai, un noyau de vérité : le rejet social rendait les homosexuels particulièrement sensibles au chantage, et l'on pouvait s'attendre à ce que les services d'espionnage soviétiques exploitent ce fait tout autant que les autres. C'était un constat politique. Étrangement, cela signifiait que l'existence d'Alan Turing était devenue partie intégrante du rêve du Roi Rouge.

Le statut spécial des homosexuels n'était certes pas nouveau. Cependant la réaction du gouvernement sur cet aspect précis du comportement individuel devait devenir plus explicite. Les années 1950 marquaient une période transitoire, où les procédures des années 1930 et de l'urgence des années de guerre se faisaient rapidement détrôner par celles des grandes puissances équipées d'arsenaux atomiques. Il s'agissait à présent de préserver indéfiniment de grandes institutions scientifiques contre l'éventualité d'une guerre susceptible d'être perdue en quelques heures. Le champ de bataille pouvait désormais s'étendre au monde entier. La guerre logique était maintenant reconnue au même titre que la guerre physique, et en temps de paix officielle, le problème était de contrôler la circulation des informations.

La solution idéale eut été que l'appareil d'État se présente sous forme de machines. En attendant, il fallait bien se contenter de cerveaux humains – de cerveaux dont on ne pouvait effacer les informations, qui pouvaient les mêler à des données et instructions inconnues, et qui pouvaient toujours les acheminer en des lieux inconnus dès leur service terminé. La science n'avait pas encore permis de lire les pensées de ceux qui ne voulaient pas les révéler. Les gens restaient dangereusement imprévisibles, bien qu'une certaine imprévisibilité demeurât nécessaire dans la mesure où l'État prônait tout de même l'inventivité et l'initiative. C'était ce genre de difficulté qui avait obsédé Nowell Smith : le fait de pouvoir récompenser l'« indépendance de caractère » au sein d'un système de « simple routine ».

Brillants, mais peu sûrs, les scientifiques avaient gagné la guerre et étaient, d'une certaine manière, devenus les prêtres et les magiciens du monde moderne. Ainsi, les guerres pouvaient être gagnées grâce à ces machines magiques, incompréhensibles pour les militaires et les administrateurs. Elles pouvaient aussi être perdues. Le succès et le danger représentaient les deux faces d'une même médaille. D'abord méprisés puis traités avec crainte et condescendance, les scientifiques des années 1930 avaient tiré d'affaire les Alliés. Sachant se rendre indispensables, ils avaient obtenu un statut élevé – même s'ils l'avaient fait au prix de l'innocence. Dans les années 1950, la signification politique de la science avait évolué, et les contradictions passées sous silence avant-guerre étaient remontées à la surface.

Fuchs, en transmettant des secrets atomiques à l'Union soviétique, avait contribué à mettre cela en lumière : qu'il n'ait agi ni par intérêt ni par méchanceté, négligence ou rancune, mais par conviction, constituait une véritable menace. Dans un livre daté de 1952, *The Traitors* (Les Traîtres), le correspondant de guerre Alan Moorehead tirait la morale de cette affaire :

« Peut-être Fuchs disait-il la vérité lorsqu'il clama, après son arrestation, que sa loyauté allait de nouveau à l'Angleterre et qu'il maudit publiquement le marxisme soviétique. C'était quelqu'un qui se référait d'abord à sa conscience, la société ne venant qu'après. Il n'y a pas de place pour de tels hommes dans une communauté ordonnée. Ils devraient tous se trouver là où est Fuchs aujourd'hui, à coudre des sacs à Stafford Gaol. »

Le jugement était expéditif : il signifiait que la place de gens comme Keynes et Russell, Forster et Shaw, Orwell et G. H. Hardy était en prison. Comme Einstein, ils s'étaient permis de mettre les axiomes en doute, et même s'ils avaient accepté de se conformer aux règles, cela restait leur choix propre. Cette indifférence, cette impression de faire des choix, c'était précisément ce que la société désavouait. Pourtant, les écrivains anglais les plus ouverts d'esprit avaient eux-mêmes accepté cette conclusion, même s'ils avaient à cet égard une culture différente de celle des Allemands, comptant sur le fait que l'on ferme les yeux sur de telles contradictions. Keynes, par exemple, prétendait qu'il fallait accepter les « conséquences si l'on se fait prendre ». L'idéal de « liberté et de cohérence d'esprit », comme Fred Clayton le disait, n'avait pas sa place dans les affaires importantes du monde. La brève période d'« anarchie créatrice » était peut-être parvenue à dissimuler la vérité pendant un temps, mais dès 1950, la politique avait repris ses droits.

La science se donnait comme but d'identifier la réalité objective. Pour elle, le monde ne formait qu'un seul pays, aussi elle était porteuse d'un danger : elle pouvait mettre en discussion les valeurs de la société. Et il en allait de même, quoique de manière plus directe et plus spectaculaire, avec toutes les formes de sexualité sortant des normes admises. Les homosexuels, en particulier, avaient choisi de se placer au-dessus du jugement clair et sans appel de la société, et posaient le problème d'une culpabilité sans culpabilité, en se présentant comme des délinquants sûrs de leur bon droit. N'y avait-il pas un Fuchs en sommeil en chacun d'eux ? Il existait pourtant une grande différence : Fuchs avait fait ce qu'il avait promis de ne pas faire – et il s'était arrogé le droit du pouvoir, le droit de changer l'histoire plutôt que celui

666

de maîtriser ses relations les plus proches. Or, la majeure partie des gays jouant à un jeu d'imitation, ils ne pouvaient être que malhonnêteté et supercherie. Et personne ne savait où leurs relations pouvaient les conduire.

Si tous ces problèmes n'étaient pas fondamentalement nouveaux, ils revêtaient une urgence nouvelle à l'ère de la guerre atomique. Et l'équation traditionnelle réunissant sodomie, hérésie et trahison était toujours vivace. Cette équation, quoique surexploitée par le sénateur McCarthy, n'était pas sans contenir un germe de vérité. Ce n'était plus la doctrine chrétienne qui importait à l'État, mais la foi en ses institutions sociales et politiques. L'homosexualité bousculait l'image sacro-sainte de la famille : l'homme dominateur au travail, et la femme soumise au foyer. Pour ceux qui percevaient le mariage et la paternité comme un devoir plutôt que comme un choix, les homosexuels semblaient être les protagonistes secrets et tentateurs d'une hérésie. À leur sujet on utilisait des termes religieux comme « convertis » ou « prosélytes », en s'imaginant qu'ils complotaient, comme les communistes soviétisants, à la conversion d'un monde à l'image inversée de celui de la chrétienté, où l'interdit devenait obligatoire.

Sur la côte Est des États-Unis, où régnait pourtant une certaine ouverture d'esprit, et en Grande-Bretagne, les intellectuels issus des *public schools* se méfiaient particulièrement des moins privilégiés. Les politiques avaient décrété que toute dissension ou inconvenance serait considérée comme une faiblesse, et donc comme une forme de trahison. On entendait d'ailleurs souvent dire qu'un homme capable de telles choses était capable de tout. Qu'il avait perdu toute maîtrise mentale. Qu'il pouvait tomber amoureux de l'ennemi. Pour toutes ces raisons, l'ancien mythe du traître homosexuel avait la vie dure[1].

En 1950, fidèle à son approche moderne fondée sur les ressources humaines et les sciences sociales, le Sénat se fendit d'un rapport dans lequel il évitait d'aborder ces archétypes, préférant se concentrer sur le cliché plus rassurant de la faible victime gay incapable de résister au chantage. C'est en suivant cette logique

---

1. Bien sûr, l'inverse était également vrai : une accusation d'homosexualité était à même de discréditer toute cible politique. En particulier, quand on se montrait « trop tendre » envers le communisme.

qu'on licencia ensuite des services de l'État tous les employés identifiés comme homosexuels[1]. Le langage scientifique n'avait cependant pas encore permis d'exorciser les idées préconçues dont les intéressés faisaient l'objet, considérés comme un cancer invisible de la société. On était parvenu à transformer une population obéissante en une masse de sous-Américains inconnus et incontrôlables, potentiellement sujets au chantage.

Contrairement au Sénat américain, on n'attendait pas du corps législatif britannique qu'il intervienne si ouvertement dans la politique du gouvernement. Mais ce dernier ne subissait pas le même genre de pression, et un événement l'incita à prendre des mesures. Le 25 mai 1951, ces deux hauts personnages du Foreign Office disparurent soudainement. Le 10 juin, le *Sunday Dispatch* attira l'attention du public sur cet événement, laissant lourdement entendre qu'il était temps de s'aligner sur la politique américaine d'« épuration des pervers tant sexuels que politiques ».

L'année précédente, la « sécurité » britannique s'était retrouvée sous le feu des projecteurs avec l'affaire Fuchs. Ce dernier était un réfugié allemand, et son projet de bombe atomique avait progressé de manière très irrégulière, en grande partie à cause du travail des exilés dont on s'était méfié en 1940, au point de ne rien leur confier d'important. Pour cette nouvelle affaire, la différence était que Burgess et Maclean étaient issus de la haute bourgeoisie et avaient fait un passage à Cambridge, le vivier de l'administration britannique. On aurait pu croire que la formation dispensée dans les *public schools* aurait garanti une certaine loyauté et durant la guerre, le gouvernement britannique avait pu s'épargner le coût de la surveillance de son personnel, ce qui n'avait pas été le cas aux États-Unis. Désormais, si incroyable que cela puisse paraître, le code des *public schools* était brisé, et il fallait prendre de nouvelles mesures. Les nou-

---

1. On évoqua cette nouvelle politique dans un article du *New York Times* du 2 mars 1954, le journaliste faisant un état des lieux des progrès réalisés l'année précédente : « Le ministère des Affaires étrangères, l'une des principales cibles du sénateur McCarthy, s'est séparé de 117 collaborateurs présentant des "risques pour la sécurité", dont quarante-trois présentaient dans leur dossier des présomptions de relations subversives, et quarante-neuf des "informations indiquant une perversion sexuelle". La très secrète CIA… s'est quant à elle séparée de 47 employés à risque, parmi lesquels 31 présentaient dans leur dossier des informations indiquant une perversion sexuelle. »

velles procédures mises en place n'étaient pas entièrement dues à la fuite de la Reine Rouge. C'était aussi une conséquence de la révolution de la gestion des ressources humaines, qui prenait le pas sur l'héritage laissé par une succession de gouvernements d'aristocrates, ainsi que le reflet de l'alliance britannique avec les Américains.

En 1952, on put lire dans le *Sunday Pictorial* :

« Au sein des services diplomatiques et de la fonction publique, on considère la perversion comme un danger, car elle est toujours annonciatrice de complications dues à un possible chantage. C'est ce risque qui fait des pervers un tel problème pour les forces de police. »

On y déclarait aussi que l'homosexualité était « très répandue parmi les intellectuels ». Ces remarques dans la presse coïncidaient avec l'action du gouvernement, qui mit en œuvre des « enquêtes de sécurité » en 1952. Elles concernaient toutes les personnalités ayant plus ou moins accès aux informations d'État[1]. Jusqu'alors, on soumettait ces employés à une vérification de leur dossier quand on les soupçonnait d'avoir des « opinions subversives », les autres bénéficiant d'un coup de tampon « Rien à signaler ». Les enquêtes de sécurité permettaient de « fouiller dans le passé de quelqu'un et d'enquêter sur sa personnalité ». On y relevait les « graves faiblesses de caractère susceptibles de mettre à mal la fiabilité d'une personne ou de la rendre sujette au chantage. Ainsi, toute personne que l'on soupçonnera d'avoir des tendances homosexuelles sera automatiquement jugée inapte à occuper un poste nécessitant une enquête de sécurité ».

Dans la pratique, cela impliquait une surveillance élaborée et onéreuse pour établir si une personne était homosexuelle ou non. Il ne suffisait pas de chercher les personnages efféminés puisque, pour reprendre les termes du rapport américain, il n'existait pas « de caractéristiques extérieures ou de traits physiques » permettant « de repérer à coup sûr les marques de la perversion sexuelle ». La discrétion britannique traditionnelle rendait la détection assez difficile quand les homosexuels se limitaient à

---

1. Les enquêtes de sécurité s'appliquaient désormais à ceux qui étaient « au courant d'une partie des processus, des équipements, des politiques ou des plans stratégiques considérés comme des secrets d'État... » Cette description correspondait à l'ensemble des activités du GCHQ.

des contacts avec des amis ou en réunions très privées. Celui qui était découvert se retrouvait alors en position extrêmement délicate, concentrant sur lui peur et suspicion.

Alan Turing avait été découvert alors qu'il se comportait avec une imprudence criminelle. Lui qui connaissait de nombreux secrets sur les méthodes cryptographiques britanniques s'était permis de frayer avec le bas monde d'Oxford Street. Outre sa position pendant la guerre, il détenait aussi un grand savoir sur certains problèmes informatiques, à un moment où n'existait qu'une poignée d'ordinateurs dans le monde et où l'idée même de méthodes informatiques en était à ses balbutiements. Que cela ait ou non intéressé directement les Soviétiques, il s'agissait non seulement de connaissances secrètes, mais dont l'existence même devait également le rester. Alan avait donc commis l'inconcevable. Alors qu'il appartenait au petit cercle des dirigeants, il s'était compromis avec les prolétaires, et ce d'une manière qu'Orwell lui-même aurait résumée sous le terme unique de « perversion », tandis qu'Aldous Huxley considérait que les revendications de liberté sexuelle coïncidaient avec la montée d'une certaine forme de dictature.

On aurait pu avancer, et peut-être Alan le fit-il lui-même, que sa conduite démontrait précisément qu'il ne pouvait faire l'objet d'un chantage. Il s'était lui-même adressé à la police, et en avait largement subi les conséquences. Il avait donné spontanément tous les détails, quelque stupides ou choquants qu'ils pussent paraître, et montré qu'il ne craignait pas que ses « amis, collègues et le public en général » les apprennent. De tels arguments ne pouvaient qu'accentuer encore l'impression d'imprudence qu'il avait donnée. Ils faisaient de lui un être outrageusement antisocial, terriblement imprévisible.

S'il ne fréquentait pas les quelques « restaurants, night-clubs et bars » anglais existants, ses vacances à l'étranger donnèrent du fil à retordre aux services de sécurité. La Grande-Bretagne étant un pays libre et Alan un citoyen libre, personne ne pouvait l'empêcher de voyager. Seulement il n'était pas question qu'un étranger puisse venir le voir ! Kjell, le jeune Norvégien, en fit l'expérience. Les allusions qu'Alan avait faites à Robin à propos des officiers d'immigration qui soupçonnaient des complots pour importer des plaisirs sexuels laissaient entendre qu'il avait été victime d'un « incident à la hauteur de l'histoire avec Arnold », sans pour autant révéler les raisons pour lesquelles il aurait fait l'objet d'une attention particulière, pour se protéger de lui-même.

En de telles circonstances, ses vacances de l'été 1953 constituaient donc un défi qui visait à plonger le ministère dans un abîme de perplexité. Comment en effet savoir s'il n'avait pas été compromis depuis le début ? Comment être sûr qu'il n'était pas devenu fou ? Comment connaître la nature exacte de ses relations ? Le droit à une vie libre qu'Alan revendiquait, résidait dans une fidélité scrupuleuse et totale au pacte qu'il avait personnellement passé avec le système. Un tel pacte devait s'appuyer sur un très haut degré de confiance. Quelque chose de rare en 1953. Alan lui-même ne se montra pas toujours parfait : n'allat-il pas un jour jusqu'à confier imprudemment à Neville que les Polonais s'étaient montrés d'un apport considérable dans les travaux qu'il avait menés pendant la guerre ? L'année précédant sa mort, les règles du jeu se durcirent encore, et pas dans le sens de la confiance. La partie devenait décidément très dure.

Quand, en 1952, le thème de l'homosexualité occupa le devant de la scène pour la première fois, le *Sunday Pictorial* avait expliqué que ce n'était « que le début », et qu'il était nécessaire « de faire la lumière sur ce genre d'anomalie et de mettre un terme à la conspiration du silence ». Le journal avait néanmoins reconnu qu'il serait « difficile » de « résoudre ce problème de façon durable ». En 1953, on s'approcha à grands pas d'une solution, avec la décision du gouvernement de mener son action de manière encore plus spectaculaire. Le temps était venu de répéter les procès de Wilde, qui avaient permis avec succès de décourager toute dissidence pendant une cinquantaine d'années.

L'occasion se présenta fin août 1953, quand Lord Montagu de Beaulieu signala un vol à la police. Ce dernier avait été accusé d'« attentat à la pudeur » par deux boy-scouts qui servaient de guides dans son musée automobile. C'était la parole des deux garçons contre la sienne. Cette affaire attira l'attention des médias comme jamais, contrairement à l'affaire Turing qui avait fait peu de bruit sauf dans son entourage immédiat. Elle fut présentée dès le début comme le procès-spectacle non pas d'un seul individu, mais du « déclin moral » du pays.

Le procès s'acheva en décembre 1953 par un non-lieu. La Couronne ne s'avoua cependant pas vaincue et le 9 janvier 1954, Montagu fut à nouveau arrêté pour un « délit » datant de 1952 impliquant d'autres personnalités dont Peter Wildeblood, le correspondant diplomatique du *Daily Mail*. En plus de cette potentielle affaire d'État, figuraient au nombre des accusés des militaires de la RAF, ce qui ne manqua pas d'attiser la crainte que l'armée britannique soit mise en danger par une recrudescence de perversité. Durant les deux procès, on eut droit aux écoutes téléphoniques, aux perquisitions sans mandat, aux excuses pour avoir communiqué des preuves aux « complices », à un faux de la part de la Couronne, et à un mépris général de la légalité qui laissait supposer que la sécurité de l'État était elle-même menacée. En effet, les Renseignements généraux britanniques, le bras politique de la police, avaient joué un rôle non négligeable dans cette affaire. Toute cette médiatisation provoqua des plaintes au parlement, certains élus craignant qu'il s'agisse d'un « danger pour la morale publique ». Le gouvernement avait clairement opté pour une prise de conscience publique de l'homosexualité masculine, et le silence n'était plus de mise. Le ministre de l'Intérieur, sir David Maxwell-Fyfe, évoqua une « action contre le vice ». Les juges prétendirent alors que le pays connaissait une recrudescence sans précédent de crimes homosexuels, ce que la presse s'empressa de relayer. C'était surtout un accès de fébrilité sans précédent de la part de l'État qui était à l'origine de ce grand nombre de procès.

Au parlement, on eut également droit à des questions qui se voulaient plus modernes quant à la mise en application de la loi. Des modernistes plaidaient pour que les homosexuels soient traités par la science plutôt que de se voir punis par une peine d'emprisonnement[1].

Le 26 octobre 1953, le jeune député travailliste Desmond Donnelly demanda au ministre de l'Intérieur de créer une commission chargée d'étudier s'il ne valait pas mieux placer l'homo-

---

1. Certains gays affirmaient parfois se satisfaire de leur « condition » et n'avoir aucune envie d'en changer, méprisant la psychiatrie ou demandant simplement qu'on leur fiche la paix. Mais ces réflexions étaient interprétées par la vieille garde comme une preuve d'arrogance et d'un comportement antisocial, et les rendaient ainsi dangereux – et par les modernistes comme un fâcheux obstacle à des soins réussis.

sexualité sous le coup de la loi relative aux troubles mentaux. Ce plaidoyer fut suivi le 23 novembre par celui du député conservateur sir Robert Broothby, qui demanda qu'une commission se penche sur « le traitement des homosexuels à la lumière des connaissances scientifiques modernes ». Un autre proposa de « réserver un hôpital à ces malheureux, où ils pourraient recevoir une sanction et un traitement appropriés ». Maxwell-Fyfe répondit que l'on était « conscient de ce problème dans les prisons, et que l'on faisait tout pour traiter ces gens selon les méthodes les plus modernes qui soient ». Car même le « traitement par la prison », comme il le qualifiait, était scientifique, dorénavant.

La Chambre des communes en débattit le 28 avril 1954, puis celle des Lords le 19 mai. À la Chambre des Lords, une grande partie des débats se concentra sur la conception du XIXe siècle de la personnalité homosexuelle : « une certaine école de prétendus scientifiques dont les thèses dangereuses ont fait et font encore plus de mal à la jeunesse de ce pays qu'autre chose. Elle évoque l'idée que nous ne serions pas responsables de ces choses, et que dans une certaine mesure, il serait impossible d'y résister. » L'évêque de Southwell surenchérit avec une attaque contre les comportementalistes. Un autre lord fit allusion à « d'autres pays qui furent de grandes nations par le passé, et qui sombrèrent dans la décadence et l'immoralité ». La science avait ses partisans. Lord Chorley affirma : « Il s'agit plus d'une question médicale que d'une question criminelle. » Lord Brabazon, le pionnier de l'aviation, plaida lui aussi pour une solution médicale : « Il y a les bossus, les aveugles et les muets. Mais la plus terrible de toutes les anomalies est sans doute celle qui donne des pulsions sexuelles anormales[1]. »

---

1. Lord Jowett, le Garde des sceaux du gouvernement travailliste de 1945 à 1951, prit également la parole. Il développa ses idées plus en détail lors d'une conférence fin 1953, où il fonda l'espoir qu'un « traitement hormonal ou aux sécrétions glandulaires puisse aider ces malheureux à éliminer leurs pulsions anormales ». De manière plus générale, les propositions des hommes de l'ombre étaient plus solides que celles des parlementaires. En avril 1954, la revue médicale *The Practitioner* se consacra à une analyse de cette crise sexuelle nationale. Dans son éditorial, en plus d'expliquer que le bonheur ne pouvait s'obtenir sans discipline, et que le vice sexuel signifiait une « mort lente de l'espèce », la revue fit sienne une proposition d'un contributeur selon laquelle les homosexuels feraient bien de « renforcer leur détermination » dans un « environnement naturel et vivifiant » comme un « camp » sur l'île de Saint-Kilda, au nord de l'Écosse. Un endocrinologue évoqua également les données allemandes sur « le problème de l'homosexualité », citant « l'emploi de la castration dans plus d'une centaine de cas de perversion sexuelle et d'homosexualité

Si importantes ces observations soient-elles, ces problèmes exigeaient de la part du gouvernement une approche plus pragmatique et moins philosophique du libre arbitre. Le 29 avril 1954, la Chambre des communes débattit du projet de loi sur l'énergie atomique et dut examiner un amendement de l'opposition. Cet amendement visait à instituer un système de recours pour les employés de l'administration responsable de l'énergie atomique, congédiés parce qu'ils présentaient un risque pour la sécurité. Sir David Eccles s'opposa à cet amendement en citant des situations où de tels recours ne sauraient être appliqués, en particulier dans le cas :

« de comportement immoral. En gros, si un homme est homosexuel, il est, d'après la loi telle qu'elle est aujourd'hui, plus susceptible d'être victime de chantage que n'importe qui d'autre. Dans certains cas, les maîtres chanteurs préfèrent les secrets à l'argent... »

Cela ne souffrait d'après lui aucune discussion.

« Ce genre de cas n'inquiète pas le grand public. Ce qui le préoccupe, à juste titre, me semble-t-il, ce sont les associations politiques. »

Si la population n'était pas inquiète, un député travailliste l'était pour deux :

« Beswick : Loin de l'avis général, le ministre a fait une déclaration des plus sérieuses. Serait-il en train de dire que les homosexuels sont désormais automatiquement considérés comme des menaces à la sécurité de l'État ? C'est ce qu'il prétend. J'aimerais qu'il puisse le confirmer, car il est très grave d'affirmer que dans ce pays nous considérons tous ces gens comme des menaces et qu'il faudrait s'en débarrasser.

Sir David Eccles : J'aimerais avoir l'avis de professionnels sur la question, mais j'ai bien l'impression que la réponse est "oui". C'est déjà le cas aux États-Unis. C'est le résultat de la loi telle qu'elle est aujourd'hui. »

Ainsi avait-on par mégarde révélé les nouvelles règles du jeu. À la fin du débat, probablement sur le conseil de ses services, Eccles déclara :

---

rapporté par Sand et Okkels (1938) qui a permis d'obtenir des résultats dans tous les cas sauf un ». En médecine comme en mathématiques, il n'y avait plus de frontières.

« J'ai peut-être commis une erreur en laissant entendre à la Chambre que tous les homosexuels étaient nécessairement des menaces. Si c'est ce que certains ont compris, j'en suis désolé. »

Il avait lâché le morceau. Sous la pression américaine, le gouvernement britannique s'était donc bel et bien décidé à exclure *a priori* tout homosexuel des postes donnant accès à des informations concernant l'énergie atomique. C'était là une partie des accords entre le Royaume-Uni et les États-Unis pour l'échange d'informations sur l'atome.

Les autorités américaines se méfiaient, ce qui était compréhensible, de la capacité des Britanniques de maintenir l'ordre chez eux. Ils se voyaient dans l'obligation d'exiger le respect de certaines consignes de sécurité avant de partager leurs secrets. Fuchs, Burgess et Maclean étaient l'exemple de points douloureusement sensibles dans les relations entre les deux nations. Cela leur était tout autant reproché que leur trahison proprement dite.

La déclaration d'Eccles, avec des termes plus choisis, trahissait la tradition d'un appareil d'État des plus discrets, peu disposé à attirer l'attention sur ses méthodes. Mais il y avait eu du changement pour satisfaire les exigences des alliés. Tandis que les procès Montagu, qui avaient fait les gros titres de la presse américaine, laissaient entendre que personne ne serait épargné par cette purge, des problèmes plus importants furent résolus à huis clos[1].

Pour le grand public, l'accent était surtout mis sur les secrets de la physique atomique, mais il y avait toujours eu d'autres zones interdites qui n'avaient pas même d'existence officielle et étaient *a fortiori* soumises aux mêmes considérations, puisqu'elles étaient tout aussi intimement liées aux rapports privilégiés

---

1. Les journaux britanniques n'étaient pas réputés pour leurs explications, mais on put néanmoins lire dans le *Sydney Sunday Telegraph* du 25 octobre 1953 : « Ce plan est né des fortes recommandations des États-Unis à la Grande-Bretagne d'éliminer les homosexuels – qui représentaient une menace épouvantable pour la sécurité du pays – des postes les plus importants de l'État.

L'un des personnages les plus hauts gradés de la marine, le commandant E. A. Cole, a récemment passé trois mois en Amérique pour mettre, avec les responsables du FBI, la dernière touche au plan... Les Renseignement généraux ont commencé à rédiger un "livre noir" des pervers connus à des postes importants après la disparition des diplomates Donald Maclean et Guy Burgess, connus pour fréquenter des pervers. Ne reste plus à présent qu'à repérer ces hommes à des postes moins importants, et à les mettre derrière les barreaux. »

anglo-américains. Un Américain débarquant au bureau de la CIA à Londres en 1952 put, par exemple, découvrir que « la coopération instaurée pendant la guerre continuait à très bien marcher[1] ».

« Les Britanniques, conscients de l'importance de garder les États-Unis à leurs côtés dans la lutte contre l'action néfaste de l'Union soviétique, se montraient extraordinairement ouverts et coopératifs avec les Américains en matière de renseignements. Non seulement ils communiquaient la plupart de leurs synthèses de renseignements au plus haut niveau, mais ils remettaient également au chef d'antenne de Londres la plupart des rapports confidentiels du MI6. »

Comme ce fut le cas durant la guerre, ces renseignements ne provenaient pas tous de l'espionnage. Il y avait aussi la SIGINT :

« Une partie des informations échangées avec les services de liaison provenait de signaux électroniques interceptés. La plupart de ces renseignements furent communiqués à l'Agence nationale de sécurité. »

La CIA s'inspirait des services secrets britanniques. En effet, la création de la NSA était le reflet de la centralisation que les Anglais avaient mis en place dès la fin de la Première Guerre mondiale. Les Américains en avaient tiré les leçons : un fonctionnaire américain avait dit de Londres que c'était « le plus grand centre d'échange d'informations de tous les temps ». C'était un « avantage incroyable que nous avaient fourni nos alliés en termes de renseignements. Sans eux, ce système d'alliance n'aurait pas pu fonctionner correctement ». La coopération prenait la forme « d'une division grossière du monde et d'un échange d'enregistrements ». C'était aussi parce que les Britanniques avaient retenu la leçon de Bletchley :

« Pour être à la pointe du renseignement, peu importe les moyens financiers investis dans le recueil d'informations, il faut toujours faire appel à la sagesse et à l'expérience d'analystes pour les passer au crible et en retenir l'essentiel qui doit ensuite être transmis au plus haut sommet de l'État. »

Ces contributions permettaient de compléter efficacement l'espionnage de la CIA :

---

1. *Cf.* R. S. Cline, *Secrets Spies and Scholars*, Acropolis Books, Washington DC, 1976.

« En Grande-Bretagne, cette coopération à grande échelle est complétée par des échanges tout aussi capitaux dans les domaines du contre-espionnage et du contre-renseignement – tout aussi important avec d'autres alliés pourvus de bons services de sécurité interne. »

Une coopération si étroite en matière de renseignements profitait naturellement aux deux nations, et les Anglais durent, comme dans le domaine de la recherche atomique, se plier aux règles de sécurité de leurs alliés. Le cas de Turing dut par conséquent être étudié également du point de vue américain. Rappelons qu'il avait joué un rôle de liaison au plus haut niveau entre les deux pays en 1943, et qu'il avait à ce titre été admis dans des institutions secrètes américaines. Outre sa connaissance de nombreux détails techniques, il était très au fait des problèmes du renseignement ; il connaissait le fonctionnement du système dans son ensemble : les gens, les lieux, les méthodes, le matériel. Si au moment de sa disparition les gros titres avaient été « *MORT BRUTALE D'UN ATOMISTE* », les questions auraient immédiatement fusé de tous côtés. Les questions soulevées ne pouvaient être évidentes justement parce que son domaine de connaissance était encore plus étroitement protégé que celui des armes nucléaires : rien de moins que le secteur ultrasecret dont s'était tant soucié Churchill, les aventures spectaculaires des services secrets servant très largement de couverture à cet autre type d'activité. Alan Turing s'était trouvé au cœur même de l'alliance anglo-américaine. Son existence constituait à elle seule une gêne manifeste, qui mettait le gouvernement britannique en position de faiblesse. Si les Américains en avaient été informés, ses voyages dans des pays frontaliers du bloc communiste auraient pu mener à des incidents internationaux. Il s'agissait là de terrains extrêmement peu sûrs.

Fondamentalement, ce n'était pas tant l'homosexualité d'Alan qui représentait un problème pour la sécurité, que son manque de contrôle, son imprévisibilité. L'« originalité » iconoclaste d'Alan avait été acceptée durant la brève période d'« anarchie créatrice » de son travail. L'administration avait supporté son arrogance, compagne nécessaire de l'extrême volonté qu'il avait fallu mobiliser pour résoudre l'insoluble *Enigma*. Cependant, en 1954, une tout autre mentalité avait pris le relais. Lors de son dernier passage à Guildford, Alan avait laissé quelques papiers. Pour calmer l'inquiétude de sa mère, il avait révélé son impatience vis-à-vis des journalistes d'après-guerre :

« La note sur le document du M. de l'A.[1] concernant le secret, etc., n'est que de la poudre aux yeux. Le document est en fait "non classé" (expression stupide venant d'Amérique qui signifie en fait "pas secret du tout". »

Alan avait vécu à une époque où la confiance implicite et la discrétion étaient fondées sur le système de classes. Maintenant une nouvelle époque commençait, où l'on mécanisait confiance et discrétion. Dans le climat de 1954, le fait qu'il n'avait pas de temps à consacrer à l'Union soviétique importait peu car tout le monde était soupçonné avant d'avoir été totalement innocenté, et tout ce qui n'apparaissait pas du blanc le plus pur semblait potentiellement tirer vers le rouge.

Avec la perte de son indépendance stratégique et la fin de son assurance impériale, le pays d'Alan Turing avait changé. Son ancien maître d'internat l'avait jugé « essentiellement loyal », et cela avait en quelque sorte suffi aux recruteurs d'hommes nouveaux pour les services de renseignements. Il ne leur serait sûrement jamais venu à l'esprit qu'un Anglais bien élevé pût prendre suffisamment au sérieux une idée abstraite et étrangère. Quinze ans plus tard, les événements avaient prouvé le contraire. Si les années 1940 avaient fait de la notion de « renseignement » un domaine très concret et défini, les années 1950 exigeaient, elles, une précision aussi grande du concept de « loyauté ». Et il était impossible de savoir à quel point les anciens de Cambridge qui avaient fourni les renseignements étaient loyaux. À cette époque, au sein du personnel de l'université de Manchester, on qualifiait Patrick Blackett, jadis proche conseiller d'une Royal Navy indépendante, de « sympathisant communiste ».

Alan Turing avait beau être apolitique, il venait pourtant d'un groupe d'opposition comme King's College – et d'ailleurs, n'avait-il pas participé à la manifestation contre la guerre, en novembre 1933 ? Bien sûr, il n'avait jamais fréquenté les cercles sophistiqués d'un Maclean ou d'un Burgess, mais il n'était pas difficile de retrouver des failles pour quiconque en aurait vraiment cherché. Il était potentiellement coupable. Les services de

---

1. Ministère de l'Approvisionnement.

sécurité, en somme, avaient commis quelques erreurs invraisemblables. Alan faisait alors figure de démon, de source fondamentale d'insécurité, à une époque où l'Angleterre ne connaissait plus de sécurité. La discipline sociale ancestrale ne fournissait aucune défense contre la guerre nucléaire, pas plus que les méthodes scientifiques ne proposaient d'autres solutions que la vengeance ou le suicide. Déchirée entre une confiance servile et une inquiétude irritée vis-à-vis de la grande machine américaine à laquelle la puissance britannique avait dû se soumettre, la Grande-Bretagne ne pouvait trouver dans cette peur panique des espions et des homosexuels qu'une heureuse diversion.

Le cours de l'histoire avait été bouleversé, et à l'été 1954, on avait enfin fait table rase des schémas dessinés durant la Seconde Guerre mondiale. La mort de Staline n'avait en rien modifié l'équilibre dont les individus semblaient avoir perdu le contrôle. En août 1953, les Soviétiques avaient procédé au premier essai de la bombe à hydrogène. Cela mettait l'humanité devant l'éventualité d'un désastre bien supérieur aux prédictions les plus pessimistes de 1939 et qui dépassait de loin la portée de la bombe britannique testée en octobre 1952. Il fallut attendre l'essai américain de mars 1954, l'explosion de 14 mégatonnes dont les déchets radioactifs retombèrent sur l'équipage du thonier japonais *L'Heureux Dragon*, pour secouer la conscience publique. Le 5 avril, lors d'un rare débat sur la « défense » aux Communes, Churchill choisit de révéler les termes de l'accord conclu au Québec en 1943 entre les États-Unis et la Grande-Bretagne, accord que les Américains n'avaient pas respecté, et il ajouta :

« Il n'est nul besoin de souligner la situation périlleuse dans laquelle le monde entier se trouve actuellement [...]. La bombe H nous entraîne dans des domaines auxquels la pensée humaine n'a jamais été confrontée et qui relevaient jusque-là du royaume de la fantaisie et de l'imagination. »

Comment distnguer l'imaginaire du réel ? Les Américains faisaient pression sur les Britanniques pour qu'ils participent à une intervention militaire au Vietnam après la défaite française de Diên Biên Phu. Le refus de Churchill provoqua un tollé contre la « trahison britannique », et des tensions dans l'entente spéciale que connaissaient les deux nations. La crainte d'une nouvelle guerre asiatique était pourtant parfaitement fondée. Le 26 mai,

679

un amiral américain parla de « campagne en vue d'une victoire complète » au Vietnam, incluant l'utilisation d'armes nucléaires. Puis un général envisagea l'utilisation de bombes atomiques pour « créer une ceinture, une zone de terre brûlée, autour du communisme afin de bloquer les hordes asiatiques ». Dulles ajoutait cependant qu'il espérait ardemment que le gouvernement britannique allait « revoir son attitude ».

Juin 1954 fut une période particulièrement incertaine, les pourparlers de Genève n'évoquant que trop ceux de Munich. C'était maintenant au tour de la population des villes américaines de s'entraîner à descendre dans les abris antiaériens tandis que les milices revenaient au goût du jour en Angleterre. Le recrutement fut en nette progression à Wilmslow pendant la dernière semaine de mai. La tension était aussi forte en Europe qu'en Asie et la question du réarmement de l'Allemagne de l'Ouest ne faisait rien pour arranger les choses. Les règles n'étaient plus les mêmes et le passé n'avait plus le même sens. On rappelait déjà les officiers des *U-boote* pendant que la chasse aux espions et aux traîtres mobilisait les ennemis de naguère. Le 2 juin, l'affaire Oppenheimer éclata. Les journaux révélèrent que cet « homme neuf » de Princeton, pourtant loyal, présentait un risque pour la sécurité, à cause de ses idées et associations subversives. Cela fit de nouveau la une des journaux en ce week-end de Pentecôte.

Alan Turing était comme un fétu de paille isolé sur une mer houleuse. Le coroner avait fait référence au fait que son « équilibre mental » avait tendance à devenir instable. L'image n'était en fait pas si éloignée du modèle morphogénétique des moments de crises conçu par Alan. À mesure que la température politique montait, l'équilibre devenait de plus en plus instable. Le moindre événement aurait pu agir comme détonateur, la moindre question mettait en contradiction son besoin de liberté, ses engagements et ses promesses passés. Pourrait-il par exemple passer l'été 1954 à l'étranger ? Personne ne savait ce qu'il allait advenir devant ce mouvement de panique officielle concernant les homosexuels. Le 31 mars 1954, le Foreign Office avait publié une liste des pièges montés par les Soviétiques durant l'année précédente, et annoncé la multiplication des contrôles de dossiers pour les postes à pourvoir. Alan n'était donc pas à l'abri de nouvelles poursuites judiciaires. Le cas de Lord Montagu montrait bien la détermination du gouvernement britannique. L'éventualité d'un second procès menaçait aussi d'entacher la réputation d'amis proches – et ce à la moindre suspicion. Les journaux eux-mêmes, si Alan supportait encore de les lire, suffisaient à le lui faire comprendre. Il était acculé. Il avait toujours été prêt à limiter sa lutte à son propre espace vital, mais il arrivait à un point où il ne lui en restait plus du tout.

E. M. Forster avait écrit en 1938 que s'il devait affronter le choix fatidique, trahir son pays ou trahir ses amis, il espérait avoir le courage de trahir son pays. Il plaçait toujours les priorités personnelles devant les priorités politiques. Pour Alan, ces questions-là n'étaient plus du tout théoriques. Les plans personnel et politique ne faisaient plus qu'un. Il s'était engagé en acceptant de travailler pour le gouvernement. Son choix personnel était : trahir une partie de lui-même ou l'autre. Et il avait beau nager entre ces deux options, la sécurité imposait une logique implacable dont on ne pouvait attendre qu'elle respecte les notions de liberté ou de progrès personnel. Il ne pouvait donc prétendre à de telles exigences. S'il avait pu jouer sur les mots avec la milice lorsqu'il se trouvait à Bletchley, il s'agissait à présent de sujets autrement importants et il ne pouvait plus, cette fois-ci, se dérober à la loi militaire. La guerre n'était pas finie.

Churchill avait promis du sang, du labeur, de la sueur et des larmes – les politiciens n'avaient pas manqué de tenir cette promesse. Un demi-million de compatriotes d'Alan Turing avaient été sacrifiés dix ans plus tôt sans avoir le choix de leur destin. Avoir le luxe du choix sur des questions comme l'intégrité et la liberté constituait en soi un grand privilège. Seule la « politique de l'autruche » de 1938 lui avait permis d'arriver à une telle position, et il était parvenu en 1941 à une situation pour laquelle beaucoup auraient tout donné. Au bout du compte, il n'avait donc pas vraiment à se plaindre. Simplement les choses s'étaient développées jusqu'à d'impitoyables contradictions. En définitive, c'était là sa propre invention.

Le problème d'Alan était qu'il ne pouvait parler de ces choses avec personne. Ainsi, en mars 1954, il envoya quatre dernières cartes postales[1] à Robin intitulées « Messages du Monde

---

1. Il serait fallacieux de prétendre qu'il ait fait la moindre découverte dans ces gribouillages, mais les idées qui y sont exprimées s'inscrivent dans la lignée des événements qui se sont produits au cours des années 1950 et 1960.

Invisible », une allusion au livre *Science and the Unseen World* (Les sciences et le monde invisible) d'Eddington paru en 1929. Robin conserva les trois dernières, reproduites p. 683.

Le vieil Empire laissait la place à un monde nouveau. Aucun des amis d'Alan Turing ne comprit que ces nouvelles conjonctures pourraient en partie expliquer sa mort. Il faudra attendre quinze ans pour qu'il soit possible d'en parler, et encore, personne ne réussit vraiment à tout rassembler.

Jung avait dit :

« L'homme moderne se protège contre sa fracture personnelle grâce à un système de compartimentation. Certaines zones de la vie extérieure et de son propre comportement sont conservées dans des tiroirs séparés, et ne sont jamais confrontées[1]. »

Les hommes modernes devaient en fait se montrer particulièrement prudents dès qu'ils se trouvaient confrontés à Turing, et ils s'efforçaient de maintenir les compartiments parfaitement étanches. Et c'est sans doute ce que faisait également Alan face à sa propre situation.

Au-delà de son personnage, une sorte de héros à la Bernard Shaw défendant ses idées sans relâche et montant sur le bûcher comme une Jeanne d'Arc moderne, il avait toujours été plein d'incertitudes et de contradictions. Cela caractérisait ses relations avec les institutions car s'il ne s'y intégrait jamais vraiment, sans pour autant les défier. Une attitude qu'il partageait avec beaucoup de fanatiques des sciences et des mathématiques pures, qui ne savaient jamais s'ils devaient considérer les institutions sociales comme des absurdités dignes d'*Erewhon* ou comme de simples contingences. Tout comme G. H. Hardy (ou même Lewis Carroll), il illustrait parfaitement le fait que les mathématiques pouvaient servir de protection à ceux qui, loin d'être aveugles aux affaires de ce monde, n'en percevaient que trop les horreurs. Son humour désinvolte, et volontairement critique envers lui-même, reflétait une réaction assez répandue chez les homosexuels devant cette situation sociale impossible : lancer une sorte de défi insolent et satirique à la société pour au final se plier à ses règles.

---

1. C.G. Jung, *L'Homme et ses symboles*, Laffont, 1964.

Messages from the Unseen World

? Does the particle exhibit measure ?

III   The Universe is the interior
of the   Light Cone of the Creation

IV   Science is a Differential
Equation. Religion is a
Boundary Condition

Arthur Stanley

V   Hyperboloids of wondrous Light
Rolling for aye through Space and Time
Harbour these Waves which somehow Might
Play out God's holy pantomime

VI   Particles are founts

VII   Charge = $\frac{e}{\pi}$ arg of character of a 2π rotation

VIII   The Exclusion Principle is laid down
purely for the benefit of the electrons
themselves, who might be corrupted (and
become dragons or demons) if allowed to
associate too freely.

1

1. III. « Arthur Stanley » correspond à Eddington, et la première carte postale faisait allusion à des questions cosmologiques. Le « cône de lumière » est un concept important dans la théorie de la relativité. Les idées d'Einstein étaient fondées sur le principe d'un point dans l'espace-temps, déterminant un lieu précis dans l'espace et un instant précis dans le temps. En imaginant qu'il s'agit d'une étincelle instantanée, le futur cône de lumière d'un tel point peut être tracé en développant la sphère de lumière à partir de cette étincelle.

Par « Création », il pourrait entendre « big-bang ». On sait depuis les années 1920 qu'il existe des modèles d'expansion de l'univers qui conviennent à la théorie générale de la relativité d'Einstein, et, en 1935, H. P. Robertson, qui avait donné des conférences à Princeton auxquelles Alan avait assisté, avait continué à travailler sur ces modèles. Malheureusement, les observations des astronomes ne semblaient pas en accord avec la théorie d'Einstein, et ce n'est qu'au milieu des années 1950 que cette divergence de visions fut résolue. C'est l'une des raisons pour lesquelles, en 1948, H. Bondi, T. Gold et F. Hoyle ont proposé une nouvelle théorie faisant la part belle à une « création continue » qui se détournait du big-bang. Alan a peut-être entendu Gold en parler au Ratio Club en novembre 1951, mais, apparemment, cela ne le détourna pas de son point de vue, qu'il ne tarda pas à affirmer.

Ce n'est pas pour rien qu'il met à ce point l'accent sur les cônes de lumière. En 1954, d'une manière différente, A. Z. Petrov insiste lui aussi sur ces cônes, et, plus tard dans les années 1950, il est imité par H. Bondi et F .A. E. Pirani. Ce concept tient également une place importante dans les hypothèses de Roger Penrose, qui, au début des années 1960, formule de nouvelles théories à propos de l'espace-temps. En fait, dans le « diagramme de Penrose », il dessinera l'univers « à l'intérieur du cône de lumière de la création ».

IV. Il est ici question à demi-mots du problème du déterminisme physique. La majeure partie des lois de la physique, y compris celles d'Einstein, ont la forme d'une équation différentielle mettant en relation entre eux des taux de changement instantanés de telle sorte que, en principe, en fonction de l'état d'un système physique à un moment donné, on puisse prédire l'un de ses états futurs en totalisant les changements de la période donnée. Dans le contexte de la cosmologie, cela nous pousse à nous demander quel était l'état initial de l'univers. Pour Eddington, l'étude des équations différentielles ne suffisait pas. De nouveau, la question de la nature du big-bang initial allait prendre une importance croissante dans la renaissance de la théorie de la relativité.

V. Il s'agit d'une allusion au problème de la prédiction physique – les fonctions d'onde déterminant en quelque sorte les événements perçus comme le spectacle de la vie macroscopique – et, là aussi, l'accent est mis sur une description du point de vue de rayons lumineux. Mais les « hyperboloïdes » laissent entrevoir une figure géométrique originale, perdue sans laisser de trace.

VI. La référence aux « fontes » suggère qu'il pensait à la description des différentes particules élémentaires en fonction de leurs groupes de symétrie – encore du point de vue de l'évolution traditionnelle, même si le tableau des années 1960 est nettement plus complexe qu'on aurait pu l'imaginer en 1954.

VII. Il n'était certainement pas le premier à penser que l'on pouvait analyser les charges électriques en termes de rotations, et sa formule était trop simpliste. En 1954, les théories de jauge connaissent un regain d'intérêt, ce qui permet de généraliser cette idée élémentaire.

VIII. Il termine souvent ses lettres avec un petit commentaire personnel, ce qui est certainement le cas ici aussi. Il n'y a certainement rien de nouveau ni aucune spéculation scientifique dans ce « message », simple allusion au principe d'exclusion de Pauli. En 1929, quand il avait étudié les travaux d'Eddington sur l'électron, Alan avait aimé l'idée qu'il faille considérer les électrons de l'univers dans leur ensemble et non de manière individuelle. Le principe de Pauli décrivait une contrainte observée sur le comportement collectif, ce qui signifie en gros qu'il est impossible que deux électrons se trouvent au même endroit au même moment. Ainsi, dans chaque atome, les électrons sont soigneusement rangés dans des cases séparées, à des orbites distinctes. Comme il en avait certainement ri en 1929, cela ressemblait au système des dortoirs, qui empêchait les garçons de se fréquenter trop librement. Pour leur bien, naturellement :
« Voyez-vous, docteur Turing, il faut que nous fassions cela pour votre propre protection... »

684

Dans le cas d'Alan, ces éléments étaient aggravés par son manque d'adhésion à l'image habituelle du mathématicien, du scientifique, du philosophe ou de l'ingénieur. Les gens ne savaient jamais s'ils devaient ou non l'inclure dans leur groupe. Peu de temps après sa mort, Robin Gandy avait écrit : « Comme ses passions concernaient plutôt des choses et des idées que les gens, il était souvent seul. Et il avait soif d'affection et de compagnie – un besoin sans doute trop fort pour faciliter les premières étapes de l'amitié. » Personne ne pouvait comprendre une telle solitude.

Existentialiste autodidacte, il n'avait probablement jamais entendu parler de Sartre, et il avait essayé de trouver son propre chemin vers la liberté. À mesure que la vie devenait plus compliquée, il voyait de moins en moins où tout cela allait le mener. Pourquoi en eût-il été autrement ? C'était le XXe siècle, où le pur artiste sentait qu'il devait à tout prix s'engager, ce qui avait de quoi inquiéter toute personne trop sensible. Alan avait cherché à limiter son engagement à la sphère la plus simple possible, et s'était efforcé de rester fidèle à lui-même. Mais l'honnêteté et la simplicité n'avaient pas pu, loin de là, le protéger des conséquences.

L'Université britannique formait un monde très isolé dans le XXe siècle. Un monde où l'on voyait les excentricités d'Alan, plutôt que sa vision des choses ou son intelligence. On se souvenait davantage de ses exploits à bicyclette que de ses prouesses. En revanche, si Turing faisait indubitablement figure d'intellectuel, il ne fit jamais vraiment partie du monde académique proprement dit. Lyn Newman, qui avait l'avantage d'être proche de cet univers tout en lui demeurant extérieure, formula avec beaucoup de clarté la difficulté qu'Alan avait de trouver son identité. Elle le voyait comme « un homme très étrange qui ne parvenait jamais vraiment à s'intégrer nulle part. Ses efforts brouillons pour avoir l'air à l'aise dans le milieu bourgeois d'où il était pourtant issu, se révélaient des plus infructueux. Il adoptait alors quelques conventions, un peu au hasard, et rejetait la plupart de ses conceptions et de ses habitudes sans hésitation ni excuse. Malheureusement, les comportements du milieu universitaire, qui aurait pu lui servir de refuge, le déconcertaient et l'ennuyaient… » Il existait cependant une ambivalence dans son attitude vis-à-vis de ce qui restait, malgré tous ses aspects négatifs, une éducation privilégiée. Alan avait beau repousser tout le décorum attaché à sa classe, il demeurait un vrai fils de l'Empire. Une même ambiguïté caractérisait son statut d'intellectuel, non seulement à cause du dédain qu'il affichait pour les fonctions les plus ordinaires de la vie universitaire, mais aussi par ce mélange de fierté et de désinvolture avec lequel il considérait ses propres réussites.

Son attitude concernant le privilège d'être un homme dans une société patriarcale n'était pas non plus très nette. Il ne remettait presque jamais cette suprématie en question. L'un des points faibles du libéralisme de King's était qu'il s'appuyait sur une richesse accumulée uniquement pour les hommes, et ce n'était pas Alan qui aurait remis cela en cause. Dans une conversation avec Robin, qui en progressiste convaincu, défendait la notion de salaire égal (principale revendication du féminisme d'alors), Alan se contenta de reconnaître qu'il n'était pas très juste de licencier des femmes parce qu'elles mettaient des enfants au monde. Il lui paraissait absolument naturel que leur reviennent tous les travaux ménagers ainsi que toutes les contingences de la vie quotidienne qui pouvaient l'ennuyer. Il parla un jour à Don Bayley de ses fiançailles et du fait qu'il s'était rendu compte à temps que son homosexualité rendait cette union impossible. Il ajouta que s'il devait se marier, ce serait avec quelqu'un ne connaissant rien aux mathématiques et qui s'occuperait de tous ses besoins domestiques – attitude des plus conventionnelles qui n'avaient rien à voir avec ses relations d'amitié amoureuse avec Joan Clarke. Il y avait là une contradiction qu'il n'avait pas résolue, ou du moins pas à ce stade de sa vie. Il détestait le genre de propos anodins et banals que se mettaient à tenir les hommes en compagnie « mixte » – et surtout l'obligation tacite de jouer le jeu de la séduction dès qu'il y avait une présence féminine. Il évitait également, le plus souvent, les sorties mondaines. En revanche, lorsque ces contraintes sociales n'existaient pas – avec Lyn Newman, sûrement, et dans une certaine mesure avec sa mère –, il se montrait beaucoup plus ouvert à l'égard des femmes que la plupart des hommes pour qui elles représentaient seulement la possession ou le désir sexuel. En fait, Alan ne fit jamais rien pour assurer cette suprématie masculine, il se contenta de profiter des institutions existantes. Il ne chercha jamais, par exemple, à justifier son homosexualité par une éventuelle supériorité de l'homme sur la femme. Il ne montra jamais non plus, dans ses commentaires, l'hostilité que ressentaient beaucoup d'hommes devant les revendications féministes. Certes, à Bletchley, Alan utilisait le terme générique de « filles » pour désigner l'équipe qui effectuait le travail subalterne, mais il ne s'agissait en l'occurrence que d'un simple constat, et il était peut-être même un peu plus conscient que les autres de l'injustice de la situation. Il ne fit rien pour la changer, comme pour le reste du monde, qu'il ne cherchait qu'à interpréter.

Il n'était pas un Edward Carpenter qui voyait un lien entre le statut rabaissé des femmes et celui qui frappait son homosexualité. Il ne lui était probablement jamais venu à l'esprit que les difficultés qu'il rencontrait en société ressemblaient beaucoup à celles qu'éprouvaient la majorité des femmes – le fait par exemple qu'en réunion, on faisait souvent comme s'il n'était pas là, ou qu'on se préoccupe tant de ses manières et de son apparence. Les femmes devaient apprendre à compenser ces affronts par un effort spécial. Alan, lui, n'essaya même pas. Il croyait naïvement que le monde masculin allait œuvrer dans son sens, et fut complètement désarçonné lorsqu'il s'aperçut du contraire.

Il se considérait comme un homme effectuant un travail d'homme dans un monde d'hommes, et envisageait donc ses rapports amoureux et de pouvoir comme devant aller de pair à l'intérieur de ce monde. De ce point de vue, Turing joua au bout du compte la plupart des rôles permis par la société : le comique, le tragique, le pastoral, l'exilé, l'intrus, l'intermédiaire, et finalement la victime. Mais il s'était aussi élevé au-dessus de ces rôles, d'une part en évitant le mensonge et la tricherie qui généralement les accompagnaient, et, d'autre part, en faisant une chose que les homosexuels ne doivent jamais faire, comme prendre des responsabilités dans un domaine important. Il refusait également de se laisser intimider par l'ambiance peu chaleureuse du travail technique (il essaya même d'entamer là une relation amoureuse et se fit – comme d'habitude – fermement remettre à sa place). Il est ainsi très plausible que sa décision d'aller à Manchester s'expliquât en partie par son besoin de résister à la tentation de rester dans les eaux protégées de King's. Il illustrait cependant par cette détermination un problème que l'on n'avait pas encore abordé

dans les années 1950 : à refuser l'étiquette sociale de « tapette »
ou d'« esthète », il y avait le danger d'accentuer un peu trop le
côté « viril ». La course à pied, quoiqu'elle témoignât d'une quête
d'absolu, de la recherche d'une activité autre qu'intellectuelle et
d'un besoin de décharger ses pulsions agressives, n'était peut-être
pas entièrement dépourvue de cette connotation. Et peut-être en
allait-il de même de sa réserve affective et de son attitude trop
entière devant les moindres difficultés, comme son insistance à
faire passer le « raisonnement » d'ordre professionnel avant les
« sentiments » de la vie. Tout cela relevait d'une volonté de ne pas
se montrer trop « tendre », ce qu'il était en réalité profondément.

En 1938, Forster avait énoncé clairement le corollaire au droit
à l'autonomie morale : « L'amour et la fidélité à un individu
peuvent aller à l'encontre des impératifs d'État. Mais c'est l'État
qui l'emportera toujours. » Forster, lui, n'eut jamais à faire face à
un tel dilemme, et Keynes évita de se faire prendre. Contrairement
à eux, Turing avait dû résoudre sa crise morale seul et en silence.
Même si ce n'étaient pas les événements de 1951 qui l'avaient
conduit à cette crise particulière, les contradictions avaient trouvé
un autre moyen de venir le troubler. Il n'y avait pas plus de vie
« simple » pour lui qu'il n'existait de science « simple ». Bletchley
avait démontré que Hardy avait tort au sujet des mathématiques
pures ; rien n'était jamais absolument pur et personne ne pouvait
vivre absolument isolé. Alan Turing était peut-être le chantre
de la vérité ; la science l'avait tout de même poussé à tromper
l'ennemi et sa sexualité l'avait conduit à mentir à la police.

Le flottement de sa vie ne touchait pas tant à une question de
classe, de statut professionnel ou de genre, mais venait de son
oscillation permanente entre des réactions d'enfant et d'adulte.
Certains trouvaient cela insupportable, d'autres charmant. Si,
jusqu'à un certain point, les gens utilisaient le mot « puéril »
pour définir cet être sans fioriture ni dissimulation, il y avait
dans ses manières quelque chose d'extrêmement curieux, qui
devint plus perceptible encore passé trente ans, quand il était à
Manchester. Plutôt massif, il avait gardé des gestes et des atti-
tudes d'adolescent attardé, et déconcertait tout le monde avec
ses brusques sautes d'humeur, sa vigueur et sa naïveté, ses accès
de fureur silencieuse qui se terminaient en une gravité pleine
de charme. S'il refusait déjà de se voir « majeur » à vingt et un

ans, il ne pouvait accepter d'en avoir quarante-deux. Il n'avait jamais été tenté par le pouvoir que l'on obtient à l'âge adulte. En fait, il était à l'opposé d'un John von Neumann, bien qu'ils se soient consacrés l'un et l'autre à tant de sujets communs. Passé maître dans l'art de diriger les réunions, devenu conseiller indispensable de toutes les organisations militaires américaines et travaillant tout particulièrement sur la bombe H et les missiles balistiques intercontinentaux, von Neumann était, en 1954, un homme du monde qui dominait son pays d'adoption[1]. Turing, au contraire, n'avait réussi à imposer ses idées que lorsqu'elles se présentaient comme des solutions à des situations désespérées. Entre l'été 1933, année de sa majorité, et l'été 1954, date de sa mort, il était resté coincé entre innocence et expérience.

De tout cela, Alan ne laissa que quelques pages de notes, où il arrivait à analyser sa vie avec beaucoup de lucidité. Se décrivant en train d'emmener son petit ami au restaurant, voici comment il présentait la scène :

« Alec attendit d'être en haut pour ôter son pardessus. Comme d'habitude, il ne portait en dessous qu'un vieux veston et un pantalon froissé, car cela ne lui disait rien de porter un costume et il préférait s'en tenir à l'"uniforme estudiantin" qui correspondait mieux à son âge mental et l'encourageait à croire qu'il était encore un jeune homme séduisant. Cet arrêt dans son développement se traduisait aussi dans son travail. Tous les hommes qui n'étaient pas envisagés comme d'éventuels partenaires sexuels devenaient des substituts paternels devant qui Alec devait faire étalage de ses capacités intellectuelles. L'"uniforme estudiantin" n'eut aucun effet notable sur Ron. Quoi qu'il en soit, il se concentrait maintenant entièrement sur le restaurant et ce qui s'y passait. Alec commençait à se sentir bien. Généralement, il n'était jamais à l'aise au restaurant, soit parce qu'il y allait seul, soit parce qu'il ne faisait pas ce qu'il fallait. »

C'est ainsi que se termine le récit qui a survécu jusqu'à aujourd'hui – sur un passage particulièrement approprié donc, puisqu'il y est question de solitude et de malaise. Sa vie était comme un serpent mathématique se mordant à tout jamais la

---

1. Il existe un autre parallèle dans le fait que von Neumann se soit aussi penché sur le problème de la croissance biologique, même si ce fut sous un autre angle. Il laissa également son travail inachevé lorsqu'il mourut d'un cancer le 8 février 1957.

queue, accompagné d'un autre qui lui commandait de cueillir le fruit de la connaissance. Hilbert assura un jour que la théorie de l'infini de Cantor avait créé un « paradis » d'où les mathématiciens n'étaient pas près d'être chassés. Turing avait pourtant perdu ce paradis, non à cause de ses idées mais à cause de ses actes. C'est là que résidait son problème : faire ou ne pas faire ce qu'il fallait.

Personne, en juin 1954, ne vit le moindre signe dans le fait qu'il ait mordu dans une pomme imprégnée du poison des années 1940. On ne pouvait pas plus interpréter ce symbole que les rares indices qu'il laissa derrière lui. Peut-être même avait-il eu ce dessein avant la guerre, lorsqu'il fit part de son projet de suicide à son ami James Atkins[k] (qui abandonna les mathématiques pour la chanson en 1949). C'était, en effet, une époque où il avait parlé à sa mère de ses doutes concernant la « moralité » de la cryptographie. Sans doute avait-il compris que, pour lui, s'engager vis-à-vis de la société reviendrait à se jeter dans la gueule du loup.

Ses confidences allusives étaient si rares et si mystérieuses, et montraient une telle répugnance pour le nombrilisme, que ces questions resteront à jamais sans réponses. Nous ignorons toujours comment il voyait son grand rêve d'intelligence artificielle auquel il avait voué la plus grande part de sa vie. Car s'il est vrai que, comme l'écrivait Robin, il s'était consacré davantage aux idées et aux choses qu'aux personnes, la plupart d'entre elles étaient au final des prétextes pour tenter de se comprendre lui-même. Une telle démarche le forçait à considérer les « interférences » sociales comme des intruses secondaires dans l'esprit individuel. Et même s'il avait toujours concédé que cela constituait pour lui une difficulté, il se pencha plus activement sur d'autres manières d'aborder la vie humaine au cours de ses dernières années, où l'interaction jouait un grand rôle. Cela allait dans le sens des confidences qu'il avait faites à Don Bayley pendant l'été 1952, selon lesquelles les mathématiques le satisfaisaient de moins en moins. Jung et Tolstoï étaient des écrivains qui avaient situé l'esprit dans un contexte social et historique, et il y avait des romans de Forster dans sa bibliothèque au moment de sa mort ; des romans où le jeu mutuel entre les individus et la société devenait moins mécanique que dans les descriptions de Shaw, Butler et Trollope. Néanmoins, durant les deux dernières années de sa vie, les « interférences sociales » jouèrent un rôle particulièrement important dans son existence. Avait-il perdu toute foi en la signification et le bien-fondé de ses idées fondamentales ?

La déception qu'il éprouva en se rendant compte que l'ordinateur de Manchester (et, en réalité, tous ceux qui existaient à l'époque) ne rendait guère justice à l'ampleur de sa vision, contribua à éroder peu à peu sa confiance en lui. Pourtant il n'était pas du genre à renoncer facilement à ses idées, ni à laisser les autres l'en dépouiller. Il n'était pas non plus enclin à se mettre à douter de la science simplement parce qu'on l'avait retournée contre lui, ni à abandonner le rationalisme parce qu'il en avait lui-même subi les conséquences. Sa passion maîtresse pour les manifestations concrètes de l'abstrait, qui l'apparentait davantage à Gauss et à Newton qu'aux mathématiciens purs du XXe siècle, l'avait inévitablement plongé au cœur de l'application même de la science. Cependant, il ne montra jamais qu'il se faisait la moindre illusion concernant le but de ces applications. Depuis le début, ses considérations sur les ordinateurs étaient caractérisées par la même intransigeance que celles de Hardy quant aux mathématiques. Pas une fois il n'avait suggéré une application avec d'autres objectifs que la recherche pure ou des problèmes militaires. Il n'avait jamais parlé de progrès social ou de mieux-être économique à travers la science, et se trouvait donc en position forte contre la désillusion.

En 1946, se référant aux essais atomiques américains, il avait dit que le « pire danger » résidait dans une « réaction antiscientifique ». Et, aussi pénible que fût son expérience de l'« organothérapie », il ne remit jamais en cause la structure de la connaissance scientifique en soi. Il aurait même pris pour une extrême faiblesse intellectuelle le fait de laisser ses sentiments personnels influencer l'examen d'une vérité scientifique. Il avait assez souvent reproché aux intellectuels leur rejet « émotionnel » de l'idée même d'intelligence artificielle. Il était important pour Alan de libérer la science de toute espérance ou désir religieux, la science restant pour lui indépendante de tout jugement objectif et sentiment humain. Edward Carpenter avait réclamé une « science humaine et rationnelle », alors que Turing ne voyait aucune raison pour que l'humain et le rationnel soient en exacte corrélation. Il y avait du Shelley en Alan, tout comme il y avait du Frankenstein – l'orgueil irresponsable de la science pure concentré en un seul être. En effet, cette concentration formidable, associée à une faculté d'écarter tout ce qui paraissait hors sujet et à une volonté de réfléchir à des questions que tous jugeaient d'une difficulté extrême, faisait son secret. Sa force résidait dans sa capacité d'abstraire un principe simple et clair, puis de le démontrer d'une manière très concrète. Mais cette force n'était pas vraiment adaptée à certains problèmes plus subtils soulevés par son modèle d'« intelligence ».

Robin écrivit qu'Alan « manquait de respect pour tout sinon la vérité », et il est vrai que l'importance qu'il accordait à un matérialisme sans compromis était motivée par cette obsession de protéger la vérité pure de toute idée « émotionnelle » touchant à l'intelligence ou à la conscience. Cependant, il laissait quand-même de côté certaines questions fondamentales concernant la raison, la communication et le langage. Il ne s'agissait pas tant d'une déficience de sa pensée que d'une réflexion sur la méthode scientifique. Son modèle d'« intelligence », qui prenait les échecs et les mathématiques comme paradigmes, reflétait simplement la vision orthodoxe de la science comme gardienne de la vérité objective. Dans son article pour *Mind*, il avait déclaré clairement qu'il voyait son modèle comme une machine capable d'absorber toutes les communications humaines, ce qui illustrait une fois encore la croyance positiviste selon laquelle la science pouvait élucider le comportement humain comme elle avait déjà triomphé dans les domaines de la physique et de la chimie. Les points faibles de son argument résidaient essentiellement dans la fragilité de sa méthode d'analyse dès qu'elle s'appliquait aux êtres humains. Le concept de vérité objective qui fonctionnait si bien avec les nombres premiers ne pouvait être appliqué aussi simplement.

Comme il l'expliqua lui-même en présentant sa théorie morpho-génétique, toute simplification ne pouvait revenir qu'à une falsification. Si cela était vrai dans une discussion sur le développement des cellules, c'était encore plus approprié au regard du développement d'êtres humains, qu'il s'agisse de leur « intelligence » ou de leur besoin de communication, d'expérience ou d'amour. Quand la science se servait de mots humains pour décrire les êtres humains, pouvait-elle séparer effectivement la « donnée » des « instructions » de la société ? Pouvait-elle « observer », « expérimenter », ou formuler un « problème » indépendamment des institutions sociales ? Ses jugements de valeur et le sens qu'elle donnait aux faits, si honnêtes qu'ils fussent, pouvaient-ils ne pas refléter les impératifs de l'idéologie dominante ? Dans les sciences de la vie, la limite entre « l'esprit de la vérité » et « l'esprit de corps » n'est pas aussi claire qu'elle semble l'être en physique et en chimie. Cette difficulté, qui consiste à séparer les faits des actes, évoquait la faiblesse de ses arguments sur l'« intelligence » des machines.

Il s'agissait là d'un problème « supergödélien » touchant à la capacité du langage scientifique de sortir de la société qui le faisait exister. Ceux qui, dans les années 1930 et 1940, souhaitaient voir un lien entre la société et les connaissances scientifiques avaient aussi tendance à vouloir greffer les systèmes sociaux sur la science, ou à s'inspirer de celle-ci pour en créer de nouveaux. Ce fut notamment le cas des idéologues nazis et soviétiques, ou de Polanyi, qui, en s'opposant à l'influence du marxisme dans les années 1930, n'hésita pas à pousser la science vers un renouveau élaboré du christianisme. Lui aussi avait tenté de bousculer la science, attendant d'elle des réponses qui correspondraient à une philosophie religieuse et politique préétablie. Ce n'était pas ce qui intéressait Turing, qui était persuadé d'évoluer dans les limites du domaine de la vérité expérimentale.

Wittgenstein avait quant à lui essayé de sonder la capacité du langage à séparer le factuel du non factuel. Mais il employait de telles méthodes que pratiquement personne n'arriva à être sûr de ce qu'il voulait dire. La démarche d'Alan Turing ignorait totalement les questions de Wittgenstein dans sa quête de la vérité simple. Néanmoins, elle avait le mérite d'aboutir à une représentation claire, et à quelque chose qu'il était en principe possible de vérifier. Quant à l'intégration d'une théorie des problèmes logiques, théorie d'ordre psychologique qui l'avait conduit à la « racine du problème » dans son propre malheur – problème historique de Tolstoï sur la nature de l'action individuelle ou questions de Forster sur les individus et la conscience de classe –, tout cela dépassait de loin ce qu'un seul homme pouvait traiter, et ne correspondait ni à la façon de travailler d'Alan, ni à sa pensée. À Bletchley, il avait abordé des problèmes logiques fondamentaux et avait trouvé des solutions simples et téméraires.

Il s'était toujours accroché à la simplicité au milieu de la complexité effrayante et affolante de ce monde. Il n'avait pourtant rien d'un homme à l'esprit étroit. Mme Turing avait raison en assurant qu'il était mort en travaillant à des expériences dangereuses. Cette expérience s'appelait la *vie*. Alan ne s'était pas contenté de penser librement, il avait aussi goûté à deux fruits défendus : celui de l'univers et celui de la chair. Ces deux-là s'opposaient violemment, et c'est de là que naissait l'ultime et insoluble problème. En ce sens, sa vie démentait ses travaux dans la mesure où elle n'aurait pu être contenue par une machine à états discrets. Elle posait en effet à toutes ses étapes des questions sur la connexion ou l'absence de connexion entre l'esprit et le corps, la pensée et l'action, l'intelligence et les opérations, la science et la société, l'individu et l'histoire. Mais c'était des interrogations sur lesquelles il passait sans un commentaire. Russell, Forster, Shaw, Wiener et Blackett dissertèrent longuement sur de tels sujets ; Alan, lui, joua à l'humble pion.

Au bout du compte, Alan obéit aux règles. Il se plaisait à se voir comme un scientifique hérétique, glorieusement détaché des conventions de la société dans sa quête de la vérité. Son hérésie ne s'orientait que contre les derniers fragments d'une religion en décomposition et les concessions polies du monde intellectuel. Le tollé des philosophes qui s'emparèrent du théorème de Gödel pour défendre la liberté humaine, comme si l'on pouvait considérer l'esprit comme une intelligence statique, isolée et académique, n'était par rapport aux vraies servitudes du XXe siècle que ce que Lowes Dickinson avait dit de Cambridge : « un charmant petit étang ». Dans les années 1920, l'opinion générale était la suivante :

« Jix, Churchill, les communistes, les fascistes, la politique et cette horrible chose qu'on appelle l'"Empire", pour lesquels tout le monde est prêt à sacrifier sa vie et celle des autres, et même toute beauté et toute chose de valeur, alors que l'on est en droit de se demander si elles ont la moindre importance. Il s'agit d'un simple moteur. »

Les années 1950 avaient vu naître un nouvel empire, ou plutôt deux, chacun servi par ses scientifiques. Les grands credo – libération des facultés de l'individu et propriété collective des forces productives – avaient dégénéré pour donner d'un côté le libéralisme du Pentagone, et de l'autre le socialisme du Kremlin. Là se concentraient les hérésies et les doctrines importantes, et non dans les formes figées de la société anglaise et de la religion victorienne.

Dans les années 1930, King's avait joué un rôle central : ni Pigou, ni Keynes, ni Forster n'avaient oublié les libertés individuelles en dénonçant le gâchis du « laisser-faire », et, pas plus que Bertrand Russell ils ne cédèrent au prestige de l'URSS. Après les ravages de l'Allemagne, la malédiction d'Hitler ayant aussi bien frappé les victorieux que les survivants, la pensée indépendante n'avait plus la même importance. Mais il y eut un moment de flottement, après la guerre, avant que la Grande-Bretagne devienne l'Airstrip One d'Orwell, quand Forster voyait encore le monde avec des yeux d'avant-guerre :

« En raison des besoins politiques du moment, les scientifiques occupent une position anormale, ce qu'ils ont tendance à oublier. Ils sont subventionnés par des gouvernements terrifiés qui ont besoin de leur aide. Ils restent choyés et protégés tant qu'ils obéissent, et poursuivis pour trahison quand ils sortent des rangs. Tout cela les éloigne des individus ordinaires et les empêche de les comprendre. Il est grand temps qu'ils sortent de leur laboratoire d'ivoire. Nous attendons d'eux qu'ils travaillent pour notre corps, pas pour notre esprit. »

Alan Turing était sorti de son laboratoire et, d'une certaine manière, il était allé plus loin que Forster. Il n'était pas concerné par les attaques de Forster dans cet extrait. Ce dernier était persuadé que c'était aux scientifiques de diriger le monde. Malgré tout il ne dit pas un mot sur ce qui se révéla être la véritable orthodoxie des années 1950 : une dépendance aux machines monumentales. Son travail, aussi pacifique que possible dans un contexte militaire, avait tout de même eu pour effet d'accroître la dépendance de l'État aux machines, non seulement au-delà du contrôle de ceux qui les finançaient, mais également au-delà de leurs connaissances. Dans ce processus, Turing n'était qu'un pion.

D'une certaine façon, la crainte que les scientifiques se mettent à légiférer pour tout le monde ne se vérifiait pas. Ainsi, le projet de faire disparaître l'homosexualité par des moyens scientifiques, de même que les prétentions hégémoniques de la cybernétique, se révélaient trop ambitieux et restaient du domaine du rêve[1],

---

1. En avril et mai 1954, les débats parlementaires tournaient autour de l'idée que (comme l'énonça un *Sunday Express* indigné) « plutôt que de finir en cellule, il leur faudrait un médecin ». Les observateurs plus avertis avaient conscience qu'il serait irréaliste de vouloir sanctionner ou traiter l'ensemble des homosexuels, et la médiatisation des procès

du moins dans les années 1950. De plus, même si la recherche universitaire et la médecine travaillaient dans ce sens, ce genre d'objectifs ne parvint jamais à obtenir le réel soutien du gouvernement. On laissa plutôt le problème de l'élimination de l'homosexualité comme un os à ronger que pouvaient se disputer les bouledogues du conservatisme moral et les forces du progrès technique. En attendant, l'avènement d'une économie nouvelle, où la publicité, les loisirs, les voyages et les plaisirs feraient de la sexualité une attraction de plus en plus évidente, n'allait pas tarder à renverser les modèles de la médecine comme ceux du conservatisme. Il y aurait même de la place pour la notion de choix individuel – idée encore insoupçonnable en 1954. L'État n'adopta jamais d'aussi grands projets pour contrôler le comportement de toute une population. Il y avait comme un air de délire, de manifestation rituelle, un fracas de symboles, dans la brusque « crise morale » de 1953-1954. Pendant toutes les années 1950, le gouvernement britannique continua, au contraire, d'abandonner la plus grande partie de l'économie civile à l'arène du monde des affaires internationales où intervenaient tout de même des notions traditionnelles comme le rang social, la tribu, la religion,

---

Montagu leur donnèrent l'occasion de pointer du doigt les dommages qu'une loi à ce point inapplicable avait causé à la réputation du système judiciaire. En mars, le *Sunday Times* proposa une politique plus pragmatique, faisant la différence entre « ces choses qu'il faut tolérer » et celles « qu'il faut condamner et éradiquer ». Le 8 juillet, le ministre de l'Intérieur céda et nomma J. F. Wolfenden, directeur d'une *public school*, à la tête d'une commission chargé d'étudier les lois concernant l'homosexualité et la prostitution. Ainsi, Turing mourut au moment même où une partie de l'administration britannique commençait à reprendre ses droits.

En fait, tout le monde était d'accord pour que son crime continue à être condamné par l'État. Le fait de faire la connaissance d'autres personnes dans la rue (le « harcèlement ») et d'avoir une relation avec un jeune ouvrier de 19 ans illustrait parfaitement ce qu'il fallait « condamner et éradiquer ». Le nombre de poursuites atteignit un pic en 1955 avant de retomber jusqu'en 1967. Le gouvernement fut incapable de mettre en place les hôpitaux dédiés ou les camps suggérés par le corps médical, et la grande panique se dissipa rapidement après l'été 1954. L'effet le plus notable fut que l'on avait brisé le silence : on autorisa un premier débat à la BBC le 24 mai. Si, en fait, c'était le cas d'Alan Turing qui avait affolé le gouvernement de Churchill, il avait également joué un rôle posthume dans le désamorçage de ce tabou.

Sa mort était également survenue juste avant que la situation internationale se détende légèrement. À la conférence de Genève, la Chine accepta la partition temporaire du Vietnam. En même temps, la renommée de McCarthy retomba rapidement après qu'il s'en fut pris à l'armée américaine et à la CIA. Churchill se rendit à Washington le 24 juin pour régler les désaccords anglo-américains. Le budget de la défense britannique atteignit un pic vertigineux en 1954, avant de redescendre jusqu'au milieu des années 1960. À l'exception de Turing, tout le monde eut droit à un certain répit.

les élections et autres. Ainsi, Winston Churchill avait rendu le peuple libre.

Cet avenir complexe et contradictoire, plutôt que la vision des années 1930 d'une industrie planifiée scientifiquement, ou que le fantasme des années 1950 du contrôle de la pensée, fut à mettre à l'actif des « hommes neufs ». Les vieilles institutions morales et sociales, même si elles persistaient dans la forme, allaient perdre leur caractère absolutiste et omnipotent. Un évêque prêcha même bientôt pour une « nouvelle moralité ». Les *public schools* et les non moins sinistres centres de formation étaient dépassés depuis les années 1920, et avaient révélé leur inutilité lors de la Seconde Guerre mondiale. Tous les espoirs reposaient à présent dans les machines.

La personnalité paradoxale d'Alan Turing préfigurait un schéma de croissance qu'il choisit de ne pas voir : une civilisation où le chant, la danse, la sexualité – et la réflexion sur les nombres – seraient accessibles à une classe plus vaste, mais élaborée autour de méthodes et de machines infiniment dangereuses. Et, par son silence même, Alan représentait le courant principal de la collaboration scientifique à cette politique. Il deviendrait bientôt clair que la suspicion qu'on faisait peser sur la loyauté des scientifiques ne constituait qu'un problème passager. L'arrogance des rares personnes qui se crurent plus malignes que le gouvernement ne fut rien de plus qu'une petite difficulté de réglage dans l'établissement de la sécurité nationale. Qui donc pouvait se rendre compte qu'Alan avait arraché le rideau qui cachait le cerveau fragile, erratique et embarrassant dissimulé derrière la machine ? Alan n'était un hérétique qu'en apparence, même si, alors qu'il rompait si rarement ses engagements, il dut s'imposer le silence à la fin. Dans son domaine, il était le grand maître ; sur le plan politique, il demeurait tel qu'il se décrivait en 1941, c'est-à-dire le serviteur obéissant de Churchill.

Alan n'avait jamais voulu être au centre des contradictions du monde moderne. Son grand problème avait toujours été de mener de front son désir d'accomplir quelque chose d'important et celui d'avoir une vie ordinaire et tranquille. C'étaient deux objectifs incompatibles, et c'est en cela qu'il se montrait incohérent. Il lui fallut attendre la mort pour se comporter aussi sincèrement qu'à ses débuts, en suprême individualiste s'affranchissant de la société et agissant pour en minimiser les effets. Si *1984*, dont la lecture l'avait tellement frappé, donnait une image de la science et de l'intelligence qui allait à l'opposé de ses propres conceptions, il y avait tout de même un point du roman où Orwell et Alan se rejoignaient complètement : il s'agissait des quelques centimètres cubes à l'intérieur du crâne qui représentaient pour eux deux la seule chose qui nous appartienne vraiment en propre et qu'on se doive de défendre à tout prix contre les ravages du monde. Malgré ses propres contradictions, Orwell ne cessa jamais de croire en la capacité de l'Ancilangue[1] de transmettre la vérité. Son rêve d'anglais simple et franc se rapprochait du modèle d'esprit très dépouillé auquel Alan pensait – vision d'une science dégagée de toute erreur humaine.

Visionnaires pessimistes, ils venaient tous deux d'une Angleterre moins fertile que Cambridge et respiraient un air de montagne glacé que n'auraient pu supporter des cœurs plus faibles. Ils s'opposaient car ce que recherchait par-dessus tout Alan Turing – dans la science comme dans le sexe – pouvait difficilement être décrit en Ancilangue, alors que la conception de la vérité d'Orwell exigeait entre l'esprit et le monde une relation absente de la machine de Turing, et dont l'esprit d'Alan ne voulait pas vraiment. Pas plus que le penseur ne pouvait rendre justice à l'ensemble, la personnalité complexe d'Alan Turing ne pouvait tout entière rester fidèle à ses idées simples. Il restait aussi proche de sa vision que le permettaient les exigences du monde extérieur. Refusant de se satisfaire des problèmes théoriques des points et des parenthèses, il avait connu une fin pure.

Ne disposant que de peu de messages de l'esprit invisible d'Alan sur lesquels travailler, nous n'avons pu percer son code intérieur. Et d'après son propre principe d'imitation, il est tout à fait dépourvu de sens de spéculer sur des pensées non formulées. *Wovon man nicht sprechen kann, darüber muss man schweigen*[2]. Face à la vie, Alan Turing ne possédait pas ce détachement philosophique. Comme aurait pu le dire un ordinateur, l'inexprimable le laissait sans voix.

---

1. Traduction par Amélie Audiberti du mot de novlangue *Oldspeak* créé par l'auteur George Orwell dans son roman *1984* à l'aide des mots anglais *old* et *speak* traduits par *anci-* (traduction du novlangue *old-*) et par le mot français *langue*.
2. « Ce qu'on ne peut dire, il faut le taire » ; dernière proposition du *Tractacus Logico-Philosophicus*, de L. Wittgenstein. (NdT)

Épilogue

« J'avais posé ma tête sur tes genoux, camerado,
Je vais reprendre la confession qu'alors je fis,
    reprendre mes confidences à toi, à l'air alentour,
Je sais mon impatience que je communique aux autres,
Je sais l'arme dangereuse de mes paroles leur pointe
    mortelle,
Car confrontant la paix la sécurité toutes les lois
    établies j'entends les déstabiliser,
Je suis plus déterminé par leur refus que je l'aurais
    été m'eussent-elles accepté,
Jamais je n'ai fait attention à l'expérience, aux mises
    en garde, au plus grand âge, au ridicule,
Quant à la menace de ce qu'on appelle l'enfer peu
    me chaut,
Quant à l'attrait de ce qu'on appelle le paradis peu
    m'importe ;
Tendre camerado, je confesse que je t'ai entraîné
    et t'entraînerai encore irrésistiblement dans mon
    sillage sans avoir la moindre idée de notre direction,
Ni pouvoir dire si nous remporterons la victoire, ou
    connaîtrons la défaite écrasante[1]. »

Le corps d'Alan Turing fut incinéré le 12 juin 1954, au crématorium de Woking. Assistèrent à la cérémonie sa mère, son frère et Lyn Newman. Les cendres furent dispersées dans un jardin, au même endroit que celles de son père. Il n'y a aucun monument funéraire.

---

1. « J'avais posé ma tête sur tes genoux, camerado » de *Feuilles d'herbe*, traduction de Jacques Darras, éditions Grasset et Fasquelle, 1989, 1994, révisée par Jacques Darras pour les éditions Gallimard, collection Poésie, 2002.

Notes de l'auteur

a. L'article est paru dans *Journal London Mathematical Society* 8 (1933). Le résultat de Champernowne concernait les « nombres normaux », une application plutôt légère de l'étude des « nombres réels » apparue à la fin du XIXe siècle. Un nombre normal était un nombre dont la décimale à dix chiffres était répartie de manière égale et régulière dans un ordre déterminé. On savait déjà que lorsqu'on choisissait un nombre réel « au hasard », il y avait une probabilité d'un pour cent qu'il soit normal. Pourtant, il n'existait aucun exemple de nombre normal avant que Champernowne n'en produise un. Plus tard, Alan Turing s'est intéressé à la question. C'était lié à son intérêt pour les nombres aléatoires mais aussi à une certaine similarité avec le concept de calculabilité. Car les nombres aléatoires avaient une probabilité d'un pour cent d'être non calculables, et il était difficile, comme il l'avait fait, de produire un exemple de nombre non calculable. Les archives du King's College possèdent une lettre de Godfrey H. Hardy à Alan M. Turing sur les nombres normaux. Elle n'est pas datée mais remonte probablement à la fin des années 1930.

b. Elle n'est pas datée mais a été rédigée sur du papier à lettres de Clock House. Il l'a donc certainement écrite lors d'une de ses visites. M. Rupert Morcom pense qu'elle date d'avant 1933 – ce que l'écriture tendrait à confirmer. D'après moi, la référence à McTaggert indique qu'elle date d'après 1930 et le style correspond plus à celui qu'Alan Turing avait à Cambridge. Ainsi il est probable qu'elle date de 1932 mais Alan Turing aurait pu la rédiger dans des termes à peu près semblables dès 1929. La date de cette lettre n'a finalement que peu d'importance.

c. Alan Turing correspondait aussi avec von Neumann. Aux archives de King's College, il existe une lettre isolée de von Neumann adressée à « mon cher M. Turing » et datée du 6 décembre sans précision d'année. Elle concerne un théorème sur les groupes topologiques. Von Neumann y faisait référence au bateau-courrier et il ne pouvait donc l'avoir écrite ni en 1936 ni en 1937. Elle date probablement de 1935. En 1938, Alan Turing a cessé ses recherches dans ce domaine. Mes fouilles dans les documents de von Neumann à la bibliothèque du Congrès n'ont rien révélé d'autre sur cette correspondance.

d. Alan Turing pensait-il déjà à fabriquer une machine universelle ? Il n'en existe aucune preuve directe et la conception décrite dans cet article n'est en rien influencée par des considérations d'ordre pratique. Pourtant, dans sa nécrologie pour Turing publiée dans *The Times*, Newman écrivit : « S'il donnait alors une description de la machine "universelle", c'était entièrement à des fins théoriques et son intérêt pour toutes sortes d'expérimentations concrètes l'invitaient certainement à réfléchir à la possibilité d'en fabriquer une. » Newman ne répéta pas cette réflexion dans ses mémoires de la Royal Society, où il minimisait incroyablement le côté concret de ses recherches, bien qu'il estimait que la transformation d'une bande de papier en logique symbolique était une innovation très audacieuse. Ces deux commentaires illustrent l'impact de la vision concrète d'Alan Turing sur un mathématicien classique toutefois – comme tous ceux qui avaient rédigé

701

une nécrologie – Newman préféra décrire le manque d'orthodoxie du défunt plutôt que de s'attarder sur l'histoire de la technologie. Nous ne disposons d'aucun autre élément. Je pense que Turing a gardé cette idée dans un coin de sa tête dès 1936 et que cela a motivé son désir d'apprendre quelques techniques d'ingénierie. Mais, comme il n'a jamais rien dit ou écrit à ce sujet, la question reste en suspens.

e. Consultable aux archives de King's College. A. M. Cohen et M. J. E. Mayhew l'ont corrigé et complété dans *Proceedings of the London Mathematical Society* (3) 18 (1968). Grâce à l'approche d'Alan Turing, ils sont parvenus à réduire le « nombre de Skewes » à $10^{10\,529,\,7}$. Puis, en 1966, grâce à une autre méthode, R. S. Lehman est parvenu à réduire la limite à la valeur minuscule de 1,65 x 10^{1165}.

f. Dans *The Secret War* (BBC, Londres, 1978), B. Johnson identifie Alan Turing comme l'« émissaire » suivant une déclaration du général Bertrand faite aux journalistes de la BBC après sa mort. Cela semble peu probable car, à l'époque, il travaillait sur la Bombe et non sur les cartes et ce n'était pas vraiment le « job » d'un professeur. Cela reste toutefois possible même si je n'ai découvert aucune preuve, dans un sens comme dans l'autre. Dans la biographie de son fils, Sara Turing raconte qu'Alan a été envoyé à l'étranger, qu'il y a eu une confusion avec ses papiers et qu'il a dû se débrouiller plusieurs jours avec « quelques francs » – mais cela pourrait davantage correspondre à sa mission de 1945.

g. En 1972, Randell s'est inspiré de l'EDVAC qui était considéré comme le « point de départ » de l'ordinateur. En tentant de déterminer à quel point l'ACE « concordait », il tomba sur une affirmation de Lord Halsbury qui avait écrit, en 1959 en tant que directeur général du NRDC, que l'un des événements les plus importants de l'évolution de l'ordinateur moderne était « évidemment la rencontre entre les docteurs Turing et von Neumann pendant la guerre ». (*Computer Journal*, 1959.)

Randell continua à mettre l'accent sur cette rencontre, cependant et d'après mes conclusions, qu'ils se soient rencontrés ou non (et je n'ai pas découvert plus de preuves que Randell sur le sujet), Halsbury se trompe en lui donnant autant d'importance. L'histoire d'Alan Turing et de von Neumann est celle deux individus aux personnalités très différentes, évoluant dans des environnements sociaux tout aussi distincts, mais amenés à se pencher sur des problèmes parallèles en pleine période d'évolution de la science, au milieu du XXᵉ siècle. Chacun d'eux était parfaitement capable d'avoir les idées nécessaires à la conception d'un ordinateur en conjuguant le rationalisme hilbertien et la technologie de la Seconde Guerre mondiale. Dans des circonstances différentes, leur réaction fut de fait originale. Aucune décalage, d'un côté comme de l'autre, ne saurait être expliqué par une rencontre ou une quelconque théorie du complot. Il en va de même pour la question de savoir quand et comment Alan Turing a découvert le travail de Babbage : celui-ci l'aurait fasciné et encouragé, mais, en fin de compte, il se serait révélé hors de propos.

Mme Turing a parfaitement raison quand elle écrit que l'objectif de son fils était « de voir sa théorie de machine universelle, développée dans *Nombres calculables*, prendre forme de manière concrète ». Ignorant tout de *Nombres calculables* – à part le fait qu'il s'agissait d'une commande d'un professeur allemand –, il ne s'agit sûrement pas de sa propre analyse. Newman a sans doute guidé ce raisonnement mais il se montre plus précis que celui de Newman. Le plus probable est que ce soit Alan Turing en personne qui le lui a répété en tentant de lui expliquer que toute la logique considérée comme inutile dans les années 1930 avait enfin trouvé une application. Cette « connexion » est également perceptible dans leur correspondance des années 1936-1945 alors qu'Alan Turing travaillait au NPL. Ce n'est que bien plus tard que Randell perdit son honnêteté et sa simplicité, au point qu'en 1972, en rédigeant un article historique, il ne vit « aucun lien » entre la machine universelle de Turing et l'ACE. Il ne fait alors allusion à l'ACE que pour illustrer ses propos sur l'EDVAC. Il est étonnant que l'on ait tant de mal – à l'époque comme aujourd'hui – à accepter qu'Alan Turing ait pu à la fois réfléchir à quelque chose d'abstrait et entreprendre, sans en faire toute une histoire, de concrétiser sa pensée. On pourrait croire qu'il s'agit d'une particularité toute anglaise, dans la tradition d'un fort clivage entre les milieux sociaux, mais cette réticence semble plus largement observée. Il reste toujours difficile d'envisager que quelqu'un puisse faire plusieurs choses en même temps ou encore appartenir à plusieurs classes sociales.

h. Manuscrit des archives du King's College. Seules trois pages ont survécu. L'extrait mentionné ici figure sur la première et celui de la page 689 sur la troisième. Entre les deux, son histoire diffère sur les événements de décembre 1951, faisant allusion à des personnes et à des lieux différents. D'autres sources me poussent à croire qu'Alan Turing « connaissait déjà la chanson » à Manchester. Ce n'était pas la première fois qu'il draguait, même s'il s'agit peut-être de la première fois qu'il invitait un petit ami chez lui. Pour cette raison, j'ai intégré une transition page 577. Dans son histoire, Alan Turing prend également soin de donner la même place à « Alec » (c'est-à-dire lui-même) qu'à « Ron », et, dans certaines phrases, il s'imagine à travers le regard d'un jeune fauché : « Il était mal fagoté. Quel pardessus ! [...] Non, il lançait un regard furtif. Simplement un peu de timidité. [...] Un sacré aristo en fait ! Ça s'entend à sa façon de parler. »

i. Contrairement aux procédures d'incarcération qui sont parfaitement documentées, les comptes rendus de procès de la cour d'assises se limitent aux déclarations des charges retenues et des jugements prononcés, et au rapport paru dans l'*Alderley Edge and Wilmslow Advertiser* du 4 avril 1952. De nombreuses questions demeurent donc en suspens. Y a-t-il eu un rapport psychiatrique ? Qui a proposé le traitement hormonal. Quelles exigences ont été formulées ? À quel moment Alan Turing l'a-t-il appris et accepté ? Les ministères de l'Intérieur et des Affaires étrangères sont-ils intervenus ? Et si c'est le cas, dans quelle mesure ? Malheureusement, il est impossible de connaître les conditions atypiques de sa liberté surveillée : aucune statistique n'existe sur la pratique d'« organothérapie ».

j. Il ne s'agit peut-être pas de l'année 1953. Cet extrait de lettre des archives de King's College est juste daté de « mai ». Il pourrait s'agir de mai 1954. C'est un mot d'excuse pour ne pas être allé chez les Newman (qui habitaient dans un village à la sortie de Cambridge), alors qu'il s'était rendu à Cambridge deux semaines auparavant. « On avait organisé de telles réjouissances pour ma venue qu'il m'a été impossible d'aller vous voir. » Il ne reste rien d'autre de cette correspondance. Je la soupçonne d'avoir contenu les données psychologiques les plus révélatrices et complexes jamais écrites dans une lettre. Mais il s'agit aussi, naturellement, d'un domaine où il était impossible de séparer le privé du reste. Mme Newman mourut en 1973.

k. La lettre n'a pas survécu. En revanche, le fait qu'Alan Turing ait effectivement écrit à James Atkins début 1937 est établi. Il y faisait allusion dans un des courriers expliquant qu'il avait fait parvenir un tiré à part de *Nombres calculables* à son ami. J'ai fait appel aux souvenirs d'Atkins à propos de la pomme et des fils électriques mentionnés dans la lettre – souvenirs qui étaient intacts. Le lecteur sceptique pourra se demander s'il ne s'agissait pas d'une projection de la nouvelle de 1954 dans un souvenir de 1937. Une fois encore, aucune confusion n'est possible car Atkins ignorait la présence de la pomme près du corps d'Alan. C'est moi qui le lui ai appris. Il avait pris connaissance de sa mort en 1954, dans le *Daily Telegraph*, mais le journaliste n'avait pas fait allusion à cette pomme. Il ignorait également que Mme Turing avait écrit à ce sujet.

Composition et mise en pages
Nord Compo à Villeneuve-d'Ascq

MARQUIS

Québec, Canada

Imprimé au Canada
Dépôt légal : novembre 2014
ISBN : 978-2-7499-2433-5
LAF : 1965